**BEST**SELLER

**Robert Ludlum** (1927) nació en Estados Unidos. Antes de convertirse en escritor trabajó en diversos oficios y durante muchos años se dedicó al teatro, como actor y productor. Actualmente está considerado el escritor número uno del género de intriga y suspense, y es uno de los seis autores más leídos del mundo. Entre sus obras destacan *El caos Omega, El círculo Matarese, El cofre de Constantina, El desafío de Matlock, El enigma de Parsifal, El manuscrito de Chancellor, El pacto de Holcroft, Trece en Zurich, La carretera de Gandolfo, La carretera de Omaha, El intercambio Rhinemann, La progresión de Aquitania, La trama del escorpión*, así como *El caso Bourne* y *El mito Bourne*, ambas llevadas a la gran pantalla.

Biblioteca

# ROBERT LUDLUM

## El ultimátum de Bourne

Traducción de
**Adriana Oaklander**

⊞ DeBOLS!LLO

Título original: *The Bourne Ultimatum*
Diseño de la portada: Departamento de diseño de Random
    House Mondadori
Fotografía de la portada: imagen cedida por Universal
    Pictures International

Primera edición con esta cubierta: julio, 2007

© 1990, Robert Ludlum
    Publicado por acuerdo con el autor, representado por Ba-
    ror International, Inc.
© 2006 de la presente edición para todo el mundo:
    Random House Mondadori, S. A.
    Travessera de Gràcia, 47-49. 08021 Barcelona
© Adriana Oaklander, por la traducción, cedida por Edicio-
    nes B, S. A, Barcelona, España

Printed in Spain – Impreso en España

ISBN: 978-84-9793-925-6 (vol. 604/3)
Depósito legal: B. 39.328 - 2007

Impreso en Novoprint, S. A.
Energia, 53. Sant Andreu de la Barca (Barcelona)

P 83925A

*A Bobbi y Leonard Raichert,*
*dos personas encantadoras*
*que han enriquecido nuestras vidas.*
*Nuestro agradecimiento.*

# PRÓLOGO

La oscuridad había descendido sobre Manassas, Virginia, la campiña que bullía con los sonidos de la vida nocturna, mientras Bourne avanzaba lentamente entre los bosques bordeando la propiedad del general Norman Swayne. Alarmados, los pájaros abandonaron sus lóbregos escondrijos; los cuervos despertaron en los árboles y graznaron. Luego, como tranquilizados por un cómplice en la conspiración, guardaron silencio.

¡Manassas! ¡Allí estaba la llave! La llave con la cual abriría la puerta subterránea que conducía a Carlos el Chacal, el asesino que sólo deseaba destruir a David Webb y a su familia… ¡Webb! *¡Aléjate de mí, David!*, gritó Jason Bourne en el silencio de su mente. *¡Déjame ser el asesino que tú no puedes ser!*

Con cada corte de tijera en el grueso alambre de la cerca fue comprendiendo lo inevitable, confirmándolo con su respiración agitada y el sudor que corría por su frente. Poco importaba lo mucho que se esforzara por mantener su cuerpo razonablemente en forma, había cumplido cincuenta años; le costaba llevar a término lo que con tanta facilidad hiciera trece años atrás en París, cuando, cumpliendo órdenes, había perseguido al Chacal. Esto era algo que merecía un momento de reflexión, pero no debía demorarse en ello. Ahora debía pensar en Marie y los niños, la esposa y los hijos de David… ¡y no había nada que no pudiese hacer si se lo proponía! David Webb estaba desapareciendo de su mente, y sólo perduraría el depredador Jason Bourne.

¡Ya estaba al otro lado! Bourne se levantó y, de forma instintiva, revisó rápidamente su equipo con ambas manos. Armas: una automática además de una pistola de dardos, unos prismáticos Zeiss-Icon y un cuchillo de caza en su funda. El depredador no necesitaba nada más ya que ahora se encontraba detrás de las líneas, en el territorio del enemigo, que lo conduciría hasta Carlos.

Medusa. El batallón bastardo de Vietnam, la descalificada e ignorada colección de asesinos e inadaptados que recorrían las junglas del sudeste de Asia dirigidos por el Comando Saigón. Estos singulares pelotones de la muerte habían proporcionado a Saigón más información secreta que todos los demás servicios de inteligencia juntos. Cuando Jason Bourne salió de Medusa, David Webb era sólo un recuerdo... un intelectual que tenía otra esposa, otros niños, todos masacrados.

El general Norman Swayne había sido un miembro selecto del Comando Saigón, el proveedor exclusivo del antiguo Medusa. Ahora había nacido un nuevo Medusa, diferente, sólido, la encarnación del mal disfrazada de respetabilidad contemporánea, buscando y destruyendo grandes sectores de las organizaciones mundiales, todo para el beneficio de unos pocos. Y todo financiado con las ganancias de un antiguo e ignorado batallón bastardo. Este moderno Medusa era el puente hacia Carlos el Chacal. Para el asesino, sus jefes serían irresistibles como clientes, y ambos campos reclamarían la muerte de Jason Bourne. ¡Tenía que suceder! Para que ocurriese, Bourne debía conocer los secretos ocultos en las tierras pertenecientes al general Swayne, jefe de inteligencia del Pentágono, un hombre aterrorizado, con un pequeño tatuaje en la parte interna del antebrazo. Un miembro de Medusa.

Sin sonido ni advertencia previa, un doberman negro avanzó violentamente entre el follaje mostrando toda su furia. Jason extrajo la pistola de dardos de su funda plástica mientras el perro arremetía contra su estómago con los dientes al descubierto. Le disparó a la cabeza; el dardo hizo efecto en cuestión de segundos. Bourne depositó en el suelo el cuerpo inconsciente del perro.

*¡Córtale el cuello!*, rugió Jason Bourne en silencio.

*No*, replicó su otro yo, David Webb. *Culpa al entrenador, no al animal.*

*¡Aléjate de mí, David!*

# 1

La cacofonía crecía incontrolada mientras aumentaba el gentío en el parque de atracciones de las afueras de Baltimore. La noche estival era calurosa, y por todas partes se veían rostros y cuellos cubiertos de sudor, salvo en quienes gritaban al precipitarse desde la cima de una montaña rusa o aullaban cayendo a plomo por los estrechos badenes de aguas rápidas en trineos torpedos. Las luces intermitentes de vivos colores que se extendían por la avenida central se unían al sonido metálico, y excesivamente fuerte, de la música que irrumpía por los altavoces, melodías de organillo *presto*, marchas *prestissimo*. Los vendedores ambulantes gritaban por encima del estruendo, pregonando sus mercancías con voz nasal y en monótonas cantilenas, mientras unas erráticas explosiones en el cielo iluminaban la oscuridad vertiendo una cascada de fuegos artificiales sobre un pequeño lago adyacente. Brillantes candelas romanas, estallidos de un fuego deslumbrante.

En una hilera de máquinas para medir la fuerza de los jugadores se observaban los rostros contorsionados y los cuellos con venas hinchadas de los hombres que furiosa, y con frecuencia frustradamente, trataban de probar su hombría. Los pesados mazos de madera caían con fuerza sobre las engañosas tablas que, por lo general, se negaban a impulsar las pequeñas bolas rojas hasta la campana. Frente a ellos, otros gritaban con entusiasmo mientras estrellaban sus autos de choque contra los vehículos que circulaban alrededor. Cada colisión representaba un triunfo de agresión suprema, cada combatiente una momentánea estrella de cine que superaba todos los obstáculos que se oponían. *Tiroteo en O.K. Corral*, a las nueve y veintisiete de la noche en una contienda absurda.

Más adelante se alzaba un monumento a la muerte repentina, una caseta de tiro que muy poco tenía que ver con la inocente variedad de bajo calibre presente en las ferias de provincia y en los carnavales rurales. En lugar de ello, se trataba de un microcosmos con el material más letal del armamento moderno. Había imitaciones de MAC-10 y pistolas Uzi, lanzamisiles de acero, lanzacohetes antitanques y, finalmente, la aterradora réplica de un lanzallamas que vomitaba violentos rayos de luz entre ondulantes nubes de humo oscuro. De nuevo los rostros húmedos, las continuas gotas de sudor que se escurrían sobre ojos delirantes y cuellos tensos. Había maridos, esposas y niños con las facciones contraídas y desencajadas, como si todos ellos hubiesen disparado al más odiado enemigo, esposas, maridos, padres y, vástagos. Todos embarcados en una irracional guerra sin fin, a las nueve y veintinueve de la noche, en un parque de atracciones cuyo tema era la violencia. Sin atenuantes ni justificaciones, el hombre contra sí mismo y toda su agresividad, en la que por supuesto, sus miedos eran el peor exponente.

Una figura delgada, con un bastón en la mano derecha, pasó cojeando frente a un puesto donde varios clientes lanzaban dardos contra unos globos con los rostros de personajes públicos estampados. Al explotar las cabezas de goma se entablaban feroces discusiones a favor y en contra del abatido, restos desinflados de ídolos políticos y verdugos lanzadores de dardos. El hombre cojo siguió la avenida, escudriñando entre la confusa multitud como si buscara un lugar concreto en una parte turbulenta, atestada y desconocida de la ciudad. Vestía, de un modo informal pero esmerado, una chaqueta y una camisa deportiva, como si el calor agobiante no lo afectara y la chaqueta fuera un requisito. Tenía el rostro agradable de un hombre de mediana edad, aunque mostraba arrugas prematuras y profundas sombras bajo los ojos, más como consecuencia de la vida que había llevado, que de los años. Se llamaba Alexander Conklin, y se había retirado como oficial de operaciones secretas de la CIA, la Agencia Central de Inteligencia. En ese momento parecía inquieto y consumido por la ansiedad. No deseaba estar en ese lugar a esa hora, y no podía imaginarse cuál había sido el catastrófico suceso que lo forzaba a encontrarse allí.

Conklin se aproximó al pandemonio de la galería de tiro y de pronto quedó paralizado. Fijó los ojos en un hombre alto y casi calvo, de aproximadamente su misma edad, y con una chaqueta de algodón colgada al hombro. ¡Morris Panov se acercaba al bullicioso mostrador de la caseta de tiro desde la dirección opuesta! ¿Por qué? ¿Qué había ocurrido? Conklin volvió la cabeza en todas direcciones observando rostros y cuerpos. De forma instintiva sabía que alguien los estaba observando a él y al psiquiatra. Ya era demasiado tarde para impedir que Panov ingresase en el círculo de la galería, ¡pero tal vez no lo fuese para que ambos salieran de allí! El oficial de inteligencia retirado extrajo de la chaqueta la pequeña Beretta automática que era su más fiel compañera y avanzó rápidamente. Cojeando, sacudió el bastón entre el gentío, golpeando rótulas, estómagos, senos y riñones hasta que los atónitos y enfadados paseantes empezaron a gritar y comenzó a irritarse. Entonces se abalanzó sobre el perplejo doctor y gritó en su rostro entre los rugidos de la multitud.

—¿Qué diablos estás haciendo tú aquí?

—Supongo que lo mismo que tú. David, ¿o debería decir Jason? Eso era lo que ponía en el telegrama.

—¡Es una trampa!

Un grito desgarrador se elevó por encima de la confusión general. Al instante, tanto Conklin como Panov se volvieron hacia la caseta de tiro a unos pocos metros de distancia. Una mujer gorda había recibido un disparo en la garganta. La multitud enloqueció. Conklin se volvió para tratar de descubrir de dónde había provenido el tiro, pero el pánico se hallaba en su punto culminante; no vio nada salvo figuras que corrían. Tomando a Panov, lo empujó entre los cuerpos frenéticos que ocupaban la avenida, y luego se abrió paso entre el gentío hasta llegar al pie de la enorme montaña rusa al final del parque. Allí los excitados clientes se acercaban al puesto en medio de un ruido ensordecedor.

—¡Dios mío! —gritó Panov—. ¿Eso iba destinado a uno de nosotros?

—Tal vez sí, o tal vez no —respondió agitado el ex oficial de inteligencia mientras comenzaban a oírse las sirenas y silbatos a lo lejos.

—¡Dijiste que era una trampa!

—Porque ambos recibimos un absurdo telegrama de David, donde firmaba con un nombre que no había usado desde hace cinco años: Jason Bourne. Y si no me equivoco, tu mensaje decía que bajo ninguna circunstancia debíamos llamar a su casa.

—Es cierto.

—Se trata de una trampa. Tú eres más ágil que yo, Mo, así que empieza a mover esas piernas. Sal de aquí y corre como un hijo de puta hasta encontrar un teléfono. Un teléfono público, ¡nada que pueda ser localizado!

—¿Qué?

—¡Llama a su casa! ¡Di a David que salga de allí con Marie y los niños!

—¿Qué?

—¡Alguien nos ha encontrado, doctor! Alguien que busca a Jason Bourne, que lo ha estado buscando durante años y no se detendrá hasta que lo tenga encañonado. Tú estabas a cargo de la confusa cabeza de David, y yo he movido cada maldito hilo de Washington para sacarlos vivos a él y a Marie de Hong Kong... Se han quebrantado las reglas y hemos sido descubiertos, Mo. ¡Tú y yo! Los únicos enlaces registrados oficialmente con Jason Bourne, cuya dirección y oficio se desconocen.

—¿Sabes lo que estás diciendo, Alex?

—Te aseguro que sí, maldita sea... Es Carlos. Es Carlos el Chacal. Sal de aquí, doctor. ¡Busca a tu antiguo paciente y dile que desaparezca!

—Y entonces ¿qué hará?

—Yo no tengo muchos amigos, desde luego ninguno en el que pueda confiar, pero tú sí. Dale el nombre de alguien, de alguno de tus colegas que reciben llamadas urgentes de sus pacientes del mismo modo que tu recibías las mías. Dile a David que se ponga en contacto con él o con ella cuando esté a salvo. Dale una clave.

—¿Una clave?

—¡Jesús, Mo, usa la cabeza! Un alias como Jones o Smith...

—Esos son nombres bastante corrientes.

—Entonces que sea Schicklegrubber o Moskowtiz, ¡o lo que más te guste! Sólo dile que nos comunique dónde está.

—Comprendo.

—Ahora, sal de aquí y no vayas a casa. Alquila una habitación en el Brookshire de Baltimore bajo el nombre de Morris, Phillip Morris. Me reuniré contigo más tarde.

—¿Qué vas a hacer?

—Algo que detesto. Sin el bastón compraré un billete para esta maldita montaña rusa. Nadie buscará a un lisiado en uno de estos artilugios. Me moriré de miedo allí arriba, pero es una solución lógica aunque tenga que quedarme ahí toda la noche... ¡Ahora sal de aquí! ¡Date prisa!

La camioneta se dirigió rápidamente hacia el sur por una carretera comarcal, atravesando las colinas de New Hampshire con rumbo a la frontera de Massachusetts. El conductor era un hombre alto, con una expresión vehemente en su rostro anguloso. Se podía apreciar cómo latían los músculos de la mandíbula y los ojos de color azul claro brillaban furiosos. Junto a él viajaba su esposa, una mujer sorprendentemente atractiva, cuya cabellera castaño rojizo resplandecía a la luz del salpicadero. Sostenía a una criatura en brazos, un bebé de ocho meses, y en el asiento trasero otro niño dormía bajo una manta, un muchachito rubio de cinco años protegido de los frenazos bruscos por una barandilla portátil. El padre era David Webb, profesor de estudios orientales, pero miembro en el pasado del notorio e incalificable Medusa, por una parte, y el legendario Jason Bourne, asesino, por otra.

—Sabíamos que iba a ocurrir —dijo Marie St. Jacques Webb, canadiense de nacimiento, economista de profesión y salvadora de David Webb por accidente—. Era sólo cuestión de tiempo.

—¡Es una locura! —susurró David para no despertar a los niños, aunque esto no logró atenuar la vehemencia de su voz—. Todo está enterrado, el archivo de máxima seguridad y el resto de esa basura. ¿Cómo lograron encontrar a Alex y Mo?

—No lo sabemos, pero Alex comenzará a hacer averiguaciones. No hay nadie mejor que él, tú mismo lo has afirmado.

—Ahora está marcado, es un hombre muerto —la interrumpió Webb con expresión sombría.

—Eso es prematuro, David. «Es el mejor que ha existido», ésas fueron tus palabras.

—Sólo falló en una ocasión. Hace trece años, en París.

—Porque tú fuiste mejor.

—¡No! Porque yo no sabía quién era yo mismo, y él operaba basándose en una información que yo desconocía por completo. Supuso que se trataba de mí, pero como yo ignoraba mi identidad no podía actuar según su guión... Él sigue siendo el mejor. Salvó nuestras vidas en Hong Kong.

—Entonces estamos de acuerdo, ¿verdad? Nos encontramos en buenas manos.

—Las de Alex sí. No las de Mo. Ese pobre hombre está muerto. ¡Lo atraparán y lo despedazarán!

—Iría a la tumba antes de entregar cualquier información sobre nosotros.

—No podrá escoger. Le inyectarán una dosis de suero de la verdad y les contará su vida entera. Luego lo matarán y vendrán a buscarme... a buscarnos. Por eso tú y los niños debéis ir al sur, bien al sur. Al Caribe.

—Los enviaré a ellos, cariño. Yo no iré.

—¡Quieres terminar con eso! Lo acordamos cuando nació Jamie. Por eso compramos la propiedad. Tu hermanito la buscó para nosotros, y casi tuvimos que comprar su alma también. Y no lo hizo nada mal. Ahora poseemos el cincuenta por ciento de una floreciente posada en una sucia carretera, en una isla de la cual nadie había oído hablar hasta que ese buscavidas canadiense aterrizó allí en un hidroavión.

—Johnny siempre fue emprendedor. Una vez papá dijo que sería capaz de vender una vaca vieja como un novillo de primera sin que nadie lo notase.

—Lo importante es que te ama, a ti y a los niños. También cuento con que ese loco... no importa, confío en Johnny.

—Puedes confiar plenamente en mi hermano menor, pero no en tu sentido de orientación. Acabas de pasar el desvío hacia la cabaña.

—¡Maldita sea! —gritó Webb mientras frenaba el coche y viraba en dirección opuesta—. ¡Mañana! Tú, Jamie y Alison saldréis del aeropuerto Logan. ¡Rumbo a la isla!

—Lo discutiremos, David.

—No hay nada que discutir. —Webb inspiró profunda y enérgicamente, imponiéndose un extraño control—. Ya he estado antes aquí —dijo con suavidad.

Marie observó a su esposo, cuyo rostro repentinamente pasivo se recortaba a la tenue luz del salpicadero. Lo que vio la asustó mucho más que el fantasma del Chacal. No miraba a David Webb, el intelectual de voz suave. Miraba a un hombre que ambos habían creído desterrado de sus vidas para siempre.

## 2

Alexander Conklin se aferró a su bastón mientras entraba cojeando en la sala de conferencias de la Agencia Central de Inteligencia en Langley, Virginia. Se detuvo frente a una mesa larga e imponente, de tamaño suficiente para treinta personas, aunque en ese momento sólo había tres. El hombre de cabellos grises sentado a la cabecera era el DCI, Director de la Central de Inteligencia. Ni él ni sus dos agentes de alto rango parecieron contentos de ver a Conklin. Se saludaron mecánicamente, y en lugar de ocupar el lugar que se le había asignado junto al oficial de la CIA, a la izquierda del DCI, Conklin tomó la silla al otro extremo de la mesa, se sentó y golpeó el bastón contra el borde produciendo un fuerte ruido.

—Cumplidas las formalidades, ¿podemos ir al grano, caballeros?

—No es una forma muy cortés o amable de comenzar, señor Conklin —observó el director.

—En este momento no me preocupan ni la cortesía ni la amabilidad, señor. Sólo quiero saber por qué se han ignorado los reglamentos más estrictos y se ha dejado filtrar una información ultrasecreta que ha puesto en peligro varias vidas, ¡incluyendo la mía!

—¡Eso es una injuria, Alex! —lo interrumpió uno de los dos agentes.

—¡Totalmente inexacto! —agregó el otro—. ¡No pudo ocurrir y tú lo sabes!

—Yo no lo sé y sí ocurrió. Voy a decirte qué es lo injuriosamente exacto —replicó Conklin con ira—. Allí fuera hay un hombre con una esposa y dos niños, un hombre a quien este país y gran parte del mundo le deben más de lo que jamás podrán llegar a pagarle. Y ahora está corriendo, ocultándose, loco de miedo porque él y su familia son el blanco. Le dimos nuestra palabra, todos nosotros, de que los documentos oficiales no aparecerían a la luz del día hasta que se confirmara sin lugar a dudas que Ilich Ramírez Sánchez, también conocido como Carlos el Chacal, había muerto. Muy bien, me han llegado los mismos rumores que a ustedes, probablemente de las mismas fuentes o de otras mucho mejor informadas. Los rumores afirman que el Chacal murió aquí o que fue ejecutado allí pero nadie, repito, nadie ha presentado una prueba irrefutable. Sin embargo, una parte de ese archivo se filtró, una parte vital, y me concierne directamente porque mi nombre aparece en él. El mío y el del doctor Morris Panov, jefe oficial de psiquiatría. Éramos los únicos, los únicos individuos reconocidamente asociados con el desconocido que adoptara el nombre de Jason Bourne, considerado por innumerables sectores como el rival de Carlos en el juego mortal. Pero esa información se encuentra oculta aquí, en las profundidades de Langley. ¿Cómo logró salir? Según las reglas, si alguien desea una parte de esos archivos, desde la Casa Blanca, pasando por el departamento de Estado, hasta los sagrados jefes generales, tiene que recurrir a las oficinas del director y a sus principales analistas aquí en Langley. Debe suministrar todos los detalles de la solicitud y luego, debe superar todavía un trámite final: yo. Antes de que se firme el permiso, el solicitante está obligado a ponerse en contacto conmigo o con el doctor Panov en caso de que no llegue a localizarme. Cualquiera de los dos se encuentra legalmente autorizado para rechazar la solicitud. Así son las cosas, caballeros, y nadie domina las reglas mejor que yo porque soy quien las dictó, aquí mismo, en Langley, porque era el lugar que mejor conocía. Después de veintiocho años en este difícil asunto, fue mi última contribución... con toda la autoridad del presidente de los Estados Unidos y el consentimiento del Congreso, a través de las selectas comisiones de inteligencia en la Casa Blanca y el Senado.

—Eso es artillería pesada, señor Conklin —comentó el canoso director, inmóvil en su silla. Su voz sonó apagada y neutra.

—Existían poderosas razones para sacar los cañones.

—Eso entiendo. Uno de ellos me alcanzó.

—Ya lo creo que sí. Ahora queda la cuestión de las responsabilidades. Quiero saber cómo salió esa información y, lo más importante de todo, quién la obtuvo.

Ambos delegados comenzaron a hablar a la vez, con tanta ira como Alex, pero el DCI los interrumpió tocándoles los brazos con la pipa en una mano y el encendedor en la otra.

—Trate de calmarse, señor Conklin —aconsejó el director con suavidad, mientas encendía la pipa—. Es evidente que conoce a mis dos delegados, pero usted y yo nunca nos habíamos visto, ¿verdad?

—No. Me retiré hace cuatro años y medio, y usted fue designado un años después de mi partida.

—Al igual que muchos, a quienes en cierto sentido justifico, ¿usted considera que mis padrinos me ayudaron a obtener este cargo?

—Es evidente que sí, pero no he tenido ningún problema con eso. Parecía competente. Por lo que pude averiguar, usted es un almirante apolítico de la inteligencia naval, durante la guerra de Vietnam tuvo ocasión de trabajar junto a un coronel de la marina que se convirtió en presidente. Otros fueron relegados al olvido, pero eso suele ocurrir. No tengo nada contra usted.

—Gracias. Pero, ¿tiene algo «en contra» de mis dos directores adjuntos?

—Ya es historia, sin embargo no puedo afirmar que se parecieran en algo al mejor amigo que un soldado podía tener. Eran analistas, no soldados.

—¿Eso no es una aversión natural, una hostilidad convencional?

—Por supuesto que sí. A miles de kilómetros de distancia, ellos analizaban situaciones con ordenadores programados por personas que no conocíamos y con informaciones que nosotros no habíamos proporcionado. Nosotros trabajábamos con el factor humano, ellos no. Ellos operaban con pequeñas letras verdes en una pantalla de ordenador y muchas veces tomaban decisiones erróneas.

—Porque la gente como tú debe ser controlada —intervino el agente de la derecha del director—. ¿Cuántas veces, incluso en la actualidad, los hombres y mujeres como tú pierden la visión general de la situación? Se trata de la estrategia total, y no sólo de la parte de ella en que tú te ocupes.

—Entonces deberíamos estar mejor informados respecto a la situación. Tendrían que darnos una visión a vuelo de pájaro al menos, de ese modo podríamos tratar de deducir lo que tiene sentido y lo que escapa a la razón.

—¿Dónde termina una visión general, Alex? —preguntó el agente a la izquierda del DCI—. ¿En qué punto decimos: «Esto no podemos revelarlo por el bien común»?

—No lo sé. Vosotros sois los analistas, no yo. Habrá que considerar las características de cada caso, supongo. Pero la comunicación debería ser mejor que la que yo obtuve cuando me hallaba en campaña… Un momento. El tema no soy yo, sino vosotros. —Alex miró al director—. Muy hábil, señor, pero no pienso aceptar un cambio de tema. Me encuentro aquí para averiguar quién obtuvo qué y cómo. Si lo prefiere, llevaré mis credenciales hasta la Casa Blanca o a donde sea necesario para observar cómo ruedan varias cabezas. Quiero respuestas. ¡Quiero saber qué debo hacer!

—No trataba de desviar el tema, señor Conklin, sólo me he apartado momentáneamente de él para comprobar una cuestión. Es evidente que desaprueba los métodos empleados por mis colegas en el pasado, pero ¿alguno de ellos le engañó o le mintió alguna vez?

Alex dirigió una rápida mirada a los dos agentes.

—Sólo cuando se vieron obligados, lo cual no tuvo nada que ver con las operaciones de campaña.

—Ese es un extraño comentario.

—Si no se lo han dicho, debieron haberlo hecho. Hace cinco años yo era un alcohólico; sigo siéndolo, pero ya no bebo. Se acercaba el momento de recibir mi pensión, así que nadie me dijo nada e hicieron muy bien en callarse.

—Para su conocimiento, lo único que me comentaron mis colegas fue que había estado enfermo, que no había podido funcionar al nivel de su capacidad habitual hasta el final del servicio.

Conklin volvió a estudiar a ambos agentes y les agradeció la atención con un leve movimiento de cabeza mientras hablaba.

—Gracias, Casset, y a ti también, Valentino, pero no teníais que hacer eso. Yo era un borracho y algo así no debería permanecer en secreto, ya se trate de mí o de otra persona. Es la cosa más tonta que se puede hacer por aquí.

—Por lo que supimos de Hong Kong, allí realizaste un trabajo estupendo, Alex —replicó el hombre llamado Casset con suavidad—. No quisimos privarte de ese mérito.

—Has sido un palo en el culo durante más tiempo del que puedo recordar —agregó Valentino—. Pero no podíamos permitir que cuando te fueras, tu imagen se redujera a la de un alcohólico.

—Vamos a dejarlo. Volvamos a Jason Bourne. Ése es el motivo de mi visita y la razón por la cual no habéis tenido más remedio que volver a verme.

—También fue la causa de que me apartara un momento del tema, señor Conklin. Usted podrá tener diferencias profesionales con mis agentes, pero entiendo que no cuestiona su integridad.

—La de otros sí. No la de Casset o de Val. Por lo que sé, ellos cumplían con su trabajo y yo con el mío; el sistema, no obstante, estaba podrido. Se hallaba sumido en la confusión. Pero no ocurre lo mismo con el actual. Las reglas son claras y concisas. Si tenemos en cuenta que nadie se ha puesto en contacto conmigo, han sido transgredidas. En un sentido muy real he sido engañado, me han mentido. Repito, ¿cómo ocurrió y quién obtuvo la información?

—Eso es todo lo que quería oír —dijo el director tomando el teléfono sobre la mesa—. Por favor, llame al señor de Sole y pídale que venga a la sala de conferencias. —El DCI colgó y se volvió hacia Conklin—. Supongo que conocerá a Steve de Sole.

—El mudo. —Alex asintió con la cabeza.

—¿Cómo?

—Así solíamos llamarlo —le explicó Casset al director—. Steve sabe dónde se entierran los cuerpos pero, cuando llega el momento, no se lo dice ni a Dios a menos que le enseñe una autorización Cuatro-Cero.

—Doy por sentado que los tres, en especial el señor Conklin, consideran que el señor De Sole es un profesional intachable.

—Yo responderé a eso —intervino Alex—. Él te dirá todo lo que debas saber pero nada más. Y no te mentirá. Mantendrá la boca cerrada o te explicará que no puede responder, pero no te mentirá.

—Ése es otro de los puntos que quería escuchar. —Se oyó una breve llamada a la puerta y el DCI indicó al visitante que entrase. Un hombre no muy alto, algo obeso, con grandes ojos aumentados tras unas gafas metálicas, entró en la habitación y cerró la puerta. Al echar un segundo vistazo rápido a la mesa advirtió la presencia de Alexander Conklin y por unos instantes permaneció inmóvil. De inmediato cambió de actitud y con una expresión de agradable sorpresa, se acercó a la silla de Conklin con la mano extendida.

—Me alegro de verte, muchacho. Han pasado dos o tres años, ¿verdad?

—Más bien cuatro, Steve —respondió Alex al tiempo que le estrechaba la mano—. ¿Cómo se encuentra el analista de los analistas y el llavero mayor?

—No hay mucho que analizar ni que cerrar con llave últimamente. La Casa Blanca es un tamiz y el Congreso no es mucho mejor. Merecería la mitad del sueldo, pero no se lo digas a nadie.

—Aún guardamos algunas cosas en secreto, ¿verdad? —lo interrumpió el DCI con una sonrisa—. Al menos por lo que se refiere a operaciones pasadas. Tal vez se haya ganado una paga doble.

—Oh, sospecho que sí. —De Sole asintió con expresión risueña mientras soltaba la mano de Conklin—. De todos modos, ya se han acabado los días en que se custodiaban los archivos y se bajaba armado a los depósitos subterráneos. En la actualidad todo son registros fotográficos procesados que ingresan en las máquinas desde arriba. Ya no hago aquellas maravillosas excursiones con escolta militar, en las que fingía que iba a ser deliciosamente atacado por Mata Hari. Ni recuerdo cuándo fue la última vez que llevé un portafolios encadenado a la muñeca.

—Es mucho más seguro de este modo —aseguró Alex.

—Pero tengo muy poco que contarle a mis nietos, muchacho: «¿Qué has hecho como un gran espía, abuelo?» «En realidad, durante los últimos años, un montón de crucigramas, jovencito.»

—Cuidado, señor De Sole —advirtió el DCI riendo—. Podría elevar una petición para que le disminuyesen la paga. Aunque en realidad no lo haría, porque no creo ni una palabra de lo que ha dicho.

—Yo tampoco. —Conklin habló con suavidad y con ira—. Esto estaba amañado —agregó observando al rollizo analista.

—Eso es toda una afirmación —replicó De Sole—. ¿Te importaría explicármela?

—Tú sabes por qué estoy aquí, ¿verdad?

—Ni siquiera sabía que estabas aquí.

—Oh, ya veo. Casualmente pasabas por aquí cerca y estabas listo para acudir de inmediato.

—Mi oficina está al otro lado del pasillo.

Conklin miró al DCI.

—De nuevo muy hábil, señor. Traer a tres hombres con los que, según supone, no he tenido grandes problemas. Tres hombres en los que, por lo que ha podido determinar, yo confío y, por lo tanto, de los que creeré cualquier cosa que me digan.

—En lo fundamental, eso es exacto, señor Conklin, porque lo que se le plantea es la verdad. Siéntese, señor De Sole. Tal vez en este lado de la mesa, para que nuestro ex colega pueda estudiarnos mientras le explicamos las cosas. Tengo entendido que es una técnica muy apreciada por los oficiales de campaña.

—Yo no tengo absolutamente nada que explicar —objetó el analista mientras se dirigía a la silla contigua a Casset—. Pero considerando las observaciones algo bruscas de nuestro ex colega, me gustaría estudiarlo a él... ¿Te encuentras bien, Alex?

—Está bien —respondió el director adjunto llamado Valentino—. Le gruñe a la sombra equivocada, pero está bien.

—¡Esa información no pudo salir sin el consentimiento y la cooperación de las personas de esta sala!

—¿Qué información? —preguntó De Sole mirando al DCI con sus grandes ojos abiertos de par en par detrás de las gafas—. Oh, ¿ese asunto de máxima seguridad sobre el que me preguntó esta mañana?

El director asintió con la cabeza y se volvió hacia Conklin.

—Volvamos a lo de esta mañana. Hace siete horas, poco después de las nueve, recibí una llamada de Edward McAllister, quien anteriormente fue miembro del Departamento de Estado y ahora preside la Agencia Nacional de Seguridad. Se me ha informado que el señor McAllister estuvo con usted en Hong Kong, señor Conklin. ¿Es eso correcto?

—Estuvo con nosotros —confirmó Alex—. Voló clandestinamente con Jason Bourne a Macao, donde recibió un balazo que casi le costó la vida. Es un intelectual excéntrico y uno de los hombres más valientes que he conocido.

—No comentó nada acerca de las circunstancias, sólo que estuvo allí y que, aunque tuviese que hacer pedazos mi agenda, debía darle prioridad a nuestra reunión con usted... Artillería pesada, señor Conklin.

—Repito, existen poderosas razones para sacar los cañones.

—Eso parece. McAllister me entregó los códigos de máxima seguridad que esclarecerán la condición del archivo que a usted le interesa... el de la operación Hong Kong. Por mi parte yo le pasé la información al señor De Sole, así que él le comunicará lo que ha averiguado.

—Nadie lo ha tocado, Alex —explicó De Sole suavemente, con los ojos fijos en Conklin—. Hasta las nueve treinta de esta mañana, había permanecido en una mazmorra impenetrable durante cuatro años, cinco meses, veintiún días, once horas y cuarenta y tres minutos. Y existe una muy buena razón para que haya conservado su carácter de inviolable, aunque ignoro si tú la conoces.

—En lo que se refiere a ese archivo, ¡yo lo sé todo!

—Tal vez sí, tal vez no —dijo De Sole con suavidad—. Se sabía que tú tenías un problema, y el doctor Panov no es tan experto en cuestiones de seguridad.

—¿Adónde diablos quieres llegar?

—Se añadió un tercer nombre a los procedimientos de autorización para ese registro oficial de Hong Kong: Edward Newington McAllister. Se hizo ante su propia demanda, contando con la autoridad de la presidencia y del congreso. Él se aseguró de ello.

—Oh, Dios mío —suspiró Conklin con una voz baja y vacilante—. Cuando lo llamé anoche desde Baltimore, dijo que era imposible. Entonces añadió que debería averiguarlo por sí mismo, así que llevaría a cabo las disposiciones para que se efectuase esta reunión... Jesús, ¿qué ha ocurrido?

—Yo diría que tendremos que buscar en otra parte —respondió el DCI—. Pero antes de que empecemos, señor Conklin, tendrá que tomar una decisión. En esta habitación nadie sabe qué hay en ese archivo de máxima seguridad. Hemos hablado, por supuesto, y tal como dijo el señor Casset, entendemos que realizó un trabajo excelente en Hong Kong, pero no sabemos cuál fue ese trabajo. Nos han llegado los rumores originados en nuestros puestos del Lejano Oriente. Con franqueza, casi todos nosotros consideramos que se exageraron al propagarse, y entre ellos se destacaba su nombre junto con el del asesino Jason Bourne. El rumor de entonces le señalaba a usted como responsable de la captura y ejecución del asesino que conocíamos como Bourne, pero hace unos momentos, en su ira, utilizó la frase «el desconocido que adoptó el nombre de Jason

Bourne», revelando que él está vivo y se oculta. En términos específicos, estamos confundidos. Al menos yo lo estoy, y Dios sabe que no miento.

—¿No sacaron el archivo?

—No —respondió De Sole—. Ésa fue mi conclusión. Lo sepas o no, toda la solicitud de un registro de máxima seguridad queda marcada con fecha y hora. Cuando el director me informó de que había una gran conmoción a causa de cierta filtración ilegal, decidí dejar las cosas como estaban. En casi cinco años, nadie lo ha tocado ni leído. Se desconocía incluso su existencia y por lo tanto, no ha caído en manos de personas no autorizadas, quienesquiera que fuesen.

—Te has cubierto el trasero hasta el último centímetro de piel.

—No te quepa duda, Alex. Sobre esa información flamea una bandera de la Casa Blanca. Ahora las cosas están relativamente tranquilas por aquí, y no servirá de nada caldear el ambiente del Despacho Oval. Hay un hombre nuevo ante ese escritorio, pero el antiguo presidente sigue siendo muy activo y pertinaz. De todos modos se le consultaría, ¿para qué arriesgarse?

Conklin estudió cada rostro y habló con serenidad.

—Entonces, es cierto que no conocen la historia, ¿no?

—Es la verdad, Alex —respondió el director adjunto Casset.

—Y nada más que la verdad, pesado —añadió Valentino permitiéndose una ligera sonrisa.

—Tienes mi palabra —le aseguró Steve de Sole, con sus grandes ojos claros fijos en Conklin.

—Y si desea nuestra ayuda, deberíamos saber algo más aparte de rumores contradictorios —continuó el director retrepándose en la silla—. No sé si podemos ser de ayuda, pero desde luego será imposible intentarlo si nos mantiene en una oscuridad tan completa.

Alex volvió a mirar a cada uno de los hombres. En su rostro envejecido las arrugas se marcaban más que nunca, como si la decisión fuese demasiado difícil para él.

—No les revelaré su nombre porque he dado mi palabra… tal vez más adelante, ahora no. Y no lo encontrarán en el registro porque no está allí. Les diré el resto porque deseo que me ayuden y quiero que ese registro permanezca en la mazmorra. ¿Por dónde comienzo?

—¿Por esta reunión, tal vez? —sugirió el director—. ¿Por qué tanta insistencia en celebrarla?

—Muy bien, eso no me llevará mucho. —Con expresión pensativa, Conklin observó la superficie de la mesa. Sin darse cuenta se aferró a su bastón y luego alzó la vista—. Anoche una mujer fue asesinada en un parque de atracciones de las afueras de Baltimore…

—Lo leí en el *Post* de esta mañana —lo interrumpió De Sole asintiendo con la cabeza. Sus regordetas mejillas temblaron—. Buen Dios, ¿tú estabas…?

—Yo también —intervino Casset, con sus serenos ojos color café fijos en Alex—. Ocurrió frente a una caseta de tiro. Dispararon a matar.

—Vi el artículo y supuse que se trataba de alguna clase de terrible accidente. —Valentino sacudió la cabeza lentamente—. En realidad no llegué a leerlo.

—Esta mañana recibí el acostumbrado montón de recortes de todos los periódicos —dijo el director—. No recuerdo la noticia. ¿Se vio involucrado, muchacho?

—Ya lo creo que nos vimos involucrados.

—¿«Nos vimos»? —Casset frunció el ceño, alarmado.

—Morris Panov y yo recibimos telegramas idénticos de Jason Bourne, pidiéndonos que acudiéramos al parque de atracciones a las nueve y media de anoche. Era urgente y debíamos darnos cita frente a la caseta de tiro, pero bajo ninguna circunstancia teníamos que llamar a su casa o a ninguna otra persona. Por separado, ambos supusimos que no deseaba alarmar a su esposa, que pretendía decirnos algo en privado y no quería que ella se enterara… Llegamos al mismo tiempo, pero descubrí a Panov primero y me pareció una mala señal. Desde cualquier punto de vista, especialmente desde el de Bourne, debíamos habernos encontrado para hablar antes de llegar allí; sin embargo, nos habían indicado que no lo hiciéramos. El asunto apestaba y por lo tanto decidí que ambos debíamos salir a toda prisa. La única solución parecía ser pasar inadvertidos.

—Entonces provocaste una estampida —aseveró Casset.

—Fue lo único que se me ocurrió, y utilicé este maldito bastón para una de las pocas cosas para las que sirve aparte de para mantenerme erguido. Golpeé todas las espinillas y rótulas que tenía al alcance además de perforar algunos estómagos y senos. Logramos salir del círculo, pero esa pobre mujer fue asesinada.

—¿Y cómo lo explicas? ¿Tienes alguna teoría? —preguntó Valentino.

—No lo sé, Val. Fue una trampa, no cabe duda al respecto. Pero, ¿qué clase de trampa? Si lo que pensé entonces y pienso ahora es cierto, ¿cómo es posible que un tirador profesional haya errado a tan corta distancia? El disparo provino de mi izquierda; no lo oí pero la posición de la mujer y la sangre de la garganta revelaban que había recibido la bala al girar el cuerpo. No pudo proceder de la caseta, aquellas armas están encadenadas y la profusa hemorragia del cuello fue provocada por un calibre mucho mayor que el de cualquiera de esos juguetes. Si el asesino deseaba eliminar a Mo Panov o a mí, su retículo telescópico no pudo encontrarse tan lejos del blanco. No, si mi razonamiento es correcto.

—Lo es, señor Conklin —intervino el DCI—, y al hablar del asesino nos estamos refiriendo a Carlos el Chacal.

—¿Carlos? —exclamó De Sole—. En nombre del cielo, ¿qué tiene que ver el Chacal con un asesinato en Baltimore?

—Jason Bourne —respondió Casset.

—Sí, comprendo, ¡pero todo esto es un terrible embrollo! Bourne fue una escoria que viajó de Asia a Europa para desafiar a Carlos y perdió. Tal como acaba de decir el director, regresó al Lejano Oriente y fue asesinado hace cuatro o cinco años. Sin embargo, Alex habla de él como si todavía estuviera vivo, dice que él y Panov recibieron telegramas suyos… En nombre de Dios, ¿qué tienen que ver con lo de anoche un hombre muerto y el asesino más escurridizo de Europa?

—Tú no estabas aquí hace unos minutos, Steve —volvió a responder Casset con suavidad—. Al parecer tuvieron mucho que ver con lo de anoche.

—Les ruego que se expliquen.

—Creo que debería comenzar por el principio, señor Conklin —indicó el director—. ¿Quién es Jason Bourne?

—Tal como lo conoció el mundo, un hombre que nunca existió —respondió el ex oficial de inteligencia.

## 3

—El Jason Bourne original era una basura, un buscavidas para-noico originario de Tasmania que participó en la guerra de Vietnam y formó parte de una operación que nadie quiere reconocer, ni siquiera hoy. Se trataba de un grupo de asesinos, inadaptados, contrabandistas y ladrones, en su mayoría criminales fugitivos y muchos bajo con-dena de muerte, pero que conocían cada palmo del sudeste asiático y operaban tras las líneas enemigas... bajo nuestra financiación.

—Medusa —susurró Steve de Sole—. Todo está enterrado. Eran animales que asesinaban indiscriminadamente sin motivo ni autoriza-ción y robaban millones. Salvajes.

—La mayoría, no todos —objetó Conklin—. Pero el Bourne orig-inal reunía todas y cada una de las peores características, incluyendo la traición a sus propios hombres. El líder de una misión particular-mente arriesgada... diablos, en realidad era un suicida, descubrió a Bourne mientras éste transmitía por radio la posición del grupo a los norvietnamitas. Lo ejecutó en el acto y arrojó el cuerpo a un pantano para que se pudriera en la jungla de Tam Quan. Jason Bourne desapa-reció de la faz de la tierra.

—Evidentemente, volvió a aparecer, señor Conklin —observó el director inclinándose hacia delante en la mesa.

—En otro cuerpo —respondió Alex asintiendo con la cabeza—. Con otro objetivo. El hombre que ejecutó a Bourne en Tam Quan adoptó su personalidad y aceptó recibir entrenamiento para una ope-ración que denominamos Treadstone Setenta y uno, como el edifi-cio de la calle Setenta y uno de Nueva York, donde se sometió a un programa de adoctrinamiento brutal. En teoría era una estrategia brillante, pero finalmente falló por algo que nadie pudo predecir, ni siquiera considerar. Después de vivir durante tres años como el se-gundo asesino más mortífero del mundo y trasladarse a Europa para desafiar al Chacal en su propio territorio, tal como acaba de relatarnos Steve, nuestro hombre resultó herido y perdió la memoria. Lo encontraron medio muerto en el Mediterráneo y un pescador lo llevó a la isla de Port Noir. Él no tenía ni idea de quién o qué era, sólo sabía que era un maestro en varias artes marciales, hablaba diversos idiomas orientales y, evidentemente, era un hombre extremadamente instruido. Con la ayuda de un médico británico, un alcohólico deportado a Port Noir, comenzó a reconstruir su vida y su identidad a partir de episodios mentales y físicos. Fue como un viaje por el infierno, y los que habíamos montado la operación, los que inventamos el mito, no estábamos allí para ayudarlo. Al ignorar lo que había ocurrido pensamos que se había convertido en el mítico asesino que nosotros mismos creamos para atrapar a Carlos. Yo en persona traté de acabar con él en París y a pesar de que pudo haberme volado la cabeza, no lo hizo. Finalmente regresó con nosotros gracias al extraordinario talento de una mujer canadiense que conoció en Zurich y que ahora es su esposa. Tenía más agallas y cerebro que ninguna otra mujer que yo haya conocido. Ahora ella, su esposo y sus dos pequeños se ven metidos de nuevo en la pesadilla, escapando para salvar la vida.

Con su aristocrática boca entreabierta y la pipa colgando frente al pecho, el director habló.

—¿Piensa quedarse ahí sentado mientras nos dice que el asesino que conocíamos como Jason Bourne fue una invención? ¿Que no fue el asesino que todos supusimos que era?

—Mataba cuando se veía obligado a hacerlo para sobrevivir, pero no era ningún asesino. Creamos el mito como un máximo desafío a Carlos, para que el Chacal tuviese que salir a la luz.

—¡Por Dios! —exclamó Casset—. ¿Cómo?

—Provocando una gran confusión de informaciones a través del Lejano Oriente. Cada vez que se cometía un asesinato de cierta importancia, ya fuese en Tokyo, Hong Kong, Macao o Corea, Bourne volaba hasta allí para atribuírselo y falsificaba las evidencias de tal modo que las autoridades quedaban en ridículo. Acabó convirtiéndose en una leyenda. Durante tres años, nuestro hombre vivió en el peor de los mundos… drogas, tiranos, crímenes, abriéndose camino con un solo objetivo: llegar a Europa y atrapar a Carlos, acechar sus contratos, obligarlo a salir a campo abierto aunque sólo fuese por un momento, lo suficiente como para meterle una bala entre los ojos.

Alrededor de la mesa el silencio fue eléctrico. De Sole lo quebró con una voz poco más que susurrante.

—¿Qué clase de hombre aceptaría un encargo como ése?

Conklin miró al analista y respondió con monotonía.

—Un hombre que sentía que no le quedaban muchos motivos

para seguir adelante, alguien que tal vez deseaba la muerte... un ser humano decente cuyo odio y frustración lo impulsaron hacia una organización como Medusa. —El ex oficial de inteligencia se detuvo, presa de un evidente desasosiego.

—Vamos, Alex —lo acució Valentino con suavidad—. No puedes dejarnos con eso.

—No, por supuesto que no. —Conklin parpadeó varias veces, volviendo al presente—. Pensaba en lo horrible que debe ser para él ahora el pasado, lo que puede recordar. Existe un maldito paralelismo que no había considerado. La esposa, los niños.

—¿Cuál es el paralelismo? —preguntó Casset inclinado hacia delante con la vista fija en él.

—Hace años, durante la guerra de Vietnam, nuestro hombre era un joven oficial del servicio diplomático con destino en Phnom Penh, un intelectual casado con una mujer de Tahi que había conocido aquí, en la escuela para graduados. Tenían dos niños y vivían a orillas de un río. Una mañana, mientras la mujer y los pequeños estaban nadando, un avión a reacción de Hanoi bombardeó la zona y los mató a los tres. Nuestro hombre perdió la razón, lo abandonó todo para dirigirse a Saigón e ingresar en Medusa. Sólo deseaba matar. Se convirtió en Delta Uno —jamás se utilizaban nombres en Medusa— y fue considerado el jefe de guerrilla más efectivo en la guerra, a pesar de que luchaba tanto contra determinadas órdenes del Comando Saigón como contra el enemigo con los pelotones de la muerte.

—Sin embargo, es evidente que apoyaba la guerra —observó Valentino.

—Aparte de detestar a Saigón y el ARVN, no creo que le importara un comino un bando o el otro. Él tenía su propia guerra privada y ésta se desarrollaba bastante lejos de las líneas enemigas, cuanto más cerca de Hanoi mejor. Creo que en su mente seguía buscando al piloto que había matado a su familia. Y ahí está el paralelismo. Años atrás había una esposa y dos hijos que fueron despedazados ante él. Ahora existe otra esposa con dos hijos y el Chacal lo está cercando, lo acorrala. Eso tiene que estar volviéndolo loco. ¡Maldita sea!

Al otro lado de la mesa, los cuatro hombres se miraron y aguardaron a que Conklin se calmase. Luego el director reanudó la conversación con suavidad.

—Considerando el tiempo transcurrido —comenzó—, la operación para atrapar a Carlos debió de realizarse hace más de una década. Sin embargo, los sucesos en Hong Kong fueron mucho más recientes. ¿Estaban relacionados? Sin darnos nombres al respecto, ¿qué considera que puede contarnos acerca de Hong Kong?

Alex apretó el bastón y lo sostuvo con firmeza. Los nudillos se le tornaron blancos mientras respondía.

—Hong Kong fue la operación más inmunda y siniestra que jamás haya sido concebida en esta ciudad, y a la vez la más extraordinaria de la que yo haya tenido noticia. Para mi profundo alivio, aquí en Langley no tuvimos nada que ver con la estrategia inicial… los aplausos pueden irse al diablo. Yo llegué tarde y lo que descubrí me revolvió el estómago. McAllister también se sintió mal porque él sí participó desde el comienzo. Por eso se mostró dispuesto a arriesgar la vida, por eso casi murió al otro lado de la frontera china, en Macao. Su moralidad intelectualizada no podía permitir que un hombre decente perdiera la vida por la estrategia.

—Esa es toda una acusación —observó Casset—. ¿Qué ocurrió?

—Nuestra propia gente hizo que secuestrasen a la esposa de Bourne, a la mujer que nos había traído de vuelta a ese hombre sin memoria. Dejaron un rastro que lo obligó a ir tras ella… hasta Hong Kong.

—Jesús, ¿por qué? —exclamó Valentino.

—La estrategia; era tan perfecta como abominable. Les he dicho que el «asesino» llamado Jason Bourne se había convertido en una leyenda en Asia. Desapareció de Europa, pero no por eso fue menos legendario en el Lejano Oriente. Entonces, salido de no se sabe dónde, un nuevo asesino que operaba en Macao resucitó la leyenda. Adoptó el nombre de Jason Bourne y los asesinatos por encargo recomenzaron. Raras veces pasaba una semana sin que se asestase otro golpe con las mismas pistas falsas que ponían en ridículo a la policía. Un Bourne falso estaba actuando de nuevo, y había estudiado cada truco del original.

—Por lo tanto, quién mejor para atraparlo que la persona que había inventado aquellos trucos: el original, su original —intervino el director—. ¿Y qué mejor manera de obligarlo a ello que arrebatándole a su esposa? Pero ¿por qué? ¿Por qué Washington le concedió tanta importancia? Ya no existía ninguna conexión con nosotros.

—Había algo mucho peor. Entre los clientes del nuevo Bourne figuraban un demente de Beijing, un Kuomintang traidor al gobierno que estaba a punto de convertir el Lejano Oriente en una hoguera. Estaba decidido a destruir los acuerdos chino-británicos de Hong Kong cerrando la colonia y dejando todo el territorio sumergido en el caos.

—La guerra —dijo Casset con suavidad—. Beijing marcharía sobre Hong Kong y asumiría el mando. Todos deberíamos tomar partido… la guerra.

—En la era nuclear —agregó el director—. ¿Hasta dónde progresó todo aquello, señor Conklin?

—Un viceministro de la República Popular fue asesinado en Kowloon. El homicida dejó su tarjeta de visita. «Jason Bourne.»

—¡Buen Dios, había que detenerlo! —explotó el director, aferrándose a su pipa.

—Así lo hicimos —dijo Alex mientras soltaba el bastón—. Recurrimos al único hombre capaz de atraparlo. Nuestro Jason Bourne. Por ahora no voy a decirles nada más, pero insisto en que ese hombre se encuentra de vuelta aquí con su esposa y sus hijos, y Carlos lo acecha. El Chacal no descansará hasta saber que la única persona que puede identificarlo está muerta. Por lo tanto, reclamen todos los favores que hayan hecho, en París, Londres, Roma, Madrid, especialmente en París. Alguien tiene que saber algo. ¿Dónde se encuentra Carlos ahora? ¿Qué se propone con nosotros? Tiene ojos aquí en Washington y cualesquiera que sean, ¡nos han encontrado a Panov y a mí! —Con gesto ausente, el ex oficial de inteligencia recuperó su bastón mientras miraba por la ventana—. ¿No lo comprenden? —agregó con suavidad, como hablando para sí mismo—. No podemos permitir que ocurra. Oh, Dios mío, ¡no podemos permitir que ocurra!

Una vez más, la emoción se condensó en silencio mientras los hombres de la Agencia Central de Inteligencia intercambiaban miradas. Fue como si hubiesen alcanzado un consenso sin pronunciar palabra; tres pares de ojos se posaron sobre Casset. Aceptando su elección como el hombre más cercano a Conklin, éste asintió con la cabeza y habló.

—Alex, estoy de acuerdo en que todo señala a Carlos, pero antes de que comencemos a mover nuestros hilos en Europa, debemos estar seguros. No podemos arriesgarnos a lanzar una falsa alarma porque le estaríamos haciendo un favor al Chacal. Le mostraríamos que nuestro punto flaco es Jason Bourne. Por lo que nos has contado, Carlos volvería a emprender una vieja operación conocida como Treadstone Setenta y uno, aunque sólo fuese porque ninguno de nuestros agentes o subagentes ha estado cerca de él durante más de una década.

Conklin estudió el rostro anguloso y pensativo de Charles Casset.

—Me estás diciendo que si me equivoco y no se trata del Chacal, estaremos hurgando en una herida de hace trece años y le ofreceremos una ocasión irresistible para asesinar.

—En efecto.

—Y yo creo que tu razonamiento es muy lógico, Charlie. Carezco de bases sólidas, ¿verdad? Me mueven mis más profundos instintos, pero sólo cuento con apariencias.

—Yo confiaría mucho más en esos instintos tuyos que en cualquier detector de mentiras...

—Yo también —lo interrumpió Valentino—. En cinco o seis crisis del sector, salvaste a nuestro personal cuando todas las pruebas señalaban que te equivocabas. De todos modos, Charlie tiene una duda legítima. Supongamos que no se tratase de Carlos. No sólo enviaríamos a Europa un mensaje equivocado, sino que, lo más importante de todo, habríamos perdido tiempo.

—Entonces no os acerquéis a Europa —murmuró Alex, nuevamente como para sí mismo—. Al menos por ahora. Buscad a esos canallas aquí. Encontradlos y hacedlos confesar. Yo soy el blanco, así que dejad que vengan a por mí.

—Ésa no es la protección que había previsto para usted y el doctor Panov, señor Conklin —intervino el director con firmeza.

—Entonces, piense en otra cosa, señor. —Alex miró a Casset y a Valentino y de pronto alzó la voz—. ¡Podremos hacerlo si vosotros dos me escucháis y me permitís organizarlo!

—Nos encontramos en una zona muerta —dijo Casset—. Este asunto puede estar orientado hacia el extranjero, pero es una cuestión interna. El Departamento debería estar in…

—De ninguna manera —exclamó Conklin—. ¡Aparte de los que nos encontramos en esta habitación, nadie debe estar al corriente!

—Vamos Alex —lo tranquilizó Valentino con amabilidad, sacudiendo la cabeza lentamente—. Estás retirado. No puedes dar órdenes aquí.

—¡Bien, excelente! —gritó Conklin mientras se levantaba con torpeza apoyándose en su bastón— ¡Próxima parada: la Casa Blanca y cierto funcionario de la Agencia Nacional de Seguridad llamado McAllister!

—Siéntese —ordenó el director con firmeza.

—¡Estoy retirado! Usted no puede darme órdenes.

—Ni se me ocurriría. Simplemente velo por su vida. Según he entendido, su proposición se basa en la discutible teoría de que el sujeto que le disparó anoche se proponía fallar sin importar a quién hiriese, que sólo quería llevárselo vivo durante el caos posterior.

—Eso es mucho suponer…

—Me baso en más de veinte operaciones en las que he estado involucrado, tanto, en el Ministerio de Marina, como en sitios de los que usted no sabe nada y ni siquiera podría pronunciar. —El director tenía los codos apoyados en los brazos del sillón. De pronto su voz se había vuelto dura y autoritaria—. Para su información, Conklin, no me convertí en un almirante que dirige la inteligencia naval de la noche a la mañana. Estuve en el SEALS durante varios años, desembarcaba en Kaesong y más tarde en el puerto de Naiphong. Conocí a unos cuantos de esos canallas de Medusa, ¡y no se me ocurre uno solo a quien no quisiera volar la cabeza con una bala! Ahora usted me explica que había uno, que se convirtió en su «Jason Bourne», y que está dispuesto a cortarse las pelotas o abrirse el corazón para asegurarse de que siga con vida, se encuentre bien y se mantenga lejos del tiro del Chacal... Por lo tanto, vayamos al grano, Alex. ¿Desea trabajar conmigo o no?

Conklin volvió a sentarse lentamente y una sonrisa fue emergiendo en sus labios.

—Le dije que no tenía nada en contra de su designación, señor. Era sólo intuición, pero ahora sé por qué. Usted fue un hombre de campaña. Trabajaré con usted.

—Bien, excelente —dijo el director—. Prepararemos una vigilancia controlada y rogaremos a Dios para que su teoría de que lo quieren vivo sea correcta, porque es imposible cubrir cada ventana o cada techo. Será mejor que comprenda los riesgos.

—Los comprendo. Y como en un tanque de pirañas dos carnadas son mejores que una, quiero hablar con Mo Panov.

—No puedes pedirle que se meta en esto —replicó Casset—. Él no es uno de nosotros, Alex. ¿Por qué iba a hacerlo?

—Porque él sí es uno de nosotros y será mejor que se lo pida. Si no lo hago me curaría la gripe con una inyección de estricnina. Él también estuvo en Hong Kong y por motivos no muy diferentes de los míos. Hace años traté de matar a mi mejor amigo en París. Había cometido un error terrible al creer que éste se había pasado de bando cuando en verdad había perdido la memoria. Días después Morris panov, uno de los principales psiquiatras del país, un doctor que no soporta la charlatanería psicológica tan en boga últimamente, recibió un perfil psiquiátrico hipotético que requería su respuesta inmediata. Allí se describía a un agente del servicio de inteligencia desequilibrado, una bomba de relojería ambulante con miles de secretos en la cabeza. Nos basamos en la evaluación que Mo hizo de ese perfil hipotético y un amnésico inocente estuvo a punto de morir en una emboscada que le preparó el gobierno en la calle Setenta y uno de Nueva York. Cuando lo que quedaba de ese hombre logró sobrevivir, Panov pidió que lo asignaran como su único médico de cabecera. Nunca ha podido perdonarse. Si cualquiera de ustedes fuera él, ¿qué harían si yo no les transmitiera lo que hemos hablado en esta reunión?

—Decirte que era una inyección para la gripe y llenarte de estricnina, muchacho —concluyó De Sole, asintiendo con la cabeza.

—¿Dónde se encuentra Panov ahora? —preguntó Casset.

—En el hotel Brookshire de Baltimore bajo el nombre de Morris, Phillip Morris. Ha cancelado todas sus entrevistas para hoy... tiene gripe.

—Entonces, manos a la obra —determinó el director, tomando un cuaderno amarillo—. A propósito, Alex, un soldado competente no se preocupa por el rango y no confía en un hombre que no lo llame por su nombre de pila. Como ya sabes, me llamo Peter Holland. A partir de ahora seremos Alex y Peter, ¿comprendes?

—Por supuesto... Peter. Debes haber sido un buen hijo de puta en el SEALS.

—Considerando que me encuentro aquí —me refiero a la ubicación geográfica, no a este sillón— cabe suponer que he sido competente.

—Un hombre de campaña —murmuró Conklin con aprobación.

—Además, como he evitado las tonterías diplomáticas que se esperan del que ocupa este puesto, debes comprender que he sido un hijo de puta obstinado. Aquí quiero potencia de entrada, Alex, no energía de salida emocional. ¿Está claro?

—Yo no opero de ningún otro modo, Peter. Un compromiso puede estar basado en las emociones, y no hay nada de malo con eso, pero la ejecución de una estrategia deber ser fría como el hielo. Yo nunca he estado en SEALS, pero geográficamente también me encuentro aquí y, por más cojo que sea, eso supone que también yo soy competente.

Holland sonrió; fue una sonrisa juvenil desmentida por las zonas grises de su cabello, la sonrisa de un profesional momentáneamente liberado de las preocupaciones administrativas y que regresa al ámbito que mejor domina.

—Hasta es posible que nos llevemos bien —comentó el DCI. Entonces, como para abandonar el último vestigio de su imagen directiva, colocó la pipa sobre la mesa, extrajo un paquete de cigarrillos del bolsillo, se llevó uno a la boca y lo encendió mientras comenzaba a escribir.

—Al diablo con el Departamento —continuó—. Sólo utilizaremos a nuestros hombres y los estudiaremos uno por uno con lupa.

Charles Casset, el delgado y brillante heredero en la dirección de la CIA, se apoyó contra el respaldo de su sillón y suspiró.

—¿Por qué me da la impresión de que deberé controlarlos a ambos, caballeros?

—Porque en tu corazón, eres un analista, Charlie —respondió Holland.


El objetivo de la vigilancia controlada es desenmascarar a los que proyectan sombra sobre otros para establecer sus identidades o tomarlos bajo custodia, lo que más convenga a la estrategia. En el presente caso el propósito era atrapar a los agentes del Chacal que habían conducido a Conklin y a Panov hasta el parque de atracciones en Baltimore. Después de trabajar toda la noche y gran parte del día siguiente, los hombres de la CIA formaron un destacamento de ocho agentes de acción expertos, definieron una y otra vez las rutas específicas que Conklin y Panov debían seguir durante las siguientes veinticuatro horas —rutas cubiertas por los profesionales armados en rápidos relevos progresivos— y, finalmente, determinaron el lugar y el momento del encuentro. Las primeras horas de la madrugada en la Institución Smithsoniana. Junto a la *Dionaea muscipula*, la Venus atrapamoscas.

Conklin se detuvo en el estrecho y penumbroso vestíbulo de su edificio y miró el reloj forzando la vista para leer el cuadrante. Eran exactamente las dos y treinta y cinco de la madrugada, empujó la pesada puerta y cojeó hacia la calle, donde no se apreciaba señal de vida. Según el plan trazado giró a la izquierda manteniendo el paso acordado, debía llegar a la esquina lo más cerca posible de las dos y treinta y ocho. De pronto se sintió inquieto; en un umbral oscuro a su derecha se discernía la figura de un hombre. Con discreción, Alex colocó la mano sobre la Beretta automática que llevaba bajo la chaqueta. ¡En la estrategia no estaba previsto que en ese sector de la calle hubiese alguien en un umbral! Entonces, tan repentinamente como se había disparado, la alarma calló. Sintiéndose al mismo tiempo culpable y aliviado, Conklin se percató de que la figura en sombras era un indigente, un anciano vestido con andrajos, uno de los desheredados en una tierra de tanta abundancia. Alex siguió adelante y al llegar a la esquina oyó el chasquido de unos dedos. Cruzó la avenida y luego continuó por la acera, pasando junto a un callejón. El callejón. Otra figura… otro anciano con ropas desaliñadas que salía lentamente a la calle para luego regresar al punto de origen. Otro pelagatos protegiendo su cueva de cemento. En cualquier otra circunstancia, Conklin se hubiese acercado al desgraciado para darle unos pocos dólares, pero ahora no. Tenía un largo camino que recorrer y un horario que cumplir.

Morris Panov se acercó a la intersección todavía inquieto por la curiosa conversación telefónica que había mantenido diez minutos antes. Trataba de recordar cada paso del plan que debía seguir. Como le habían prohibido que consultase su reloj en la calle, no podía saber si había llegado al lugar acordado en el lapso convenido. ¿Por qué no decían «aproximadamente a tal hora» en lugar de utilizar el desconcertante término «lapso convenido», como si esperaran una inminente invasión militar a Washington? A pesar de todo, continuó caminando. Cruzó todas las calles que le habían indicado, esperando que algún reloj invisible lo mantuviese relativamente a tono con los malditos «lapsos convenidos» que se habían determinado mediante sus caminatas en cierto jardín de Vienna, Virginia. Él haría cualquier cosa por David Webb, ¡cualquier cosa!... pero esto era una locura y, sin embargo, no lo era. Ellos no le hubiesen pedido que colaborara si lo fuera.

¿Qué era eso? Un rostro en la penumbra lo espiaba, ¡al igual que otros dos! Uno se hallaba sentado en el bordillo, y alzaba sus ojos alcoholizados hacia él. Hombres viejos, curtidos y agotados, viejos, viejos que apenas podían moverse... ¡y todos lo miraban! Vamos, se estaba dejando llevar por la imaginación. Las ciudades estaban llenas de desamparados, de gente inofensiva empujada a las calles por la psicosis o la pobreza. Por más que él quisiese, no podía hacer más que importunar profesionalmente a un Washington indiferente. ¡Allí había otro! En un espacio limitado por dos escaparates. Éste también lo observaba. ¡Basta! No piensas racionalmente... Venga. Sigue adelante, cumple con los horarios, se supone que eso es lo que debes hacer... ¡Dios! Allí hay otro. En la acera de enfrente... ¡Sigue adelante!


Bajo la luz de la luna, los vastos jardines de la Smithsoniana empequeñecían a las dos figuras que se acercaban por caminos diferentes y se reunían junto a un banco. Conklin se sentó con la ayuda del bastón mientras Mo Panov miraba alrededor con nerviosismo y atendía, como esperando lo inesperado. Eran las tres y veintiocho de la madrugada, y sólo los grillos y la suave brisa estival entre los árboles producían algún ruido. Con cautela, Panov se sentó.

—¿Ha ocurrido algo mientras venías hacia aquí? —preguntó Conklin.

—No estoy seguro —respondió el psiquiatra—. Me encuentro tan perdido como lo estaba en Hong Kong, sólo que allí sabíamos adónde nos dirigíamos, a quién esperábamos encontrar. Estáis locos.

—Te contradices tú mismo, Mo —se burló Alex con una sonrisa—. Me garantizaste que estaba curado.

—Ah, ¿eso? Sólo se trataba de una depresión maníaca obsesiva bordeando la demencia precoz. ¡Esto es locura! Son casi las cuatro de la madrugada. La gente cuerda no se pone a jugar a las cuatro de la mañana.

Alex observó a Panov a la luz del distante reflector que iluminaba el enorme edificio de piedra.

—Has dicho que no estabas seguro. ¿Qué significa eso?

—Casi me avergüenza contestarlo. Les he confirmado a demasiados pacientes la tesis de que inventan imágenes desagradables para racionalizar su pánico, para justificar sus miedos.

—¿Qué diablos significa eso?

—Es una forma de transferencia...

—¡Vamos, Mo! —lo interrumpió Conklin—. ¿Qué te molestó? ¿Qué viste?

—Figuras, algunas encorvadas, caminando despacio, torpemente. No como tú, incapacitados por alguna lesión, sino por la edad. Viejos, acabados y ocultos en la oscuridad de los quicios de las tiendas o en los callejones. Me ocurrió cuatro o cinco veces en el camino hacia aquí. En dos ocasiones estuve a punto de detenerme y llamar a uno de tus hombres, pero entonces pensé: «Vamos, doctor, estás exagerando, confundes a unos patéticos desamparados con otra cosa y ves espejismos.»

—¡Exacto! —susurró Conklin con énfasis—. Observaste justamente lo que había allí, Mo. Porque yo descubrí lo mismo, la misma clase de gente que tú. Y eran patéticos, casi todos vestían con andrajos y se movían más despacio que yo... ¿Qué significa eso? ¿Qué significan ellos? ¿Quiénes son?

Pasos. Pasos lentos, vacilantes, y de entre las sombras del camino desierto aparecieron dos hombres encorvados, ancianos. A primera vista parecían miembros del ejército de indigentes, pero había algo diferente en ellos, tal vez cierta intencionalidad. Se detuvieron a unos cinco metros del banco, con los rostros ocultos en la oscuridad. El de la derecha habló con voz débil y un acento extraño.

—Es una hora inusitada y un lugar poco común para que se encuentren dos caballeros tan bien vestidos. ¿Les parece justo ocupar un lugar de descanso que debería ser para otros no tan acomodados como ustedes.

—Hay muchos bancos libres —replicó Alex con amabilidad—. ¿Éste está reservado?

—Aquí no hay asientos reservados —respondió el segundo anciano. Su acento era claro, pero tenía un deje extranjero—. Pero, ¿por qué están aquí?

—¿Y a usted qué le importa? —preguntó Conklin—. Se trata de algo privado, no es asunto suyo.

—¿Negocios? ¿A esta hora y en este lugar? —preguntó el primer intruso mirando alrededor.

—Repito —insistió Alex— que no es asunto suyo y realmente creo que deberían dejarnos tranquilos.

—Los negocios son los negocios —comentó el segundo anciano.

—¿De qué diablos está hablando? —susurró Panov inquieto.

—Silencio —le respondió Alex y volvió a mirar a los dos ancianos—. Muy bien amigos, ¿por qué no siguen su camino?

—Los negocios son los negocios —repitió el segundo anciano mirando a su compañero. Sus rostros continuaban en las sombras.

—Ustedes no tienen nada que negociar con nosotros…

—No esté tan seguro —lo interrumpió el primer hombre sacudiendo la cabeza—. ¿Y si les dijese que les traigo un mensaje de Macao?

—¿Qué? —exclamó Panov.

—¡Cállate! —susurró Conklin con los ojos fijos en el mensajero—. ¿Qué significa Macao para nosotros? —preguntó.

—Un gran *taipan* desea verlos. El mayor *taipan* de Hong Kong.

—¿Por qué?

—Les pagará una fuerte suma por sus servicios.

—Insisto. ¿Por qué?

—Un asesino ha regresado. Quiere que ustedes lo encuentren.

—Ya he oído antes esa historia; no la creo.

—Esto es algo entre el gran *taipan* y ustedes, señor. Nosotros estamos al margen. Él los espera.

—¿Dónde está?

—En un gran hotel, señor.

—¿Cuál?

—Nos han ordenado decirles que tiene un gran vestíbulo donde siempre hay mucha gente, y su nombre se refiere al pasado de este país.

—Sólo hay uno así. El Mayflower. —Conklin pronunció estas palabras vuelto hacia la solapa izquierda, a un micrófono que llevaba cosido en el ojal.

—Usted lo ha dicho.

—¿Bajo qué nombre está registrado?

—¿Registrado?

—Como en los bancos reservados. Sólo que en este caso se trata de habitaciones. ¿Por quién debemos preguntar?

—Por nadie, señor. El secretario del *taipan* se les acercará en el vestíbulo.

—¿El mismo secretario que se dirigió a usted?

—¿Cómo?

—¿Quién los contrató para que nos siguieran?

—No tenemos permiso para discutir estos asuntos y no lo haremos.

—¡Ya está! —gritó Alexander Conklin. Varios reflectores iluminaron el camino desierto y revelaron que los dos sobresaltados ancianos eran orientales. Nueve agentes de la CIA avanzaron rápidamente hacia la luz desde todas las direcciones. Llevaban la mano bajo la chaqueta, pero como no parecía necesario utilizar las armas, éstas permanecieron ocultas.

De pronto surgió la necesidad, pero ya era demasiado tarde. Dos rifles de gran potencia dispararon desde la oscuridad. Las balas se incrustaron en el cuello de los dos mensajeros orientales. Los hombres de la CIA se arrojaron al suelo mientras Conklin tomaba a Panov y lo arrastraba hacia abajo frente al banco. Los veteranos de combate que formaban la unidad de Langley, incluyendo al director Peter Holland, comenzaron a avanzar en zigzag hacia el lugar de donde procedían los disparos mientras apuntaban con sus armas. Momentos después, un grito furioso quebró el silencio.

—¡Maldita sea! —aulló Holland bajando su linterna entre los árboles—. ¡Han logrado su cometido!

—¿Cómo lo sabe?

—El césped. Las huellas de las pisadas. Esos canallas eran muy competentes. Se apostaron para realizar un disparo cada uno y se fueron. Mira las huellas. Han echado a correr. ¡Olvídalo! Ya es inútil. Si se hubieran detenido para volver a apostarse, nos habrían estampado contra el edificio.

—Un hombre de campaña —comentó Alex, mientras se levantaba apoyado en su bastón. Asustado y confundido, Panov se puso en pie con él. Entonces, con los ojos abiertos de par en par, corrió hacia los dos orientales caídos.

—Dios mío, están muertos —gritó arrodillado junto a los cuerpos y observando sus cuellos destrozados—. ¡Señor, el parque de atracciones! ¡Sucedió lo mismo!

—Un mensaje —dijo Conklin con una mueca—. Pon sal en la huella —agregó enigmáticamente.

—¿A qué te refieres? —preguntó el psiquiatra, volviendo la cabeza hacia el ex oficial de inteligencia.

—No hemos sido lo suficientemente cuidadosos.

—¡Alex! —rugió Holland mientras se precipitaba hacia el banco—. Te oí, pero esto elimina el hotel —dijo con agitación—. Ahora no puedes ir allí. No te lo permitiré.

—Mierda. Esto elimina algo más que el hotel. ¡No se trata del Chacal! ¡Es Hong Kong! Las apariencias no admitían dudas, pero mis instintos se equivocaron. ¡Se equivocaron!

—¿Por dónde quieres seguir? —preguntó el director con suavidad.

—No lo sé —respondió Conklin con quejosa voz—. Me he equivocado. Debemos ponernos en contacto con nuestro hombre, por supuesto, y lo antes posible.

—Yo hablé con David, hablé con él hace más o menos una hora —dijo Panov corrigiéndose de inmediato.

—¿Has hablado con él? —exclamó Alex—. Es tarde y estabas en casa. ¿Cómo?

—Ya conoces mi contestador automático —respondió el doctor—. Si atendiera cada llamada después de la medianoche, jamás llegaría al consultorio por la mañana. Así que lo dejé sonar, y como estaba preparándome para salir a encontrarme contigo, lo oí. Todo lo que dijo fue: «Póngase en contacto conmigo.» Cuando llegué al teléfono, ya había colgado, así que lo llamé.

—¿Tú lo llamaste? ¿Desde tú teléfono?

—Bueno, sí —respondió Panov en forma vacilante—. Él fue muy breve, muy cauteloso. Sólo quería que supiésemos lo que estaba ocurriendo, que «M» —la llamó su «M»— partiría con los niños a primera hora de la mañana. Eso fue todo, colgó de inmediato.

—En este momento ya deben de tener el nombre y la dirección de su muchacho —dijo Holland—. Probablemente también el mensaje.

—Una localización sí; el mensaje, tal vez —admitió Conklin rápida y suavemente—. Una dirección no. Tampoco un nombre.

—Por la mañana tendrán…

—Por la mañana él estará camino de la Patagonia, si es necesario.

—Dios mío, ¿qué he hecho? —exclamó el psiquiatra.

—Nada que no hubiese hecho cualquier otro en tu lugar —respondió Alex—. A las dos de la mañana recibes un mensaje de alguien a quien quieres, alguien que tiene problemas, y lo llamas lo más rápido posible. Ahora nosotros debemos ponernos en contacto con él a toda prisa. No se trata de Carlos, pero alguien con un gran poder de fuego continúa al acecho y efectúa jugadas que considerábamos imposibles.

—Utiliza el teléfono de mi coche —propuso Holland—. Lo pondré de tal modo que sea imposible rastrearlo.

—¡Vamos! —A marchas forzadas, Conklin cojeó por el parque hacia el vehículo de la agencia.


—David, soy Alex.

—Te has tomado tu tiempo, amigo. Ya íbamos a salir. Si Jamie no hubiese tenido que ir al baño, ya estaríamos en el coche.

—¿A esta hora?

—¿Mo no te lo ha dicho? En tu casa no me contestaba nadie, así que lo llamé a él.

—Mo está un poco conmocionado. Cuéntamelo tú. ¿Qué está ocurriendo?

—¿Este teléfono es seguro? No sabía si el de él lo era.

—No hay otro que lo sea más.

—Voy a enviar a Marie y a los niños al sur… muy al sur. Ella está como loca, pero ya he alquilado un jet Rockwell en el aeropuerto Logan. Encontré el camino despejado gracias a los arreglos que hiciste cuatro años atrás. Los ordenadores funcionaron y todo el mundo cooperó. Despegarán a las seis en punto, antes de que amanezca. Los quiero lejos.

—¿Y tú, David? ¿Qué hay de ti?

—Francamente, pensaba ir a Washington para reunirme contigo. Si el Chacal me está buscando después de todos estos años, quiero participar de lo que se haga al respecto. Incluso es posible que os sea útil. Llegaré a mediodía.

—No, David. Hoy no. Vete con Marie y los niños. Sal del país. Permanece con tu familia y con Johnny St. Jacques en la isla.

—No puedo hacer eso, Alex. Y si estuvieras en mi lugar tampoco lo harías. Mi familia no será libre, realmente libre, hasta que Carlos haya desaparecido de nuestras vidas.

—No se trata de Carlos —lo interrumpió Conklin.

—¿Qué? Ayer me dijiste…

—Olvida lo que te dije, me equivoqué. Esto viene de Hong Kong, de Macao.

—¡Pero eso es absurdo, Alex! Hong Kong se acabó. Macao se acabó. Están muertos y olvidados. No queda nadie que tenga algún motivo para venir en mi busca.

—En alguna parte hay alguien. Un gran *taipan*, «el mayor *taipan* de Hong Kong», según nuestros informantes que acaban de morir.

—No es posible. Todo el Kuomintang se derrumbó como un castillo de naipes. ¡No quedó nadie!

—Repito, en alguna parte hay alguien.

David Webb guardó silencio unos instantes, entonces se oyó la voz fría de Jason Bourne.

—Dime todo lo que sepas, cada detalle. Ha ocurrido algo esta noche. ¿Qué ha sido?

—Muy bien, cada detalle —aceptó Conklin.

El oficial de inteligencia retirado describió la vigilancia controlada dispuesta por la CIA. Le explicó cómo él y Morris Panov habían detectado a los hombres que los seguían y cómo éstos los habían abordado en el parque del Smithsoniano, les habían hablado de Macao, de Hong Kong y de un gran *taipan*.

Finalmente, Conklin describió el tiroteo que había silenciado a los dos ancianos orientales.

—Todo viene de Hong Kong, David. La referencia a Macao lo confirma. Fue el campamento de base del impostor.

De nuevo se hizo un silencio en la línea y sólo se oyó la serena respiración de Jason Bourne.

—Te equivocas, Alex —dijo con voz pensativa—. Es el Chacal. Por la vía de Hong Kong y Macao, pero sigue siendo el Chacal.

—David, ahora eres tú quien divaga. Carlos no tiene nada que ver con los *taipan* ni con Hong Kong ni con los mensajes de Macao. Esos ancianos eran chinos, no franceses, italianos o alemanes. Esto proviene de Asia, no de Europa.

—Él sólo confía en los ancianos —continúo David Webb. Su voz se mantenía baja e inexpresiva, la voz de Jason Bourne—. «Los ancianos de París», así los llamaban. Ellos eran su red, sus enlaces a través de Europa. ¿Quién sospecha de los viejos decrépitos, de los mendigos que apenas si pueden moverse? ¿A quién se le ocurriría interrogarlos, y mucho menos someterlos a torturas? Incluso así guardarían silencio. Ellos pactaban lo suyo, aún lo hacen, y se mueven con total impunidad. Para Carlos.

Al oír la voz extraña y hueca de su amigo, por un momento el atemorizado Conklin observó el salpicadero sin saber qué responder.

—David, no te comprendo. Sé que estás alterado, todos lo estamos, pero por favor, sé más claro.

—¿Qué...? Oh, lo siento, Alex, estaba recordando. Carlos recorrió París buscando ancianos que estaban agonizando o a los que ya no les quedaba mucho tiempo de vida, todos con antecedentes policiales y sin recursos económicos. Por lo general olvidamos que estos ancianos tienen seres queridos e hijos, legítimos o no, por quienes se preocupan. A cambio de su cooperación, el Chacal se comprometía a tomarlos bajo su custodia cuando el anciano muriera. Si estuviéramos en su lugar, sin nada que dejar a nuestros familiares, ¿quién de nosotros se negaría?

—¿Y le creían?

—Tenían buenas razones para hacerlo y aún las tienen. Desde el Mediterráneo hasta el Báltico, existen herederos que todos los meses reciben un cheque de una cuenta bancaria suiza. No hay forma de seguir el rastro de esos pagos, pero la gente que los recibe sabe quién los envía y por qué. Olvida tus archivos enterrados, Alex. Carlos ha estado hurgando por Hong Kong, y allí os encontró a ti y a Mo.

—Entonces hurgaremos un poco por nuestra cuenta. Nos infiltraremos en cada barrio oriental, en cada garito o restaurante chino, en cada ciudad en un radio de setenta kilómetros del Distrito de Columbia.

—No hagas ningún movimiento hasta que yo llegue. No sabes lo que debes buscar, yo sí. Es curioso. El Chacal ignora que aún hay muchas cosas que no puedo recordar, pero da por sentado que he olvidado lo de los ancianos de París.

—Tal vez no, David. Tal vez ya contaba con el hecho de que lo recordarías. Quizá toda esta charada sea un preludio para la verdadera trampa que te está preparando.

—Entonces, ha cometido otro error.

—¿Ah, sí?

—Yo valgo más que eso. Jason Bourne vale más que eso.

# 4

David Webb atravesó la terminal del aeropuerto nacional y se dirigió hacia las puertas automáticas para salir a la atestada plataforma. Después de estudiar las señales se volvió hacia la zona de estacionamiento. Según el plan, dirigirse al pasillo más lejano de la derecha, girar a la izquierda y avanzar entre los vehículos aparcados hasta que descubriera un Pontiac LeMans 1986 color gris metalizado, con un crucifijo colgado del espejo retrovisor. Sentado al volante y con el cristal de la ventanilla bajado, habría un hombre con una gorra blanca. Webb debía acercarse a él y decir: «El vuelo ha sido muy tranquilo.» Si el hombre se quitaba la gorra y ponía en marcha el motor, David subiría al asiento trasero. No intercambiarían ninguna otra palabra.

Así fue. Sin embargo, el conductor tomó un micrófono oculto bajo el salpicadero y habló en voz baja pero clara.

—La carga está a bordo. Por favor inicien vigilancia de vehículo rodante.

A David le pareció que aquellos procedimientos exóticos rayaban en lo ridículo, pero considerando que Alex Conklin había vuelto a ponerse en contacto con él en el aeropuerto Logan utilizando el teléfono privado del director Peter Holland, se suponía que los dos hombres sabían lo que se llevaban entre manos. Por la mente de Webb cruzó la idea de que esto se relacionara con la llamada que Mo Panov le había hecho nueve horas atrás. Su intuición se confirmó cuando Holland en persona se puso al teléfono para insistir en que condujese hasta Hartford y tomase un vuelo comercial hacia Washington, tras lo cual añadió enigmáticamente que no quería más comunicaciones telefónicas ni aviones involucrados, ya fuesen privados o estatales.

Sin embargo, este vehículo del gobierno no perdió tiempo para salir del aeropuerto nacional. En cuestión de minutos viajaban a través de la campiña y poco después se hallaban en los suburbios de Virginia. Se detuvieron frente a las rejas de un lujoso complejo de apartamentos con jardines en cuyo letrero anunciador se leía *Villa Vienna*, el mismo nombre del municipio donde se hallaba ubicado. El guardia reconoció al conductor y agitó una mano mientras se alzaba la pesada barrera que obstruía la entrada. Entonces el chófer abordó directamente a Webb.

—Este recinto tiene cinco sectores separados, señor. Cuatro de ellos son apartamentos con propietarios corrientes, pero el quinto, el más alejado de la entrada, pertenece a la agencia y cuenta con su propio sistema de seguridad. Estará muy bien allí, señor.

—No me sentía particularmente mal.

—Ni se sentirá mal. Se encuentra bajo la supervisión del director de la Central de Inteligencia, y su bienestar es importante para él.

—Me alegra saberlo, pero ¿cómo lo sabe usted?

—Formo parte del equipo, señor.

—En ese caso, ¿cómo se llama?

El conductor guardó silencio por un momento y cuando respondió David tuvo la inquietante sensación de que retrocedía en el tiempo.

—No tenemos nombres, señor. Ni usted ni yo.

Medusa.

—Ya comprendo —dijo Webb.

—Llegamos. —El conductor introdujo el vehículo por una calzada circular y se detuvo frente a una residencia de dos pisos estilo colonial. Aquellas columnas blancas acanaladas podrían estar talladas en mármol de Carrara—. Discúlpeme, señor, acabo de darme cuenta. No lleva equipaje.

—Es verdad, no he traído nada —dijo David mientras abría la puerta.


—¿Qué te parece mi alojamiento provisional? —preguntó Alex, señalando el elegante apartamento amueblado.

—Demasiado limpio y ordenado para un viejo solterón y avinagrado —respondió David—. ¿Y desde cuándo te has aficionado a las cortinas floreadas, con margaritas amarillas y rosadas?

—Aguarda a que veas el empapelado de mi dormitorio. Tiene capullos de rosas.

—No creo que me interese.

—Tu habitación tiene jacintos. Por supuesto, yo no reconocería un jacinto aunque me saltara encima, pero eso fue lo que dijo la criada.

—¿La criada?

—Ronda los cincuenta, es negra y su físico parece el de un luchador. Lleva dos pistolas de aire comprimido bajo la falda y, según los rumores, también oculta varias navajas.

—Vaya una.

—Es una especie de patrullero. No permite entrar una pastilla de jabón o un rollo de papel higiénico que no provenga de Langley. Ya sabes, recibe un excelente salario y algunos de estos payasos le dejan propinas.

—¿No necesitan camareros?

—Eso sería gracioso. Nuestro intelectual Webb, el camarero.

—Jason Bourne lo fue.

Conklin se detuvo un momento y luego habló con seriedad.

—Vayamos a él —dijo, cojeando hacia un sillón—. Dicho sea de paso, has tenido un día muy duro y ni siquiera es mediodía, así que si quieres un trago hay un bar completo detrás de esas persianas rojizas junto a la ventana. No me mires de ese modo, nuestra Brunilda negra afirmó que eran rojizas.

Webb miró a su amigo y se echó a reír con una carcajada tenue y sincera.

—No te molesta en lo más mínimo, ¿verdad, Alex?

—Diablos, no, ya lo sabes. ¿Alguna vez has escondido las bebidas cuando os visitaba a ti y a Marie?

—Nunca hubo ninguna tensión...

—La tensión no viene al caso —lo interrumpió Conklin—. Tomé una decisión porque no me quedaba otra alternativa. Sírvete un trago, David. Tenemos que hablar y quiero que estés tranquilo. Cuando te miro a los ojos veo fuego en ellos.

—Una vez me dijiste que siempre se veía en los ojos —dijo Webb mientras abría las persianas rojizas y tomaba una botella—. ¿Así que todavía lo notas?

—Te dije que se veía detrás de los ojos. Nunca aceptes lo que se encuentra en la superficie... ¿Cómo se encuentran Marie y los niños? Supongo que habrán partido bien.

—Revisé el plan de vuelo hasta la saciedad con el piloto. Comprendí que estarían bien cuando finalmente me dijo que saliera de la cabina o tomase yo mismo los mandos del avión. —Webb se sirvió un trago y regresó al sillón frente al agente retirado—. ¿Dónde estamos, Alex? —preguntó mientras se sentaba.

—En el mismo punto que anoche. Nada se ha movido y nada ha cambiado, salvo por el hecho de que Mo se niega a abandonar a sus pacientes. Esta mañana lo recogieron en su apartamento, que ahora es tan seguro como el fuerte Knox, y lo condujeron a su consultorio bajo protección. Esta tarde lo traerán aquí después de cambiar cuatro veces de vehículo, siempre en aparcamientos subterráneos.

—Por lo visto ahora se trata abiertamente de protección. ¿Ya nadie se oculta?

—Sería inútil. Levantamos la liebre en el Smithsoniano y nuestros hombres quedaron en evidencia.

—Por eso podría funcionar, ¿verdad? Lo inesperado. Sustitutos en una unidad protegida con instrucciones de cometer errores.

—Lo inesperado funciona, David, las estupideces, no. —Conklin sacudió la cabeza rápidamente—. Retiro lo dicho. Bourne podía hacerlo, pero no un destacamento oficial de vigilancia. Existen demasiadas complicaciones.

—No comprendo.

—Por eficaces que sean esos hombres, su principal preocupación reside en custodiar vidas, tal vez en salvarlas; también deben coordinarse entre ellos y redactar informes. Son profesionales, no asesinos a sueldo que terminan con un cuchillo en el cuello si cometen un error.

—Eso suena muy melodramático —comentó Webb, mientras bebía apoyado contra el respaldo del sillón—. Creo que yo operaba de ese modo, ¿verdad?

—Se trataba más de una imagen que de la realidad, pero era auténtico para la gente que frecuentabas.

—Entonces volveré a encontrar a esas personas, me relacionaré con ellas otra vez. —David Webb se adelantó bruscamente, apretando la copa con ambas manos—. ¡Me está obligando a salir, Alex! El Chacal quiere ver mis cartas y yo debo enseñárselas.

—Oh, cállate —masculló Conklin, irritado—. Ahora eres tú el melodramático. Hablas como en una mala película de vaqueros. Si te muestras, Marie acabará viuda y los niños huérfanos. Ésa es la realidad, David.

—Te equivocas. —Webb sacudió la cabeza sin apartar la vista de su copa—. Él me está buscando, así que debo ir a por él. Trata de hacerme salir, así que debo lograr que él se descubra primero. Es la única forma posible, la única solución para que desaparezca de nuestras vidas. En última instancia se trata de Carlos contra Bourne. Nos encontramos en el mismo punto que trece años atrás. «Alpha, Bravo, Caín, Delta... Caín es por Carlos y Delta es por Caín.»

—¡Ése era un absurdo código de París hace trece años! —lo interrumpió Alex con dureza—. ¡El Delta de Medusa y su maravilloso desafío al Chacal. ¡Pero ahora no estamos en París, y ya han pasado trece años!

—Y dentro de cinco habrán pasado dieciocho; al cabo de cinco más, veintitrés. ¿Qué diablos quieres que haga? ¿Vivir con el fantasma de ese hijo de puta sobre mi familia? ¿Aterrorizarme cada vez que mi esposa o mis hijos abandonan la casa? ¿Vivir atemorizado el resto de mis días...? ¡No, cállate tú, hombre de campaña! No eres tan estúpido. Los analistas pueden idear una docena de estrategias y es posible que en seis de ellas encontremos cosas que puedan sernos de utilidad, pero cuando se trata de revolcarse en el fango, el asunto queda entre el Chacal y yo... Y yo cuento con una ventaja. Estás de mi parte.

Conklin tragó saliva mientras parpadeaba.

—Eso es muy halagador, David, quizá demasiado. Me siento mejor en mi propio elemento, a varios miles de kilómetros de Washington. Aquí siempre estoy un poco incómodo.

—No era así cuando me enviaste en ese avión a Hong Kong hace cinco años. Para entonces ya habías logrado desentrañar la mitad de la ecuación.

—Eso fue más sencillo. Era una operación D.C. que olía a podrido, tan podrido que ofendía a mis fosas nasales. Esto es diferente; se trata de Carlos.

—Ésa es la clave, Alex. Es Carlos, no una voz desconocida en el teléfono. Estamos tratando con alguien conocido, alguien predecible...

—¿Predecible? —lo interrumpió Conklin con el ceño fruncido—. Eso también es una locura. ¿En qué sentido?

—Él es el cazador. Seguirá una pista.

—Primero las examinará con una nariz muy experta y luego colocará los indicios bajo un microscopio.

—Entonces tendremos que descubrir parte de nuestro juego, ¿verdad?

—Prefiero ir a lo seguro. ¿Qué tienes en mente? En el evangelio según san Alex está escrito que para poner una trampa hay que utilizar gran parte de la verdad, aunque resulte peligroso. Ese versículo referido a los indicios bajo un microscopio. Creo que acabo de citarlo. ¿Cómo se aplicaría aquí?

—Medusa —respondió Webb con suavidad—. Quiero utilizar a Medusa.

—Has perdido la razón —respondió Conklin, tan quedo como David—. Ese nombre está tan prohibido como tú... para ser sinceros, mucho más.

—Circulaban rumores, Alex. Historias que corrieron por todo el sudeste de Asia, desde el mar de China hasta Kowloon y Hong Kong. Se decía que aquellos canallas se habían ganado su paga. Medusa no era exactamente el espíritu maligno y secreto que al parecer tú consideras.

—Rumores e historias, por supuesto —lo interrumpió el oficial de inteligencia retirado—. ¿Quién de entre esos animales no colocó un arma en la sien de una docena, dos docenas o dos centenares de infelices durante sus «excursiones»? Los pelotones de la muerte originales estaban compuestos por un noventa por ciento de asesinos y ladrones. Peter Holland afirma que cuando era un SEAL, en las operaciones del norte, no conoció a un miembro de aquella cuadrilla a quien no quisiera matar.

—Y sin ellos, en lugar de cincuenta y ocho mil bajas bien podíamos haber superado las sesenta mil. Debes ser justo con esos animales, Alex. Conocen cada centímetro del territorio, cada metro cuadrado de la jungla. Enviaron... enviamos más información útil que todas las unidades de Saigón juntas.

—David, me gustaría que comprendieras que jamás podrá establecerse una conexión entre Medusa y el gobierno de Estados Unidos. Nunca hubo ningún registro de la relación, mucho menos un reconocimiento; el nombre mismo se encubrió al máximo. No existen reglamentos que limiten los crímenes de guerra, y oficialmente Medusa debía ser una organización privada, un grupo de inadaptados violentos que deseaban volver a ver al corrupto sudeste de Asia tal como siempre había sido. Si alguna vez llegaba a descubrirse que detrás de Medusa se ocultaba Washington, la reputación de varias personas importantes de la Casa Blanca y el Departamento de Estado quedaría arruinada. Ahora son agentes del poder mundial, pero veinte años atrás era funcionarios jóvenes y fanáticos del Comando Saigón... Podemos hacer la vista gorda con las tácticas poco ortodoxas en tiempos de guerra, pero no admitiremos la complicidad en la matanza de civiles o en la malversación de fondos que ascienden a millones cuando, sin saberlo, son los contribuyentes quienes financian estas operaciones con los impuestos. Es como esos archivos secretos que detallan cómo muchos de nuestros influyentes economistas apoyaron a los nazis. Queremos que algunas cosas no salgan jamás a la luz, y Medusa es una de ellas.

Webb se apoyó de nuevo contra el respaldo del sillón, aunque esta vez parecía tenso. Tenía los ojos fijos en un viejo amigo quien, en una ocasión, y por poco tiempo, se había convertido en su enemigo mortal.

—Si lo que me queda de memoria sirve para algo, Bourne fue identificado como procedente de Medusa.

—Era una explicación absolutamente plausible y una pantalla perfecta —dijo Conklin, mirándolo también a los ojos—. Regresamos a Tam Quan y «descubrimos» que Bourne era un aventurero paranoico de Tasmania que desapareció en la jungla de Vietnam del Norte. En ninguna parte de ese creativo expediente había el menor indicio de una conexión con Washington.

—Pero eso es una gran mentira, ¿verdad, Alex? Había y hay una conexión con Washington, y ahora el Chacal lo sabe. Lo averiguó cuando te localizó a ti y a Mo Panov en Hong Kong... encontró sus nombres en las ruinas de aquella casa de Victoria Peak donde Jason Bourne fue supuestamente asesinado. Lo confirmó anoche, cuando sus mensajeros te abordaron en el Smithsoniano y... según tus propias palabras, «nuestros hombres quedaron en evidencia». Finalmente comprendió que todo aquello que había supuesto durante trece años era cierto. El miembro de Medusa llamado Delta era Jason Bourne, y Jason Bourne un invento de la inteligencia norteamericana... y sigue con vida. Está vivo, se oculta y recibe la protección de su gobierno.

Conklin dio un puñetazo al brazo del sillón.

—¿Cómo nos encontró? ¿Cómo me encontró? Todo, todo estaba bajo un manto negro. ¡McAllister y yo nos aseguramos de ello!

—Se me ocurren varias formas, pero eso es algo que podemos postergar. Ahora no tenemos tiempo para ello. Debemos actuar según lo que sabemos que Carlos ha averiguado... Medusa, Alex.

—¿Qué? ¿Actuar ahora?

—Si Bourne salió de Medusa, se deduce que nuestras operaciones pantalla trabajaban con él... con ellos. De otro modo, ¿cómo pudo realizarse la sustitución de Bourne? Lo que el Chacal no sabe o aún no ha descubierto es hasta dónde está dispuesto a llegar este gobierno, o algunas personas en él, para que Medusa siga siendo un secreto. Tal como tú has dicho, algunos hombres muy importantes de la Casa Blanca y del Departamento de Estado podrían resultar perjudicados, muchos rótulos desagradables se adherirían a las frentes de los agentes del poder mundial, como creo que los has llamado.

—Y de pronto tendremos unos cuantos Waldheim propios. —Conklin asintió con la cabeza y bajó la vista frunciendo el ceño. Era evidente que sus pensamientos corrían a toda velocidad.

—*Nuy Dap Ranh* —dijo Webb con voz apenas audible. Al escuchar las palabras orientales, Alex volvió a mirar a David—. Ésa es la clave, ¿verdad? —continuó Webb—. *Nuy Dap Ranh*, la Dama Serpiente.

—Lo has recordado.

—Esta misma mañana —respondió Jason Bourne con ojos fríos—. Cuando Marie y los niños despegaron y el avión desapareció entre la niebla de Boston, de pronto me encontré allí. En otro avión, en otro momento, las palabras surgían de la radio en medio de la interferencia atmosférica. «Dama Serpiente, Dama Serpiente, aborten... Dama Serpiente, ¿me escuchan? ¡Aborten!» Respondí apagando esa maldita cosa y miré a los hombres de la cabina. Todos parecían a punto de derrumbarse en la turbulencia. Los miré uno por uno preguntándome si éste o aquél lograrían sobrevivir, si yo saldría con vida y, de no ser así, cómo moriríamos… Entonces vi que dos de los hombres se alzaban las mangas para comparar aquellos horribles tatuajes que llevaban en los antebrazos, aquellos despreciables y pequeños emblemas que los obsesionaban…

—*Nuy Dap Ranh* —dijo Conklin—. El rostro de una mujer con serpientes en lugar de cabellos. La Dama Serpiente. Te negaste a que te lo grabaran…

—Nunca lo consideré una señal de distinción —lo interrumpió Webb-Bourne, parpadeando—. Más bien todo lo contrario.

—En un principio se pensó como un sistema de identificación, no como una enseña o un emblema de distinción. Un intrincado tatuaje en la parte interna del antebrazo, el diseño y los colores sólo podía proceder de un artista en Saigón. Nadie más era capaz de reproducirlo.

—Aquel anciano ganó mucho dinero por entonces; era especial.

—En el cuartel general del comando, cada oficial conectado con Medusa llevaba uno. Eran como niños maníacos que buscaran claves secretas en las cajas de cereal.

—No eran niños, Alex. Puedes apostar tu trasero a que se trataba de maníacos, pero no de niños. Habían contraído un virus llamado irresponsabilidad, y unos cuantos millonarios comenzaron sus carreras en el ubicuo Comando Saigón. Los niños de verdad eran mutilados y asesinados mientras estos sujetos disfrutaban de correos personales que recorrían Suiza y los bancos de la Bahnhofstrasse de Zurich.

—Cuidado, David. Podrías estarte refiriendo a personalidades muy importantes de nuestro gobierno.

—¿Quiénes son? —preguntó Webb con suavidad, mientras sostenía la copa ante sí.

—En cuanto a los que conocía y sabía que estaban con la basura hasta el cuello, me aseguré de que se esfumaran después de la caída de Saigón. Pero antes de eso me mantuve un par de años al margen de la campaña. Nadie habla mucho de aquellos meses, y ni siquiera mencionan la Dama Serpiente.

—De todos modos, debes de tener alguna idea.

—Desde luego, pero nada concreto, nada que se acerque siquiera a una prueba. Sólo hipótesis basadas en el tren de vida, en una propiedad demasiado costosa o en un sitio al que no deberían tener acceso. Algunos alcanzaron posiciones en ciertas corporaciones, justificando salarios o participación en las acciones cuando en sus antecedentes no había nada que lo explicase.

—Estás describiendo una red —dijo David con voz tensa, la voz de Jason Bourne.

—Si lo es, es muy cerrada —respondió Conklin—. Muy exclusiva.

—Redacta una lista, Alex.

—Estaría llena de agujeros.

—Limítate en primer lugar a las personas importantes del gobierno que estaban vinculadas al Comando Saigón. Luego continúa con los que tienen propiedades demasiado costosas para sus economías o inexplicables empleos de salario importante en el sector privado.

—Repito, una lista como ésa no servirá de nada.

—Contamos con tu intuición.

—David, ¿qué diablos tiene que ver esto con Carlos?

—Parte de la verdad, Alex. Una parte peligrosa, lo admito, pero cierta e irresistible para el Chacal.

Confundido, el ex oficial superior observó a su amigo.

—¿En qué sentido?

—Ahí es donde interviene tu creatividad. Supongamos que logras reunir quince o veinte nombres, seguramente darás en el blanco con tres o cuatro. Cuando hayamos averiguado quiénes son, aplicamos presión y los acosamos de una forma u otra transmitiendo siempre el mismo mensaje: un ex integrante de Medusa se encuentra fuera de control. Un hombre, custodiado durante años, está a punto de destruir la Dama Serpiente y posee la información necesaria: nombres, delitos, la ubicación de las cuentas secretas en Suiza, todo el paquete. Entonces —y esto probará el talento del viejo san Alex que todos conocimos y veneramos— se difunde el rumor de que existe alguien más interesado que ellos en atrapar a este peligroso renegado.

—Ilich Ramírez Sánchez —dijo Conklin con suavidad—. Carlos el Chacal. Y lo que sigue es tan impracticable como lo anterior: de algún modo... sólo Dios sabe cómo, se difunde el rumor de un encuentro entre las dos partes interesadas. Es decir, interesadas en un asesinato conjunto, ya que una de las partes es incapaz de participar activamente a causa de su elevada posición oficial. ¿Se trata de eso?

—Poco más o menos, sólo que esos mismos hombres poderosos de Washington pueden acceder a la identidad y el paradero de este sujeto al que tanto desean ver muerto.

—Naturalmente —respondió Alex con escepticismo—. Sólo deben agitar una varita y se levantarán todas las restricciones aplicables a los archivos de máxima seguridad.

—Exacto —dijo David con firmeza—. Porque quien se encuentre con los emisarios de Carlos debe de estar tan arriba, ser tan de fiar, que el Chacal no tendrá más remedio que aceptarlo. La posibilidad de que se trate de una trampa debe quedar eliminada.

—¿También quieres que haga florecer las rosas durante una tempestad de nieve?

—Algo parecido. Todo ocurriría en un día o dos, mientras el Chacal continúa inquieto por lo ocurrido en el Smithsoniano.

—¡Imposible...! Oh diablos, lo intentaré. Me estableceré aquí y haré que Langley me envíe lo necesario. Seguridad Cuatro-Cero, por supuesto... No quisiera perder a quienquiera que esté en el May flower.

—Tal vez no suceda —aventuró Webb—. El que sea no desaparecerá tan pronto. Sería demasiado obvio para el estilo del Chacal.

—¿El Chacal? ¿Crees que se trata de Carlos en persona?

—No él, por supuesto, sino alguien a sus órdenes. Alguien tan insospechado que podría llevar un cartel con el nombre del Chacal alrededor del cuello y no lo creeríamos.

—¿Chino?

—Tal vez. Él es geométrico; todo lo que hace guarda una lógica, pero hasta su lógica parece incoherente.

—Escucho a un hombre del pasado, a un hombre que nunca existió.

—Oh, existió, Alex. Ya lo creo que sí. Y ahora ha regresado.

Conklin miró hacia la puerta. De pronto las palabras de David le suscitaron otro pensamiento.

—¿Dónde está tu maleta? —preguntó—. Has traído algo de ropa, ¿verdad?

—No, y éstas irán a parar a una alcantarilla de Washington en cuanto consiga algo más. Pero primero debo visitar a otro viejo amigo, otro genio que vive en el lado equivocado de la ciudad.

—Déjame adivinar —dijo el agente retirado—. Un anciano negro con el increíble nombre de Cacto, un genio en lo que se refiere a documentos falsos, pasaportes y permisos de conducir.

—Has acertado. Es él.

—La agencia podría encargarse de todo.

—No tan bien, y con demasiada burocracia. No quiero nada que pueda ser descubierto, incluso con una seguridad Cuatro-Cero. Esto será entre él y yo.

—Muy bien. Y luego, ¿qué?

—Tú ponte a trabajar, hombre de campaña. Mañana por la mañana quiero que haya mucha gente en movimiento en esta ciudad.

—¿Mañana por la mañana...? ¡Eso es imposible!

—No para ti, san Alex. Eres el príncipe de las operaciones secretas.

—Di lo que quieras, ni siquiera estoy en forma.

—Eso se recupera rápidamente. Es igual que el sexo y montar en bicicleta.

—¿Qué hay de ti? ¿Qué vas a hacer tú?

—Después de consultar a Cacto, tomaré una habitación en el hotel Mayflower —respondió Jason Bourne.

Culver Parnell, magnate hotelero de Atlanta que tras veinte años en el negocio había logrado su nombramiento como jefe de protocolo de la Casa Blanca, colgó furioso el teléfono de su oficina mientras garabateaba la sexta obscenidad en la agenda. Con la elección y el cambio de personal en la Casa Blanca, había tomado el lugar de las señoras de buena familia que ignoraban por completo las ramificaciones políticas de una lista de mil seiscientos invitados. Entonces, para su profunda irritación, se encontró luchando contra su propia ayudante, otra mujer de mediana edad que también provenía de los elegantes colegios del este. Para empeorar aún más las cosas, ésta pertenecía a la alta sociedad de Washington y donaba su salario a cierta compañía de baile cuyas integrantes danzaban por allí vestidas sólo con lo indispensable.

—¡Mierda! —masculló Culver, pasándose una mano por la canosa cabellera; volvió a tomar el teléfono y pulsó cuatro dígitos en la consola—. Ponme con el Colorado, cariño —pidió con voz melosa.

—Sí, señor —respondió la halagada secretaria—. Está en otra línea, pero lo interrumpiré. Espere un segundo, señor Parnell.

—Eres el más dulce de los melocotones, preciosa.

—¡Oh, gracias! Ahora espere.

Nunca fallaba, pensó Culver. Un poco de aceite de magnolia funcionaba mucho mejor que la corteza de un roble retorcido. Esa perra de ayudante bien podía tomar lecciones de sus superiores sureños; hablaba como si algún dentista yanqui hubiese unido sus malditos dientes con un cemento permanente.

—¿Eres tú Cull? —La voz del Colorado interrumpió los pensamientos de Parnell, que estaba escribiendo la séptima obscenidad en la agenda.

—No te quepa duda, muchacho, ¡y tenemos un problema! Esa puta lo está haciendo otra vez. Tengo a nuestros amigos de Wall Street anotados para una mesa en la recepción del veinticinco, la que se celebrará para el nuevo embajador francés, y ella sostiene que debemos sacarlos para poner allí a sus bailarinas…, dice que ella y la primera dama están muy interesadas en eso. ¡Mierda! Estos muchachos tienen muchos intereses puestos en Francia, y esta conexión con la Casa Blanca podría llevarlos a la cima. ¡Cada francés de la bolsa pensará que ha oído todos los rumores de la ciudad!

—Olvídalo, Cull —dijo el ansioso Colorado—. Es posible que nos enfrentemos a un problema más grave, y no sé lo que significa.

—¿Qué pasa?

—Cuando estábamos allá en Saigón, ¿alguna vez escuchaste algún comentario referente a algo o alguien llamado Dama Serpiente?

—Me hablaron mucho acerca de ojos de serpiente —rió Parnell—, pero no de lo que tú dices. ¿Por qué?

—El sujeto con el que estaba discutiendo llamará otra vez dentro de cinco minutos. Parecía que me estaba amenazando. ¡De verdad me amenazaba, Cull! Mencionó Saigón y sugirió que algo terrible había ocurrido allí. Repitió varias veces el nombre de Dama Serpiente como si yo tuviese que correr a esconderme.

—¡Pásame a ese hijo de puta! —rugió Parnell, interrumpiéndolo—. Yo sé exactamente a qué se refiere ese canalla. Es esa maldita perra que tengo por ayudante… ¡eso es la Dama Serpiente! ¡Dale mi número a ese gusano y dile que yo sé muy bien de qué está hablando!

—¿Me lo dirías a mí, Cull?

—Diablos, Colorado, tú estabas allí. Manejamos algunos pequeños casinos y algunos payasos perdieron un par de camisas; pero no hubo nada que los soldados no hayan hecho desde que se jugaron a los dados las ropas de Cristo… Sólo lo subimos a un avión más alto y tal vez metimos dentro a algunas mujeres que, de todos modos, hubiesen estado recorriendo las calles… No, Colorado, esa culona elegante que se hace llamar mi ayudante cree tener algo contra mí. Por eso se ha puesto en contacto contigo, porque todos saben que somos compañeros. Dile a ese puerco que me llame y yo arreglaré cuentas con esa ramera. ¡Esta vez se ha metido en un lío! ¡Mis muchachos de Wall Street se quedan y sus coristas se van!

—Muy bien Cull, me limitaré a darle tu número —dijo el Colorado, conocido en el pasado como vicepresidente de Estados Unidos, mientras colgaba el teléfono.

Volvió a sonar cuatro minutos más tarde, y Parnell recibió las palabras como una ráfaga de disparos.

—Dama Serpiente, Culver, ¡y todos estamos en problemas!

—No, escúchame tú, cabeza de pájaro, ¡yo te diré quién está en problemas! Ella no es ninguna dama, ¡es una perra! Uno de sus treinta o cuarenta esposos eunucos pudo jugar a los dados en Saigón y perder un poco de dinero, pero a nadie le importó un bledo entonces y tampoco les importa ahora. En especial a un coronel de la marina que disfrutaba jugando al póquer de vez en cuando, y en este momento ese mismo hombre está sentado en el Despacho Oval. Y te diré más, escroto sin huevos, cuando sepa que ella trata de difamar a los valientes muchachos que sólo querían un poco de diversión mientras luchaban en esa guerra ingrata…

En Vienna, Virginia, Alexander Conklin colgó el teléfono. Falló en el uno y falló en el dos... y él nunca había oído mencionar el nombre de Culver Parnell.


Albert Armbruster, el presidente de la Comisión Federal de Comercio, lanzó una maldición y cerró el grifo al oír la voz chillona de su esposa en el baño lleno de vapor.

—¿Qué diablos ocurre, Mamie? ¿No puedo ducharme sin que me molestes?

—¡Podría ser de la Casa Blanca, Al! Tú sabes cómo hablan... siempre en voz baja y asegurando que es urgente.

—¡Mierda! —gritó el presidente mientras abría la mampara y se dirigía desnudo hasta el teléfono de la pared—. Aquí, Armbruster. ¿Qué ocurre?

—Hay una crisis que requiere su inmediata atención.

—¿Se trata del mil seiscientos?

—No, y esperamos que nunca ascienda tanto.

—¿Quién habla?

—Alguien tan preocupado como lo estará usted. Después de todos estos años... ¡oh, Dios!

—¿Preocupado? ¿Por qué? ¿De qué está hablando?

—Dama Serpiente, señor presidente.

—¡Oh, Dios mío! —De pronto la voz de Armbruster se convirtió en un grito de pánico. De inmediato trató de controlarse, pero ya era demasiado tarde. Blanco uno—. No comprendo lo que me dice. ¿Qué «dama no sé qué»? Nunca he oído hablar de ello.

—Bueno, pues óigalo ahora, señor Medusa. Existe alguien que lo tiene todo, absolutamente todo. Fechas, malversación de suministros y pertrechos, cuentas bancarias en Ginebra y en Zurich, hasta los nombres de varios enlaces en Saigón, y cosas peores. ¡Las peores! Otros nombres, agentes de inteligencia militar que nunca estuvieron en combate. Todo.

—¡Sandeces! ¡No comprendo lo que dice!

—Y usted figura en la lista, señor presidente. Ese hombre debe de haber pasado quince años reuniendo los datos. Ahora quiere que le paguen por todo ese tiempo de trabajo a cambio de su silencio.

—¿Quién? ¿Quién es él, por amor de Dios?

—Lo estamos buscando. Sólo sabemos que ha estado en el programa secreto durante más de una década y nadie se enriquece bajo esas circunstancias. Debió de verse excluido de la acción en Saigón y ahora está recuperando el tiempo perdido. No haga nada. Volveremos a ponernos en contacto. —Hubo un clic y la línea quedó en silencio.

A pesar del vapor y el calor del baño, Albert Armbruster, director de la Comisión Federal de Comercio, se estremeció mientras el sudor le corría por el rostro. Colgó el receptor y sus ojos se deslizaron hacia el pequeño y horrible tatuaje que tenía en la parte interna del antebrazo.

En Vienna, Virginia, Alex Conklin miró el teléfono.

Blanco Uno.


El general Norman Swayne, jefe de aprovisionamiento del Pentágono, se apartó del punto de partida satisfecho de su golpe largo y recto a través de la pista. La pelota rodaría hasta alcanzar una posición óptima para el siguiente tiro de aproximación al hoyo diecisiete.

—Eso debería ser suficiente —comentó, dirigiéndose a su compañero de golf.

—Seguramente, Norm —respondió el joven vicepresidente de Tecnologías Calco—. Esta tarde me has llevado al huerto. Al final te deberé casi trescientos dólares. A veinte por hoyo, sólo he conseguido cuatro hasta ahora.

—Es tu golpe desviado, jovencito. Debes practicarlo.

—Sin duda tienes razón, Norm —reconoció el ejecutivo de Calco mientras se aproximaba al punto de partida. De pronto se oyó la bocina de un carrito de golf y el vehículo de tres ruedas apareció a toda velocidad por la pendiente de la decimosexta pista—. Es su conductor, general —dijo el distribuidor de armamentos, arrepintiéndose de inmediato por haber abandonado el tuteo.

—Así es. Qué extraño; nunca me interrumpe cuando juego al golf. —Swayne se dirigió hacia el vehículo y lo alcanzó a unos diez metros del punto de partida—. ¿Qué ocurre? —le preguntó al sargento mayor, un hombre robusto y cubierto de condecoraciones que había sido su conductor durante más de quince años.

—Creo que esto huele a podrido —masculló el suboficial aferrado al volante.

—Eso parece bastante contundente…

—También lo fue el hijo de puta que llamó. Tuve que atenderlo dentro, en un teléfono público. Le aseguré que no interrumpiría su juego y me recomendó que lo hiciera si sabía lo que me convenía. Naturalmente, le pregunté quién era, cuál era su grado y todas esas estupideces, pero me interrumpió más asustado que otra cosa. «Sólo dile al general que llamo con respecto a Saigón y unos reptiles que se arrastraban por la ciudad hace unos veinte años.» Ésas fueron sus palabras exactas.

—¡Señor! —exclamó Swayne—. ¿La Dama…?

—Dijo que volvería a llamar dentro de media hora. Sólo faltan dieciocho minutos. Sube, Norman. Yo formo parte de esto, ¿lo recuerdas?

Confundido y asustado, el general murmuró:

—Debo... debo presentar alguna excusa. No puedo marcharme así, sin más.

—Que sea rápido. Norman, ¡llevas una camisa de manga corta, maldito idiota! Dobla el brazo.

Con los ojos abiertos de par en par, Swayne se observó el pequeño tatuaje y de inmediato dobló el brazo frente al pecho, al estilo de un general de brigada británico. Luego regresó al punto de partida, fingiendo una calma que no sentía.

—Maldita sea, jovencito, el ejército me reclama.

—Es una verdadera lástima, Norm, pero debo pagarte. ¡Insisto!

Algo aturdido, el general aceptó el dinero de su compañero sin contar los billetes, de forma que no advirtió que había varios cientos de dólares más que la deuda real. Después de murmurar las gracias, Swayne regresó rápidamente al vehículo de golf, y se situó junto al sargento mayor.

—Esto va por mi golpe desviado, soldadito —se dijo el ejecutivo de armamentos balanceando el palo. La pequeña pelota blanca se desplazó más lejos que la del general y hasta una posición mucho mejor—. Todo sea por cuatro millones de dólares, canalla de hojalata.

Blanco Dos.


—En nombre de Dios, ¿de qué me habla? —preguntó el senador riendo por teléfono—. ¿O debería decir, qué es lo que trata de conseguir Al Armbruster? Él no necesita mi apoyo con el nuevo proyecto de ley y no lo obtendría si lo necesitara. Era un imbécil en Saigón y es un imbécil ahora, pero cuenta con la mayoría de los votos.

—No estamos hablando de votos, senador. ¡Hablamos de la Dama Serpiente!

—Las únicas serpientes que encontré en Saigón eran los pelmazos como Alby. Se arrastraban por toda la ciudad y pretendían conocer todas las respuestas cuando en realidad no había ninguna.

En Vienna, Virginia, Alexander Conklin colgó el teléfono.

Tercer fallo.


Phillip Atkinson, embajador ante la corte de St. James, atendió el teléfono en Londres suponiendo que aquella llamada anónima le comunicaría instrucciones extraordinariamente confidenciales del Ministerio de Estado. De forma automática y tal como se le había ordenado, Atkinson pulsó el interruptor de su aparato de interferencias, que raras veces utilizaba. Éste produciría una descarga de estática en los interceptores del servicio secreto británico, y luego él sólo esbozaría una sonrisa benigna ante los amigos que le preguntasen si había alguna novedad de Washington. Sabía que algunos mantenían «relaciones» en el MI-Cinco.

—¿Sí?

—Señor embajador, supongo que no pueden interceptarnos —dijo la voz baja y forzada desde Washington.

—Su suposición es correcta.

—Bien... Quiero llevarte de regreso a Saigón, a cierta operación de la cual nadie habla...

—¿Quién es? —lo interrumpió Atkinson dejándose caer contra el respaldo del sillón.

—Los hombres de aquella tropa jamás utilizaban nombres, y nosotros no queríamos divulgar nuestra relación con ellos, ¿verdad?

—Maldito sea, ¿quién es? ¿Lo conozco?

—No, Phil, aunque me sorprende que no reconozcas mi voz.

Los ojos de Atkinson recorrieron la oficina rápidamente sin ver nada. Sólo trataba de recordar, trataba desesperadamente de unir una voz con un rostro.

—Eres tú, Jack... ¡Créeme, nadie puede interceptarnos!

—Cuidado Phil...

—La Sexta Flota, Jack. Un simple código Morse invertido. Luego cosas más importantes, mucho más importantes. ¿Eres tú, verdad?

—Digamos que es posible, pero no viene al caso. Lo importante es que el ambiente está tenso, muy tenso...

—¡Eres tú!

—Cállate. Sólo escucha. Una fragata bastarda se soltó de sus amarras y está llegando a aguas poco profundas.

—Jack, yo estuve en tierra, no en el mar. No logro comprenderte.

—Hay un sujeto a quien debimos dejar fuera de juego allá en Saigón. Por lo que he sabido, lo pusieron bajo protección, pero ahora tiene todos los datos. Todo, Phil. Lo sabe todo.

—¡Bendito sea Dios!

—Está listo para lanzarse...

—¡Deténlo!

—Ese es el problema. No estamos seguros de quién es. En Langley se mantiene una gran reserva sobre todo el asunto.

—Por Dios, hombre, ¡en tu posición puedes ordenarles que dejen de joder la marrana! Diles que el archivo nunca llegó a completarse, que la información que contiene es confusa. ¡Que es toda falsa!

—Eso podría precipitar los acontecimientos…

—¿Ya has llamado a Jimmy T a Bruselas? —lo interrumpió el embajador—. Él está muy relacionado con las altas esferas en Langley.

—Por el momento no quiero que las cosas avancen más. Al menos hasta que haya terminado con unos trabajillos.

—Lo que tú digas, Jack. Las riendas son tuyas.

—Mantén tensas las drizas, Phil.

—¡Si sugieres que mantenga la boca cerrada, no te preocupes por ellos! —dijo Atkinson mientras doblaba el codo y se preguntaba a quién conocía en Londres que pudiera quitarle aquel horrible tatuaje del antebrazo.

Al otro lado del Atlántico, en Vienna, Virginia, un Alexander Conklin muy asustado colgó el teléfono y se apoyó contra el respaldo del sillón. Había seguido su intuición, como hiciera en el campo de batalla durante más de veinte años. Una palabra conducía a la otra, una frase a otra frase, una indirecta salida del aire lograba confirmar una suposición e incluso una conclusión. Era un ajedrez ficticio y él sabía que era un hábil profesional… algunas veces demasiado hábil. Había cosas que debían permanecer en secreto, cánceres ocultos enterrados en la historia, y lo que acababa de averiguar entraba muy bien en esa categoría.

Blancos tres, cuatro y cinco.

Phillip Atkinson, embajador en Gran Bretaña. James Teagarten, jefe supremo de la OTAN. Jonathan «Jack» Burton, ex almirante de la Sexta Flota, ahora presidente de los jefes del estado mayor conjunto.

Dama Serpiente. Medusa.

Una red.

## 5

Era como si nada hubiese cambiado, pensó Jason Bourne consciente de que su otro yo, el que se llamaba David Webb, estaba retrocediendo. El taxi lo había llevado hasta aquel barrio en el noreste de Washington, lugar elegante en el pasado, pero que ahora estaba desprestigiado. Y tal como ocurriera cinco años atrás, el conductor se negó a esperarlo. Bourne subió por el sendero de losas cubiertas de malezas hasta la vieja casa. Al igual que la primera vez, pensó que era demasiado vieja y frágil y que necesitaba unos cuantos arreglos; llamó al timbre preguntándose si Cacto aún estaría vivo. Lo estaba; el hombre negro, delgado y anciano, con el rostro dulce y los ojos cálidos, apareció ante la puerta exactamente como lo hiciera cinco años atrás, entornando los ojos bajo una visera verde. Incluso las primeras palabras de Cacto fueron casi idénticas a las que pronunció aquel día ya lejano.

—¿Tienes tapacubos en tu coche, Jason?

—Ni coche ni taxi; no quiso quedarse.

—Debe de haber oído esos rumores difamatorios que hizo circular la prensa fascista. Yo tengo obuses en las ventanas sólo para dar a conocer a las pandillas del vecindario mi amistosa posición. Entra, he pensado mucho en ti. ¿Por qué no has llamado a este viejo amigo?

—Tú número no aparece en el listín, Cacto.

—Debe de haber sido un descuido. —Bourne se internó en el vestíbulo mientras el anciano cerraba la puerta—. Distingo unas cuantas canas en tu cabello —añadió Cacto mientras contemplaba a su amigo—. Aparte de eso no has cambiado mucho. Tal vez una que otra arruga en tu rostro, pero eso te da más carácter.

—También tengo una esposa y dos hijos, tío Remus. Un niño y una niña.

—Ya lo sabía. Mo Panov me mantiene al corriente de todo aunque no pueda revelarme dónde te encuentras, lo cual, por otra parte, no me importa, Jason.

Bourne parpadeó y sacudió la cabeza lentamente.

—Todavía olvido cosas, Cacto. Lo siento. No recordaba que tú y Mo erais amigos.

—Oh, el buen doctor me llama al menos una vez al mes y dice: «Vamos, Cacto, ponte el traje Pierre Cardin y los zapatos Gucci; vayamos a almorzar.» Entonces yo le respondo: «¿De dónde sacará este viejo negro un atuendo semejante?» Y él me dice: «Probablemente posees un centro comercial en el mejor barrio de la ciudad.» Eso sí que es una exageración, Dios me ampare. Es cierto que tengo algún que otro inmueble en la zona de los blancos decentes, pero nunca me acerco a ellos.

Mientras ambos reían, Jason observó el rostro oscuro y los cálidos ojos negros que tenía delante.

—Acabo de recordar otra cosa. Hace trece años, en ese hospital de Virginia, tú viniste a verme. Aparte de Marie y de esos canallas del gobierno, fuiste el único.

—Panov lo comprendió, Jason. Cuando por mi condición extraoficial trabajé sobre ti para Europa, le dije a Morris que no se podía estudiar el rostro de un hombre con lupa sin aprender muchas cosas sobre él. Quería que me hablases acerca de las cosas que faltaban bajo esa lupa, y a Morris le pareció que no era mala idea… Y ahora que ha pasado la hora de la confesión, debo confesar que resulta realmente satisfactorio volver a verte Jason pero, para ser sincero, no me alegro de verte, si entiendes a qué me refiero.

—Necesito tu ayuda, Cacto.

—Ése es el motivo de mi tristeza. Ya has pasado bastante y no estarías aquí si no quisieras más. Según mi opinión profesional, que es la del que lo observa todo con lupa, eso no resulta conveniente para el rostro que tengo delante.

—Debes ayudarme.

—Entonces será mejor que me des un buen motivo para que el buen doctor lo acepte. Porque no pienso colaborar con nada que te cause más problemas. En el hospital vi varias veces a tu adorable esposa pelirroja. Ella es especial y tus hijos deben de ser excepcionales. No quiero hacer nada que pueda perjudicarles. Perdóname, pero todos vosotros sois como familiares lejanos, de una época sobre la cual no hablamos, pero de la que no olvido nada.

—Si necesito tu ayuda es precisamente por ellos.

—Sé más claro, Jason.

—El Chacal anda tras de mí. Nos encontró en Hong Kong y tiene puesta la mira en mí y en mi familia, en mi esposa y mis hijos. Por favor, ayúdame.

Los ojos del anciano se abrieron de par en par bajo la visera verde, y la ira brilló en sus pupilas dilatadas.

—¿El buen doctor lo sabe?

—Forma parte de ello. Es posible que no apruebe lo que estoy haciendo, pero si es sincero consigo mismo sabrá que en el fondo se trata de una cuestión entre el Chacal y yo. Ayúdame, Cacto.

Bajo las sombras de la tarde, el anciano negro estudió al hombre que le suplicaba en el vestíbulo.

—¿Estás en buena forma? —le preguntó—. ¿Aún tienes fuerzas?

—Corro diez kilómetros diarios y levanto pesas dos veces por semana en el gimnasio de la univer...

—No te oigo. No quiero saber nada de colegios o universidades.

—Entonces no lo has oído.

—Por supuesto que no. Yo diría que se te ve bien.

—Es premeditado, Cacto —dijo Jason con suavidad—. Algunas veces sólo es un teléfono que suena de pronto, o Marie que ha salido con los niños y se retrasa, o un desconocido que me detiene en la calle para preguntarme una dirección. Entonces todo regresa... Él regresa. El Chacal. Mientras exista la posibilidad de que siga con vida, debo estar preparado porque no dejará de buscarme. La terrible ironía es que esta persecución está basada en una hipótesis que a lo mejor no es cierta. Él me supone capaz de identificarlo, pero yo no estoy seguro de ello. En realidad, las cosas aún no están claras en mi mente.

—¿Has considerado la posibilidad de enviarle ese mensaje?

—Quizá publique un anuncio en el *Wall Street Journal*. «Querido amigo Carlos: tengo noticias para ti, muchacho.»

—No te rías, Jason. No es imposible. Tu amigo Alex podría encontrar un modo. Su cojera no le afecta la cabeza.

—Y, por eso mismo, si aún no lo ha intentado debe existir una razón.

—Creo que no tengo ningún argumento contra eso... Así que pongámonos a trabajar. ¿Qué tenías en mente? —Cacto lo condujo a través de una amplia arcada hacia una puerta al final de la sala. El lugar estaba repleto de muebles viejos con fundas amarillentas—. Mi estudio no es tan elegante como antes, pero todo el equipo se encuentra allí. Estoy prácticamente retirado. Mis asesores financieros elaboraron un magnífico programa de retiro con grandes deducciones fiscales, así que la presión no es tan grande.

—Eres increíble —dijo Bourne.

—Supongo que hay quien opina eso, los que no están purgando una condena. ¿Qué tenías en mente?

—Bastantes cosas. No se trata de Europa ni de Hong Kong, por supuesto. En realidad son sólo papeles.

—Así que el Camaleón se refugia en otro disfraz. Él mismo.

Jason se detuvo junto a la puerta.

—También había olvidado eso. Así solían llamarme, ¿verdad?

—¿Camaleón? Te aseguro que no lo hacían sin motivo. Si seis personas se encontraban frente a frente con nuestro muchacho Bourne, lo describían de seis modos diferentes. Sin necesidad de maquillaje, por cierto.

—Lo recuerdo todo, Cacto.

—Pido a Dios todopoderoso que no sea necesario, pero en caso contrario puedes estar seguro de que lo recordarás... Vamos a la habitación mágica.

Tres horas y veinte minutos después se había consumido el sortilegio. David Webb, erudito en cuestiones orientales y durante tres años el asesino Jason Bourne, tenía dos nombres ficticios adicionales junto con los respectivos pasaportes, permisos de conducir y tarjetas censales. Y como ningún taxi se acercaba al vecindario de Cacto, un vecino en paro cargado con pesadas cadenas de oro alrededor del cuello y de las muñecas llevó al cliente del anciano hasta el centro de Washington en su nuevo Cadillac Allanté.

Jason encontró un teléfono público en los almacenes Garfinkel y llamó a Alex en Virginia para comunicarle sus dos nombres ficticios, de los que escogió uno para el hotel Mayflower. Oficialmente, Conklin conseguiría un cuarto a través de la administración en caso de que las reservas para el verano fuesen difíciles de obtener. Luego Langley activaría un imperativo Cuatro-Cero y haría lo posible para proveer a Bourne de todo el material que necesitara y para enviarlo a su habitación cuanto antes. Se estimaba un mínimo de tres horas suplementarias, sin garantías en cuanto al tiempo o a la autenticidad. De todos modos, pensó Jason mientras Alex volvía a confirmar la información en una segunda línea directa con la CIA, necesitaría al menos dos de esas tres horas antes de ir al hotel. Debía procurarse un pequeño guardarropa; el Camaleón salía de nuevo a la luz.

—Steve de Sole me dice que activará los ordenadores. Comparará nuestra información con los bancos de datos del ejército y el servicio secreto naval —dijo Conklin cuando volvió a la línea—. Peter Holland puede lograrlo; es buen amigo del presidente.

—¿Buen amigo? Ésa es una expresión extraña viniendo de ti.

—Como en una reunión de viejos amigos.

—Oh... gracias, Alex. ¿Qué hay de ti? ¿Algún progreso?

Conklin permaneció en silencio y, cuando respondió, su voz tranquila ocultaba el miedo que sentía; un miedo bajo control, pero de todos modos existente.

—Digámoslo de este modo... No estoy preparado para lo que he

averiguado. He estado lejos demasiado tiempo. Tengo miedo Jason...
lo siento, David.

—El primero fue el correcto. ¿Ya has discutido...?

—Nada por su nombre —lo interrumpió rápidamente el oficial retirado de inteligencia.

—Ya veo.

—No podrías —replicó Alex—. Yo no podría. Me mantendré en
contacto. —Con estas enigmáticas palabras, Conklin colgó repentinamente.

Bourne lo imitó muy despacio, con el ceño fruncido por la preocupación. Ahora era Alex quien se comportaba de forma melodra-
mática, cosa poco frecuente en él. El control era su palabra favorita,
y admiraba la moderación. Lo que fuera que hubiese averiguado lo
había perturbado profundamente... tanto que ya ni parecía confiar
en los procedimientos que él mismo había ideado, ni siquiera en sus
colaboradores. De otro modo se hubiese mostrado más claro, más
explícito; en lugar de ello, por razones que Jason no alcanzaba a imaginar, Alexander Conklin no deseaba hablar acerca de Medusa o de
lo que hubiera averiguado al desvelar veinte años de fraude... ¿Sería
posible?

¡De ninguna manera! Y sería inútil pensar en ello ahora, consideró
Bourne mientras observaba la gran tienda a su alrededor. Alex no
sólo tenía buenas ideas, sino que era consecuente con ellas..., mientras uno no fuese el enemigo. Tristemente, reprimiendo una risita
ahogada, Jason recordó París trece años atrás. Él también conocía ese
aspecto de Alex. Pero por proteger unas lápidas de un cementerio en
las afueras de Rambouillet, su mejor amigo lo hubiese matado. Eso
había sido entonces, no ahora. Conklin había asegurado que se man-
tendría «en contacto». Y lo haría. Hasta entonces, el Camaleón debía
fabricarse varios disfraces. Desde dentro hasta fuera, desde la ropa interior hasta el traje, pasando por todo lo que se hallaba en medio. No
podía arriesgarse a que apareciese la marca de una lavandería o la
prueba microscópica de un detergente distribuido en determinada región; nada. Había demasiado en juego. Si tenía que matar por la familia de David —«¡oh, Dios, por mi familia!»— se negaba a pagar las consecuencias del o de los asesinatos. A donde él se dirigía no existían
reglas; podían morir inocentes en el tiroteo. Mala suerte. David Webb
se negaría enérgicamente, pero a Jason Bourne le importaba una
mierda. Ya había estado antes allí; él conocía las estadísticas, Webb
no sabía nada.

*¡Lo detendré, Marie! ¡Te prometo que lo echaré de nuestras vidas! El
Chacal es hombre muerto. Nunca volverá a tocarte... serás libre.*

*Oh, Dios mío, ¿quién soy? ¡Mo, ayúdame...! ¡No, Mo, no lo ha-*

*gas! Soy lo que debo ser. Soy cada vez más frío. Pronto seré como el hielo..., claro, transparente, tan frío y puro que podré moverme por todas partes sin que me descubran. ¿No lo comprendes, Mo? Y tú también Marie... ¡tengo que hacerlo! David debe desaparecer. Ya no puedo tenerlo cerca.*

*Perdóname, Marie, y tú también, doctor, pero lo que pienso ahora es la verdad. Una verdad a la que debo enfrentarme sin demora. No soy ningún tonto y no me engaño a mí mismo. Ambos deseáis que permita a Jason Bourne alejarse de mi vida, que lo libere a una especie de infinito, pero ahora tengo que hacer lo contrario. David debe partir, al menos por un tiempo.*

*¡No me molestes con semejantes deliberaciones! Tengo trabajo que hacer.*

¿Dónde diablos estaba el departamento de hombres? Cuando hubiese terminado con sus compras, cambiando de dependientes todo lo posible para pagar al contado, buscaría un probador donde se cambiaría cada una de las prendas que llevaba. Después recorrería las calles de Washington hasta encontrar la tapa de una alcantarilla. El Camaleón también había regresado.


Eran las siete y treinta y cinco de la noche cuando Bourne dejó a un lado la hoja de afeitar. Había quitado todas las etiquetas de la ropa nueva y colgado cada prenda en el armario, a excepción de las camisas, que se había llevado al baño para que el vapor les quitase el olor a nuevo. Bourne se acercó a la mesa donde el servicio de habitaciones había colocado una botella de whisky escocés, soda y una cubitera; deseaba terriblemente llamar a Marie a la isla pero no podía, no desde la habitación del hotel. Lo único importante era que ella y los niños hubieran llegado bien, y eso ya lo sabía; había hablado con John St. Jacques desde otro teléfono público en Garfinkel's.

—¡Hey, Davey, están exhaustos! Debieron dar vueltas alrededor de la isla durante cuatro horas hasta que el tiempo mejoró lo bastante para aterrizar. Despertaré a mi hermana si lo deseas, pero, tras dar de comer a Alison, simplemente se desplomó.

—No importa, llamaré después. Dile que estoy bien y cuídalos mucho, Johnny.

—Lo haré, amigo. Ahora dime. ¿Estás bien?

—Ya te he dicho que sí.

—Seguro, los dos podéis decir lo mismo, pero Marie no sólo es mi hermana, es mi hermana favorita y yo sé cuando ella está asustada.

—Por eso debes cuidarla.

—También pienso hablar con ella.

—Ten cuidado, Johnny.

Durante unos momentos había vuelto a ser David Webb, pensó Jason mientras se servía una copa. Eso no le gustaba, sabía que estaba mal. Sin embargo, una hora después, Jason Bourne había regresado. Al hablar con el hotel Mayflower respecto a su reserva, lo habían puesto con el gerente nocturno.

—Ah, sí, señor Simon —lo saludó el hombre con entusiasmo—. Sabemos que se encuentra aquí para combatir esas terribles tasas fiscales en los viajes de negocios y los espectáculos. Le deseo la mejor de las suertes. ¡Estos políticos nos arruinarán a todos…! No teníamos habitaciones dobles, así que nos tomamos la libertad de reservarle un apartamento, sin cargo adicional, por supuesto.

Todo aquello había sucedido dos horas antes, y desde entonces había quitado las etiquetas, puesto las camisas al vapor y raspado las suelas de los zapatos contra el reborde de la ventana. Sosteniendo el vaso, Bourne se sentó en un sillón con la mirada fija en la pared, no había nada que hacer salvo aguardar y pensar.

Unos golpes suaves en la puerta dieron fin a la espera en cuestión de minutos. Jason atravesó la habitación rápidamente, abrió la puerta y dejó entrar al conductor que lo había recogido en el aeropuerto. El hombre de la CIA traía consigo un maletín que entregó a Bourne.

—Aquí lo encontrará todo, incluyendo un arma y una caja de municiones.

—Gracias.

—¿Quiere examinarlo?

—Tengo toda la noche para hacerlo.

—Son casi las ocho —dijo el agente—. Su control se pondrá en contacto con usted alrededor de las once. Eso le dará tiempo suficiente para comenzar.

—¿Mi control…?

—¿Se trata de eso, verdad?

—Sí, por supuesto —respondió Jason con suavidad—. Lo había olvidado. Gracias otra vez.

El hombre partió y Bourne corrió hasta el escritorio con el maletín. Lo abrió, cogió primero la automática con la caja de municiones y luego extrajo lo que debían ser varios cientos de archivos de ordenador dispuestos en carpetas. En alguna parte, entre aquella enorme cantidad de datos había un nombre que relacionaba a un hombre o a una mujer con Carlos el Chacal. Se trataba de las fichas de identificación de los clientes habituales del hotel, incluyendo a aquellos que se habían registrado en las últimas veinticuatro horas. Cada hoja se complementaba con cualquier información adicional que se hubiese encontrado en el banco de datos de la CIA, del ejército G-2 y del servicio secreto naval. Podían existir infinitas razones por las cuales todo aquello resultase inútil, pero era un punto de partida. La cacería se había iniciado.

Ochocientos kilómetros al norte, en las habitaciones del tercer piso de otro hotel, el Ritz-Carlton de Boston, otra persona golpeaba otra puerta. Dentro, un hombre de casi dos metros de altura, cuyo traje de rayas finas hecho a medida lo hacía parecer aún más alto, salió como una tromba del dormitorio. Su cabeza calva, enmarcada por unos cabellos grises perfectamente peinados sobre las sienes, era como una corona de inmaculada blancura que cubría el cerebro de una consagrada eminencia de alguna corte real, donde reyes, príncipes y aspirantes se inclinaban ante su sabiduría, transmitida sin duda a través de los ojos de un águila y la voz encumbrada de un profeta. Aunque sus movimientos revelaban una vulnerable ansiedad, ello no disminuía la imagen que proyectaba. Era importante y poderoso, y él lo sabía. Todo esto contrastaba con el hombre mayor que entró por la puerta. Había muy poco de distinguido en aquel visitante bajo, enjuto y entrado en años; encarnaba la frustración.

—Entra. ¡Rápido! ¿Has traído la información?

—Oh sí, sí, por supuesto —respondió el hombre de rostro gris. Tanto el traje arrugado como el cuello de la camisa habían conocido tiempos mejores, tal vez una década atrás—. Qué imponente te ves, Randolph —dijo con voz débil mientras estudiaba a su anfitrión y observaba la lujosa habitación—. Y qué imponente es este lugar, muy adecuado para un profesor tan distinguido.

—La información, por favor —insistió el doctor Randolph Gates de Harvard, experto en la ley antitrust y consejero muy bien remunerado de numerosas industrias.

—Oh, espera un momento, mi viejo amigo. Ha pasado mucho tiempo desde que estuve por última vez en unas habitaciones como éstas, y ni hablar de hospedarme en ellas… Oh, cómo han cambiado las cosas para nosotros a lo largo de los años. He leído artículos acerca de ti con frecuencia y te he visto por la televisión. Eres tan erudito, Randolph. Esa es la palabra adecuada, pero no es suficiente. Es, de nuevo, imponente. Eso es lo que eres, imponente y erudito. Tan alto y autoritario.

—Tú podrías haber alcanzado la misma posición —replicó Gates con impaciencia—. Por desgracia, te dedicaste a buscar atajos donde no los había.

—Oh, sí que los había, pero yo escogí los equivocados.

—Entiendo que las cosas no te han ido bien…

—Tú no «entiendes», Randy, tú sabes. Si tus espías no te han informado, sin duda podrás notarlo por ti mismo.

—Simplemente trataba de localizarte.

—Sí, eso fue lo que dijiste por teléfono. También me lo dijeron varias personas en la calle; personas interrogadas respecto a asuntos sin ninguna relación con mi residencia.

—Necesitaba saber si eras competente. No puedes culparme por eso.

—Por todos los cielos, no. No, considerando lo que querías que hiciera, lo que creo que querías que hiciera.

—Sólo actuar como un mensajero confidencial, eso es todo. Seguramente no pondrás objeciones respecto al dinero.

—¿Objeciones? —replicó el visitante con una risita aguda y temblorosa—. Deja que te diga una cosa, Randy. Pueden excluirte del foro a los treinta o treinta y cinco y seguir adelante, pero cuando te ocurre a los cincuenta y tu juicio suscita la atención de la prensa junto con una sentencia de encarcelamiento, te sorprendería saber hasta qué punto se ven menguadas tus alternativas; incluso aunque seas un hombre culto. Te conviertes en un intocable, y yo nunca supe vender nada que no fuese mi propio ingenio. Entre paréntesis, también intenté eso durante los últimos veintitantos años. A Alger Hiss le fue mejor con las tarjetas de presentación.

—No tengo tiempo para recuerdos. La información, por favor.

—Oh sí, por supuesto… Bueno, primero el dinero me fue entregado en la esquina de Commonwealth y Dartmouth, y naturalmente anoté todos los nombres y datos que me dictaste por teléfono…

—¿Los anotaste? —preguntó Gates con dureza.

—Lo quemé en cuanto pude memorizarlos. Mis dificultades me han enseñado algo. Encontré al ingeniero en la compañía telefónica. Se mostró encantado con tu… perdón, con mi generosidad, y llevó su información a ese repulsivo detective privado. El sujeto es un rufián como pocos, Randy, y considerando sus métodos creo que realmente le vendrían muy bien mis servicios.

—Por favor —lo interrumpió el renombrado abogado—. Los hechos, no tus consideraciones.

—Las consideraciones suelen incluir hechos pertinentes, profesor. Sin duda tú sabrás eso.

—Si quiero abrir un caso, pediré opiniones. Por ahora no. ¿Qué averiguó el hombre?

—Basándose en lo que tú me habías contado, una mujer sola con niños —aún no se ha determinado cuántos— y con los datos que le proporcionó un mecánico de la compañía telefónica, determinada situación basada en el código de zona y en los primeros tres dígitos de un número, el rufián se puso a trabajar a un escandaloso precio por hora. Y para mi sorpresa, consiguió resultados. En realidad, con lo que queda de mi mente jurídica podríamos formar una sociedad oculta y consuetudinaria.

—Mierda, ¿qué averiguó?

—Bueno, tal como he dicho, su tarifa por hora fue insólita y no tuve más remedio que echar mano de mi bien merecido anticipo, por lo tanto, opino que deberíamos discutir un ajuste, ¿verdad?

—¿Quién diablos crees que eres? ¡Te envié tres mil dólares! Quinientos para el hombre de la telefónica y mil quinientos para ese puerco miserable que se hace llamar detective privado…

—Sólo porque ya no figura en la nómina del departamento de policía, Randolph. Como yo, ha caído en desgracia, pero es evidente que hace muy bien su trabajo. ¿Negociamos o me voy?

Furioso, el arrogante profesor de derecho observó al viejo y desacreditado abogado que tenía delante.

—¿Cómo te atreves?

—Mi querido Randy, confías plenamente en tus fuerzas, ¿verdad? Muy bien, te diré por qué me atrevo, mi viejo y altivo amigo. He leído tus artículos, te he visto exponiendo tus esotéricas interpretaciones de complejas cuestiones legales, atacando cada ley decente que las cortes de este país han decretado en los últimos treinta años. Tú no tienes la menor idea de lo que es ser pobre, tener hambre o cobijar en tu vientre a un ser que ni deseas ni puedes alimentar. Eres la fulana de los monárquicos, mi superficial amigo. Tú obligarías al ciudadano medio a vivir en una nación donde la intimidad es algo obsoleto, donde la libertad de opinión se ve invalidada por la censura, donde los ricos se enriquecen y para los más pobres de nosotros, los principios de la vida bien pueden ser abandonados a cambio de la supervivencia. Y te explayas en estos conceptos medievales sólo para promocionarte como un brillante adalid… del desastre. Francamente, creo que has escogido al perdedor equivocado para que funcione como contacto en tu trabajo sucio.

—¿Cómo… te atreves? —repitió el perplejo profesor, balbuceando mientras se acercaba a la ventana con paso majestuoso—. ¡Yo no tengo por qué escuchar esto!

—No, sin duda que no, Randy. Pero cuando yo era profesor en la escuela de derecho y tú eras uno de mis alumnos, uno de los mejores pero no el más brillante, entonces sí tenías que escuchar. Por lo tanto, te sugiero que lo hagas ahora.

—¿Qué diablos quieres? —rugió Gates, alejándose de la ventana.

—Es lo que tú quieres, ¿no? La información por la que me has pagado tan mal. Es importante para ti, ¿verdad?

—Debo obtenerla.

—Siempre estabas dominado por la ansiedad antes de un exam...

—¡Basta! Ya he pagado. Exijo la información.

—Entonces yo exijo más dinero. Quienquiera que te esté pagando, podrá costearlo.

—¡Ni un dólar!

—Entonces me voy.

—¡Espera...! Quinientos más, eso será todo.

—Cinco mil o me voy.

—¡Eso es ridículo!

—Te veré dentro de otros veinte años...

—Muy bien... muy bien, cinco mil.

—Oh, Randy, eres demasiado transparente. En realidad, por eso no eres uno de los más brillantes, sólo alguien que sabe usar las palabras para aparentarlo, y creo que ya hemos visto u oído lo suficiente de eso en estos días... Diez mil, doctor Gates, o me iré a tomar una copa en alguna fonda.

—No puedes hacer esto.

—Ya lo creo que puedo. Ahora soy un consejero legal confidencial. Diez mil dólares. ¿Cómo prefieres pagarlos? Supongo que no los llevas encima, ¿cómo cancelarás la deuda... por la información?

—Te doy mi palabra...

—Olvídalo, Randy.

—Está bien. Haré una transacción al banco Boston Five por la mañana. A tu nombre. En un cheque.

—Eso es muy amable de tu parte. Pero en caso de que a tus superiores se les ocurra impedir que lo retire, por favor, adviérteles que una persona desconocida, un viejo amigo mío de las calles, tiene una carta donde se detalla todo lo que ha sucedido entre nosotros. Será remitida al fiscal general de Massachusetts, con aviso de retorno, en caso de que yo sufriera algún accidente.

—Eso es absurdo. La información, por favor.

—Sí. Bueno, deberías saber que te has involucrado en lo que parece ser una operación extremadamente delicada del gobierno, eso es lo fundamental. Basándose en la hipótesis de que en una emergencia siempre se escoge el sistema de transporte más rápido posible, nuestro detective se dirigió al aeropuerto Logan no sé con qué pretexto. Allí logró obtener las listas de pasajeros de todos los aviones que despegaron ayer por la mañana, desde el primer vuelo a las seis treinta hasta el de las diez de la mañana. Como recordarás, eso se corresponde con lo que tú me había dicho... «los que partan a primera hora de la mañana».

—¿Y?

—Paciencia, Randolph. Me ordenaste que no escribiera nada, así que vayamos paso por paso. ¿Dónde estaba?

—Las listas de pasajeros.

—Oh sí. Bueno, según el detective Rufián, había once niños sin acompañantes registrados en varios vuelos. Además encontró a ocho mujeres, dos de ellas monjas, que tenían reservas con menores. Las dos religiosas llevaban a nueve huérfanos hasta California, y las seis restantes fueron identificadas como sigue. —El anciano hurgó en el bolsillo y con mano temblorosa extrajo una hoja de papel escrita a máquina—. Es evidente que yo no he escrito esto. No tengo máquina de escribir porque no puedo mecanografiar; lo ha hecho el *führer* Rufián.

—¡Dámelo! —le ordenó Gates mientras avanzaba rápidamente hacia él con la mano extendida.

—Desde luego —dijo el abogado de setenta años y entregó la hoja a su antiguo alumno—. Aunque no te servirá de mucho —agregó—. Nuestro Rufián ya las verificó, más para inflar sus honorarios que por otra cosa. Estas mujeres están todas limpias, pero él llevó a cabo este servicio innecesario después de que descubriéramos la verdadera información.

—¿Qué? —exclamó Gates apartando los ojos de la página—. ¿Qué información?

—Información que ni Rufián ni yo anotamos en ninguna parte. El primer indicio provino de un empleado de la línea Pan American. Comentó a nuestro astuto detective que entre sus problemas del día anterior había tenido a un político, o alguien de la misma calaña, que necesitó pañales pocos minutos después de que él entrara a trabajar a las seis menos cuarto. ¿Sabías que los pañales vienen en distintos tamaños y que las compañías los proporcionan en caso de necesidad?

—¿Qué tratas de decirme?

—Todas las tiendas del aeropuerto estaban cerradas. Abren a las siete de la mañana.

—¿Y?

—Alguien que iba con prisa se olvidó de algo. Una mujer sola con una criatura de cinco años y un bebé abandonaba Boston en un avión privado. El empleado entregó lo que le habían pedido y recibió el agradecimiento personal de la madre. Verás, él es un padre joven y sabía todo lo relacionado con tamaños de pañales. Le llevó tres paquetes diferentes…

—Por amor de Dios, ¿quieres ir al grano, juez?

—¿Juez? —El anciano de rostro gris abrió los ojos de par en par—. Gracias, Randy. Con excepción de mis amigos en diversas tabernas, no me habían llamado así desde hacía años. Debe de ser el aura que exudo.

—¡Fue en recuerdo de la misma aburrida verborrea que utilizabas tanto en los juicios como en las clases!

—La impaciencia siempre fue tu mayor defecto. Yo la atribuía al fastidio que te provocaban las opiniones ajenas cuando interferían con tus propias conclusiones... De todos modos, nuestro comandante Rufián detectó la manzana podrida cuando el gusano emergió y le escupió en la cara, así que se apresuró en llegar a la torre de control de Logan. Allí encontró a un empleado fuera de servicio a quien pudo sobornar, y éste revisó los vuelos de ayer por la mañana. Junto al avión en cuestión habían escrito «Cuatro-Cero», lo cual, según le comunicaron a nuestro asombrado capitán Rufián, significaba información oficial de máxima seguridad. Ninguna lista de pasajeros, ningún nombre de los tripulantes, sólo una ruta diferente a la de los vuelos comerciales y un destino.

—¿Cuál?

—Blackburn, Montserrat.

—¿Dónde diablos queda eso?

—El aeropuerto Blackburn en Montserrat, una isla del Caribe.

—¿Han ido allí?

—No necesariamente. Según el cabo Rufián, un trabajador eficaz, debo admitirlo, existen vuelos que comunican con una docena aproximada de islas menores.

—¿Eso es todo?

—Eso es todo, profesor. Y considerando que el avión en cuestión estaba clasificado como Cuatro-Cero por el gobierno, dato que no he olvidado especificar al fiscal general en mi carta, creo que me he ganado mis diez mil dólares.

—Eres un borracho de mierda...

—Otra vez te equivocas, Randy —lo interrumpió el juez—. Alcohólico, tal vez; borracho, casi nunca. Siempre me mantengo en el límite de la sobriedad. Es uno de mis motivos para vivir. Es que cuando estoy consciente puedo divertirme... con hombres como tú.

—Sal de aquí —dijo el profesor en tono amenazador.

—¿Ni siquiera me ofrecerás un trago para ayudarme a mantener este terrible hábito? Dios mío, allí deben de haber al menos seis botellas sin abrir.

—Toma una y vete.

—Gracias, creo que lo haré. —El anciano juez se acercó a una mesa de madera roja donde descansaban dos bandejas de plata con varios whiskys y un coñac—. Veamos —continuó mientras tomaba varias servilletas blancas y envolvía con ellas tres botellas—. Si las sostengo con fuerza bajo el brazo tal vez parecerán una pila de ropa para la lavandería.

—¿Quieres darte prisa?

—¿Podrías abrirme la puerta? No quisiera que se me cayera alguna mientras manipulo el picaporte. Tampoco sería conveniente para tu imagen. Nunca se te ha visto beber, creo.

—Sal —insistió Gates, mientras abría la puerta al anciano.

—Gracias, Randy —se despidió el juez al tiempo que salía al pasillo—. No olvides el cheque en el Boston Five por la mañana. Quince mil.

—¿Quince…?

—¿Puedes imaginar lo que diría el fiscal general si se enterara de que te has asociado conmigo? Adiós abogado.

Randolph Gates cerró de un portazo y corrió hasta el teléfono, junto a la cama. La alcoba era el sitio más privado e íntimo, el más seguro para la llamada que debía hacer. Estaba tan nervioso que no alcanzó a comprender las instrucciones para efectuar llamadas internacionales. Finalmente, en su ansiedad, llamó a la operadora.

—Quiero hacer una llamada a París —dijo.

## 6

Bourne se notaba los ojos cansados y doloridos mientras estudiaba los registros de ordenador esparcidos sobre la mesita de café frente al sillón. Inclinado hacia delante, los había analizado durante casi cuatro horas sin percatarse del paso del tiempo, olvidando que su «control» ya tenía que haberse puesto en contacto con él. Sólo le preocupaba encontrar un punto de conexión entre el Chacal y el hotel Mayflower.

Había descartado de momento el primer grupo, que pertenecía a los ciudadanos extranjeros. Había una mezcla de británicos, italianos, suecos, alemanes occidentales, japoneses y taiwaneses. Cada uno había sido exhaustivamente investigado respecto a la autenticidad de sus documentos y de sus motivos personales o profesionales para entrar en el país. El Ministerio de Estado y la CIA habían cumplido con sus tareas. Cada persona era profesional y personalmente avalada por un mínimo de cinco individuos o compañías respetables; todos se comunicaban desde hacía tiempo con esas personas y firmas de Washington y ninguno tenía registrada una declaración falsa o sospechosa. Si el hombre del Chacal figuraba entre ellos, hecho probable, se necesitaría mucha más información que la que figuraba en el registro para que Jason pudiese descubrirlo. Podría ser necesario volver a este grupo, pero por el momento debía continuar leyendo. ¡Había tan poco tiempo!

De los restantes quinientos huéspedes norteamericanos del hotel, doscientos doce figuraban en uno o más de los bancos de datos del servicio secreto, la mayoría por mantener relaciones comerciales con el gobierno. Sin embargo, sesenta y ocho tenían evaluaciones negativas; treinta y uno por cuestiones de rentas internas, lo cual significaba que eran sospechosos de haber destruido o falsificado informes financieros, o de evadir impuestos mediante cuentas en Suiza o en la isla

Caimán. No eran nada, sólo ladrones ricos pero no muy brillantes y la clase de «mensajeros» que Carlos evitaría como a la lepra.

Eso dejaba cuarenta y siete posibilidades. Hombres y mujeres, en once casos matrimonios aparentemente, con amplios vínculos en Europa, principalmente con firmas tecnológicas relacionadas con la energía nuclear y la industria aeroespacial. Todos se hallaban bajo los microscopios del servicio de inteligencia por si se daba el caso de que vendiesen información a los agentes del Bloque Oriental, y por consiguiente a Moscú. De esas cuarenta y siete posibilidades, incluyendo a dos de las once parejas, doce habían viajado recientemente a la Unión Soviética, lo cual los descartaba. A la *Komitet Gosudarstvennoi Bezopasnosti*, también conocida como el KGB, le interesaba menos el Chacal que el Papa. Ilich Ramírez Sánchez, más tarde Carlos el Asesino, había sido entrenado en el vecindario norteamericano de Nóvgorod, donde las calles estaban ocupadas por gasolineras y tiendas de comestibles norteamericanas, comercios de ropa fina y puestos de hamburguesas. Allí todos hablaban el inglés americano con diversos dialectos, no se permitía el ruso, y sólo aquellos que aprobaban el curso podían pasar al siguiente nivel de espías. El Chacal había superado las pruebas, pero cuando el *Komitet* descubrió que el joven revolucionario venezolano eliminaba cuanto le desagradaba mediante la violencia, incluso los herederos del brutal OGPU consideraron sus métodos excesivos. Sánchez fue expulsado y así nació Carlos el Chacal. Debía olvidarse de los doce viajeros a la Unión Soviética; el asesino no los tocaría, ya que en todas las secciones del servicio secreto ruso existía la orden de que si Carlos era localizado, debía morir. Nóvgorod tenía que mantenerse protegido a toda costa.

Por lo tanto, las posibilidades se limitaban a treinta y cinco personas, que según los registros del hotel estaban divididas en nueve parejas, cuatro mujeres solas y trece hombres solos. Los bancos de datos describían en detalle los hechos y suposiciones que resultaban en la evaluación negativa de cada individuo. En rigor a la verdad, las suposiciones superaban ampliamente los hechos, se basaban con demasiada frecuencia en opiniones hostiles proporcionadas por enemigos o competidores. Sin embargo, cada caso debía estudiarse, ya que entre la información podía haber una palabra o una frase, un lugar o un hecho, algo que lo relacionara con Carlos.

El teléfono sonó e interrumpió la concentración de Jason. Al principio éste parpadeó ante el sonido como si tratara de determinar su procedencia, pero entonces se levantó de un salto, corrió hasta el escritorio y alcanzó el teléfono al tercer timbrazo.

—¿Sí?

—Soy Alex. Te llamo desde la calle.

—¿Vas a subir?

—No puedo entrar por el vestíbulo. Me las he arreglado para utilizar la entrada de servicio, donde hay un guardia temporal que ha sido contratado esta tarde.

—Estás cubriendo todas las bases, ¿verdad?

—No tantas como quisiera —respondió Conklin—. Éste no es un juego de pelota normal. Te veré dentro de unos instantes. Llamaré una vez.

Bourne colgó el teléfono para regresar al sillón y a los registros, y separó tres que le habían llamado la atención. Ninguno contenía información relativa al Chacal, pero existían datos aparentemente intrascendentes que podían relacionarlos a los tres entre sí, pese a no haber ninguna conexión evidente entre ellos. Según sus pasaportes, ocho meses atrás estos tres norteamericanos habían llegado al aeropuerto internacional de Filadelfia con una diferencia de seis días entre uno y otro. Dos mujeres y un hombre, las primeras procedentes de Lisboa y Marrakech respectivamente, el hombre de Berlín occidental. La primera mujer era una decoradora de interiores que había viajado a la antigua ciudad marroquí para reunir material; la segunda, una ejecutiva del banco Chase, departamento de relaciones con el exterior; el hombre era un ingeniero aeroespacial que trabajaba en McDonnell-Douglas y había sido transferido eventualmente a la fuerza aérea. ¿Por qué tres personas tan diferentes, con profesiones tan distintas, habrían de converger en la misma ciudad con una semana de diferencia entre uno y otro? ¿Coincidencia? Tal vez, pero considerando la cantidad de aeropuertos internacionales del país, incluyendo los más frecuentados como los de Nueva York, Chicago, Los Ángeles o Miami, parecía poco probable que coincidieran en Filadelfia. Aún más extraño y menos casual era el hecho de que ocho meses después, esas mismas tres personas se hospedasen durante las mismas fechas en el mismo hotel de Washington. Jason se preguntó lo que diría Alex Conklin cuando se lo contase.


—Ya los estoy investigando —dijo Alex mientras se hundía en un sillón frente a los registros.

—¿Lo sabías?

—No fue difícil de localizar. Por supuesto, fue mucho más sencillo al disponer de un ordenador.

—¡Podrías habérmelo dicho! He estado inmerso en estos asuntos desde las ocho.

—No los encontré hasta las nueve y no quise llamarte desde Virginia.

—Eso es otra historia, ¿verdad? —dijo Bourne al tiempo que se sentaba frente a él con expresión ansiosa.

—Sí, lo es, y también algo inconcebible.

—¿Medusa?

—Es peor de lo que había pensado, y no creí que eso fuese posible.

—Me estás asustando.

—Y te asustarás mucho más —replicó el oficial de inteligencia retirado—. ¿Por dónde comienzo…? ¿Adquisiciones del Pentágono? ¿La Comisión Federal de Comercio? ¿Nuestro embajador en Londres, o prefieres el jefe supremo de la OTAN?

—¡Dios mío…!

—Oh, tengo uno mejor. ¿Qué te parece el presidente de la jefatura del estado mayor?

—Cristo, ¿qué es esto? ¿Alguna clase de cabildeo?

—Eso es demasiado académico, doctor Intelectual. Ahora prueba con confabulación profunda, escurridiza y todavía viva después de todos estos años. Se relacionan en las altas esferas. ¿Por qué?

—¿Cuál es el propósito, el objetivo?

—Acabo de decirlo, de preguntarlo más bien.

—¡Tiene que haber una razón!

—Un motivo. Acabo de decir eso también, y puede ser tan simple como ocultar los pecados del pasado. ¿No es eso lo que estamos buscando? Un grupo de integrantes de Medusa que correría a ocultarse ante la idea de que el pasado saliese a la luz.

—Entonces, se trata de eso.

—No, no es así, y esta vez no se trata de los instintos de San Alex al acecho de una pista. Sus reacciones fueron demasiado inmediatas, demasiado viscerales, demasiado invadidas por el presente, no por algo ocurrido veinte años atrás.

—Has logrado que me pierda.

—Yo también estoy perdido. Hay algo diferente de lo que esperábamos, y ya estoy harto de cometer errores. Pero esto no es un error. Esta mañana dijiste que podría tratarse de una red, y yo pensé que te equivocabas por completo. Supuse que encontraríamos algunos personajes importantes que no querrían publicidad sobre los actos que cometieron hace veinte años. O personas que legítimamente tratarían de evitar problemas al gobierno. De ese modo podríamos utilizarlos, forzarlos en su miedo colectivo a hacer y decir las cosas que nosotros les indicáramos. Pero esto es diferente. Se trata del presente, y no logro desentrañarlo. Es más que miedo, es pánico; están enloquecidos de terror. Hemos tropezado con algo, señor Bourne, y te aseguro que se trata de algo importante.

—Según mi opinión, no existe nada más importante que el Chacal. No para mí. El resto puede irse al infierno.

—Estoy de tu lado, y me daría contra la pared mientras continúo gritándolo. Sólo quería que conocieras mis pensamientos. Con excepción de un breve y desdichado intervalo, nunca nos hemos ocultado nada David.

—Prefiero Jason últimamente.

—Sí, lo sé —lo interrumpió Conklin—. No me gusta, pero lo comprendo.

—¿En serio?

—Sí —dijo Alex con suavidad, asintiendo con la cabeza mientras cerraba los ojos—. Haría cualquier cosa para que no fuera así, pero no puedo.

—Entonces, escúchame. Con esa mente astuta que tienes, según la descripción de Cacto, inventa el peor argumento que se te ocurra y acorrala a esos cretinos contra otra pared, una de la cual no puedan salir indemnes a menos que sigan tus instrucciones al pie de la letra. Esas órdenes serán permanecer en silencio y aguardar tu llamada. Tú les dirás a quién deben llamar y qué deben decir.

Conklin observó a su amigo con una mezcla de culpabilidad y preocupación.

—Es posible que ya exista un argumento imposible de igualar —dijo con suavidad—. No cometeré otro error, no en ese aspecto. Necesito más que lo que tengo.

Bourne cerró los puños con ira y frustración. Entonces observó los registros esparcidos frente a él y frunció el ceño mientras apretaba los dientes. En cuestión de segundos, una tranquilidad repentina pareció apoderarse de él, se apoyó contra el respaldo del sillón y habló con tanta serenidad como Conklin.

—Muy bien, lo tendrás. Y rápido.

—¿Cómo?

—Yo te lo conseguiré. Necesitaré nombres, residencias, horarios y sistemas de seguridad, restaurantes favoritos y malos hábitos, si es que se conocen. Di a tus muchachos que se pongan a trabajar. Ahora mismo. Toda la noche si es necesario.

—¿Qué diablos piensas hacer? —exclamó Conklin, mientras inclinaba su frágil cuerpo hacia delante—. ¿Invadir sus casas? ¿Meterles agujas en el trasero entre el aperitivo y el plato principal?

—No había pensado en esta última posibilidad —respondió Jason con una sonrisa desagradable—. Realmente, tienes una gran imaginación.

—¡Y tú eres un loco peligroso…! Lo siento, no quise decir eso…

—¿Por qué no? —preguntó Bourne con moderación—. No estoy

pronunciando una conferencia sobre el surgimiento del manchú y la dinastía Ching. Si consideramos el estado de mi cerebro y mi memoria, la alusión a la salud mental no es disparatada. —Jason se detuvo y se inclinó lentamente hacia delante—. Pero deja que te diga una cosa, Alex. Es posible que no conserve todos los recuerdos, pero la parte de mi mente que tú y Treadstone formaron está entera. Lo demostré en Hong Kong, en Beijing y en Macao, y volveré a demostrarlo. Debo hacerlo. En caso contrario, no me quedaría nada... Ahora, consígueme la información. Has mencionado a varias personas que tienen que estar aquí, en Washington. Provisiones o abastecimientos del Pentágono...

—Adquisiciones —lo corrigió Conklin—. Es mucho más amplio y caro; él es un general llamado Swayne. Luego está Armbruster, director de la Comisión Federal de Comercio, y Burton...

—Presidente de los jefes conjuntos —completó Bourne—. El almirante «Joltin» Jack Burton, comandante de la Sexta Flota.

—El mismo. En el pasado fue el azote de los mares del sur de China. Ahora se encuentra en los altos mandos.

—Repito —dijo Jason—. Ordena a tus muchachos que se pongan a trabajar. Peter Holland te prestará toda la ayuda que necesites. Consígueme todo lo que haya sobre ellos.

—No puedo.

—¿Qué?

—Puedo conseguir los informes de nuestros tres huéspedes de Filadelfia porque forman parte del proyecto Mayflower, es decir, del Chacal. No puedo tocar a nuestros cinco, hasta ahora cinco, herederos de Medusa.

—Por amor de Dios, ¿por qué no? Debes hacerlo. ¡No podemos perder tiempo!

—El tiempo carecerá de importancia si ambos morimos. Tampoco ayudaría a Marie o a los niños.

—¿De qué diablos estás hablando?

—De por qué he llegado tarde. De por qué no quise llamarte desde Virginia. De por qué llamé a Charlie Casset y le pedí que me recogiese en aquel edificio de Vienna y por qué, hasta que él llegó, no estaba seguro de poder llegar aquí con vida.

—Cuéntamelo todo, soldado.

—Está bien, lo haré. No he comentado con nadie mis investigaciones sobre el personal de Medusa. Es algo entre tú y yo.

—Me extrañó. Cuando hablé contigo esta tarde estabas muy misterioso. Me pareció que demasiado, considerando dónde te encontrabas y los equipos de que dispones.

—Las habitaciones y el equipo resultaron ser seguros. Más tarde

Casset me dijo que la agencia no quiere que nada de lo que ocurra aquí deje indicios que puedan rastrearse, y no se puede pedir mejor garantía. Ni micrófonos, ni teléfonos interceptados, nada. Puedes creerme, respiré mucho más aliviado cuando me enteré de eso.

—Entonces, ¿cuál es el problema? ¿Por qué te detienes?

—Porque debo descubrir a otro almirante antes de continuar avanzando en el territorio de Medusa. Atkinson, nuestro impecable embajador ante la corte de St. James en Londres, fue muy claro. En su pánico, desenmascaró a Burton y a Teagarten en Bruselas.

—¿Y?

—Dijo que Teagarten podría manejar la agencia si aparecía algo relacionado con el viejo Saigón porque estaba muy vinculado con las altas esferas en Langley.

—¿Qué más?

—En lo que a seguridad se refiere, la más «alta esfera» es el director de la Central de Inteligencia. Y en Langley ese hombre es Peter Holland.

—Esta mañana me dijiste que Peter no tendría problemas en matar a cualquier miembro de Medusa.

—Se puede decir cualquier cosa. ¿Pero en verdad lo haría?


Al otro lado del Atlántico, en un viejo suburbio de París llamado Neuilly-sur-Seine, un anciano con un traje oscuro y gastado avanzaba trabajosamente hacia la entrada de la catedral del siglo dieciséis conocida como la iglesia del Sagrado Sacramento. Arriba, en la torre, las campanas doblaron el primer ángelus. Deteniéndose al sol de la mañana, el hombre se bendijo a sí mismo y susurró al cielo.

—*Angelus domini nuntiavit Mariae.*

Con la mano derecha, envió un beso al crucifijo que coronaba la arcada de piedra. Luego comenzó a subir la escalinata que conducía a las enormes puertas de la catedral, consciente de que dos sacerdotes lo miraban con disgusto.

*Me disculpo por profanar vuestra rica parroquia, presumidos de culo apretado,* pensó mientras encendía una vela y la colocaba en el pesebre, *pero Cristo dejó bien claro que me prefería a mí antes que a vosotros. «Los humildes heredarán la tierra...»* Lo que vosotros no hayáis robado antes.

El anciano se movió con cautela por el centro del pasillo. Con la mano derecha se iba apoyando en los bancos mientras con la izquierda se tocaba el cuello y la corbata para asegurarse de que el nudo no se había aflojado. Ahora su mujer estaba tan débil que apenas podía sujetar aquella maldita cosa, pero como en los viejos tiempos, insistía en darle los toques finales antes de que se fuese a trabajar. Ella aún era una buena mujer; ambos se habían reído al recordar aquella ocasión, cuarenta años atrás, en que ella puso demasiado almidón en la camisa de su marido y él había terminado maldiciendo los gemelos. En aquella noche tan lejana ella había querido que pareciera un verdadero ejecutivo para ir hasta el cuartel general de aquel *Oberführer* tratante de blancas con un portafolios en la mano; la misma cartera que había volado media manzana cuando él la dejó atrás. Y veinte años más tarde, en una tarde de invierno, ella se había visto en problemas para que el costoso abrigo robado quedara bien colocado sobre los hombros de su marido, antes de que éste saliera a robar el Gran Banco Louis IX en la Madeleine. La sucursal estaba dirigida por un educado pero desagradecido miembro de la Resistencia, que le había negado un préstamo. Aquéllos habían sido buenos tiempos, seguidos por malas épocas de achaques, lo cual había conducido a peores épocas..., en realidad, a tiempos de indigencia. Hasta la llegada de aquel hombre, un sujeto extraño con un curioso trabajo y un contrato aún más peculiar. Después de eso, había recuperado el respeto en forma de dinero suficiente para comer con decencia y beber un vino aceptable, para comprar ropa adecuada, de modo que su mujer había vuelto a parecer bonita; y lo más importante de todo, tenían dinero para pagar a los médicos que le aliviaban los males. Había sacado el traje y la camisa que llevaba puestos de un armario. En muchos sentidos, él y su esposa eran como actores de una compañía de provincias. Tenían un vestuario diferente para cada papel. Ése era su trabajo. Lo de ese día era asunto laboral. Esa mañana, mientras sonaban las campanas del ángelus, estaba trabajando.

Con cierta torpeza, el anciano dobló la rodilla frente a la sagrada cruz y luego se arrodilló en el primer asiento de la sexta fila, con los ojos fijos en el reloj. Dos minutos y medio después alzó la cabeza, y de la forma más discreta posible, miró alrededor. Sus ojos debilitados ya se habían acostumbrado a la penumbra de la catedral; alcanzaba a ver, no del todo bien pero con suficiente claridad. Había unos veinte devotos esparcidos por el templo. La mayoría estaba rezando mientras que los demás meditaban con los ojos fijos en la enorme cruz de oro del altar. Pero ellos no le interesaban; entonces descubrió lo que estaba buscando y supo que todo se cumplía según los planes. Un sacerdote con sotana negra recorrió la nave de la izquierda y desapareció tras las cortinas rojo oscuro del ábside.

El anciano volvió a consultar el reloj ya que ahora todo era una cuestión cronométrica; ése era el estilo del *monseigneur*. Ése era el estilo del Chacal. Transcurrieron dos minutos, el anciano mensajero se levantó con dificultad y salió a la nave. Allí realizó una genuflexión lo mejor que pudo y paso a paso se dirigió al segundo confesonario de la izquierda. Apartó la cortina y entró.

—Angelus Domini —susurró mientras se arrodillaba y repetía las palabras que había pronunciado varios cientos de veces en los últimos quince años.

—Angelus Domini, criatura de Dios —respondió la figura invisible detrás del enrejado negro. La bendición fue acompañada por un breve acceso de tos—. ¿Tus días transcurren en paz?

—Bastante más que eso gracias a un amigo desconocido, mi amigo.

—¿Qué ha dicho el doctor respecto a tu mujer?

—Me dice lo que no puede revelarle a ella. Parece ser que Dios ha dispuesto que la sobreviva. Su enfermedad se está extendiendo.

—Lo siento. ¿Cuánto tiempo le queda?

—Un mes, no más de dos. Pronto quedará confinada a la cama. Pronto el contrato entre nosotros quedará anulado.

—¿Y por qué?

—Ya no tendrá más obligaciones conmigo, y yo lo acepto. Usted ha sido bueno con nosotros. Yo he podido ahorrar algo y mis gastos son escasos. Francamente, sabiendo lo que me aguarda, me siento sumamente cansado...

—¡Eres un ingrato inaguantable! —murmuró la voz detrás del confesionario—. ¡Después de todo lo que he hecho, todo lo que te he prometido!

—¿Cómo?

—¿Tú morirías por mí?

—Por supuesto, ése es nuestro acuerdo.

—¡Entonces, a la inversa, deberás vivir por mí!

—Si eso es lo que desea, naturalmente que lo haré. Sólo quería que supiese que pronto ya no seré una carga para usted. Podrá reemplazarme sin dificultad.

—¡No te atrevas a presumir conmigo! —La ira hizo erupción en una tos hueca, una tos que parecía confirmar el rumor que se había difundido por las calles oscuras de París. El Chacal estaba enfermo, tal vez mortalmente enfermo.

—Usted es nuestra vida, nuestra honra. ¿Por qué haría yo algo así?

—Acabas de hacerlo... De todos modos, te he preparado un trabajo que hará más fácil la partida de tu mujer. Os iréis de vacaciones a un hermoso país, los dos juntos. Recogerás los documentos y el dinero en el lugar de costumbre.

—¿Y adónde iremos, si puedo preguntarlo?

—A una isla del Caribe llamada Montserrat. Recibirás tus instrucciones allí, en el aeropuerto Blackburn. Síguelas al pie de la letra.

—Por supuesto… Me gustaría saber cuál es mi objetivo.

—Encontrar y ofrecer tu amistad a una madre con dos niños.

—Y luego, ¿qué?

—Matarlos.


Brendan Prefontaine, ex juez federal del primer distrito judicial de Massachusetts, salió del banco Boston Five en la calle School con quince mil dólares en el bolsillo. Era una experiencia embriagadora para un hombre que había vivido en la pobreza durante los últimos treinta años. Desde que saliera de prisión, raras veces había dispuesto de más de quince dólares. Éste era un día muy especial.

Sin embargo, era algo más que especial. También era muy inquietante, porque ni por un instante había creído que Randolph Gates le fuera a pagar la suma que él había pedido. Gates había cometido un tremendo error al hacerlo; con ese dinero el reconocido abogado había alterado el alcance de las intenciones del viejo. Esto ya no se trataba de una despiadada codicia, sino que se había transformado en algo potencialmente letal. Prefontaine no tenía ni idea de quiénes eran la mujer y los niños ni de qué relación guardaban con lord Randolph Gates, pero quienesquiera que fuesen, Randy no tramaba nada bueno para ellos.

Una figura intachable en el mundo legal no pagaba una enorme suma de dinero a un borracho «de mierda», desprestigiado y excluido del foro, como Brendan Patrick Pierre Prefontaine, si su alma se hallaba con los arcángeles del cielo. Más bien esa alma hacía compañía a los discípulos de Lucifer. Y como resultaba evidente que ése era el caso, podía convenirle averiguar un poco más, ya que en cuestiones peligrosas solía arriesgarse más el simple espectador que quien poseía cierta información. Aquellos quince mil dólares bien podían convertirse en cincuenta mil al día siguiente, si el borracho de mierda volaba a la isla de Montserrat y comenzaba a formular preguntas.

Además, pensó el juez mientras el irlandés que había en él reía y el francés iniciaba una pequeña rebelión, hacía años que no tomaba vacaciones. Señor, ya tenía bastante con mantener unidos el cuerpo y el alma; ¿quién hubiese pensado en la posibilidad de abandonar la profesión de buscavidas?

Y así Brendan Patrick Pierre Prefontaine llamó un taxi, algo que no había hecho estando sobrio desde hacía al menos diez años, y pidió al escéptico conductor que lo llevase a la tienda de ropa masculina Louis en Faneuil Hall.

—¿Tienes el dinero, anciano?

—Más que suficiente para llevarte a que te corten el cabello y te curen el acné de tu cara de crío, jovencito. Vamos, Ben Hur. Tengo prisa.

Los percheros estaban llenos de ropa cara, y cuando él hubo enseñado un fajo de billetes de cien, el empleado de labios morados se mostró muy dispuesto a cooperar. Prefontaine pronto tuvo una maleta de cuero lustrado llena de ropa informal, y cambió el traje deslucido, la camisa y los zapatos que llevaba puestos por todo un atuendo nuevo. Una hora después no parecía muy diferente del hombre que había sido años atrás: el honorable Brendan P. Prefontaine. (Siempre había eliminado la segunda *P* por razones obvias.)

Otro taxi lo condujo a la pensión donde vivía. Allí recogió algunos objetos indispensables, incluyendo el pasaporte, que siempre mantenía vigente para las partidas precipitadas, que podían evitarle una temporada entre rejas. El mismo taxi lo llevó al aeropuerto Logan, pero este conductor no mostró preocupación por cobrar la tarifa. El hábito no hace al monje, pensó Brendan, pero sin duda ayuda a convencer a la gente desconfiada. Una vez en Logan le informaron de que tres líneas aéreas de Boston cumplían servicios con Montserrat. Él preguntó qué mostrador se hallaba más cerca y luego sacó un billete para el siguiente vuelo. Naturalmente, Brendan Patrick Pierre Prefontaine viajó en primera clase.

El camarero de Air France empujó la silla de ruedas lenta y suavemente por la rampa hasta llegar al jet 747 en el aeropuerto Orly de París. La frágil mujer de la silla era de edad avanzada y se había maquillado en exceso; llevaba un sombrero demasiado grande adornado con una pluma de cacatúa australiana. Podría parecer una caricatura de no ser por los grandes ojos bajo el flequillo gris precariamente teñido. Eran ojos vivos, despiertos y llenos de humor. Era como si le estuviese diciendo a cuantos la observaban: «Olvídenlo, *mes amis*, a él le gusto así y eso es lo único que me importa. Sus opiniones me interesan una *merde*.»

En este supuesto monólogo, «él» era el anciano que caminaba con cautela a su lado, tocándole el hombro de vez en cuando. El gesto podía ser una caricia de afecto y a la vez una forma de mantener el equilibrio, pero transmitía una gran poesía que sólo les pertenecía a ellos dos. Una inspección más atenta revelaba que cada tanto los ojos del anciano se llenaban de lágrimas, que él secaba rápidamente para que ella no se diera cuenta.

—*Il est ici, mon capitaine* —anunció el camarero al piloto, quien recibió a sus dos pasajeros en la entrada del avión. El capitán tomó la mano izquierda de la mujer y se la llevó a los labios, luego se enderezó para saludar solemnemente al anciano de escasos cabellos grises con la pequeña *Légion d'honneur* en la solapa.

—Es un honor, *monsieur* —dijo el capitán—. Este avión se encuentra bajo mi mando, pero usted es mi comandante. —Se estrecharon las manos y el piloto continuó—: Si hay algo que la tripulación o yo podamos hacer para que el vuelo les resulte más cómodo, no vacile en pedirlo, *monsieur*.

—Es muy amable.

—Todos estamos en deuda con usted... todos nosotros, toda Francia.

—No fue nada, realmente...

—Ser distinguido por Le Grand Charles en persona como un verdadero héroe de la *Résistance* es algo más que nada. El tiempo no puede empañar semejante gloria. —El capitán chasqueó los dedos llamando a tres azafatas de la primera clase, que todavía se encontraba vacía—. ¡Rápido, *mesdemoiselles*! Hagan que todo sea perfecto para este valiente soldado de Francia y su señora.

Así, el asesino que tantas veces cambiara de nombre fue conducido hasta el amplio compartimiento de la izquierda, donde su mujer fue cuidadosamente trasladada de la silla de ruedas al asiento del pasillo; el suyo era el de la ventanilla. Frente a ellos colocaron las bandejas y trajeron una botella de Cristal helado en su honor. El capitán alzó la primera copa y brindó con la pareja; luego regresó a la cabina mientras la anciana guiñaba un ojo a su hombre con un gesto lleno de picardía y humor. Momentos después, los pasajeros comenzaron a subir al avión y varios de ellos observaron con admiración a la pareja de ancianos sentados en la primera fila. En la sala de espera de Air France ya se había difundido el rumor. «Un gran héroe... Le Grand Charles en persona... En los Alpes logró contener a seiscientos boches... ¿o habían sido mil?»

Mientras el enorme jet se desplazaba por la pista y se elevaba en el aire, el viejo «héroe de Francia» —cuyos únicos actos heroicos memorables durante la *Résistance* se basaban en el robo, la supervivencia, los insultos a su mujer y el mantenerse lejos del cualquier ejército que pudiese reclutarlo— hurgó en el bolsillo buscando sus documentos. El pasaporte mostraba su fotografía en el lugar adecuado, pero eso era lo único que podía reconocer. El resto, nombre, fecha y lugar de nacimiento, ocupación, todo le era desconocido, y la lista de condecoraciones adjunta era, bueno, era formidable. Le convenía estudiarla bien para poder al menos asentir con la cabeza modestamente si por casualidad alguien se refería a ella. Le habían asegurado que el individuo dueño del nombre y las hazañas no tenía parientes vivos, sólo le quedaban unos pocos amigos y había desaparecido de su apartamento en Marsella, supuestamente en un viaje por el mundo del cual era muy poco probable que volviese.

El mensajero del Chacal observó el nombre, debía recordarlo y responder a él cada vez que alguien lo pronunciara. Seguramente no le resultaría difícil ya que se trataba de un nombre muy común, y por lo tanto el anciano lo repitió en silencio una y otra vez.

«Jean Pierre Fontaine, Jean Pierre Fontaine, Jean Pierre...»

¡Un ruido! Fuerte e impetuoso. Algo andaba mal, no era corriente, no formaba parte de los habituales sonidos nocturnos de un hotel. Bourne cogió el arma que tenía bajo la almohada y se deslizó de la cama en pantalón corto, apoyándose contra la pared. ¡Otra vez! Un solo golpe fuerte en la puerta de la habitación. Bourne sacudió la cabeza tratando de recordar... ¿Alex? «Llamaré una vez.» Medio dormido, Jason fue hasta la puerta y apoyó la oreja contra la hoja.

—¿Sí?

—¡Abre esta maldita cosa antes de que alguien me vea! —masculló la voz apagada de Conklin desde el pasillo. Bourne obedeció y el oficial retirado de campaña cojeó rápidamente en la habitación, tratando al bastón como si lo odiara—. ¡Vaya, muchacho, sí que estás en baja forma! —exclamó mientras se sentaba al pie de la cama—. He estado llamando al menos dos minutos.

—No te oía.

—Delta lo hubiese hecho; Jason Bourne lo hubiese hecho. David Webb no.

—Dame un día más y no encontrarás a David Webb.

—Palabras. ¡Quiero que me des algo más que palabras!

—Entonces, deja de hablar tú y dime por qué estás aquí a no sé qué hora.

—La última vez que miré el reloj eran las tres y veinte y acababa de encontrarme con Casset en la carretera. Tuve que cojear por un bosque y trepar una maldita valla...

—¿Qué?

—Ya me has oído. Una valla. Intenta hacerlo con un pie hundido en cemento. Ya sabes, cuando estaba en la secundaria gané la carrera de cincuenta millas.

—Basta de palabrería. ¿Qué ha ocurrido?

—Oh, ahora oigo de nuevo a Webb.

—¿Qué ocurrió? Y de paso, ¿quién diablos es ese Casset de quien siempre hablas?

—El único hombre de Virginia en quien confío. Él y Valentino.

—¿Quién?

—Son analistas, pero honrados.

—¿Qué?

—No importa. Señor, hay momentos en que me gustaría emborracharme…

—Alex, ¿por qué estás aquí?

Conklin alzó la vista y se aferró a su bastón con ira.

—Tengo los informes de nuestros muchachos de Filadelfia.

—¿Por eso has venido? ¿Quiénes son?

—No, no es por eso. Quiero decir, que es interesante, pero no es el motivo de mi visita.

—Entonces, ¿por qué? —preguntó Jason mientras se sentaba en un sillón junto a la ventana y fruncía el ceño, perplejo—. Mi erudito amigo de Camboya no escala vallas con el pie en cemento a las tres de la mañana a menos que lo considere imprescindible.

—Lo era.

—Eso no me dice nada. Por favor, cuéntame.

—Es De Sole.

—¿Quién?

—Es el llavero mayor en Langley. No ocurre nada sin que él se entere y no se hace nada en el área de investigación sin que pase por sus manos.

—Sigo sin enterarme.

—Estamos hundidos en la mierda.

—Eso no me ayuda en absoluto.

—Webb otra vez.

—¿Preferirías que te rompiera el cuello?

—Está bien, está bien. Déjame recuperar el aliento. —Conklin dejó caer el bastón sobre la alfombra—. Ni siquiera confío en el montacargas. Me detuve dos pisos más abajo y subí a pie.

—¿Porque estamos hundidos en la mierda?

—Sí.

—¿Por qué? ¿A causa de este De Sole?

—En efecto, señor Bourne. Steven de Sole. El hombre cuyo dedo está sobre cada ordenador de Langley. La única persona que puede hacer girar los discos y, si lo desea, meter entre rejas por ramera a tu anciana y virginal tía Grace.

—¿Adónde quieres llegar?

—Él es la conexión con Bruselas, con Teagarten y con la OTAN. Casset averiguó que él es la única conexión, incluso tienen un código de acceso que elimina a cualquier otra persona.

—¿Eso qué significa?

—Casset no lo sabe, pero está muy enfadado.

—¿Cuánto le has revelado?

—Lo mínimo. Que estaba trabajando en algunas hipótesis y que el nombre de Teagarten surgió de forma extraña, probablemente como maniobra de distracción o utilizado por alguien que trataba de impresionar a otra persona. Le dije que quería averiguar qué contacto tenía en la agencia ya que, francamente, suponía que era con Peter Holland. Le pedí a Charlie que lo hiciese a telón cerrado.

—Lo cual, según supongo, significa de forma confidencial.

—Diez veces eso. Casset es el cuchillo más afilado de Langley. No tuve que decirle nada más, comprendió el mensaje, y ahora también tiene un problema que ayer no se planteaba.

—¿Y qué va a hacer?

—Le pedí que no hiciera nada durante un par de días, y eso fue todo el tiempo que me concedió. Cuarenta y ocho horas, para ser preciso. Luego se enfrentará a De Sole.

—No puede hacer eso —dijo Bourne con firmeza—. Cualquier cosa que esas personas estén ocultando, podríamos utilizarla para hacer salir al Chacal. Usarlos a ellos al igual que otras personas lo hicieron conmigo trece años atrás.

Conklin bajó los ojos y luego miró a Jason Bourne.

—Quieres descender hasta su omnipotente ego, ¿verdad? —preguntó—. Cuanto mayor el ego, mayor el miedo...

—Cuanto mayor el cebo, mayor el pez —completó Jason, interrumpiéndolo—. Hace mucho tiempo me dijiste que Carlos debía tener un orgullo desmedido para actuar como lo hacía. Eso era cierto entonces y sigue siéndolo ahora. Si consiguiéramos que cualquiera de esos altos personajes del gobierno le enviara la orden de buscarme y matarme... se apresuraría a aceptar. ¿Sabes por qué?

—Acabo de decírtelo. El ego.

—Seguro, eso es una parte, pero hay algo más. Es el respeto que Carlos no ha logrado ganarse durante más de veinte años, desde que Moscú lo mandó a paseo. Ha amasado una fortuna, pero la mayoría de sus clientes han sido la escoria de la humanidad. A pesar de todo el miedo que ha engendrado, sigue siendo un miserable psicópata. No se han creado leyendas en torno a él, sólo desprecio, y a estas alturas debe de estar enloqueciendo por ello. El hecho de que ahora me busque para saldar una cuenta de hace trece años apoya esta teoría. Yo soy vital para él, debe matarme porque fui el fruto de nuestras operaciones secretas. Quiere desenmascararme para demostrar que es mejor que todos nosotros juntos.

—También podría temer que puedas identificarlo.

—Al principio yo también pensé en esa idea pero después de pasar trece años sin recibir noticias mías... bueno, tuve que volver a reflexionarlo.

—Así que invadiste el territorio de Mo Panov y elaboraste un perfil psiquiátrico.

—Éste es un país libre.

—Comparado con la mayoría, sí; pero ¿adónde nos conduce todo esto?

—Porque sé que tengo razón.

—Eso no me parece una respuesta.

—Nada puede ser falso o falsificado —insistió Bourne inclinándose hacia delante en el sillón, con los codos en las rodillas y las manos entrelazadas—. Carlos descubriría la trampa; es lo primero que buscará. Nuestros miembros de Medusa deben ser auténticos y estar verdaderamente asustados.

—Lo están, ya te lo he dicho.

—Hasta el punto de llegar a considerar la posibilidad de ponerse en contacto con alguien como el Chacal.

—Eso lo ignoro...

—Nunca lo sabremos —replicó Jason—, hasta que averigüemos dónde se ocultan.

—Pero si comenzamos a utilizar los ordenadores de Langley, De Sole lo descubrirá. Y si forma parte de todo el montaje, alertará a los demás.

—Entonces no habrá ninguna investigación en Langley. De todos modos, ya tengo suficiente para proseguir, sólo consígueme direcciones y números de teléfono privados. Puedes hacer eso, ¿verdad?

—Sin duda, no hay problema. ¿Qué piensas hacer?

Bourne sonrió y habló con tranquilidad.

—¿Qué te parecería invadir sus casas o pincharles el trasero con agujas entre el aperitivo y el plato principal?

—Ahora estoy ante Jason Bourne.

—Amén.

# 7

Marie St. Jacques Webb saludó a la mañana del Caribe estirándose en la cama y mirando la cuna a unos metros de distancia. Alison estaba profundamente dormida, cosa que no había ocurrido cuatro o cinco horas atrás. La niña estaba insufrible entonces, tanto que Johnny, el hermano de Marie, había llamado a la puerta y entrado cohibido preguntando si podía hacer algo, cosa que en realidad dudaba mucho.

—¿Qué tal se te da cambiar pañales?

—Ni siquiera quiero pensar en ello —había contestado St. Jacques, huyendo.

Ahora, sin embargo, Marie oía la voz de su hermano al otro lado de la ventana. Johnny desafiaba a su hijo, Jamie, para que echasen una carrera hasta la piscina, y hablaba tan fuerte que se lo oía en toda la gran isla de Montserrat. Marie se arrastró literalmente fuera de la cama, logró llegar hasta el baño y cuatro minutos después, aseada, con el cabello rojizo cepillado y vestida con una bata, salió al patio que se asomaba sobre la piscina.

—¡Hola, Marie! —gritó su bronceado, moreno y atractivo hermano menor junto a Jamie en el agua—. Espero que no te hayamos despertado. Sólo queríamos nadar un poco.

—Y entonces decidiste dejar que se enteraran las patrullas costeras británicas de Plymouth.

—Vamos, son casi las nueve. Ya es tarde en las islas.

—Hola, mami. ¡Tío John me ha estado enseñando cómo espantar tiburones con un palo!

—Tu tío sabe cosas terriblemente importantes, pero pido a Dios que no llegues a necesitarlas.

—Hay una cafetera llena sobre la mesa, Marie. Y la señora Cooper te preparará lo que quieras para desayunar.

—Con el café me basta, Johnny. Anoche sonó el teléfono, ¿era David?

—El mismo —respondió su hermano—. Y nosotros dos debemos hablar. Vamos, Jamie, arriba. Cógete de la escalerilla.

—¿Qué hay de los tiburones?

—Los tienes dominados, amigo. Ve a servirte un trago.

—¡Johnny!

—Jugo de naranja. Hay una jarra en la cocina. —John St. Jacques caminó por el borde de la piscina y subió a la terraza del dormitorio mientras su sobrino corría hacia la casa.

Marie observó a su hermano mientras éste se acercaba y advirtió hasta qué punto se parecía a su esposo. Ambos eran altos y musculosos, los dos mostraban una actitud intransigente en el andar, pero mientras que por regla general David ganaba, Johnny solía perder, y ella no sabía la razón. Ni tampoco conocía los motivos por los que David confiaba tanto en su cuñado más joven cuando los dos St. Jacques mayores parecían más responsables. David —¿o sería Jason Bourne?— nunca discutía el asunto en profundidad; simplemente reía y decía que había algo en Johnny que le atraía.

—Hablemos con franqueza —dijo el menor de los St. Jacques mientras se sentaba chorreando agua sobre la terraza—. ¿En qué lío se ha metido David? No podía hablar por teléfono y anoche tú no estabas en forma para mantener una conversación. ¿Qué ha ocurrido?

—El Chacal, eso es lo que ha ocurrido.

—¡Dios! —explotó el hermano—. ¿Después de todos estos años?

—Después de todos estos años —repitió Marie en voz baja.

—¿Hasta dónde ha llegado ese canalla?

—David está en Washington para tratar de averiguarlo. Lo único que sabemos es que desenterró a Alex Conklin y a Mo Panov de los horrores de Hong Kong y Kowloon. —Marie le habló de los telegramas falsos y de la trampa en el parque de atracciones en Baltimore.

—Supongo que Alex los tendrá a todos bajo protección o como lo llamen.

—Veinticuatro horas al día, estoy segura. Aparte de nosotros y McAllister, Alex y Mo son las únicas personas vivas que saben que David era... ¡Oh Jesús, ni siquiera puedo pronunciar el nombre! —Marie golpeó la mesa con la taza de café.

—Tranquila, nena. —St. Jacques colocó la mano sobre la de su hermana—. Conklin sabe lo que hace. David me aseguró que Alex era el mejor «hombre de campaña» que jamás haya trabajado para los norteamericanos.

—¡Tú no lo comprendes, Johnny! —exclamó Marie, tratando de controlar la voz y las emociones, aunque sus grandes ojos la delataban—. ¡David nunca dijo eso, David Webb no lo sabe! ¡Fue Jason Bourne quien habló así, y ha regresado! Ese monstruo frío y calculador que ellos crearon, se ha vuelto a adueñar de David. Tú no sabes cómo es. De pronto sus ojos adoptan cierta expresión, parecen observar cosas que yo no puedo ver, o su tono de voz, una voz baja y fría que no reconozco, y entonces siento que estoy con un extraño.

St. Jacques alzó la otra mano para interrumpirla.

—Vamos —la tranquilizó con suavidad.

—¿Los niños? ¿Jamie...? —Marie miró frenéticamente alrededor.

—No, tú. ¿Qué esperas de David? ¿Que se meta en un jarrón de la dinastía Wing o Ming y finja que su esposa y sus hijos no están en peligro, que sólo él lo está? Os guste o no a las mujeres, nosotros los chicos aún creemos que es asunto nuestro mantener a las fieras lejos de la cueva. Honestamente, consideramos que estamos mejor preparados. Recaemos en el uso de esa clase de fuerza, la peor de ellas, por supuesto, porque es nuestro deber. Eso es lo que David está haciendo.

—¿Cuándo se volvió tan filosófico el hermanito menor? —preguntó Marie mientras estudiaba el rostro de John St. Jacques.

—No es filosofía, nena. Simplemente, lo sé. La mayoría de los hombres lo sabemos, mis disculpas a las feministas.

—No te disculpes; la mayoría de nosotras no querría que fuese de otro modo. ¿Me creerías si te dijera que tu ilustrada hermana mayor, quien estaba a cargo de tantas cuestiones económicas en Ottawa, sigue gritando como una loca cuando ve un ratón en la cocina y cae presa de pánico si es una rata?

—Algunas mujeres brillantes son más sinceras que otras.

—Aceptaré lo que digas, Johnny, pero tú no comprendes a qué me refiero. David ha ido evolucionando muy bien durante estos últimos cinco años, cada mes está un poco mejor que el anterior. Nunca llegará a curarse por completo, todos lo sabemos, la lesión fue demasiado grave, pero los fantasmas, sus propios fantasmas personales, casi habían desaparecido. Las caminatas solitarias por los bosques, cuando regresaba con las manos magulladas de golpear los árboles; las lágrimas silenciosas y reprimidas que derramaba en su estudio por la noche, cuando no podía recordar quién era ni qué había hecho, cuando pensaba lo peor de sí mismo, ¡todo eso había desaparecido, Johnny! Había un verdadero rayo de sol, ¿sabes a qué me refiero?

—Sí, lo sé —dijo el hermano con solemnidad.

—Lo que está ocurriendo ahora podría hacer que todo aquello apareciera de nuevo, ¡por esto estoy tan asustada!

—Entonces, esperemos que pase pronto.

Marie se detuvo y volvió a observar a su hermano.

—Aguarda hermanito, te conozco demasiado bien. Tú me ocultas algo.

—En absoluto.

—Sí. Tú y David, nunca he llegado a comprenderlo. Nuestros dos hermanos mayores ofrecen tanta seguridad, están tan por encima de todo, tal vez no en lo intelectual pero sin duda en los aspectos prácticos. Sin embargo, él recurre a ti. ¿Por qué Johnny?

—No hablemos de eso —dijo St. Jacques con frialdad, y retiró su mano de la de ella.

—Pero debo saberlo. Ésta es mi vida, ¡él es mi vida! No puede haber más secretos en lo que se refiere a él, ¡ya no podría soportarlos...! ¿Por qué tú?

St. Jacques se reclinó en el sillón y se apoyó una mano sobre la frente. Entonces alzó los ojos en un ruego silencioso.

—Muy bien, sé a qué te refieres. ¿Recuerdas seis o siete años atrás, cuando dejé el rancho diciendo que quería probar fortuna por mi cuenta?

—Desde luego. Mamá y papá se quedaron muy desilusionados. Seamos sinceros, siempre has sido algo así como el preferido...

—¡Siempre he sido el benjamín! —la interrumpió el menor de los St. Jacques—. Interpretaba un estúpido *Bonanza* donde mis hermanos de treinta años aceptaban ciegamente las órdenes de un padre franco canadiense, intolerante y autoritario, cuyas únicas preocupaciones provenían del dinero y las tierras.

—Él era algo más que eso, pero no discutiré... desde el punto de vista del «benjamín».

—No podrías, Marie. Tú has hecho lo mismo, y algunas veces pasaba más de un año sin que aparecieras por casa.

—Estaba ocupada.

—Yo también.

—¿Qué hacías?

—Maté a dos hombres. Dos animales que habían asesinado a una amiga mía: la violaron y la mataron.

—¿Qué?

—No grites...

—Dios mío, ¿qué ocurrió?

—No quería llamar a casa, así que acudí a tu esposo, mi amigo David, quien no me trataba como a un niño retrasado. En ese momento me pareció lo más lógico y fue la mejor decisión que pude haber tomado. El gobierno le debía favores y un discreto grupo de Washington y Ottawa viajó hasta James Bay y yo fui absuelto. Defensa propia, y había sido justamente eso.

—Él nunca me comentó nada...

—Yo le pedí que no lo hiciera.

—Así que era eso… ¡Pero aún no comprendo!

—No es difícil, Marie. Una parte de él sabe que puedo matar, que lo haré en caso necesario.

El teléfono sonó dentro de la casa y Marie miró a su hermano. Antes de que pudiera recuperar la voz, una anciana negra apareció en la puerta de la cocina.

—Es para usted, señor John. Es ese piloto de la isla grande. Dice que es un asunto muy importante.

—Gracias, señora Cooper —respondió St. Jacques.

Se levantó para dirigirse rápidamente al supletorio junto a la piscina. Habló durante unos momentos, miró a Marie, colgó el receptor con fuerza y se apresuró en volver junto a su hermana.

—Haz las maletas ¡Debes salir de aquí!

—¿Por qué? ¿Era ese hombre que voló con nosotros…?

—Ha regresado de Martinica y acaba de saber que anoche alguien estuvo haciendo preguntas en el aeropuerto. Respecto a una mujer y dos niños pequeños. Nadie de la tripulación ha dicho nada, pero es posible que alguien se vaya de la lengua. Rápido.

—Dios mío, ¿adónde iremos?

—A la fonda hasta que podamos pensar en alguna otra cosa. Sólo hay un camino y lo tengo vigilado. Nadie entra ni sale. La señora Cooper te ayudará con Alison. ¡Date prisa!

El teléfono comenzó a sonar otra vez mientras Marie corría hacia el dormitorio. St. Jacques bajó nuevamente al supletorio de la piscina y cuando llegó allí, la señora Cooper volvió a salir de la cocina.

—Es de la residencia del gobernador en Serrat, señor John.

—¿Y ellos qué diablos quieren?

—¿Les pregunto?

—No importa, yo lo haré. Ayude a mi hermana con los niños y coloquen todo el equipaje en el Rover. ¡Partirán ahora mismo!

—Oh, qué pena *mon*. Apenas comenzaba a conocer a los niños.

—Una pena, es cierto —murmuró St. Jacques tomando el teléfono—. ¿Sí?

—¿Hola, John? —dijo el ayudante en jefe del gobernador de la Corona, un hombre que había protegido al canadiense y lo había ayudado con la maraña de leyes territoriales de la colonia.

—¿Puedo llamarte luego, Henry? En este momento estoy ocupado.

—Me temo que no hay tiempo. Esto viene directo dc la cancillería. Quieren nuestra inmediata cooperación, y no te costará demasiado.

—¿Qué?

—Parece que hay un anciano con su esposa que llegan en el vuelo de las diez treinta de Air France, y Whitehall quiere tratamiento preferencial. Por lo visto el viejo es héroe de guerra con un montón de condecoraciones, y trabajó con varios de nuestros amigos al otro lado del canal.

—Henry, de verdad, tengo mucha prisa. ¿Qué tiene que ver conmigo todo esto?

—Bueno, supuse que tú podrías tener más idea al respecto que nosotros. Es probable que uno de tus ricos huéspedes canadienses, tal vez un francés de Montreal que participó en la Resistencia y te consideraba...

—Con los insultos sólo obtendrás una botella del mejor vino franco-canadiense. ¿Qué quieres?

—Aloja a nuestro héroe y a su esposa con todas las comodidades, y prepara una habitación para la enfermera de habla francesa que les hemos asignado.

—¿Con una hora de antelación?

—Bueno, amigo, nuestros traseros podrían depender de ello, ¿me comprendes? Además, tu servicio telefónico, tan vital pero irregular, depende hasta cierto punto de una intervención de la Corona. Supongo que también sabes a qué me refiero.

—Henry, eres un negociador terrible. Con tanta cortesía aciertas a una persona donde más le duele. ¿Cómo se llama nuestro héroe? ¡Rápido por favor!


—Nuestros nombres son Jean Pierre y Regine Fontaine, *Monsieur le Directeur*, y aquí están nuestros pasaportes —dijo el anciano de voz suave en la Oficina de Inmigración, con el ayudante en jefe de protocolo del gobierno de la Corona a su lado—. Mi esposa se encuentra allí —agregó señalando al otro lado de una de las cristaleras—. Está hablando con la *mademoiselle* del uniforme blanco.

—Por favor, Monsieur Fontaine —protestó el robusto funcionario negro de inmigraciones con un fuerte acento británico—. Esto es sólo una formalidad informal, trámite burocrático, si lo prefiere. También pretendemos evitarle los inconvenientes de tantos admiradores. En el aeropuerto se ha difundido el rumor de que ha llegado un gran hombre.

—¿En serio? —Fontaine sonrió; fue una expresión agradable.

—Oh, pero no debe preocuparse, señor. Ya hemos detenido a la prensa. Sabemos que desea completa intimidad, y la tendrá.

—¿En serio? —La sonrisa del anciano se desvaneció—. Debo encontrarme con una persona, un socio podría decirse, y es necesario que mantenga una conversación privada con él. Espero que sus medidas, tan consideradas, no le impidan ponerse en contacto conmigo.

—Un pequeño grupo selecto, con la categoría y las credenciales adecuadas, lo saludará en el salón para huéspedes ilustres de Blackburn, Monsieur Fontaine —dijo el jefe de protocolo—. ¿Podemos empezar? La recepción será rápida, se lo aseguro.

—¿En serio? ¿Tan rápida?

Lo fue. En realidad duró menos de cinco minutos, pero cinco segundos hubiesen bastado. La primera persona a quien el mensaje ro-asesino del Chacal conoció fue al engalanado gobernador de la Corona en persona. Mientras abrazaba al héroe al estilo francés, el representante de la reina susurró a Jean Pierre Fontaine:

—Hemos averiguado adónde han ido la mujer y los niños. Lo enviaremos allí. La enfermera ya tiene instrucciones.

El resto no resultó demasiado impresionante para el anciano, sobre todo debido a la ausencia de la prensa. Excepto como criminal, nunca había visto su fotografía en los periódicos.

Morris Panov, doctor en Medicina, era un hombre muy iracundo y siempre trataba de controlar sus raptos de ira porque éstos jamás lo ayudaban ni a él ni a sus pacientes. Sin embargo, en ese momento, sentado ante el escritorio de su consultorio, tenía grandes dificultades para dominar sus emociones. No sabía nada de David Webb. Debía tener noticias de él, tenía que hablarle. Lo que estaba ocurriendo podía anular trece años de terapia, ¿tan difícil les resultaba comprenderlo? Por supuesto que sí, eso les traía sin cuidado. Tenían otras prioridades y no se preocupaban por problemas ajenos a su competencia. Pero él debía preocuparse. Un cerebro dañado eran tan frágil, tan propenso a las recaídas, resultaba muy fácil que los horrores del pasado se apoderasen del presente. ¡Eso no podía ocurrir con David! Jamás había estado tan cerca de volver a la normalidad (y quién diablos era «normal» en este mundo de mierda). Podía funcionar a la perfección como maestro, había recuperado la memoria casi por completo en lo que se refería a su capacidad intelectual, e iba recordando más cada año. Pero todo podía echarse a perder con un solo acto de violencia, ya que la violencia era el estilo de vida de Jason Bourne. ¡Mierda!

Él había tratado de explicarle a Alex los peligros potenciales, pero Conklin tenía una respuesta irrefutable: «No podemos detenerlo. De este modo, al menos estamos en condiciones de vigilarlo, de protegerlo.» Tal vez era así. Ellos no escatimaban esfuerzos en lo que se refería a protección. Los guardias en el pasillo del consultorio y en el tejado del edificio, por no hablar de un recepcionista temporal armado y de un extraño ordenador, atestiguaban su empeño. De todos modos, para David hubiese sido mucho mejor que se hubieran limitado a calmarlo y a enviarlo a su refugio de la isla, dejando la tarea de buscar al Chacal para los profesionales. De pronto Panov tomó conciencia de la realidad: no existía nadie más profesional que Jason Bourne.

El teléfono interrumpió los pensamientos del doctor, pero no podía atender llamadas hasta que todos los sistemas de seguridad estuviesen conectados. Primero se averiguaba la procedencia de la llamada, luego un detector determinaba si la línea estaba interceptada y finalmente era Panov mismo quien comprobaba la identidad del que llamaba. El intercomunicador zumbó; el doctor pulsó el botón de su consola.

—¿Sí?

—Todos los sistemas están despejados —anunció el recepcionista temporal, la única persona del consultorio que estaba en el asunto—. El hombre en la línea ha dicho que se llama Treadstone, señor D. Treadstone.

—Hablaré con él —dijo Panov con firmeza—. Y ya puede desconectar cualquier otro «sistema» que tenga en esa máquina allá fuera. Esto es confidencial entre doctor y paciente.

—Sí, señor. El monitor está cerrado.

—¿Está qué…? No importa. —El psiquiatra cogió el teléfono y apenas si se contuvo de gritar—. ¡Por qué no me has llamado antes, hijo de puta!

—No quería que sufrieras un ataque cardíaco, ¿te parece razón suficiente?

—¿Dónde estás y qué haces?

—¿En este momento?

—Eso será suficiente.

—Veamos, he alquilado un coche y me encuentro en Georgetown, a cincuenta metros de la casa del director de la Comisión Federal de Comercio, hablando contigo desde un teléfono público.

—Por amor de Dios, ¿por qué?

—Alex te dará los detalles, pero ahora quiero que llames a Marie a la isla. Desde que salí del hotel lo he intentado un par de veces, pero no logro ponerme en contacto con ella. Dile que estoy bien, que estoy perfectamente bien, y que no se preocupe. ¿Me has comprendido?

—Lo comprendo, pero no lo acepto. Ni siquiera pareces tú mismo.

—No puedes decirle eso, doctor. Si eres mi amigo, no le dirás nada parecido.

—Basta, David. Este disparate de Jekyll y Hyde ya no convence a nadie.

—No le digas eso. No lo hagas si eres mi amigo.

—Estás en un círculo vicioso, David. No permitas que ocurra. Ven aquí, habla conmigo.

—No tengo tiempo, Mo. La limusina del ricachón está aparcando frente a la casa. Debo poner manos a la obra.

—¡Jason!

La línea quedó en silencio.


Brendan Patrick Pierre Prefontaine bajó la escalinata metálica del jet bajo el caluroso sol caribeño del aeropuerto Blackburne de Montserrat. Eran poco más de las tres de la tarde, y de no haber sido por los varios miles de dólares que llevaba encima, se hubiese sentido perdido. Era curioso cómo unos cuantos billetes de cien repartidos en diversos bolsillos proporcionaban tanta seguridad. A decir verdad, debía hacer un esfuerzo para no olvidar que el cambio, los de cincuenta, de veinte y de diez, estaba en el bolsillo delantero derecho del pantalón. Si cometía un error podía parecer jactancioso o convertirse en el blanco de algún ladrón. Por encima de todo, era imprescindible pasar desapercibido. Sin llamar la atención en el aeropuerto, debía formular preguntas respecto a una mujer con dos niños que habían llegado en un avión privado la tarde anterior.

Y por eso se sorprendió e inquietó tanto cuando la encantadora empleada negra de inmigración le dijo después de colgar un teléfono:

—¿Sería tan amable de acompañarme, señor?

El rostro hermoso, la voz melodiosa y la sonrisa perfecta no apaciguaron en lo más mínimo los temores del ex juez. Había demasiados criminales con su mismo aspecto.

—¿Hay algún problema con mi pasaporte, señorita?

—No que yo sepa, señor.

—Entonces, ¿a qué se debe el retraso? ¿Por qué no se limita a sellarlo y me permite continuar?

—Oh, ya está sellado y se le ha permitido la entrada, señor. No hay ningún problema.

—Entonces, ¿por qué…?

—Por favor, venga conmigo, señor.

Se aproximaron a un gran compartimiento con paredes acristaladas. Sobre la ventana izquierda un cartel con letras doradas anunciaba a su ocupante: DIRECTOR ADJUNTO DEL SERVICIO DE INMIGRACIÓN. La atractiva empleada abrió la puerta y con una nueva sonrisa, indicó al anciano visitante que entrase. Prefontaine obedeció, aterrorizado ante la idea de que lo registrasen, encontraran el dinero y levantaran cargos en su contra. No sabía qué islas estaban involucradas en tráfico de drogas, pero si ésta era una de ellas, los miles de dólares en sus bolsillos resultarían muy sospechosos. Mientras él buscaba diversas explicaciones, la empleada se acercó al escritorio y entregó su pasaporte al bajo y fornido oficial de inmigración. La mujer dirigió a Brendan una última sonrisa radiante y salió, cerrando la puerta a sus espaldas.

—Señor Brendan Patrick Pierre Prefontaine —pronunció el oficial leyendo el pasaporte.

—No es que tenga importancia —dijo Brendan con suavidad, pero tratando de parecer autoritario—, pero el «señor» suele ser reemplazado por «juez». Como le he dicho, no creo que sea pertinente, dadas las circunstancias, o tal vez lo sea, no lo sé. ¿Alguno de mis empleados ha cometido un error? En ese caso, haré que todo el grupo vuele hasta aquí para ofrecer una disculpa.

—Oh, no, en absoluto señor… juez —respondió el uniformado y corpulento hombre negro con un pronunciado acento británico. Entonces se levantó y extendió la mano sobre el escritorio—. En realidad soy yo quien puede haber cometido el error.

—Vamos, coronel, a todos nos ocurre de vez en cuando. —Brendan estrechó la mano del oficial—. Entonces, ¿puedo continuar mi camino? Debo encontrarme con una persona.

—¡Ésas fueron sus mismas palabras!

Brendan le soltó la mano.

—¿Cómo dice?

—Creo que debe perdonarme usted a mí… Es una cuestión confidencial, por supuesto.

—¿Qué? ¿Podríamos ir al grano, por favor?

—Comprendo que la discreción —continuó el oficial— es de la mayor importancia, se nos ha explicado eso, pero en la medida de lo posible, tratamos de complacer a la Corona.

—Me parece sumamente loable, brigadier, pero me temo que no comprendo.

El oficial bajó la voz en forma innecesaria.

—Un gran hombre llegó aquí esta mañana, ¿lo sabía?

—Estoy seguro de que muchos hombres importantes visitan su hermosa isla. He escuchado muchos elogios sobre ella.

—¡Ah, sí, la reserva!

—Claro, la reserva —dijo el juez ex presidiario preguntándose si el oficial estaría en sus cabales—. ¿Podría ser más claro?

—Bueno, él dijo que debía encontrarse con una persona, un socio con quien necesitaba entrevistarse. Pero después de la recepción privada —nada de prensa, por supuesto—, fue conducido directamente al avión con el que abandonó la isla, y por lo tanto nunca llegó a encontrarse con la persona a quien debía ver de forma confidencial. ¿Ahora he sido más claro?

—Como el puerto de Boston en una borrasca, general.

—Muy bien. Comprendo. La reserva... Todo nuestro personal está alertado ante el hecho de que el amigo del gran hombre podría buscarlo aquí, en el aeropuerto... de forma confidencial, por supuesto.

—Por supuesto. —«Ni siquiera un indicio», pensó Brendan.

—Entonces consideré otra posibilidad —dijo el oficial con cierto aire de triunfo—. Supongamos que el amigo del gran hombre también volara a la isla para un *rendez-vous* con él.

—Brillante.

—Tiene su lógica. Entonces se me ocurrió consultar las listas de pasajeros de todos los vuelos que llegasen y, por supuesto, me concentré en los de primera clase, ya que ésta sería la adecuada para el socio de nuestro héroe.

—Clarividencia —murmuró el ex juez—. ¿Y me escogió a mí?

—¡El nombre, mi buen amigo! ¡Pierre Prefontaine!

—Mi devota y difunta madre se ofendería ante su omisión del «Brendan Patrick». Al igual que los franceses, los irlandeses son bastante sensibles con estas cuestiones.

—Pero era la familia. ¡Lo comprendí de inmediato!

—¿De veras?

—¡Pierre Prefontaine...! Jean Pierre Fontaine. Soy un experto en procedimientos de inmigración. He estudiado los métodos en diversos países. Su propio nombre es un ejemplo fascinante, mi distinguido juez. Grandes oleadas de inmigrantes se dirigieron a Estados Unidos, crisol de naciones, razas e idiomas. En el proceso, los empleados, confundidos y abrumados de trabajo, alteraron, cambiaron o simplemente comprendieron mal los nombres. La familia Fontaine pasó a ser Prefontaine en Estados Unidos, ¡y el socio del gran hombre era un respetable miembro de aquella rama!

—Me deja boquiabierto —murmuró Brendan, mientras miraba al oficial como si esperase que varios enfermeros del manicomio irrumpiesen en la habitación—. Pero, ¿no es posible que se trate de una mera coincidencia? Fontaine es un apellido muy corriente en Francia, pero, según tengo entendido, los Prefontaine pertenecieron claramente a la zona de Alsacia-Lorena.

—Sí, por supuesto —admitió el oficial, volviendo a bajar la voz mientras guiñaba un ojo—. Sin embargo, sin ningún aviso previo, llama la Quai d'Orsay de París y luego recibimos instrucciones de la cancillería del Reino Unido: pronto un gran hombre bajará del cielo. Recíbanlo, ríndanle honores, envíenlo a algún sitio remoto y discreto, ya que eso también es de capital importancia. Este hombre debe rodearse del más completo secreto. Pero el mismo gran héroe está nervioso; debe encontrarse confidencialmente con un socio a quien no logra encontrar. Tal vez el gran hombre tiene sus secretos; eso ocurre con todos los grandes hombres, ya sabe.

De pronto, a Prefontaine le pareció que los miles de dólares que llevaba en los bolsillos pesaban mucho. Certificación Cuatro-Cero de Washington en Boston, el Quai d'Orsay en París, la cancillería de Londres, Randolph Gates entregándole una extraordinaria suma de dinero movido por el pánico. Todo convergía de forma extraña, y lo más extraño de todo era la aparición de un asustado abogado sin escrúpulos llamado Gates. ¿Se trataba de una aparición o de una aberración? ¿Qué significaba todo aquello?

—Es usted un hombre extraordinario —dijo Brendan rápidamente para disimular sus pensamientos con palabras—. Sus deducciones son realmente brillantes, pero debe comprender que la discreción es de capital importancia.

—¡Ni una palabra más, honorable juez! —exclamó el oficial—. Excepto para agregar que quizás a mis superiores les interesaría saber su opinión respecto a mi capacidad.

—Me encargaré de ello, se lo aseguro... Por cierto, ¿adónde se ha dirigido mi distinguido y no muy lejano primo?

—A una pequeña isla sólo accesible en hidroavión. Se llama Isla del Sosiego y el hotel lleva el nombre de Posada del Sosiego.

—Recibirá el agradecimiento personal de sus superiores, se lo aseguro.

—Y yo mismo me ocuparé de que no encuentre obstáculos en las aduanas.

Con su maleta de cuero, Brendan Patrick Pierre Prefontaine salió de la oficina de inmigración muy confundido. Confundido... ¡diablos, estaba asombrado! No lograba decidir si abordar el siguiente vuelo a Boston o... al parecer sus pies estaban decidiendo por él. Se encontró caminando hacia el mostrador sobre el que pendía un gran cartel azul con letras blancas: LÍNEAS AÉREAS INTERISLEÑAS. No perdería nada con preguntar, reflexionó, y luego sacaría pasaje en el siguiente vuelo a Boston.

En la pared detrás del mostrador colgaba una lista con las islas más conocidas, como las de Sotavento y Barlovento, las de St. Kitts y Nevis al sur hasta las Granadinas. El Sosiego se hallaba entre Canada Cay y Turtle Rock. Dos empleados, ambos jóvenes, la primera una mujer y el segundo un muchacho rubio de poco más de veinte años, hablaban con suavidad. La joven se acercó a él.

—¿Puedo ayudarlo en algo señor?

—En realidad no estoy seguro —respondió Brendan, vacilante—. Tenía otros planes, pero al parecer un amigo mío se encuentra en la Isla del Sosiego.

—¿En el hotel, señor?

—Creo que sí. ¿Es muy largo el viaje hasta allí?

—Si el tiempo está despejado, no más de quince minutos, pero se necesita un vehículo anfibio. No estoy segura de que salga ninguno antes de mañana por la mañana.

—Seguro que sí, cariño —la interrumpió el joven con pequeñas alas doradas cosidas algo torcidas sobre la camisa blanca—. Pronto debo llevar algunas provisiones a Johnny St. Jay —agregó dando un paso adelante.

—No estaba programado para hoy.

—Lo está desde hace una hora.

En ese instante y con aquellas palabras, los ojos atónitos de Prefontaine se fijaron en dos pilas de cajas que avanzaban lentamente por la cinta de equipaje hacia la zona de carga. Aunque hubiese tenido tiempo para reflexionar, sabía que la decisión estaba tomada.

—Quisiera sacar un billete para ese vuelo, si es posible —dijo mientras miraba las cajas de alimento surtido para bebés Gerber y pañales tamaño mediano que desaparecían en la cabina de carga.

Había encontrado a la mujer desconocida con el niño y el bebé.

# 8

Algunas averiguaciones de rutina en la Comisión Federal de Comercio confirmaron el hecho de que su director, Albert Armbruster, sufría de úlcera e hipertensión, por lo que, siguiendo órdenes del médico, dejaba la oficina y volvía a casa cada vez que no se sentía bien. Por eso Alex lo llamó después del almuerzo y lo «puso al corriente» respecto a la crisis de la Dama Serpiente. Como en su primera llamada, cuando sacó a Armbruster de la ducha, Alex habló desde el anonimato y comunicó al tembloroso director que alguien se pondría en contacto con él ese mismo día, en la oficina o en su casa. El agente se identificaría simplemente como *Cobra*. («Utiliza las palabras más banales que se te ocurran», decía el evangelio según San Conklin.) Mientras tanto, Armbruster tenía instrucciones de no hablar con nadie.

—Son órdenes de la Sexta Flota.

—¡Oh, Dios!

Y así Albert Armbruster pidió que le trajesen el coche y fue conducido a casa sumido en una gran inquietud. Sin embargo, más momentos difíciles aguardaban al director, ya que Jason Bourne lo estaba esperando.

—Buenas tardes, señor Armbruster —dijo el extraño con amabilidad cuando el chófer abrió la puerta de la limusina y el director bajó con esfuerzo.

—Sí, ¿qué? —La respuesta de Armbruster fue inmediata e insegura.

—Sólo he dicho «buenas tardes». Me llamo Simon. Nos conocimos hace varios años, en una recepción de la Casa Blanca para los jefes conjuntos...

—Yo no estuve allí —lo interrumpió el director con énfasis.

—¿Ah, no? —El extraño alzó las cejas. La voz seguía siendo amable pero había adoptado un tono inquisitivo.

—¿Señor Armbruster? —El chófer ya había cerrado la portezuela y ahora se volvía cortésmente hacia él—. ¿Necesitará...?

—No, no —dijo Armbruster, interrumpiendo otra vez—. Puede irse, ya no lo necesitaré más por hoy.

—¿Mañana a la misma hora, señor?

—Sí, mañana... salvo nuevas órdenes. No me encuentro bien, compruébelo con la oficina.

—Sí, señor. —El conductor se tocó la visera de la gorra y volvió a subir al vehículo.

—Lamento oír eso —dijo el extraño sin moverse mientras la limusina se alejaba.

—¿Qué...? Oh, usted. ¡Yo no estuve en la Casa Blanca durante esa maldita recepción!

—Tal vez ha sido un error...

—Sí, bueno, ha sido un placer volver a verlo —Armbruster se despidió con ansiedad e impaciencia mientras subía rápidamente la escalinata de su casa.

—Sin embargo, estaba seguro de que el almirante Burton nos había presentado...

—¿Qué? —El director giró sobre sus talones—. ¿Qué acaba de decir?

—Esto es una pérdida de tiempo —continuó Jason Bourne. Su rostro y su voz perdieron todo rastro de amabilidad—. Soy Cobra.

—¡Oh, señor...! No me encuentro bien—. Armbruster repitió las palabras en un susurro ronco, volviendo la cabeza para mirar la puerta y las ventanas de su casa.

—Y estará mucho peor a menos que hablemos —añadió Jason mientras seguía la dirección de su mirada—. ¿Quiere que conversemos allá arriba? ¿En su casa?

—¡No! —exclamó Armbruster—. Ella parlotea sin parar y quiere saberlo todo. Luego anda hablando por la ciudad y exagera las cosas.

—Supongo que se referirá a su esposa.

—¡A todos ellos! No saben cuándo deben mantener la boca cerrada.

—Suena como si estuvieran desesperados por hablar.

—¿Qué...?

—No importa. Tengo un coche en la esquina. ¿Está en condiciones de dar un paseo?

—No tengo más remedio. Nos detendremos en la farmacia calle abajo. Tienen mi receta archivada... ¿Quién diablos es usted?

—Ya se lo he dicho —respondió Bourne—. Cobra. Es una serpiente.

—¡Oh, Dios mío! —susurró Albert Armbruster.

El farmacéutico lo atendió de inmediato y Jason condujo rápidamente hasta un bar cercano que había escogido una hora antes por si era necesario. El lugar era oscuro y lleno de sombras, con reservados profundos y asientos altos que protegían de miradas indiscretas. El ambiente tenía su importancia ya que era vital que mirase a los ojos del director cuando le formulara las preguntas. Sus propios ojos debían ser fríos como el hielo, exigentes, amenazadores. Delta había vuelto, Caín había regresado, Jason Bourne estaba al mando y nadie se acordaba de David Webb.

—Debemos cubrirnos —dijo Cobra con suavidad cuando tuvieron las copas delante—. En términos de controlar el peligro, eso significa que debemos averiguar cuánto daño podría causar cualquiera de nosotros bajo el efecto del Amital.

—¿Y eso qué diablos significa? —preguntó Armbruster y engulló casi todo el gin tonic mientras esbozaba una mueca y se tocaba el estómago.

—Drogas, productos químicos, sueros de la verdad.

—¿Qué?

—Éste no es su juego normal —dijo Bourne al recordar las palabras de Conklin—. Debemos cubrir todas las bases porque en este torneo no existen derechos constitucionales.

—Pero, ¿quién es usted? —El director de la Comisión Federal de Comercio eructó y se llevó la copa a los labios con mano temblorosa—. ¿Una especie de equipo formado por un solo hombre? John Doe sabía algo, ¿por eso le dispararon en un callejón?

—No sea ridículo. Cualquier acción como ésa sería totalmente contraproducente. Sólo animaría a los que tratan de encontrarnos, dejaría un rastro...

—¿Entonces de qué está hablando?

—De salvar la vida, la cual incluye la reputación y el estilo de vida.

—Desde luego, sabe usted hablar con frialdad. ¿Y cómo lo haremos?

—Tomemos su caso, ¿le parece? Usted mismo ha dicho que no se encuentra bien. Podría dimitir por motivos de salud y nosotros nos ocuparíamos de usted. Medusa se ocuparía de usted. —La imaginación de Jason flotaba, realizaba rápidas incursiones en la realidad y en la fantasía, buscaba las palabras que hubiesen podido encontrarse en el evangelio según san Alex—. Se le considera un hombre adinerado, así que podríamos comprar una villa en su nombre, o tal vez una isla en el Caribe, donde estaría completamente seguro. Nadie podría verlo, nadie le hablaría a menos que usted quisiera. Eso significaría entrevistas concertadas, inofensivas e incluso con la garantía de resultados favorables. Todo esto no es imposible.

—Una existencia bastante estéril, a mi entender —dijo Armbruster—. ¿Solo con la cotorra esa? Acabaría matándola.

—En absoluto —continuó Cobra—. Habría distracciones constantes. Los invitados que usted eligiera podrían volar al lugar de retiro. Otras mujeres también, escogidas por usted o por quienes conocen sus gustos. La vida seguiría transcurriendo igual que ahora, con algunos inconvenientes y algunas sorpresas agradables. Lo importante es que estaría protegido, sería inaccesible, y por lo tanto el resto de nosotros también estaríamos seguros... Pero por el momento esa opción es sólo hipotética. En mi caso se trata de una necesidad, porque yo lo sé casi todo. Partiré en cuestión de días. Hasta entonces estoy determinando quién se va y quién se queda. ¿Cuánto sabe usted, señor Armbruster?

—No estoy al corriente de las operaciones paso a paso, naturalmente. Conozco el funcionamiento general. Al igual que los demás, cada mes recibo un télex en clave de los bancos de Zurich. Allí se detallan los depósitos y las compañías que vamos controlando. Eso es todo.

—Hasta que tenga una villa.

—Que me condenen si quiero una, y aunque así fuera, me la compraría por mi cuenta. Tengo casi cien millones de dólares en Zurich.

Bourne controló su sorpresa y simplemente lo miró.

—Yo no repetiría eso —le advirtió.

—¿Y a quién podría contarlo? ¿A la cotorra?

—¿A cuántos de los demás conoce en persona? —preguntó Cobra.

—A casi nadie, pero ellos tampoco me conocen a mí. Diablos, no conocen a nadie. Y ya que ha salido el tema, ¿por qué no lo tomamos como ejemplo? Nunca he oído hablar de usted. Supongo que trabaja para el consejo y se me dijo que lo esperara, pero yo no lo conozco.

—He sido contratado de un modo muy especial. Mi pasado es información ultrasecreta.

—Como he dicho, supuse...

—¿Qué hay de la Sexta Flota? —lo interrumpió Bourne para cambiar de tema.

—Lo veo de vez en cuando, pero no creo que hayamos intercambiado más de una docena de palabras. Él es militar; yo soy civil... muy civil.

—No siempre lo ha sido. Cuando todo esto comenzó...

—Ya lo creo que sí. Los uniformes no hacen al soldado, y le aseguro que no lo lograron conmigo.

—¿Qué hay de un par de generales, uno en Bruselas y el otro en el Pentágono?

—Eran hombres de carrera; se quedaron allí. Yo no lo era y preferí dejarlo.

—Cabe esperar filtraciones, rumores —dijo Bourne casi sin objeto, con la mirada errante—. Pero no podemos permitir ninguna alusión a una orientación militar.

—¿Se refiere a que existe algo así como una camarilla?

—Ni pensarlo —respondió Bourne con la mirada nuevamente fija en Armbruster—. Esa clase de cosas crea turbulencias...

—¡Olvídelo! —susurró con ira el director de la Comisión Federal de Comercio—. La Sexta Flota, como usted lo llama, sólo tiene poder aquí, y eso por conveniencia. Es un almirante de pies a cabeza con una excelente hoja de servicios y mucho poder donde lo necesitamos, ¡pero eso es en Washington y en ninguna otra parte!

—Yo lo sé y usted lo sabe —dijo Jason con énfasis para ocultar su sorpresa—, pero alguien que ha estado en el programa de protección durante más de quince años está escribiendo su propio guión y eso proviene de Saigón, del Comando Saigón.

—Es posible que provenga de Saigón, pero le aseguro que no se quedó allí. Fue demasiado para los soldaditos. Todos lo sabemos. Sin embargo comprendo a qué se refiere. Si relaciona a los altos mandos del Pentágono con una organización como la nuestra, los fanáticos saldrán a la calle y las hadas buenas del Congreso tendrán un día de excursión. De pronto una docena de subcomités entrarán en sesión.

—Cosa que no podríamos tolerar —agregó Bourne.

—De acuerdo. ¿Estamos más cerca de averiguar quién es el cretino que está armando este jaleo?

—Más cerca, lo cual no significa que estemos cerca. Él se ha puesto en contacto con Langley, pero no sabemos a qué nivel.

—¿Langley? Por amor de Dios, tenemos un contacto allí. ¡Él puede averiguar quién es el hijo de puta!

—¿De Sole? —preguntó Cobra sin más rodeos.

—En efecto. —Armbruster se inclinó hacia delante—. Desde luego hay muy poco que usted ignore. Ese contacto es muy silencioso. ¿Qué dice De Sole?

—Nada, es intocable —respondió Jason mientras buscaba frenéticamente una respuesta factible. ¡Había sido David Webb durante demasiado tiempo! Conklin tenía razón, no pensaba con suficiente rapidez. Entonces las palabras surgieron, parte de la verdad, una parte peligrosa pero creíble, y él no podía perder credibilidad—. Sospecha que están tras su pista y debemos permanecer lejos de él. No podemos establecer contacto hasta que indique lo contrario.

—¿Qué ha ocurrido? —El director se aferró a su copa con los ojos desorbitados.

—Alguien ha averiguado que en Bruselas Teagarten tiene una clave de acceso por fax para ponerse en contacto directamente con

De Sole, saltándose las vías corrientes de información confidencial.

—¡Malditos soldaditos! —espetó Armbruster—. ¡Les das un galón dorado y se pavonean como principiantes, pidiendo todos los juguetes nuevos de la ciudad! ¡Fax, claves de acceso! Dios, si hasta es probable que haya pulsado los botones equivocados.

—De Sole dice que solucionará el asunto, pero no es momento para andar por allí formulando preguntas, especialmente en este terreno. Averiguará todo lo que pueda con la mayor discreción, y si llega a algún resultado se pondrá en contacto con nosotros. Pero nosotros no podemos comunicarnos con él.

—Seguramente algún soldado piojoso nos tiene en el limbo. Si no fuese por ese idiota con sus claves de acceso no habría ningún problema. Todo se resolvería.

—Pero él existe y el problema, la crisis, no desaparecerá —afirmó Bourne rotundamente—. Repito, tenemos que protegernos. Algunos de nosotros deberemos partir, desaparecer de escena al menos por un tiempo. Por el bien de todos.

El director de la Comisión Federal de Comercio se retrepó en el asiento con expresión pensativa.

—Sí, bueno, déjeme decirle una cosa Simon o como quiera que se llame. No está controlando a las personas indicadas. Somos hombres de negocios, algunos lo bastante ricos o ególatras como para trabajar con una paga del gobierno, pero antes que nada somos hombres de negocios con inversiones por toda la región. También somos designados, no elegidos por votación, y eso significa que nadie espera una declaración financiera completa por nuestra parte. ¿Comprende lo que quiero decir?

—No estoy seguro —dijo Jason, temiendo haber perdido el control. «He estado lejos demasiado tiempo»... y Albert Armbruster no era ningún tonto. Era propenso al pánico inicial, pero cuando se serenaba era mucho más frío y analítico—. ¿Qué quiere decir?

—Deshágase de nuestros soldaditos. Cómpreles a ellos la villa o la isla en el Caribe y quítelos de en medio. Que tengan sus propias pequeñas cortes y jueguen a ser reyezuelos; eso es lo único que les importa, de todos modos.

—¿Operar sin ellos? —preguntó Bourne, tratando de ocultar su asombro.

—Usted lo ha dicho y yo estoy de acuerdo. Si se da cualquier indicio de conexión con los altos mandos, tendremos serios problemas. El titular sería «complejo militar-industrial», que en una traducción libre significa «confabulación militar-industrial». —Armbruster volvió a inclinarse sobre la mesa—. ¡Ya no los necesitamos más! Desháganse de ellos.

—Podría haber objeciones muy fuertes…

—De ninguna manera. ¡Los tenemos agarrados por las pelotas!

—Tengo que pensarlo.

—No hay nada que pensar. Dentro de seis meses tendremos los controles que necesitamos en Europa.

Jason Bourne miró al director de la Comisión Federal de Comercio. «¿Qué controles?», pensó. «¿Con qué motivo? ¿Por qué?»

—Lo llevaré a casa —dijo.


—He hablado con Marie —dijo Conklin desde el apartamento de la Agencia en Virginia—. Está en el hotel, no en tu casa.

—¿Por qué? —preguntó Jason desde el teléfono público de una gasolinera en las afueras de Manassas.

—No fue muy explícita. Creo que era la hora de cenar o de la siesta… uno de esos momentos en que las madres nunca hablan con claridad. Se oía a tus hijos de fondo. Vaya si gritaban, amigo.

—¿Qué te dijo, Alex?

—Parece que tu cuñado se lo indicó. Ella no me dio explicaciones, y aparte de sonar como una mamá acosada, era la Marie de siempre, a quien conozco y quiero, lo cual significa que sólo pidió noticias tuyas.

—Lo cual significa que le dijiste que estaba perfectamente bien, ¿verdad?

—Diablos, sí. Le expliqué que estabas oculto bajo protección, revisando una pila de registros de ordenador. Eso es una especie de versión modificada de la verdad, ¿no?

—Debe de haber hablado con Johnny. Ella le habrá dicho lo que ha ocurrido y él los trasladó a todos a su *bunker* particular.

—¿Su qué?

—Nunca has visto la Posada del Sosiego, ¿verdad? Francamente, no recuerdo si has estado allí o no.

—Panov y yo sólo vimos los planos y el emplazamiento; eso fue hace cuatro años. No hemos vuelto desde entonces, al menos yo no. Nadie me ha invitado.

—Dejaré pasar la indirecta porque has tenido una invitación permanente desde que compramos el lugar. De todos modos, sabes que se encuentra en la playa y, si no es por el agua, la única forma de acceso es un camino de tierra tan abrupto que ningún coche normal podría recorrerlo dos veces. Todo llega por avión o por barco. Casi nada proviene de la ciudad.

—Y la playa está vigilada —lo interrumpió Conklin—. Johnny no correrá ningún riesgo.

—Por eso los envié allí. La llamaré luego.

—¿Y qué ocurre ahora? —dijo Alex—. ¿Qué hay de Armbruster?

—Digámoslo así —respondió Bourne observando la cabina blanca del teléfono—. ¿Qué significa que un hombre con cien millones de dólares en Zurich, me diga que Medusa —cuyo punto de origen es el Comando Saigón, enfatizando «comando» de forma no muy civil— debería deshacerse de los militares porque la Dama Serpiente ya no los necesita?

—No le creo —replicó el oficial de inteligencia retirado en voz baja e incrédula—. No es posible.

—Oh, sí que lo es. Incluso los llamó soldaditos, y no los estaba inmortalizando en una canción. Se refirió a los almirantes y generales como a principiantes con galones que querían todos los juguetes nuevos de la ciudad.

—Algunos senadores del Comité de Servicios Armados estarían de acuerdo con esa definición —observó Alex.

—Hay más. Cuando le recordé que Dama Serpiente había venido de Saigón, del Comando Saigón, fue muy claro. Dijo que era posible pero, y esto es una cita textual, que «fue demasiado para los soldaditos».

—Esa es una afirmación muy fuerte. ¿Te dio algún motivo para que no pudieran haberlo traído?

—No, y no se lo pregunté. Se suponía que yo conocía la respuesta.

—Quisiera que fuera cierto. Cada vez me gusta menos lo que descubrimos; es grande y desagradable... ¿Cómo apareció lo de los cien millones?

—Le dije que si lo considerábamos necesario, Medusa podría comprarle una villa en algún lugar del extranjero donde nadie pudiese localizarlo. No demostró demasiado interés y afirmó que si quería una, se la compraría él mismo. Que tenía cien millones en Zurich, hecho que, según creo, también se suponía que yo debía saber.

—¿Eso fue todo? ¿Unos simples cien millones?

—Hay más. Me dijo que al igual que todos los demás, recibe un télex mensual, en clave, de los bancos de Zurich. Allí le detallan los depósitos. Evidentemente, han ido creciendo.

—Grande, desagradable y en aumento —agregó Conklin—. ¿Algo más? En realidad no deseo escucharlo, ya estoy bastante asustado.

—Dos cosas más, y será mejor que te hayas reservado un poco de miedo. Armbruster añadió que junto con la información acerca de los depósitos, recibe una lista de las compañías que van controlando.

—¿Qué compañías? ¿De qué hablaba...? ¡Por Dios!

—Si se lo hubiese preguntado, es posible que mi esposa y mis hijos hubiesen tenido que asistir a un funeral, sin ataúd a la vista, porque yo no estaría allí.

—Tenías algo más que decirme.

—Nuestro ilustre director de la Comisión Federal de Comercio dijo que ya no necesitamos a los militares, que dentro de seis meses tendremos los controles que nos hacen falta en Europa... ¿Qué controles, Alex? ¿A qué nos enfrentamos?

Hubo un silencio en la línea y Jason Bourne aguardó. David Webb deseaba gritar con desesperación, pero era inútil; era una persona anulada. Finalmente, Conklin habló.

—Creo que nos enfrentamos con algo que escapa a nuestro alcance —murmuró. Sus palabras apenas si fueron audibles por el teléfono—. Esto tiene que llegar arriba, David. No podemos guardárnoslo.

—¡Maldito seas, no estás hablando con David! —Bourne no alzó la voz en su ira; no era necesario, con su tono bastaba—. Esto no irá a ninguna parte a menos que yo lo diga, y es posible que nunca lo haga. Compréndeme, soldado, yo no debo nada a nadie, y menos a los que mueven los hilos en esta ciudad. Ellos ya nos han manejado demasiado a mi esposa y a mí como para que haga alguna concesión en lo que se refiere a nuestras vidas o las de nuestros hijos. Pretendo utilizar todo lo que averigüe con un solo propósito. Sacar al Chacal y matarlo para que podamos escapar de nuestro infierno personal y continuar viviendo. Yo sé que éste es el modo de conseguirlo. Armbruster habló con brusquedad y es posible que sea un sujeto poco amable, pero en el fondo está asustado. Tenías razón, todos están aterrados. El Chacal será una solución a la cual no podrán negarse. Y para Carlos, un cliente tan rico y poderoso como Medusa resultará irresistible, suscitará el respeto de los peces gordos del mundo, no tan sólo de la escoria de la humanidad, de los fanáticos de izquierda y derecha. ¡No te interpongas en mi camino, no lo hagas, por el amor de Dios!

—Es una amenaza, ¿verdad?

—Basta, Alex. No quiero hablar de este modo.

—Pero lo has hecho. Al contrario de lo que sucedió en París hace trece años, ¿verdad? Ahora serías tú quien me mataría a mí porque no recuerdo algo. Lo que os hicimos a ti a Marie.

—¡Se trata de mi familia! —exclamó David Webb con la voz ahogada, la frente sudorosa y los ojos llenos de lágrimas—. Se encuentran a miles de kilómetros de mí y deben esconderse. ¡No podría ser de ninguna otra manera porque jamás permitiré que corran ningún riesgo...! El riesgo de que los asesinen, Alex, porque eso es lo que el Chacal hará con ellos si los encuentra. Esta semana están en una isla, ¿y la próxima semana? ¿A cuántos miles de kilómetros más? Y después de eso, ¿adónde irán? ¿Adónde iremos? Sabiendo lo que sabemos, no podemos detenernos... Él me está buscando, ese maldito psicópata me está buscando y todo lo que hemos averiguado respecto a él nos indica que quiere un asesinato mayor, su ego lo exige, ¡y ese asesinato incluye a mi familia! No, soldado, no me cargues con cosas que no me conciernen, no cuando interfieren con Marie y los niños. Al menos eso lo merezco.

—Te escucho —dijo Conklin—. No sé si es a David o a Jason Bourne, pero te escucho. Muy bien, no volveremos a París, pero debemos apresurarnos, y ahora estoy hablando con Bourne. ¿Qué es lo siguiente? ¿Dónde te encuentras?

—Según creo, a nueve o diez kilómetros de la casa del general Swayne —respondió Jason, inspirando profundamente. Había reprimido la angustia, y la frialdad regresó de nuevo—. ¿Has hecho la llamada?

—Hace dos horas.

—¿Aún soy «Cobra»?

—¿Por qué no? Es una serpiente.

—Eso le dije a Armbruster. No pareció muy contento.

—Swayne lo estará aún menos, pero intuyo algo que no puedo explicar.

—¿A qué te refieres?

—No estoy seguro, pero sospecho que da cuentas a alguien.

—¿En el Pentágono? ¿A Burton?

—Eso supongo, aunque no lo sé. En su parálisis parcial reaccionó casi como si fuera un espectador, alguien involucrado pero que no se encuentra en medio del juego. Cometió un par de deslices y dijo cosas como : «Tendremos que pensarlo», y «Tendremos que conversar.» ¿Conversar con quién? Como de costumbre, le advertí que no discutiera el tema con nadie. El ilustre general me respondió que el plural se refería a que hablaba consigo mismo. No lo creo.

—Yo tampoco —dijo Jason—. Iré a cambiarme de ropa. La tengo en el coche.

—¿Qué?

Bourne se volvió en la cabina del teléfono y observó la gasolinera. Allí descubrió lo que buscaba, un lavabo de hombres al lado del edificio.

—Dijiste que Swayne vivía en una enorme granja al oeste de Manassas…

—Un detalle —lo interrumpió Alex—. Él lo llama una granja. Para sus vecinos y para Hacienda es una propiedad de quince hectáreas. No está mal para un soldado de carrera procedente de una familia de clase media, tirando a baja, de Nebraska. Hace treinta años se casó con una peluquera en Hawai y, al parecer, compró la propiedad hace diez años con una considerable herencia de un tío que no pude ubicar. Eso me despertó la curiosidad. Swayne encabezaba el servicio de intendencia en Saigón y abastecía a Medusa… ¿Qué tiene que ver su casa con el hecho de que te cambies de ropa?

—Quiero echar un vistazo. Me acercaré allí mientras todavía haya luz para ver cómo es el lugar desde la carretera. Luego, cuando oscurezca, le haré una visita sorpresa.

—Eso será efectivo, pero ¿para qué quieres ir a mirar primero?

—Me gustan las granjas. Están apartadas y son muy extensas. Además, no comprendo por qué un soldado profesional que sabe que de un momento a otro podría ser trasladado a cualquier parte del mundo se metería en una inversión semejante.

—Hemos seguido el mismo razonamiento, aunque yo me pregunté cómo y no por qué. Tu punto de vista podría ser más interesante.

—Ya veremos.

—Ten cuidado. Es posible que tenga alarmas, perros o cosas así.

—Estoy preparado —dijo Jason Bourne—. Hice algunas compras cuando salí de Georgetown.


El sol estival estaba bajo en el cielo cuando Bourne redujo la velocidad del coche alquilado y bajó el protector para que la bola de fuego amarillo no lo deslumbrara. El sol pronto se ocultaría tras las montañas Shenandoah y caería el crepúsculo, preludio de la oscuridad. Jason Bourne anhelaba esa oscuridad; ella era su amiga y aliada, la negrura en la cual se movía rápidamente, con pies seguros, manos alertas y brazos que funcionaban como sensores contra todos los impedimentos de la naturaleza. La jungla lo había acogido con agrado en el pasado, sabiendo que a pesar de ser un intruso la respetaba y la utilizaba como a una parte de sí mismo. Él no temía a la selva, la quería porque ella lo protegía y le abría paso para alcanzar su objetivo; Bourne se sentía parte de la jungla, y lo mismo ocurriría con el tupido bosque que flanqueaba la propiedad del general Norman Swayne.

La casa se alzaba a una distancia no menor que dos campos de fútbol del camino rural. Una empalizada separaba la entrada a la derecha y la salida a la izquierda, ambas con portones de hierro. Frente a ellos se extendía un largo camino en forma de U, bordeado por árboles altos y arbustos. Sólo faltaban garitas de guardia a la entrada y la salida.

Su mente voló de regreso a China, a Beijing y al refugio donde había atrapado a un asesino que se hacía pasar por Jason Bourne. Allí había una garita y una serie de patrullas armadas en la espesura del bosque… y un demente, un carnicero que controlaba a un ejército de asesinos entre los cuales se destacaba el falso Jason Bourne. Después de penetrar en ese santuario mortal e inutilizar una pequeña flota de camiones y automóviles clavando el cuchillo en cada neumático, había procedido a eliminar las patrullas del bosque Jing Shan hasta encontrar el claro iluminado por antorchas donde acampaba un maníaco engreído con su brigada de fanáticos. ¿Podría repetir todo aquello?, se preguntó Bourne mientras por tercera vez pasaba lentamente frente a la propiedad de Swayne, tratando de absorber cuanto alcanzaba a ver. Habían transcurrido cinco años desde entonces y trece desde lo de París. Intentó evaluar la realidad. Ya no era el joven de París, ni tampoco el hombre maduro de Hong Kong, Macao y Beijing; ahora tenía cincuenta años y sentía el peso de cada uno. Pero no había tiempo para pensar en ello. Tenía demasiadas cosas de qué preocuparse, y las quince hectáreas de tierra que pertenecían al general Norman Swayne no eran el bosque del santuario Jing Shan.

Sin embargo, tal como lo hiciera en las afueras de Beijing, salió del camino rural e introdujo el coche en una maraña de pastos altos y follaje. Entonces bajó y procedió a ocultar el vehículo con ramas. La oscuridad que caía rápidamente completaría el camuflaje, y con ella se pondría a trabajar. Ya se había cambiado de ropa en el lavabo de hombres en la gasolinera: pantalones negros bajo un suéter negro, ajustado y de mangas largas, con zapatillas de suela gruesa del mismo color. Era su ropa de trabajo, y los artículos que esparció por el suelo formaban su equipo, las compras que había realizado al salir de Georgetown. Incluían un cuchillo de caza cuya vaina se introdujo en el cinturón, una pistola de aire comprimido con doble cámara en una pistolera de naylon, con la que lanzar dardos paralizantes a cualquier animal que lo atacase, dos bengalas destinadas a atraer o detener a otros automovilistas en caso de que se estropeara el coche, unos pequeños prismáticos Zeiss-Icon 8X10 adheridos al pantalón con una cinta Velcro, una linterna, varias correas de cuero y, finalmente, un cortador de bolsillo en caso de que hubiese una cerca de alambre. Junto con la automática suministrada por la Agencia Central de Inteligencia, todo el equipo se hallaba o bien sujeto a su cinturón o escondido entre la ropa. Cayó la noche y Jason Bourne se internó en el bosque.


La ola de espuma blanca golpeó con fuerza contra el arrecife de coral y pareció permanecer suspendida en el aire, con las aguas azul oscuro del Caribe como fondo. Era esa hora previa al largo atardecer, cuando la Isla del Sosiego se cubría de cálidos colores tropicales y las sombras cambiaban con el imperceptible descenso del sol anaranjado. El complejo de la Posada del Sosiego parecía recortarse contra las tres colinas rocosas adyacentes, sobre una extensa playa limitada por dos inmensos arrecifes de coral. Dos hileras de villas rosadas con brillantes techos de terracota roja se extendían a ambos lados de la construcción central, un gran edificio circular fabricado en piedra y vidrio. Todas las casas tenían vistas al mar, y estaban conectadas entre sí por un sendero blanco bordeado de arbustos iluminados con luz eléctrica. Con sus chaquetas amarillas, los camareros empujaban carritos por el sendero, ofreciendo botellas, hielo y bocadillos a los huéspedes del Sosiego, la mayoría de los cuales se hallaban en las terrazas privadas saboreando el ocaso caribeño. A medida que las sombras se dilataban, otras personas aparecieron discretamente en la playa y en el largo muelle que se extendía sobre el agua. No se trataba de huéspedes ni de empleados del servicio; eran guardias armados, todos vestidos con el uniforme color café del trópico y, también discretamente, con una ametralladora MAC-10 sujeta a la cintura. De sus chaquetas pendían unos prismáticos Zeiss-Icon 8X10 con los cuales escudriñaban la oscuridad constantemente. El dueño de la Posada del Sosiego estaba decidido a que ésta hiciese honor a su nombre.

Sobre la gran terraza circular de la villa más cercana al edificio principal, una anciana inválida estaba sentada en una silla de ruedas bebiendo una copa de Château Carbonnieux del 78 mientras contemplaba el esplendor del atardecer. Con expresión ausente, se tocó el cabello rojo mal teñido y atendió. En el interior se oía la voz de su esposo hablando con la enfermera, y por el sonido de sus pasos débiles supo que salía a reunirse con ella.

—Dios mío —dijo en francés—. ¡Voy a emborracharme!

—¿Por qué no? —preguntó el correo del Chacal—. Éste es el lugar apropiado para hacerlo. Yo mismo no doy crédito a mis ojos.

—Aún no me has dicho por qué el *monseigneur* te ha enviado... nos ha enviado aquí.

—Ya te lo he explicado, soy sólo un mensajero.

—No te creo.

—Créelo. Es importante para él, pero no tiene consecuencias para nosotros. Disfruta, cariño.

—Siempre me llamas así cuando no quieres explicarme algo.

—Entonces la experiencia debería haberte enseñado a no preguntar, ¿no te parece?

—No, querido. Estoy muriendo...

—¡No quiero oír nada más!

—De todos modos, es cierto; no puedes ocultármelo. No me preocupo por mí, ya que finalizará el dolor, pero sí por ti. Siempre mejor que tus circunstancias, Michel... No, no, eres Jean Pierre, no debo olvidarlo. De todos modos me preocupo. Este lugar, estas habitaciones extraordinarias, esta atención. Creo que pagarás un precio terrible, querido mío.

—¿Por qué dices eso?

—Todo es tan lujoso… Demasiado lujoso. Algo anda mal.

—Te mortificas demasiado.

—No, tú te engañas con demasiada facilidad. Mi hermano Claude siempre ha dicho que aceptabas demasiado del *monseigneur*. Algún día tendrás que saldar la cuenta.

—Tu hermano Claude es un anciano encantador con la cabeza llena de pájaros. Por eso el *monseigneur* sólo le encarga los trabajos más insignificantes. Lo envías a buscar un papel al Montparnasse y termina en Marseilles sin siquiera saber cómo ha llegado allí. —Dentro de la casa el teléfono sonó, interrumpiendo al hombre del Chacal—. Nuestra nueva amiga responderá —dijo.

—Es extraña —agregó la anciana—. No confío en ella.

—Trabaja para el *monseigneur*.

—¿En serio?

—No había tenido tiempo de decírtelo. Ella me transmitirá sus instrucciones.

Con el cabello castaño claro recogido muy tirante en un moño, la enfermera uniformada apareció ante la puerta.

—*Monsieur*, es de París —anunció, mostrando una gran urgencia en sus grandes ojos grises, aunque trataba de ocultarla con una voz suave e indiferente.

—Gracias. —El mensajero del Chacal entró y siguió a la enfermera hasta el teléfono. Ella levantó el receptor y se lo entregó—. Aquí Jean Pierre Fontaine.

—Que el señor te bendiga, criatura de Dios —saludó la voz a varios miles de kilómetros—. ¿Todo es satisfactorio?

—Más allá de toda descripción —respondió el anciano—. Es… tan lujoso, mucho más de lo que merecemos.

—Te lo ganarás.

—Sólo deseo poder serle útil.

—Me serás útil si obedeces las órdenes que te transmitirá la mujer. Síguelas al pie de la letra sin desviarte, pase lo que pase, ¿me has comprendido?

—Perfectamente.

—Que Dios te bendiga. —Hubo un clic y la voz desapareció.

Fontaine se volvió hacia la enfermera, pero ella no se encontraba junto a él sino al otro lado de la habitación, abriendo el cajón de un escritorio. Al acercarse, se fijó en el contenido del cajón. Allí había un par de guantes quirúrgicos, una pistola con silenciador y una navaja de barbero con la hoja cerrada.

—Éstas son sus herramientas —dijo la mujer mientras le tendía la llave. Sus ojos inexpresivos parecían perforarlo—. Sus víctimas se encuentran en la última villa de esta ala. Familiarícese con la zona haciendo largos paseos por el sendero, tal como suelen hacer los ancianos para mejorar la circulación, y luego mátelos. Lo hará con los guantes puestos y disparará en la cabeza. Debe ser en la cabeza. Luego les cortará el cuello...

—Madre de Dios, ¿a los niños?

—Éstas son las órdenes.

—¡Son bárbaras!

—¿Desea que transmita su opinión?

Fontaine se volvió hacia la terraza y observó a su mujer en la silla de ruedas.

—No, no, por supuesto que no.

—Lo imagino... Hay una última instrucción. Con la sangre de quien le parezca más conveniente, escriba en la pared: «Jason Bourne, hermano del Chacal.»

—Oh, Dios mío... Me atraparán, por supuesto.

—Eso dependerá de usted. Coordine las ejecuciones conmigo y yo juraré que en ese momento, el gran soldado de Francia se encontraba en esta casa.

—¿Tiempo...? ¿Cuánto tiempo? ¿Cuándo debo hacer el trabajo?

—Dentro de las próximas treinta y seis horas.

—Y entonces, ¿qué?

—Podrá permanecer aquí hasta que muera su mujer.

# 9

Brendan Patrick Prefontaine no salía de su asombro. Aunque no tenía ninguna reserva, en la recepción de la Posada del Sosiego lo habían tratado como todo un personaje, de manera que cuando solicitó una villa le respondieron que ya tenía una y le preguntaron si había disfrutado del vuelo desde París. Durante varios minutos reinó la confusión, ya que no lograban localizar al dueño del Sosiego para consultarle al respecto; no estaba en su residencia y era imposible encontrarlo. Finalmente, los empleados alzaron las manos en un gesto de súplica y frustración y condujeron al ex juez de Boston a sus habitaciones, una adorable casa en miniatura que se asomaba sobre el Caribe. Por mero accidente y sin ninguna intención, Prefontaine se equivocó de bolsillo y entregó al gerente un billete de cincuenta dólares por su amabilidad. De inmediato se convirtió en un hombre importante, los dedos chasqueaban y las campanillas sonaban rápidamente. Nada era demasiado para el sorprendente extranjero que había llegado de Montserrat en un hidroavión... Era el nombre lo que confundía a los empleados del Sosiego. ¿Era posible semejante coincidencia...? Sin embargo andaba de por medio el gobernador de la Corona. Por si las moscas había que conseguir una villa para ese hombre.

Prefontaine ya estaba acomodado y había distribuido el equipaje entre el armario y la cómoda, pero la locura continuaba. Le llevaron una botella helada de Château Carbonnieux del 78 junto con un ramo de flores frescas y una caja de bombones belgas, pero pocos minutos después el camarero regresó con expresión confundida para llevarse los chocolates, disculpándose por el error ya que eran para otra villa.

El juez se vistió con un pantalón corto, frunciendo la nariz al ver sus piernas tal delgadas, y se puso una camisa de colores llamativos. Unas zapatillas blancas y un sombrero del mismo color completaron el atuendo tropical; pronto oscurecería y quería dar un paseo. Tenía varios motivos para ello.

—Yo sé quién es Jean Pierre Fontaine —dijo John St. Jacques cuando leyó el registro en la recepción—. Ya me llamaron para notificarme su llegada. ¿Pero quién diablos es B. P. Prefontaine?

—Un ilustre juez de Estados Unidos —declaró el adjunto a gerencia, un hombre alto y negro con marcado acento británico—. Mi tío, que es director adjunto de Inmigración, me llamó desde el aeropuerto hace un par de horas. Por desgracia yo estaba arriba cuando se creó la confusión, pero los empleados hicieron lo correcto.

—¿Un juez? —preguntó el dueño del Sosiego mientras el adjunto le tocaba el codo para indicarle que se apartase un poco de los demás empleados. Ambos se retiraron unos pasos—. ¿Qué dijo su tío?

—Debemos mantener una discreción total en lo referente a nuestros dos distinguidos huéspedes.

—¿Por qué no iba a haberla? ¿Qué significa todo esto?

—Mi tío se mostró muy reservado, pero me contó que había visto que el honorable juez sacaba un billete para la isla. Así comprendió que estaba en lo cierto. El juez y el héroe de guerra francés se conocen y desean encontrarse confidencialmente por cuestiones de gran importancia.

—Si ése era el caso, ¿por qué el honorable juez no tenía una reserva?

—Al parecer hay dos explicaciones posibles, señor. Según mi tío, en un principio debían encontrarse en el aeropuerto, pero la recepción que ofreció el gobernador de la Corona lo impidió.

—¿Cuál es la segunda posibilidad?

—Tal vez se ha cometido un error en las propias oficinas del juez en Boston, Massachusetts. Según mi tío, éste comentó que sus empleados eran propensos a cometer errores y que si había ocurrido algo así con su pasaporte, los enviaría a buscar a todos para que se disculparan.

—Por lo visto los jueces están mucho mejor pagados en Estados Unidos que en Canadá. Tuvo suerte de que pudiéramos alojarlo.

—Es la temporada de verano, señor. Por lo general tenemos habitaciones disponibles durante estos meses.

—No me lo recuerde… Muy bien, así que tenemos a dos familiares ilustres que desean encontrarse en privado; desde luego, lo hacen de forma muy complicada. Tal vez debería llamar al juez y decirle en qué villa se encuentra Fontaine. O Prefontaine, o como diablos sea.

—Ya sugerí esa cortesía a mi tío, señor, pero él se mostró inflexible. Dijo que no debíamos hacer ni decir absolutamente nada. Según él, todos los grandes hombres tienen secretos, y no quiere que nadie se entere de su brillante deducción salvo los propios interesados.

—¿Cómo?

—Si el juez recibiese una llamada así, sabría que la información sólo pudo haber provenido de la oficina de inmigración de Montserrat.

—Por Dios, haga lo que quiera, yo tengo otras cosas en qué pensar... A propósito, he doblado la guardia en el camino y en la playa.

—¿Tenemos gente suficiente, señor?

—He enviado a algunos de los que vigilaban los caminos privados. Yo sé quién se encuentra aquí, pero no sé quién puede querer entrar.

—¿Esperamos problemas, señor?

John St. Jacques le observó.

—Por ahora, no —respondió—. He estado registrando cada centímetro del terreno y la playa. A propósito, me alojaré con mi hermana y sus hijos en la villa veinte.


El héroe de la Resistencia francesa durante la Segunda Guerra Mundial, conocido como Jean Pierre Fontaine, recorrió lentamente el sendero que conducía a la última villa con vistas al mar. Ésta era similar a las demás, con paredes de estuco rosado y techo de tejas rojas, pero el jardín que la rodeaba era más grande y estaba protegida de curiosos por un seto más alto y tupido. Era un lugar para primeros ministros y presidentes, cancilleres y secretarios de estado, hombres y mujeres de importancia internacional que buscaban la paz del aislamiento con todas las comodidades.

Fontaine llegó al final del sendero, donde se alzaba un muro blanco de un metro y medio de altura. Al otro lado, la colina de vegetación impenetrable descendía hasta la costa. El muro se extendía en ambas direcciones, curvándose alrededor de la colina bajo las terrazas de las casas tanto para demarcar el terreno como para proteger las villas. La entrada de la villa veinte era un portalón de hierro forjado de color rosa sujeto a la pared. Al otro lado el anciano vio a un niño que corría por el jardín en traje de baño. Momentos después, una mujer apareció ante la puerta de la casa.

—¡Vamos, Jamie! —gritó—. Es hora de cenar.

—¿Alison ha comido ya, mami?

—Sí, está dormida, cariño. No molestará a su hermano.

—Me gusta más nuestra casa. ¿Por qué no podemos volver a casa, mami?

—Porque tío John quiere que nos quedemos aquí... Están los botes, Jamie. Puede llevarte a pescar y a navegar como durante las vacaciones pasadas.

—Esa vez nos quedamos en casa.

—Sí, bueno, papi estaba con nosotros...

—¡Y nos divertimos mucho viajando en el camión!

—La cena, Jamie. Ven adentro.

Madre e hijo entraron en la casa y Fontaine se estremeció al pensar en las órdenes que había recibido del Chacal, en las sangrientas ejecuciones que había jurado efectuar. Y entonces recordó las palabras del niño: «¿Por qué no podemos volver a casa, mami...? Esa vez nos quedamos en casa.» Y las respuestas de la madre: «Porque tío John quiere que nos quedemos aquí... Sí, bueno, papi estaba con nosotros...»

Podían existir innumerables explicaciones para la breve conversación que acababa de presenciar, pero Fontaine tenía la habilidad de reconocer una advertencia antes que la mayoría de los hombres, ya que su vida había estado llena de ellas. Ahora percibía una, y por ese motivo un anciano daría varias caminatas nocturnas para «mejorar la circulación».

Fontaine se alejó del muro y comenzó a descender por el sendero tan absorto en sus pensamientos que estuvo a punto de tropezar con otro huésped. El hombre tenía aproximadamente su misma edad y llevaba un estúpido sombrero blanco y zapatos del mismo color.

—Discúlpeme —dijo el extraño mientras se apartaba para cederle el paso.

—*¡Pardon monsieur!* —respondió el confundido héroe de Francia utilizando su lengua natal sin darse cuenta—. *Je regrette...* quiero decir, soy yo quien debe disculparse.

—¿Oh? —Por un momento, los ojos del extraño brillaron con un reconocimiento que fue rápidamente disimulado—. En absoluto.

—*Pardon*, ¿nos conocemos, *monsieur*?

—No lo creo —respondió el anciano con el ridículo sombrero blanco—. Pero todos hemos oído los rumores. Un gran héroe de Francia se encuentra entre los huéspedes.

—Tonterías. Las circunstancias de una guerra en la que todos éramos más jóvenes. Me llamo Fontaine. Jean Pierre Fontaine.

—Y yo... Patrick. Brendan Patrick.

—Encantado de conocerlo, *monsieur*.— Los dos hombres se estrecharon la mano—. Éste es un lugar encantador, ¿no le parece?

—Hermosísimo. —El extraño pareció estudiarlo otra vez, pensó Fontaine, aunque trataba de no mirarlo fijamente a los ojos—. Bueno, debo continuar mi camino —añadió el anciano de los relucientes zapatos blancos—. Órdenes del médico.

—*Moi aussi* —dijo Jean Pierre en francés a propósito, ya que este idioma parecía producir un efecto sobre el extraño—. *Toujours le médecin à cet âge, ¿n'est-ce pas?*

—Gran verdad —respondió el anciano de las piernas huesudas mientras lo saludaba con la mano y se volvía para subir rápidamente por el sendero.

Fontaine permaneció inmóvil y observó la figura que se alejaba. Se limitó a esperar, seguro de que ocurriría. Y así fue. El anciano se detuvo y se volvió lentamente. Desde cierta distancia, sus miradas se encontraron; fue suficiente. Jean Pierre sonrió y continuó por el sendero hacia su villa.

Se trataba de otra advertencia, pensó, y ésta era mucho más peligrosa. Había tres puntos evidentes: primero, el anciano del ridículo sombrero blanco hablaba francés; segundo, sabía que tras Jean Pierre Fontaine en realidad se escondía otra persona... enviada por alguien a Montserrat; tercero... llevaba la marca del Chacal en los ojos. *¡Mon Dieu*, qué característico del *monseigneur!* Tramar el asesinato, asegurarse de que se realiza y luego eliminar todas las pruebas que pudiesen conducir a sus procedimientos, particularmente en lo que se refería a su ejército privado de ancianos. No era de extrañar que la enfermera hubiese dicho que después de cumplir las órdenes, podía permanecer en aquel paraíso hasta que muriese su mujer, suceso difícil de fechar de antemano. La generosidad del Chacal no era tan grande como parecía; la muerte de su mujer, al igual que la suya propia, ya había sido programada.


John St. Jacques atendió el teléfono en su oficina.

—¿Sí?

—¡Se han encontrado, señor! —dijo el excitado adjunto a gerencia en la recepción.

—¿Quiénes?

—El gran hombre y su ilustre pariente de Boston, Massachusetts. Lo hubiese llamado de inmediato, pero hubo una confusión con una caja de bombones...

—¿De qué está hablando?

—Hace unos minutos, señor. Los vi por los ventanales. Conversaban en el sendero. ¡Mi estimado tío, el director adjunto, tenía razón!

—Estupendo.

—La oficina del gobernador de la Corona estará muy satisfecha. Sin duda recibiremos sus felicitaciones, al igual que mi brillante tío.

—Me alegro por todos nosotros —dijo St. Jacques con fatiga—. Ahora ya no tenemos que preocuparnos más por ellos, ¿verdad?

—En principio yo diría que no, señor... Excepto que mientras hablamos el honorable juez se acerca rápidamente por el sendero. Creo que viene hacia aquí.

—Supongo que no lo morderá; es probable que quiera darle las gracias. Haga lo que él le diga. Se aproxima una tormenta de Basse-Terre y necesitaremos la ayuda de la Corona si dejan de funcionar los teléfonos.

—¡Le brindaré cualquier servicio que me solicite, señor!

—Bueno, existen ciertos límites. No le cepille los dientes.


Bredan Prefontaine entró rápidamente en el vestíbulo circular con paredes acristaladas. Había aguardado hasta comprobar que el francés entraba en la primera villa antes de cambiar de rumbo y dirigirse al edificio principal del complejo. Tal como hiciera tantas veces en los últimos treinta años, se veía obligado a pensar rápidamente en busca de explicaciones verosímiles que apoyasen diversas hipótesis evidentes, así como otras no tan evidentes. Acababa de cometer un error inevitable pero estúpido. Inevitable, porque si en la recepción del Sosiego le pedían su identificación, no estaba preparado para dar un nombre falso; y estúpido, porque le había dado un nombre falso al héroe de Francia... Bueno, no tan estúpido; el parecido de los apellidos podía haber conducido a complicaciones en lo concerniente al propósito de su viaje a Montserrat. Éste era una simple extorsión: averiguar qué asustaba tanto a Randolph Gates como para que se desprendiera de quince mil dólares, dato que podía proporcionarle una suma bastante mayor. No, la estupidez había sido no dar el paso preventivo que estaba a punto de realizar. Prefontaine se acercó al mostrador de recepción y al empleado alto y delgado que se hallaba detrás de él.

—Buenas noches, señor —saludó el adjunto a gerencia en voz excesivamente alta, con lo cual el juez miró alrededor y respiró aliviado al comprobar que no había más huéspedes en el vestíbulo—. Esté seguro de que haré todo lo que esté en mi mano por ayudarle.

—Preferiría estar seguro de que mantendrá la voz baja, jovencito.

—No se preocupe. Hablaré en un susurro —prometió el otro con voz apenas audible.

—¿Qué ha dicho?

—¿En qué puedo serle útil? —preguntó el hombre, ahora en voz baja.

—Sólo hablemos tranquilamente, ¿le parece bien?

—Desde luego. Será un honor.

—¿En serio?

—Por supuesto.

—Muy bien —dijo Prefontaine—. Tendría que pedirle un favor...

—¡Cualquier cosa!

—¡Shhhh!

—Claro.

—Al igual que muchos hombres de edad avanzada, con frecuencia olvido las cosas. Lo comprende, ¿verdad?

—Dudo que un hombre con su inteligencia se olvide de algo.

—¿Qué...? No importa. Estoy viajando de incógnito, ya sabe a qué me refiero.

—Sin duda, señor.

—Me he registrado con mi nombre, Prefontaine...

—Por supuesto que sí —lo interrumpió el hombre—. Lo sé.

—Ha sido un error. A la gente de mi oficina y a cuantos deben ponerse en contacto conmigo les he pedido que pregunten por el «señor Patrick», mi segundo nombre. Es un subterfugio inofensivo para permitirme el descanso que tanto necesito.

—Lo comprendo —dijo el hombre con tono confidencial, inclinándose sobre el mostrador.

—¿De verdad?

—Por supuesto. Si se supiera que una persona tan eminente como usted se aloja aquí, le resultaría difícil descansar. Bajo otro nombre, podrá gozar de la más absoluta intimidad. Puede estar tranquilo, lo comprendo. Yo mismo cambiaré el registro, juez.

—¿Juez...? Yo no he dicho que fuera juez.

Las mejillas del hombre se ruborizaron.

—Un desliz nacido en el deseo de servirlo, señor.

—Y en otra cosa, en otra persona.

—Tiene mi palabra, aparte del dueño del Sosiego nadie conoce la naturaleza confidencial de su visita, señor —susurró el adjunto a gerencia mientras se inclinaba de nuevo sobre el mostrador—. Todo se ha llevado a cabo bajo la más estricta reserva.

—Virgen santa, ese cretino del aeropuerto...

—Mi astuto tío —continuó el empleado pasando por alto sus palabras— dejó bien en claro que teníamos el privilegio de estar tratando con dos hombres que requerían la más estricta reserva. Verá, él me llamó con esa intención...

—Está bien, está bien, jovencito, ahora comprendo y aprecio todo lo que están haciendo. Sólo asegúrese de que el nombre se cambie por Patrick, y si alguien llegara a preguntar por mí, dele ese apellido. ¿Nos comprendemos?

—¡Con toda claridad, honorable juez!

—Espero que no.

Cuatro minutos después, el atormentado adjunto a gerencia atendió el teléfono.

—Recepción —dijo, como dando una bendición.

—Soy monsieur Fontaine, de la villa once.

—Sí, señor. El honor es mío... nuestro... ¡de todos!

—*Merci.* Me preguntaba si usted podría ayudarme. Hace más o menos un cuarto de hora conocí a un norteamericano encantador en el sendero, un hombre de aproximadamente mi misma edad que llevaba una gorra blanca. Pensé que podría invitarlo para un *apéritif* en alguna ocasión, pero no estoy seguro de haber oído bien su nombre.

Lo estaban probando, pensó el adjunto. Los grandes hombres no sólo tenían secretos, sino que se preocupaban por aquellos que los conocían.

—Por su descripción yo diría que ha conocido al agradable señor Patrick.

—Ah sí, creo que ése era su nombre. Suena irlandés, pero él es norteamericano, ¿verdad?

—Un norteamericano muy instruido, señor. De Boston, Massachusetts. Se encuentra en la villa catorce, la tercera al oeste de la suya. No tiene más que marcar el siete-uno-cuatro.

—Sí, bueno, se lo agradezco mucho. Si ve a monsieur Patrick, preferiría que no le comentara nada. Como usted sabe, mi esposa no se encuentra bien y debo posponer la invitación para el momento en que a ella le resulte cómodo.

—Nunca diría nada, señor, a menos que usted me lo indicase. En lo referente a usted y al señor Patrick, seguimos al pie de la letra las instrucciones confidenciales del gobernador de la Corona.

—¿En serio? Eso me parece de lo más loable... *Adieu.*

¡Lo había hecho!, pensó el adjunto a gerencia mientras colgaba el teléfono. Los grandes hombres comprendían las sutilezas, y su brillante tío sabría apreciar la que él acababa de demostrar. Primero había mencionado de inmediato el nombre de Patrick, pero lo más importante de todo era que había elegido la palabra «instruido», con lo cual podía dar a entender un intelectual... o un juez. Y finalmente había aclarado que no diría nada sin las instrucciones del gobernador de la Corona. Gracias a la sutileza había logrado ganarse la confianza de dos grandes hombres. Era una experiencia maravillosa, y debía llamar a su tío para compartir con él un triunfo que atribuía a los dos.


Fontaine se hallaba sentado en el borde de la cama, con el teléfono todavía en la mano, mirando a su mujer en la terraza. Ella estaba en la silla de ruedas, de perfil a él, con la copa de vino en la mesita a su lado y la cabeza inclinada de dolor… ¡Dolor! ¡Todo el terrible mundo estaba lleno de dolor! Él había contribuido a causarlo, comprendía eso y no esperaba clemencia, pero con su mujer era diferente. Eso no formaba parte del trato. Su vida, sí, por supuesto, pero no la de ella, no mientras hubiera aliento en su cuerpo frágil. «*Non monseigneur. ¡Je refus! ¡Ce n'est pas le contrat!*»

Así que ahora el ejército de ancianos del Chacal se extendía hasta Norteamérica… era de esperar. Un viejo con una ridícula gorra blanca, un hombre instruido que por alguna razón había adoptado la práctica del terrorismo, sería su verdugo. Un hombre que lo había observado y fingía no saber francés. Un hombre que llevaba la marca del Chacal en la mirada. «En lo referente a usted y al señor Patrick, seguimos al pie de la letra las instrucciones confidenciales del gobernador de la Corona.» Y a su vez, él recibía instrucciones de un maestro de la muerte en París.

Una década atrás, después de cinco productivos años con *monseigneur*, había recibido un número de teléfono de Argenteuil, a diez kilómetros al norte de París, que debía utilizar sólo en caso de extrema urgencia. Hasta el momento sólo había llamado una vez, pero volvería a hacerlo ahora. Fontaine estudió los códigos internacionales, descolgó el teléfono y marcó. Al cabo de casi dos minutos, una voz le respondió.

—*Le Coeur du Soldat* —dijo una voz masculina con un fondo de música marcial.

—Debo comunicarme con un mirlo —pidió Fontaine en francés—. Mi identidad es París Cinco.

—De ser posible cumplir con su solicitud, ¿dónde puede localizarle este pájaro?

—En el Caribe.

Fontaine dio el código de zona, el número de teléfono y la extensión con la villa once. Luego colgó y permaneció en el borde de la cama con expresión abatida. Sabía que podían ser las últimas horas que él y su mujer pasasen sobre la tierra. En ese caso, ambos se enfrentarían a su Dios y hablarían con la verdad. Él había matado, no cabía duda al respecto, pero nunca había hecho daño o quitado la vida a una persona que no hubiese cometido crímenes mayores contra otras personas… con unas pocas excepciones, como los espectadores inocentes atrapados en medio de un tiroteo, o en una explosión. Todo en la vida era dolor, ¿no lo decían las escrituras? Por otro lado, ¿qué clase de Dios permitía semejantes brutalidades?

«¡*Merde*! ¡No pienses en esas cosas! Quedan más allá de tu comprensión.»

El teléfono sonó. Fontaine tomó el receptor de inmediato y se lo llevó a la oreja.

—Aquí París Cinco.

—Criatura de Dios, ¿qué puede ser tan grave como para que utilices un número al que sólo has llamado una vez desde que nos conocemos?

—Su generosidad ha sido absoluta, *monseigneur*, pero siento que debemos volver a definir nuestro trato.

—¿En qué sentido?

—Mi vida le pertenece para que haga con ella lo que guste y muestre la clemencia que desee, pero esto no incluye a mi mujer.

—¿Qué?

—He conocido a un hombre instruido de la ciudad de Boston que me estudia con ojos curiosos, ojos que revelan propósitos ocultos.

—¿Ese estúpido arrogante ha volado en persona hasta Montserrat? ¡No sabe nada!

—Es evidente que sí. Se lo ruego, yo haré lo que me ordene, pero déjenos regresar a París, se lo ruego. Permita que ella muera en paz. Ya no le pediré nada más.

—¿Pedirme tú? ¡Ya te he dado mi palabra!

—Entonces, ¿por qué este hombre instruido de Estados Unidos me está siguiendo con ojos inquisitivos, *monseigneur*?

Una tos hueca y profunda ocupó el silencio y entonces el Chacal habló:

—El gran profesor de Derecho ha cometido un error, se ha introducido donde no debía. Es hombre muerto.


Edith Gates, esposa del célebre abogado y profesor de Derecho, abrió silenciosamente la puerta del estudio en su elegante residencia de Louisburg Square. Su esposo se hallaba inmóvil en el pesado sillón de cuero contemplando el fuego crepitante, un fuego en el que había insistido a pesar de la cálida noche de Boston y del aire acondicionado del interior.

Mientras lo observaba, la señora Gates volvió a sentir la dolorosa certeza de que su esposo ocultaba cosas que ella nunca entendería. Resquicios de su vida que ella jamás podría llenar, pensamientos que iban más allá de su comprensión. Ella sólo sabía que en ciertas ocasiones él sentía un dolor terrible que no quería compartir, ni siquiera para aliviarse de la carga que lo abrumaba. Treinta y tres años atrás, cuando era una muchacha medianamente atractiva nacida en el seno de una familia de clase media, se había casado con un licenciado en Derecho extremadamente alto, delgaducho y brillante, aunque pobre. Su ansiedad y su impaciencia habían disgustado a las firmas más importantes en aquellos días moderados y reprimidos de finales de los años cincuenta. La apariencia sofisticada y la búsqueda de la seguridad se valoraban por encima de una mente aguda, ardiente y sin una dirección certera, en especial si esa mente se hallaba dentro de una cabeza despeinada y un cuerpo vestido con ropa barata. Ésta parecía aún peor ya que su economía impedía cualquier gasto adicional para arreglos y pocas tiendas con descuento tenían prendas de su talla.

Sin embargo, la nueva señora Gates tenía varias ideas que mejorarían la perspectiva de su vida en común. Entre ellas estaba dejar de lado la abogacía por el momento, mejor el paro que trabajar para una firma menor o, Dios no lo permita, un servicio privado con la clase de clientes que probablemente atraería, es decir, la de los que no podían pagar a un abogado reconocido. Lo mejor sería utilizar sus dotes naturales: su impresionante altura y una inteligencia aguda que, combinada con su empuje, resultaba ideal para realizar los pesados trabajos académicos. Gracias a sus modestos fondos monetarios, Edith transformó el aspecto de su marido comprando las ropas adecuadas y contratando a un profesor de entrenamiento vocal para actores, quien inició a su alumno en el arte de la expresión dramática y le inculcó una efectiva presencia escénica. Muy pronto, el licenciado delgaducho adoptó un estilo similar al de Lincoln con los rasgos sutiles de John Brown. Estaba en camino de convertirse en un experto legal, y permaneció en el ambiente universitario estudiando sin cesar mientras daba clases para graduados. Finalmente, la profundidad de su experiencia en ciertas áreas específicas fue incuestionable, y las firmas importantes que lo habían rechazado en el pasado comenzaron a llamarlo.

La estrategia duró casi diez años antes de que aparecieran resultados tangibles, aunque las primeras respuestas no fueron impactantes, representaban un progreso. Las revistas especializadas, primero menores y luego más importantes, comenzaron a publicar sus controvertidos artículos, tanto por su estilo como por su contenido. El joven profesor adjunto redactaba de forma muy seductora, firme y misteriosa a la vez, florida e incisiva. Pero fueron sus opiniones las que, al emerger de forma latente, llamaron la atención de ciertos sectores de la comunidad financiera. El espíritu de la nación estaba cambiando. La corteza de la benévola Gran Nación comenzaba a resquebrajarse con las nuevas palabras acuñadas por los muchachos de Nixon, tales como «mayoría silenciosa» y el peyorativo «ellos». La bajeza surgía de la tierra y se esparcía, y era más de lo que el perceptivo y decente Ford podía detener, debilitado como estaba por las heridas de Watergate, y también excedía la capacidad del brillante Carter, demasiado consumido por las minucias como para ejercer un liderazgo compasivo. La frase «...qué puedes hacer por tu país» había pasado de moda y se reemplazó por «qué puedo hacer por mí.»

El doctor Randolph Gates halló una ola implacable sobre la cual cabalgar, una voz meliflua con que hablar y un vocabulario cada vez más amargo para estar a tono con la nueva era. En su opinión intelectual ahora refinada —tanto en lo legal como en lo económico y lo social— «mayor» era mejor, y «más» era preferible a menos. Según él, las leyes que apoyaban la competencia en el mercado asfixiaban un programa de crecimiento industrial desde el cual todos obtendrían grandes beneficios... bueno, casi todos. Al fin y al cabo, era un mundo competitivo y les gustase o no, siempre sobrevivirían los más fuertes. Comenzaron a sonar los tambores y los címbalos, y los manipuladores financieros encontraron a un paladín, a un intelectual de la abogacía que respetaba sus virtuosos sueños de fusión y consolidación: compren todo, hágase cargo y luego liquiden; por el bien de la mayoría, por supuesto.

Randolph Gates fue convocado y corrió a sus brazos con presteza, impresionando a un tribunal tras otro con su calistenia declamatoria. Finalmente lo había logrado, pero Edith Gates no estaba segura de lo que significaba todo aquello. Había imaginado una vida acomodada, por supuesto, pero no millones ni aviones privados volando por todo el mundo, desde Palm Springs hasta el sur de Francia. Y tampoco se sentía cómoda cuando los artículos y conferencias de su esposo se utilizaban para apoyar causas que le parecía francamente injustas. Él ignoraba sus quejas y aducía que los casos en cuestión eran legítimos paralelos intelectuales. Y, por encima de todo, hacía más de seis años que no compartía una cama o una alcoba con su esposo.

Edith entró en el estudio pero se detuvo al ver que él volvía la cabeza bruscamente, con los ojos vidriosos y llenos de alarma.

—Lo siento, no quería asustarte.

—Siempre llamas. ¿Por qué no has llamado? Ya sabes qué pasa cuando me concentro.

—Ya te he dicho que lo siento. Llevo algo en la cabeza y no estaba pensando.

—Eso es una contradicción.

—Quise decir que no me acordé de llamar.

—¿Qué andas rumiando? —preguntó el célebre abogado como si dudara de que su esposa pudiese hacerlo.

—Por favor, no seas ingenioso conmigo.

—¿Qué ocurre, Edith?

—¿Dónde estuviste anoche?

Gates alzó las cejas fingiendo sorpresa.

—Dios mío, ¿desconfías? Ya te he explicado dónde estuve. En el Ritz. Conversando con alguien que conocí hace años, alguien a quien no quise invitar a casa. Si a estas alturas todavía necesitas una confirmación, llama al Ritz.

Edith Gates permaneció en silencio unos momentos y miró a su esposo.

—Querido —le dijo—, me importa un comino si has tenido una cita con la prostituta más voluptuosa del barrio chino. Probablemente alguien tendrá que pagarle unos tragos para que recupere la confianza en sí misma.

—No estuvo mal, perra.

—En ese terreno tú no eres exactamente un semental, cretino.

—¿Existe algún propósito para esta conversación?

—Eso creo. Hace más o menos una hora, justo antes de que llegaras de la oficina, un hombre llamó a la puerta. Denise estaba puliendo la vajilla de plata, así que atendí yo. Debo decir que tenía un aspecto muy impresionante; llevaba ropa carísima y conducía un Porsche negro...

—¿Qué más? —exclamó Gates, adelantándose en el sillón con los ojos desorbitados.

—Me pidió que te dijera que *le grand professeur* le debía veinte mil dólares, y que anoche no estaba donde se suponía que debía estar. Deduje que hablaba del Ritz.

—Es verdad. Hubo un problema... Oh, señor, él no lo comprende. ¿Qué le dijiste?

—No me gustó su forma de hablar ni su actitud. Le dije que no tenía la menor idea de dónde estabas. Supo que estaba mintiendo, pero no pudo hacer nada.

—Bien. Él sabe mucho sobre mentiras.

—No creo que veinte mil signifiquen tanto problema para ti...

—No se trata del dinero, es el método de pago.

—¿Por hacer qué?

—Nada.

—Creo que eso es lo que tú llamas una contradicción, Randy.

—¡Cállate! —El teléfono comenzó a sonar. Gates se levantó de un salto y lo miró. No hizo ningún movimiento para acercarse al escritorio; en lugar de ello, se dirigió a su esposa con voz gutural.

—Quienquiera que sea, dile que no estoy... me he ido, he salido de la ciudad... no sabes cuándo regresaré.

Edith se acercó al teléfono.

—Es tu línea privada —dijo mientras levantaba el receptor—. Residencia Gates —respondió. Era una táctica que había utilizado durante años; sus amigos sabían quién era, y los demás habían dejado de importarle—. Sí... ¿sí? Lo siento, ha salido y no sabemos cuándo regresará. —La esposa de Gates permaneció unos momentos mirando el teléfono y luego colgó. Se volvió hacia Randolph—. Era el contacto en París… qué extraño. Alguien te llamaba, pero cuando dije que no estabas aquí, ni siquiera me preguntó cuándo podía localizarte. Simplemente colgó, y de un modo muy abrupto.

—¡Oh, Dios mío! —exclamó Gates visiblemente perturbado—. Ha pasado algo… que ha salido mal, ¡alguien ha mentido! —Con estas enigmáticas palabras, el abogado corrió hacia el otro extremo de la habitación mientras hurgaba en el bolsillo del pantalón. Al llegar a la biblioteca que se extendía de pared a pared se detuvo frente a un estante donde había una puerta disimulada. A pesar del pánico, giró sobre sus talones como si de pronto hubiese tomado conciencia de algo.

—¡Sal de aquí! —le gritó a su mujer—. ¡Fuera, fuera, fuera!

Edith Gates caminó lentamente hasta la puerta del estudio, donde se volvió hacia su esposo y habló con suavidad.

—Todo comenzó en París, ¿verdad Randy?, hace siete años, en París. Allí ocurrió algo, ¿no es cierto? Volviste convertido en un hombre lleno de miedo, un hombre con un dolor que no desea compartir.

—¡Sal de aquí! —gritó el jactancioso profesor de Derecho con la mirada enloquecida.

Edith salió y cerró la puerta, pero no soltó el picaporte para impedir que se cerrase del todo. Momentos después la empujó unos centímetros y espió a su esposo.

La sorpresa fue mayúscula. El hombre con quien había convivido durante treinta y tres años, el gigante jurídico que no fumaba ni bebía una gota de alcohol, se estaba clavando una aguja hipodérmica en el antebrazo.

## 10

La oscuridad había descendido sobre Manassas, la campiña que bullía con los sonidos de la vida nocturna, mientras Bourne avanzaba lentamente entre los bosques que bordeaban la «granja» del general Norman Swayne. Alarmados, los pájaros abandonaron sus escondrijos oscuros, los cuervos despertaron en los árboles y emitieron unos graznidos. Entonces, como tranquilizados por un cómplice en la conspiración, guardaron silencio.

Bourne continuó su marcha preguntándose si también la encontraría allí. Y ahí estaba. Una cerca alta, con gruesos eslabones cruzados y embutidos en plástico verde, con una maraña de alambre de púas colocada en forma oblicua sobre la parte superior. Entrada prohibida. *Beijing. El Santuario Jing Shan.* Había cosas que ocultar en aquella reserva de la vida silvestre oriental, y por lo tanto se encontraba protegida por una impenetrable barrera del gobierno. Pero ¿por qué un chupatintas que recibía su salario levantaría una barricada semejante alrededor de una «granja» en Manassas, Virginia? Ese obstáculo debía de costar miles de dólares. Su propósito no era mantener encerrado al ganado, sino impedir la entrada de los humanos.

Al igual que en el Santuario de China, no habría alarmas eléctricas en la cerca ya que los animales y los pájaros del bosque la activarían una y otra vez. Por el mismo motivo, tampoco habría haces electrónicos que lo delatasen; si éstos existían debían de encontrarse cerca de la casa y alcanzarían la altura de la cintura. Bourne extrajo el pequeño cortador de alambre del bolsillo trasero y comenzó con los eslabones a nivel del suelo.

Con cada corte volvía a comprender lo inevitable, lo confirmaba con su respiración agitada y el sudor que le corría por la frente. No importaba lo mucho que se esforzaba, no con fanatismo pero al menos con perseverancia, por mantenerse razonablemente en forma; tenía cincuenta años y su cuerpo lo sabía. Pero ahora no tenía tiempo de pensar en ello y a medida que avanzaba tenía que olvidarlo por completo. Ahora sólo importaban Marie y los niños, su familia; no había nada que no pudiese hacer si se lo proponía. David Webb había desaparecido de su personalidad y sólo quedaba el depredador Jason Bourne.

¡Ya estaba al otro lado! Los eslabones verticales estaban cortados y los alambres del suelo también. Bourne tiró de la cerca hacia sí y con gran esfuerzo logró abrirla lo suficiente para pasar. Entonces se arrastró al interior de esa finca extrañamente fortificada y se levantó escuchando, escudriñando la negrura, aunque la oscuridad no era absoluta. A través de los altos pinos que bordeaban el terreno llegaban algunos destellos de luz de la enorme casa. Lentamente, se fue acercando a la calzada circular. Cuando llegó al borde del asfalto, se tendió boca abajo junto a un pino mientras ordenaba sus pensamientos y estudiaba la escena que tenía delante. De pronto descubrió una luz distante a su derecha, al final de un camino de grava que partía de la calzada circular.

Alguien había abierto una puerta en lo que parecía ser una casa pequeña o una cabaña grande y no la había vuelto a cerrar. Del interior salieron dos hombres y una mujer hablando. No, no sólo hablaban, sino que discutían acaloradamente. Bourne cogió los prismáticos y enfocó al trío cuyas voces aumentaban de volumen. A pesar de que no captaba las palabras, la ira en ellas era perceptible. Cuando la imagen borrosa se hizo más nítida, estudió a las tres personas y de inmediato supo que el hombre mediano de porte severo que protestaba a la izquierda era el general Swayne, del Pentágono. La mujer de senos grandes y cabello oscuro era su esposa, pero lo que más le sorprendió y le fascinó fue la figura corpulenta que estaba más cerca de la puerta. ¡Lo conocía! Jason no recordaba dónde ni cuándo, lo cual no era nada extraño, pero su reacción visceral al ver a ese hombre sí era extraña. De pronto se sintió invadido por el odio y no sabía por qué, ya que no lograba relacionarlo con nadie del pasado. Sólo se sentía lleno de repugnancia y aversión. ¿Dónde estaban las imágenes, los breves destellos de memoria que solían encenderse en su mente? No aparecieron; Bourne sólo sabía que el hombre a quien había enfocado con los prismáticos era su enemigo.

Entonces ese hombre enorme hizo algo muy raro. Se acercó a la esposa de Swayne y le rodeó los hombros con el brazo mientras gesticulaba de forma acusadora hacia el general con la mano derecha. Lo que había dicho, o gritado, provocó que Swayne reaccionara con una mezcla de resolución estoica e indiferencia fingida. Giró sobre sus talones y, con paso militar, atravesó el jardín hacia una entrada trasera de la casa. Bourne lo perdió de vista en la oscuridad y se centró en la pareja que continuaba a la luz de la puerta. El hombre obeso soltó a la esposa del general y le dirigió unas palabras. Ella asintió con un gesto, le rozó los labios con un beso y corrió tras su esposo. El sujeto regresó a la cabaña y cerró la puerta.

Jason volvió a guardar los binoculares en el pantalón y trató de analizar lo que acababa de presenciar. Había sido como ver una película muda sin subtítulos, con los gestos mucho más naturales y sin una teatralización exagerada. Que en los confines de esa propiedad cercada había un *ménage à trois* era evidente, pero eso no explicaba la cerca. Debía haber otra razón, y él tenía que averiguarla.

Sin embargo, intuía que todo aquello se relacionaba con el hombre gigantesco que había regresado furioso a la pequeña casa. Él debía llegar allí; tenía que llegar hasta el hombre que había formado parte de su pasado olvidado. Bourne se puso en pie lentamente, y agazapándose entre los pinos, se acercó al final de la calzada circular. Entonces continuó por el borde arbolado del estrecho sendero de grava.

Bourne se detuvo y se arrojó al suelo cuando oyó repentinamente un sonido que no se integraba en el murmullo del bosque. En alguna parte, unas ruedas se movían por la grava. Jason rodó y rodó hasta ocultarse bajo las ramas de un pino, y allí se volvió para tratar de localizar el vehículo.

Pocos segundos después distinguió que avanzaba por la calzada circular a gran velocidad y se introducía por el camino de grava. Era un vehículo pequeño de forma extraña, en parte una motocicleta liviana de tres ruedas y en parte un carro de golf en miniatura. Los tres neumáticos eran grandes y con profundas estrías, capaces de alcanzar altas velocidades y mantener el equilibrio al mismo tiempo. Su aspecto también era bastante siniestro, ya que además de la antena alta y flexible, tenía protectores a prueba de balas por los cuatro costados. Gracias a ellas el conductor podía estar a salvo en caso de asalto mientras alertaba por radio a los del interior. En la «granja» del general Norman Swayne había un ambiente cada vez más extraño. Entonces, de repente, se transformó en macabro.

Un segundo vehículo de tres ruedas salió de entre las sombras de atrás de la cabaña, y era una cabaña de troncos, y se detuvo a pocos metros del primero en el camino de grava. Ambos conductores volvieron la cabeza como robots hacia la casa, y entonces alguien dijo desde la oscuridad con voz de mando:

—Aseguren las rejas. Suelten a los perros y vuelvan a sus rondas.

Como en un ballet, los vehículos de extraño aspecto partieron al unísono en direcciones opuestas y se perdieron en la oscuridad. Ante la mención de los perros, Bourne extrajo la pistola de aire comprimido del bolsillo trasero; entonces se arrastró rápidamente entre las malezas para acercarse a la cerca. Si los perros venían en jauría, no tendría más remedio que trepar y saltar al otro lado por encima del alambre de púas. Con la pistola de dardos estaba en condiciones de eliminar a dos animales, no más; no tendría tiempo para volver a cargar el arma. Agazapado, Bourne aguardó listo para saltar sobre la cerca.

De pronto, un doberman negro apareció en el camino de grava. El animal no vacilaba ni olfateaba el terreno. Al parecer su único objetivo era llegar a determinada zona. A continuación apareció otro perro; éste era un pastor de pelo largo que, de forma instintiva, se fue deteniendo como si hubiese estado programado para hacerlo en un punto concreto. Se detuvo al fin y permaneció como una oscura silueta moviéndose en el camino. Desde su posición estática, Bourne comprendió. Eran perros de ataque entrenados, cada uno con su propio territorio, sobre el que orinaba constantemente. Ésta era una disciplina muy apreciada por los campesinos y pequeños terratenientes orientales, quienes conocían demasiado bien el precio de alimentar a los animales que custodiaban sus minúsculos feudos. Había que entrenar a unos pocos, el menor número posible, para proteger sus propiedades de los ladrones. Si se daba la alarma, los otros acudirían. Oriente. Vietnam… Medusa. ¡Todo regresaba a él! Contornos vagos y oscuros, imágenes. Un hombre uniformado, joven y fuerte bajaba de un jeep y, en el recuerdo de Jason, lanzaba órdenes a lo que quedaba de un grupo de asalto que regresaba de cerrar una ruta de pertrechos militares junto al camino Ho Chi Min. ¡El mismo hombre, más viejo y más gordo, había estado ante sus prismáticos unos momentos atrás! Y hacía años, ese mismo hombre había prometido suministros: municiones, morteros, granadas, radios. ¡No había traído absolutamente nada! Sólo las quejas del Comando Saigón, diciendo que «esos malditos ilegales nos alimentan con mierda.» Saigón actuó demasiado tarde, reaccionó demasiado tarde, por su culpa veintiséis hombres habían muerto o sido capturados inútilmente.

Bourne lo recordaba como si hubiese ocurrido hacía una hora, un minuto. Había arrancado su 45 de la pistolera y, sin previo aviso, apuntó a la frente del suboficial que se acercaba.

«Una palabra más y estará muerto, sargento.» ¡El hombre era un sargento! «Nos traerá nuestro pedido mañana por la mañana o iré a Saigón en persona y lo reventaré contra la pared del prostíbulo donde lo encuentre. ¿Lo quiere más claro o prefiere ahorrarme el viaje? Francamente, considerando nuestras bajas, sería mejor que lo matara aquí mismo.»

«Conseguiré lo que necesita.»

«¡*Très bien!*», había gritado el francés más viejo de Medusa, quien años después le salvaría la vida en una reserva natural en Beijing. «*¡Tu es formidable, mon fils!*» Cuánta razón tenía. Y qué muerto estaba. D'Anjou, un hombre que ya era leyenda.

Los pensamientos de Jason quedaron repentinamente interrumpidos. El perro pastor de presa empezó a dar vueltas en círculo, gruñendo cada vez más fuerte mientras olfateaba un rastro humano. En cuestión de segundos, el animal logró orientarse y se desató la locura. El perro se abalanzó hacia el follaje con los dientes al descubierto, gruñendo con un sonido asesino. Bourne saltó hacia atrás contra la cerca y desenfundó la pistola de aire comprimido mientras flexionaba el brazo izquierdo y se preparaba para defenderse. El animal enfurecido saltó sobre él. Jason disparó, primero un cartucho y luego el otro, y mientras los dardos hacían efecto rodeó la cabeza del perro con el brazo izquierdo y le hundió la rodilla en el cuerpo para protegerse de sus garras. Todo terminó en cuestión de momentos, momentos de gran ferocidad que finalmente se fue debilitando, y sin los aullidos que podían haber alertado a toda la propiedad. Con los ojos abiertos y narcotizados, el perro pastor cayó desvanecido en brazos de Bourne, quien lo apoyó en el suelo y volvió a aguardar sin moverse hasta averiguar si los demás animales se habían alertado.

No ocurrió nada, sólo se oía el constante murmullo del bosque más allá de la cerca. Jason guardó de nuevo la pistola de aire comprimido y se arrastró hacia el sendero de grava, con la frente y los ojos bañados en sudor. Le faltaba entrenamiento. Años atrás, la hazaña de silenciar a un perro de presa no lo hubiese afectado, *un exercice ordinaire*, tal como hubiera dicho el legendario D'Anjou, pero las cosas habían cambiado. El miedo se infiltraba en su ser. Un miedo puro y sin adulterar. ¿Dónde estaba el hombre que había sido? Sin embargo, Marie y los niños dependían de él; tenía que convocar a ese hombre. ¡Convócalo!

Bourne tomó los prismáticos y volvió a llevárselos a los ojos. De vez en cuando, las nubes ocultaban la luna, pero el resplandor amarillo bastaba para enfocar los arbustos que estaban frente a la cerca. El doberman negro caminaba de un lado a otro como una pantera furiosa e impaciente y se detenía de vez en cuando para orinar e introducir el largo hocico entre los arbustos. Tal como lo habían adiestrado, el animal vagaba entre los dos portones de hierro de la enorme calzada circular. Cada vez que se detenía, gruñía y daba varias vueltas, como si esperara el choque eléctrico que recibiría a través del collar si traspasaba los límites sin un motivo. De nuevo, el método de entrenamiento se remitía a Vietnam; los soldados utilizaban estos artefactos a control remoto para que los perros aprendiesen a vigilar las municiones y los depósitos de materiales. Jason dirigió los prismáticos hacia el otro extremo del extenso jardín. Allí había un tercer animal, un enorme weimaraner, manso de aspecto pero mortal en su ataque. El perro, hiperactivo, corría de un lado al otro, inquieto tal vez por las ardillas o los conejos de las malezas, pero no por el olor a hombre; no emitía un gruñido amenazante, señal del ataque.

Jason trató de analizar lo que veía, ya que esa reflexión determinaría sus movimientos. Debía suponer que había un cuarto, un quinto y tal vez un sexto animal patrullando los perímetros de la propiedad. Pero, ¿por qué de este modo? ¿Por qué no una jauría vagando a voluntad? Ése hubiera sido un espectáculo mucho más amenazador. Los gastos que preocupaban al granjero oriental no constituían un problema aquí... Entonces descubrió la explicación, era tan elemental que resultaba evidente. Bourne observó a los dos perros, con la imagen del pastor todavía fresca en la mente. Eran algo más que animales entrenados para atacar. Pertenecían a la más pura raza y estaban cuidados a la perfección, feroces animales que pasaban por campeones durante el día y se transformaban en violentas fieras por la noche. Por supuesto. La «granja» del general Norman Swayne no era una propiedad clandestina, al contrario, debía de recibir las visitas de vecinos, amigos y colegas. Durante las horas del día y en presencia de un entrenador, los invitados podían admirar a estos dóciles campeones en sus cómodas perreras, sin comprender lo que en realidad se escondía bajo aquellos pelajes brillantes. Norman Swayne, jefe de adquisiciones del Pentágono y ex alumno de Medusa, era sólo un aficionado a los perros, y esto quedaba atestiguado con la calidad en la casta de sus animales. Tal vez sacaba provecho de sus perros, pero en los cánones de la ética militar no había nada que prohibiese tal práctica.

Una farsa. Si este aspecto de la «granja» del general era una farsa, cabía suponer que toda la propiedad lo era, tal falsa como la «herencia» que había hecho posible su compra. Medusa.

Uno de los extraños vehículos de tres ruedas apareció al otro extremo del jardín y enfiló por el camino de salida de la calzada circular. Bourne lo enfocó con los prismáticos y no se sorprendió al descubrir que el weimaraner se acercaba a él y corría junto al vehículo con actitud juguetona, buscando la aprobación del conductor. El conductor. ¡Ellos eran los entrenadores! El olor familiar de sus cuerpos calmaba a los perros, les daba seguridad. De esta observación partió el análisis que determinó su nueva táctica. Se movería por la propiedad del general con más libertad que hasta el momento si iba en compañía de un entrenador. Debía apoderarse de uno de aquellos vehículos. Bourne se precipitó, ocultándose entre los pinos, hasta el punto por donde había penetrado.

El vehículo a prueba de balas se detuvo entre los dos portones oscurecidos por los arbustos; Jason enfocó los prismáticos. Al parecer, el doberman negro era uno de los favoritos. El conductor abrió el panel derecho, el animal saltó y colocó las enormes patas sobre el asiento. El hombre le dio trozos de bizcocho o de carne, y luego se inclinó para acariciarle el cuello.

De inmediato Bourne comprendió que sólo le quedaban unos momentos para realizar su plan. Debía detener el vehículo y hacer que el hombre bajase pero sin alarmarlo, sin darle ninguna razón para que utilizara la radio y pidiera ayuda. ¿El perro tendido en el camino? No, el conductor supondría que le habían disparado desde el otro lado de la cerca y alertaría la casa. ¿Qué podía hacer? En medio de la penumbra, Bourne miró a su alrededor experimentando el pánico de la indecisión. Entonces, de nuevo comprendió lo evidente. Aquella gran extensión de césped tan bien cuidado, los arbustos cortados con precisión, la despejada calzada circular; la pulcritud era una cuestión muy importante en la propiedad del general. Jason casi podía oír a Swayne dando órdenes a su personal: «¡Limpien el lugar!»

Bourne se volvió hacia el vehículo. El conductor trataba de apartar al doberman mientras jugaba con él y estaba a punto de cerrar el panel protector. ¡Sólo le quedaban segundos! ¿Qué? ¿Cómo?

Distinguió en el suelo el contorno de una rama caída del pino que se encontraba sobre él. Jason se dirigió rápidamente hacia ella y la arrastró hasta el asfalto. Tenderla sobre la calzada podría parecer una trampa demasiado evidente, pero si se limitaba a cruzarla un poco —un defecto en la perfección del lugar— resultaría una ofensa para los ojos y sería mejor quitarla ahora por si el general salía y la veía a su regreso. Los hombres al servicio de Swayne eran soldados o ex soldados, personas que todavía se encontraban bajo la autoridad militar; evitarían las reprimendas, especialmente por cuestiones intrascendentes. La suerte le favorecía. Jason tomó la rama y la empujó un metro dentro de la calzada. Entonces oyó que se cerraba el panel y el vehículo se ponía en marcha. Bourne se internó una vez más en la oscuridad de los pinos.

El conductor abandonó el camino de grava para introducirse en la calzada. Apenas empezaba a acelerar cuando volvió a frenar, ya que su único faro delantero iluminó el obstáculo sobre el asfalto. El hombre se aproximó con prudencia, a velocidad mínima, como si no estuviera seguro de qué se trataba; entonces lo distinguió bien y se apresuró en llegar. Sin vacilar, abrió la puerta y se dirigió hacia la parte delantera del vehículo.

—Oye, Rex, eres un perro malo, chico —dijo el conductor con voz bastante fuerte—. ¿Qué has arrastrado hasta aquí, animal estúpido? ¡Ese general de pacotilla te arrancará el pellejo por ensuciar su propiedad...! ¿Rex? Rex, ¡ven aquí sabueso maldito! —El hombre tomó la rama y la apartó de la calzada para llevarla hasta los pinos—. ¡Rex, me oyes! ¿Dónde estás, perro cornudo?

—No te muevas y coloca los brazos delante de ti —dijo Jason Bourne mientras se situaba a la vista.

—¡Dios bendito! ¿Y tú quién eres?

—Alguien a quien le importa una mierda si vives o mueres —respondió el intruso con calma.

—¡Tienes un arma! ¡No lo nieges!

—Tú también. En la pistolera. Yo la tengo apuntando hacia tu cabeza.

—¡El perro! ¿Dónde diablos está el perro?

—Se encuentra indispuesto.

—¿Qué?

—Parece un buen perro. Podría ser cualquier cosa que un entrenador quisiera. No hay que culpar al animal sino a la persona que lo adiestró.

—¿De qué estás hablando?

—De que preferiría matar al hombre antes que al animal. ¿Está claro?

—¡No está nada claro! Yo sólo sé que este hombre no quiere que lo maten.

—Entonces, hablemos, ¿quieres?

—Tengo muchas palabras, pero sólo una vida, amigo.

—Baja el brazo derecho y coge la pistola con la punta de los dedos, amigo. —El guardia obedeció—. Lánzala hacia mí. —El hombre hizo lo que le pedían y Bourne recogió el arma.

—¿Qué diablos está pasando? —exclamó el guardia con voz suplicante.

—Quiero información. Me han enviado hasta aquí para que la obtenga.

—Te diré todo lo que sé si me dejas ir. ¡Ya no quiero más líos con este lugar! Suponía que algún día ocurriría y se lo dije a Barbie Jo. ¡Pregúntaselo! Le advertí que algún día vendrían por aquí haciendo preguntas. ¡Pero no creí que fuese de este modo! ¡No con una pistola apuntada a mi cabeza!

—Supongo que Barbie Jo debe de ser tu esposa.

—Algo así.

—Entonces comencemos por eso. ¿Por qué tendrían que venir por aquí haciendo preguntas? Mis superiores quieren saberlo. No te preocupes, no te verás comprometido. Nadie se interesa por ti. Tú sólo eres un guardia de seguridad.

—¡No te quepa la menor duda, amigo! —lo interrumpió el hombre aterrado.

—Entonces, ¿por qué le dijiste eso a Barbie Jo? Qué algún día vendrían aquí haciendo preguntas.

—Diablos, no estoy seguro… Es que ocurren cosas muy extrañas, ya sabes.

—No, no sé. ¿Como cuáles?

—Bueno, como ese mandón de pacotilla, el general. Es una persona influyente, ¿verdad? Tiene coches del Pentágono y hasta helicópteros cuando lo desea, ¿verdad? Es el dueño de este lugar, ¿verdad?

—¿Y?

—Y ese piojoso del sargento mayor le da órdenes como si fuera su superior. Y la tetona de su esposa… tiene algún lío con esa bola de sebo y le importa un bledo que se sepa. Todo es una locura, ¿entiendes a qué me refiero?

—Veo enredos domésticos, pero no creo que eso le importe a alguien. ¿Por qué la gente vendría aquí a hacer preguntas?

—¿Por qué estás tú aquí, amigo? ¿Pensaste que habría una reunión esta noche, verdad?

—¿Una reunión?

—Todas esas limusinas elegantes con sus chóferes y los tipos importantes, ¿verdad? Bueno, te has equivocado de noche. Los perros están sueltos, y nunca los dejamos salir cuando se celebra una reunión.

Bourne se detuvo, y luego habló mientras se acercaba al guardia.

—Continuaremos en tu vehículo —ordenó con autoridad—. Yo me agacharé y tú harás exactamente lo que te diga.

—¡Prometiste que me dejarías salir de aquí!

—Lo harás. Tanto tú como el otro tipo que realiza las rondas. ¿Los portones llevan conectada una alarma?

—No cuando los perros están sueltos. Si algo les llamara la atención en la carretera, se abalanzarían y la activarían.

—¿Dónde está el panel de la alarma?

—Hay dos. Uno se encuentra en la cabaña del sargento y el otro en el vestíbulo de la casa. Siempre que las rejas estén cerradas, puedes activarlas.

—Vamos.

—¿Adónde?

—Quiero ver a todos los perros de la propiedad.

Veintiún minutos después, cuando los otros cinco perros de ataque estuvieron drogados y colocados en las perreras, Bourne abrió el portón de entrada y dejó salir a los dos guardias. Les había dado trescientos dólares a cada uno.

—Esto os compensará de cualquier paga que pudierais perder.

—¿Y qué hay de mi coche? —preguntó el segundo guardia—. No es gran cosa, pero funciona. Willie y yo llegamos aquí con él.

—¿Tienes las llaves?

—Sí, en el bolsillo. Está aparcado en la parte trasera, junto a las perreras.

—Llévatelo mañana.

—¿Por qué no ahora?

—Harías demasiado ruido al salir, y mis superiores llegarán en cualquier momento. Será mejor que no os vean. Podéis creer en mi palabra.

—¡Mierda! ¿Qué te había dicho yo, Jim-Bob? Lo mismo que le advertí a Barbie Jo. ¡Este lugar trae mala suerte, amigo!

—Trescientos dólares no son mala suerte, Willie. Ven, detendremos a alguien en la carretera. No es tarde y alguno de los muchachos pasará por aquí. Oye, amigo, ¿quién se ocupará de los perros cuando despierten? Deben comer antes de que llegue la guardia de la mañana y destrozarán a cualquier extraño que se les acerque.

—¿Qué hay del sargento mayor de Swayne? Él podrá manejarlos, ¿verdad?

—No lo quieren demasiado —respondió el guardia llamado Willie—, pero le obedecen. Se portan mejor con la esposa del general, los muy cornudos.

—¿Qué hay del general? —preguntó Bourne.

—Se mea sólo de verlos —respondió Jim-Bob.

—Gracias por la información. Ahora iros. Caminad un poco por la carretera antes de deteneros. Mis superiores vendrán desde la otra dirección.

—¿Sabes? —dijo el segundo guardia, mirándolo con atención a la luz de la luna—, ésta es la noche más rara de mi vida. Apareces vestido como un maldito terrorista, pero hablas y actúas como un oficial del ejército. Todo el tiempo mencionas a esos «superiores» tuyos; drogas a los perros y nos pagas trescientos dólares para que nos larguemos. ¡No comprendo nada!

—No tienes por qué. Además, si yo realmente fuese un terrorista, lo más probable es que vosotros ya estuvierais muertos, ¿no es así?

—Tiene razón, Jim-Bob. ¡Salgamos de aquí!

—¿Qué diablos se supone que debemos decir?

—Si os preguntan, responded la verdad. Describid lo que ha ocurrido esta noche. Además, podéis añadir que el nombre clave es Cobra.

—¡Dios mío! —exclamó Willie mientras corría con su compañero hacia la carretera.

Bourne cerró el portón y regresó al vehículo de patrulla, seguro de que pasara lo que pasase durante las siguientes horas, en un sector de Medusa se había generado aún más ansiedad. Se formularían preguntas febriles, preguntas para las que no encontrarían respuesta. Nada. Un enigma.

Jason subió al vehículo, lo puso en marcha y se dirigió hacia la cabaña al final del camino de grava que salía de la inmaculada calzada circular.

Bourne se aproximó a la ventana y espió el interior con el rostro en el borde del cristal. El obeso sargento mayor estaba sentado en un gran sillón de cuero con los pies sobre una otomana, mirando la televisión. A juzgar por los sonidos que atravesaban la ventana, en particular las palabras rápidas y agudas de un locutor, el ayudante del general estaba absorto en un partido de béisbol. Jason examinó la habitación lo mejor que pudo; era típicamente rústica, con profusión de castaños y rojos, desde los oscuros muebles hasta las cortinas a cuadros. El lugar era cómodo y masculino a la vez, la cabaña campestre de un hombre. Sin embargo, no había ningún arma a la vista, ni siquiera el acostumbrado rifle antiguo sobre la chimenea, y tampoco se distinguía una pistola de calibre 45 automática sobre la persona del sargento ni en la mesa junto al sillón. Al ayudante no le preocupaba su seguridad inmediata. Era normal. La propiedad del general Norman Swayne era completamente segura: una cerca, rejas, guardias y perros de presa por todas partes.

A través del cristal, Bourne estudió el rostro gordo y fuerte del sargento mayor. ¿Qué secretos ocultaba en esa gran cabeza? Él lo averiguaría. El Delta Uno de Medusa, aunque para ello tuviese que abrirle el cráneo. Jason se apartó de la ventana y rodeó la cabaña hasta la puerta delantera. Llamó dos veces con los nudillos de la mano izquierda; en la derecha llevaba la automática sin registro que le había proporcionado Alexander Conklin, el príncipe heredero de las operaciones secretas.

—¡Está abierto, Rachel! —gritó una voz áspera desde el interior.

Bourne hizo girar el picaporte y abrió la puerta; ésta se deslizó lentamente sobre las bisagras hasta chocar contra la pared. Bourne entró.

—¡Dios mío! —rugió el sargento mayor mientras bajaba las pesadas piernas de la otomana e intentaba levantarse del sillón—. ¡Tú...! ¡Eres un fantasma! ¡Tú estás muerto!

—Vuelve a intentarlo —dijo Delta de Medusa—. Te llamas Flannagan, ¿verdad? Me parece recordarlo.

—¡Estás muerto! —repitió a voz en grito el ayudante del general, con los ojos desorbitados de pánico—. ¡Ocurrió en Hong Kong! ¡Fuiste asesinado en Hong Kong hace cuatro, cinco años!

—Me seguías con atención…

—Nosotros sabíamos… ¡yo sé!

—Entonces, tienes conexiones en los lugares apropiados.

—¡Eres Bourne!

—Evidentemente, podría decirse que he renacido.

—¡No puedo creerlo!

—Créelo Flannagan. Ahora vamos a hablar del «nosotros». De Dama Serpiente, para ser más precisos.

—Tú eres… eres el que Swayne llama Cobra.

—Es una serpiente.

—No comprendo.

—Es confuso.

—¡Tú eres uno de los nuestros!

—Lo fui. Pero me dejaron al margen. Me reincorporé, por decirlo así.

El sargento observó desesperadamente la puerta, y luego las ventanas.

—¿Cómo has entrado? ¿Dónde están los guardias, los perros? ¡Dios! ¿Dónde están?

—Los perros duermen en las perreras, así que les di la noche libre a los guardias.

—¿Les diste…? ¡Los perros estaban sueltos!

—Ya no. Los persuadí para que descansasen.

—Los guardias… ¡los malditos guardias!

—A ellos los persuadí para que se fuesen. Su idea de lo que está ocurriendo aquí esta noche es aún más confusa.

—¿Qué has hecho?, ¿qué estás haciendo?

—¡Pero si acabo de decírtelo! Conversaremos, sargento Flannagan. Quiero ponerme al día con algunos viejos camaradas.

Atemorizado, el hombre retrocedió con torpeza.

—¡Eras el maníaco al que llamaban Delta antes de que cambiaras de bando y te pusieras a trabajar por tu cuenta! —exclamó en un susurro gutural—. Había una fotografía. Estabas tendido sobre una losa con la camisa cubierta de sangre por las heridas de bala. Se te distinguía muy bien la cara. Tenías los ojos abiertos de par en par y los agujeros de la frente y la garganta todavía te sangraban. Me preguntaron quién eras y yo respondí que Delta, Delta Uno de los ilegales. Ellos me aseguraron que no, que eras Jason Bourne, el asesino. Les expliqué que entonces debíais de ser la misma persona porque yo te conocía y ese hombre era Delta. Me dieron las gracias y me dijeron que volviese a reunirme con los demás.

—¿Quiénes eran «ellos»?

—Unas personas de Langley. El que hablaba era cojo, llevaba un bastón.

—¿Y «los demás»? ¿Aquellos con quienes debías reunirte?

—Unos veinticinco o treinta de la vieja tropa de Saigón.

—¿Del Comando Saigón?

—Sí.

—¿Hombres que trabajaban con nuestra tropa, los «ilegales»?

—En su mayoría, sí.

—¿Cuándo ocurrió eso?

—¡Por amor de Dios, ya te lo he contado! —rugió el aterrado ayudante—. ¡Hace cuatro o cinco años! Yo vi la fotografía... ¡estabas muerto!

—Una simple fotografía —replicó Bourne con suavidad—. Tienes muy buena memoria.

—Tú me apuntaste con una pistola a la cabeza. Treinta y tres años, dos guerras y doce incursiones de combate, nunca nadie me había hecho eso, nadie excepto tú. Sí, tengo buena memoria.

—Creo que comprendo.

—¡Yo no! ¡No comprendo absolutamente nada! ¡Tú estabas muerto!

—Ya lo has dicho. Pero no lo estoy, ¿verdad? O tal vez sí. Tal vez ésta sea la pesadilla que te ha estado obsesionando durante doce años de fraude.

—¿Qué clase de mierda es esa? ¿Qué diablos...?

—¡No te muevas!

—¡No lo hago!

De pronto, a lo lejos, se produjo un fuerte estallido. ¡Un disparo! Jason dio media vuelta, pero sus instintos le indicaron que completarse el giro. El fornido ayudante del general se abalanzaba sobre él con las manos extendidas como arietes. Delta Uno le propinó un violento puntapié en el riñón, clavándole el zapato mientras le golpeaba la nuca con la culata de su automática. Flannagan se tambaleó y cayó al suelo; Jason le golpeó la cabeza con el pie izquierdo y lo dejó en un aturdido silencio.

Un silencio interrumpido por los gritos continuos e histéricos de una mujer que corría hacia la cabaña. Pocos segundos después, la esposa del general Norman Swayne entraba como una tromba. Al ver lo que ocurría allí dentro, la mujer retrocedió y se aferró al sillón más cercano, incapaz de contener el pánico.

—¡Está muerto! —chilló mientras se lanzaba al suelo junto a su amante—. ¡Se ha matado, Eddie! ¡Oh, Dios mío, se ha suicidado!

Jason Bourne se levantó de su posición en cuclillas y se dirigió a la puerta de la cabaña que guardaba tantos secretos. Con calma, mientras observaba a sus dos prisioneros, la cerró. La mujer gemía y temblaba, pero no eran lágrimas de dolor, sino de miedo. El sargento parpadeó y levantó la enorme cabeza. Si podía definirse alguna emoción en su semblante, era una mezcla de furia y perplejidad.

## 11

—No toquéis nada —ordenó Bourne mientras entraba tras Flannagan y Rachel Swayne en el estudio del general. Al ver el cadáver del viejo soldado echado hacia atrás en su sillón de trabajo, la pistola todavía en la mano y la parte posterior del cráneo destrozada, la mujer se derrumbó y cayó de rodillas como si fuera a vomitar. El sargento mayor la asió del brazo y la levantó del suelo. Tenía los ojos vidriosos y fijos en los restos mutilados del general Norman Swayne.

—Maldito hijo de puta —susurró Flannagan con voz ahogada y apenas audible. Durante unos momentos, permaneció inmóvil mientras los músculos de la mandíbula le latían—. ¡Eres un imbécil hijo de puta! —rugió—. ¿Para qué lo has hecho? ¿Por qué? ¿Qué haremos ahora?

—Llama a la policía, sargento —respondió Jason.

—¿Qué? —gritó el ayudante, volviéndose hacia él.

—¡No! —exclamó la señora Swayne—. ¡No podemos hacer eso!

—Creo que no tenéis alternativa. Vosotros no lo habéis matado. Es posible que lo hayáis empujado a suicidarse, pero no lo matasteis.

—¿De qué diablos estás hablando? —preguntó Flannagan con brusquedad.

—Mejor una simple tragedia doméstica que una investigación más amplia, ¿no os parece? Todo el mundo sabía que vosotros dos os entendíais.

—A él le importaba un bledo si nos «entendíamos» o no, y eso tampoco era ningún secreto.

—Nos alentaba en todo momento —agregó Rachel Swayne mientras se alisaba la falda con movimientos rápidos, recuperando la compostura. Hablaba con Bourne, pero tenía los ojos fijos en su amante—. Él insistía en dejarnos solos, en ocasiones durante días... ¿Debemos permanecer aquí dentro? Dios mío, ¡he estado casada con ese hombre durante veintiséis años! Seguro que podrá comprenderlo... ¡esto es horrible para mí!

—Tenemos algunas cosas de que hablar —dijo Bourne.

—No aquí, por favor. En la sala, al otro lado del pasillo. Hablaremos allí. —Ya recuperada, la señora Swayne salió del estudio; el ayudante del general se volvió hacia el cuerpo ensangrentado, esbozó una mueca y la siguió. Jason los observó.

—¡Permaneced en el pasillo donde pueda controlaros y no os mováis! —gritó mientras se acercaba al escritorio. Comenzó a revisar los distintos objetos, los últimos que vio Norman Swayne antes de colocarse una automática en la boca. Algo andaba mal. A la derecha del gran secante verde había un memorándum del Pentágono, con el grado y el nombre de Swayne impresos bajo la insignia del ejército de Estados Unidos. Sobre el borde izquierdo del secante descansaba un bolígrafo de oro con la punta hacia fuera, como si lo acabaran de usar. Bourne se inclinó sobre el escritorio a pocos centímetros del cadáver para estudiar el memorándum y percibió el olor punzante de la sangre y la carne quemada. El documento estaba en blanco, pero con sumo cuidado Jason arrancó las primeras páginas, las dobló y se las guardó en el bolsillo del pantalón. Entonces retrocedió, todavía perturbado... ¿qué era? Miró alrededor y mientras sus ojos recorrían los muebles, el sargento mayor Flannagan apareció junto a la puerta.

—¿Qué haces? —preguntó con desconfianza—. Te estamos aguardando.

—Es posible que a tu amiga le resulte demasiado difícil permanecer aquí dentro, pero a mí no. No puedo permitirme ese lujo. Hay demasiadas cosas que averiguar.

—Pensé que habías dicho que no tocásemos nada.

—Mirar no es tocar, sargento. A menos que te lleves algo, y entonces nadie sabrá que lo has tocado porque no lo encontrará. —De pronto Bourne se acercó a una mesita de bronce, de un estilo muy común en los bazares de la India y del Oriente Medio. Se hallaba entre dos sillones, frente a la pequeña chimenea del estudio; en el centro había un cenicero de vidrio acanalado con varias colillas de cigarrillos a medio fumar. Jason lo levantó y se volvió hacia Flannagan con él en la mano—. Por ejemplo, este cenicero, sargento. Lo he tocado; he dejado mis huellas en él, pero nadie lo sabrá porque pienso llevármelo.

—¿Para qué?

—Porque he olido algo, me refiero a olerlo realmente, con la nariz. No tiene nada que ver con los instintos.

—¿De qué diablos hablas?

—Humo de cigarrillo, de eso hablo. Permanece en el aire mucho más tiempo del que puedes imaginar. Pregúntaselo a alguien que ya no recuerda cuántas veces ha dejado de fumar.

—¿Y qué?

—Hablemos un poco con la esposa del general. Hablemos todos.

—El arma que llevas en el bolsillo te da mucho valor, ¿verdad?

—¡Muévete, sargento!


Rachel Swayne movió la cabeza hacia la izquierda para apartarse su larga melena oscura mientras enderezaba el cuerpo en el sillón.

—Eso es ofensivo en extremo —replicó mientras dirigía a Bourne una mirada acusatoria.

—Ya lo creo que sí —respondió Jason, asintiendo con la cabeza—. Y casualmente también es cierto. Hay cinco colillas en este cenicero, y todas están manchadas con carmín. —Bourne se sentó frente a ella y colocó el cenicero en la mesita junto al sillón—. Usted se encontraba allí cuando lo hizo, cuando se colocó la pistola en la boca y apretó el gatillo. Tal vez no creyó que llegase a disparar; quizá pensó que sólo se trataba de otra de sus amenazas histéricas. De todos modos, no hizo nada por impedirlo. ¿Por qué iba a hacerlo? Para usted y para Eddie, era una solución lógica y razonable.

—¡Eso es un disparate!

—Para decirlo sin rodeos, señora Swayne, proviniendo de usted esa frase no me resulta más convincente que el «ofensivo en extremo». La expresión no le pertenece, Rachel. Está imitando a otras personas, probablemente a las clientes ricas y ociosas que hace años hablaban frente a una joven peluquera en Honolulú.

—¿Cómo se atreve…?

—Oh, vamos, no sea ridícula, Rachel. Ni siquiera intente el «cómo se atreve». No servirá de nada. ¿Qué va a hacer? ¿Pedir que me corten la cabeza por decreto real?

—¡Déjala tranquila! —gritó Flannagan mientras se acercaba a la señora Swayne—. ¡Tú tienes un arma, pero no es necesario que hagas esto…! Es una buena mujer, muy buena mujer, y en esta ciudad todos se han cagado en ella.

—¿Cómo es posible? Era la esposa del general, la amante del sargento mayor. ¿No lo es aún?

—La utilizaban…

—Se reían de mí, ¡siempre se reían de mí, señor Delta! —exclamó Rachel Swayne, aferrándose a los brazos del sillón—. Cuando no se ponían babosos y me manoseaban. ¿Cómo se sentiría usted si lo tratasen como si fuera un trozo de carne muy especial que se sirve de postre, terminada la cena?

—No me agradaría en absoluto. Posiblemente me negaría.

—¡No podía! ¡Él me obligaba a hacerlo!

—Nadie puede obligar a una persona a hacer algo así.

—Seguro que pueden, señor Delta —dijo la esposa del general, inclinándose hacia delante. Sus grandes senos presionaron el tenue tejido de la blusa y la larga cabellera ocultó parcialmente el rostro maduro, pero todavía suave y sensual—. Intente ser una joven sin educación en el oeste de Virginia, cuando las compañías cerraban las minas de carbón y nadie tenía nada que comer. Uno tomaba lo que podía y echaba a correr, y eso fue lo que hice. Viajé desde Aliquippa hasta Hawai acostándome con uno y con otro, pero al llegar allí aprendí un oficio. Entonces conocí al general y me casé con él, pero desde el primer día no me hice ninguna ilusión. En especial cuando regresó de Vietnam y... ¿sabe a qué me refiero?

—No estoy seguro, Rachel.

—¡No tienes que explicarle nada! —rugió Flannagan.

—¡Quiero hacerlo, Eddie! Estoy harta de toda esta mierda, ¿de acuerdo?

—¡Cuidado con lo que dices!

—La cuestión es que yo no sé nada, señor Delta. Pero puedo sacar mis conclusiones, ¿sabe a qué me refiero?

—¡Basta, Rachel! —gritó el ayudante del general muerto.

—¡A la mierda, Eddie! Tú tampoco eres demasiado brillante. Este señor Delta podría ser nuestro salvoconducto para regresar a las islas, ¿correcto?

—Absolutamente correcto, señora Swayne.

—¡Cállate! —gritó Flannagan, avanzando con torpeza. Entonces se detuvo ante el repentino disparo del arma de Bourne. La bala atravesó el suelo entre las piernas del sargento. La mujer comenzó a gritar; cuando calló, Jason continuó:

—¿Qué es este lugar, señora Swayne?

—Espera. —El sargento mayor volvió a interrumpir, pero esta vez no vociferó; su tono era de súplica, la súplica de un hombre fuerte. Miró a la esposa del general y luego se volvió hacia Jason—. Escucha, Bourne, o Delta, o quienquiera que seas, Rachel tiene razón. Tú podrías ser nuestro salvoconducto, aquí ya no nos queda nada. ¿Qué puedes ofrecernos?

—¿A cambio de qué?

—Supongamos que te contamos lo que sabemos sobre este lugar y yo te digo dónde comenzar a buscar mucho más. ¿Cómo podrías ayudarnos? ¿Cómo saldríamos de aquí para regresar a las islas Pac sin que nos persigan, sin que nuestros nombres y fotografías aparezcan en todos los periódicos?

—Eso es una tarea difícil, sargento.

—Maldita sea, ella no lo mató. Nosotros no lo matamos. ¡Tú mismo lo has dicho!

—De acuerdo, pero, en cualquier caso, eso me trae sin cuidado. Tengo otras prioridades.

—¿Cómo «ponerte al día con tus viejos camaradas», o algo así?

—Correcto. Tengo algunas deudas pendientes.

—Aún no comprendo cómo...

—No es necesario que comprendas.

—¡Estabas muerto! —estalló Flannagan, perplejo—. Delta Uno de los ilegales era Bourne, y Bourne estaba muerto. ¡Langley nos lo demostró! Pero tú estás vivo...

—¡Me capturaron, sargento! No necesitas saber nada más, eso y el hecho de que estoy trabajando por mi cuenta. Tengo varias deudas que puedo reclamar, pero en el fondo estoy solo. Necesito información, ¡y la necesito rápido!

Flannagan sacudió la cabeza, confuso.

—Bueno... tal vez pueda ayudarte en eso —dijo con tono suave y tentativo—. Quizá mejor que nadie. Me asignaron para un trabajo especial, y para ello tuvieron que revelarme algunas cosas que normalmente la gente como yo ignora.

—Eso suena interesante, sargento. ¿Cuál fue tu trabajo especial?

—El de niñera. Hace dos años Norman comenzó a derrumbarse. Yo lo controlaba y tenía un número de Nueva York por si la situación se me escapaba de las manos.

—Ese número sería parte de la ayuda que podrías darme.

—Eso y varios números de matrícula que anoté por si...

—Por si —completó Bourne— alguien decidiera que ya no necesitaban tus servicios como niñera.

—Algo así. A esos imbéciles nunca les hemos gustado. Norman no lo veía, pero yo sí.

—¿«Les»? ¿Te refieres a ti y a Rachel Swayne?

—Al uniforme. Nos miran por encima del hombro levantando sus ricas narices civiles como si fuéramos una basura necesaria, y tienen razón: nos necesitan. Con sus miradas escupían sobre Norman, pero les resultaba imprescindible.

*Fue demasiado para los soldaditos. Albert Armbruster, director de la Comisión Federal de Comercio, Medusa... los herederos civiles.*

—Si dices que anotabas los números de matrícula, supongo que no participabas de las reuniones que se realizaban aquí. Es decir, que no te mezclabas con los invitados; no eras uno de ellos.

—¿Está loco? —exclamó Rachel Swayne, respondiendo la pregunta de Jason a su modo—. Cuando se celebraba una verdadera reunión, no una cena donde todos acababan borrachos, Norm me ordenaba que yo permaneciera arriba o, si lo deseaba, fuera a la cabaña de Eddie para ver la tele. Eddie no podía abandonar la cabaña. ¡No éramos bastante buenos para los puercos de sus amigos! La cosa ha durado años. Tal como le he dicho, él nos animó a estar juntos.

—Comienzo a comprender, o al menos eso creo. Pero tienes los números de matrícula, sargento. ¿Cómo los obtuviste? ¿No estabas confinado en tu cabaña?

—Yo no las anoté, lo dejaba para mis guardias. Les dije que era un procedimiento de seguridad y ellos no hicieron preguntas.

—Ya veo. Dijiste que Swayne comenzó a derrumbarse hace un par de años. ¿Cómo? ¿De qué manera?

—Como esta noche. Cada vez que ocurría algo fuera de lo corriente, se paralizaba, no quería tomar decisiones. Ante el menor indicio de la Dama Serpiente, quería ocultar la cabeza en la arena hasta que desapareciese el peligro.

—¿Qué ocurrió esta noche? Os vi discutiendo… Me pareció que el sargento le daba al general sus órdenes de movilización.

—Has acertado. Norman estaba aterrado… por ti, por el hombre al que llamaban Cobra y que, después de veinte años, estaba desenterrando este asunto tan peligroso respecto a Saigón. Quería que yo estuviera presente cuanto tú llegaras y me negué. Le dije que no estaba tan loco como para hacer algo así.

—¿Por qué? ¿Por qué sería una locura que un ayudante acompañase a su oficial superior?

—Por el mismo motivo que los suboficiales no participan en la organización de la estrategia; no es la costumbre.

—Dicho de otra manera, lo que tú debías saber estaba dentro de un límite.

—Exacto.

—Pero tú eras un miembro de ese Saigón hace veinte años, de la Dama Serpiente… diablos, sargento, tú formabas parte de Medusa, aún estás dentro.

—No valgo nada, Delta. Yo barro el lugar y ellos se ocupan de mí, pero sólo soy un barrendero con uniforme. Cuando llegue el momento de entregar este uniforme, me iré a un bonito y distante lugar con la boca cerrada, o terminaré en una bolsa. Todo está muy claro. Soy prescindible.

Mientras el sargento mayor hablaba, Bourne lo observó con atención. De vez en cuando, Flannagan dirigía una breve mirada a la esposa del general como si esperase que lo aplaudiera o, por el contrario, que hiciera un gesto indicándole que se callara. O bien el obeso ayudante estaba diciendo la verdad, o era un actor muy convincente.

—Entonces —concluyó Jason al fin—, me parece que éste es un momento adecuado para que adelantes tu retiro. Yo puedo lograrlo, sargento. Desaparecerás discretamente con la boca cerrada y con cualquier recompensa que te ofrezcan por haber barrido tanto. Después de treinta años de servicio, el devoto ayudante del general opta por el retiro cuando su amigo y superior se quita la vida de forma trágica. Nadie te hará preguntas... Ésta es mi oferta.

Flannagan miró de nuevo a Rachel Swayne; ella asintió con la cabeza y se volvió hacia Bourne.

—¿Cuáles son las garantías de que podremos hacer las maletas e irnos?

—¿No tendríamos que considerar el tema de la licencia y la pensión del sargento Flannagan?

—Hice que Norman firmara esos documentos hace dieciocho meses —respondió el ayudante—. Tenía destino permanente en su oficina del Pentágono y me alojaba en su residencia. Sólo tendré que escribir la fecha y firmar.

—¿Eso es todo?

—Quedan tres o cuatro llamadas por teléfono. El abogado de Norman, que se encargará de todo el papeleo; las perreras para los animales; el vehículo asignado por el Pentágono... y una última llamada a Nueva York. Luego al aeropuerto Dulles.

—Sin duda habéis pensado en esto durante años...

—No lo dude, señor Delta —le confirmó la esposa del general—. Hemos pagado con creces nuestras deudas.

—Pero antes de firmar los documentos o realizar las llamadas —agregó Flannagan—, debo estar seguro de que podremos partir... ahora.

—Sin policía, sin periódicos y sin ninguna relación con lo de esta noche... Vosotros no estuvisteis aquí.

—Dijiste que era una tarea difícil. ¿Hasta qué punto puedes recurrir a tus deudores?

—Vosotros no estuvisteis aquí —repitió Bourne con suavidad, lentamente, mirando el cenicero con las colillas en la mesita. Entonces volvió a mirar al ayudante del general—. No habéis tocado nada aquí dentro, no existe nada que os relacione con este suicidio... ¿Realmente estáis preparados para la marcha, digamos dentro de un par de horas?

—Treinta minutos bastarán, señor Delta —respondió Rachel.

—Por Dios, los dos habéis pasado toda una vida aquí...

—No queremos nada de esta vida aparte de lo que ya tenemos —dijo Flannagan con firmeza.

—La propiedad le pertenece, señora Swayne...

—Claro… Se cederá a alguna fundación, consúltelo con el abogado. Cualquier cosa que reciba, si recibo algo, él me lo enviará. Sólo quiero… queremos irnos.

Jason observó a aquella pareja que se había reunido de forma tan extraña.

—Entonces, no hay nada que os detenga.

—¿Y cómo podemos estar seguros? —presionó Flannagan, dando un paso adelante.

—Se requiere una cierta dosis de confianza de vuestra parte, pero creedme, puedo conseguirlo. Por otro lado, pensad en la alternativa. Supongamos que permanecéis aquí. No importa lo que hagáis con el cuerpo, mañana no aparecerá en Arlington y tampoco en los siguientes días. Tarde o temprano alguien vendrá a buscarlo. Habrá preguntas, búsquedas, investigaciones y sin ninguna duda, llegarán los medios de comunicación con su panzada de especulaciones. Muy pronto se empezará a hablar de la relación que manteníais. Diablos, hasta los guardias lo comentaron, y los periódicos, las revistas y la televisión harán una fiesta con ello. ¿Eso queréis?

El sargento mayor y la mujer se miraron.

—Tiene razón, Eddie —decidió ella—. Con él tenemos una oportunidad, de otro modo no.

—Suena demasiado fácil —masculló Flannagan y se volvió hacia la puerta con inquietud—. ¿Cómo piensas arreglarlo todo?

—Eso es asunto mío —dijo Bourne—. Dadme los números de teléfono, todos ellos, y sólo tendréis que hacer la llamada a Nueva York. Además, yo en vuestro lugar llamaría desde la isla Pac, adonde queréis ir.

—¡Estás loco! En cuanto se sepa la noticia, estaré en manos de Medusa, y Rachel también. Querrán saber lo que ha ocurrido.

—Diles la verdad, aunque sea modificada, e incluso es posible que te recompensen.

—¡Eres un maldito inconsciente!

—No lo era en Vietnam, sargento. Tampoco lo he sido en Hong Kong y, desde luego, no lo soy ahora. Tú y Rachel llegasteis a casa, visteis lo que había ocurrido, hicisteis las maletas y os fuisteis. No queríais que os interrogaran, y los muertos no hablan. Despachad los documentos con fecha de ayer y dejadme a mí el resto.

—Yo…

—¡No tienes alternativa, sargento! —replicó Jason al tiempo que se levantaba del sillón—. ¡Y ya no tengo más tiempo que perder! Si queréis que me vaya, lo haré, resolved los problemas por vuestra cuenta. —Bourne se volvió furioso hacia la puerta.

—¡No, Eddie, detenlo! ¡Debemos hacerlo a su modo, hay que correr el riesgo! En caso contrario nos matarán, y tú lo sabes.

—¡Muy bien, muy bien! Tranquilo, Delta. Haremos lo que digas.

Jason se detuvo y se volvió hacia ellos.

—Todo lo que diga, sargento. Al pie de la letra.

—De acuerdo.

—Primero, tú y yo iremos hasta tu cabaña mientras Rachel sube y hace las maletas. Me darás todo lo que tengas, teléfonos y números de matrículas, cada nombre que recuerdes, cualquier detalle que te pida y puedas ofrecerme. ¿De acuerdo?

—Sí.

—Vamos. Y, señora Swayne, sé que probablemente habrá muchas cosas que querrá llevarse, pero…

—Olvídelo, señor Delta. No tengo recuerdos. Lo que realmente quería desapareció hace mucho de este infierno. Todo se encuentra en un depósito a quince mil kilómetros de aquí.

—Por lo que veo estaba realmente preparada, ¿verdad?

—Puede apostar a que sí, tenía que llegar el momento de un modo o de otro, ¿sabe a qué me refiero? —Rachel pasó frente a los dos hombres y salió al pasillo; allí de detuvo y regresó hasta el sargento mayor Flannagan, con una sonrisa en los labios y un brillo en la mirada mientras colocaba una mano sobre su rostro—. Eddie —pronunció con suavidad—. Realmente va a ocurrir. Viviremos, Eddie. ¿Sabes a qué me refiero?

—Sí, cariño, lo sé.

Mientras caminaban hacia la cabaña en la oscuridad, Bourne dijo:

—Ya sabes que no puedo perder el tiempo, sargento. Comienza a hablar. ¿Qué ibas a decirme respecto a este lugar?

—¿Estás preparado?

—¿Qué significa eso? Por supuesto que estoy preparado.

Pero no era así. Las palabras de Flannagan paralizaron a Jason en el césped.

—Para empezar, es un cementerio.


Alex Conklin se reclinó en la silla de su escritorio con el teléfono en la mano. Tenía el ceño fruncido y estaba tan aturdido que no lograba hallar una respuesta racional para la sorprendente información de Jason. Apenas logró articular unas palabras.

—¡No puedo creerlo!

—¿Qué parte?

—No lo sé. Todo… la del cementerio, sobre todo. Pero debo creerlo, ¿verdad?

—Tampoco querías creer lo de Londres o Bruselas, ni lo de un comandante de la Sexta Flota, ni lo del llavero mayor de Langley. Sólo agrego un nombre a la lista… Lo importante es que cuando los hayas descubierto a todos, podremos actuar.

—Tendrás que volver a empezar desde el principio; tengo la cabeza hecha pedazos. El número de teléfono de Nueva York, las matrículas…

—¡El cuerpo, Alex! ¡Flannagan y la esposa del general! Están a punto de irse; ése fue el trato y tú tienes que cubrirlos.

—¿Así de fácil? ¿Swayne se suicida y nos limitamos a decir *ciao* y a dejar salir del país a los dos testigos que podrían responder preguntas? ¡Es una locura, como el resto de lo que me has contado!

—No tenemos tiempo para jugar al gato y al ratón y, además, él ya no tiene más respuestas. Se encontraban en diferentes niveles.

—Oh, eso sí que aclara las cosas, muchacho.

—Hazlo. Déjalos ir. Es posible que más adelante los necesitemos.

Conklin suspiró con evidente indecisión.

—¿Estás seguro? Es muy complicado.

—¡Hazlo! Por amor de Dios, Alex, ¡me importan un bledo todas las complicaciones, las violaciones o las intrigas que puedas inventar! ¡Quiero a Carlos! Estamos tramando una red y podremos atraparlo en ella… ¡yo lo haré!

—Muy bien, muy bien. Hay un doctor en Falls Church que ya ha colaborado con nosotros en algunas operaciones especiales. Lo llamaré y él sabrá qué hacer.

—Bien —aprobó Bourne mientras su cerebro funcionaba a toda velocidad—. Ahora escúchame bien. Te daré todo lo que Flannagan me entregó. Date prisa, tengo mucho que hacer.

—Te estoy grabando, Delta Uno.

Mientras leía la lista que había escrito en la cabaña de Flannagan, Jason hablaba rápidamente pero articulando con claridad, para que no hubiera confusiones en la cinta. Allí estaban los nombres de siete personas a quien invitaban con frecuencia a las cenas del general, junto con una somera descripción de cada uno. Seguían los números de matrícula, todos de los encuentros mucho más importantes que se celebraban dos veces al mes. A continuación los números de teléfono del abogado de Swayne, de los guardias de la propiedad, de las perreras y la extensión del Pentágono para vehículos asignados. Cerraba la lista el número no registrado de Nueva York, sin ningún nombre, sólo un contestador que tomaba mensajes.

—Eso debe ser prioridad uno, Alex.

—Llamaré a las perreras y hablaré en pentagonés —prometió Conklin, insertándose en la cinta—. Les diré que el general ha tenido que partir a una misión secreta y que les pagaremos el doble si se llevan a los perros a primera hora de la mañana. De paso les diré que abran las rejas. Con las matrículas no habrá problema, pediré a Casset que pase los nombres por el ordenador a espaldas de De Sole.

—¿Qué hay de Swayne? Por un tiempo debemos mantener su suicidio en secreto.

—¿Hasta cuándo?

—¿Cómo diablos voy a saberlo? —respondió Jason exasperado—. Hasta que los descubramos a todos, nos pongamos en contacto con ellos, tú o yo, y podamos soltar la oleada de pánico. Entonces propondremos a Carlos como la solución.

—Palabras —masculló Conklin con un tono nada halagador—. Eso nos llevará días, tal vez una semana o más.

—Es lo que te pido.

—En ese caso, será mejor que llamemos a Peter Holland, maldita sea…

—No, todavía no. No sabemos lo que hará y no pienso brindarle la oportunidad de que se interponga en mi camino.

—Debes confiar en alguien aparte de mí, Jason. Tal vez logre engañar al doctor durante veinticuatro o cuarenta y ocho horas, tal vez, pero dudo que consiga nada más. Querrá una autorización de mis superiores. Y no lo olvides, tengo a Casset tras los talones por lo de De Sole…

—Dame dos días, ¡consígueme dos días!

—Mientras rastreo toda esta información y esquivo a Charlie. Mientras miento a Peter diciéndole que investigamos a los posibles mensajeros del Chacal en el hotel Mayflower… Es evidente que no lo hacemos porque estamos muy ocupados con una conspiración que surgió en Saigón hace veinte años. No sabemos su alcance, pero los nombres involucrados son impresionantes. Sin entrar en detalles, ahora hemos averiguado que poseen su propio cementerio privado en la propiedad del general a cargo de las adquisiciones del Pentágono, quien justamente acaba de volarse la cabeza, un incidente menor que tratamos de ocultar, ¡Por Dios, Delta, detente! ¡Los proyectiles se están estrellando!

Aunque se hallaba frente al escritorio de Swayne, con el cadáver del general en la silla a su lado, Bourne esbozó una sonrisa lenta.

—Eso es lo que tenemos, ¿verdad? Es un guión que bien podría haber escrito nuestro amado san Alex en persona.

—Sólo soy una comparsa; no manejo el timón…

—¿Qué hay del doctor? —lo interrumpió Jason—. Has estado retirado durante casi cinco años. ¿Cómo sabes que continúa trabajando?

—Nos encontramos de vez en cuando, ambos somos fanáticos de los museos. Hace un par de meses, en la galería Corcoran, se quejó de que no le daban mucho que hacer últimamente.

—Cambia eso esta misma noche.

—Lo intentaré. ¿Y tú qué harás?

—Registraré con sumo cuidado todo lo que hay en esta habitación.

—¿Con guantes?

—Quirúrgicos, por supuesto.

—No toques el cuerpo.

—Sólo los bolsillos y con mucho cuidado. La esposa de Swayne está bajando la escalera. Te llamaré cuando se hayan ido. ¡Ponte en contacto con ese doctor!


Ivan Jax, doctor en Medicina por la Universidad de Yale, se había especializado en cirugía tras realizar su residencia en el Hospital General de Massachusetts, Colegio de Cirujanos. Jamaicano de nacimiento, el otrora «consultor» de la CIA por cortesía de un sujeto negro con el insólito nombre de Cacto, entró con su vehículo en la propiedad del general Swayne en Manassas, Virginia. Había veces en que Ivan deseaba no haber conocido nunca al viejo Cacto, y ésta era una de ellas, pero a pesar de todo se alegraba de que el anciano hubiese aparecido en su vida. Gracias a sus «documentos mágicos», Jax había logrado que su hermano y hermana saliesen de Jamaica durante los represivos años de Manley, cuando los profesionales tenían prohibido emigrar y retirar sus fondos personales.

Sin embargo, falsificando complejos permisos gubernamentales, Cacto consiguió sacar a ambos jóvenes del país y transferir sus fondos a Lisboa. El anciano falsificador sólo había pedido copias en blanco de diversos documentos oficiales, incluyendo pólizas de embarque para importación y exportación, los pasaportes de las dos personas, fotografías por separado y las copias de varias firmas pertenecientes a algunas autoridades, asequibles a través de los cientos de decretos burocráticos publicados en la prensa controlada por el gobierno. Actualmente, el hermano de Ivan era un próspero abogado en Londres y su hermana se dedicaba a la investigación científica en Cambridge.

Sí, estaba en deuda con Cacto, pensó el doctor mientras detenía la camioneta en la calzada frente a la casa, y cuando el anciano le había pedido que «aconsejase a unos amigos allá en Langley», lo había complacido. ¡Vaya consejo! Sin embargo, Ivan había recibido más beneficios de su silenciosa asociación con la central de inteligencia. Cuando en su isla natal derrocaron a Manley y Seaga tomó el poder, entre las primeras propiedades que regresaron a sus legítimos dueños figuraron las tierras de su familia en Montego Bay y Port Antonio. Se lo debía a Alex Conklin, pero sin Cacto no hubiese tenido a ningún Conklin en su círculo de amistades. Pero, ¿por qué Alex había llamado precisamente esa noche? Era su duodécimo aniversario de bodas, y había enviado a los niños a pasar la noche con los vecinos para que él y su esposa pudiesen estar a solas, a solas con las costillas asadas a la barbacoa en el patio, preparadas por el único que sabía cómo hacerlo, es decir el *chef* Ivan. Iban a gozar de la compañía de un excelente ron y pensaban dedicarse a la erótica práctica de nadar desnudos en la piscina. ¡Maldito Alex! Y doblemente maldito el soltero hijo de puta que sólo podía responder a la ocasión de un aniversario de bodas diciendo: «Ya han pasado doce años, ¡qué importa un día más? Deja tus festejos para mañana, te necesito esta noche.»

Por lo tanto, había mentido a su esposa, la ex enfermera en jefe del Hospital General. Le dijo que la vida de un paciente se hallaba en peligro; lo cual era cierto, aunque el peligro ya había pasado. Ella había respondido que tal vez su próximo esposo sería más considerado con su propia vida, pero la sonrisa triste y la mirada comprensiva que le había dirigido desmentían sus palabras. Ella conocía la muerte. «¡Vuelve pronto, mi amor!»

Jax apagó el motor, tomó el maletín y bajó del coche. Luego se dirigió hacia la puerta donde lo aguardaba un hombre alto, vestido con ropas oscuras y ajustadas.

—Soy su doctor —dijo Ivan mientras subía la escalinata—. Nuestro amigo común no me dijo su nombre, pero supongo que debo ignorarlo.

—Eso parece —respondió Bourne, y extendió una mano enfundada en un guante quirúrgico.

—Y creo que ambos hemos topado con la persona que esperábamos encontrar —dijo Jax, estrechando la mano del extraño—. Ese guante que lleva me resulta bastante familiar.

—Nuestro amigo común no me indicó que usted era negro.

—¿Eso representa un problema para usted?

—Por Dios, no. Hace que respete aún más a nuestro amigo. Es probable que ni siquiera se le haya ocurrido mencionarlo.

—Será mejor que comencemos. Vamos, sin nombre.


Bourne permaneció a tres metros del escritorio mientras, con movimientos rápidos y expertos, Jax se ocupaba del cadáver y envolvía misericordiosamente su cabeza con una gasa. Sin ninguna explicación, había recortado las ropas del general para examinarle determinadas partes del cuerpo. Finalmente, tendió el cadáver en el suelo con sumo cuidado.

—¿Ya ha terminado aquí dentro? —le preguntó a Jason.

—Lo he registrado por completo, doctor, si a eso se refiere.

—Por lo general se trata de eso... Quiero que esta habitación sea sellada. Tras nuestra partida, nadie debe entrar hasta que nuestro amigo común levante el informe.

—No lo puedo garantizar —dijo Bourne.

—Entonces tendrá que hacerlo él.

—¿Por qué?

—Su general no se ha suicidado, sin nombre. Lo han asesinado.

## 12

—La mujer —dijo Alex Conklin por teléfono—. Por lo que me has explicado, tuvo que ser la esposa de Swayne. ¡Señor!

—No cambia nada, pero así parece —respondió Bourne con frialdad—. Dios sabe que ella tenía motivos suficientes para asesinarlo; sin embargo, si lo hizo no se lo comunicó a Flannagan, y eso carece de sentido.

—En efecto... —Conklin calló y luego continuó rápidamente—. Déjame hablar con Ivan.

—¿Ivan? ¿Tu doctor? ¿Se llama así?

—¿Qué pasa?

—Nada. Está fuera... «embalando la mercancía», según sus propias palabras.

—¿En su camioneta?

—Sí. Llevamos el cuerpo...

—¿Por qué está tan seguro de que no ha sido suicidio? —lo interrumpió Alex.

—Swayne estaba drogado. Dijo que más tarde te llamaría para explicártelo. Quiere irse de aquí y nadie debe entrar en la habitación después de que nos vayamos, de que yo me vaya, hasta que levantes el informe para la policía. También te dirá eso.

—Cristo, debe de haber un buen lío allí dentro.

—No es muy agradable. ¿Qué quieres que haga?

—Corre las cortinas si es que las hay, revisa las ventanas y, si es posible, cierra la puerta con llave. Si no la encuentras, busca un...

—Encontré un llavero en el bolsillo de Swayne —lo interrumpió Jason—. Ya he probado las llaves y una funciona.

—Bien, cuando te vayas limpia bien la puerta. Busca un poco de limpiamuebles.

—Eso no impedirá que entre alguien.

—No, pero en el peor de los casos nos permitirá obtener sus huellas.

—Estás buscando...

—Por supuesto que sí —respondió el ex oficial del servicio de inteligencia—. También tengo que dar con una forma de cerrar el lugar sin utilizar a nadie de Langley. Mientras tanto, debo mantener a raya al Pentágono por si entre esas veinte mil personas hay alguien que quiera ponerse en contacto con Swayne, incluyendo a los de su oficina y a unos cien compradores o vendedores diarios. ¡Dios, es imposible!

—Perfecto —replicó Bourne mientras el doctor Ivan Jax aparecía repentinamente en la puerta—. Nuestro jueguecito de desestabilización comenzará aquí mismo, en la «granja». ¿Tienes el número de Cacto?

—No aquí. Probablemente en casa, dentro de una caja de zapatos.

—Llama a Mo Panov, él lo tiene. Luego ponte en contacto con Cacto y dile que busque un teléfono público y me llame aquí.

—¿Qué diablos estás tramando? Cuando oigo el nombre de ese anciano, me pongo nervioso.

—Acabas de decirme que debía encontrar a alguien en quien confiar aparte de ti. Ya lo he hecho. Ponte en contacto con él, Alex. —Jason colgó el teléfono—. Lo siento, doctor, o tal vez dadas las circunstancias pueda llamarle por su nombre. Hola, Ivan.

—Hola, sin-nombre. Por mi parte prefiero seguir llamándolo así. Sobre todo porque acabo de oírlo pronunciar otro nombre.

—¿Alex...? No, no fue el de Alex, nuestro amigo común. —Jason sonrió suavemente con complicidad mientras se alejaba del escritorio—. ¿Fue Cacto, verdad?

—Sólo he entrado para preguntarle si quería que cerrase las rejas —dijo Jax, ignorando la pregunta.

—¿Se ofendería si le confesara que no había pensado en él hasta que le vi a usted junto a la puerta?

—Algunas asociaciones son bastante obvias. ¿Qué hago con las rejas?

—¿Le debe a Cacto tanto como yo, doctor? —insistió Jason sin dejar de observar al jamaicano.

—Le debo tanto que nunca se me ocurriría comprometerlo en una situación como la de esta noche. Por amor de Dios, él es un anciano, y no importa las conclusiones que Langley quiera sacar, esto ha sido un asesinato, un crimen particularmente brutal. No, yo no lo involucraría en esto.

—Pero yo no soy usted. Yo debo hacerlo. Él jamás me perdonaría si no lo hiciese.

—No tiene un gran concepto de usted mismo, ¿verdad?

—Por favor, cierre las rejas, doctor. Hay un panel de alarma en el vestíbulo, y podré conectarlo cuando estén cerradas.

Jax vaciló, como si dudase del significado de sus palabras.

—Escuche —comenzó—, la mayoría de las personas cuerdas tienen un motivo para decir las cosas, para hacer cosas. A mi entender usted está cuerdo. Llame a Alex si me necesita, si Cacto me necesita. —El doctor partió sin añadir nada más.

Bourne se volvió y observó la habitación. Después de que Flannagan y Rachel Swayne se hubieran marchado, casi tres horas atrás, había registrado cada centímetro del estudio y de la habitación del general en el primer piso. Los objetos que deseaba llevarse estaban sobre la mesita de bronce, y Jason se acercó para estudiarlos. Había tres carpetas forradas de cuero, iguales en tamaño, cuyas hojas se hallaban insertas en una espiral; formaban un juego de escritorio. La primera era una agenda de citas; en la segunda había nombres y números de teléfono anotados con tinta; la última era un libro de cuentas y estaba prácticamente en blanco. Junto con las carpetas había once mensajes que Bourne encontró en los bolsillos de Swayne, al parecer transmitidos por teléfono desde su oficina, la tarjeta de puntuación de un club de golf y varios recados escritos en el Pentágono. Finalmente, estaba la billetera del general, que contenía un sinfín de impresionantes credenciales y muy poco dinero. Bourne entregaría todo aquello a Alex con la esperanza de que hallara alguna pista, pero, a su entender, no había nada que condujera al Medusa moderno. Y eso lo confundía, debía haber algo. Estaba en el hogar de un viejo soldado, su despacho particular debía hallarse en esa casa... ¡Algo! Jason lo sabía, lo sentía, pero no lo encontraba. Por lo tanto volvió a comenzar, pero esta vez milímetro a milímetro.

Catorce minutos después, mientras cogía y volvía las fotografías de atrás del escritorio, observó el mirador a su derecha y recordó las palabras de Conklin respecto a cerrar las ventanas y cortinas para que nadie pudiese entrar o mirar hacia el interior.

«Cristo, debe de haber un buen lío allí dentro.»

«No es muy agradable.»

No lo era. En la parte central del mirador, los cristales estaban manchados de sangre y tejido... ¿Y el pequeño pestillo de bronce? No sólo estaba descorrido, sino que la ventana estaba abierta, apenas un resquicio, pero abierta de todos modos. Bourne se arrodilló sobre los cojines del sofá para observar de cerca el brillante pestillo de bronce y los cristales de la ventana. La sangre seca formaba pequeños ríos oscuros sobre el vidrio. Entonces, bajo el alféizar, descubrió lo que impedía que la ventana se cerrase. El borde inferior de la cortina izquierda estaba colocado de tal modo que la trababa. Jason dio un paso atrás, extrañado pero no del todo sorprendido. Esto era lo que andaba buscando, la pieza que faltaba en el complejo rompecabezas de la muerte de Norman Swayne.

Alguien había salido por esa ventana después del disparo que destrozó la cabeza del general. Alguien que no podía arriesgarse a que lo viesen en el vestíbulo o en la puerta principal. Alguien que conocía la casa, el parque y a los perros. Un brutal asesino de Medusa. ¡Mierda!

¿Quién? ¿Quién había estado allí? ¡Flannagan..., la esposa de Swayne! Ellos lo sabrían, ¡tenían que saberlo! Bourne se abalanzó sobre el teléfono, pero éste comenzó a sonar antes de que llegara a tocarlo.

—¿Alex?

—No, muchacho, soy sólo un viejo amigo, y no sabía que teníamos tanta libertad como para mencionar nombres.

—No la tenemos, no deberíamos —admitió Jason rápidamente, obligándose a recuperar el control sobre sí mismo—. Ha ocurrido algo hace un momento, he descubierto una cosa.

—Cálmate, muchacho. ¿Qué puedo hacer por ti?

—Te necesito aquí, donde estoy. ¿Tienes trabajo?

—Bueno, veamos. —Cacto emitió una risita mientras hablaba—. Hay varias juntas directivas a las que debería asistir, y en la Casa Blanca me esperan para un desayuno de trabajo. ¿Cuándo y dónde, muchacho?

—No vengas solo, viejo amigo. Que te acompañen tres o cuatro personas. ¿Es eso posible?

—No lo sé. ¿En qué estás pensando?

—En el tipo que me llevó a la ciudad después de verte. ¿Hay otras personas parecidas en el vecindario?

—En realidad la mayoría están entre rejas, pero supongo que podría hurgar entre la basura y encontrar a algunos. ¿Para qué?

—Para montar guardia. En realidad es bastante sencillo. Tú te pondrás al teléfono y ellos tras las rejas cerradas. Se trata de decir a la gente que es una propiedad privada, que no se reciben visitas. En especial a algunos sujetos que vendrán en limusina.

—Eso podría interesar a mis hermanos.

—Vuelve a llamarme y te daré la dirección. —Bourne cortó la comunicación y cuando tuvo línea de nuevo, marcó el número de Conklin en Vienna.

—¿Sí? —respondió Alex.

—¡El doctor tenía razón y yo he dejado escapar a nuestro verdugo de Dama Serpiente!

—¿Te refieres a la esposa de Swayne?

—No, pero ella y su sargento sabían de quién se trataba. ¡Sabían quién se encontraba aquí! Búscalos y arréstalos. Me han mentido, así que nuestro trato no tiene validez. Quien haya preparado este horrible «suicidio» cumplía órdenes de Medusa. Lo quiero. Él es el atajo que buscamos.

—Queda fuera de nuestro alcance.

—¿De qué diablos estás hablando?

—Porque el sargento y su querida también lo están. Han desaparecido.

—Es una locura. Si conozco a san Alex, y lo conozco bien, debes haberlos seguido desde que salieron de aquí.

—En forma electrónica, no física. Recuerda que insististe en que Langley y Peter Holland no tuviesen ninguna información sobre Medusa.

—¿Qué hiciste?

—Envié una alerta a los ordenadores de todas las compañías aéreas internacionales. A las ocho y veinte de esta tarde, nuestros sospechosos tenían reservas en la Pan Am para el vuelo de las diez a Londres…

—¿Londres? —exclamó Jason—. Iban en dirección contraria, al Pacífico. ¡A Hawai!

—Probablemente se hayan dirigido allí, porque nunca aparecieron en la Pan Am. ¿Quién sabe?

—Maldita sea, ¡tú deberías saberlo!

—¿Cómo? Dos ciudadanos norteamericanos que vuelan a Hawai no necesitan presentar pasaportes. El permiso de conducir o una tarjeta censal es suficiente. Según me has dicho, hacía bastante tiempo que planificaban esta jugada. ¿Tú crees que para un sargento mayor con treinta años de servicio resultaría muy difícil obtener un par de permisos de conducir con nombres falsos?

—Pero, ¿por qué?

—Para deshacerse de las personas que los buscan, gente como nosotros, o tal vez algunos personajes importantes de Medusa.

—¡Mierda!

—¿Le molestaría emplear un lenguaje menos vulgar, profesor?

—Cállate, tengo que pensar

—Entonces piensa en el hecho de que estamos hasta el culo en el ártico y sin nada con qué calentarnos. Es hora de recurrir a Peter Holland. Lo necesitamos. Necesitamos a Langley.

—¡No, todavía no! Te olvidas de una cosa. Holland ha prestado un juramento y por lo que sabemos de él, lo ha hecho con seriedad. Es posible que transgreda una regla de vez en cuando, pero si se encuentra con Medusa y cientos de millones en Ginebra, comprando lo que estén comprando en Europa, es posible que diga: «¡Basta, ya es suficiente!»

—Es un riesgo que debemos correr. Lo necesitamos, David.

—¡No soy David, maldito seas! ¡Soy Jason Bourne, tu creación, y estáis en deuda conmigo y con mi familia! ¡No permitiré que esto se haga de ninguna otra manera!

—Y me matarás si no hago lo que tú dices.

Silencio. Nadie dijo nada hasta que Delta Uno del Medusa de Saigón quebró la pausa.

—Sí, Alex, te mataré. No porque hayas tratado de matarme en París, sino por la misma clase de conclusiones obcecadas que entonces te condujeron a ello. ¿Lo comprendes?

—Sí —respondió Conklin con una voz tan baja que apenas resultó audible—. «La arrogancia de la ignorancia», tu lema favorito de Washington; siempre le has dado un toque oriental. Pero en algún momento tú también deberás comenzar a ser un poco menos arrogante. Solos no podremos hacer mucho más.

—Por otro lado, hay muchas cosas que podrían echarse a perder si no estamos solos. Mira lo que hemos progresado. De cero a dos dígitos en… ¿cuánto tiempo?, ¿cuarenta y ocho, setenta y dos horas? Dame los dos días Alex, por favor. Nos estamos acercando al meollo de todo este asunto, al meollo de Medusa. Un paso más y les entregaremos la solución perfecta para librarse de mí. El Chacal.

—Haré lo que pueda. ¿Se ha puesto Cacto en contacto contigo?

—Sí. Volverá a llamarme y luego vendrá hasta aquí. Más tarde te lo explicaré.

—Debo informarte. Él y nuestro doctor son amigos.

—Lo sé. Ivan me lo ha dicho. Alex, quiero entregarte algunas cosas, la agenda de teléfonos de Swayne, su billetera, el dietario, cosas así. Lo envolveré todo y haré que uno de los muchachos de Cacto te lo lleve. Introdúcelo todo en el ordenador y mira qué puedes encontrar.

—¿Los muchachos de Cacto? ¿Qué estás haciendo?

—Te libero de una tarea. Cerraré este lugar. Nadie podrá entrar, pero veremos quién lo intenta.

—Eso podría ser interesante. La gente de las perreras irá a eso de las siete de la mañana, así que déjalos pasar.

—A propósito —lo interrumpió Jason—. Vuelve a tu posición oficial y llama a los guardias de los otros turnos. Ya no necesitamos sus servicios, pero cada uno recibirá un mes de paga por correo en lugar de la notificación.

—¿Quién diablos lo pagará? No tenemos a Langley, ¿recuerdas? Tampoco está Peter Holland y yo no soy un hombre de dinero.

—Yo sí. Llamaré a mi banco en Maine y haré que te envíen un cheque de ventanilla. Pídele a tu amigo Casset que lo recoja en tu apartamento por la mañana.

—Es gracioso, ¿verdad? —comentó Conklin de forma lenta y pensativa—. Me había olvidado de tu dinero. En realidad nunca lo recuerdo. Supongo que lo he eliminado de mi mente.

—Es posible —agregó Bourne con un ligero tono risueño—. Tu parte oficial debe de estar sufriendo visiones respecto a algún burócrata que se acerca a Marie y le dice: «A propósito, señora Webb, o Bourne, o como se llame, mientras trabajaba usted para el gobierno canadiense se esfumó con más de cinco millones de dólares que me pertenecían.»

—Tu mujer estuvo brillante, David… Jason. Te debían cada dólar.

—No exageres, Alex. Marie reclamó al menos el doble de la suma.

—Y tenía razón. Gracias a eso todos se callaron. ¿Qué harás ahora?

—Aguardar la llamada de Cacto y luego realizar una por mi cuenta.

—¿Qué?

—A mi esposa.


Marie estaba sentada en la terraza de su villa en la Posada del Sosiego y contemplaba el Caribe iluminado por la luna mientras luchaba para no enloquecer de miedo. Por alguna extraña razón, tal vez estúpida o peligrosa, no era el temor al daño físico lo que la consumía. Había vivido tanto en Europa como en el Lejano Oriente con esa máquina de matar que era Jason Bourne; sabía lo que ese extraño era capaz de hacer y también sabía que era brutalmente eficiente. No, no se trataba de Bourne, era David, lo que Jason Bourne estaba haciendo con David Webb. ¡Ella debía detenerlo! Podían partir, irse a algún remoto refugio seguro y comenzar una nueva vida con nuevos nombres, crear un mundo en el que Carlos nunca pudiese penetrar. Disponían del dinero necesario, ¡podrían hacerlo! No sería nada extraño. Cientos, miles de hombres, mujeres y niños cuyas vidas estaban en peligro recibían la protección de sus gobiernos; y si algún gobierno tenía razones para proteger a un hombre, ¡ese hombre era David Webb…! Pensamientos concebidos en su locura, reflexionó Marie mientras se levantaba del sillón y se acercaba a la baranda de la terraza. Eso nunca ocurriría porque David jamás aceptaría esta solución. En lo que se refería al Chacal, David Webb estaba dominado por Jason Bourne, y Bourne era capaz de destruir el cuerpo donde habitaba. *Oh Dios, ¿qué nos está ocurriendo?*

El teléfono sonó. Marie quedó paralizada, y luego corrió hasta el dormitorio para atender la llamada.

—¿Sí?

—Hola, nena, soy Johnny.

—Oh...

—Veo que no has tenido noticias de David.

—No, y me estoy volviendo un poco loca, hermano.

—Te llamará cuando pueda, ya lo sabes.

—Pero tú no habrás llamado para decirme eso.

—No, sólo quería saber cómo estabas. Me encuentro varado en la isla grande y parece que tendré que permanecer aquí un buen rato. Estoy en la residencia del gobernador con Henry, en espera de que el gobernador me dé las gracias personalmente por complacer a la cancillería.

—No entiendo una palabra de lo que dices...

—Oh, lo siento. Henry Sykes es el ayudante del gobernador de la Corona, me pidió que me ocupara de ese anciano héroe de guerra francés que se aloja cerca de tu villa. Cuando el gobernador quiere darte las gracias, debes esperar a que lo haga, pues cuando se cortan los teléfonos, los vaqueros como yo necesitamos la ayuda del gobierno.

—Estoy totalmente perdida, Johnny.

—Tendremos encima una tormenta de Basse-Terre dentro de pocas horas.

—¿De quién?

—Es de dónde, pero seguramente estaré de vuelta antes de que comience. Pide a la doncella que me prepare el sillón.

—John, no es necesario que permanezcas aquí. Por Dios, hay hombres armados al otro lado de la cerca, en la playa y quién sabe dónde más.

—Y allí seguirán. Te veré luego. Un abrazo a los niños de mi parte.

—Están dormidos —dijo Marie mientras su hermano menor cortaba la comunicación. Entonces miró alrededor y, mientras colgaba, habló en voz alta sin darse cuenta—. Qué poco sé respecto a ti, hermanito... nuestro favorito e incorregible hermanito. Y cuánto más sabe mi esposo. ¡Malditos sean los dos!

El teléfono sonó de nuevo, sobresaltándola. Marie se abalanzó sobre él.

—¿Hola?

—Soy yo.

—¡Gracias a Dios!

—Él no se encuentra en la ciudad, pero todo está bien. Me encuentro bien y hacemos progresos.

—¡No tienes por qué hacer esto! ¡Ninguno de los dos tiene que hacerlo!

—Sí, es necesario —replicó Jason Bourne, sin rastro de David Webb—. Sólo debes saber que te quiero, él te quiere...

—¡Basta! ¡Está ocurriendo...!

—Lo siento, me disculpo... perdóname.

—¡Eres David!

—Por supuesto que soy David. Sólo era una broma...

—¡No es verdad!

—He hablado con Alex, eso es todo. Hemos discutido.

—¡No es cierto! Quiero que vuelvas, ¡te quiero aquí!

—Entonces ya no podré continuar hablando. Te quiero. —La comunicación se cortó y Marie St. Jacques cayó sobre la cama ahogando sus sollozos de impotencia entre las mantas.


Con los ojos rojos de fatiga, Alexander Conklin pulsó las letras y números de su ordenador con la cabeza inclinada sobre los libros que le había enviado Bourne desde la propiedad del general Norman Swayne. De pronto dos sonidos agudos interrumpieron el silencio de la habitación. Era la señal automática de la máquina para indicar que se había calculado otra referencia binaria. Alex revisó el ingreso. R.G. ¿Qué significaba? Volvió a intentarlo y no encontró nada. Conklin insistió, pulsó las teclas como un autómata. *Tres señales*. Siguió apretando las teclas de un irritante color beige, más y más rápido. *Cuatro señales... cinco... seis*. Retrocedió, se detuvo, avanzó. R.G. R.G. R.G. R.G. ¿Qué diablos era R.G.?

Alex comparó los datos con las anotaciones de las tres carpetas de cuero. Un guarismo apareció en letras verdes sobre la pantalla. 617-202-0011. Un número de teléfono. Conklin tomó su extensión con Langley y pidió al agente de la CIA que lo rastrease.

—No está registrado, señor. Es uno de tres números pertenecientes a la misma residencia en Boston, Massachusetts.

—El nombre, por favor.

—Gates, Randolph. La residencia se encuentra...

—No tiene importancia, agente —lo interrumpió Alex, consciente de que ya había recibido la información esencial.

Randolph Gates, el abogado de los privilegiados. Qué oportuno que Gates estuviese involucrado en intereses norteamericanos que amasaban cientos de millones en Europa... No, un momento. No era oportuno en absoluto, ¡era extraño! Resultaba completamente ilógico que el erudito abogado tuviese alguna relación con una operación ilegal como Medusa. ¡Carecía de sentido! Uno no debía admirar al célebre gigante legal para dar por sentada la idoneidad de su presencia en la Asociación de Abogados. Se le conocía por su rigor hasta en los detalles más insignificantes de la ley, y solía servirse de estas artimañas para obtener fallos favorables; pero nadie jamás se había atrevido a poner en duda su integridad. Sus opiniones legales y filosóficas estaban tan mal consideradas entre los abogados más brillantes del círculo liberal, que ante el menor indicio de deshonestidad éstos hubiesen estado más que encantados de desprestigiarlo.

Sin embargo, su nombre aparecía seis veces en la agenda de un miembro de Medusa responsable de millones en los gastos de defensa de la nación. Un miembro inestable cuyo aparente suicidio era en realidad un asesinato.

Conklin estudió la pantalla y buscó la fecha en que Swayne había anotado por última vez a R.G. Era el dos de agosto, apenas una semana atrás. Alex tomó el dietario forrado de cuero y pasó las páginas para llegar a ese día. Hasta el momento se había concentrado en los nombres y no en los comentarios, pero ahora el instinto le indicaba que la información podía resultar pertinente. Si desde el principio hubiese sabido quién era R.G., las palabras abreviadas y escritas a mano junto a la última anotación le hubieran llamado la atención.

«RG no cnsdr nbto mr Crft. Necesitamos Crft en s/eqp. Abrir. París 7 añs a. Registro dos sust y oclt.»

Lo de «París» debería haberle llamado la atención, pensó Alex, pero las notas de Swayne abundaban en referencias a lugares lejanos o exóticos, como si el general hubiese tratado de impresionar a quien leyera sus anotaciones personales. Además, reflexionó Conklin con pesar, estaba terriblemente cansado; de no haber sido por su ordenador, lo más probable era que no se hubiese fijado en el gigantesco abogado, el doctor Randolph Gates.

«París 7 añs a. Registro dos sust y oclt.»

La primera parte era obvia. La segunda quedaba más confusa pero resultaba bastante sencillo interpretarla. El «dos» se refería al servicio de inteligencia del ejército, G-2, y el «registro» era justamente eso, un suceso descubierto por personal de inteligencia en «París 7 añs a.» y sustraído de los bancos de datos. Era un aficionado que intentaba utilizar la jerga de los servicios de inteligencia, pero que no sabía cómo emplearla. «Abrir» significaba «llave»... ¡Por Dios, Swayne era un idiota! Alex tomó su agenda y escribió el mensaje como debía leerse: «Randolph Gates no considerará el nombramiento del mayor Craft (o Croft, o incluso Christopher, ya que la *f* podía ser una *s*) (Pero) necesitamos a Crft en su equipo. La llave es utilizar la información almacenada en nuestro archivo G-2 respecto a Gates, en París, hace siete años. Dicho registro ha sido sustraído y se encuentra en nuestro poder.»

Si no era la traducción exacta, al menos se acercaba lo bastante como para comenzar a actuar, pensó Conklin mientras giraba la muñeca para mirar su reloj. Eran las tres y veinte de la madrugada, hora en que hasta la persona más serena se sobresaltaría con el agudo timbrazo de un teléfono. ¿Por qué no? David, Jason, tenía razón. Ahora cada hora contaba. Alex levantó el aparato y marcó los números de Boston, Massachusetts.

¡El teléfono seguía sonando y la muy perra no lo cogía en su habitación! Entonces Gates observó el cuadrado iluminado y palideció. Era su línea privada, un número que sólo unos pocos conocían. El abogado se sentó en la cama con los ojos abiertos de par en par; cuanto más pensaba en aquella extraña llamada de París, más nervioso se ponía. Estaba relacionada con Montserrat, ¡estaba seguro! La información que había transmitido era errónea, Prefontaine le había mentido y ahora París exigía que rindiera cuentas. ¡Por Dios, irían a buscarlo, lo pondrían en evidencia! No, había un camino, una explicación perfectamente plausible, la verdad. Entregaría a esos mentirosos a París, al hombre de París allí en Boston. Él atraparía a ese borracho de Prefontaine junto con su imbécil detective y los obligaría a confesar sus mentiras ante la única persona que podía absolverlo… ¡El teléfono! Debía atender la llamada. ¡No podía dar la impresión que ocultaba algo! Gates extendió la mano hacia el aparato que no dejaba de sonar y se acercó el auricular.

—¿Sí?

—Hace siete años, abogado —comenzó la voz suave en la línea—. ¿Debo recordarle que contamos con todo el registro? El *Deuxième Bureau* se ha mostrado muy colaborador, mucho más que usted.

—Por amor de Dios, ¡me han engañado! —exclamó Gates con voz ronca mientras bajaba los pies al suelo—. Usted no puede creer que yo transmitiría informaciones erróneas. ¡Tendría que estar loco!

—Sabemos que puede ser muy obstinado. Nuestro encargo era muy simple…

—¡Y yo obedecí, juro que lo hice! Por Dios, pagué quince mil dólares para asegurarme de que todo se hiciese en silencio, de un modo absolutamente imposible de rastrear. No me importa el dinero, por supuesto…

—¿Ha pagado…? —lo interrumpió la voz suave.

—¡Puedo mostrarle los registros bancarios!

—¿A cambio de qué?

—De la información, naturalmente. Contraté a un ex juez que tiene contactos…

—¿Para obtener información sobre Craft?

—¿Qué?

—Croft… Christopher.

—¿Quién?

—Nuestro mayor, abogado. El mayor.

—Si ése es su nombre clave, entonces sí… ¡sobre ella!

—¿Un nombre clave?

—De la mujer. Con los dos niños. Volaron a la isla de Montserrat. ¡Juro que eso fue lo que me comunicaron!

La línea se cortó repentinamente.

# 13

Con la mano todavía sobre el teléfono, Conklin comenzó a sudar. Entonces se levantó de la silla y se alejó cojeando del ordenador. Cuando se encontraba a pocos pasos, se volvió para mirarlo como si fuese un objeto monstruoso que lo había introducido en un terreno prohibido donde nada era como parecía o debía ser. ¿Qué había ocurrido? ¿Cómo sabía Randolph Gates lo de Marie y los niños? ¿Por qué?

Alex se sentó en el sillón con el pulso acelerado y la mente confusa. No lograba tomar ninguna decisión, sólo lo envolvía el caos. Conklin se apretó la muñeca derecha con la mano izquierda y se clavó las uñas. Debía controlarse, pensar, ¡actuar! Por la esposa de David y sus hijos.

Relaciones. ¿Cuáles eran los vínculos concebibles? Ya resultaba bastante difícil considerar a Gates como parte de Medusa, pensar que también estuviese relacionado con Carlos el Chacal resultaba imposible. ¡Imposible...! Sin embargo, ambas deducciones parecían ser ciertas, la relación existía. ¿Carlos en persona formaba parte del Medusa de Swayne? Todo lo que sabían sobre el Chacal indicaba que no. La fuerza del asesino radicaba en su aislamiento total de cualquier entidad organizada, y Jason Bourne lo había demostrado en París trece años atrás. Ningún grupo de personas jamás había podido comunicarse con él; sólo se le podía enviar un mensaje y Carlos se ponía en contacto con ellos. La única organización permitida por el mercenario internacional era su ejército de ancianos reclutados desde el Mediterráneo hasta el Báltico, inadaptados y criminales cuyos últimos días en la pobreza aliviaba la generosidad del asesino, leales hasta el día de su muerte. ¿Dónde encajaba un hombre como Randolph Gates en semejante estructura?

En ninguna parte, concluyó Alex. Había que desconfiar de lo evidente. El célebre abogado no trabajaba para Carlos ni para Medusa. Era la aberración, el defecto en la lente, el hombre honorable con un único punto débil que habían descubierto dos bandos diferentes, ambos con recursos extraordinarios. Se sabía que el Chacal podía llegar hasta la *Sûreté* y la Interpol, y era necesario ser adivino para imaginar que Medusa podía penetrar en la G-2 del ejército. Era la única explicación posible, ya que Gates había sido demasiado polémico y poderoso, y nunca hubiese podido funcionar de un modo tan espectacular en los jurados si su punto flaco hubiera sido tan visible. No, para desenterrar un secreto tan devastador que había convertido a Randolph Gates en un instrumento valioso, se necesitaban depredadores como el Chacal y los hombres de Medusa. Evidentemente, Carlos había llegado primero.

Conklin reflexionó sobre una verdad que siempre se confirmaba: en realidad, el mundo de los corruptos era un pequeño vecindario de diseño geométrico, cuyas irregulares avenidas de corrupción estaban siempre conectadas. ¿Acaso podía ser de otro modo? Los residentes de aquellas calles mortales ofrecían un servicio y sus clientes pertenecían a una casta específica: la desesperada escoria de la humanidad. Chantajes, conspiraciones, asesinatos. El Chacal y los hombres de Medusa pertenecían a la misma fraternidad. La Hermandad del «yo quiero mi parte».

Un avance. Pero era un avance útil para Jason Bourne, no para David Webb, y Webb aún dominaba demasiado a Bourne. En especial teniendo en cuenta que ambas partes del mismo hombre se hallaban a más de mil quinientos kilómetros de Montserrat, las coordenadas de la muerte determinadas por Carlos. ¿Montserrat? ¡Johnny St. Jacques! El «hermanito» que se había probado a sí mismo en un pueblucho del norte de Canadá, yendo más allá de la comprensión de su familia, y en especial de la de su querida hermana. Un hombre capaz de matar por rabia, ya lo había hecho en una ocasión y lo repetiría si la hermana que adoraba y sus hijos se hallaban ante la pistola del Chacal. David creía en él, Jason Bourne creía en él, para ser más preciso.

Alex observó la centralita y se levantó rápidamente del sillón. Corrió hasta el escritorio, se sentó y pulsó los botones que rebobinaban la cinta. Luego avanzó y retrocedió hasta que oyó la voz aterrada de Gates.

«... Por Dios, pagué quince mil dólares...»

No, allí no, pensó Conklin. Más adelante.

«... Puedo mostrarle los registros bancarios...»

¡Más adelante!

«... Contraté a un ex juez que tiene contactos...»

Allí. Un juez.

«… Volaron a la isla de Montserrat…»

Alex abrió el cajón donde guardaba la lista de todos los números a los que había llamado en los últimos dos días. Allí buscó el de la Posada del Sosiego en el Caribe, cogió el teléfono y marcó. Después de más tiempo del que le parecía necesario, una voz ronca por el sueño le respondió.

—El Sosiego…

—Esto es una emergencia —dijo Conklin—. Es urgente que hable con John St. Jacques. Rápido, por favor.

—Lo siento, señor, John St. Jacques no se encuentra aquí.

—Debo localizarlo. Repito, es urgente. ¿Dónde está?

—En la isla grande…

—¿Montserrat?

—Sí…

—¿Dónde? Me llamo Conklin. Él querrá hablar conmigo, debe hacerlo. ¡Por favor!

—Un viento fuerte sopla desde Basse-Terre y todos los vuelos han sido cancelados hasta mañana.

—¿Un qué?

—Una borrasca tropical…

—Oh, una tormenta.

—Preferimos llamarla borrasca. El señor St. Jacques ha dejado un número de teléfono en Plymouth.

—¿Cómo se llama? —preguntó Alex de pronto. El empleado respondió algo parecido a Pritchard o Pritchen, y Conklin continuó—: Le formularé una pregunta muy delicada, señor Pritchard. Es importante que tenga la respuesta correcta, pero en caso contrario, deberá hacer lo que yo le diga. El señor St. Jacques lo confirmará todo cuando me ponga en contacto con él, pero ahora no puedo perder tiempo. ¿Me comprende?

—¿Qué quiere saber? —replicó el empleado con dignidad—. No soy un niño, *mon*.

—Lo siento, no quise…

—La pregunta, señor Conklin. Usted tiene prisa.

—Sí, por supuesto… La hermana del señor St. Jacques y sus hijos, ¿se encuentran en lugar seguro? ¿El señor St. Jacques ha tomado precauciones?

—¿Como guardias armados alrededor de la villa y nuestros hombres de costumbre en la playa? —dijo el empleado—. La respuesta es sí.

—Es la respuesta correcta. —Alex inspiró profundamente—. Ahora, ¿cuál es el número donde puedo localizar al señor St. Jacques?

El empleado se lo dictó y luego añadió:

—Muchos teléfonos están cortados, señor. Sería conveniente que dejase un número aquí. El viento todavía es fuerte, pero sin duda el señor St. Jacques vendrá a primera hora si puede.

—Por supuesto. —Alex le dio el número de su apartamento en Vienna y le pidió que lo repitiese—. Correcto. Ahora llamaré a Plymouth.

—¿Me deletrea su nombre, por favor? Es C-o-n-c-h...

—C-o-n-*k* —lo corrigió Alex. Acto seguido cortó la comunicación para marcar el número de Plymouth, la capital de Montserrat. Otra vez le respondió una voz adormecida y apenas coherente.

—¿Quién habla? —preguntó Conklin con impaciencia.

—¿Quién diablos es usted? —replicó un inglés furioso.

—Trato de hablar con John St. Jacques. Se trata de una emergencia y me han dado este número en la recepción del Sosiego.

—Buen Dios, ¿sus teléfonos funcionan...?

—Es evidente. Por favor. ¿Se encuentra John ahí?

—Sí, sí, por supuesto. Está al otro lado del pasillo. Iré a buscarlo. ¿Quién debo decirle...?

—Alex.

—¿Sólo Alex?

—¡Dése prisa, por favor! —Veinte segundos después, la voz de John St. Jacques apareció en la línea.

—¿Conklin? ¿Eres tú?

—Escúchame. Saben que Marie y los niños tomaron un avión hacia Montserrat.

—Supimos que en el aeropuerto alguien había estado haciendo preguntas sobre una mujer con dos niños...

—Por eso los has trasladado de la casa a la posada.

—En efecto.

—¿Quién hacía preguntas?

—No lo sabemos. Fue por teléfono... No quería dejarlos solos, pero me ordenaron presentarme en la casa del Gobierno y para cuando se presentó ese cretino del gobernador de la Corona la tormenta ya había comenzado.

—Lo sé. Hablé con recepción y me dieron este número.

—Es un alivio saber que los teléfonos todavía funcionan. Suelen quedar cortados con las tormentas, lo que nos obliga a mantenernos en buenas relaciones con la Corona.

—Entiendo que tienes guardias...

—¡Ya lo creo que sí! —exclamó St. Jacques—. El problema es que no sé dónde buscar aparte de los extraños en botes o en la playa, y si no se detienen para identificarse de forma satisfactoria, ¡mis órdenes son disparar!

—Es posible que pueda ayudar...

—¡Adelante!

—Tenemos una información... no preguntes cómo; proviene del espacio exterior, pero eso no importa... es fidedigna. El hombre que siguió el rastro de Marie hasta Montserrat ha utilizado a un juez que presuntamente tiene contactos en las islas.

—¿Un juez? —estalló el dueño de la Posada del Sosiego—. ¡Dios mío, está allí! ¡Señor, allí! Mataré a ese cretino hijo de...

—¡Basta, Johnny! Contrólate... ¿Quién está allí?

—Un juez, ¡e insistió en utilizar un nombre falso! No sospeché nada... un par de ancianos excéntricos con nombres similares...

—¿Ancianos...? Despacio Johnny, esto es importante. ¿Qué dos ancianos?

—El que tú dices viene de Boston.

—¡Sí! —le confirmó Alex enfáticamente.

—El otro ha llegado de París...

—¿París? ¡Dios mío! ¡Los ancianos de París!

—¿Qué...?

—¡El Chacal! ¡Carlos ha movilizado a sus ancianos!

—Ahora tranquilízate tú, Alex —pidió St. Jacques con la respiración entrecortada—. Sé más claro.

—No hay tiempo, Johnny. Carlos tiene un ejército, su propio ejército, de ancianos que morirían por él, matarían por él. No habrá ningún extraño en la playa, ¡ya están dentro! ¿Puedes regresar a la isla?

—¡Lo lograré como sea! Llamaré a mis empleados por teléfono. ¡Arrojaré a esos dos malditos al tanque de agua!

—¡No pierdas tiempo John!


St. Jacques cortó la comunicación y cuando volvió a oír la señal, marcó el número de la posada en la Isla del Sosiego.

—Rogamos disculpas —dijo la voz grabada—. Debido a las condiciones climáticas las líneas se encuentran interrumpidas en esta zona. El gobierno está trabajando para reanudar las comunicaciones. Por favor, intente llamar más tarde. Que tenga un buen día.

John St. Jacques colgó el aparato con tal fuerza que lo partió en dos.

—¡Un bote! —gritó—. ¡Consíganme una lancha rompeolas!

—Estás loco —objetó el ayudante del gobernador de la Corona al otro lado de la habitación—. ¿Con esta marejada?

—¡Un rompeolas, Henry! —exigió el devoto hermano mientras extraía lentamente la pistola automática del cinturón—. O me veré obligado a hacer algo en lo que ni siquiera quiero pensar. Necesito un bote.

—No puedo creerlo, amigo.

—Yo tampoco, Henry, pero lo haré.


La enfermera de Jean Pierre Fontaine se sentó frente al espejo del tocador y acomodó su cabello rubio y recogido bajo el impermeable negro. Miró el reloj, recordando cada palabra de la extraña llamada que había recibido varias horas atrás desde Argenteuil, Francia. Era el gran hombre que hacía posibles todas las cosas.

—Hay un abogado norteamericano que se hace pasar por juez y se aloja cerca de ustedes.

—No lo conozco, *monseigneur*.

—De todos modos, se encuentra allí. Con todo derecho, nuestro héroe se ha quejado por su presencia, y una llamada a su casa de Boston me ha confirmado que se trata de él.

—¿Su presencia aquí no es deseable, entonces?

—Su presencia me resulta aborrecible. Pretende estar en deuda conmigo —una deuda enorme, algo que podría destruirlo— y sin embargo sus actitudes me indican que es un desagradecido, que se propone cancelar su deuda traicionándome, y al hacerlo la traiciona a usted.

—Es hombre muerto.

—En efecto. En el pasado me ha sido útil, pero eso ya se ha acabado. Encuéntrelo, mátelo. Haga que su muerte parezca un trágico accidente... Por último, ya que no volveremos a hablar hasta que esté de regreso en Martinica, ¿están listos los preparativos para su última misión en mi nombre?

—Sí, *monseigneur*. Las dos jeringas han sido preparadas por el cirujano en el hospital Fort de Francia. Él le envía sus respetos.

—Hace bien. Está vivo, al contrario que varias docenas de sus pacientes.

—Ellos no saben nada sobre su otra vida en Martinica.

—Soy consciente de ello. Administre las dosis dentro de cuarenta y ocho horas, cuando el caos haya comenzado a calmarse. Al saber que el héroe ha sido invención mía, y me aseguraré de que se sepa, habrá un camaleón que se sentirá muy humillado.

—Cumpliremos sus órdenes. ¿Usted vendrá pronto?

—A tiempo para la onda de choque. Partiré dentro de una hora y llegaré a Antigua antes de mañana al mediodía, hora de Montserrat. Si todo se realiza según lo previsto, llegaré a tiempo para observar la exquisita angustia de Jason Bourne antes de dejar mi firma, una bala en su garganta. Entonces los norteamericanos sabrán quién ha vencido. *Adieu.*

Como sumida en un éxtasis, la enfermera arqueó el cuello frente al espejo recordando las místicas palabras de su señor omnisciente. Ya era casi la hora, pensó mientras abría el cajón del tocador y escogía de entre sus collares un aro metálico con diamantes engarzados, obsequio de su mentor. Sería muy sencillo. Ya había averiguado quién era el juez y dónde se alojaba, el hombre anciano y extremadamente delgado, a tres villas de distancia. Ahora todo era cuestión de precisión, y el «trágico accidente» se convertiría en un preludio del horror que tendría lugar en la villa veinte en menos de una hora. Porque todas las casas del Sosiego tenían lámparas de queroseno en caso de que se cortase la electricidad o fallase el generador. En medio de una tormenta como aquélla, un anciano dominado por el miedo bien podía intentar encender una lámpara para tranquilizarse. Qué trágico sería si su torso caía sobre el queroseno derramado y el cuello se le quemaba hasta tornarse negro…, ese cuello que había estrangulado el aro metálico.

*Hazlo*, insistieron las voces resonantes de su imaginación. *Debes obedecer. Sin Carlos hubieses sido un cadáver decapitado en Argelia.*

Ella lo haría, lo haría sin más demora.

El fuerte aguacero golpeaba contra el techo y las ventanas, y en el exterior el viento soplaba produciendo un silbido agudo. De pronto apareció la luminosidad deslumbradora de un rayo seguida por un trueno ensordecedor.

Jean Pierre Fontaine sollozó en silencio arrodillado junto a la cama. Tenía el rostro a escasos milímetros del de su mujer, y las lágrimas caían sobre la piel fría de su brazo. Ella estaba muerta, y la nota junto a su blanca mano rígida lo decía todo: «Maintenant nous deux sommes libres, mon amour.»

Ambos eran libres. Ella del terrible dolor, y él del precio exigido por *monseigneur*, un precio que, sin necesidad de que se lo describiese, ella había intuido que era demasiado horrible de pagar. Él sabía que, desde hacía meses, su mujer tenía preparadas unas píldoras que acabarían con su vida rápidamente si el sufrimiento se hacía insoportable; varias veces las había buscado frenéticamente, pero nunca había logrado encontrarlas. Ahora comprendía por qué, al contemplar la pequeña lata de sus pastillas favoritas, las inofensivas gotitas de regaliz que durante años se había llevado a la boca riendo.

«Debes estar agradecido, *mon cher*, ¡podría ser caviar o esas drogas tan caras que consumen los ricos!» No era caviar, pero sí se trataba de droga, una droga mortal.

Pasos. ¡La enfermera! Había salido de su habitación, ¡pero no podía ver a su mujer! Fontaine se levantó con dificultad, se enjugó los ojos lo mejor que pudo y corrió hasta la puerta. Al abrirla se sobresaltó. La mujer se hallaba directamente frente a él, con el brazo levantado a punto de golpear.

—*¡Monsieur!*... Me ha asustado.

—Creo que nos hemos asustado mutuamente. —Jean Pierre salió y cerró rápidamente a sus espaldas—. Regine ha conseguido dormirse —susurró, llevándose un dedo a los labios—. Esta tormenta terrible la ha mantenido en vela casi toda la noche.

—Pero el cielo la ha enviado para nosotros, para usted, ¿no es verdad? Hay veces en que creo que *monseigneur* es capaz de ordenar estas cosas.

—Entonces dudo que provengan del cielo. No es ésa la fuente de su influencia.

—A lo nuestro —dijo la enfermera sin sonreír mientras se alejaba de la puerta—. ¿Está preparado?

—Lo estaré en cuestión de minutos —respondió Fontaine mientras se acercaba al cajón cerrado donde guardaba su equipo de asesino. Hurgó en el bolsillo y extrajo la llave—. ¿Quiere revisar el procedimiento? —preguntó volviéndose hacia ella—. Me haría un favor. A esta edad, los detalles suelen olvidarse.

—Enseguida, porque hay un pequeño cambio.

—¿Qué? —El anciano francés alzó las cejas—. A mi edad tampoco suelen agradarnos los cambios.

—Es sólo una cuestión de tiempo, no más de un cuarto de hora, tal vez menos.

—Una eternidad en estas cuestiones —comentó Fontaine mientras otro rayo, separado sólo por milésimas de segundo de su correspondiente trueno, interrumpía el sonido de la lluvia sobre las ventanas y el techo—. Ya es bastante peligroso estar fuera; ese rayo ha caído demasiado cerca.

—Si opina eso, piense cómo deben sentirse los guardias.

—¿Me dirá en qué consiste el «pequeño cambio», por favor? También quisiera una explicación.

—No le daré ninguna explicación, salvo que es una orden de Argenteuil y que usted ha sido el responsable.

—¿El juez?

—Saque sus propias conclusiones.

—Entonces, él no ha sido enviado para...

—No le diré más. El cambio es el siguiente: en lugar de correr hasta la villa veinte y pedirle a los guardias ayuda urgente para su esposa enferma, les diré que regresaba de recepción, donde efectuaba una llamada por teléfono, y vi un fuego en la villa catorce, a tres casas de la nuestra. Sin duda se creará una gran confusión, todos empezarán a gritar pidiendo ayuda en medio de la tormenta. Ésa será su señal. Mézclese en el alboroto, diríjase a la villa de la mujer y elimine a cuantos estén allí. Asegúrese de usar el silenciador. Luego, entre y ejecute el trabajo que ha prometido hacer.

—Entonces debo esperar el fuego y a que los guardias y usted regresen a la ville once.

—Exactamente. Permanezca en el porche, con la puerta cerrada, por supuesto.

—Por supuesto.

—Puede llevarme cinco minutos o tal vez veinte, pero usted permanezca allí.

—Naturalmente. Puedo preguntarle, *madame*, o tal vez *mademoiselle*, ya que no veo pruebas...

—¿De qué se trata?

—¿Necesitará cinco o veinte minutos para hacer qué?

—Es usted un tonto, anciano. Lo que debe hacerse.

—Por supuesto.

La enfermera se colocó el impermeable, abrochó el cinturón y se dirigió hacia la puerta.

—Recoja su equipo y salga dentro de tres minutos —le ordenó.

—Por supuesto.

La mujer giró el picaporte y la puerta se abrió sola, impulsada por el viento; ella salió bajo una lluvia torrencial y cerró a sus espaldas. Asombrado y confuso, el viejo francés permaneció inmóvil, tratando de encontrar algún sentido a lo inexplicable. Las cosas ocurrían demasiado rápido para él, y todo estaba teñido de la angustia por la muerte de su mujer. Pero ahora no había tiempo para llorar ni para sentir, sólo para pensar, y debía hacerlo rápido. Las nuevas órdenes dejaban muchas preguntas sin respuesta, y él debía hallar esas respuestas para comprender la totalidad... ¡para que Montserrat mismo adquiriese sentido!

La enfermera era algo más que una intermediaria de las instrucciones de Argenteuil; el ángel de la misericordia era en realidad un ángel de la muerte, una asesina por derecho propio. Entonces, ¿por qué lo habían enviado a miles de kilómetros para realizar un trabajo que podía hacer otra persona sin la complicada farsa de su rimbombante llegada? Un anciano héroe de Francia..., todo era tan innecesario. Y hablando de edades, allí había otro anciano que no era ningún asesino. Tal vez él había cometido un error terrible. Quizás, en lugar de venir a matarlo, ¡el otro «anciano» había venido a ponerlo sobre aviso!

—*Mon Dieu* —susurró en francés—. Los ancianos de París, ¡el ejército del Chacal! ¡Demasiadas preguntas! —Fontaine caminó rápidamente hasta la habitación de la enfermera y abrió la puerta. Con una velocidad desarrollada en años de práctica, sólo un poco menguada por la edad, comenzó a registrar metódicamente la alcoba de la mujer: maleta, armario, ropas, almohadas, colchón, cómoda, tocador, escritorio... el escritorio. Allí había un cajón cerrado, igual que en el de la sala. El «equipo». ¡Ahora ya nada importaba! ¡Su mujer estaba muerta y había demasiados interrogantes!

Sobre el escritorio había una pesada lámpara con pie de bronce. Fontaine la levantó y después de desenchufarla, la estrelló contra el cajón una y otra vez, hasta que la madera se convirtió en astillas alrededor del pequeño pestillo vertical. Fontaine abrió el cajón de un tirón y contempló su contenido con una mezcla de horror y comprensión.

En un estuche de plástico había dos agujas hipodérmicas, y los dos frascos correspondientes contenían un suero amarillento. No necesitaba averiguar la composición, había muchas drogas que resultarían efectivas. Muerte líquida en las venas.

Tampoco necesitaba que le dijesen a quiénes estaban destinadas. *Coté à coté dans le lit.* Un cuerpo junto al otro en la cama. Él y su esposa en un pacto de redención final. ¡Con qué minuciosidad lo organizaba todo *monseigneur*! ¡Él también moriría! Burlando todos los sistemas de seguridad, un anciano del ejército del Chacal mataría y mutilaría a los seres más queridos del principal enemigo de Carlos, Jason Bourne, y luego él mismo sería asesinado. Naturalmente, detrás de aquel brillante plan se escondía el Chacal en persona.

«*¡Ce n'est pas le contrat!* Yo sí, ¡pero no mi mujer! ¡Me lo prometió!»

La enfermera. ¡El ángel que no era de la misericordia, sino de la muerte! El hombre a quien en la Isla del Sosiego conocían como Jean Pierre Fontaine se dirigió lo más rápido que pudo a la otra habitación. Al lugar donde guardaba su equipo.

La gran embarcación plateada con sus dos enormes motores atravesaba las olas enfurecidas. En el puente de mando, John St. Jacques maniobraba la lancha entre los peligrosos arrecifes, que conocía de memoria, ayudado por el poderoso foco que iluminaba las aguas turbulentas. Algunas veces la proa pasaba a veinte pies de los escollos y otras a doscientos, pero él continuaba gritando ante el micrófono de la radio, con el rostro empapado, esperando contra toda lógica poder hablar con alguien del Sosiego.

Una formación volcánica que emergía del agua le indicó que se hallaba a menos de cinco kilómetros de la isla. El Sosiego se hallaba mucho más cerca de Plymouth que del aeropuerto Blackburne. Cuando se conocía el lugar, no se tardaba mucho más en una lancha que en un hidroavión, que debía desviarse hacia el este al salir de Blackburne para recibir los vientos del oeste y poder acuatizar. Johnny no estaba seguro de por qué aquellos cálculos interferían constantemente con su concentración, pero de alguna manera le hacían sentir que estaba haciendo lo mejor que podía… ¡mierda! ¿Por qué siempre era lo mejor que podía en lugar de ser simplemente lo mejor? No admitía ningún error, ¡no esa noche! Por Dios, ¡debía cuanto tenía a Marie y a David! Tal vez incluso más a ese demente de su cuñado que a su propia hermana. David, el chiflado de David… ¡Algunas veces se preguntaba si Marie sabría que existía ese hombre!

—*Tranquilízate muchacho, yo me ocuparé de esto.*

—*No puedes, David, lo hice yo. ¡Yo los maté!*

—*He dicho que te tranquilices.*

—*¡Yo te he pedido ayuda, no que te transformaras en mí!*

—*Pero yo soy tú. En tu lugar hubiese hecho exactamente lo mismo y ante mis ojos eso me transforma en ti.*

—*¡Es una locura!*

—*En parte, sí. Algún día quizá te enseñe cómo matar limpiamente, en la oscuridad. Mientras tanto, sigue los consejos de los abogados.*

—*¿Y si pierden?*

—*Entonces te sacaré. Te enviaré lejos.*

—*¿Cómo?*

—*Volveré a matar.*

—*¡No puedo creerlo! Un profesor, un intelectual… No te creo, no quiero creerte; eres el marido de mi hermana.*

—*Entonces, no me creas, Johnny. Olvida todo lo que te he dicho y no se te ocurra mencionarlo delante de Marie.*

—*¿Es esa otra persona en tu interior, ¿verdad?*

—*Marie te quiere mucho.*

—*¡Eso no responde a mi pregunta! Aquí y ahora eres Bourne, ¿verdad? ¡Jason Bourne!*

—*Nunca, jamás mencionaremos esta conversación, Johnny, ¿me has comprendido?*

No, nunca lo había comprendido, pensó St. Jacques mientras los vientos huracanados y los rayos parecían devorar la embarcación. Ni siquiera cuando Marie y David apelaron a su maltratado ego al sugerir que iniciase una nueva vida en las islas.

«Gana dinero», le dijeron. «Constrúyenos una casa y luego piensa adónde deseas ir. Dentro de ciertos límites, te respaldaremos.» ¿Por qué lo habían hecho?

No eran los dos, era él. Jason Bourne.

Johnny St. Jacques lo comprendió la otra mañana, cuando al atender el teléfono junto a la piscina recibió la información de un piloto de la isla diciendo que alguien había estado haciendo preguntas en el aeropuerto sobre una mujer con dos niños.

*Algún día quizá te enseñe cómo matar limpiamente, en la oscuridad.* Jason Bourne.

¡Luces! Ya veía las luces en la playa del Sosiego. ¡Estaba a menos de un kilómetro de la costa!


La lluvia golpeaba al viejo francés, y las ráfagas de viento le hacían perder el equilibrio mientras ascendía por el sendero hacia la villa catorce. Inclinó la cabeza para protegerse y se secó el rostro con la mano izquierda mientras con la derecha aferraba el arma, una pistola con silenciador. Sostenía el revólver a la espalda tal como lo hiciera años atrás, cuando corría junto a las vías del ferrocarril, llevando dinamita en una mano y una German Luger en la otra, listo para arrojar ambas cosas si aparecían las patrullas nazis.

Los que estuviesen más arriba en el sendero no serían menos peligrosos que los *boches* de su mente. ¡Todos eran *boches*! ¡Ya había servido a otros lo suficiente! Su mujer había muerto; ahora sería su propio amo ya que sólo le quedaban sus decisiones, sus sentimientos, su sentido del bien y el mal... ¡Y el Chacal se equivocaba! El apóstol de Carlos podía aceptar el asesinato de una mujer, cabía encontrar una explicación para ello. Pero la cosa variaba con los niños, y más si debía mutilarlos.

Aquellos actos iban en contra de Dios, y tanto él como su mujer estaban a punto de comparecer ante Él; debía haber ciertas circunstancias atenuantes.

¡Tenía que detener al ángel de la muerte! ¿Qué estaría haciendo ella? ¿Qué significaba el fuego que había mencionado? Entonces lo vio. Unas enormes llamaradas al otro lado del seto de la villa catorce. ¡En un ventanal! Allí debía estar la alcoba de la lujosa casa rosada.

Fontaine llegó al camino de losas que conducía a la puerta, en el mismo momento en que una descarga eléctrica sacudía el suelo bajo sus pies. El anciano cayó de rodillas y así llegó hasta el porche rosado, cuya puerta estaba iluminada. A pesar de todos sus esfuerzos el pestillo no cedió, así que Fontaine apuntó la pistola, apretó el gatillo dos veces y destrozó la cerradura. Entonces se puso en pie y entró.

Dentro. Los gritos provenían de la alcoba principal. El anciano francés se dirigió hacia allí con las piernas vacilantes y el arma apretada en la mano temblorosa. Con las pocas fuerzas que le quedaban, abrió la puerta de un puntapié y observó una escena infernal.

Con la cabeza del anciano en un aro de metal, la enfermera empujaba a su víctima hacia el queroseno derramado y encendido en el suelo.

—¡*Arretez!* —gritó el hombre llamado Jean Pierre Fontaine—. ¡*Assez! ¡Maintenant!*

En medio de las llamas, se oyeron varios disparos y los cuerpos cayeron.


Las luces de la playa del Sosiego se acercaban más y más mientras John St. Jacques continuaba gritando en el micrófono:

—¡Soy yo! ¡Soy Saint Jay! ¡No disparéis!

Pero la embarcacion plateada fue recibida por el ruido entrecortado de las armas automáticas. St. Jacques se arrojó sobre la cubierta y siguió gritando.

—¡Estoy llegando! ¡Parad ese maldito fuego!

—¿Es usted, *mon*? —se oyó una voz asustada en la radio.

—¿Quiere recibir su paga la próxima semana?

—¡Oh, sí, señor Saint Jay! —Por un momento, los altavoces de la playa sonaron por encima de la tormenta—. A los de la playa, ¡alto el fuego! ¡En la embarcación viene nuestro jefe, el señor Saint Jay!

El bote encalló en la arena con los motores en marcha y el casco cedió por el impacto. St. Jacques se levantó de su protectora posición fetal y saltó por encima de la borda.

—¡Villa veinte! —rugió mientras corría bajo la lluvia hacia la escalinata de piedra que conducía al sendero—. ¡Quiero a todos los hombres allí!

St. Jacques comenzó a subir los peldaños duros y empapados, pero de pronto quedó paralizado. Su universo personal pareció estallar en miles de estrellas de fuego. ¡Disparos! Uno después del otro. ¡En el ala este del sendero! Sus piernas se movieron más y más rápido, subiendo dos y tres peldaños a la vez; al llegar arriba corrió como un poseso hacia la villa veinte, pero a su derecha estaba ocurriendo algo que acentuó su pánico. Gente, hombres y mujeres de su personal se hallaban amontonados junto a la entrada de la villa catorce. ¿Quién se alojaba allí…? ¡Por Dios, el juez!

Con los pulmones a punto de estallar, forzando al límite cada músculo y tendón de las piernas, St. Jacques llegó a la casa de su hermana y corrió por el camino de losas. Por fin alcanzó la puerta. Se arrojó contra ella con todo su peso y entró como una tromba. Al principio permaneció con los ojos desorbitados por el horror, y luego por un inconmensurable dolor. Entonces cayó de rodillas gritando. Con un terrible contraste sobre la pared blanca, las palabras estaban escritas en rojo oscuro:

*Jason Bourne, hermano del Chacal.*

## 14

—¡Johnny! ¡Johnny, basta! —la voz de su hermana llegó hasta él. Marie le aferraba la cabeza y le tiraba del cabello con fuerza—. ¿Me oyes? ¡Estamos bien, hermano! Los niños están en otra casa... ¡estamos bien!

Lentamente, los rostros que lo rodeaban comenzaron a cobrar nitidez. Entre ellos estaban los dos ancianos, uno de Boston y el otro de París.

—¡Allí están! —gritó St. Jacques, levantándose de un salto. Marie se arrojó sobre él para detenerlo—. ¡Los mataré!

—¡No! —rugió su hermana mientras lo retenía ayudada por un guardia cuyas fuertes manos negras lo aferraron por los hombros—. En este momento son dos de nuestros mejores aliados.

—¡Tú no sabes quiénes son! —gritó St. Jacques, tratando de liberarse.

—Sí que lo sabemos. —Marie bajó la voz y le acercó los labios al oído—. También sabemos que pueden conducirnos al Chacal...

—¡Ellos trabajan para el Chacal!

—Uno lo hacía —admitió su hermana—. El otro nunca ha oído hablar de Carlos.

—¡No lo comprendes! —susurró St. Jacques—. Son ancianos, «los ancianos de París», ¡el ejército del Chacal! Conklin me llamó a Plymouth y me lo explicó: ¡son asesinos!

—Repito, uno lo era, pero ya no lo es; ya no tiene motivos para matar. El otro... bueno, el otro es un error, un error estúpido pero nada más, y da gracias a Dios por ello, por él.

—Todo es una locura...

—Lo es —suspiró Marie mientras le soltaba la cabéza; entonces hizo una seña al guardia para que lo ayudase a levantarse—. Ven, Johnny, debemos hablar de algunas cosas.

La tormenta había pasado como un intruso violento e indeseable, dejando atrás las huellas de su ira. Las primeras luces de la mañana aparecieron lentamente entre la niebla, revelando las islas verde azulado de Montserrat. Con cautela, las primeras barcas pesqueras comenzaron a salir hacia aguas más profundas, ya que la pesca significaba un día más de supervivencia. Marie, su hermano y los dos ancianos estaban alrededor de una mesa en la terraza de una villa vacía. Durante casi una hora, habían tomado café y conversado, comentando con frialdad cada horrible detalle, analizando los hechos de forma desapasionada. El falso héroe de Francia había recibido la promesa de que en cuanto se restablecieran las líneas de teléfono, realizarían todas las disposiciones para el entierro de su mujer. A ser posible, él quería que fuese sepultada en las islas; ella lo comprendería. En Francia sólo le quedaría la ignominia de un sepulcro ordinario. A ser posible...

—Lo es —dijo St. Jacques—. Gracias a usted, mi hermana sigue con vida.

—Gracias a mí, jovencito, podría haber muerto.

—¿Me hubiese matado? —preguntó Marie, estudiando al anciano francés.

—No después de averiguar lo que Carlos tenía planeado para mí y mi mujer. Él había roto el trato, no yo.

—Antes de eso.

—¿De no haber comprendido lo evidente?

—Sí.

—Resulta difícil responder a eso; un trato es un trato. Sin embargo, mi mujer había muerto, en parte a causa del presentimiento de que se me estaba exigiendo un precio terrible. Si cumplía con esa exigencia, hubiese negado el motivo que la había llevado a quitarse la vida prematuramente, ¿no lo comprende? Aunque de todos modos, incluso con su muerte, yo no podía repudiar por completo a *monseigneur*. Él nos había brindado unos años de relativa felicidad que sin su ayuda hubiesen sido imposibles. No lo sé. Podría haber deducido que le debía su vida, su muerte, pero sin duda no la de los niños, ni tampoco todo el resto.

—¿El resto? —preguntó St. Jacques.

—Es mejor no indagar.

—Creo que usted me hubiese matado —dijo Marie.

—Le repito que no lo sé. No había nada personal. Usted no era un ser humano para mí, sólo formaba parte de un arreglo comercial. De todos modos, tal como le he dicho, mi mujer había muerto y yo soy un anciano con poco tiempo por delante. Tal vez una mirada suya, o una súplica de sus hijos..., quién sabe, quizás hubiese dirigido la pistola hacia mí mismo. O tal vez no.

—Jesús, usted es un asesino —exclamó el hermano con suavidad.

—Soy muchas cosas, *monsieur*. No pido perdón en este mundo; el otro es una cuestión diferente. Siempre ha habido circunstancias...

—La lógica gala —observó Brendan Patrick Pierre Prefontaine, ex juez federal de primera instancia en la corte de Boston, mientras se tocaba con gesto ausente el cuello herido bajo el cabello blanco chamuscado—. Gracias a Dios, nunca he tenido que comparecer ante *les tribunals*; ninguna de las dos partes jamás se equivoca del todo. —El abogado excluido del foro emitió una risita—. Ante ustedes tienen a un criminal, justamente tratado y justamente penado. El único aspecto disculpable de mis crímenes es el hecho de que a mí me atraparon, al contrario que a muchos otros.

—Tal vez estemos emparentados después de todo, *monsieur le juge*.

—En comparación, señor, mi vida ha seguido cauces mucho más parecidos a las de santo Tomás de Aquino...

—Chantaje —lo interrumpió Marie.

—No, en realidad me acusaron de malversación. Aceptar dinero a cambio de fallos favorables, esa clase de cosas... ¡Mi Dios, somos tan atrasados en Boston! En Nueva York es un procedimiento corriente: deja el dinero en manos del alguacil, habrá suficiente para todos.

—No me refería a Boston. Hablo de por qué se encuentra aquí. Es un chantaje.

—Esa es una simplificación exagerada, pero en esencia correcta. Tal como les he dicho, el hombre que me pagó para que la localizara también me entregó una gran suma adicional para que mantuviese la información en secreto. Considerando las circunstancias y el hecho de que no dispongo de una gran cantidad de compromisos, me pareció lógico proseguir con la investigación. Después de todo, si lo poco que sabía me había proporcionado tanto dinero, ¿cuánto más obtendría si seguía con las averiguaciones?

—¿Y usted habla de la lógica gala, *monsieur*? —observó el francés.

—Es una pregunta retórica —respondió el ex juez, mirando un momento a Jean Pierre antes de volverse de nuevo hacia Marie—. Sin embargo, querida, es posible que haya pasado por alto un detalle que resultó extremadamente útil en las negociaciones con mi cliente. Para expresarlo con claridad, ese hombre recibía protección del gobierno. Esto atemorizó a un hombre muy poderoso e influyente.

—Quiero su nombre —dijo Marie.

—Entonces yo también deberé tener protección —replicó Prefontaine.

—La tendrá.

—Y quizás algo más —continuó el viejo abogado—. Mi cliente ignora que me hallo aquí, no sabe nada respecto a lo ocurrido. Si le describiera lo que he vivido y presenciado, posiblemente se mostraría muy generoso. Enloquecería ante la sola idea de que lo vincularan con semejantes acontecimientos. Además, considerando el hecho de que esa amazona teutónica casi me asesina, realmente me merezco más.

—Entonces, ¿recibiré una recompensa por salvarle la vida, *monsieur*?

—Si yo tuviera algo de valor, aparte de mi experiencia legal, la cual está a su disposición, lo compartiría encantado. Si recibo algo, lo haré, primo.

—*Merci bien, cousin*.

—*D'accord, mon ami*, pero no permita que esto trascienda.

—Usted no parece un hombre pobre, juez —comentó John St. Jacques.

—Entonces las apariencias son tan engañosas como ese título que usted emplea con generosidad. Debo añadir que mis necesidades no son desmedidas, ya que me encuentro solo, y no soy amante del lujo.

—¿Usted también ha perdido a su mujer?

—Eso no es asunto que concierna a ninguno de ustedes, pero mi esposa me abandonó veintinueve años atrás. Mi hijo tiene treinta y ocho años y en la actualidad es un famoso abogado de Wall Street. Utiliza el apellido de su madre y cuando alguien le pregunta respecto a mí afirma no conocerme. No lo he visto desde que tenía diez años; como comprenderán, eso no lo ha beneficiado.

—*Quelle tristesse...*

—*Quel* estupidez, primo. Ese muchacho ha heredado mi talento, no el de la cabeza hueca que lo parió. De todos modos, nos estamos apartando del tema. Mi sangre francesa tiene sus propios motivos, evidentemente basados en la traición, para cooperar con ustedes. También tengo fuertes razones para querer ayudarlos, pero no puedo dejar de considerar mi propia situación. Mi nuevo amigo podrá regresar a París para vivir el tiempo que le quede, pero yo no tengo otro lugar que Boston para ganarme la vida. De aquí que mis profundos motivos para cooperar con ustedes pasen a un plano secundario. Con lo que sé, no duraría ni cinco minutos en las calles de Boston.

—Lo siento, juez —dijo John St. Jacques mirando a Prefontaine—, pero no necesitamos sus servicios.

—¿Qué? —Marie se enderezó en la silla—. ¡Por favor, hermano, necesitamos toda la ayuda que podamos obtener!

—No en este caso. Sabemos quién lo ha contratado.

—¿Sí?

—Conklin lo sabe. Me dijo que el hombre que siguió tu rastro hasta aquí había utilizado a un juez para encontrarte. —John señaló al hombre de Boston con un movimiento de cabeza—. Él. Por eso destrocé una embarcación de cien mil dólares para llegar hasta aquí. Conklin sabe quién es su cliente.

Prefontaine volvió a mirar al anciano francés.

—Ahora es el momento para decir «*quelle tristesse*», señor Héroe. Me he quedado sin nada. Mi tenacidad sólo me ha proporcionado una magulladura en el cuello y una quemadura en la cabeza.

—No necesariamente —intervino Marie—. Usted es abogado, así que no debería ser yo quien se lo dijera. Corroboración es cooperación. Quizá necesitemos que confiese todo lo que sabe a ciertas personas de Washington.

—La corroboración puede obtenerse con una citación judicial, querida. Bajo juramento en un tribunal, tendrá mi palabra tanto personal como profesional.

—No iremos a juicio. Jamás.

—¿Oh…? Ya veo.

—No lo creo, juez, no en esta situación. De todos modos, si acepta ayudarnos se le pagará. Hace un momento dijo que tenía fuertes motivos para querer ayudar, motivos que debían pasar a segundo plano ante su propio bienestar…

—¿Por casualidad es usted abogada, querida?

—No, soy economista.

—Virgen bendita, eso es peor… ¿Quiere conocer mis motivos?

—¿Están relacionados con su cliente, con el hombre que lo contrató para encontrarnos?

—Así es. Su augusta persona, como en Cesar Augusto, debería terminar en la basura. Si dejamos a un lado su astuto intelecto, es una prostituta. Prometía bastante en su juventud, más de lo que le hice saber, pero lo echó todo por la borda en pos de su propio cáliz personal.

—¿De qué diablos está hablando este hombre, Marie?

—De un tipo con mucho poder e influencia, atributos que no debería poseer, en mi opinión. Parece que pese a ser un convicto, nuestro amigo tiene sus propios preceptos morales.

—¿Ésas son las palabras de una economista? —preguntó Prefontaine mientras se tocaba de nuevo el cuello magullado sin prestar atención—. ¿Una economista reflexionando sobre su última operación errónea, que ha causado compras o ventas perjudiciales en la bolsa, provocando pérdidas que muchos han afrontado y muchos otros no?

—Mi opinión nunca ha sido tan importante, pero admito que es la reflexión de otros cuyas operaciones eran relevantes porque ellos nunca se arriesgaban, sólo teorizaban. Ésa es una posición segura. La suya no lo es, juez. Es posible que necesite nuestra protección. ¿Qué responde?

—Jesús, María y José, usted sí que es fría…

—No tengo más remedio —aceptó Marie con los ojos fijos en el hombre de Boston—. Quiero que trabaje con nosotros, pero no le rogaré, simplemente lo dejaré sin nada y podrá regresar a las calles de Boston.

—¿Está segura de que no es abogada, o tal vez verdugo?

—Lo que usted prefiera. Sólo déme su respuesta.

—¡Alguien quiere explicarme qué diablos está ocurriendo aquí! —gritó John St. Jacques.

—Su hermana —respondió Prefontaine mientras dirigía a Marie una mirada benévola—, ha enrolado a un recluta. Ha dejado claras sus alternativas, lo que comprendería cualquier abogado. Lo inevitable de su lógica, junto con su rostro adorable coronado por esa cabellera rojiza, hace que mi decisión también sea inevitable.

—¿Qué…?

—Ha optado por nuestro lado, Johnny. Olvídalo.

—¿Para qué lo necesitamos?

—Sin un juicio existen una docena de motivos, jovencito —respondió el juez—. En ciertas circunstancias, el voluntarismo no es el mejor camino, a menos que uno esté completamente amparado por la ley.

—¿Es eso cierto, hermana?

—No es un error, pero depende de Jason, mierda, ¡de David!

—No, Marie —corrigió John St. Jacques con los ojos fijos en los de su hermana—. Depende de Jason.

—¿Debería conocer esos nombres? —preguntó Prefontaine—. El de «Jason Bourne» estaba escrito en la pared de su villa.

—Mis instrucciones, primo —dijo el ya no tan falso héroe de Francia—. Era necesario.

—No comprendo, como tampoco sé qué significa el otro nombre, el «Chacal» o «Carlos», sobre el cual ambos me interrogaron con cierta brutalidad cuando yo aún no sabía a ciencia cierta si estaba vivo o muerto. Pensé que el «Chacal» era pura ficción.

El anciano llamado Jean Pierre Fontaine miró a Marie y ella asintió con un gesto.

—Carlos el Chacal es una leyenda, pero no una ficción. Se trata de un asesino a sueldo que rondará por los sesenta y, según se dice, está enfermo. De todos modos, lo domina un odio terrible. Es un hombre de muchas caras, muchas facetas. Algunas son veneradas por aquellos que tienen motivos para amarlo, y otras detestadas por los que lo consideran la esencia del mal; y según de dónde se mire, todos tienen parte de razón. Yo soy un ejemplo de alguien que ha experimentado o ambos sentimientos hacia él, pero mi mundo se diferencia mucho del suyo, tal como usted ha sugerido, santo Tomás de Aquino.

—*Merci bien.*

—*D'accord.* Pero el odio que obsesiona a Carlos crece como un cáncer en su mente. Un hombre lo obligó a salir a la luz, lo engañó, usurpó sus asesinatos y obtuvo reconocimiento por su trabajo. Carlos enloqueció por tratar de corregir el error y mantener su supremacía como asesino principal. Ese mismo hombre fue el responsable de la muerte de su amante, aunque aquella mujer era mucho más que eso. Era su quilla, su amada desde que era niño en Venezuela, su compañera en todas las cosas. Ese hombre, uno entre cientos, tal vez miles, enviados por los gobiernos de todo el mundo, fue el único que vio su rostro, el del Chacal. Y el hombre que hizo todo esto fue un producto del servicio secreto de Estados Unidos, un sujeto extraño que vivió en una mentira mortal durante tres largos años. Carlos no descansará hasta que este hombre reciba su castigo y muera asesinado. Este hombre es Jason Bourne.

Sorprendido por la historia del francés, Prefontaine se inclinó hacia delante sobre la mesa.

—¿Quién es Jason Bourne? —preguntó.

—Mi marido, David Webb —respondió Marie.

—Oh, Dios mío —susurró el juez—. ¿Puedo beber algo, por favor?

—¡Ronald! —llamó John St. Jacques.

—¡Sí, jefe! —respondió desde dentro el guardia cuyas fuertes manos lo habían sujetado una hora antes en la villa veinte.

—Tráiganos un poco de whisky y brandy, por favor. Los encontrará en el bar.

—Enseguida, señor.

De pronto, el sol anaranjado del este pareció incendiarse, y los rayos atravesaron lo que quedaba de la niebla marina del amanecer. Alrededor de la mesa, el silencio fue interrumpido por la voz suave del viejo francés.

—No estoy acostumbrado a tantas comodidades —comentó con la vista errante en las aguas cada vez más límpidas del Caribe—. Cuando piden algo, siempre pienso que soy yo quien debería servirlo.

—Ya no —dijo Marie en voz baja, y tras unos instantes añadió—: Jean Pierre.

—Supongo que podría vivir con ese nombre...

—¿Por qué no hacerlo aquí?

—¿*Qu'est-ce que vous dites, madame?*

—Piénselo. París podría resultar tan peligroso para usted como las calles de Boston para nuestro juez.

El juez en cuestión estaba absorto en la contemplación de varias botellas, copas y una cubitera que estaban colocando sobre la mesa. Sin vacilar, Prefontaine se sirvió una medida exagerada de la botella que tenía más cerca.

—Debo formular una o dos preguntas —dijo con énfasis—. ¿Le parece apropiado?

—Adelante —invitó Marie—. No estoy segura de que pueda o quiera responderle, pero inténtelo.

—Los disparos, el aerosol sobre las paredes…, mi «primo» afirma haber seguido instrucciones al pintar esas palabras en rojo…

—Así es, *mon ami*. Los disparos también formaban parte de ello.

—¿Por qué?

—Todo debía ocurrir tal como estaba previsto. Los disparos eran un elemento adicional para llamar la atención sobre lo que estaba ocurriendo.

—¿Por qué?

—Es una lección que aprendimos en la Resistencia. No se trata de que haya sido un «Jean Pierre Fontaine», pero desempeñé mi pequeño papel. Lo llamaban una «reivindicación», una manifestación positiva para demostrar que una agrupación clandestina era la responsable de la acción. Todos en los alrededores lo sabían.

—¿Por qué aquí?

—La enfermera del Chacal está muerta. No hay nadie para informarle de que sus instrucciones se han llevado a cabo.

—Lógica gala. Incomprensible.

—Sentido común francés. Incuestionable.

—¿Por qué?

—Carlos llegará mañana al mediodía.

—¡Oh, Dios santo!

El teléfono comenzó a sonar dentro de la villa. John St. Jacques se dispuso a levantarse, pero su hermana lo interceptó y corrió hacia la sala. Una vez allí levantó el aparato

—¿David?

—Soy Alex —dijo la voz alterada en la línea—. ¡Por Dios, he estado marcando este condenado número durante tres horas! ¿Estáis bien?

—Estamos vivos, a pesar de todos los intentos.

—¡Los ancianos! ¡Los ancianos de París! ¿Johnny…?

—Johnny llegó, pero ellos están de nuestra parte.

—¿Quiénes?

—Los ancianos…

—¡Esto no tiene el menor sentido!

—¡Sí que lo tiene! La situación está bajo control. ¿Qué hay de David?

—¡No lo sé! Las líneas telefónicas están cortadas. ¡Todo es un lío! La policía se dirige hacia allí...

—¡Presiona a la policía, Alex! ¡Llama al ejército, a la marina, a la maldita CIA! ¡Están en deuda con nosotros!

—Jason no lo permitirá. No puedo defraudarlo ahora.

—Bueno, veamos que te parece esto. ¡El Chacal llegará aquí mañana!

—¡Oh, Dios! Debo conseguirle un avión en alguna parte.

—¡Tienes que hacer algo!

—Tú no comprendes, Marie. El viejo Medusa ha vuelto a aparecer...

—¡Dile a ese esposo mío que Medusa es historia! ¡El Chacal no lo es y aterrizará aquí mañana!

—David estará allí, tú lo sabes.

—Sí, lo sé... Porque ahora es Jason Bourne.


—Oye, amigo —dijo Cacto—. Esto no es lo mismo que sucedió hace trece años y no es casual que tú estés trece años más viejo. No sólo no servirás para nada, sino que te transformarás en un verdadero peligro a menos que descanses un poco y duermas, a ser posible. Apaga las luces y tiéndete un rato en ese elegante y enorme sillón de la sala. Yo me ocuparé de los teléfonos, aunque no sonarán porque nadie llamará a las cuatro de la mañana.

Obedeciendo a Cacto, Jason se dirigió hacia la sala con las piernas pesadas y los párpados abatiéndose sobre los ojos como si fuesen de plomo. Se dejó caer en el sillón y levantó las piernas lentamente, una tras la otra, sobre los almohadones; entonces miró el techo. «El descanso es un arma, las batallas se ganan y se pierden...» Philippe D'Anjou. Medusa. Las imágenes mentales desaparecieron y cayó dormido.


Una sirena estridente comenzó a sonar, ensordecedora e incesante, retumbando en la casa como un tornado sónico. Con un movimiento espasmódico, Bourne giró el cuerpo y saltó del sillón. Al principio se sintió desorientado, sin saber dónde se encontraba y, por un terrible momento, quién era.

—¡Cacto! —gritó, corriendo hacia el pasillo—. ¡Cacto! —repitió y oyó cómo su voz se perdía en el ritmo rápido y en aumento de la alarma—. ¿Dónde estás?

Nada. Jason corrió hasta la puerta del estudio y cogió el picaporte. ¡Estaba cerrado con llave! Dio un paso atrás y estrelló el hombro contra ella una, dos, tres veces, con toda la velocidad y la fuerza que pudo reunir. La puerta comenzó a ceder y entonces Jason pateó el panel central hasta derribarlo. Finalmente logró entrar y el espectáculo que encontró heló de furia la mirada de la máquina de matar producto de Medusa. Cacto estaba abatido sobre el escritorio, bajo la luz de la lámpara, en el mismo sillón donde había sido asesinado el general. Su sangre formaba un charco rojo sobre el secante. Un cadáver. ¡No, no era un cadáver! ¡La mano derecha se movía, Cacto estaba vivo!

Bourne corrió hasta el escritorio y alzó la cabeza del anciano con suavidad. El sonido agudo y ensordecedor de la alarma entorpecía toda conversación, suponiendo que hubiese sido posible mantener alguna. Cacto abrió los oscuros ojos, mientras su temblorosa mano derecha se movía sobre el secante y golpeaba levemente con el índice.

—¿Qué ocurre? —gritó Jason. La mano seguía moviéndose hacia el borde del secante, y los golpes se aceleraban—. ¿Abajo? ¿Debajo? —Cacto asintió con la cabeza, moviéndola de forma casi imperceptible—. ¡Debajo del escritorio! —exclamó Bourne en un atisbo de comprensión. Se arrodilló a la derecha de Cacto y tanteó debajo del cajón, luego hacia un lado… ¡allí estaba! Un botón. De nuevo con suavidad, desplazó la pesada silla rodante unos centímetros hacia la izquierda y estudió el botón. Debajo de él, en pequeñas letras blancas sobre una cinta plástica negra, estaba la respuesta.

«Aux. Alarma.»

Jason pulsó el botón; de inmediato, el estrepitoso pandemonio calló. El silencio que sobrevino resultó casi igual de ensordecedor… y de aterrador.

—¿Cómo te hirieron? —preguntó Bourne—. ¿Cuánto hace…? Si puedes hablar, sólo susurra. No gastes energías, ¿me comprendes?

—Oh, amigo, te preocupas demasiado —murmuró Cacto dolorido—. Yo era un taxista negro en Washington. Ya he estado antes aquí. No es fatal, muchacho, tengo una bala en la parte superior del pecho.

—Llamaré a un doctor ahora mismo, a nuestro amigo Ivan, pero si puedes, dime lo que ha ocurrido mientras te tiendo en el suelo y observo la herida. —Lenta y cuidadosamente, Jason bajó al anciano del sillón y lo colocó sobre la alfombra bajo el ventanal. Luego le rasgó la camisa; la bala le había atravesado el hombro izquierdo. Con movimientos breves y rápidos, Bourne rompió la camisa en tiras y fabricó un tosco vendaje para envolver el pecho y el hombro de su amigo—. No es mucho —le dijo—, pero impedirá que continúes sangrando. Continúa.

—¡Él está fuera! —tosió Cacto con debilidad, tendido de espalda en el suelo—. Tiene una magnum cincuenta y siete con silenciador; me apuntó a través de la ventana, luego la rompió y entró... Él... Él...

—¡Tranquilo! No hables, no importa...

—Debo hacerlo. Los hermanos están allí fuera y no van armados. ¡Los atrapará! Fingí estar muerto, y él tenía mucha prisa. ¡Oh, vaya si iba con prisa! Mira allí. —Jason giró la cabeza en la dirección que Cacto le señalaba. Varios libros habían sido arrancados de un estante en la pared y arrojados al suelo. El anciano continuó, con la voz cada vez más débil—. Fue hasta la biblioteca dominado por el pánico, hasta que encontró lo que buscaba. Luego se dirigió a la puerta con esa cincuenta y siete en ristre, si sabes a qué me refiero... Supuse que te buscaba a ti, que por la ventana te había visto entrar en la otra habitación y puedo asegurártelo, yo tenía la rodilla derecha como loca porque había encontrado ese botón de alarma hacía una hora y sabía que debía detenerlo...

—¡Tranquilo!

—Debo contártelo..., no podía mover las manos porque él me hubiese visto, pero encontré el botón con la rodilla y la sirena estuvo a punto de arrojarme del sillón. El maldito canalla se desesperó. Cerró de un portazo, echó la llave y salió a toda velocidad por la ventana. —Cacto echó la cabeza hacia atrás, invadido por el dolor y la fatiga—. Está allí fuera, amigo...

—¡Ya basta! —le ordenó Bourne mientras apagaba la lámpara y dejaba sólo la luz del pasillo—. Llamaré a Alex, él podrá enviar al doctor...

De pronto, desde algún lugar del parque, llegó un grito agudo, una exclamación de sorpresa y angustia que Jason conocía demasiado bien. Cacto también la conocía, así que susurró con los ojos cerrados:

—Ha atrapado a uno. ¡Ese hijo de puta ha atrapado a uno de los nuestros!

—Llamaré a Conklin —dijo Jason tomando el teléfono del escritorio—. Luego saldré a buscarlo... ¡Oh Dios! No funciona, ¡la línea está cortada!

—Ese puerco conoce el lugar.

—Yo también, Cacto. Quédate lo más quieto que puedas. Volveré a buscarte...

Hubo otro grito, éste más bajo y repentino, una expulsión del aliento más que un alarido.

—Que el buen Jesús me perdone —murmuró el anciano con profunda sinceridad—. Sólo queda un hermano...

—Si alguien debe pedir perdón, soy yo —exclamó Bourne con voz ronca y ahogada—. ¡Maldita sea! Te lo juro Cacto, jamás pensé, ni siquiera se me ocurrió la posibilidad de que ocurriese algo así.

—Por supuesto que no. Te conozco desde hace mucho amigo, y nunca te he visto pedir que alguien arriesgara algo por ti. Siempre ha sido lo contrario.

—Voy a moverte —le avisó Jason mientras tiraba de la alfombra para que Cacto quedara junto al lado derecho del escritorio, lo bastante cerca como para alcanzar la alarma—. Si oyes, ves o sientes cualquier cosa, pon en marcha la alarma.

—¿Adónde vas? Quiero decir, ¿cómo?

—A otra habitación. Otra ventana.

Bourne se arrastró hasta la puerta hecha pedazos, pasó el umbral y se puso en pie. Luego corrió hasta la sala. Al otro extremo había un par de cristaleras que conducían a un patio exterior; recordaba haber visto unos muebles blancos de hierro forjado sobre el lado sur de la casa. Jason giró el picaporte y salió al mismo tiempo que desenfundaba la automática. Cerró la puerta derecha y se agachó para avanzar hasta los arbustos que bordeaban el césped. Debía moverse rápido. No sólo estaba en juego la vida de una tercera persona, un hombre inocente que no tenía nada que ver con todo aquello, también había un asesino que lo conduciría a los crímenes del nuevo Medusa, ¡y aquellos crímenes le servirían de anzuelo para atrapar al Chacal! Un imán, una trampa: las bengalas, parte del equipo que había llevado consigo a Manassas. Las dos bengalas de emergencia se hallaban en su bolsillo trasero izquierdo, y cada una era lo bastante brillante como para que se viera a kilómetros de distancia; si las disparaba al mismo tiempo, iluminarían la propiedad de Swayne como dos focos. Una, en la calzada sur; la otra, junto a las perreras. Posiblemente despertarían a los perros dormidos, la luz los asustaría y los enfurecería… ¡debía hacerlo! ¡Rápido!

Jason corrió agachado por el jardín mirando a todas partes, preguntándose dónde estaría agazapado el asesino y cómo lograría evadirlo el amigo de Cacto. Uno tenía experiencia: el otro, no; Bourne no permitiría que la vida del último se perdiese inútilmente.

¡Entonces ocurrió! ¡Lo habían descubierto! Dos crujidos, uno a cada lado de él, balas de una pistola con silenciador que surcaban el aire. Jason atravesó rápidamente la calzada sur y se zambulló en el follaje. Tomó una de las bengalas de su bolsillo, encendió la mecha y la arrojó con fuerza hacia la derecha. Cayó sobre la calzada, en cuestión de segundos despediría un fuego deslumbrador. Jason corrió hacia la izquierda hasta la parte posterior de la propiedad. En una mano llevaba el mechero con la segunda bengala, en la otra su automática. Mientras avanzaba en paralelo a las perreras, la señal del camino estalló en unas llamas blancoazuladas. Después de encender la segunda la arrojó a unos treinta metros de las perreras y esperó.

La segunda bengala estalló en un fuego chisporroteante e iluminó la casa y el sector sur de la propiedad de forma espectral. Tres perros comenzaron a gemir y luego intentaron emitir un débil aullido, muy pronto dejarían oír su furia. Una sombra. Estaba contra la pared oeste de la casa, se movía iluminada por la bengala, entre las perreras y la casa. La figura buscó la protección de los arbustos. ¿Se trataría del asesino o de la víctima, el último «hermano» reclutado por Cacto? Sólo había una manera de averiguarlo, y si era el primero no sería la mejor táctica pero sí la más rápida.

Bourne saltó de entre las malezas y se lanzó hacia la derecha gritando. En el último instante clavó el pie en tierra y giró mientras se impulsaba hacia la izquierda.

—¡Corre a la cabaña! —gritó. Y obtuvo su respuesta. Dos balazos más, dos silbidos en el aire. Los disparos impactaron en el suelo a su derecha. El asesino era hábil, tal vez no se trataba de un experto, pero era bastante eficiente. Una calibre 357 tenía seis tiros; cinco habían sido disparados, pero había pasado el tiempo suficiente para cargarla de nuevo. Otra estrategia... ¡rápido!

De pronto apareció otra figura. Un hombre que corría por el camino hacia la cabaña de Flannagan. Se hallaba al descubierto... ¡podía resultar muerto!

—¡Por aquí, estúpido! —vociferó Jason mientras saltaba y disparaba ciegamente hacia los arbustos junto a la casa. Entonces recibió otra respuesta , una que le sonó a gloria. Hubo un sólo silbido en el aire y luego silencio. ¡El asesino no había recargado el arma! Tal vez no tenía más balas, de cualquier manera, el hombre de Cacto ya se encontraba bastante lejos. Bourne salió de entre los arbustos y atravesó el parque iluminado. El asesino corrió hacia la reja de entrada, amparándose en las sombras. Jason tenía cogido a ese maldito, lo sabía. Las rejas permanecían cerradas, el hombre de Medusa estaba acorralado.

—¡No hay salida, Dama Serpiente! —rugió Bourne—. No empeores las cosas.

Un silbido, un crujido. ¡El hombre había cargado el arma mientras escapaba! Jason disparó y el hombre cayó en la calzada. En ese momento el poderoso sonido de un motor hirió el silencio de la noche. El vehículo en cuestión se acercaba a toda velocidad por la carretera, y emitía una luz intermitente azul y roja. ¡La policía! La alarma debía estar conectada con la jefatura de Manassas, algo que nunca se le había ocurrido a Bourne; había supuesto que un recurso semejante era imposible dada la relación con Medusa. Carecía de lógica; la seguridad era interna, ninguna fuerza exterior podía estar permitida en la Dama Serpiente. Habían demasiadas cuestiones que averiguar, demasiados secretos... ¡un cementerio!

El asesino se retorció en el camino y comenzó a rodar hacia los pinos. Mantenía algo apretado en la mano. Jason se acercó a él mientras dos policías bajaban del coche patrulla detrás de la reja. Con un puntapié, obligó al hombre a soltar lo que ocultaba y se inclinó para recogerlo. Era un libro con tapas de cuero, perteneciente a alguna colección, como un volumen de Dickens o de Thackeray con las letras grabadas en oro. ¡Era una locura! Entonces Jason abrió el libro y comprendió que no era ningún desatino. Dentro las páginas no estaban impresas, sino escritas a mano. ¡Se trataba de un diario, de un libro mayor!

¡La policía no podía estar allí, sobre todo en aquel instante! No podía permitir que descubrieran lo que él y Conklin habían averiguado sobre Medusa. ¡Ese libro con tapas de cuero no podía salir a la luz del día de forma oficial! ¡El Chacal era lo más importante! ¡Debía deshacerse de ellos!

—Hemos recibido una llamada, señor —informó un policía de mediana edad mientras se acercaba a la reja en compañía de un oficial más joven—. En la jefatura nos dijeron que el hombre estaba muy alterado. Respondemos, pero sabemos que se han celebrado algunas fiestas bastante alborotadas por aquí, sin intención de criticar, señor. A todos nos gusta pasar un buen rato de vez en cuando, ¿verdad?

—Ha dado en el clavo, oficial —respondió Jason, tratando de reprimir la dolorosa agitación de su pecho. Volvió la mirada hacia el asesino herido... ¡había desaparecido!—. Hubo un momentáneo corte de electricidad y por algún motivo eso interfirió con las líneas de teléfono.

—Sucede con frecuencia —confirmó el oficial más joven—. Son los chaparrones y tormentas de verano. Algún día pondrán todos los cables bajo tierra. En casa de mis padres...

—Lo importante —lo interrumpió Bourne— es que todo está volviendo a la normalidad. Como pueden ver, ya han vuelto algunas luces de la casa.

—No veo nada, con esas señales luminosas —objetó el joven oficial de policía.

—El general siempre adopta las máximas precauciones —le explicó Jason—. Supongo que se siente obligado —añadió no muy convencido—. De todos modos, tal como les he dicho, todo está volviendo a la normalidad. ¿De acuerdo?

—Por mí, está bien —respondió el oficial de más edad—, pero tengo un mensaje para alguien llamado Webb. ¿Se encuentra allí adentro?

—Yo soy Webb —dijo Jason Bourne, alarmado.

—Eso facilita las cosas. Se supone que debe llamar a un «señor Conk» ahora mismo. Es urgente.

—¿Urgente?

—Una emergencia, según nos han dicho. El mensaje nos llegó por radio.

Jason oía ruidos en la cerca que rodeaba la propiedad de Swayne. ¡El asesino estaba escapando!

—Oiga, oficial, aquí los teléfonos siguen cortados… ¿tiene uno en su coche?

—No es público, señor. Lo siento.

—Pero me ha dicho que era una emergencia.

—Bueno, considerando que es un invitado del general, supongo que puedo permitírselo. Aunque si se trata de una conferencia, será mejor que tenga un número de tarjeta de crédito.

—Oh, Dios mío. —Bourne abrió la verja y corrió hasta el coche patrulla mientras la sirena se disparaba de nuevo en la casa, para cortarse acto seguido. Al parecer, el hermano que quedaba había encontrado a Cacto.

—¿Qué diablos ha sido eso? —gritó el policía joven.

—¡Olvídelo! —replicó Jason mientras entraba en el coche y tomaba el teléfono policial, tan familiar para él. Dictó el número de Alex al operador de la jefatura y repitió hasta la saciedad—: ¡Es una emergencia, es una emergencia!

—¿Sí? —respondió Conklin, después de dar las gracias al operador policial.

—¡Soy yo!

—¿Qué ha ocurrido?

—Es demasiado complicado para explicártelo. ¿Cuál es la emergencia?

—Te he conseguido un avión privado que saldrá del aeropuerto de Reston.

—¿Reston? Eso queda al norte de aquí…

—El aeropuerto de Manassas no cuenta con suficientes recursos. Te enviaré un coche.

—¿Por qué?

—El Sosiego. Marie y los niños se encuentran bien, ¡están bien! Ella se encarga de todo.

—¿Y eso qué diablos significa?

—Ve a Reston y te lo explicaré.

—¡Quiero saber más!

—El Chacal llegará hoy.

—¡Dios mío!

—Deja lo que tengas ahí dentro y espera el coche.

—¡Me llevaré éste!

—¡No! A menos que quieras echarlo todo a perder. Tenemos tiempo. Termina lo qué estés haciendo.

—Cacto está herido. Le han disparado.

—Llamaré a Ivan. Volverá de inmediato.

—Sólo queda un hermano, sólo uno, Alex. Yo he matado a los otros dos, soy el culpable.

—Ya basta. Olvídalo. Haz lo que debes hacer.

—Maldita sea, no puedo. ¡Alguien debe permanecer aquí!

—Tienes razón. Hay demasiadas cosas que mantener en secreto allí y tú debes partir hacia Montserrat. Iré con el coche y tomaré el relevo.

—Alex, dime qué ha ocurrido en el Sosiego.

—Los ancianos, tus «ancianos de París», eso es lo que ha ocurrido.

—Son hombre muertos —declaró Bourne inexpresivamente.

—No te precipites. Han cambiado de bando. Al menos creo que el verdadero lo ha hecho y el otro es un error enviado por Dios. Ahora están de nuestra parte.

—Nunca estarán de parte de nadie que no sea el Chacal. Tú no los conoces.

—Tú tampoco. Escucha a tu esposa. Pero ahora vuelve a la casa y anota todo lo que yo deba saber… Oye, Jason, debo decirte una cosa. Ruego a Dios que puedas encontrar tu solución, la nuestra, en el Sosiego. Porque dadas las circunstancias, lo cual incluye mi vida, no podré mantener mucho más esta cuestión de Medusa en secreto. Creo que ya lo sabes.

—¡Me lo has prometido!

—Treinta y seis horas, Delta.


En los bosques, detrás de la cerca, se ocultaba un hombre herido con el rostro asustado apoyado contra los eslabones verdes. A la luz de los faros delanteros, había observado a un hombre alto que entraba en el coche patrulla y después salía, saludando con nerviosismo a los oficiales. Sin embargo, no les permitió entrar en la propiedad.

Webb. El asesino había oído su nombre: Webb.

—Era cuanto necesitaban saber. Todo lo que Dama Serpiente necesitaba saber.

—¡Dios, cómo te quiero! —dijo David Webb apoyado contra el teléfono público de la sala de embarque en el sector privado del aeropuerto de Reston, Virginia—. Lo peor ha sido la espera, aguardar para hablar contigo, para oírte decir que os encontráis bien.

—¿Cómo crees que me sentía yo, cariño? Alex dijo que las líneas telefónicas estaban cortadas y que había enviado a la policía. ¡Yo quería que enviase a todo el maldito ejército!

—Ni siquiera podemos informar a la policía. Por el momento, todo debe permanecer en secreto. Conklin me ha prometido al menos otras treinta y seis horas… Quizá ya no las necesitemos. No con el Chacal en Montserrat.

—¿Qué ha ocurrido, David? Alex mencionó a Medusa.

—Es un lío y tiene razón, debe llevarlo a los de arriba. Él, no nosotros. Nosotros permaneceremos fuera. Fuera y lejos.

—¿Qué ocurrió? —insistió Marie—. ¿Qué tiene que ver con esto el viejo Medusa?

—Hay un nuevo Medusa, en realidad se trata de una extensión del antiguo. Es algo grande y asqueroso y también mata. Lo he visto esta noche, uno de ellos trató de matarme después de asesinar a dos hombres inocentes y casi acabar con Cacto.

—¡Señor! Alex me contó lo de Cacto cuando volvió a llamar, pero nada más. ¿Cómo está tu tío Remus?

—Saldrá de esto. El doctor de la Agencia se lo llevó junto con el último hermano.

—¿Hermano?

—Te lo explicaré cuando nos veamos. Ahora Conklin se encuentra allí. Se ocupará de todo y hará arreglar el teléfono. Lo llamaré desde el Sosiego.

—Estás exhausto…

—Estoy cansado, pero no sé bien por qué. Cacto insistió en que durmiera un poco y habré descansado al menos durante veinte minutos.

—Mi pobre amor.

—Me gusta el tono de tu voz —dijo David—. Las palabras me consuelan aún más, aunque no soy pobre. Tú te ocupaste de ello en París, hace trece años. —De pronto su esposa guardó silencio y David Webb se alarmó—. ¿Qué ocurre? ¿Te encuentras bien?

—No estoy segura —respondió Marie con suavidad, pero con una fuerza que provenía de sus pensamientos, no de sus sentimientos—. Dices que este nuevo Medusa es grande y asqueroso y que trató de matarte, trataron de matarte.

—No lo lograron.

—Sin embargo, te querían muerto. ¿Por qué?

—Porque estaba allí.

—No se mata a un hombre porque ocupe la casa de alguien.

—En esa casa ocurrieron muchas cosas esta noche. Alex y yo dimos con algo muy secreto y me descubrieron. La idea era atrapar al Chacal con varios bandidos ricos y famosos del viejo Saigón, quienes lo contratarían para eliminarme. La estrategia es estupenda pero hemos perdido el control.

—Dios mío, David. ¿No lo comprendes? ¡Estás marcado! ¡Vendrán por ti ellos mismos!

—¿Cómo? El hombre de Medusa que estuvo allí no me ha visto la cara salvo cuando corría en las sombras, y no tienen ni idea de quién soy. Simplemente desapareceré. No, Marie, si Carlos se presenta y hago lo que sé que puedo hacer en Montserrat, seremos libres. Para utilizar una frase hecha, «por fin libres».

—Tu voz está cambiando, ¿verdad?

—¿Qué?

—Es cierto. Lo noto.

—No sé de qué me hablas —replicó Jason Bourne—. Me están haciendo señas. El avión ha aterrizado. ¡Dile a Johnny que mantenga vigilados a esos dos ancianos!

Los rumores se esparcían por Montserrat como la niebla. Algo terrible había ocurrido en la Isla del Sosiego... «Malos tiempos, *mon...*» «El malvado *obeah* había atravesado las Antillas desde Jamaica y había muerte y locura...» «Y sangre en las paredes de la muerte, una maldición sobre la familia de un animal...» «¡Shhh! Había una mamá tigresa con sus dos cachorros...»

Y también se oían otras voces... «¡Dios bendito, no habléis de ello! Podrías echar a perder nuestro turismo!...» «¡Nunca había ocurrido nada semejante... es un incidente aislado, sin duda relacionado con las drogas, proviene de otra isla!...» «¡Es cierto, *mon*! He oído decir que era un loco, con el cuerpo invadido por la droga...» «Me han dicho que se lo llevaron a alta mar, en un bote que corría como un huracán. ¡Se ha ido!...» «¡No habléis de ello, os digo! ¿Recordáis las islas Vírgenes? ¿La masacre de Manantial? Tardaron años en recuperarse. ¡Silencio!»

Y una voz aislada.

—Es una trampa, señor, y si tenemos éxito hablarán de nosotros en las Indias Occidentales, los héroes del Caribe. Será muy beneficioso para nuestra imagen. La ley y el orden y todo eso.

—¡Gracias a Dios! ¿Alguien resultó muerto?

—Una mujer, justo cuando trataba de asesinar a otra persona.

—¿Una mujer? Buen Dios, ya no quiero oír una palabra más hasta que todo haya terminado.

—Será mejor que no se encuentre disponible para hacer declaraciones.

—Muy buena idea. Saldré con la lancha; después de una tormenta, suele haber buena pesca.

—Excelente, señor. Me mantendré informado por radio del desarrollo de la situación.

—Tal vez no debería. Podrían interceptarnos.

—Sólo quería avisarle de cuándo podía regresar, del momento apropiado para que su aparición fuese beneficiosa. Lo mantendré al corriente, por supuesto.

—Sí, por supuesto. Es usted un buen hombre, Henry.

—Gracias, señor gobernador.


Eran las diez de la mañana y se abrazaban con pasión, pero no había tiempo para hablar. Sólo tenían el pequeño consuelo de estar juntos y a salvo, seguros en la certeza de saber cosas que el Chacal ignoraba, y ello les proporcionaba una enorme ventaja. Sin embargo, se trataba sólo de una ventaja y no de una garantía, ya que éstas no existían con Carlos involucrado en el asunto. Tanto Jason como John St. Jacques eran inflexibles: Marie y los niños volarían al sur hacia la isla de Guadalupe. Permanecerían allí con la señora Cooper, la doncella de los Webb, y estarían bajo vigilancia hasta que los llamaran de vuelta a Montserrat. Marie presentó objeciones, pero no obtuvo más respuesta que el silencio; su esposo emitió las órdenes de forma brusca y fría.

—Te irás porque tengo trabajo para hacer. No quiero discutirlo más.

—Es Suiza otra vez. Zurich, ¿verdad, Jason?

—Es lo que prefieras —respondió Bourne preocupado. Los tres estaban en el muelle, y a pocos metros de allí dos hidroaviones flotaban en el agua. Uno había llevado a Jason desde Antigua hasta el Sosiego; el otro ya tenía a bordo a la señora Cooper con los niños y cargaba combustible para el vuelo—. Date prisa, Marie —añadió—. Quiero repasar las cosas con Johnny y luego interrogaré a esos dos viejos de mierda.

—No son viejos de mierda, David. Gracias a ellos seguimos con vida.

—¿Por qué? ¿Por qué no han tenido más remedio que cambiar de chaqueta para salvar sus traseros?

—Eso no es justo..

—Lo es hasta que yo decida lo contrario, y serán una mierda hasta que ellos me convenzan de que no lo son. Tú no conoces a los ancianos del Chacal, yo sí. Dirán cualquier cosa, harán lo que sea, mentirán y llorarán, pero si les das la espalda, te clavarán un cuchillo. Él los posee en cuerpo, mente y lo que quede de sus almas. Ahora sube al avión, te están esperando.

—¿No quieres ver a los niños, decirle a Jamie que…?

—¡No, no tenemos tiempo! Llévatela, Johnny. Quiero explorar la playa.

—Ya lo he inspeccionado todo, David —dijo St. Jacques en tono algo desafiante.

—Yo te diré si lo has hecho o no —replicó Bourne con los ojos furiosos mientras avanzaba por la arena. Entonces añadió sin volverse—: Tengo una docena de preguntas para ti, espero que puedas responderlas.

St. Jacques se puso en tensión y avanzó un paso, pero su hermana lo detuvo.

—Déjalo tranquilo —aconsejó Marie con la mano sobre su brazo—. Está asustado.

—¿Está qué? ¡Es un maldito hijo de puta, nada más!

—Sí, lo sé.

Johnny miró a su hermana.

—¿Es ese extraño del que hablabas ayer en la casa?

—Sí, sólo que ahora es peor. Por eso está tan asustado.

—No comprendo.

—Ha envejecido, Johnny. Ahora tiene cincuenta años y se pregunta si todavía podrá hacer lo mismo que en el pasado, en la guerra, en París, en Hong Kong. Todo esto lo está consumiendo porque ahora tiene que estar más preparado que nunca, y él lo sabe.

—Creo que podrá.

—Yo sé que sí, porque tiene un motivo extraordinario. Ya ha perdido a una mujer con dos niños. Apenas si los recuerda, pero se encuentran en el corazón de su tormento; Mo Panov lo cree así y yo también... Ahora, años después, otra mujer con dos niños se encuentran amenazados. Cada uno de sus nervios está alerta.

De pronto, a unos diez metros sobre la playa, se oyó la voz de Bourne transportada por la brisa marina.

—¡Mierda, os dije que os diérais prisa...! Y usted, señor Experto, ¡allí hay un arrecife con un banco de arena delante! ¿Has considerado eso?

—No respondas, Johnny. Iremos al avión.

—¿Un banco de arena? ¿De que diablos está hablando? Oh, Dios mío, ¡ya lo veo!

—Yo no —dijo Marie mientras caminaban rápidamente por el muelle.

—El ochenta por ciento de la isla está rodeado de arrecifes, el noventa y cinco por ciento si sólo consideramos la playa. Allí rompen las olas, por eso se llama Sosiego; no hay el más mínimo oleaje.

—¿Y qué?

—Pues que alguien con un submarino no se arriesgaría a estrellarse contra un arrecife, pero sí contra un banco de arena frente a un arrecife. Podría vigilar la playa y a los guardias para subir en el momento apropiado tras emerger a pocos metros de la costa. No se me había ocurrido.

—Pues a él sí, hermano.


Bourne se sentó en la esquina del escritorio, con los dos ancianos en un sillón frente a él y su cuñado de pie junto a una ventana que se asomaba a la playa, en la villa vacía.

—¿Por qué habría, habríamos de mentirle, *monsieur*? —preguntó el héroe de Francia.

—Porque todo me suena a la clásica farsa francesa. Nombres similares pero diferentes, una puerta que se abre mientras otra se cierra, personajes semejantes que desaparecen y reaparecen en el momento preciso. Esto apesta, caballeros.

—¿Quizás usted es un estudioso de Molière o de Racine...?

—Soy un estudioso de las coincidencias extrañas, especialmente en lo referente al Chacal.

—No creo que nos parezcamos en lo más mínimo —intervino el juez de Boston—. Con excepción, tal vez, de la edad.

El teléfono comenzó a sonar. Jason atendió rápidamente.

—¿Sí?

—Todo comprobado en Boston —dijo Conklin—. Se llama Prefontaine, Brendan Prefontaine. Era juez federal de primera instancia y fue condenado por conducta criminal, lo que debe interpretarse como aceptación de sobornos. Fue sentenciado a veintiún años y cumplió diez, lo cual bastó para apartarlo de la profesión. Es lo que llaman un alcohólico activo, un personaje bastante típico en los barrios más sombríos de Bean Town, pero inofensivo, en realidad lo aprecian bastante en los bajos fondos. También lo consideran muy brillante cuando se mantiene sobrio y, según me han dicho, muchos desgraciados no hubiesen salido en libertad y otros estarían cumpliendo penas más largas si él no hubiese aconsejado astutamente a sus abogados. Podría decirse que es un jurista entre bastidores, y su bufete se encuentra en diversas cantinas, salones de billar y probablemente prostíbulos. Considerando que yo mismo he sido un alcohólico, ese hombre me inspira confianza. Yo nunca he logrado manejarlo tan bien.

—Tú lo has dejado.

—Si hubiese podido moverme mejor en esa cuarta dimensión, quizá no lo hubiera hecho. El alcohol no es tan malo en ciertas ocasiones.

—¿Qué hay de su cliente?

—Nuestro juez era profesor adjunto en Harvard, y Gates estudió en dos de sus clases. No cabe duda, Prefontaine, lo conoce bien... Confía en él, Jason. No tiene razones para mentir. Simplemente trataba de sacar un buen fajo.

—¿Le sigues los pasos al cliente?

—De cerca. Él es nuestro contacto con Carlos. La conexión Medusa era una pista falsa, un absurdo intento de un estúpido general del Pentágono para que alguien ingresara en el círculo legal de Gates.

—¿Estás seguro?

—Ahora sí. Gates recibe mucho dinero por trabajar como consultor de una firma legal que representa a contratistas bajo inspección antimonopólica. Ni siquiera respondía a las llamadas de Swayne. De haberlo hecho, hubiese sido más estúpido que el general, y no lo es.

—Ese es tu problema, amigo, no el mío. Si aquí las cosas resultan como yo espero, ni siquiera quiero oír hablar de la Dama Serpiente. En realidad, no recuerdo haberlo oído mencionar nunca.

—Gracias por el regalito. Y en cierto sentido, creo que hablo en serio. A propósito, el libro de gramática escolar que le quitaste a ese pistolero en Manassas tiene algunos datos muy interesantes.

—¿Sí?

—¿Recuerdas a aquellas tres personas que te habían llamado la atención en el registro del Mayflower? Los que aterrizaron en Filadelfia hace ocho meses y por casualidad se alojaban al mismo tiempo en el mismo hotel ocho meses después.

—Desde luego.

—Sus nombres aparecen en el cuaderno de Swayne. No tienen ninguna relación con Carlos, forman parte de Medusa. Es una mina de información inconexa.

—No me interesa. Disfrútala en salud.

—Lo haremos, y muy en silencio. En cuestión de días, ese librito constituirá una de las listas más codiciadas.

—Me alegro por ti, pero tengo trabajo que hacer.

—¿Y rechazas cualquier ayuda?

—Absolutamente. Esto es lo que he estado esperando durante trece años. Tal como dije al principio, es un asunto entre él y yo.

—¿La reunión cumbre, maldito idiota?

—No, es la prolongación lógica de una partida de ajedrez muy intelectual. Gana el oponente que prepare la mejor jugada, y yo tengo esa jugada porque utilizo a los suyos. Él husmearía cualquier desviación.

—Te hemos entrenado demasiado bien, profesor.

—Gracias.

—Buena cacería, Delta.

—Adiós. —Bourne colgó el auricular y observó a los dos ancianos, que permanecían en el sillón con una curiosidad casi patética—. Ha aprobado el examen, juez —dijo a Prefontaine—. Y respecto a usted, «Jean Pierre», ¿qué puedo decir? Mi propia esposa, quien admite que usted bien podía haberla matado sin el menor escrúpulo, me asegura que puedo confiar en usted. Todo esto carece de sentido, ¿verdad?

—Soy lo que soy e hice lo que hice —admitió el abogado en desgracia con dignidad—. Pero mi cliente ha ido demasiado lejos. Su magistral persona debe acabar en el arroyo.

—Yo no sé expresarme tan bien como mi culto y recién descubierto pariente —añadió el héroe de Francia—. Pero sé que los asesinatos deben detenerse; eso es lo que trató de decirme mi mujer. Soy un hipócrita, por supuesto, ya que no soy ajeno a los crímenes. Por lo tanto, sólo diré que hay que exterminar esta clase de homicidios. No se trata de una cuestión de negocios, no se obtiene ningún beneficio con las muertes. Sólo es la venganza de un demente que exige la muerte innecesaria de una madre y sus hijos. ¿De qué sirve todo ello...? No, el Chacal ha ido demasiado lejos. Ahora él también debe ser detenido.

—¡Nunca había oído un razonamiento más frío! —exclamó St. Jacques desde la ventana.

—Me parece que ha escogido muy bien sus palabras —dijo el ex juez al criminal de París—. *Très bien.*

—*D'accord.*

—Y yo debo de estar loco para relacionarme con ustedes —intervino Jason Bourne—. Pero en este momento no tengo otra alternativa... Son las doce menos veinticinco, caballeros. El tiempo pasa volando.

—¿Para qué? —preguntó Prefontaine.

—Para lo que vaya a ocurrir en las próximas dos, cinco, diez o veinticuatro horas. Volaré de regreso al aeropuerto Blackburne, donde interpretaré una escena. La del padre y el esposo enloquecido por el asesinato de su mujer y sus hijos. No será nada difícil para mí, se lo aseguro, organizaré un escándalo infernal. Exigiré volar inmediatamente al Sosiego y, cuando llegue aquí, habrá tres ataúdes de pino sobre el muelle, supuestamente los de mi esposa e hijos.

—Todo tal como debería ser —acotó el francés—. Bien.

—Muy bien —continuó Bourne—. Insistiré en que abran uno y entonces gritaré, me desmayaré o ambas cosas, lo que se me ocurra en ese momento. Cualquiera que esté mirando no olvidará esa imagen. St. Jacques tendrá que controlarme. Muéstrate brusco Johnny, sé convincente. Finalmente me llevarán a una villa, la que está más cerca de la escalera que conduce a la playa. Entonces comenzará la espera.

—¿Del Chacal? —preguntó el de Boston—. ¿Él sabrá dónde se encuentra?

—Por supuesto. Mucha gente, incluyendo al personal, habrá visto donde me llevan. Él lo averiguará, será un juego de niños para el Chacal.

—¿Y entonces lo esperará, *monsieur*? ¿Usted cree que *monseigneur* caerá en una trampa semejante? *¡Ridicule!*

—En absoluto, *monsieur* —respondió Jason con calma—. Para comenzar, yo no estaré allí, cuando Carlos lo descrubra yo ya lo habré encontrado a él.

—Por amor de Dios, ¿cómo? —exclamó St. Jacques.

—Porque soy mejor que él —respondió Jason Bourne—. Siempre lo he sido.


La escena se desarrollaba tal como la habían organizado. En el aeropuerto Blackburne de Montserrat, el personal todavía estaba alterado por el norteamericano alto e histérico que los había acusado a todos de homicidas, por permitir que su esposa e hijos fuesen asesinados por terroristas... ¡de ser los cómplices negros de aquellos malditos criminales! La gente de la isla no sólo estaba dominada por una ira silenciosa, también se sentía herida. Guardaban silencio porque comprendían su angustia y estaban ofendidos porque no entendían cómo podía culparlos a ellos y utilizar palabras tan inmorales, palabras que nunca antes había utilizado. ¿Éste era el acaudalado hermano del sociable Johnny St. Jay? ¿Éste era el amigo que había invertido tanto dinero en la Isla del Sosiego? No, era un maldito blanco que los acusaba de cosas terribles sólo por ser negros. Se trataba de un rompecabezas siniestro, *mon*. Formaba parte de la locura, el *obeah* que había cruzado las aguas desde las montañas de Jamaica para lanzar una maldición sobre sus islas. «Obsérvenlo, hermanos. Observen cada uno de sus movimientos. Tal vez él sea otra clase de tormenta, una que no ha nacido en el sur o en el este, pero cuyos vientos son mucho más destructivos. Obsérvenlo. Su ira es peligrosa.»

Por lo tanto, mucha gente lo miraba... civiles y militares por igual, mientras un nervioso Henry Sykes mantenía su palabra en la Casa de Gobierno. Toda la investigación oficial se hallaba sólo bajo su control. Era secreta, minuciosa... e inexistente.

Bourne lo pasó mucho peor en el muelle del Sosiego, cuando tuvo que pegar a su propio hermano político, el afable Johnny St. Jay, hasta que éste logró someterlo y llevarlo escaleras arriba a la casa más cercana. Los criados iban y venían, dejando bandejas con comida y bebida en el porche. A algunos visitantes escogidos se les permitía presentar el pésame, incluyendo al ayudante en jefe del gobernador de la Corona, vestido de punta en blanco con todas sus insignias militares como símbolo de la condolencia oficial. Y un anciano que había conocido la muerte con los horrores de la guerra había insistido en ver al afligido padre y esposo, iba acompañado de una mujer con uniforme de enfermera, apropiadamente tocada con un sombrero y un velo de luto negro. Dos clientes canadienses del hotel, ambos amigos del dueño y que habían conocido a su cuñado años atrás, en la estrepitosa inauguración de la Posada del Sosiego, solicitaron presentar sus respetos y ofrecer cualquier apoyo que estuviese en sus manos. John St. Jacques aceptó, pero les sugirió que su visita fuese breve y les pidió que respetasen el deseo de su cuñado de permanecer en un rincón oscuro de la sala, con las cortinas echadas.

—¡Todo es tan horrible, tan absurdo! —dijo suavemente el visitante de Toronto a la figura sentada en las sombras al otro lado de la habitación—. Espero que seas un hombre religioso, David. Yo lo soy. La fe suele ser una ayuda en momentos como éste. Ahora tus seres amados descansan en brazos de Cristo.

—Gracias. —Una débil brisa marina movió las cortinas y permitió que un rayo de sol iluminara momentáneamente la habitación. Fue suficiente.

—Un momento —exclamó el segundo canadiense—. Tú no eres... buen Dios, tú no eres David Webb. Él tiene...

—Silencio —ordenó St. Jacques desde la puerta.

—Johnny, he pasado siete horas en un bote de pesca con David, ¡soy capaz de reconocerlo cuando lo veo!

—Cállate —exigió el dueño de la Posada del Sosiego.

—¡Oh, Dios! —exclamó el ayudante del gobernador con un pronunciado acento británico.

—Escuchadme los dos —dijo St. Jacques mientras se colocaba rápidamente entre los dos canadienses y el sillón—. Lamento haberos dejado pasar, pero ahora ya no podemos hacer nada al respecto... Pensé que dos observadores más resultarían útiles si alguien hacía preguntas, y sé que lo harán. Vosotros dos responderéis. Habéis estado conversando con David Webb, habéis consolado a *David Webb*. ¿Entendido?

—Una mierda, si comprendo algo —masculló el atónito visitante que había estado hablando sobre el consuelo de la fe—. ¿Quién diablos es éste?

—Es el ayudante del gobernador de la Corona —respondió St. Jacques—. Os lo digo para que comprendáis...

—¿Te refieres a ese sujeto uniformado que se presentó con un pelotón de soldados negros? —preguntó el hombre que había pescado con David Webb.

—Uno de sus cargos es el de edecán militar. Es un general de brigada...

—Vimos cómo se iba aquel cretino —protestó el pescador—. ¡Todos lo vimos desde el comedor! Estaba con el viejo francés y la enfermera...

—Visteis a otra persona. Con gafas de sol.

—¿Webb...?

—¡Caballeros! —El ayudante del gobernador se levantó del sillón. Tenía puesta la chaqueta que llevaba Bourne al volar desde el aeropuerto Blackburne hasta el Sosiego—. Ustedes son bienvenidos a nuestra isla, pero como invitados deben respetar las decisiones de la Corona en casos de emergencia. En caso contrario, nos veremos forzados a ponerlos bajo custodia.

—Vamos, Henry. Son amigos...

—Los amigos no llaman «cretino» a los generales de brigada.

—Lo haría si alguna vez hubiese sido cabo, general —intervino el hombre de fe—. Mi compañero no tuvo mala intención. Mucho antes de que el maldito ejército canadiense necesitara a su Cuerpo de Ingenieros, él fue reclutado como soldado raso. De su compañía, casualmente. No le fue demasiado bien en Corea.

—Vayamos al grano —dijo el compañero de pesca de Webb—. Quedamos en que hemos estado aquí dentro hablando con Dave, ¿verdad?

—En efecto. Y eso es todo lo que puedo deciros.

—Es suficiente, Johnny. Dave tiene problemas. ¿Qué podemos hacer nosotros?

—Nada, absolutamente nada salvo lo que figura en el programa de la posada. Hace una hora se han repartido copias en todas las villas.

—Será mejor que me lo expliques —apuntó el canadiense religioso—. Nunca leo esos malditos programas de tus *happy hours*.

—La posada invita a un buffet especial, y un meteorólogo de las Islas de Sotavento hablará durante varios minutos respecto a lo que ocurrió anoche.

—¿La tormenta? —preguntó el pescador, antes soldado raso y ahora dueño de una de las mayores compañías de ingeniería industrial en el Canadá—. Una tormenta es una tormenta en estas islas. ¿Qué hay que saber?

—Oh, cosas como por qué empiezan y por qué se desvanecen tan pronto; qué hacer, cómo controlar el miedo, fundamentalmente.

—Nos quieres a todos allí, ¿verdad?

—Sí.

—¿Eso ayudará a Dave?

—Entonces asistiremos todos, te lo garantizo.

—Te lo agradezco, ¿pero cómo lo lograrás?

—Haré circular otra nota diciendo que Angus PacPherson McLeod, presidente del Consejo de Ingenieros Canadienses, recompensará con diez mil dólares a aquel que formule la pregunta más inteligente. ¿Qué te parece eso, Johnny? Los ricos siempre queremos más a cambio de nada, ése es nuestro punto flaco.

—Si tú lo dices… —murmuró St. Jacques.

—Vamos —dijo McLeod a su religioso amigo de Toronto—. Daremos un paseo con lágrimas en los ojos y correremos la voz. Luego, soldado idiota, porque también eras eso además de ser un cretino, aguardaremos una hora y cambiaremos de canal para dedicarnos a hablar exclusivamente de diez mil dólares y una cena gratis. Con la playa y el sol, el período de atención de la gente se limita a dos minutos y medio; si hace frío no pasa de cuatro. Créeme, lo he calculado por ordenador… Tendrás esta noche fiesta completa, Johnny. —McLeod se volvió y fue hasta la puerta.

—Scotty —exclamó el hombre religioso mientras seguía al pescador—. ¡Estás hablando por hablar otra vez! Períodos de atención, dos minutos, cuatro minutos, cálculos por ordenador… ¡no creo una palabra de todo ello!

—¿En serio? —dijo Angus con la mano sobre el picaporte—. Pero crees en diez mil dólares, ¿verdad?

—Desde luego.

—Entonces, observa, es mi estudio de los mercados. Por eso soy dueño de la compañía. Y ahora me propongo hacer que broten lágrimas de mis ojos, es otra razón por la cual soy el dueño de la compañía.


En un depósito oscuro situado en el segundo piso del complejo principal, Bourne y el anciano francés se hallaban sentados frente a una ventana que miraba hacia el este. Abajo, las villas se extendían a ambos lados de la escalera de piedra que conducía a la playa y al muelle. Jason ya se había quitado el uniforme y los dos hombres examinaban con unos poderosos prismáticos a la gente que recorría los senderos y la escalera de piedra. En el alféizar, frente a Bourne, había una radio manual con la frecuencia privada del hotel.

—Se encuentra cerca de nosotros —dijo Fontaine con suavidad.

—¿Qué? —gritó Bourne, apartando los prismáticos mientras se volvía hacia el anciano— ¿Dónde? ¡Dígame dónde!

—Aún no podemos verlo, *monsieur*, pero está cerca de nosotros.

—¿Qué quiere decir?

—Lo presiento. Como un animal percibe que se acerca un trueno distante. Está en mi interior, es el miedo.

—No lo veo muy claro.

—Lo es para mí. Tal vez usted no lo comprenda. El que reta al Chacal, el hombre de las mil caras, el Camaleón… el asesino conocido como Jason Bourne, que ignora el miedo según nos han dicho, sólo una gran jactancia que proviene de su fuerza.

Jason esbozó una sonrisa amarga.

—Entonces le han mentido —dijo con suavidad—. Una parte de ese hombre vive con una clase de miedo que pocas personas han experimentado.

—Me resulta difícil creer eso, *monsieur*…

—Créalo. Yo soy él.

—¿Lo es, señor Webb? ¿Se obliga a adoptar otra personalidad debido a ese miedo?

David Webb observó al anciano.

—Por amor de Dios, ¿qué alternativa tengo?

—Podría desaparecer durante un tiempo, usted y su familia. Podría vivir de forma pacífica, completamente protegido, ya que su gobierno se ocuparía de ello.

—Él vendría a por mí, a por nosotros, dondequiera que estuviéramos.

—¿Durante cuánto tiempo? ¿Un año? ¿Dieciocho meses? Sin duda menos de dos años. Es un hombre enfermo; todo París, mi París, lo sabe. Considerando los enormes gastos y la complejidad de los planes destinados a atraparlo, yo aventuraría que es el último intento de Carlos. Abandone, *monsieur*. Reúnase con su esposa en Basse-Terre y luego escape a miles de kilómetros mientras pueda. Deje que vuelva a París y muera con su frustración. ¿No le parece suficiente?

—No. Él vendrá por mí, ¡a por nosotros! Esto debe terminar aquí, ahora.

—Pronto me reuniré con mi mujer, si Dios quiere, por lo tanto puedo disentir con ciertas personas. Por ejemplo, con hombres como usted, *Monsieur Le Caméléon*, con quien antes hubiese estado automáticamente de acuerdo. Ahora no. Creo que usted puede irse lejos. Creo que es consciente de que puede apartar al Chacal y seguir con su vida, algo alterada por un tiempo, pero no lo hará. Algo en su interior lo detiene; no puede permitirse una retirada estratégica, que no resultaría menos honorable por evitar la violencia. Su familia está a salvo pero otros pueden morir, y ni siquiera eso lo detiene. Debe vencer...

—Creo que ya me ha psicoanalizado bastante —lo interrumpió Bourne, mientras volvía a llevarse los prismáticos a los ojos y se concentraba en la escena al otro lado de la ventana.

—Eso es todo, ¿verdad? —preguntó el francés, estudiando a *Le Caméléon* y sin tomar sus prismáticos—. Lo han entrenado demasiado bien, le han imbuido por completo la personalidad en la que debía convertirse. Jason Bourne contra Carlos el Chacal, y Bourne debe vencer, es imprescindible que lo haga. Dos leones envejecidos, enfrentados hace años, ambos con un odio candente creado por estrategas remotos que no sospechaban las consecuencias. ¿Cuántos han perdido la vida por cruzarse en su camino? ¿Cuántos hombres y mujeres inocentes han sido asesinados...?

—¡Cállese! —gritó Jason, mientras su mente se llenaba de imágenes de París, Hong Kong, Macao, Beijing, y de la noche anterior en Manassas, Virginia.

De pronto, la puerta del depósito se abrió y el juez Brendan Prefontaine entró muy agitado.

—Está aquí —jadeó el bostoniano—. Una de las patrullas de St. Jacques, una unidad de tres hombres que se encontraba a un kilómetro y medio de aquí por la costa, perdió contacto por radio. St. Jacques envió a un guardia para que los buscase. Acaba de regresar y ya ha vuelto a irse. Los tres han sido asesinados, cada hombre tenía una bala en la garganta.

—¡El Chacal! —exclamó el fráncés—. Es su *carte de visite*. Ha anunciado su llegada.

## 16

El sol de media tarde se hallaba suspendido, inmóvil, quemando el cielo y la tierra como un globo de fuego cuya única intención fuera abrasar todo cuanto tenía debajo. Y los «cálculos por computadora» mencionados por el industrial canadiense Angus McLeod parecían confirmarse. Aunque varios hidroaviones llegaban para llevarse a algunas parejas asustadas y teniendo en cuenta que el promedio de atención que la gente dispensaba después de un suceso desagradable duraba, por término medio, sólo unas horas. Algo horrible había ocurrido durante la tormenta de la noche anterior, al parecer un terrible acto de venganza. Estaba implicado un único hombre en una *vendetta* contra viejos enemigos, un asesino que ya había abandonado la isla. Con la desaparición de aquellos engorrosos ataúdes junto con la lancha encallada en la playa, además de las palabras tranquilizadoras que el gobierno había transmitido por radio y la presencia discreta de los guardias armados, las aguas volvían a su cauce. Por supuesto, la calma aún no era completa, ya que entre ellos había alguien que estaba de luto, pero no aparecía a la vista y, según les habían dicho, muy pronto partiría. Y a pesar de todo el horror, naturalmente exagerado por los rumores supersticiosos de los nativos, éste no los afectaba. Era un acto de violencia con el que no guardaban ninguna relación y, después de todo, la vida continuaba. Varias parejas permanecieron en la posada.

—Señor, ¡seiscientos dólares diarios!

—Nadie nos busca a nosotros.

—Mierda, la próxima semana volveremos al agobio del trabajo, así que disfrutemos.

—No te preocupes, Shirley, no se publicará ningún nombre, me lo han garantizado.

Con el sol ardiente e inmóvil de la tarde, una pequeña porción del vasto Caribe recuperó su propio ambiente natural, alejando a la muerte con la siguiente aplicación de bronceador y otro trago de ron. Nada era como antes, pero las aguas de color verde azulado lamían la playa y seducían a los pocos bañistas para que introdujeran sus cuerpos en el ritmo líquido y fresco de húmeda constancia. Una paz progresiva, aunque incierta, volvió a la Isla del Sosiego.

—¡Allí! —exclamó el héroe de Francia.

—¿Dónde? —gritó Bourne.

—Los cuatro sacerdotes. Los que caminan en fila por el sendero.

—Son negros.

—El color no implica nada.

—Era un sacerdote cuando lo vi en París, en Neuilly-sur-Seine. Fontaine bajó los prismáticos y lo miró.

—¿En la Iglesia del Bendito Sacramento? —dijo con suavidad.

—No lo recuerdo... ¿Cuál de ellos es *él*?

—¿Lo ha visto con hábito de sacerdote?

—Ese hijo de puta me vio a mí. ¡Supo que lo había reconocido! ¿Cuál es?

—No está allí, *monsieur* —respondió Jean Pierre mientras volvía a colocarse los prismáticos lentamente—. Es otra tarjeta de visita. Carlos se anticipa, es un maestro de la geometría. No existe la línea recta para él, sólo muchas caras, muchos aspectos.

—Eso suena demasiado oriental.

—Veo que lo comprende. Se le ha ocurrido que quizás usted no se encuentre en esa villa, y quiere que sepa que él lo sabe.

—Neuilly-sur-Seine...

—En realidad, no. No puede estar seguro por el momento. Lo estaba en la Iglesia del Sagrado Sacramento.

—¿Qué debo hacer?

—¿Cómo considera el Camaleón que debería moverse?

—Lo más normal sería no actuar —respondió Bourne con los ojos fijos en la escena de abajo—. Y él no lo aceptaría, porque su incertidumbre es demasiado poderosa. Se diría a sí mismo: «Él es más astuto que eso. Podría destrozarlo con un cohete, así que debe hallarse en alguna otra parte.»

—Creo que tiene usted razón.

Jason tomó la radio del alféizar. Pulsó el botón y habló.

—¿Johnny?

—¿Sí?

—Esos cuatro sacerdotes negros del sendero, ¿los ves?

—Sí.

—Haz que un guardia los detenga y los conduzca al vestíbulo. Que les diga que el dueño desea verlos.

—No entrarán en la casa. Sólo han pasado para ofrecer sus oraciones al pobre hombre que está dentro. Me llamó el párroco del pueblo y le di permiso. No son peligrosos, David.

—No más que el diablo —replicó Jason Bourne—. Haz lo que te digo.

El Camaleón giró en su banqueta para observar los objetos de la habitación. Entonces se acercó a una cómoda con un espejo encima. Desenfundó la automática, rompió el cristal, recogió un fragmento y se lo llevó a Fontaine.

—Cinco minutos después de que me haya ido refleje esto en la ventana de vez en cuando.

—Lo haré desde el borde de la ventana, *monsieur*.

—Buena idea. —Jason se permitió esbozar una breve sonrisa—. Me pareció innecesario sugerirlo.

—¿Qué hará usted?

—Lo que él hace ahora. Convertirme en un turista en Montserrat, un «huésped» que deambula por la Posada del Sosiego. —Bourne volvió a coger la radio, pulsó el botón y dictó sus órdenes—. Id a la tienda de ropa masculina en el vestíbulo y traedme tres chaquetas diferentes, un par de sandalias, dos o tres sombreros de paja de ala ancha y un pantalón corto gris o tostado. Luego envía a alguien a la tienda de aparejos y conseguidme un carrete de cordel y un cuchillo... y dos bengalas de auxilio. Te veré en la escalera. Date prisa.

—Entonces, no va a seguir mi consejo —observó Fontaine, bajando los prismáticos para observarlo—. *Monsieur le Caméléon* se pondrá a trabajar.

—Se pone a trabajar —respondió Bourne mientras volvía a colocar la radio sobre el alféizar.

—Si usted, el Chacal o los dos resultan asesinados, es posible que mueran otros más, personas inocentes sacrificadas...

—No será por culpa mía.

—¿Y eso qué importa? ¿A las víctimas o a sus familias les importará quién sea el responsable?

—Yo no he escogido las circunstancias, anciano. Me han venido dadas.

—Usted puede cambiarlas, modificarlas.

—Él también.

—Él no es consciente...

—Veo que es usted una gran autoridad en esa materia.

—Acepto la acusación, pero he perdido algo que era muy valioso para mí. Tal vez por eso percibo que le queda algo de piedad.

—Cuidado con el beato reformador. —Jason se dirigió hacia la puerta y al pasar tomó la engalanada chaqueta militar que colgaba de un viejo perchero junto a la gorra de oficial—. Entre otras cosas, es un pesado.

—¿No debería estar vigilando el sendero mientras detienen a los sacerdotes? St. Jacques necesitará un rato para conseguir todo lo que le ha pedido.

Bourne se detuvo y fijó los ojos fríos en el francés charlatán. Quería irse, alejarse de aquel anciano que hablaba demasiado... ¡no callaba! Pero Fontaine tenía razón. Sería una estupidez no controlar lo que ocurría abajo. Una reacción torpe o extraña por parte de alguien, una mirada de alarma en alguna dirección inesperada... eran los pequeños detalles, los movimientos imprecisos que solían señalar el hilo oculto, la mecha de la trampa explosiva. En silencio, Jason regresó a la ventana, recogió los prismáticos y los alzó ante el rostro.

Un oficial de policía con el uniforme tostado y escarlata de Montserrat se acercó a la procesión de los cuatro sacerdotes en el sendero; resultaba evidente que el hombre se sentía tan perplejo como deferente ante los cuatro hombres que lo escuchaban mientras él señalaba amablemente las cristaleras del vestíbulo. Los ojos de Bourne estudiaron las facciones negras de cada clérigo, uno tras otro en rápida sucesión. Entonces se dirigió con suavidad al francés.

—¿Usted ve lo mismo que yo?

—El cuarto, el sacerdote que iba en último lugar —observó Fontaine—. Está alarmado, pero los otros no. Tiene miedo.

—Se ha vendido.

—Treinta piezas de plata —comentó el francés—. Bajará usted para atraparlo, por supuesto.

—Por supuesto que no —le corrigió Jason—. Se encuentra justo donde quiero que esté. —Bourne tomó la radio del alféizar—. ¿Johnny?

—¿Sí...? Estoy en la tienda. Sólo tardaré un momento.

—¿Conoces a esos sacerdotes?

—Sólo al que se hace llamar «párroco», suele venir para pedir contribuciones. En realidad no son sacerdotes, David. Son más bien «ministros» de una orden religiosa. Muy religiosa y muy local.

—¿El párroco está con ellos?

—Sí. Siempre es el primero de la fila.

—Bien. Hay un ligero cambio de planes. Lleva la ropa a tu oficina, y luego reúnete con los sacerdotes. Diles que un oficial del gobierno desea conocerlos y realizar una contribución a cambio de sus oraciones.

—¿Qué?

—Te lo explicaré más tarde. Ahora date prisa. Te veré en el vestíbulo.

—Te refieres a mi oficina, ¿verdad? Tengo las ropas, ¿lo recuerdas?

—Ellos vendrán después, cuando me haya quitado este uniforme. ¿Tienes una cámara en tu oficina?

—Tres o cuatro. Los huéspedes siempre se las dejan…

—Ponlas todas con las ropas —dijo Jason—. ¡Date prisa! —Bourne se metió la radio en el cinturón y luego cambió de idea. La sacó y se la entregó a Fontaine—. Quédese con esto. Yo conseguiré otra y me mantendré en contacto… ¿Qué está ocurriendo allí abajo?

—Nuestro alarmado sacerdote mira a diestro y siniestro mientras todos se dirigen al vestíbulo. Ahora está verdaderamente asustado.

—¿Hacia dónde mira? —preguntó Bourne mientras cogía los prismáticos.

—Eso no le servirá de nada. En todas direcciones.

—¡Mierda!

—Ahora están ante la puerta.

—Me prepararé…

—Lo ayudaré. —El anciano francés se levantó de la butaca y fue hasta el perchero. Descolgó la chaqueta y la gorra—. Si pretende hacer lo que supongo, trate de permanecer junto a una pared y no se vuelva. El ayudante del gobernador es algo más robusto que usted y debemos ajustar la chaqueta en la espalda.

—Sabe bastante de esto, ¿verdad? —comentó Jason, mientras extendía los brazos para que el anciano le colocase la prenda.

—Los soldados alemanes siempre estaban más gordos que nosotros, en especial los cabos y los sargentos, con todas esas salchichas, ya sabe. Teníamos nuestros trucos… —De pronto, como si hubiese recibido un disparo o acabase de sufrir una convulsión, Fontaine lanzó una exclamación y luego saltó frente a Bourne—. *¡Mon Dieu…!* *¡C'est terrible!* El gobernador…

—¿Qué?

—¡El gobernador de la Corona!

—¿Qué le pasa?

—En el aeropuerto, ¡todo sucedió tan rápido! —exclamó el anciano francés—. Y con todo este lío, mi mujer, el asesinato… Sin embargo, ¡mi descuido es imperdonable!

—¿De qué está hablando?

—Ese hombre en la villa, el oficial militar cuyo uniforme lleva usted puesto. ¡Es su ayudante!

—Ya lo sé.

—Lo que no sabe, *monsieur*, es que mis primeras instrucciones provenían del gobernador de la Corona.

—¿Instrucciones?

—¡Del Chacal! Él es el contacto.

—Oh, Dios mío —susurró Bourne, corriendo ya hacia la butaca donde Fontaine había dejado la radio. Inspiró profundamente mientras la cogía. Los pensamientos se sucedían a toda velocidad, pero era imprescindible que se controlase—. ¿Johnny?

—¡Por amor de Dios, tengo las manos ocupadas, voy hacia mi oficina y esos malditos monjes me esperan en el vestíbulo! ¿Qué diablos quieres ahora?

—Tranquilízate y escucha con sumo cuidado. ¿Hasta qué punto conoces a Henry?

—¿Sykes? ¿El hombre del gobernador?

—Sí. Lo he visto varias veces, pero no lo conozco muy a fondo, Johnny.

—Lo conozco muy bien. Tú no tendrías una casa y yo no tendría la Posada del Sosiego de no ser por él.

—¿Está en contacto con el gobernador? Quiero decir ahora mismo, ¿lo mantiene informado sobre lo que ocurre aquí? Piensa, Johnny. Es importante. Hay un teléfono en la villa, él podría hablar con la Casa de Gobierno. ¿Lo ha hecho?

—¿Quieres decir con el gobernador en persona?

—Con cualquiera de allí.

—Créeme, no lo ha hecho. Todo se mantiene tan en secreto que ni siquiera la policía sabe qué está ocurriendo. Y en lo que se refiere al gobernador, sólo ha recibido una información superficial, sin nombres ni detalles. Además, ha salido en su bote y no quiere saber una palabra de esto hasta que todo haya terminado... Éstas fueron sus órdenes.

—No me extraña.

—¿Por qué lo preguntas?

—Te lo explicaré luego. ¡Date prisa!

—¿Quieres dejar de repetir lo mismo?

Jason apoyó la radio y se volvió hacia Fontaine.

—El gobernador no pertenece el ejército de ancianos del Chacal. Pertenece a otra clase de reclutas, probablemente como ese abogado Gates. Hombres que tienen miedo o han sido comprados, sin comprometer su alma en ello.

—¿Está seguro? ¿Su cuñado estaba seguro?

—El hombre ha salido en su bote. Ha recibido un informe a grandes rasgos, pero eso ha sido todo. Ordenó que no le dijesen nada más hasta que la cuestión se hubiese zanjado.

El francés suspiró.

—Es una pena que mi cerebro esté tan viejo y oxidado. Si lo hubiese recordado antes, podríamos haberlo utilizado. Venga, la chaqueta.

—¿Cómo lo hubiésemos hecho? —preguntó Bourne, extendiendo de nuevo los brazos.

—Él se ha retirado a la platea... ¿Cómo se dice?

—Está fuera de juego, sólo es un observador.

—He conocido a muchos como él. Desean que Carlos pierda. Es su único camino para librarse de todo, pero está demasiado aterrorizado como para alzar una mano contra el Chacal.

—Entonces, ¿cómo podríamos utilizarlo? —Jason se abrochó la chaqueta mientras Fontaine manipulaba el cinturón y la tela de la espalda.

—¿*Le Caméléon* me lo pregunta?

—Me falta práctica.

—Ah, sí —dijo el francés mientras ajustaba el cinturón con firmeza—. Ese hombre a quien he tratado de convencer.

—Cállese... ¿Cómo?

—*Très simple, monsieur.* Le diremos que el Chacal ya sabe que ha cambiado de bando, yo se lo diré. ¿Quién mejor que el emisario del *monseigneur*?

—Usted sí que sabe. —Bourne encogió el vientre mientras Fontaine lo hacía girar, acomodando las solapas y los galones de la chaqueta.

—Soy un superviviente, ni mejor ni peor que otros, excepto en lo que se refería a mi mujer. Con ella era mejor que la mayoría.

—La amaba mucho, ¿verdad?

—¿Amor? Oh, supongo que eso se da por supuesto, aunque raras veces se exprese. Tal vez se trate del placer que proporciona el conocerse tanto, aunque tampoco se demuestre una gran pasión. No es necesario terminar una frase para que te comprendan, y una mirada puede provocar la risa sin que se pronuncie una palabra. Viene con los años, supongo.

Jason permaneció inmóvil un momento, mirando al francés de forma extraña.

—Anhelo los años que usted ha disfrutado, anciano, los anhelo con todas mis fuerzas. Los que yo he vivido con mi... mujer... están llenos de heridas que no cicatrizan, que no sanarán hasta que no haya cambiado o desaparecido algo muy profundo. Así son las cosas.

—Entonces usted es demasiado fuerte, demasiado osbtinado, ¡o demasiado estúpido! No me mire de ese modo. Ya se lo he dicho, yo no le tengo miedo, yo ya no le temo a nadie. Pero si lo que dice es cierto, si de verdad se encuentra en esa situación, entonces le sugiero que olvide todos los pensamientos relacionados con el amor y se concentre en el odio. Si no puedo razonar con David Webb, debo estimular a Jason Bourne. Un Chacal lleno de odio debe morir, y sólo Bourne puede matarlo... Aquí tiene la gorra y las gafas de sol. Permanezca contra una pared o parecerá un pavo real.

Sin añadir palabra, Bourne se bajó la visera de la gorra y se colocó las gafas. Luego salió y cuando bajaba rápidamente la sólida escalera de madera, estuvo a punto de chocar con un camarero de chaqueta blanca y negra que llevaba una bandeja. Jason saludó al joven con un leve movimiento de cabeza y continuó su camino, pero un ligero zumbido y un movimiento repentino que alcanzó a ver por el rabillo del ojo lo pusieron alerta. ¡El camarero estaba sacando un transmisor electrónico del bolsillo! Jason giró, se abalanzó sobre el muchacho y le quitó el aparato mientras la bandeja caía al suelo en el rellano. Con el transmisor en una mano y el cuello del camarero en la otra, habló en voz muy baja.

—¿Quién te ha ordenado hacer esto? ¡Dímelo!

—¡*Mon*, no tiene derecho! —exclamó el joven, y acto seguido le dio un puñetazo en la mejilla izquierda—. ¡No queremos un *mon* malo aquí! ¡Nuestro jefe es el mejor! ¡Usted no me asusta! —El camarero clavó la rodilla en la entrepierna de Jason.

—¡Niñato hijo de puta! —gritó *Le Caméléon* abofeteando el rostro del joven mientras se cubría los testículos con la mano izquierda—. ¡Yo soy su amigo, su *hermano*! ¿Quieres detenerte...? ¡Johnny Saint Jay es mi hermano! ¡Mi cuñado, si eso marca alguna maldita diferencia!

—¿Qué? —exclamó el joven alto y atlético con un toque de resentimiento en sus grandes y desconcertados ojos color café—. ¿Usted es el hombre que va con la hermana del jefe Saint Jay?

—Soy su marido. ¿Quién mierda eres tú?

—¡Soy el mayordomo principal del primer piso, señor! Pronto trabajaré en la planta baja porque soy muy eficiente. También soy un excelente luchador, mi padre me ha enseñado, aunque ahora él es viejo, como usted. ¿Quiere pelear más? ¡Creo que le vencería! Tiene canas en el cabello...

—¡Cállate...! ¿Para qué llevas ese transmisor? —preguntó Jason al tiempo que alzaba el pequeño aparato de plástico oscuro y se apartaba del joven, todavía transido de dolor.

—¡No lo sé, *mon*... señor! Han ocurrido cosas malas. Tenemos instrucciones de apretar los botones si vemos hombres por la escalera.

—¿Por qué?

—Nuestros ascensores son muy rápidos, señor. ¿Por qué iba nadie a utilizar las escaleras?

—¿Cómo te llamas? —preguntó Bourne, mientras volvía a colocarse la gorra y las gafas.

—Ishmael, señor.

—¿Como en *Moby Dick*?

—No conozco a esa persona, señor.

—Tal vez lleguen a presentártela.

—¿Por qué?

—No estoy seguro. Eres muy buen luchador.

—No veo la relación, *mon*... señor.

—Yo tampoco. —Jason se enderezó—. Quiero que me ayudes, Ishmael. ¿Lo harás?

—Sólo si su hermano lo permite.

—Lo hará. Él es mi hermano.

—Debe decírmelo él mismo, señor.

—Muy bien. Desconfías de mí.

—Sí, señor —reconoció Ishmael mientras se arrodillaba para recoger las cosas de la bandeja, separando los platos rotos de los enteros.— ¿Usted aceptaría la palabra de un hombre fuerte, con el cabello canoso, que corre escaleras abajo, le ataca y dice cosas que cualquiera podría decir...? Si quiere pelear, el que pierda debe confesar la verdad. ¿Quiere pelear?

—No, no quiero pelear y no insistas más. No soy tan viejo y tú no eres tan bueno, jovencito. Deja esa bandeja y acompáñame. Se lo explicaré al señor St. Jacques. Te lo recuerdo, es mi hermano, el hermano de mi esposa. ¡Al diablo con ello, vamos!

—¿Qué quiere que haga, señor? —preguntó el camarero mientras se ponía en pie y lo seguía.

—Escúchame —dijo Jason, deteniéndose poco antes de llegar a la planta baja—. Adelántate a mí en el vestíbulo y camina hasta la puerta principal. Vacía ceniceros o haz algo, trata de parecer ocupado pero concéntrate en mirar a tu alrededor. Yo saldré poco después. Me verás hablar con Saint Jay y cuatro sacerdotes que estarán con él...

—¿Sacerdotes? —lo interrumpió el sorprendido Ishmael—. ¿Hombres con sotana, señor? ¿Cuatro? ¿Qué están haciendo aquí, *mon*? ¿Ocurren más cosas malas? ¿El *obeah*?

—Han venido aquí a rezar para que dejen de ocurrir las cosas malas, para detener al *obeah*. Pero es importante que hable con uno de ellos a solas. Cuando abandonen el vestíbulo, es posible que este sacerdote se aparte de los demás para estar sólo, o posiblemente para encontrarse con otra persona. ¿Crees que podrías seguirlo sin que te vea?

—¿El señor Saint Jay me dirá que lo haga?

—Supongamos que yo le pida que te mire y asienta con la cabeza.

—Entonces lo haré. Soy más rápido que la mangosta y al igual que ella, conozco cada palmo del Sosiego... ¿Pero cómo sabré a qué sacerdote debo seguir? Es posible que más de uno se aleje por su cuenta.

—Hablaré con los cuatro por separado. Él será el último.

—Entonces lo sabré.

—Piensas bastante rápido —dijo Bourne—. Tienes razón; podrían separarse.

—Pienso bien, *mon*. Soy el quinto de mi clase en la Academia Técnica de Montserrat. Las cuatro que me superan son mujeres, así que no tienen que trabajar.

—Una observación interesante...

—¡Dentro de cinco o seis años habré ahorrado bastante para asistir a la universidad de Barbados!

—Tal vez antes. Ahora ve. Entra al vestíbulo y dirígete a la puerta. Luego, cuando los sacerdotes se hayan ido, saldré a buscarte, pero no llevaré este uniforme y no podrás reconocerme. Si yo no me reúno contigo, búscame dentro de una hora... ¿Dónde? ¿Dónde hay un sitio apartado?

—La capilla del Sosiego, señor. El camino que cruza el bosque sobre el sector este de la playa. Allí nunca va nadie; ni en domingo.

—La recuerdo. Es buena idea.

—Queda un tema pendiente, señor...

—Cincuenta dólares norteamericanos.

—¡Gracias, señor!

Jason esperó junto a la puerta durante noventa segundos y luego la abrió apenas un centímetro. Ishmael se hallaba en su puesto, junto a la entrada, y John St. Jacques hablaba con los cuatro sacerdotes varios metros a la derecha de la recepción. Bourne se estiró la chaqueta, enderezó los hombros al estilo militar y salió al vestíbulo en dirección a los sacerdotes y al dueño de la Posada del Sosiego.

—Es un honor y un privilegio, padres —saludó a los cuatro clérigos negros, mientras St. Jacques lo observaba con sorpresa y curiosidad—. Soy nuevo aquí en las islas y debo manifestar que estoy muy impresionado. Al gobierno le complace particularmente que ustedes hayan acudido a calmar nuestras aguas turbulentas —continuó Jason, con las manos firmemente tomadas a la espalda—. Por sus esfuerzos, el gobernador de la Corona ha autorizado al señor St. Jacques a extenderles un cheque de cien libras para su iglesia, cifra que les será reembolsada por el tesoro, por supuesto.

—Es un gesto tan generoso que me deja sin palabras —agradeció el párroco, con sinceridad en su voz melodiosa.

—Podría decirme de quién ha sido la idea —continuó el Camaleón—. Muy conmovedor, muy conmovedor, en efecto.

—Oh, yo no puedo atribuirme el mérito, señor —respondió el párroco mirando, al igual que los otros dos, al cuarto hombre—. Fue idea de Samuel. Él es un excelente pastor de nuestro rebaño.

—Muy bien, Samuel —Bourne dirigió una mirada penetrante al cuarto hombre—. Pero desearía expresar mi agradecimiento a cada uno en privado. Y conocer sus nombres. —Jason estrechó las tres manos e intercambió algunas palabras con ellos. Entonces llegó al último sacerdote, cuyos ojos se apartaban de los suyos—. Ya conozco su nombre, Samuel —dijo en voz baja y apenas audible—. Me gustaría saber a quién se lo ocurrió la idea antes de que usted se atribuyera el mérito.

—No lo comprendo —susurró Samuel.

—Por supuesto que sí, es un excelente pastor, debe de haber recibido otra contribución muy generosa.

—Me confunde con otra persona, señor —murmuró el cuarto sacerdote. Por un instante, sus ojos oscuros revelaron un miedo profundo.

—Yo no cometo errores, y su amigo lo sabe. Estaré tras usted, Samuel, y lo encontraré. Tal vez no hoy, pero sin duda mañana o pasado. —Bourne alzó la voz mientras soltaba la mano del sacerdote—. De nuevo, el más profundo agradecimiento del gobierno, padres. La Corona está muy complacida. Y ahora debo seguir mi camino, una docena de llamadas telefónicas solicitan mi atención… ¿Su oficina, St. Jacques?

—Sí, por supuesto, general.

Una vez en la oficina, Jason sacó la automática y se quitó el uniforme mientras separaba la pila de ropa que el hermano de Marie le había conseguido. Se puso un pantalón corto color gris, escogió una chaqueta rayada roja y blanca y el sombrero de paja de ala más ancha. Luego se quitó los calcetines y los zapatos, se colocó las sandalias y se enderezó.

—¡Maldita sea! —exclamó, quitándose las sandalias para volver a calzarse sus zapatos con suela de goma. Estudió las diversas cámaras con los accesorios y después de escoger la más liviana y complicada, se cruzó las correas sobre el pecho. John St. Jacques entró en la habitación con una pequeña radio manual.

—¿De dónde diablos vienes? ¿De Miami Beach?

—En realidad de un poco más al norte, digamos Pompano. No tengo un aspecto tan llamativo.

—Desde luego tienes razón. Allí fuera algunos jurarían que eres un conservador del antiguo Cayo Hueso. Aquí está la radio.

—Gracias. —Jason colocó el pequeño aparato en el bolsillo superior de la chaqueta.

—Y ahora, ¿adónde vas?

—A buscar a Ishmael, el muchacho al que te pedí que hicieras una seña con la cabeza.

—¿Ishmael? Yo no le hice ninguna seña, sólo dijiste que debía asentir con la cabeza mirando hacia la puerta.

—Da lo mismo. —Bourne guardó la automática en el cinturón, bajo la chaqueta, y observó el equipo que le había proporcionado la tienda de aparejos. Cogió el carrete de cordel y el cuchillo, y se los guardó en el bolsillo. Luego abrió un estuche de cámara vacío y guardó las bengalas dentro. No era todo lo que hubiese querido pero bastaba. Ya no era el mismo de trece años atrás e incluso entonces ya no se sentía tan joven. Su mente funcionaba mejor y más rápido que su cuerpo, hecho que él aceptaba de mala gana. ¡Mierda!

—Ese Ishmael es un buen muchacho —comentó el hermano de Marie sin ningún propósito definido—. Es bastante listo, y fuerte como un novillo de feria. Estoy pensando en destinarlo a la guardia dentro de un año o dos. La paga es mejor.

—Piensa en Harvard o Princeton si cumple bien su trabajo esta tarde.

—Vaya, esa sí que es una buena idea. ¿Sabías que su padre fue campeón de lucha en las islas? Por supuesto, ahora ya se encuentra algo...

—¿Quieres quitarte de en medio? —exclamó Jason mientras se dirigía hacia la puerta—. ¡Tú tampoco tienes exactamente dieciocho años! —añadió un instante antes de salir.

—Nunca he dicho que los tuviera. ¿Qué te pasa?

—Tal vez sea el banco de arena que no advertiste, señor Seguridad. —Bourne cerró de un portazo y corrió por el pasillo.

—Qué sujeto tan quisquilloso. —St. Jacques sacudió lentamente la cabeza mientras abría su puño de treinta y cuatro años.


¡Habían pasado casi dos horas e Ishmael no aparecía por ninguna parte! Con la pierna rígida como un lisiado, Jason cojeaba convincentemente de un lado a otro de la propiedad con el ojo pegado a la cámara. Desde allí lo divisaba todo, pero ni rastro del joven Ishmael. En dos ocasiones había recorrido el sendero del bosque hasta la estructura de troncos, techo de paja y vidrieras que constituían la capilla religiosa del hotel, un santuario para la meditación construido más por su aspecto pintoresco que por su utilidad. Tal como había observado el joven camarero negro, la gente apenas la visitaba, pero ocupaba su puesto en los folletos turísticos. El sol del Caribe adquiría un tono anaranjado y descendía lentamente hacia el horizonte. Pronto las sombras del atardecer se extenderían por Montserrat y sus islas menores. Después llegaría la oscuridad, y el Chacal sabía aprovecharla. Pero un camaleón también sabía hacerlo.

—Depósito, ¿hay algo? —dijo Bourne en la radio.

—*Rien, monsieur.*

—¿Johnny?

—Estoy en el techo con seis guardias en todos los puntos. Nada.

—¿Qué hay de la cena? La fiesta de esta noche.

—Nuestro meteorólogo ha llegado hace diez minutos en un bote desde Plymouth. Le dan miedo los aviones… Y Angus ha colgado un cheque por diez mil dólares en la pizarra de anuncios del día, con la firma y el nombre por completar. Scotty tenía razón, las siete parejas estarán allí. Somos una sociedad de personas a quienes todo nos importa una mierda después de unos oportunos minutos de silencio.

—Es cosa sabida, chico… Bueno. Regreso a la capilla.

—Me alegra escuchar que alguien acude allí. Un canalla agente de viajes en Nueva York afirmó que sería un detalle atractivo, pero no me han llegado noticias suyas desde entonces. Mantente en contacto, David.

—Lo haré, Johnny —respondió Jason Bourne.

El sendero de la capilla se estaba oscureciendo, mientras las altas palmeras y el denso follaje aceleraban el proceso al ocultar los rayos del sol poniente. Jason estaba a punto de ir a la tienda de aparejos en busca de una linterna cuando, de pronto, como una señal foto-eléctrica, se encendieron una luces azules y rojas, proyectando sus amplios círculos luminosos desde el suelo hasta las copas de las palmeras. Por un momento Bourne sintió que de forma demasiado repentina, había ingresado en un profuso túnel multicolor recortado en el bosque tropical. Resultaba desorientador e inquietante a la vez. Él se había transformado en un blanco que se movía por una galería de colores brillantes.

Bourne se introdujo en la vegetación, más allá del alcance de los focos, notando los pinchazos de la maleza en las piernas desnudas. Se internó aún más en el follaje y, en una oscuridad casi completa, continuó avanzando hacia la capilla. Su marcha era lenta y trabajosa, ya que las ramas húmedas y las enredaderas se le enmarañaban alrededor de las manos y los pies. Instinto. Debía permanecer fuera de la luz, de los chillones focos, más apropiados para el carnaval de la isla.

¡Un sonido contundente! Un golpe que no formaba parte de los bosques. Entonces surgieron los comienzos de un gemido que se convirtió en una convulsión, se detuvo, ¿lo habían reprimido? Agachado, Jason se abrió paso centímetro a centímetro por entre las malezas hasta que alcanzó a distinguir la maciza puerta de la capilla. Estaba parcialmente abierta, el suave resplandor de la vela artificial penetraba en las luces azules y rojas del sendero.

*Piensa. Haz memoria. ¡Recuerda!* Sólo había estado una vez en la capilla y había reprendido en broma a su cuñado por haber gastado tanto dinero en algo inútil.

—Al menos es pintoresca —había dicho St. Jacques.

—No lo es, hermano —había respondido Marie—. No guarda relación con el lugar. Esto no es un retiro.

—Supongamos que alguien recibe malas noticias. Ya sabes, algo realmente malo...

—Sírvele un trago —había propuesto Webb.

—Entremos. En las vidrieras hemos puesto los símbolos de cinco religiones diferentes, incluyendo el sintoísmo.

—No le digas a tu hermana lo que te ha costado esto —había susurrado Webb.

Adentro. ¿Había una puerta en el interior? ¿Otra salida...? No, sólo cinco o seis hileras de bancos, luego una baranda frente a un atril elevado, bajo las primitivas vidrieras hechas por los nativos.

Adentro. Había alguien en el interior. ¿Ishmael? ¿Un desconsolado huésped del Sosiego? ¿Algún recién casado con dudas aparecidas con retraso? Jason volvió a coger la radio en miniatura del bolsillo. Se la llevó a los labios y habló con suavidad.

—¿Johnny?

—Aquí, en el techo.

—Estoy en la capilla. Voy a entrar.

—¿Ishmael está ahí?

—No lo sé. Hay alguien.

—¿Qué ocurre, Dave? Parece...

—No pasa nada —lo interrumpió Bourne—. ¿Qué hay detrás del edificio? Sobre el lado este.

—Más bosques.

—¿Algún camino?

—Había uno hace varios años; ahora está cubierto de malezas. Las cuadrillas de la construcción lo utilizaban para bajar a la playa. Te enviaré un par de guardias.

—¡No! Si te necesito, te llamaré. Corto. —Jason volvió a guardar la radio y, todavía agachado, observó la puerta de la capilla.

Ahora reinaba el silencio. No se percibía ningún ruido del interior, ningún movimiento humano, nada a excepción de la vacilante luz de la vela. Bourne se acercó al borde del camino, dejó la cámara y el sombrero de paja y abrió el estuche que contenía las bengalas. Cogió una, se la colocó bajo el cinturón y sacó la automática. Hurgó en el bolsillo izquierdo de la chaqueta hasta encontrar el mechero y luego se puso en pie para dirigirse rápidamente a una esquina del pequeño edificio, aquel inverosímil santuario en los bosques tropicales sobre una playa caribeña. Había aprendido a utilizar las bengalas mucho antes de Manassas, reflexionó mientras avanzaba lentamente hacia la entrada de la capilla. Éstas se remitían a París, trece años atrás, en un cementerio de Rambouillet. Cuando Carlos... Jason llegó al marco de la puerta y, con suma prudencia, acercó el rostro al borde para atisbar el interior.

Bourne contuvo el aliento, horrorizado, mientras la incredulidad y la furia lo invadían por completo. Sobre la plataforma, frente a los bancos de madera pulida, se hallaba el joven Ishmael. Su cuerpo descansaba sobre el atril con los brazos colgando, el rostro magullado y la sangre goteando al suelo desde la boca. Jason se sintió abrumado por la culpa; de forma repentina y devastadora, las palabras del anciano francés retumbaron en sus oídos. «Es posible que mueran otros más, personas inocentes sacrificadas.»

¡Un niño había muerto! Entrañaba una promesa, pero la muerte lo había alcanzado.

*Oh Dios, ¿qué he hecho...? ¿Qué puedo hacer?*

Con el rostro bañado en sudor y la vista nublada, Bourne cogió la bengala del bolsillo, encendió el mechero y, temblando, lo acercó a la mecha roja. Ésta prendió de inmediato y despidió un fuego blanco que siseaba como cien serpientes furiosas. Jason la arrojó al interior de la capilla, saltó dentro y cerró con fuerza la puerta. Entonces se lanzó al suelo detrás de la última hilera de bancos, cogió la radio y pulsó el botón transmisor.

—Johnny, la capilla. ¡Rodéala! —No esperó la respuesta de St. Jacques; con lo que había dicho era suficiente.

Sosteniendo la automática, a la luz de la bengala y los rayos de colores que entraban por las vidrieras, Bourne se arrastró hacia el pasillo central mientras sus ojos se fijaban en todo lo que ya no recordaba de aquel edifico. El único sitio al que era incapaz de mirar era el atril que sostenía el cuerpo del joven a quien él había asesinado. A ambos lados de la plataforma se alzaban unas arcadas estrechas cerradas con cortinas, como dos salidas a izquierda y derecha de un escenario. A pesar de la angustia que lo dominaba, Jason Bourne sintió que en su interior crecía una profunda satisfacción, una especie de exaltación morbosa. Tenía todos los ases en aquel juego mortal. Carlos había tramado una complicada trampa y el Camaleón la había echado a perder. Detrás de una de esas dos arcadas se hallaba el asesino de París.

Bourne se levantó con la espalda pegada a la pared derecha y alzó la pistola. Disparó dos veces a la arcada izquierda y las cortinas se ondularon con cada tiro. Luego saltó tras la última hilera de bancos e hincando la rodilla, disparó dos veces más a la arcada de la derecha.

Una figura aterrada se asomó entre las cortinas, aferrándose a la tela en su caída. La tela rojo oscuro se desprendió de la barra y cubrió al hombre que se desplomaba al suelo. Bourne corrió hacia allí gritando el nombre de Carlos mientras disparaba una y otra vez hasta vaciar el cargador de la automática. De pronto hubo una explosión desde arriba, y en la pared izquierda estalló todo un sector de la vidriera. Mientras los fragmentos caían al suelo, un hombre encaramado a un saliente del exterior se asomó por el hueco sobre la luz siseante y cegadora de la bengala.

—Te has quedado sin balas —dijo Carlos al aturdido Jason Bourne, que estaba bajo él—. Trece años, Delta. Trece odiosos años. Pero ahora sabrán quién ha vencido.

El Chacal levantó el arma y disparó.

## 17

Un ardor helado le desgarraba el cuello mientras caía entre la segunda y la tercera hilera de bancos. Bourne se golpeó la cabeza y la cadera contra la madera pulida y clavó las uñas en los tablones del suelo. Su visión se tornó borrosa mientras una nube oscura lo envolvía. Más allá, muy, muy a lo lejos, oyó el sonido de unas voces que gritaban histéricamente. Entonces la oscuridad fue completa.

—David. —Ahora no había gritos, aquella voz era baja y apremiante, además utilizaba un nombre que a él no le interesaba reconocer—. David, ¿me oyes?

Bourne abrió los ojos y de inmediato tuvo conciencia de dos cosas. Tenía un vendaje alrededor del cuello y estaba tendido en la cama completamente vestido. A su derecha, el rostro ansioso de John St. Jacques cobró nitidez, a su izquierda había alguien a quien no conocía, un hombre de mediana edad con una mirada firme y tranquila.

—Carlos —logró decir Jason—. ¡Era el Chacal!

—Entonces todavía está en la isla, en esta isla. —St. Jacques fue muy categórico—. Apenas ha transcurrido una hora y Henry ha ordenado rodear el Sosiego. Las patrullas recorren la costa de un lado a otro y mantienen contacto por radio. Todo es muy secreto y muy oficial. Entran algunas embarcaciones, pero no sale ni saldrá ninguna.

—¿Quién es él? —preguntó Bourne, mirando al hombre de su izquierda.

—Un médico —respondió el hermano de Marie—. Se aloja en el hotel y es amigo mío. Yo fui paciente suyo en...

—Creo que debemos ser prudentes con esto —lo interrumpió el médico canadiense con firmeza—. Me has pedido ayuda y discreción, John, y yo no he tenido inconveniente en concederte ambas cosas.

Pero considerando la naturaleza de lo sucedido, además del hecho de que tu cuñado no estará bajo mi cuidado profesional, convendría prescindir de mi nombre.

—Estoy completamente de acuerdo con usted, doctor —intervino Jason con una mueca de dolor. Entonces alzó la cabeza bruscamente, con los ojos abiertos de par en par, en una mezcla de súplica y pánico.

—¡Ishmael! Está muerto… ¡Yo lo he matado!

—No está muerto y no has sido tú —replicó St. Jacques con calma—. Se encuentra en muy mal estado, pero no está muerto. Es un chico fuerte, al igual que su padre, y saldrá de esta. Lo hemos enviado en un avión al hospital de Martinica.

—¡Dios, estaba muerto!

—Lo golpearon salvajemente —explicó el doctor—. Tenía ambos brazos rotos, heridas múltiples, contusiones, sospecho que varias lesiones internas y una grave conmoción cerebral. Sin embargo, tal como ha dicho John, es un muchacho fuerte.

—Quiero lo mejor para él.

—Ésas han sido mis órdenes.

—Bien. —Bourne volvió los ojos hacia el doctor—. ¿Es serio lo mío?

—Sin rayos X ni ver la evolución de los síntomas…, sólo puedo emitir un juicio superficial.

—Hágalo.

—Aparte de la herida, diría que hay una conmoción traumática.

—Olvídela. Eso no está permitido.

—¿Quién lo dice? —preguntó el doctor con una sonrisa amable.

—Yo, y no trato de ser gracioso. El cuerpo, no la cabeza. Yo me ocuparé de la cabeza.

—¿Es un nativo? —preguntó el doctor, mirando al dueño del Sosiego—. ¿Un Ishmael blanco y más viejo? Debo decir que no es un facultativo.

—Respóndele, por favor.

—Está bien. La bala le ha atravesado el lado izquierdo del cuello. Por cuestión de milímetros no ha afectado algunos puntos vitales que lo hubiesen dejado sin voz y probablemente muerto. He lavado y suturado la herida. Durante un tiempo tendrá dificultades para mover la cabeza, pero ésta es sólo una opinión superficial sobre su estado.

—En pocas palabras, tengo el cuello duro, pero si puedo caminar… bueno, podré caminar.

—Para ser breve, es más o menos así.

—La bengala lo hizo, después de todo —comentó Jason con suavidad, mientras movía el cuello con cuidado sobre la almohada—. Lo deslumbró lo suficiente.

—¿Qué? —St. Jacques se inclinó sobre la cama.

—No importa. Veamos cómo ando, en sentido sintomáticamente, quiero decir. —Bourne se sentó en la cama y bajó las piernas al suelo, pero sacudió la cabeza cuando su cuñado se dispuso a ayudarlo—. No, gracias, hermano. Debo hacerlo solo.

Jason se levantó, sintiéndose cada vez más incómodo con el vendaje del cuello. Dio un paso, dolorido por las contusiones de los muslos, pero eran sólo eso, carecían de importancia. Un baño caliente reduciría el dolor y unas aspirinas junto con un poco de linimento le permitirían una movilidad más normal. Era esa maldita venda alrededor del cuello; no sólo lo ahogaba, sino que lo obligaba a mover los hombros para mirar en cualquier dirección. Sin embargo, consideró, dadas las circunstancias había tenido suerte... para un hombre de su edad. Mierda.

—¿Podemos aflojar esta cosa, doctor? Me está estrangulando.

—Un poco. No querrá arriesgarse a que se abra la herida.

—¿Qué tal un vendaje elástico?

—Cede demasiado para una herida en el cuello. Se olvidaría de ella.

—Prometo no hacerlo.

—Usted sí que es gracioso.

—No es en absoluto mi intención.

—Es su cuello.

—Ya lo creo que sí. ¿Puedes conseguirlo, Johnny?

—¿Doctor? —St. Jacques miró al médico.

—No creo que podamos detenerlo.

—Enviaré a alguien a la farmacia.

—Discúlpeme, doctor —dijo Bourne mientras el hermano de Marie acudía al teléfono—. Quisiera preguntar a Johnny varias cosas y no estoy seguro de que usted quiera oírlas.

—Ya he oído más que lo que hubiese querido. Esperaré en la otra habitación—. El médico se dirigió a la puerta y salió.

Mientras St. Jacques hablaba por teléfono, Jason caminó por la habitación moviendo arriba y abajo los brazos mientras sacudía las manos para controlar el funcionamiento de su motricidad. Flexionó las rodillas cuatro veces seguidas, cada vez más rápido. Debía estar preparado, ¡tenía que estarlo!

—Sólo tardarán unos minutos —informó el cuñado mientras colgaba el aparato—. Pritchard bajará y abrirá la farmacia. Traerá vendas de diferentes tamaños.

—Gracias. —Bourne interrumpió la gimnasia—. ¿Quién era el hombre a quién disparé, Johnny? Apareció entre las cortinas de esa arcada, pero no alcancé a verle la cara.

—Nadie a quien yo conozca, a pesar de que creía conocer a todos los hombres blancos de esta isla que podían comprarse un traje caro. Debe haber sido un turista, un turista con un encargo del Chacal. Naturalmente, no llevaba ninguna identificación. Henry lo ha embarcado hacia Montserrat.

—¿Cuántas personas saben lo que ocurre aquí?

—Aparte del personal, sólo hay catorce huéspedes y nadie tiene la menor idea. He cerrado la capilla, la versión es que ha resultado dañada por la tormenta. E incluso aquellos que saben algo, como el doctor y los dos sujetos de Toronto, no están al corriente de toda la historia, sólo conocen fragmentos, y además son amigos. Confío en ellos. Los demás son aficionados al ron de la isla.

—¿Qué hay de los disparos en la capilla?

—¿Qué hay de la banda de percusión más estrepitosa de las islas? Además, estabas a seiscientos metros de la espesura del bosque. Mira, David, casi todos han partido excepto algunos obcecados que no permanecerían aquí si no fuesen viejos amigos canadienses dispuestos a demostrarme su lealtad. También hay unos pocos inconscientes que probablemente irían de vacaciones a Teherán. ¿Qué puedo decirte salvo que el bar está haciendo un excelente negocio?

—Es como una farsa desconcertante —murmuró Bourne mientras alzaba la cabeza con cuidado y miraba el techo—. Sombras que interpretan escenas violentas e inconexas detrás de pantallas blancas. Nada tiene sentido, todo se convierte en lo que tú quieras que sea.

—Eso es demasiado para mí, profesor. ¿Adónde quieres llegar?

—Los terroristas no nacen, Johnny, se hacen. Se educan con un programa de estudios que no encontrarás en ningún plan académico. Si dejamos de lado los motivos por los cuales son lo que son —y que varían desde una causa justificable hasta la megalomanía psicótica del Chacal— la farsa puede continuar porque ellos interpretan sus papeles.

—¿Y qué? —St. Jacques frunció el ceño perplejo.

—Pues que controles a tus actores, diles qué papel deben interpretar, pero no por qué.

—Eso es lo que estamos haciendo aquí, y eso es lo que hace Henry alrededor de toda la costa.

—¿De verdad?

—Mierda, sí.

—Creía que yo también lo hacía, pero me equivocaba. He sobreestimado a un niño fuerte y listo que debía realizar un trabajo simple e inofensivo, y he subestimado a un sacerdote humilde y asustado que había aceptado treinta monedas de plata.

—¿De qué hablas?

—De Ishmael y del hermano Samuel. Éste debe haber presenciado la tortura de un adolescente a través de los ojos de Torquemada.

—Tor... ¿quién?

—Lo importante es que en realidad no conocemos a los actores. Los guardias, por ejemplo, los que has enviado a la capilla...

—No soy estúpido, David —protestó St. Jacques—. Cuando llamaste para que rodeáramos el lugar, me tomé la pequeña libertad de escoger a dos hombres, a los únicos dos que elegiría. Son mis principales muchachos, ambos ex integrantes del Comando Real; están a cargo de toda la seguridad de la isla y confío en ellos, al igual que en Henry.

—¿Henry? Es un buen hombre, ¿verdad?

—Algunas veces resulta un poco irritante, pero es el mejor de las islas.

—¿Y el gobernador de la Corona?

—Es un imbécil.

—¿Henry lo sabe?

—Desde luego. No ha llegado a general de brigada por su aspecto, con esa barriga que tiene. No sólo es un buen soldado, también es buen administrador. Se ocupa de muchas cosas por aquí.

—Y tú estás seguro de que no se ha puesto en contacto con el gobernador.

—Dijo que me informaría antes de llamar al pomposo idiota, y yo lo creo.

—Sinceramente, espero que tengas razón... porque ese pomposo idiota es el contacto del Chacal en Montserrat.

—¿Qué? ¡No lo creo!

—Créelo. Está confirmado.

—¡Es increíble!

—No lo es. Ése es el estilo del Chacal. Busca los puntos débiles y los compra. Hay muy pocas personas que se resistan a sus ofertas.

Aturdido, St. Jacques se acercó a los ventanales de la terraza tratando de digerir lo increíble.

—Supongo que eso responde a muchas preguntas que nos hemos planteado. Los orígenes aristocráticos del gobernador, cuyo hermano ocupa un alto cargo en el Ministerio de Asuntos Exteriores y se encuentra muy cerca del primer ministro. A su edad, ¿por qué lo han enviado aquí? Y más aún, ¿por qué aceptó el cargo? Se podría pensar que no se conformaría con un lugar menos importante que Bermudas, o las islas Vírgenes. Plymouth puede ser un escalón, no la meta final.

—Es una especie de destierro, Johnny. Es probable que Carlos descubriera el motivo hace mucho tiempo y lo tenía en la lista. Lo ha estado haciendo durante años. La mayoría de la gente lee periódicos, libros y revistas para entretenerse; el Chacal estudia cada fuente de información que logra detectar, y ha descubierto más de lo que pueden imaginar la CIA, el KGB, las MI-Cinco y Seis, la Interpol y una docena de servicios más. Esos hidroaviones acuatizaron cuatro o cinco veces después de mi llegada de Blackburne. ¿Quién venía en ellos?

—Pilotos —respondió St. Jacques, volviéndose hacia él—. Se llevaban a la gente de aquí, no traían a nadie, ya te lo he dicho.

—Sí, me lo has dicho. ¿Estabas vigilando?

—¿Vigilando a quién?

—A cada avión que llegaba.

—¡Vamos! Me tenías con una docena de encargos al mismo tiempo.

—¿Qué hay de los dos comandos negros? Aquéllos en quienes confías tanto.

—Ellos controlaban a los otros guardias, por amor de Dios.

—Entonces en realidad no sabemos quiénes pueden haber llegado en esos aviones, ¿verdad? Quizá se deslizaron por el agua en algún pontón entre los arrecifes, tal vez frente al banco de arena.

—Por amor de Dios, David, conozco a esos pilotos desde hace años. Nos permitirían que ocurriese algo parecido. ¡De ninguna manera!

—Te refieres a que es increíble.

—Puedes apostar tu trasero.

—Como el contacto del Chacal en Montserrat. El gobernador de la Corona.

El dueño de la Posada del Sosiego observó a su cuñado.

—¿En qué clase de mundo vives?

—En uno al cual lamento que te hayas tenido que integrar. Pero ahora formas parte de él y jugarás según sus reglas, según mis reglas.

—Un punto, un reflejo, ¡un rayo infinitesimal de luz roja en la oscuridad de la noche! Con los brazos extendidos, Bourne se abalanzó sobre St. Jacques para apartarlo del ventanal que daba a la terraza—. ¡Sal de ahí! —gritó Jason instantes antes de que ambos cayeran al suelo. Tres balas sucesivas pasaron silbando sobre ellos y se incrustaron en la pared.

—¿Qué diablos...?

—¡Está allí fuera y quiere que yo lo sepa! —exclamó Bourne mientras hurgaba en el bolsillo de la chaqueta—. Él sabe quién eres, así que ocupas el primer lugar de la lista. Perteneces a la familia, y eso es lo que él utiliza para amedrentarme. ¡Mi familia!

—¡Jesús! ¿Qué haremos?

—¡Yo lo haré! —respondió Jason, mientras sacaba la segunda bengala del bolsillo—. Le enviaré un mensaje. Un mensaje que le indique por qué estoy vivo y por qué seguiré estándolo cuando él muera. ¡Quédate donde estás! —Bourne cogió el mechero del bolsillo derecho y encendió la bengala. Agachado, salió a la terraza y arrojó el deslumbrante proyectil hacia la oscuridad. Se oyeron dos chasquidos y las balas fueron a dar contra el techo de tejas y destrozaron el espejo de un tocador—. Emplea una MAC-10 con silenciador —dijo Delta de Medusa rodando contra la pared mientras se palpaba el cuello herido—. ¡Debo salir de aquí!

—¡David, estás herido!

—Qué considerado. —Jason Bourne se puso en pie y corrió hacia la sala, pero al llegar allí se encontró con el médico canadiense que lo observó con el ceño fruncido.

—He oído unos ruidos ahí dentro —comentó el doctor— ¿Todo está bien?

—Debo irme. Arrójese al suelo.

—¡Mire esto! Tiene sangre en el vendaje, la herida...

—¡Apoye el culo en el suelo!

—Usted no tiene veintiún años, señor Webb...

—¡Desaparezca de mi vida! —gritó Webb y corrió hacia la puerta. Una vez fuera, subió rápidamente por el sendero iluminado hacia el complejo principal y de pronto tomó conciencia de la banda de percusión, amplificada por varios altavoces colgados de los árboles.

Aquella cacofonía resultaba abrumadora y eso no lo perjudicaba en absoluto, pensó Jason. Angus McLeod había cumplido con su palabra. El gran comedor circular con paredes acristaladas albergaba a los pocos huéspedes que quedaban, y eso significaba que el Camaleón debía cambiar de aspecto. Conocía la mente del Chacal tanto como la suya propia, y eso significaba que el asesino haría exactamente lo mismo que hubiese hecho él en las mismas circunstancias. El lobo hambriento entraba en la cueva de su presa y se llevaba el preciado trofeo. Él haría lo mismo, cambiaría la piel del mítico camaleón para revelar una bestia mucho mayor, como un tigre de Bengala, que podía destrozar a un chacal entre sus mandíbulas. ¿Por qué eran importantes las imágenes? ¿Por qué? Él sabía la razón, y ésta le producía un enorme vacío interno, una añoranza del pasado. Ya no era un guerrillero de Medusa, tampoco era el Jason Bourne de París y del Lejano Oriente. Mucho, mucho más viejo ahora, David Webb no dejaba de entrometerse, de invadirlo, en un intento de encontrar razones en la locura y la violencia.

—¡No! ¡Aléjate de mí! ¡Tú no eres nada y yo lo soy todo...! Aléjate, David, por amor de Dios, vete.

Bourne salió del camino y corrió por el exuberante césped tropical hacia la entrada lateral de la posada. De pronto distinguió a un hombre que salía por la puerta y detuvo la marcha, jadeante, cuando de repente reconoció al sujeto y echó a correr de nuevo. Era uno de los pocos miembros del personal a quien recordaba, aunque hubiese preferido olvidarlo. Se trataba del insufrible adjuto a gerencia Pritchard, un latoso que, a pesar de su gran dedicación al trabajo, no permitía que nadie desdeñase la importancia de su familia en Montserrat, en especial la de su tío, director adjunto de Inmigración, una ventaja no tan fortuita para la Posada del Sosiego, sospechaba David Webb.

—¡Pritchard! —gritó Bourne, acercándose al hombre—. ¿Tiene los vendajes?

—¡Señor! —exclamó el adjunto a gerencia, confundido—. Está usted aquí. Nos dijeron que se había ido esta tarde...

—¡Oh mierda!

—¿Señor...? Las más sinceras condolencias que esta boca pueda expresar con palabras...

—Sólo manténgala cerrada, Pritchard. ¿Me ha comprendido?

—Por supuesto, no me encontraba aquí para recibirlo esta mañana. Tampoco esta tarde para despedirlo y expresarle mis más sentido pésame, ya que el señor Saint Jay me pidió que trabajase por la noche, toda la noche en realidad...

—Pritchard, tengo prisa. Deme los vendajes y no comente con nadie que me ha visto. Quiero que eso quede muy claro.

—Oh, por supuesto, señor —aseguró Pritchard mientras le entregaba los tres rollos distintos de cinta elástica—. Una información tan privilegiada se encuentra a salvo conmigo, a salvo como el hecho de que su esposa y sus niños se alojaban aquí... ¡Oh, Dios me perdone! ¡Discúlpeme, señor!

—Lo haré y él también si mantiene la boca cerrada.

—Está sellada. ¡Es tanto honor!

—Recibirá un tiro si abusa del honor, ¿queda claro?

—¿Señor?

—No se desmaye, Pritchard. Dígale al señor Saint Jay que me mantendré en contacto con él y que debe permanecer ahí. ¿Me ha comprendido? Debe permanecer ahí, y usted también.

—Tal vez podría...

—Olvídelo. ¡Salga de aquí! —El comunicativo adjunto a gerencia se alejó a toda prisa hacia las villas, mientras Bourne corría hasta la puerta del edificio y entraba. Subió las escaleras de dos en dos, años antes lo hubiese hecho de tres en tres, y de nuevo sin aliento llegó a la oficina de St. Jacques. Entró, cerró la puerta y se acercó rápidamente al armario donde su cuñado guardaba varias mudas de ropa. Los dos gastaban aproximadamente la misma talla, extra grande, según decía Marie, y Johnny solía tomar prestadas sus chaquetas y camisas cuando lo visitaba. Jason escogió la combinación más discreta del armario. Un pantalón liviano color gris con una chaqueta de algodón azul marino; afortunadamente, la única camisa a la vista era color café y de manga corta. Nada de ello reflejaría la luz.

Bourne había comenzado a desnudarse cuando sintió un fuerte dolor en el lado izquierdo del cuello. Alarmado, se miró en el espejo del armario y entonces se sintió furioso. El vendaje de la garganta estaba cubierto de sangre. Abrió la caja con la cinta más ancha; ya era demasiado tarde para cambiar la venda. Sólo podía reforzarla y esperar que se detuviese la hemorragia. Se rodeó el cuello con la cinta elástica y la cortó después de varias vueltas; luego aplicó unas pequeñas grapas para sostenerla en su lugar. Estaba más asfixiante que nunca; haría caso omiso de la incomodidad.

Jason se cambió de ropa y se alzó el cuello de la camisa, con la automática en el cinturón y el sedal en el bolsillo... ¡Pasos! Con la espalda pegada a la pared y la mano sobre el arma, observó cómo se abría la puerta. Fontaine entró en la habitación. El anciano lo miró un instante y luego cerró la puerta.

—He estado buscándolo. Francamente, no sabía si estaba vivo o muerto —dijo el francés.

—No utilizamos las radios a menos que sea indispensable. —Jason se apartó de la pared—. Creí que había recibido el mensaje.

—Lo hice y me parece prudente. Es probable que Carlos ya tenga su propia radio. No está sólo, ¿sabe? Por eso he vagado por el lugar tratando de encontrarlo. Luego se me ocurrió que usted y su cuñado podrían estar aquí, en la oficina. Una especie de cuartel general.

—No me parece muy inteligente de su parte empezar a dar vueltas por ahí.

—No soy idiota, *monsieur*. En caso contrario hubiese muerto hace mucho. Me he movido con gran prudencia, en realidad es por eso que me decidí a buscarlo, suponiendo que no estaba muerto.

—No lo estoy y ya me ha encontrado. ¿De qué se trata? Se supone que usted y el juez deben estar en alguna villa vacía, no vagando por la isla.

—Y así es. Verá, tengo un plan, una *stratagème* que según creo podría interesarle. Lo he discutido con Brendan...

—¿Brendan?

—Así se llama, *monsieur*. Él piensa que mi plan es bueno y ese hombre es muy brillante, muy *sagace*...

—¿Sagaz? Sí, estoy seguro de ello, pero no participa de esto.

—Es un sobreviviente. En ese sentido creo que todos estamos metidos en lo mismo. Él piensa que hay cierto riesgo, pero bajo estas circunstancias, ¿qué plan no lo tendría?

—¿Cuál es su plan?

—Es un medio para atrapar al Chacal con el mínimo de peligro para el resto de la gente que se encuentra aquí.

—Continúe—dijo Bourne, irritado—. ¿En qué consiste esta estrategia suya? Será mejor que comprenda que me propongo atrapar al Chacal aunque deba fortificar toda esta maldita isla. No estoy de humor para concesiones. Ya he cedido demasiado.

—¿Así que usted y Carlos se acechan mutuamente en la noche? Dos cazadores obsesionados con asesinarse mutuamente, sin importarles quién resulta muerto, herido o lisiado de por vida en el proceso.

—¡Si busca compasión, vaya a una iglesia y apele a ese Dios suyo que se mea en este planeta! O bien tiene un sentido del humor muy retorcido o es un sádico. Ahora hable con sensatez o me iré de aquí.

—He pensado en esto…

—¡Hable!

—Yo conozco a *monseigneur* y sé cómo piensa. Él había planeado mi muerte y la de mi mujer, pero no para que coincidiera con la suya. Nada debía distraer la atención de su inmediata victoria sobre usted. Eso vendría después. La revelación de que yo, el llamado héroe de Francia, era en realidad el instrumento y la creación del Chacal, sería la prueba final de su triunfo. ¿No lo comprende?

Jason guardó silencio unos momentos y estudió al anciano.

—Sí —respondió con suavidad—. Yo nunca había contado con alguien como usted, pero ese enfoque resume mi punto de vista. Él es un megalómano. En su cabeza es el rey del infierno y quiere que el mundo lo reconozca, tanto a él como a su trono. Desde su perspectiva, su genio ha sido pasado por alto, relegado al nivel de los asesinos comunes y los hombres de la mafia. Quiere trompetas y tambores, cuando todo lo que escucha son sirenas y fatigosos interrogatorios policiales.

—*C'est vrai.* Una vez se quejó ante mí porque en Norteamérica casi nadie sabía quién era.

—Y es cierto. Piensan que es un personaje de las novelas o del cine, y eso con suerte. Trató de remediarlo hace trece años, cuando voló desde París hasta Nueva York para matarme.

—Un momento, *monsieur.* Usted lo obligó a ir en su busca.

—Eso ya es historia. ¿Qué tiene que ver todo esto con lo de hoy? ¿Cuál es su plan?

—Nos proporcionaría una forma de obligar al Chacal a buscarme a mí, a encontrarse conmigo. Ahora. Esta noche.

—¿Cómo?

—Caminando tranquilamente por la isla, donde él o uno de sus hombres pudiese verme y oírme.

—¿Y por qué cree que eso lo obligaría a abordarlo?

—Porque no estaré con la enfermera que él me asignó. Estaré con otra persona, alguien a quien no conoce y que no tendría ningún motivo para matarme.

Bourne volvió a mirar al viejo francés en silencio.

—Un cebo —dijo finalmente.

—Un cebo tan provocativo que le volverá loco hasta que logre apropiarse de él. Me tiene en sus manos, así que puede interrogarme. Yo soy vital para el Chacal, más específicamente, mi muerte lo es, y para él todo es cuestión de tiempo. La precisión es su *dicton*, ¿cómo se dice?

—Su lema, su método de operar, supongo.

—Así ha logrado sobrevivir y cometer la mayoría de sus crímenes, aumentando con cada uno su reputación como *assassin suprême*. Hasta que del Lejano Oriente llegó un hombre llamado Jason Bourne; desde entonces jamás ha vuelto a ser el mismo. Pero usted ya sabe todo eso.

—Omita los detalles —masculló Jason—. La «cuestión de tiempo». Continúe.

—Cuando yo haya muerto, él podrá revelar quién era en realidad Jean Pierre Fontaine, el héroe de Francia. Un impostor, su impostor, su creación, el instrumento de muerte que era la trampa para Jason Bourne. ¡Qué triunfo para él…! Pero no podrá hacerlo hasta que yo esté muerto. Sería muy poco práctico. Yo sé demasiado, conozco a demasiados de mis colegas en las cunetas de París. No, debo estar muerto antes de que él experimente su triunfo.

—Entonces, lo matará en cuanto lo encuentre.

—No hasta que obtenga sus respuestas, *monsieur*. ¿Dónde está su enfermera asesina? ¿Qué ha ocurrido con ella? ¿*Le Caméléon* ha logrado descubrirla y la ha eliminado? ¿La tienen las autoridades británicas? ¿Se encuentra camino a Londres y al MI-seis, para acabar finalmente en manos de la Interpol? Hay tantas preguntas. No, él no me matará hasta que averigüe lo que desea saber. Quizá sólo necesite unos minutos para quedar satisfecho, pero confío en que mucho antes de eso usted se encontrará a mi lado para asegurar mi supervivencia, aunque no la de él.

—¿La enfermera? Quienquiera que sea, le dispararán.

—No, en absoluto. En cuanto yo compruebe que me han descubierto, me pondré furioso y le ordenaré que se vaya, que desaparezca de mi vista. Mientras camino con ella me lamentaré por la ausencia de mi querida amiga, el ángel de misericordia que tan bien cuidaba a mi esposa. Me preguntaré en voz bien alta qué le habrá ocurrido. ¿Dónde habrá ido? ¿Por qué no la he visto en todo el día? Por supuesto, llevaré una radio oculta y en marcha. Dondequiera que me lleven, ya que sin duda uno de los hombres de Carlos establecerá contacto primero, haré las preguntas típicas de cualquier anciano. ¿Por qué vamos allí? ¿Por qué estamos en este sitio? Usted me seguirá, espero sinceramente que lo haga. Entonces capturará al Chacal.

Sosteniendo erguida la cabeza, con el cuello rígido, Bourne fue hasta el escritorio de St. Jacques y se sentó en el borde.

—Su amigo, el juez Brendan, ¿así se llama?, tiene razón...

—*Pre*fontaine. Aunque Fontaine no es mi verdadero apellido, hemos decidido que pertenece a la misma familia. Cuando los primeros miembros dejaron Alsacia Lorena con rumbo a América en el siglo dieciocho con Lafayette, agregaron el *Pre* para distinguirse de los Fontaine, que se habían diseminado por toda Francia.

—¿Él le ha dicho eso?

—Es un hombre brillante, en el pasado fue un distinguido juez.

—¿Lafayette provino de Alsacia Lorena?

—No lo sé, *monsieur*. Nunca he estado allí.

—Es un hombre inteligente, y tiene razón. Su plan es factible, pero también arriesgado. Y seré sincero con usted, Fontaine. Me importa un bledo el peligro que corran usted o la enfermera, quienquiera que sea. Quiero al Chacal, y si el precio es su vida o la de una mujer a quien desconozco, no me importa. Quiero que comprenda eso.

El anciano francés observó a Jason con ojos húmedos y risueños, y luego rió suavemente.

—Es usted una contradicción transparente. Jason Bourne nunca hubiese dicho lo que usted acaba de decir. Él hubiera permanecido en silencio, aceptaría mi proposición sin hacer comentarios aunque supiese que tenía una ventaja. Sin embargo, el esposo de la señora Webb quiere participar en el asunto. Él tiene objeciones y debe ser escuchado. —De pronto Fontaine se expresó con dureza—. Líbrese de él, *monsieur* Bourne. Él no me protegerá ni matará al Chacal. Apártelo de usted.

—Ha desaparecido. Se lo juro, ha desaparecido. —El Camaleón saltó del escritorio con el cuello rígido de dolor—. Pongámonos en marcha.


La banda de percusión continuaba su ensordecedor asalto, pero ahora estaba limitada a los confines del vestíbulo y del comedor contiguo. Siguiendo órdenes de St. Jacques, habían desconectado los altavoces del parque. Los dos guardias principales habían escoltado al dueño del hotel desde la villa desocupada, junto con el médico canadiense y el señor Pritchard, que hablaba sin cesar. El adjunto a gerencia tenía instrucciones de volver a recepción y no decir nada a nadie respecto a los sucesos que había presenciado durante la última hora.

—Ni la más mínima palabra, señor. Si me preguntan, diré que hablaba por teléfono con las autoridades de Montserrat.

—¿Sobre qué? —preguntó St. Jacques.

—Bueno, yo pensé…

—No piense. Estaba controlando el servicio de camareras en las villas, eso es todo.

—Sí, señor. —Abatido, Pritchard se dirigió a la puerta de la oficina, que momentos antes había abierto el médico canadiense sin nombre.

—Dudo que sus palabras sean de importancia —observó el médico al partir el adjunto—. Hay un pequeño zoológico allí adentro. Los sucesos de anoche, combinados hoy con un exceso de sol y grandes cantidades de alcohol, esta tarde auguran a varias personas con sentimiento de culpabilidad por la mañana. Mi esposa no cree que tu meteorólogo tenga mucho que decir, John.

—¿No?

—Él mismo ya ha bebido varios tragos y, aunque conserve parte de su lucidez, no hay ni cinco personas lo bastante sobrias como para escucharlo.

—Será mejor que vaya. Bien podemos convertirlo en un pequeño carnaval. Scotty se ahorrará diez mil dólares y cuanta más distracción tengamos, mejor. Hablaré con la banda del bar y regresaré enseguida.

—Es posible que no estemos aquí —dijo Bourne mientras su cuñado partía y una corpulenta joven negra, vestida con uniforme de enfermera, salía del baño privado y entraba en la oficina. Al verla, el anciano Fontaine se acercó a ella.

—Muy bien, mi niña. Tienes un aspecto espléndido —dijo el francés—. Ahora recuerda, te cogeré del brazo mientras caminamos y hablamos, pero cuando te lo apriete y alce la voz diciéndote que me dejes solo, obedéceme, ¿de acuerdo?

—Sí, señor. Deberé irme rápidamente y enfadada porque se habrá mostrado muy poco amable conmigo.

—Eso es. No hay nada que temer, es sólo un juego. Queremos hablar con una persona que es muy tímida.

—¿Cómo anda ese cuello? —preguntó el doctor, sin poder ver el vendaje bajo la camisa de Jason.

—Bien —respondió Bourne.

—Echémosle un vistazo —dijo el canadiense, dando un paso adelante.

—Gracias, pero ahora no, doctor. Le sugiero que baje y se reúna con su esposa.

—Sí, suponía que diría eso. ¿Me permite una cosa, muy rápido?

—Muy rápido.

—Como médico he tenido que hacer muchas cosas que me desagradaban y estoy seguro de que esto entra en esa categoría. Pero cuando pienso en ese joven y en lo que le han hecho...

—Por favor —lo interrumpió Jason.

—Sí, sí, lo comprendo. De todos modos, cuente conmigo si me necesita, sólo quería que lo supiese... No me siento orgulloso de mis observaciones anteriores. He visto lo que he visto y sí tengo un nombre, y estoy dispuesto a prestar testimonio frente a un tribunal. En resumen, me retracto de mis anteriores palabras.

—No habrá ningún tribunal, doctor. Nadie prestará testimonio.

—¿De veras? ¡Pero son crímenes muy serios!

—Lo sabemos —replicó Bourne—. Apreciamos mucho su ayuda, pero no hay nada más que le concierna.

—Ya veo —dijo el doctor, mirándolo con curiosidad—. Entonces, me iré. —El canadiense fue hasta la puerta y se volvió—. Será mejor que me deje examinar esa herida más tarde. Si es que para entonces todavía tiene cuello. —El médico partió y Bourne se volvió hacia Fontaine.

—¿Listos?

—En marcha —respondió el francés, mientras observaba con una sonrisa a la joven negra, que tenía un aspecto imponente y de lo más desconcertante—. ¿Qué hará con todo el dinero que ganará esta noche, querida niña?

La muchacha rió con timidez, mostrando sus dientes blancos y brillantes.

—Tengo un novio. Le compraré un bonito regalo.

—Qué encantador. ¿Cómo se llama tu novio?

—Ishmael, señor.

—Vamos —ordenó Jason con firmeza.


El plan era simple de organizar y, al igual que casi todas las buenas estrategias, a pesar de su complejidad resultaba sencillo de ejecutar. El paseo de Fontaine por el parque del Sosiego se había programado con precisión. Primero él y la joven regresarían a la villa para visitar a la mujer enferma, antes de iniciar el habitual paseo nocturno recomendado por el médico. Permanecían a la luz del sendero principal, aunque de vez en cuando se desviarían un poco, pero siempre por zonas alumbradas. Para las miradas ajenas, se trataba de un viejo que caminaba siguiendo la dirección de sus caprichos para fastidio de su compañera. Era un espectáculo muy familiar en cualquier parte del mundo, un septuagenario irascible con ganas de molestar a su guardiana.

Los dos ex comandos reales, uno más bien bajo y el otro bastante alto, se desplazaban a medida que el francés y la «enfermera» cambiaban el rumbo. Cuando el anciano y la joven tomaron por la siguiente bifurcación, tal como habían previsto, el segundo comando se adelantó a su colega en la oscuridad utilizando rutas que sólo ellos conocían, como la que se extendía al otro lado del muro sobre el tupido bosque tropical y conducía a la playa bajo las villas. Los guardias negros trepaban como dos enormes arañas en una jungla, avanzando rápidamente entre las ramas, rocas y enredaderas para no perder a sus dos custodiados. Bourne seguía a los dos hombres con el receptor en marcha, escuchando las palabras furiosas de Fontaine a través del ruido de la estática.

—¿Dónde está esa otra enfermera? Esa muchacha encantadora que se ocupa de mi mujer. ¿Dónde está? ¡No la he visto en todo el día! —Repetía las frases una y otra vez con creciente hostilidad.

Jason resbaló. ¡Estaba atrapado! Se hallaba tras del muro costero, con el pie izquierdo enredado entre las malezas. No lograba soltarse... ¡no tenía fuerzas! Movió la cabeza, los hombros, y sintió un intenso dolor en el cuello. *No es nada. ¡Tira, arranca el pie!* Con los pulmones a punto de estallar y la camisa cubierta de sangre, logró soltarse y continuó avanzando.

De pronto distinguió unas luces de color que se reflejaban sobre la pared. Habían llegado al sendero de la capilla, y los focos azules y rojos iluminaban la entrada del santuario. Era el último destino antes de regresar a la villa de Fontaine, habían convenido en ello sobre todo para permitir que el anciano recuperase el aliento. St. Jacques había apostado un guardia para impedir la entrada en la capilla, ya que en el interior aún estaba el hombre muerto sin identificar. No habría ningún contacto allí. Entonces Bourne oyó las palabras por la radio, las palabras que debían alejar a la falsa enfermera.

—¡Váyase de aquí! —gritó Fontaine—. Usted no me gusta. ¿Dónde está nuestra enfermera? ¿Qué ha hecho con ella?

Más arriba, los dos guardias se hallaban uno junto al otro, agazapados bajo el muro. Se volvieron para observar a Jason, y a la luz espectral de los reflectores sus expresiones le indicaron lo que él ya sabía a la perfección. De allí en adelante todas las decisiones serían suyas, lo habían conducido y acompañado hasta el enemigo. El resto dependía de él.

Bourne raras veces se sentía perturbado por lo inesperado, pero esta vez sí. ¿Habría cometido Fontaine un error? ¿El anciano habría olvidado la presencia de un guardia en la capilla y suponía equivocadamente que se trataba de un hombre del Chacal? Todo era posible, pero considerando la experiencia del francés, la forma en que había sobrevivido hasta el momento y su lucidez, semejante error no era muy probable.

Entonces Bourne imaginó otra horrible posibilidad. ¿Habrían asesinado o sobornado al guardia para reemplazarlo por otra persona? Carlos era un maestro en esas cosas. Se decía que había cumplido un contrato por el asesinato de Anwar Sadat sin disparar un arma, con sólo sustituir al destacamento de seguridad del presidente egipcio por reclutas inexpertos, y el dinero gastado en El Cairo había regresado multiplicado por cien gracias a las hermandades antiisraelíes de Oriente Medio. Si esto era cierto, aplicado a la Isla del Sosiego se trataba de un juego de niños.

Jason se puso de pie, se aferró a la parte superior del muro y lenta, dolorosamente, con el cuello agonizante, fue trepando hasta llegar arriba. ¡Lo que vio entonces lo paralizó!

Fontaine se hallaba inmóvil, con la boca abierta y la mirada atónita mientras otro anciano, vestido con una gabardina color tostado, se acercaba a él y lo abrazaba. Fontaine se apartó del hombre, aterrado. Las palabras irrumpieron en la radio dentro del bolsillo de Bourne.

—¡*Claude! ¡Quelle secousse! ¡Vous êtes ici!*

El viejo amigo respondió con voz trémula, hablando en francés.

—Es un privilegio que nuestro *monseigneur* me ha permitido. Ver por última vez a mi hermana y consolar a mi amigo, su esposo. ¡Me encuentro aquí y estoy contigo!

—¿Conmigo? ¿Él te ha traído aquí? ¡Naturalmente!

—Debo llevarte con él. El gran hombre desea hablar contigo.

—¿Sabes lo que estás haciendo, lo que has hecho?

—Estoy contigo, con ella. ¿Qué importa lo demás?

—¡Ella está muerta! ¡Anoche se quitó la vida! ¡Él pretendía matarnos a los dos!

*¡Apague la radio!*, gritó Bourne en el silencio de sus pensamientos. *¡Apáguela!* Ya era demasiado tarde. La puerta izquierda de la capilla se abrió y la silueta apareció recortada en el pasillo iluminado por las luces de color. Era joven, musculoso y rubio, con facciones toscas y una postura rígida. ¿El Chacal estaba entrenando a alguien para que ocupase su lugar?

—Venga conmigo, por favor —indicó el hombre rubio en un francés suave pero frío y autoritario—. Usted —añadió, dirigiéndose al anciano de la gabardina—. Permanezca donde está. Si oye el menor ruido, dispare, mantenga el arma en la mano.

—*Oui, monsieur.*

Jason observó con impotencia cómo Fontaine entraba en la capilla. En el bolsillo de su chaqueta se produjo una descarga seguida por un chasquido, alguien había encontrado y destruido la radio del francés. Sin embargo, algo andaba mal, era ilógico, o tal vez demasiado simétrico. Carecía de sentido que Carlos utilizase por segunda vez el emplazamiento de una trampa fallida, ¡ningún sentido en absoluto! La aparición del cuñado de Fontaine era una jugada excepcional, algo digno del Chacal, una jugada inesperada que provocaría un torbellino de confusión, pero no allí, no otra vez en la capilla inútil del Sosiego. Era demasiado metódico y repetitivo, demasiado obvio. Un error.

¿Sería, por lo tanto, un acierto?, consideró Bourne. ¿Se trataba de la lógica incongruente del asesino que había eludido a cientos de servicios secretos internacionales durante casi treinta años?

Él no haría eso. Es una locura. Oh sí, tal vez sea precisamente porque sabe que lo consideraremos una locura. ¿El Chacal estaría en la capilla? En caso contrario, ¿dónde estaba? ¿Dónde había tendido la trampa? La mortal partida de ajedrez no sólo era sumamente intrincada, también era sublime por lo detallada. Otros podían morir, pero sólo uno de ellos dos sobreviviría. Era el único desenlace posible. Muerte para el vendedor de muerte o muerte para su retador; uno buscaba la continuidad de una leyenda, el otro la de su familia y su propia vida. Carlos tenía una ventaja: en el momento final lo arriesgaría todo, ya que tal como le había revelado Fontaine, era un hombre que agonizaba y a quien ya nada le importaba. Bourne tenía muchos motivos para vivir, era un cazador de edad madura cuya vida estaba marcada de forma indeleble, partida en dos por la muerte de una esposa e hijos a quienes recordaba vagamente en la lejana Camboya. ¡No podía, no debía volver a ocurrir!

Jason bajó del muro y descendió por el arrecife que se extendía a sus pies. Se arrastró hacia los dos guardias y susurró:

—Se han llevado a Fontaine al interior.

—¿Dónde está el guardia? —preguntó el hombre más cercano a él con un susurro furioso y confundido—. Yo mismo lo he emplazado allí con órdenes específicas. No debía permitir la entrada de nadie. ¡Tenía que ponerse en contacto por radio en cuanto viera a alguien!

—Entonces, me temo que no lo ha visto.

—¿A quién?

—Al hombre rubio que habla en francés.

Los dos guardias se miraron un momento y de inmediato el segundo guardia se volvió hacia Jason hablando con suavidad.

—Descríbalo, por favor —le pidió.

—De altura media, con el pecho y los hombros anchos...

—Es suficiente —lo interrumpió el primer guardia—. Nuestro hombre lo ha visto, señor. Es el tercer funcionario jefe de la policía gubernamental, un oficial que domina varios idiomas y está a cargo de las investigaciones relacionadas con drogas.

—Pero ¿por qué se encuentra aquí, *mon* —preguntó el segundo guardia a su colega—. Según ha dicho el señor Saint Jay, la policía de la Corona no lo sabe todo, ellos no forman parte de esto.

—El señor Henry, *mon*. Él tiene seis o siete botes del gobierno que recorren la costa con órdenes de detener a cualquiera que abandone el Sosiego. Son embarcaciones para controlar el narcotráfico, *mon*. El señor Henry los llama ejercicios de patrulla, así que naturalmente el jefe de las investigaciones debe estar... —El hombre se interrumpió en mitad de la frase y miró a su compañero— Entonces, ¿por qué no está en la playa? En el bote principal, *mon*.

—¿Ustedes lo aprecian? —preguntó Bourne de forma instintiva, sorprendiéndose con su propia pregunta—. Quiero decir, ¿lo respetan? Puedo estar equivocado, pero presiento algo...

—No se equivoca, señor —lo interrumpió el primer guardia—. Es un hombre cruel y no le agradan los «penjabos», como nos llama él. Es muy rápido para acusarnos y muchos han perdido su empleo debido ello.

—¿Por qué no protestan y se deshacen de él? Los ingleses les escucharían.

—El gobernador de la Corona no, señor —le explicó el segundo guardia—. Tiene en gran estima a su riguroso jefe de narcóticos. Son buenos amigos y con frecuencia salen juntos de pesca.

—Ya veo. —Jason comprendía muchas cosas y de pronto estaba alarmado, muy alarmado—. Saint Jay me ha dicho que había un sendero detrás de la capilla. Dijo que quizás estuviese cubierto de malezas, pero que todavía debía encontrarse allí.

—En efecto —le confirmó el primer comando—. El personal aún lo utiliza para bajar a la playa en sus ratos libres.

—¿Qué distancia cubre?

—Treinta y cinco, cuarenta metros. Conduce a una cuesta donde las rocas han sido talladas en peldaños para facilitar el descenso.

—¿Quién de vosotros es el más rápido? —preguntó Bourne, mientras cogía el sedal del bolsillo.

—Yo.

—¡Yo!

—Te elijo a ti —decidió Jason, señalando al guardia más bajo con un movimiento de cabeza y entregándole el carrete—. Ve hasta el sendero y, donde puedas, atraviésalo con este cordel. Átalo a los troncos o a las ramas más fuertes que encuentres. No deben verte, así que permanece alerta, mira en la oscuridad.

—¡No será ningún problema, *mon*!

—¿Tienes un cuchillo?

—¿Tengo ojos?

—Bien. Dame la ametralladora. ¡Rápido!

El guardia se alejó por la pendiente cubierta de enredaderas y desapareció en el denso follaje más abajo.

—En realidad, yo soy más rápido —protestó el segundo comando—, tengo las piernas mucho más largas.

—Por eso es que lo he escogido a él y sospecho que usted lo sabe. Las piernas largas no son ninguna ventaja aquí, sólo un impedimento, y yo lo sé muy bien. Además, al ser más bajo tiene más posibilidades de pasar inadvertido.

—Los más pequeños siempre reciben los mejores trabajos

—¿Los más peligrosos?

—¡Sí, *mon*!

—Tendrás que vivir con ello, amigo mío.

—¿Qué haremos ahora, señor?

Bourne alzó la vista hacia el muro y el reflejo suave de las luces de color.

—Se llama el juego de la espera. No se trata de ninguna canción de amor, sólo del odio que proviene de querer vivir cuando otros desean matarte. No se puede hacer nada. Sólo pensar en lo que podría o no podría estar haciendo el enemigo, y si se le habrá ocurrido algo que tú no has considerado. Como dijo alguien una vez, preferiría estar en Filadelfia.

—¿Dónde, *mon*?

—Nada. Es mentira.

De pronto, el aire pareció helarse en un alarido de horror seguido por unas palabras proferidas con pánico.

—¡*Non, non!* ¡*Vous êtes monstrueux...!* ¡*Arrêtez, arrêtez!*

—¡Ahora! —exclamó Jason mientras se echaba al hombro la correa de la ametralladora para saltar hacia el muro, donde se aferró al borde superior. La sangre comenzó a manarle del cuello. ¡No lograba subir! ¡No podía! Entonces unas manos fuertes tiraron de él y Bourne cayó al otro lado del muro—. ¡Las luces! —gritó—. ¡Dispárales!

El guardia alto alzó su fusil y los reflectores estallaron a ambos lados del sendero. De nuevo, unas manos negras y fuertes lo obligaron a ponerse en pie en la oscuridad. Y entonces apareció un rayo de luz amarilla que se movía rápidamente en todas direcciones, era una poderosa linterna halógena en la mano izquierda del guardia. En el suelo yacía la figura encogida y ensangrentada de un hombre en una gabardina beige, con la garganta abierta.

—¡Deténganse! ¡En nombre de Dios todopoderoso, deténganse donde están! —se oyó la voz de Fontaine desde el interior de la capilla.

Por la puerta entreabierta se veía la luz vacilante de las velas artificiales. Bourne y el comando se acercaron con las armas listas para disparar, pero ellos no estaban preparados para lo que vieron. Jason cerró los ojos, ya que el espectáculo le resultó demasiado doloroso. Al igual que el joven Ishmael, el anciano Fontaine estaba tendido sobre el atril de la plataforma elevada, bajo el gran ventanal destrozado de la pared izquierda. De las heridas de su rostro manaba sangre y su cuerpo estaba rodeado de alambres que conducían a varias cajas negras a ambos lados de la capilla.

—¡Regresen! —gritó Fontaine—. ¡Corran, idiotas! ¡Esto va a explotar!

—¡Oh, Dios!

—No se lamente por mí, *monsieur. le Caméléon*. ¡Me sentiré feliz de reunirme con mi mujer! Este mundo es demasiado horrible incluso para mí. Ya no me resulta divertido. ¡Corran! La carga explotará. ¡Ellos están observando!

—¡Usted, *mon*! ¡Ahora! —El segundo comando arrastró a Jason hasta el muro. Sosteniéndolo en sus brazos, lo alzó sobre la superficie de piedra y cayó con él entre el follaje.

La enorme explosión fue deslumbrante y ensordecedora. Se diría que en aquel pequeño rincón de la isla había caído un proyectil nuclear. Las llamas irrumpieron en el cielo nocturno y la capilla se transformó en un montón de escombros ardientes.

—¡El sendero! —gritó Jason con voz ronca mientras se ponía en pie entre las malezas—. ¡Vayamos al sendero!

—Usted no se encuentra en condiciones, *mon*.

—Yo me preocuparé por eso, ¡usted ocúpese de lo suyo!

—Creo que me he ocupado de los dos.

—Por eso obtendrá una maldita medalla y yo añadiré una buena suma de dinero. ¡Ahora vayamos al sendero!

Tirando y empujando mientras Bourne movía los pies como una máquina fuera de control, los dos hombres llegaron al borde del sendero que se extendía detrás de la capilla, a unos diez metros de las ruinas ardientes. Se introdujeron entre las malezas y pocos instantes después el primer guardia los encontró.

—Están entre las palmeras —informó, agitado—. Aguardarán hasta que se haya despejado el humo para ver si ha quedado alguien con vida, pero no podrán permanecer allí mucho tiempo.

—¿Usted estaba allí? —preguntó Jason—. ¿Con ellos?

—No tuve problemas, *mon*. Ya se lo he dicho, señor.

—¿Qué está ocurriendo? ¿Cuántos son?

—Eran cuatro, señor. Yo maté a uno y ocupé su lugar. Era negro, así que resulta imposible distinguirnos en la oscuridad. Todo sucedió rápida y silenciosamente. La garganta.

—¿Quién ha quedado?

—El jefe de narcóticos de Montserrat, por supuesto, y otros dos...

—¡Descríbalos!

—No pude distinguirlos con claridad, pero creo que uno era otro hombre negro, alto y algo calvo. Al tercero no pude verlo en absoluto, hasta es posible que se trate de una mujer, ya que lleva un atuendo extraño, con una tela sobre la cabeza como un sombrero para el sol o un velo contra los insectos.

—¿Una mujer?

—Es posible, señor.

—Una mujer. Deben salir de allí, ¡*él* tiene que salir de allí!

—Muy pronto correrán hasta aquí y bajarán a la playa. Allí se ocultarán en el bosque hasta que un bote venga a buscarlos. No tienen alternativa. No pueden regresar al hotel, ya que los descubrirían de inmediato. Y a pesar de que estamos lejos y la banda suena muy fuerte, los guardias apostados en el exterior deben de haber oído la explosión. Ellos lo informarán.

—Escuchadme —dijo Bourne con voz ronca y tensa—. Una de esas tres personas es el hombre que busco, ¡y lo quiero para mí! Por lo tanto, no disparéis porque lo reconoceré en cuanto lo vea. Me importan un bledo los demás, luego los encontraremos en el bosque.

De pronto se oyeron disparos entre los árboles, seguidos por gritos en la parte posterior de lo que había sido la capilla. Entonces, una tras otra, las figuras corrieron hacia el sendero. El primero en caer al suelo fue el oficial rubio de Montserrat, interceptado a la altura de la cintura por el sedal que cedió bajo su peso. El segundo hombre, delgado, alto, de tez oscura y con una delgada franja de cabello alrededor de la cabeza calva, se abalanzó sobre el primero y lo levantó para continuar la marcha hacia la playa, rompiendo los hilos con movimientos bruscos de su arma. La tercera figura apareció. No se trataba de una mujer. Era un hombre con hábito de monje. Un sacerdote. Era él. ¡El Chacal!

Bourne se levantó y corrió entre la vegetación hasta el sendero con el fusil entre las manos. ¡La victoria era suya! ¡Su libertad, la libertad de su familia le pertenecía! Cuando la figura de sotana alcanzó la cima de la primitiva escalera tallada en piedra, Jason apretó el gatillo y lo mantuvo así, disparando una andanada de balas con su arma automática.

La figura recortada del monje se contorsionó, y luego cayó rodando por los peldaños de piedra volcánica para quedar tendida finalmente en la arena. Bourne corrió hasta la playa y apartó la ensangrentada capucha del rostro del cadáver. Horrorizado, contempló las facciones oscuras de Samuel, el sacerdote de la isla del Sosiego, el Judas que había vendido su alma al Chacal por treinta monedas de plata.

De pronto, a lo lejos, se oyó el rugido de un poderoso motor doble y de entre las sombras apareció una gran lancha que se dirigía a una obertura en el arrecife. Un potente faro se encendió, iluminando las rocas que asomaban sobre la superficie agitada del agua, y su reflejo permitió ver la llameante insignia de la flota antinarcóticos del gobierno. ¡Carlos…! ¡El Chacal no era ningún camaleón, pero había cambiado! Había envejecido, estaba calvo y más delgado, ya no respondía a la imagen que Jason guardaba en la memoria. Sólo conservaba las confusas facciones latinas, con la cara y la calva quemadas por el sol. ¡Se había ido!

Los motores rugieron al unísono y la embarcación salió por la precaria apertura del risco para lanzarse a aguas abiertas. Entonces, desde un altavoz lejano, se oyó el sonido metálico de unas palabras con acento británico, que retumbaron entre los arrecifes.

—¡*París*, Jason Bourne! ¡París, si te atreves! ¿O prefieres una desconocida universidad de Maine, doctor Webb?

Con la herida del cuello completamente abierta, Bourne se derrumbó en el agua y su sangre se confundió con el mar.

## 18

Steven de Sole, el obeso guardián de los principales secretos de la CIA, abandonó el asiento del conductor con dificultad y permaneció en el desierto aparcamiento del pequeño centro comercial en Annapolis, Maryland. La única luz provenía de una gasolinera cerrada, detrás de cuya ventana dormía un gran pastor alemán. De Sole se acomodó las gafas de montura metálica y tuvo que forzar la vista para distinguir las manecillas del reloj. Debían de ser entre las tres y cuarto y las tres y veinte de la madrugada, lo cual significaba que era temprano y eso estaba bien. Debía ordenar sus pensamientos; era incapaz de hacerlo mientras conducía ya que su severa miopía lo obligaba a concentrarse por completo en el camino; por otra parte no podía ni pensar en tomar un taxi o pagar un chófer.

Primero estaba la información. Bueno, sólo se trataba de un nombre, un nombre bastante común.

—Se llama David Webb —había dicho el informante.

—Gracias —había respondido él.

También había recibido una descripción superficial que hubiese podido corresponder a varios millones de hombres, por lo tanto, después de volver a dar las gracias al informante, había colgado el teléfono. Pero entonces, en el fondo de su mente analítica, entrenada para almacenar datos esenciales e irrelevantes, había sonado una alarma. Webb, Webb... ¿*amnesia*? Una clínica de Virginia, años atrás. Un hombre entre la vida y la muerte había llegado desde un hospital en Nueva York, y el registro médico era tan secreto que ni siquiera podía presentarse en el Despacho Oval. Sin embargo, los especialistas en interrogatorios discutían en los rincones oscuros, tanto para descargar su frustración como para impresionar al oyente, y él había oído hablar de un paciente reacio e intratable, un paciente al que llamaban «Davey» o algunas veces sólo el breve y hostil «Webb». Este hombre había formado parte del infame Medusa de Saigón y se sospechaba que estaba fingiendo una pérdida de la memoria. Alex Conklin les había dicho que el hombre de Medusa a quien habían entrenado para atrapar a Carlos el Chacal, un agente llamado Jason Bourne, sufría amnesia. ¡Además, había estado a punto de perder la vida, porque sus superiores no se tragaban la historia de la amnesia! Éste era el hombre al que llamaban «Davey», David. ¡David Webb era el Jason Bourne de Conklin! ¿Cómo podía ser de otro modo?

¡David Webb! Y Webb había estado en la casa de Norman Swayne la noche en que la Agencia recibió la noticia de que el pobre cornudo de Swayne se había quitado la vida, ¡un suicidio que no había aparecido en los periódicos por motivos que De Sole no alcanzaba a comprender! David Webb. El viejo Medusa. Jason Bourne. Conklin. ¿Por qué?

Los faros de una limusina iluminaron la oscuridad al otro lado del aparcamiento, y el analista de la CIA cerró los ojos ya que la luz refractada a través de sus gruesas gafas le causaba dolor. Debía revelar sus deducciones a aquellos hombres. Gracias a ellos él y su esposa tenían la vida con que habían soñado y dinero. Una educación en las mejores universidades para sus nietos, no las escuelas públicas y las becas mendigadas que le permitía el salario que el gobierno le pagaba como funcionario, un funcionario mucho más eficaz que todos los que le rodeaban. Lo llamaban «el mudo», pero no le pagaban en relación con su experiencia, la misma experiencia que le impedía ingresar en el sector privado, ya que estaba rodeado de tantas trabas legales que resultaba inútil intentarlo. Algún día Washington lo comprendería, pero para entonces él ya estaría muerto y por lo tanto sus seis nietos habían decidido por él. El nuevo Medusa le había hecho una oferta muy generosa, y en su amargura él la había aceptado sin vacilar.

Ahora consideraba que su decisión no era menos ética que la que cada año tomaban tantos empleados del Pentágono al abandonar Arlington para arrojarse en los brazos corporativos de sus viejos amigos, los contratistas de defensa. Tal como le dijera un coronel del ejército, «es trabajar ahora y cobrar más adelante», y Dios sabía que Steven de Sole trabajaba como un loco para su país, aunque éste no le correspondía del mismo modo. Sin embargo, no le gustaba el nombre Medusa, y raras veces lo usaba porque era un símbolo de otros tiempos, siniestros y engañosos, de las grandes compañías petroleras y los ferrocarriles nacidos de las trampas legales y la corrupción. Pero ahora ya no eran lo que habían sido en el pasado. Medusa podía haber nacido en la venalidad de un Saigón devastado por la guerra, pero ese Medusa ya no existía, había sido reemplazado por una docena de nombres y compañías diferentes.

—No somos puros, señor De Sole, ningún conglomerado internacional controlado por los norteamericanos lo es —había reconocido su reclutador—. Y es cierto que buscamos un provecho económico, que algunos llamarían deshonesto, basándonos en información privilegiada. Secretos, si lo prefiere. Mire, los necesitamos porque los tienen nuestros competidores de Europa y el Lejano Oriente. La diferencia entre ellos y nosotros radica en que sus gobiernos los apoyan, el nuestro no. Comercio, señor De Sole, lucro y comercio. Son las actividades más saludables del mundo. Es posible que a Chrysler no le agrade Toyota, pero el astuto señor Iacocca no pide un ataque aéreo sobre Tokyo. Al menos, aún no. Busca una manera de unir fuerzas con los japoneses.

Sí, reflexionó De Sole mientras la limusina se detenía a unos tres metros de él. Lo que él hacía por la «corporación», tal como prefería llamarla, podía incluso considerarse benévolo. Después de todo, el lucro económico era más deseable que las bombas, y sus nietos asistirían a las mejores escuelas y universidades del país. Dos hombres bajaron de la limusina y se acercaron a él.

—¿Cómo es este Webb? —preguntó Albert Armbruster, director de la Comisión Federal de Comercio, mientras caminaban por el borde del aparcamiento.

—Sólo tengo una descripción del jardinero, que se ocultaba tras una cerca a diez metros de distancia.

—¿Qué le dijo? —El compañero no identificado del director, un hombre bajo y rechoncho con cabello, cejas y ojos oscuros, miró a De Sole—. Sea preciso —agregó.

—Aguarde un minuto —protestó el analista, a la defensiva pero firme—. Yo soy preciso en todo lo que digo y, francamente, quienquiera que sea usted, no me gusta en lo más mínimo su tono de voz.

—Está molesto —comentó Armbruster como si no hubiese que prestarle atención—. Es un italiano de Nueva York y no confía en nadie.

—¿Quién es de fiar en Nueva York? —preguntó el hombre bajo y moreno, riendo mientras clavaba un codo en la voluminosa figura de Albert Armbruster—. Ustedes, los blancos anglosajones protestantes, son los peores. ¡Tienen los bancos, *amico*!

—Dejemos que siga con lo suyo... La descripción, por favor. —El director miró a De Sole.

—Es incompleta, pero existe una vieja relación con Medusa que le describiré, de forma precisa.

—Adelante, amigo —invitó el hombre de Nueva York.

—Es un hombre alto, de unos cincuenta años y...

—¿Tiene las sienes algo canosas? —lo interrumpió Armbruster.

—Bueno, sí, creo que el jardinero mencionó algo al respecto, habló de cabellos grises o algo así. A partir de este dato hemos calculado su edad.

—Es Simon —dijo Armbruster, mirando al neoyorquino.

—¿Quién? —De Sole se detuvo mientras los otros dos hacían lo mismo y lo observaban.

—Dijo llamarse Simon, y lo sabía todo respecto a usted, señor CIA —respondió el director—. A usted, a Bruselas y a todos nuestros asuntos.

—¿De qué está hablando?

—Para empezar, de su maldito fax que funciona exclusivamente entre usted y ese loco de Bruselas.

—¡Es una línea confidencial!

—Alguien ha encontrado la clave, señor Precisión —informó el neoyorquino sin sonreír.

—¡Oh, Dios mío, es terrible! ¿Qué debo hacer?

—Invente una historia entre usted y Teagarten, pero hágalo desde teléfonos públicos —continuó el mafioso—. A alguno de los dos se les ocurrirá algo.

—¿Usted sabe lo de Bruselas?

—Hay muy poco que yo ignore.

—¡Ese hijo de puta me hizo pensar que era uno de los nuestros y me agarró por las pelotas! —protestó Armbruster con ira mientras reanudaba la marcha por el borde del aparcamiento. Los otros dos lo siguieron, pero De Sole lo hizo de forma vacilante y aprensiva—. Parecía estar al corriente de todo, pero ahora que pienso en ello, el hombre sólo mencionó algunos datos, aspectos importantes como Burton, usted o Bruselas y yo, como un idiota, le proporcioné el resto de la información. ¡Mierda!

—¡Un momento! —exclamó el analista de la CIA, obligándolos a detenerse de nuevo—. No comprendo. Soy un estratega y no comprendo. ¿Qué hacía David Webb, o Jason Bourne, si son la misma persona, en la casa de Swayne la otra noche?

—¿Quién diablos es Jason Bourne? —rugió el director de la Comisión Federal de Comercio.

—Está relacionado con el Medusa de Saigón que acabo de mencionarle. Hace trece años, la Agencia le dio el nombre de Jason Bourne, que perteneció a un sujeto ya muerto por entonces, y lo envió con toda su protección a cumplir una misión Cuatro-Cero.

—Una operación con todas las posibilidades de éxito, por así decirlo, *paesano*.

—Sí, eso era. Pero las cosas salieron mal; él sufrió una pérdida de memoria y toda la operación se vino abajo, aunque él logró sobrevivir.

—¡Dios mío, qué montón de ineptos!

—¿Qué puede decirnos respecto a este Webb… o Bourne, este Simón o «Cobra»? ¡Señor, parece una feria ambulante!

—Al parecer, así es como funcionaba. Adoptaba nombres, aspectos y personalidades diferentes. Había recibido entrenamiento en ese sentido cuando lo enviaron a desafiar al asesino conocido como Carlos el Chacal, a encontrarlo y asesinarlo.

—¿El Chacal? —preguntó el sorprendido *capo supremo* de la Cosa Nostra—. ¿Cómo en la película?

—No, idiota, no se trata de una película ni de un libro…

—Tranquilo, *amico*.

—Oh, cállese… Ilich Ramírez Sánchez, también conocido como Carlos el Chacal, es una persona de carne y hueso, un asesino profesional que las autoridades internacionales han estado buscando durante más de un cuarto de siglo. Aparte de innumerables golpes confirmados, se rumorea que estaba detrás de todo en Dallas, el verdadero asesino de John Kennedy.

—Bromea.

—Se lo puedo asegurar, no bromeo. La información recibida en los más altos niveles de seguridad de la Agencia indicaba que, después de todos estos años, Carlos había localizado al único hombre que puede identificarlo: Jason Bourne o, según mis deducciones, David Webb.

—¡Esta información tuvo que provenir de alguien! —estalló Albert Armbruster—. ¿Quién fue?

—Oh, sí. Todo es tan repentino, tan confuso… Se trata de un agente de campaña retirado con una pierna lisiada, un hombre llamado Conklin, Alexander Conklin. Él y un psiquiatra, Morris Panov, son muy amigos de Webb o Jason Bourne.

—¿Dónde están? —preguntó el *capo supremo* con expresión sombría.

—Oh, no podría ponerse en contacto con ninguno de los dos. Están bajo las normas de máxima seguridad.

—No le he preguntado bajo qué normas se encuentran, *paesano*, sino dónde.

—Bueno, Conklin está en un piso de Vienna, una propiedad del gobierno en la que nadie puede penetrar. Y tanto el apartamento de Panov como su consultorio están bajo vigilancia las veinticuatro horas del día.

—Me dará las direcciones, ¿verdad?

—Desde luego, pero le aseguro que no hablarán con usted.

—Oh, eso sería una pena. Sólo buscamos a un sujeto que utiliza una docena de nombres, hace preguntas y ofrece ayuda.

—No lo comprarán.

—Tal vez yo pueda vendérselo.

—Maldición, ¿por qué? —exclamó Armbruster y de inmediato bajó la voz—. ¿Por qué este Webb, o Bourne, o quien diablos sea se encontraba en la propiedad de Swayne?

—Eso es un vacío que no logro llenar —admitió De Sole.

—¿Un qué?

—Es un término de la Agencia para indicar que no hay respuesta.

—No me extraña que este país esté en apuros.

—Eso no es cierto…

—¡Ahora, cállese! —le ordenó el hombre de Nueva York mientras sacaba una pequeña agenda y un bolígrafo del bolsillo—. Escriba las direcciones de ese fantasma retirado y del psiquiatra judío. ¡Ahora!

—No veo bien —dijo De Sole mientras escribía, volviendo la agenda hacia las luces de neón de la gasolinera cerrada—. Aquí tiene. El número de apartamento puede ser incorrecto, pero lo encontrará cerca y el nombre de Panov figurará en su buzón. De todos modos, le repito que no hablará con usted.

—Entonces le pediremos disculpas por la molestia.

—Sí, es probable que lo hagan. Tengo entendido que es muy reservado en lo que se refiere a sus pacientes.

—¿Ah, sí? Como esa línea de teléfono en su fax.

—No, no, ése es un término técnico. Línea Número Tres, para ser precisos.

—Y usted siempre es preciso, ¿verdad, *paesano*?

—Y usted muy irritante…

—Debemos irnos —intervino Armbruster mientras observaba cómo el neoyorquino recuperaba la agenda y el bolígrafo—. Permanezca tranquilo, Steven —añadió con ira reprimida mientras se dirigía a la limusina—. Recuerde que nosotros no podemos manejar esto. Cuando hable con Jimmy T en Bruselas, vean si entre los dos pueden encontrar una explicación razonable, ¿de acuerdo? Si no, no se preocupen. Lo resolveremos más arriba.

—Por supuesto, señor Armbruster. ¿Me permite una pregunta? ¿Mi cuenta en Berna se encuentra lista para un reintegro inmediato en caso… bueno, usted sabe… en caso…?

—Por supuesto que sí, Steven. No tiene más que volar hasta allí y escribir el número de cuenta de su puño y letra. Ésa es su firma registrada, ¿lo recuerda?

—Sí, sí, recuerdo.

—Ya debe de haber superado los dos millones.

—Gracias. Gracias… señor.

—Se lo ha ganado, Steven. Buenas noches.

Los dos hombres se acomodaron en el asiento trasero de la limusina, pero no se relajaron. Armbruster miró al mafioso mientras al otro lado de la separación acristalada, el chofer ponía en marcha el motor.

—¿Dónde está el otro coche?

El italiano encendió la luz de lectura y miró el reloj.

—Ya debe de estar aparcado en la carretera a menos de un kilómetro de la gasolinera. Seguirá a De Sole cuando éste pase por su lado y permanecerá con él hasta que las circunstancias sean propicias.

—¿Tu hombre sabe exactamente lo que debe hacer?

—Vamos, no es ningún novato. Ese coche tiene instalado un foco tan potente que podría verse desde Miami. Se coloca a su lado, lo enciende al máximo y gira el volante. Tu lacayo de dos millones de dólares quedará deslumbrado y fuera del negocio, y el trabajo sólo nos costará una cuarta parte de esa suma. Hoy es tu día, Alby.

El director de la Comisión Federal de Comercio se retrepó en las sombras del asiento trasero y observó el paisaje oscuro al otro lado del cristal ahumado.

—¿Sabes? —dijo con suavidad—, si hace veinte años alguien me hubiese dicho que estaría sentado en este coche con alguien como tú, manteniendo esta conversación, le habría respondido que era imposible.

—Oh, eso es lo que nos gusta de vosotros, los personajes con clase. Nos miráis por encima del hombro y os sonáis los mocos sobre nosotros hasta que nos necesitáis. Entonces, de pronto nos convertimos en vuestros «socios». Puedes vivir tranquilo, Alby. Eliminaremos otro problema para ti. Vuelve a tu querida Comisión Federal y decide qué compañías están limpias y cuáles no, aunque tus decisiones no se basen necesariamente en el jabón, ¿verdad?

—¡Cállate! —rugió Armbruster, golpeando el asiento con el puño—. ¡Ese Simon... Webb! ¿De dónde viene? ¿Por qué trabaja en nuestro caso? ¿Qué quiere?

—Tal vez tenga algo que ver con el Chacal.

—Eso carece de sentido. Nosotros no tenemos ninguna relación con el Chacal.

—¿Para qué lo necesitáis? —preguntó el mafioso con una sonrisa—. Nos tenéis a nosotros, ¿verdad?

—Es una asociación circunstancial, no lo olvides. Webb, Simon, maldito sea, ¡debemos encontrarlo! ¡Con lo que él ya sabía y lo que yo le dije, se ha transformado en una verdadera amenaza!

—Es una cuestión importante, ¿verdad?

—En efecto —respondió el director y volvió a mirar por la ventanilla. Mantenía el puño derecho apretado y golpeaba furiosamente sobre el brazo del asiento.

—¿Quieres negociar?

—¿Qué? —replicó Armbruster, volviéndose hacia el tranquilo rostro siciliano de su compañero.

—Ya me has oído, sólo que yo he utilizado un término equivocado; me disculpo por ello. Te daré una cifra no negociable y tú puedes aceptarla o rechazarla.

—¿Un contrato? ¿Por Simon Webb?

—No —respondió el mafioso, sacudiendo lentamente la cabeza—. Por un personaje llamado Jason Bourne. Resulta más complicado matar a alguien que ya está muerto, ¿verdad? Considerando que ya te hemos ahorrado un millón y medio, el precio del contrato es de cinco.

—¿Cinco millones?

—El precio por eliminar problemas relacionados con cuestiones importantes es alto. Las amenazas son aún más caras. Cinco millones, Alby; la mitad en el plazo de veinticuatro horas, como de costumbre.

—¡Es una exageración!

—Entonces, no aceptes. Cuando vuelvas, serán siete y medio; y si regresas de nuevo te cobraremos el doble de eso. Quince millones.

—¿Qué garantías tenemos de que podáis siquiera encontrarlo? Ya has oído a De Sole. Es un Cuatro-Cero, lo cual significa que está fuera de nuestro alcance, enterrado.

—Oh, lo desenterraremos lo suficiente como para volver a colocarlo bajo tierra.

—¿Cómo? Dos millones y medio es mucho dinero por confiar en tu palabra. ¿*Cómo*?

Sonriendo, el mafioso se metió la mano en el bolsillo y extrajo la pequeña agenda que De Sole le había devuelto.

—Los amigos suelen ser la mejor fuente de información, Alby. Pregúntaselo a los rufianes que escriben todos esos libros con chismorreos. Tengo dos direcciones.

—Ni siquiera te acercarás a ellos.

—Vamos, ¿crees que estás tratando con el viejo Chicago y los animales? ¿Con Al Capone y Nitti, el «dedo inquieto»? En nuestra lista ahora figura gente muy sofisticada. Científicos, genios de la electrónica, médicos… para cuando hayamos terminado con el fantasma y el judío, no sabrán qué ha ocurrido. Pero tendremos a Jason Bourne, el personaje inexistente porque ya está muerto.

Albert Armbruster asintió con la cabeza y tornó la vista a la ventanilla en silencio.

—Cerraré durante seis meses, cambiaré el nombre y luego lanzaré una campaña de promoción en las revistas antes de volver a abrir

—dijo John St. Jacques junto a la ventana mientras el doctor se ocupaba de su cuñado.

—¿No queda nadie? —preguntó Bourne con una mueca de dolor. Estaba sentado en una silla, vestido con una bata, y el doctor acababa de realizarle la última sutura en el cuello.

—Sí. Siete parejas canadienses locas, incluyendo a mi viejo amigo, que en este momento comienza a bordarte el cuello. ¿Te creerías que querían formar una brigada canadiense para atrapar a los malvados?

—Eso fue idea de Scotty —intervino el doctor con suavidad, concentrándose en la herida—. No cuenten conmigo. Soy demasiado viejo.

—Él también, pero no lo sabe. ¡Luego quiso anunciar una recompensa por la cantidad de cien mil dólares por cualquier información que condujera al susodicho! Finalmente lo convencí de que cuanto menos se hablara, mucho mejor.

—Lo mejor sería que no se hablara en absoluto —agregó Jason—. Así debe ser.

—Lo veo un poco difícil, David —dijo St. Jacques, sin comprender la mirada cargada de intención que le dirigió Bourne—. Lo siento, pero es así. Estamos desviando casi todas las preguntas locales con la historia de un gran escape de gas propano, pero casi nadie se lo cree. Por supuesto que, para el mundo exterior, un terremoto en estos parajes no merecería ni seis líneas en la última página del periódico, pero los rumores vuelan en torno a las Islas de Sotavento.

—Has hablado de las preguntas locales… ¿qué hay del mundo exterior? ¿Alguna noticia?

—Las habrá, pero no se referirán al Sosiego sino a Montserrat. La noticia ocupará una columna en el *London Times* y tal vez un par de centímetros en los periódicos de Nueva York y Washington, pero no creo que se refieran a nosotros.

—No te muestres tan enigmático.

—Hablaremos más tarde.

—Di lo que quieras, John —intervino el doctor—. Estoy a punto de terminar, así que no te prestaré demasiada atención y aunque lo hiciera, tendría derecho.

—Lo expondré en pocas palabras —dijo St. Jacques, colocándose a la derecha de la silla—. El gobernador de la Corona —continuó—. Tú tenías razón, al menos debo suponer que la tenías.

—¿Por qué?

—La noticia llegó mientras tú te duchabas. El bote del gobernador fue hallado destrozado contra uno de los peores arrecifes en la costa de Antigua. No había rastros de supervivientes. Plymouth cree que ha sido uno de esos terribles vendavales que suelen levantarse en el sur de Nevis, pero resulta difícil tragarse eso. No el vendaval, sino las circunstancias.

—¿Cuáles fueron?

—Sus dos tripulantes de costumbre no estaban con él. Los dejó en el club náutico alegando que quería salir solo, pero había comentado a Henry su deseo de atrapar algún pez grande…

—Lo cual significa que hubiese necesitado a la tripulación —lo interrumpió el médico canadiense—. Oh, lo siento.

—Sí, la hubiese necesitado —respondió el dueño del Sosiego—. No se puede pescar uno de esos bichos grandes y capitanear un barco al mismo tiempo, al menos el gobernador no podría. No se atrevería ni a apartar la vista de las cartas de navegación.

—Pero, sabe leerlas, ¿verdad? —preguntó Jason—. Las cartas.

—Como navegante, no era ningún capitán Bligh que se guiara por las estrellas del Pacífico, pero sabía lo suficiente como para no meterse en problemas.

—Le ordenaron que fuese solo —murmuró Bourne—. Le indicaron que se encontrase con un bote en aguas que, realmente requerían que toda su atención se centrara en los mapas—. De pronto Jason advirtió que las ágiles manos del doctor ya no le tocaban el cuello; lo tenía rodeado por un ceñido vendaje y el médico lo observaba.

—¿Cómo estamos? —preguntó Bourne con una sonrisa.

—Hemos terminado —dijo el canadiense.

—Bueno… entonces será mejor que nos veamos más tarde, para tomar una copa ¿de acuerdo?

—Por todos los cielos, justo ahora que llegaba la mejor parte.

—No hay nada de bueno en todo esto, doctor, nada en absoluto. Y yo sería un paciente muy desagradecido, lo cual no es el caso, si le permitiera oír cosas que no le conviene saber.

El canadiense miró fijamente a Jason.

—Habla en serio, ¿verdad? A pesar de todo lo ocurrido, no quiere involucrarme más. Y no se está haciendo el melodramático al guardar silencio, un viejo truco para los médicos de poca monta, está realmente preocupado, ¿verdad?

—Creo que sí.

—Considerando lo que le ha ocurrido, y no me refiero sólo a estas tres últimas horas en cuyos acontecimientos he participado, sino a lo que me revelan las cicatrices de su cuerpo, me parece admirable que pueda preocuparse por alguien que no sea usted mismo. Es un hombre extraño, señor Webb. En ocasiones parece dos personas diferentes.

—No soy extraño, doctor —replicó Jason Bourne, cerrando los ojos un momento—. Y tampoco deseo serlo. Quiero ser tan normal y anodino como un sujeto cualquiera. Soy sólo un profesor y no me propongo nada más, pero en las presentes circunstancias, debo actuar a mi manera.

—Es decir, que tengo que irme, por mi propio bien.

—Así es.

—Y si alguna vez llego a conocer los hechos, comprenderé que sus indicaciones han sido muy convenientes.

—Eso espero.

—Apuesto a que es un excelente profesor, señor Webb.

—Doctor Webb —intervino John St. Jacques de forma espontánea, como si la aclaración fuese necesaria—. Al igual que mi hermana, tiene un doctorado en Filosofía, domina un par de idiomas orientales y es profesor titular. Universidades como Harvard, McGill y Yale han andado tras él durante años, pero...

—Quieres callarte, por favor —le pidió Bourne con suavidad, a punto de echarse a reír—. Mi joven y empresario amigo se impresiona mucho con los títulos académicos a pesar de que, con mis propios recursos, yo no podría pagar una de estas villas durante más de dos días.

—Eso es una tontería.

—He dicho mis propios recursos.

—Tienes razón.

—Mi esposa es muy rica... Perdónenos, doctor, es una vieja discusión familiar.

—No sólo es un buen profesor —repitió él médico—, sino que bajo esa apariencia inflexible supongo que existe un hombre muy simpático. —El canadiense se dirigió a la puerta y allí se volvió para añadir—: Aceptaré la invitación para tomar un trago más tarde, le aseguro que me gustaría.

—Gracias —dijo Jason—. Gracias por todo. —El doctor asintió con la cabeza y partió, cerrando la puerta con firmeza. Bourne se volvió hacia su cuñado—. Es un buen amigo, Johnny.

—En realidad es un sujeto bastante frío, pero como médico es excelente. Nunca lo había visto tan humano... Así que, según tú, el Chacal ordenó al gobernador que se encontrara con él en alguna parte de la costa cerca de Antigua, obtuvo la información, lo mató y se lo sirvió a los tiburones.

—Y después encalló el bote contra un risco —completó Jason—. Es posible que abriera la válvula para establecer un curso hacia aguas poco profundas. Una tragedia en el mar y una relación con Carlos que desaparece: eso es vital para él.

—No lo comprendo —objetó St. Jacques—. No lo he investigado, pero la zona del risco al norte de Falmouth, donde encalló, se llama

Boca del Diablo, y no es el tipo de lugar que suela promocionarse mucho. Las embarcaciones turísticas no se acercan, y nadie se jacta respecto al número de botes y víctimas que se ha cobrado.

—¿Y qué?

—Suponiendo que el Chacal indicara al gobernador dónde encontrarse, ¿cómo cuernos consiguió Carlos averiguar que existía la Boca del Diablo?

—¿Tus dos guardias no te lo han dicho?

—¿Decirme qué? Los envié directamente con Henry para que le elevasen un informe completo mientras yo me ocupaba de ti. No había tiempo para sentarse a conversar.

—Entonces Henry ya debe de saberlo, y probablemente se encuentre muy afectado. Ha perdido dos botes antinarcóticos en dos días, y no creo que le paguen más de uno. Además, todavía no sabe que su jefe, el honorable gobernador de la Corona, era un lacayo del Chacal, quien se burló de la cancillería al hacer pasar a un insignificante criminal de París por un venerable héroe de Francia. Los teléfonos de la Casa de Gobierno estarán al rojo vivo esta noche.

—¿Otro bote antinarcóticos? ¿Qué tratas de decirme? ¿Qué es lo que Henry ya debe de saber y qué han podido contarle mis guardias?

—Hace un instante te preguntabas cómo logró averiguar el Chacal que existía ese arrecife llamado la Boca del Diablo.

—Te lo aseguro, doctor Webb, recuerdo la pregunta. ¿Cómo lo consiguió?

—Porque contaba con un tercer hombre allí, eso es lo que tus Comandos Reales ya deben haberle contado a Henry. Un hijo de puta rubio al mando de las patrullas antinarcóticos en Montserrat.

—¿Él? ¿Rickman? ¿El único miembro británico del Ku Klux Klan? ¿El Hombre de las Reglas, azote de todos los que osan enfrentarse a él? ¡Dios bendito, Henry no podrá creerlo!

—¿Por qué no? Acabas de describir a un discípulo de Carlos.

—Supongo que sí, pero parece de lo más inverosímil. Él es el típico diácono santurrón. Reza sus oraciones por la mañana antes de ir a trabajar, pide a Dios que lo ayude en su batalla contra Satán, nada de alcohol, nada de mujeres…

—¿Savonarola?

—Según lo que recuerdo de las clases de historia, es algo parecido.

—Entonces, yo diría que es un material de primera para el Chacal. Y Henry lo creerá cuando su bote principal no regrese a Plymouth y encuentren los cuerpos de toda su tripulación flotando cerca de la costa. O tal vez cuando no se presente para la reunión matinal de fieles.

—¿Así fue como logró escapar Carlos?

—Sí. —Bourne asintió con la cabeza y señaló un sillón al otro lado de la mesa de café—. Siéntate, Johnny. Tenemos que hablar.

—¿Qué hemos estado haciendo?

—No respecto a lo que ya ha ocurrido hermano, sino a lo que va a suceder.

—¿Qué pasará? —preguntó St. Jacques mientras se sentaba en el sillón.

—Que me voy.

—¡No! —exclamó su cuñado, poniéndose de pie como si hubiera recibido una descarga eléctrica—. ¡No puedes!

—Debo hacerlo. Él conoce nuestros nombres, sabe dónde vivimos. Todo.

—¿Adónde irás?

—A París.

—¡Maldita sea, no! ¡No puedes hacerle eso a Marie! ¡Ni a los niños, por Dios! ¡No te dejaré!

—No podrás detenerme.

—¡Por amor de Dios, David, escúchame! Si Washington escatima el dinero o le importa un bledo lo que te ocurra, Ottawa pertenece a una estirpe diferente. Mi hermana ha trabajado para el gobierno, y el nuestro no se deshace de las personas porque éstas le resulten incómodas o demasiado caras. Yo conozco a gente, gente como Scotty, el médico, y otros más. Una palabra suya y te colocarían en una fortaleza en Calgary. ¡Nadie podría alcanzarte!

—¿Crees que mi gobierno no haría lo mismo? Déjame decirte una cosa, hermano: en Washington hay personas que han arriesgado la vida para que Marie, los niños y yo estemos a salvo. De forma desinteresada, sin esperar ninguna recompensa para sí mismos ni para el gobierno. Si yo quisiera un lugar seguro donde nadie pudiese acercarse a nosotros, probablemente me darían una propiedad en Virginia, con caballos, criados y todo un pelotón de soldados armados para protegernos las veinticuatro horas del día.

—Entonces, ésa es la respuesta. ¡Acéptala!

—¿Para qué, Johnny? ¿Para vivir en nuestra propia prisión privada? Los niños no podrían visitar a sus amigos, asistirían a la escuela escoltados, en el mejor de los casos… no habría visitas, ni batallas con almohadas, ni vecinos. Marie y yo nos miraríamos el uno al otro, con los focos encendidos al otro lado de las ventanas, mientras oiríamos los pasos de los guardias, alguna tos o un estornudo o, Dios no quisiera, el seguro de un arma porque un conejo se habría movido por el jardín. Eso no es vivir, es estar encarcelado. Tu hermana y yo no lo soportaríamos.

—Ni yo tampoco, tal como lo describes. Pero ¿qué puede resolver París?

—Podré encontrarlo y atraparlo.

—Él tiene a todos sus hombres allí.

—Yo tengo a Jason Bourne —replicó David Webb.

—¡No creo en ese disparate!

—Yo tampoco, pero por lo visto funciona… Te estoy pidiendo que pagues la deuda que tienes conmigo, Johnny. Ayúdame. Dile a Marie que estoy bien, que no he sufrido ninguna herida y que tengo una pista del Chacal que sólo el viejo Fontaine puede haberme proporcionado… lo que en realidad es cierto. Un café en Argenteuil llamado Le Coeur du Soldat. Dile que recurriré a Alex Conklin y solicitaré toda la ayuda que Washington me pueda ofrecer.

—Pero no lo harás, ¿verdad?

—No. El Chacal se enteraría; tiene oídos por todo el Quai d'Orsay. La única posibilidad es actuar en solitario.

—¿No crees que ella lo averiguará?

—Lo sospechará, pero no podrá estar segura. Haré que Alex la llame para confirmarle que ha enviado toda la artillería pesada a París. Primero debes hacerlo tú.

—¿Por qué esta mentira?

—No tendrías que preguntar eso, hermano. Ya ha pasado suficiente.

—Está bien, se lo diré. Pero no me creerá. Yo siempre he sido un libro abierto para ella. Ya de niños, esos grandes ojos café se clavaban en los míos, casi siempre enfadados, pero no como los de nuestros hermanos… No con ese disgusto en el rostro porque el «niño» era un estorbo. ¿Lo entiendes?

—Se llama amor. Ella siempre te ha querido, incluso cuando eras un estorbo.

—Sí, Marie es estupenda.

—Es algo más que eso. Llámala dentro de un par de días y tráela de vuelta aquí. Es el lugar más seguro para ellos.

—¿Y tú? ¿Cómo llegarás a París? Los vuelos de enlace desde Antigua y Martinica son muy malos, y algunas veces están completos con varios días de antelación.

—De todos modos, no podría utilizar esas líneas aéreas. Tengo que viajar de un modo absolutamente secreto. De alguna forma un hombre en Washington tendrá que resolverlo. De alguna forma. Tiene que hacerlo.


Alexander Conklin salió de la pequeña cocina en el apartamento de la CIA en Vienna, con el rostro y el cabello empapados. En los viejos tiempos, antes de caer en el tanque de una destilería, cuando las cosas se volvían demasiado pesadas o agitadas abandonaba con calma la oficina y se entregaba a su ritual preferido. Dondequiera que estuviese, se dirigía al mejor restaurante y pedía dos martinis secos junto con una jugosa tajada de carne y las patatas más aceitosas del menú. La soledad, combinada con el consumo limitado de alcohol, el buen trozo de carne casi cruda y, en particular, las patatas llenas de aceite, producían un efecto tan sedante sobre él que toda la prisa y las complicaciones del día parecían adquirir un orden en el que prevalecía la razón. Luego regresaba a su oficina —ya fuera en un elegante piso de Belgravia Square en Londres o en la habitación trasera de un prostíbulo de Katmandú—, con múltiples soluciones. Así se había ganado el apodo de san Alex de Conklin. En cierta ocasión había mencionado este fenómeno gastronómico a Mo Panov y recibió una respuesta muy concisa:

—Si tu absurda cabeza no termina por matarte, lo hará tu estómago.

Sin embargo, más adelante, con los problemas generados por el alcohol y diversos inconvenientes más, tales como la subida de colesterol y esos estúpidos triglicéridos o lo que diablos fuesen, había tenido que buscar otra solución. Ésta llegó por casualidad. Una mañana, durante las audiencias Irán-Contra, según su opinión el programa más cómico de la televisión, el aparato se estropeó. Furioso, fue en busca de la radio portátil, que no utilizaba desde hacía meses o años pues el televisor llevaba una incorporada, pero las pilas se habían convertido en una baba blanca. Con el dolor que le causaba el pie artificial, se acercó al teléfono de la cocina pensando que después de todos los favores que le había hecho al técnico de televisores, el hombre vendría corriendo para resolver la emergencia. Desgraciadamente, lo único que obtuvo con la llamada fue una diatriba hostil de la esposa del técnico, quien le gritó que su esposo se dedicaba a «joder con las clientes» y había escapado con «esa ramera negra y rica de la embajada». (Zaire, según resultó luego por los documentos de Puerto Vallarta.) En medio de una apoplejía progresiva, Conklin se había precipitado al fregadero de la cocina ya que encima de éste, en el antepecho de la ventana, guardaba las pastillas contra la subida de presión. Pero al abrir el agua fría, el grifo estalló y envió un chorro tan fuerte que alcanzó el techo y, por supuesto, le empapó la cabeza. ¡Caramba! El impacto lo había calmado y entonces recordó que la red de televisión por cable volvería a transmitir la audiencia esa misma noche. Sintiéndose como nuevo, Conklin llamó al fontanero y salió a comprar un televisor nuevo.

Por lo tanto, desde esa mañana, cada vez que se sentía perturbado por su propia furia o por el estado del mundo, del mundo que conocía, inclinaba la cabeza en el fregadero de una cocina y abría el grifo de agua fría. Había hecho eso esa mañana. ¡Esa maldita mañana de mierda!

¡De Sole! Muerto en un accidente en un desierto camino rural de Maryland a las cuatro y media de la madrugada. ¿Qué diablos hacía Steven de Sole, un hombre cuyo permiso de conducir detallaba que sufría ceguera nocturna, en un camino rural en las afueras de Annapolis a las cuatro y media de la madrugada? Y luego la llamada de Charlie Casset a las seis en punto, un Casset encolerizado que, fuera de sus casillas, le había gritado que pondría al comandante de la OTAN en la picota y exigiría una explicación por la conexión fax oculta entre el general y el difunto jefe de informes clandestinos, ¡que no había sido víctima de un accidente sino de un asesinato! Además, al oficial de campaña retirado llamado Conklin le convenía confesar todo lo que sabía respecto a De Sole, a Bruselas y a varios asuntos más, o se le retiraría todo el apoyo, tanto a él como a su escurridizo amigo Jason Bourne. ¡A más tardar al mediodía! ¡Y luego, Ivan Jax! El brillante médico negro de Jamaica había llamado para decirle que quería devolver el cuerpo de Norman Swayne al lugar donde lo había encontrado, porque no tenía ganas de verse mezclado en otro fracaso de la Agencia. Pero no se trataba de la Agencia, gritó Conklin en silencio, ya que no podía explicarle el verdadero motivo por el cual había reclamado su ayuda. Medusa. Y Jax no podía llevar el cuerpo de vuelta a Manassas porque la policía, cumpliendo órdenes federales —dictadas por cierto agente de campaña retirado que utilizaba claves prohibidas— había sellado la propiedad del general Norman Swayne sin dar ninguna explicación.

—¿Qué hago con el cuerpo? —le había gritado Jax.

—Consérvalo durante un tiempo, Cacto estaría de acuerdo.

—¿Cacto? He estado con él en el hospital toda la noche. Se recuperará, ¡pero no tiene más idea que yo de lo que está ocurriendo!

—Los que trabajamos en los servicios secretos no siempre podemos explicar las cosas —replicó Alex con una mueca ante la ridiculez de sus propias palabras—. Volveré a llamarte.

Por lo tanto, había ido a la cocina para colocar la cabeza bajo el chorro de agua fría. ¿Qué más podía pasar? Y, naturalmente, el teléfono comenzó a sonar.

—Pastelería Dunkin —contestó Conklin con el receptor en la oreja.

—Sácame de aquí —espetó Jason Bourne sin el menor rastro de David Webb en la voz—. ¡A París!

—¿Qué ha ocurrido?

—Ha escapado, eso es lo que ha ocurrido, y debo llegar a París de forma clandestina, sin inmigración ni aduanas. Él tiene influencias en todos lados y no puedo correr el riesgo de que me siga el rastro... Alex, ¿me oyes?

—Anoche De Sole fue asesinado. Murió a las cuatro de la madrugada en un accidente simulado. Medusa se está acercando.

—¡Me importa una mierda Medusa! Para mí ya ha pasado a la historia; hemos tomado un rumbo equivocado. Quiero al Chacal y tengo un punto por donde comenzar. ¡Podré encontrarlo y atraparlo!

—Me dejas a mí con Medusa...

—Dijiste que querías subir más alto, que sólo me darías cuarenta y ocho horas. Pues adelanta tu reloj. Las cuarenta y ocho horas se han cumplido, así que ve más alto. Limítate a sacarme de aquí y a llevarme a París.

—Querrán hablar contigo.

—¿Quiénes?

—Peter Holland, Casset, cualquier otro que lo averigüe: el procurador general, señor, el presidente en persona.

—¿Respecto a qué?

—Tú has conversado largamente con Armbruster, con la esposa de Swayne y con ese sargento, Flannagan. Yo no. Sólo he esgrimido unas cuantas palabras clave que provocaron respuestas de Armbruster y de Atkinson, el embajador en Londres, nada importante. Tú tienes los datos de primera mano. Yo soy fácil de desmentir. Tendrán que hablar contigo.

—¿Y poner al Chacal en segundo plano?

—Sólo durante un día o dos a los sumo.

—Maldita sea, no. ¡No funciona de ese modo y tú lo sabes! En cuanto esté allí, seré su único testigo importante y me someterán a un interrogatorio tras otro; y si me niego a cooperar, me pondrán bajo vigilancia. De ningún modo, Alex. ¡Sólo tengo una prioridad y se encuentra en París!

—Escúchame —dijo Conklin—. Hay algunas cosas que puedo controlar y otras que no. Necesitábamos a Charlie Casset y él nos ha ayudado, pero no es una persona a quien se pueda engañar, lo que tampoco pretendo. Él sabe que la muerte de De Sole no ha sido ningún accidente, un hombre que padece de ceguera nocturna no sale en un viaje de cuatro horas a las cuatro de la madrugada. También sabe que no le hemos comunicado todo lo que conocemos respecto a De Sole y Bruselas. Si queremos la ayuda de la Agencia —y la necesitaremos para ponerte en un vuelo militar o diplomático a Francia, y Dios sabe para qué otra cosa cuando estés allí— no puedo prescindir de Casset. Nos pondrá un pie encima, y desde su punto de vista, tendrá razón.

Bourne guardó silencio, sólo se oía su respiración.

—Está bien —acepto—. Comprendo la situación. Dile a Casset que si nos concede lo que pedimos, le compensaremos…, no, yo lo compensaré con suficiente información como para que el Departamento de Justicia pueda atrapar a algunos de los peces más gordos del gobierno, suponiendo que los de Justicia no formen parte de la Dama Serpiente. Puedes añadir que eso incluye el enclave de un cementerio que quizá resulte bastante esclarecedor.

Conklin guardó silencio por unos momentos.

—Es posible que quiera más que eso, teniendo en cuenta tu actividad actual.

—Oh… Oh, ya veo. Por si fracaso. Muy bien, añade que cuando llegue a París contrataré a un taquígrafo y le dictaré todo lo que sé, todo lo que he averiguado, y te lo enviaré. Confiaré en san Alex para que realice las entregas. Tal vez de una o dos páginas cada vez, para que conserven las ganas de colaborar.

—Yo me encargaré de eso… Ahora París, o algún lugar cercano. Según recuerdo, Montserrat se encuentra cerca de Dominica y Martinica, ¿verdad?

—A menos de una hora de ambas, y Johnny conoce todos los pilotos de la isla grande.

—Martinica es francesa, así que saldremos desde allí. Conozco a algunas personas en el Deuxième Bureau. Ve hasta allí y llámame desde el sector de embarque del aeropuerto. Para entonces ya habré efectuado todos los trámites.

—Lo haré… Hay una última cuestión, Alex. Marie. Ella y los niños regresarán aquí esta tarde. Llámala y dile que en París tendré la protección de todos los medios disponibles.

—Mentiroso hijo de puta…

—¡Hazlo!

—Por supuesto que sí. A propósito, si sobrevivo a este día cenaré con Mo Panov en su casa. No sabe freír un huevo, pero se considera un maestro de la cocina judía. Quisiera ponerlo al corriente de todo; se volverá loco si no lo hago.

—No hay problema. Sin él ambos estaríamos en una habitación acolchada masticando un trozo de cuero.

—Hablaremos luego. Suerte.


Al día siguiente, a las diez y veinticinco de la mañana, hora de Washington, el doctor Morris Panov abandonó el hospital Walter Reed acompañado por su guardaespaldas después de una sesión con un teniente retirado del ejército. El hombre sufría los efectos posteriores de un ejercicio de entrenamiento en Georgia que, ocho semanas atrás, había costado la vida a más de veinte reclutas bajo su mando. El hombre era culpable de un exceso de celo competitivo al estilo militar, y debía vivir con su culpa. El hecho de que fuese un negro con una situación económica privilegiada y graduado en West Point no lo ayudaba. La mayoría de los reclutas muertos también eran negros y provenían de familias humildes.

Concentrado en los posibles tratamientos para su paciente, de pronto Panov miró a su guardaespaldas y se sobresaltó.

—¿Usted es nuevo, verdad? Pensé que los conocía a todos.

—Sí, señor. Con frecuencia nos asignan un nuevo destino sin previo aviso. Nos mantiene a todos sobre alerta.

—El hábito de conocer las cosas por anticipado... Eso adormece a cualquiera. —El psiquiatra continuó caminando hacia donde solía estar aparcado su coche blindado. El vehículo era diferente—. Éste no es mi coche —exclamó perplejo.

—¡Entre! —le ordenó el guardaespaldas al tiempo que abría la puerta con amabilidad.

—¿Qué? —Un par de manos emergieron del interior del vehículo y un hombre uniformado lo introdujo en el asiento trasero. El guardaespaldas lo imitó, por lo que Panov quedó comprimido entre los dos. Ambos hombres lo sujetaron mientras el que había permanecido dentro le quitaba la chaqueta y le subía la manga de la camisa. Entonces clavó una aguja hipodérmica en el brazo de Panov.

—Buenas noches, doctor —dijo el soldado con la insignia del cuerpo de sanidad en las solapas del uniforme—. Llame a Nueva York —añadió.

## 19

El 747 de Air France procedente de Martinica voló sobre el aeropuerto de Orly en medio de la neblina nocturna; llevaba cuatro horas y veintidós minutos de retraso debido a las malas condiciones atmosféricas en el Caribe. Mientras el piloto realizaba el giro final, el oficial de vuelo confirmó el permiso de aterrizaje con la torre. Luego cambió la frecuencia de la radio y envió un último mensaje en francés a una sala de comunicaciones de entrada restringida.

—Deuxième, carga especial. Por favor, indique al individuo que se dirija a la zona asignada. Gracias. Fuera.

—Instrucciones recibidas y transmitidas. Fuera.

La carga especial en cuestión estaba sentada en primera clase, tras la mampara del último asiento a la izquierda. A su lado no viajaba nadie, según las órdenes del Deuxième Bureau en colaboración con Washington. Impaciente, molesto y sin poder dormir a causa del ceñido vendaje alrededor del cuello, Bourne se sentía exhausto y reflexionaba sobre todo lo ocurrido durante las últimas diecinueve horas. Para decirlo moderadamente, las cosas no habían resultado tan sencillas como le había anticipado Conklin. El Deuxième se había negado durante más de seis horas mientras las llamadas telefónicas iban y venían entre Washington, París y finalmente Vienna, Virginia. El impedimento principal radicaba en la incapacidad de la CIA para explicar la operación clandestina en términos de Jason Bourne, ya que sólo Alexander Conklin podía proporcionar este nombre y se negaba a hacerlo, consciente de que las conexiones del Chacal en París se extendían por todas partes, salvo en las cocinas del Tour d'Argent. Por último, desesperado y recordando que en París era la hora de almorzar, Alex comenzó a efectuar arriesgadas llamadas a diversos cafés de la Rive Gauche, en uno de los cuales, en la rue de Vaugirard, encontró a un viejo conocido del Deuxième.

—¿Recuerdas al tinamú y a un norteamericano algo más joven que ahora, que consiguió que las cosas te resultaran un poco más sencillas?

—¡Ah, el tinamú, el pájaro con las alas ocultas y las patas furiosas! Aquéllos eran tiempos mejores, éramos más jóvenes. Y si se trata del norteamericano que por entonces mereció la condición de santo, nunca lo olvidaré.

—Recuérdalo ahora, te necesito.

—¿De verdad eres tú, Alexander?

—Sí, y tengo un problema con el D. Bureau.

—Está resuelto.

Y lo estaba, pero la cuestión del tiempo era insoluble. La tormenta que dos noches atrás se había abatido sobre las islas de Sotavento sólo era un preludio de la lluvia torrencial y los vientos que soplaban de las Granadinas, seguido de otra tormenta. En las islas se iniciaba la temporada de los huracanes, por lo que el clima no era sorprendente, sino sólo un factor de retraso. Finalmente, cuando llegó la autorización para el despegue, descubrieron que había un problema con uno de los motores; nadie pronunció palabra mientras buscaban, encontraban y reparaban el fallo. Sin embargo, en el proceso se perdieron tres horas más.

Salvo por la agitación de su mente, Jason disfrutó de un viaje tranquilo; sólo el sentimiento de culpa interfería en los pensamientos respecto a lo que le esperaba... París, Argenteuil, un café con el provocativo nombre de Le Coeur du Soldat (El Corazón del Soldado). La culpa se había hecho más dolorosa durante el corto vuelo de Montserrat a Martinica, cuando pasaran sobre Guadalupe y la isla de Basse-Terre. Él sabía que a unos miles de metros más abajo estaban Marie y sus hijos, preparándose para regresar al Sosiego, al esposo y padre que no encontrarían allí. Su hijita Alison no sabría nada, por supuesto, pero Jamie sí; sus grandes ojos se nublarían cuando comprendiese que no saldría a nadar y a pescar con su padre... Y Marie. ¡Señor, ni siquiera podía pensar en ella! ¡Le resultaba demasiado doloroso!

Marie creería que la había traicionado, que había escapado para enfrentarse violentamente con un enemigo del pasado, de una vida que ya no les pertenecía. Pensaría lo mismo que el viejo Fontaine, quien había tratado de persuadirlo para que llevase a su familia a miles de kilómetros del Chacal. Pero ninguno de ellos lo comprendía. Carlos podía morir, pero en su lecho de muerte dejaría un legado, una herencia que sólo podría cobrarse con la muerte de Jason Bourne: de David Webb y su familia.

*¡Tengo razón, Marie! Trata de comprenderme. ¡Debo encontrarlo y matarlo! ¡No podemos pasar el resto de la vida en una prisión privada!*

—¿*Monsieur* Simon? —preguntó el robusto y elegante francés con una perilla blanca.

—Soy yo —respondió Bourne mientras le estrechaba la mano en un pasillo angosto y desierto del aeropuerto de Orly.

—Yo soy Bernardine, François Bernardine, un viejo colega de nuestro amigo, Alexander el santo.

—Alex me ha hablado de usted —dijo Jason, esbozando una sonrisa—. No por su nombre, por supuesto, pero me advirtió que quizás hiciese alguna observación sobre su santidad. De esta manera supe que era... su colega.

—¿Cómo está él? Hemos oído rumores, por supuesto. —Bernardine se encogió de hombros—. Habladurías sin importancia. Heridas en ese infructuoso Vietnam, alcohol, un permiso, el descrédito, un regreso como héroe de la Agencia, muchos datos contradictorios.

—La mayoría de ellos son verdad; él no teme admitirlo. Ahora es un lisiado, no bebe y ha sido un héroe. Yo lo sé.

—Ya veo. Hay más historias, rumores, ¿quién sabe en qué creer? Extraños vuelos desde Beijing y Hong Kong, algo relacionado con un hombre llamado Jason Bourne.

—Los he oído.

—Sí, por supuesto... Pero ahora, París. Nuestro santo dijo que necesitaría alojamiento y ropas compradas sobre la marcha. Que debía parecer un verdadero francés.

—Necesitaré un vestuario pequeño pero variado —concretó Jason—. Sé adónde ir, qué comprar y cuento con suficiente dinero.

—Entonces, debemos ocuparnos de su alojamiento. ¿Qué hotel prefiere? ¿La Trémoille? ¿George Cinq? ¿Plaza-Athénée?

—Algo más pequeño, mucho más pequeño y menos caro.

—¿El dinero es un problema, entonces?

—En absoluto. Se trata de las apariencias. Mire, yo conozco Montmartre. Buscaré solo un lugar. Lo que sí necesitaré es un coche, pero registrado bajo otro nombre, preferiblemente un nombre que no exista.

—Es decir, el de un hombre muerto. Ya lo hemos arreglado; está en el aparcamiento subterráneo de Capucines, cerca de la Place Vendôme. —Bernardine metió la mano en el bolsillo, extrajo un llavero y se lo entregó a Jason—. Un viejo Peugeot en la sección E. Hay miles como él en París y el número de matrícula está registrado.

—¿Alex le ha dicho que lo necesitaría?

—En realidad no fue necesario. Creo que nuestro santo recorría los cementerios en busca de nombres útiles cuando trabajaba aquí.

—Es probable que yo lo haya aprendido de él.

—Todos hemos aprendido cosas de ese cerebro privilegiado, el mejor de nuestra profesión. Sin embargo, es tan modesto, tan... *je ne sais quoi*... tan «por qué no intentarlo», ¿verdad?

—Sí, por qué no intentarlo.

—No obstante —continuó Bernardine riendo—, en cierta ocasión escogió un nombre y después tuvo que admitir que lo había sacado de una lápida. ¡La Sûreté llegó a volverse loca! ¡Era el alias de un asesino del hacha que las autoridades habían estado buscando durante meses!

—Eso sí que es gracioso —comentó Bourne con una risita.

—Mucho. Más tarde me confesó que lo había encontrado en Rambouillet, en un cementerio de las afueras de Rambouillet.

¡Rambouillet! El cementerio donde el detective había tratado de matarlo trece años atrás. A Jason se le heló la sonrisa en los labios y observó al amigo que Alex tenía en el Deuxième Bureau.

—Usted sabe quién soy, ¿verdad? —preguntó con suavidad.

—Sí —admitió Bernardine—. No resultaba tan difícil encajar las piezas, no con todos los rumores llegados desde el Lejano Oriente. A fin de cuentas, aquí en París ganó su reputación para toda Europa, señor Bourne.

—¿Alguien más lo sabe?

—¡*Mon Dieu, non!* Ni tampoco lo sabrán. Mire, yo le debo la vida a Alexander Conklin, nuestro modesto santo de *les opérations noires*, las operaciones clandestinas, en su idioma..

—No necesito traducción, hablo francés con fluidez... ¿o Alex no le ha dicho eso?

—Oh, Dios mío, duda de mí —suspiró el hombre, arqueando sus cejas grises—. Debe considerar, joven, que ya he cumplido los setenta. Si tengo deslices en el idioma y trato de corregirlos es porque pretendo mostrarme amable, no *subreptice*.

—*D'accord. Je regrette.* Sinceramente.

—*Bien.* Alex es varios años más joven que yo, pero me pregunto cómo lo lleva. Me refiero a su edad.

—Igual que usted. Mal.

—Había un poeta inglés..., galés para ser exacto. Escribió: «No te entregues a un sueño manso esa noche.» ¿Lo recuerda?

—Sí. Se llamaba Dylan Thomas y al morir tenía unos treinta y cinco años. Lo que decía era: «Pelea como un hijo de puta. No te rindas.»

—Es lo que me propongo. —Bernardine volvió a hurgar en un bolsillo y extrajo una tarjeta—. Ésta es mi oficina, sólo tengo categoría de consejero, usted ya comprenderá, y detrás he anotado mi teléfono particular; es un teléfono especial, en realidad es único. Llámeme, le proporcionaré cuanto necesite. Recuerde que soy su único amigo en París. Nadie más sabe que se encuentra aquí.

—¿Puedo hacerle una pregunta?

—*Mais certainement.*

—¿Cómo es posible que haga todo esto por mí cuando, en realidad, usted ya está fuera del juego?

—Ah —exclamó el consejero del Deuxième Bureau—. ¡El joven se ha hecho mayor! Al igual que Alex, llevo las credenciales en la cabeza. Yo conozco los secretos. ¿Podría ser de otro modo?

—Podrían quitarlo de en medio, neutralizarlo, provocar un accidente.

—¡Joven *stupide*! Lo que nosotros llevamos en la cabeza está escrito y guardado, para que salga a la luz en caso de que ocurra algo así... Por supuesto, todo es una tontería ya que las cosas que sabemos podrían ser fácilmente negadas, calificadas de chocheces de anciano, pero ellos no lo saben. Miedo, *monsieur*. Es el arma más eficaz en nuestra profesión. En segundo término se encuentra el desconcierto, pero por lo general eso está reservado para el KGB soviético y su FBI, quienes temen más al desconcierto que a los enemigos de sus naciones.

—Usted y Conklin proceden de la misma calle, ¿verdad?

—Por supuesto. Hasta donde yo sé, ninguno de los dos tenemos esposa o familia, sólo alguna amante ocasional para entibiar la cama y varios sobrinos latosos que nos visitan algunos días de fiesta. No tenemos amistades, ya que con todo lo que sabemos y a pesar de habernos retirado, alguien podría dispararnos o envenenarnos con un trago. Debemos vivir solos porque somos profesionales, no tenemos nada que ver con el mundo normal y sólo lo utilizamos como *couverture*, mientras nos escabullimos por los callejones oscuros comprando secretos que no significan nada cuando llega el momento de las conferencias cumbre.

—Entonces, ¿por qué lo hacen? ¿Por qué no abandonan si todo es tan inútil?

—Lo llevamos en la sangre. Nos han entrenado. Derrotar al enemigo en una contienda mortal: él te mata a ti o tú a él, y será mejor que tú lo mates a él.

—Eso es una tontería.

—Por supuesto. Todo es una tontería. Entonces, ¿por qué Jason Bourne ha venido hasta París para buscar al Chacal? ¿Por qué no renuncia y dice basta? No tiene más que pedirlo y le brindarán protección completa.

—Como en una prisión. ¿Puede sacarme de aquí y llevarme a la ciudad? Buscaré un hotel y me pondré en contacto con usted.

—Antes de llamarme, comuníquese con Alex.

—¿Qué?

—Alex quiere que lo llame. Ha ocurrido algo.

—¿Dónde hay un teléfono?

—Ahora no. A las dos de la tarde, hora de Washington; falta más de una hora. No regresará hasta entonces.

—¿Le comentó de qué se trataba?

—Me pareció que trataba de averiguarlo. Estaba muy alterado.


La habitación en el Pont-Royal de la calle Montalembert era pequeña y estaba en un rincón apartado del hotel. Se llegaba a ella tomando el pequeño y ruidoso ascensor hasta el último piso y recorriendo dos estrechos pasillos, lo cual resultaba muy satisfactorio para Bourne. Le recordaba a una caverna en una montaña, remota y segura.

Para matar el tiempo antes de llamar a Alex, recorrió el bulevar Saint-Germain y realizó las compras necesarias. Varias tiendas reunían las prendas de vestir: los pantalones informales requerían camisas de verano y una chaqueta safari liviana, los calcetines oscuros exigían zapatillas de tenis para todo terreno y situación. Todo lo que pudiese conseguir ahora le ahorraría tiempo más tarde. Por fortuna, no había tenido que presionar al viejo Bernardine para que le proporcionase un arma. Durante el viaje de París a Orly, el francés había abierto la guantera en silencio y había entregado a Jason una caja oscura. En el interior había una automática con dos cajas de municiones. Debajo, convenientemente colocados, se escondían treinta mil francos en billetes diferentes, unos cinco mil dólares norteamericanos.

—Mañana dispondré un método para que usted reciba fondos cada vez que sea necesario. Dentro de ciertos límites, por supuesto.

—Sin límites —le había replicado Bourne—. Haré que Conklin le envíe cien mil dólares, y luego otros cien mil si es necesario. Usted sólo indíquele adónde.

—¿Pertenecientes a fondos de contingencia?

—No. Míos. Gracias por el arma.

Con las bolsas de sus nuevas prendas en ambas manos, Jason se dirigió de nuevo a Montalembert y al hotel. Faltaba poco para que dieran las dos de la tarde en Washington, las ocho de la noche en París. Mientras caminaba rápidamente por la calle trató de no pensar en las novedades de Alex, una tarea imposible de cumplir. ¡Si algo les había ocurrido a Marie y a los niños se volvería loco! Sin embargo, ¿qué podía haber pasado? Ya debían de haber regresado al Sosiego, y no existía un sitio más seguro para ellos. ¡Estaba convencido de ello! Jason entró en el viejo ascensor y dejó las bolsas en el suelo para pulsar el botón y coger las llaves del bolsillo. De pronto sintió una punzada en el cuello, se había movido con demasiada brusquedad y tal vez había saltado un punto de la sutura. Sin embargo, la herida no sangraba, se trataba sólo de una advertencia. Bourne recorrió los dos estrechos corredores hasta llegar a su habitación, donde abrió la puerta, arrojó las bolsas sobre la cama y dio los tres pasos necesarios para alcanzar el escritorio y el teléfono. Conklin cumplió su palabra: atendió de inmediato el teléfono de Vienna, Virginia.

—Alex, soy yo. ¿Qué ha ocurrido? ¿Marie...?

—No —lo interrumpió Conklin—. Hablé con ella alrededor del mediodía. Se encuentra de vuelta en el hotel con los niños y está dispuesta a matarme. No cree ni palabra de lo que le he dicho y tendré que borrar la cinta. No había oído esas palabrotas desde Mekong Delta.

—Está alterada...

—Yo también —replicó Alex sin el menor rastro de humor—. Mo ha desaparecido.

—¿Qué?

—Ya me has oído. Panov no está, se ha esfumado.

—Dios mío, ¿cómo? ¡Si tenía protección las veinticuatro horas del día!

—Tratamos de reconstruir lo ocurrido; estaba en el hospital.

—¿Hospital?

—Walter Reed. Esta mañana tuvo una sesión psiquiátrica con un militar, y cuando salió no llegó a encontrarse con su guardaespaldas. Aguardaron unos veinte minutos y luego entraron a buscarlo a él y a su escolta. Allí les dijeron que se había marchado.

—¡Es una locura!

—Aún es más loco y alarmante. Según la enfermera jefe de la planta, un cirujano del ejército se acercó a la recepción, mostró su identificación y le pidió que comunicara al doctor Panov que había un cambio de planes para él, que debía utilizar la salida del ala este porque había una manifestación de protesta en la entrada principal. El ala este tiene un acceso diferente al área de psiquiatría, pero el cirujano del ejército utilizó la puerta delantera.

—¿Cómo?

—Pasó frente a nuestro guardia en el pasillo.

—Y, evidentemente, dio la vuelta por el exterior para llegar al ala este. Nada alarmante. Un médico autorizado para moverse en un área restringida entra y sale, y mientras está dentro dicta instrucciones falsas... Pero, por Dios, Alex, *¿quién?* Carlos estaba en camino hacia aquí, ¡hacia París! Había obtenido todo lo que buscaba en Washington. Me encontró a mí, a nosotros. ¡Ya no necesitaba nada más!

—De Sole —respondió Conklin moderado—. Él sabía sobre mí y Mo Panov. Yo amenacé a la Agencia respecto a nosotros dos y De Sole estaba allí, en la sala de conferencias.

—No te comprendo. ¿Qué estás diciendo?

—De Sole, Bruselas: Medusa.

—Muy bien, soy lento.

—No es él, David, son ellos. De Sole ha sido eliminado y con él nuestra conexión. Es Medusa.

—¡Al diablo con ellos! ¡Para mí han pasado a segundo término!

—Pero tú para ellos no. Has roto su caparazón. Te quieren a ti.

—Me importa un rábano. Ya te lo dije ayer, sólo tengo una prioridad y está en París, en Argenteuil.

—Veo que no he sido claro —replicó Alex con voz débil y tono vencido—. Anoche cené con Mo. Se lo conté todo. El Sosiego, tu viaje a París, Bernardine, ¡todo!


Un ex juez de la corte de primera instancia residente en Boston, Massachusetts, Estados Unidos de América, formaba parte de la pequeña comitiva fúnebre en la colina más alta de la Isla del Sosiego. El cementerio era el último lugar de descanso… *in voce verbatim via amicus curiae*, según había explicado legalmente a las autoridades de Montserrat. Brendan Patrick Pierre Prefontaine observó cómo los dos espléndidos ataúdes, proporcionados por el generoso dueño del Sosiego, eran introducidos en la tierra junto con las incomprensibles bendiciones del sacerdote nativo, quien sin duda solía apretar el cuello de una gallina muerta en la boca mientras entonaba sus bendiciones vudú. «Jean Pierre Fontaine» y su esposa descansaban en paz.

Sin embargo y a pesar de las barbaridades, Brendan, el abogado callejero y prácticamente alcohólico de Harvard Square, había encontrado una causa. Una causa que iba más allá de su propia supervivencia, y esto ya era algo admirable de por sí. Randolph Gates, lord Randolph Gates, el petimetre de los juicios de la elite, era en realidad un canalla, un intermediario de muerte en el Caribe. Y en la mente cada vez más lúcida de Prefontaine comenzaba a perfilarse un plan. Sus pensamientos se aclaraban porque entre otras privaciones inhumanas, de pronto esa mañana había decidido salir sin sus cuatro vasos de vodka habituales. Gates había proporcionado la información que condujo a los potenciales asesinos de la familia Webb hasta la Isla del Sosiego. ¿Por qué…? En principio, y desde una perspectiva legal, eso no era pertinente; el hecho de que hubiese proporcionado su paradero a asesinos conocidos, sabiendo previamente que eran asesinos, sí tenía importancia. Era cómplice de asesinato, de asesinato múltiple.

Los testículos de Randy estaban en una prensa y, a medida que girasen los tornillos, el abogado revelaría la información que necesitaban los Webb, en especial la gloriosa mujer de cabellos rojizos a quien tanto hubiese querido conocer cincuenta años atrás.

Prefontaine volaría a Boston por la mañana, pero le había preguntado a St. Jacques si podría regresar en el futuro. Tal vez sin pagar la reserva por adelantado.

—Juez, mi casa es la suya —había sido la respuesta.

—Quizá pueda compensarle tanta cortesía.


Albert Armbruster, director de la Comisión Federal de Comercio, bajó de su limusina y permaneció en la acera, frente a la empinada escalinata de su casa en Georgetown.

—Llame a la oficina por la mañana —ordenó al chófer mientras éste sostenía la puerta trasera—. Como usted sabe, no me encuentro bien.

—Sí, señor. —El conductor cerró la puerta—. ¿Necesita ayuda, señor?

—Diablos, no. Salga de aquí. —El chófer del gobierno se acomodó frente al volante; el repentino rugido del motor no pretendió ser una despedida cortés cuando el vehículo se alejó rápidamente calle abajo.

Armbruster subió los escalones de piedra, respirando con dificultad a cada paso, y lanzó una maldición al ver la silueta de su esposa tras la cristalera de la entrada victoriana.

—Cotorra de mierda —masculló en voz baja al llegar arriba, aferrándose al pasamanos antes de enfrentarse a quien había sido su adversaria durante treinta años.

Un disparo estalló en la oscuridad, desde alguna parte en el interior de la casa contigua. Armbruster alzó los brazos con las muñecas dobladas como si tratase de localizar el dolor físico. Era demasiado tarde. El director de la Comisión Federal de Comercio cayó rodando por la escalinata de piedra y su cuerpo aterrizó de forma grotesca sobre la acera.


Bourne se vistió con el pantalón estilo francés, una camisa oscura de manga corta y la chaqueta safari de algodón. Luego se guardó en el bolsillo el dinero, el arma y todos sus documentos —los auténticos y los falsos— y abandonó el Pont -Royal. Sin embargo, antes de salir rellenó la cama con almohadas y colgó la ropa de viaje sobre una silla, bien a la vista. Entonces pasó con indiferencia frente al decorado mostrador de la recepción y, una vez fuera, corrió hasta el teléfono público más cercano. Insertó una moneda y marcó el número particular de Bernardine.

—Soy Simon —le dijo.

—Eso pensaba —respondió el francés—. Esperaba que lo fuese. Acabo de hablar con Alex y le pedí que no me dijese dónde se encontraba usted; es imposible revelar lo que se ignora. De todos modos, yo en su lugar iría a alguna otra parte, al menos por esta noche. Puede que lo hayan detectado en el aeropuerto.

—¿Y usted?

—El Deuxième tiene mi apartamento vigilado. Quizá reciba una visita; sería muy conveniente, ¿n'est-ce pas?

—No ha hablado con su oficina respecto a…

—¿A usted? —lo interrumpió Bernardine—. ¿Cómo podría hacerlo si no lo conozco, monsieur? Mi protector Bureau cree que he recibido llamadas de amenaza de un antiguo adversario conocido como psicópata. En realidad hace años debí separarlo de la marina, pero nunca llegué a cerrar esa carpeta…

—¿Está bien que me diga estas cosas por teléfono?

—Me parece haber mencionado que es un aparato único.

—En efecto.

—No puede ser intervenido y seguir funcionando… Necesita descanso, monsieur. No será útil a nadie, y menos a usted mismo, si no reposa. Búsquese una cama. Yo no puedo ayudarlo en eso.

—«El descanso es un arma» —comentó Jason repitiendo una frase a la que había considerado una verdad vital, al menos para sobrevivir en ese mundo detestable.

—¿Cómo?

—Nada. Buscaré una cama y lo llamaré por la mañana.

—Hasta mañana entonces. Bon chance, mon ami. Para los dos.


Bourne encontró una habitación en el Avenir, un hotel barato de la calle Gay-Lussac. Se registró bajo un nombre falso y fácil de olvidar, subió la escalera hasta su habitación, se desnudó y se dejó caer sobre la cama. «El descanso es un arma», se repitió mientras observaba las luces de París que parpadeaban sobre el techo. No importaba si el sueño lo invadía en una caverna o en un arrozal del Mekong Delta; con frecuencia era un arma mucho más mortífera que la pólvora. Ésa era la lección que le había grabado en la cabeza D'Anjou, el hombre que dio la vida en un bosque de Beijing para que Jason Bourne conservara la suya. El descanso era un arma, consideró mientras se tocaba el vendaje del cuello, aunque en realidad no llegó a sentirlo ya que no se durmió de inmediato.

Jason despertó lenta y cautelosamente. Desde la calle le llegaban los sonidos del tránsito; bocinas metálicas como graznidos de cuervos furiosos entre el rugir de los motores, penetrantes como taladros por un momento y abruptamente silenciosos al siguiente. Era una mañana normal en las estrechas calles de París. Sosteniendo el cuello con rigidez, Bourne bajó de la incómoda cama y miró el reloj. Alarmado, se preguntó por un instante si lo habría cambiado según la hora de París. Por supuesto que sí. Eran las diez y siete minutos de la mañana, hora local. Había dormido casi once horas, hecho confirmado por los ruidos de su estómago. Ahora la fatiga había sido reemplazada por el hambre.

Sin embargo, la comida tendría que aguardar. Primero debía ponerse en contacto con Bernardine y luego averiguar el grado de seguridad del hotel Pont-Royal. Se puso en pie con dificultad, sintiendo un momentáneo entumecimiento en brazos y las piernas. Necesitaba una ducha caliente, un lujo del que seguramente no disfrutaría en el Avenir, y luego un poco de ejercicio para dar flexibilidad al cuerpo, terapias que no solía necesitar unos pocos años atrás. Cogió la cartera del pantalón, sacó la tarjeta de Bernardine y volvió a la cama junto a la cual se hallaba el teléfono.

—Me temo que no he recibido ninguna visita —informó el veterano del Deuxième—. Ni siquiera un indicio de algún cazador, lo cual según supongo son buenas noticias.

—No lo serán hasta que encontremos a Panov, si es que lo encontramos. ¡Esos hijos de puta!

—Sí, hay que considerar esta posibilidad. Es lo más desagradable de nuestro trabajo.

—¡Maldita sea, yo no puedo desechar a un hombre como Mo con «hay que considerar esta posibilidad»!

—No le pido que lo haga. Sólo estoy aludiendo a la realidad. Sus sentimientos son significativos para usted, pero no cambian las cosas. No he pretendido ofenderlo.

—Y yo no quise ser maleducado. Lo siento. Lo que ocurre es que él es una persona muy especial.

—Comprendo… ¿Cuáles son sus planes? ¿Qué necesita?

—Aún no lo sé —respondió Bourne—. Recogeré el coche en los Capucines y aproximadamente una hora después sabré algo más. ¿Usted se encontrará en casa o en el Deuxième Bureau?

—Hasta que tenga noticias suyas permaneceré en mi apartamento cerca del teléfono. Considerando las circunstancias, prefiero que no me llame a la oficina.

—Ésa es un observación sorprendente.

—Actualmente no conozco a todo el mundo en el Deuxième y, a

mi edad, la prudencia no sólo es la mejor parte de la valentía, con frecuencia la reemplaza. Además, si suspendo mi vigilancia tan pronto podría generar rumores de senilidad. Hablaremos luego, *mon ami.*

Jason colgó el receptor, tentado de volver a levantarlo y llamar al Pont-Royal. Pero estaba en París, la ciudad de la discreción, donde los empleados de hotel preferían no brindar información por teléfono y se negarían a hacerlo con un huésped a quien no conocían. Después de vestirse rápidamente, bajó para pagar la cuenta y salió a la calle Gay-Lussac. Había una parada de taxis en la esquina; ocho minutos después entraba en el vestíbulo del Pont-Royal y se acercaba al conserje.

—*Je m'appelle Monsieur Simon* —se presentó al hombre y le dio el número de su habitación—. Anoche me encontré con una amiga —continuó en un fluido francés—, y me quedé en su casa. ¿Podría decirme si alguien ha preguntado por mí? —Bourne extrajo varios billetes, dando a entender con la mirada que le pagaría generosamente por su información confidencial—. ¿O si acaso le han dado mi descripción?

—*Merci bien, monsieur...* Comprendo. Consultaré con el conserje de noche, pero estoy seguro de que me hubiese dejado una nota si alguien hubiera venido a buscarlo.

—¿Por qué está tan seguro?

—Porque sí me dejó una nota para que hablase con usted. He estado llamando a su habitación desde las siete de la mañana, cuando entré a trabajar.

—¿Qué decía la nota? —preguntó Jason conteniendo el aliento.

—El mensaje es el siguiente: «Que se ponga en contacto con su amigo al otro lado del Atlántico. El hombre ha estado llamando toda la noche.» Yo puedo confirmarle que eso es cierto, *monsieur.* La centralita indica que la última llamada se ha recibido hace menos de treinta minutos.

—¿Treinta minutos? —Jason miró al conserje y luego observó su reloj—. Allí son las cinco de la mañana... ¿toda la noche?

El hombre del hotel asintió con la cabeza mientras Bourne se dirigía al ascensor.


—Alex, por amor de Dios, ¿qué ocurre? Me han dicho que has estado llamando toda...

—¿Estás en el hotel? —lo interrumpió Conklin rápidamente.

—Sí.

—Busca un teléfono público en la calle y vuelve a llamarme. Date prisa.

De nuevo el lento e incómodo ascensor, el descolorido vestíbulo ahora repleto de parisinos que hablaban mecánicamente, muchos en dirección al bar y a sus *apéritifs* de media mañana, y otra vez la calle, con el brillante sol de verano junto al tránsito congestionado y enloquecedor. ¿Dónde había un teléfono? Jason avanzó rápidamente en dirección al Sena... ¿dónde había un teléfono? ¡Allí! Al otro lado de la rue du Bac, una cabina con el techo rojo abovedado y anuncios en los lados.

Esquivando la embestida de automóviles y camionetas con sus furiosos conductores, cruzó la calle a toda velocidad y entró en la cabina. Después de depositar una moneda y explicar a la operadora internacional que no quería hablar con Austria, ésta dio curso a su llamada con Vienna, Virginia.

—¿Por qué diablos no podía hablarte desde el hotel? —preguntó Bourne con ira—. ¡Lo hice anoche!

—Anoche no es hoy.

—¿Alguna noticia de Mo?

—Aún no, pero es posible que hayan cometido un error. Quizá podamos averiguar algo sobre el médico del ejército.

—¡Interrogadlo!

—Con placer. Le aplastaré el rostro con el pie hasta que me suplique cooperar, si nuestras averiguaciones nos conducen a algo.

—Sin embargo no me has estado llamando toda la noche por eso, ¿verdad?

—No. Ayer pasé cinco horas con Peter Holland. Fui a verlo después de que habláramos tú y yo y reaccionó tal como había imaginado, con varios improperios de propina.

—¿Medusa?

—Sí. Insiste en que regreses de inmediato; eres el único que posee la información directa. Es una orden.

—¡A la mierda! Él no puede insistir en que haga nada, ¡y mucho menos darme una orden!

—Puede quitarte el apoyo y yo no tendría forma de evitarlo. Si necesitas algo con urgencia, no contarás con él.

—Bernardine se ha ofrecido a ayudarme. «Cualquier cosa que necesite», ésas fueron sus palabras.

—Bernardine tiene sus límites. Al igual que yo, puede recurrir a ciertas deudas pendientes, pero sin acceso a la organización está demasiado restringido.

—¿Le has dicho a Holland que estoy escribiendo todo lo que sé, cada información que se me ha brindado y cada respuesta a mis preguntas?

—¿Es cierto?

—Lo haré.

—Él no lo cree. Quiere interrogarte, dice que no puede hacerlo con unas hojas de papel.

—¡Estoy demasiado cerca del Chacal! No lo haré. ¡Ese hijo de puta debe ser razonable!

—Creo que eso quería —dijo Conklin—. Sabe por lo que estás pasando y todo lo que has soportado, pero después de las siete de anoche ha cerrado las puertas.

—¿Por qué?

—Armbruster murió de un disparo en la puerta de su casa. Dicen que se trató de un robo en Georgetown, lo cual, por supuesto, no es cierto.

—¡Oh, Señor!

—Hay un par de cosas más que debes saber. Para comenzar, hemos empezado a prestar información sobre el «suicidio» de Swayne.

—Por amor de Dios, ¿por qué?

—Para que quien lo haya matado piense que no está en peligro, y aún más importante, para ver quién se presenta en los próximos días.

—¿En el funeral?

—No. Eso se limitará exclusivamente a la familia. No habrá invitados ni ceremonia formal.

—Entonces, ¿quién se presentará dónde?

—En la propiedad, de una forma u otra. Hablamos con el abogado de Swayne, de modo oficial por supuesto, y él nos confirmó lo que te había dicho la esposa del general respecto a que legaría todo el lugar a una fundación.

—¿A cuál? —preguntó Bourne.

—Una de la que nunca has oído hablar, fundada de forma privada hace varios años por adinerados amigos del augusto y «acaudalado» general. No podría ser más conmovedor. Lleva el nombre de Asilo para Soldados, Marineros e Infantes de Marina; la junta directiva ya se ha reunido.

—Gente de Medusa.

—O sus sustitutos. Ya veremos.

—Alex, ¿qué hay de los nombres que te he dado, los seis o siete que me proporcionó Flannagan? Y esos números de matrícula de sus reuniones.

—Encantador, verdaderamente encantador —respondió Conklin en tono enigmático.

—¿Qué es encantador?

—Esos nombres son la escoria de las fiestas de sociedad. No guardan ninguna relación con la clase alta de Georgetown, pertenecen al *National Enquirer*, no al *Washington Post*.

—¡Pero las matrículas, las reuniones! Investiga.

—Aún más encantador —observó Alex—. Investigar... Todas esas matrículas están registradas en una compañía de limusinas. No necesito decirte lo auténticos que serían esos nombres aunque tuviéramos las fechas para rastrearlos.

—¡Hay un cementerio en ese sitio!

—¿Dónde está? ¿Es grande o pequeño? Algo más de 11 ha.

—¡Comienza a buscar!

—¿Y dar a conocer lo que sabemos?

—Tienes razón, estás haciendo lo correcto... Alex, dile a Holland que no me has localizado.

—Lo dirás en broma.

—No, hablo en serio. Tengo al conserje, puedo cubrirme. Dile a Holland el hotel y el nombre y dile que llame él mismo. Si no, que envíe a cualquiera de la embajada. El conserje jurará que me registré ayer y que no me ha visto desde entonces. Hasta el telefonista lo confirmará. Consígueme unos días más, por favor.

—Incluso así, es posible que Holland nos quite todo el apoyo.

—No lo hará si cree que regresaré cuando me encuentres. Sólo quiero que siga buscando a Mo y que mi nombre no se vea relacionado con París. ¡Ni Webb ni Simon ni Bourne!

—Lo intentaré.

—¿Algo más? Tengo mucho que hacer.

—Sí. Casset volará hasta Bruselas por la mañana. Piensa atrapar a Teagarten; a él no podemos darle tiempo y tú no te verás involucrado.

—De acuerdo.


En una calle lateral de Anderlecht, cinco kilómetros al sur de Bruselas, un sedán militar con las insignias de un oficial general de cuatro estrellas se estacionó frente a un café. Con la chaqueta blasonada por cinco hileras de galones, el general James Teagarten, comandante de la OTAN, salió con cautela del vehículo bajo el reluciente sol de la tarde. Entonces se volvió y ofreció la mano a una hermosa mayor del Cuerpo Militar Femenino, quien se lo agradeció con una sonrisa mientras bajaba tras él. Con galantería y autoridad militar, Teagarten soltó la mano de la mujer y la tomó por el codo; luego la acompañó hasta las mesas protegidas por sombrillas, agrupadas tras una hilera de macetas con flores en la terraza del café. Llegaron a la entrada, un arco enrejado cubierto de pequeñas rosas, y pasaron al interior. Todas las mesas estaban ocupadas excepto una al otro extremo de la acera cercada; el rumor de las conversaciones se mezclaba con el tintineo de las botellas de vino al tocar las copas y el delicado traqueteo de los cubiertos sobre los platos de porcelana. De pronto, los decibelios de la conversación se redujeron y el general, consciente de que su presencia atraía miradas, saludos y algún que otro tímido aplauso, esbozó una sonrisa benigna, sin dirigirse a nadie en particular, mientras conducía a su dama hasta la mesa vacía donde había una pequeña tarjeta de reserva.

El dueño, seguido por dos ansiosos camareros, prácticamente voló entre las mesas para recibir a su distinguido cliente. Cuando el comandante se hubo sentado, le llevaron una botella de Corton-Charlemagne helado y le ofrecieron las recomendaciones del menú. Un niño belga de unos cinco o seis años se acercó tímidamente a la mesa y se llevó la mano a la frente, esbozó una sonrisa y saludó al general. Teagarten se puso en pie muy erguido y respondió al saludo del niño.

—*Vous êtes un soldat distingué, mon camarade.*

Su voz autoritaria resonó por todo el café y su sonrisa brillante cautivó a los demás comensales, quienes le respondieron con un aplauso. El niño se retiró y la comida continuó.

Una hora después, Teagarten y la dama fueron interrumpidos por el chófer del general, un sargento de media edad cuya expresión revelaba gran impaciencia. El comandante de la OTAN había recibido un mensaje urgente por el teléfono de su vehículo, y el conductor había tenido la presencia de ánimo para anotarlo y comprobar su veracidad. Le entregó la nota a Teagarten.

El general se levantó y su rostro bronceado palideció mientras observaba el café, que ahora estaba casi vacío. Sus ojos mostraban ira y temor. Tomó un fajo de francos belgas del bolsillo, separó varios billetes grandes y los dejó caer sobre la mesa.

—Vamos —indicó a la mayor—. Debemos irnos... —Entonces se volvió hacia su chófer—. ¡Ponga en marcha el coche!

—¿Qué ocurre? —preguntó su compañera de almuerzo.

—Londres. Ha llegado un cable. Armbruster y De Sole están muertos.

—¡Oh, Dios mío! ¿Cómo?

—No tiene importancia. Todo lo que digan será mentira.

—¿Qué está ocurriendo?

—Lo ignoro. Sólo sé que debemos salir de aquí. ¡Vamos!

El general y la dama corrieron a través del arco enrejado hasta la ancha acera y entraron en el vehículo militar. A ambos lados del capó faltaba un detalle. El sargento había quitado las dos banderas rojo y oro que indicaban el alto rango de su superior, el comandante de la OTAN. El coche salió disparado y apenas había recorrido cincuenta metros cuando el suceso ocurrió.

Una impresionante explosión destruyó el vehículo militar, llenando la estrecha calle de Anderlecht con fragmentos de vidrio y metal, además de los restos humanos bañados en sangre.

—¡*Monsieur*! —exclamó el petrificado camarero mientras la policía, los bomberos y el personal de limpieza cumplían con su espeluznante tarea en la calle.

—¿Qué ocurre? —respondió el aturdido dueño del café, todavía temblando por el severo interrogatorio a que lo había sometido la policía y por las hordas de periodistas que llegaban—. Estoy arruinado.

—¡*Monsieur*, mire! —El camarero señaló la mesa donde habían estado sentados el general y la dama.

—La policía ya la ha examinado —dijo el desconsolado dueño.

—No, *monsieur*. ¡Ahora!

Sobre la mesa de cristal, escrito con letras mayúsculas en lápiz de labios rojo brillante, había un nombre:

*JASON BOURNE.*

## 20

Aturdida, Marie observó el televisor por el que se transmitía el programa de noticias por satélite desde Miami. Cuando la cámara enfocó una mesa de vidrio con un nombre escrito en rojo en un pueblo de Bélgica llamado Anderlecht, lanzó un grito.

—¡Johnhy!

St. Jacques entró como una tromba desde su habitación en el primer piso de la posada del Sosiego.

—Por Dios, ¿qué ocurre?

Con lágrimas en los ojos, Marie señaló el aparato horrorizada. El locutor extranjero hablaba con la monótona pronunciación tan característica de las transmisiones por satélite.

«...como si un salvaje sanguinario hubiese regresado del pasado para aterrorizar a la sociedad civilizada. El infame asesino Jason Bourne, sólo superado por Carlos el Chacal en el mercado de crímenes a sueldo, ha reivindicado la explosión que costó la vida del general James Teagarten y de sus acompañantes. Procedentes de Washington, del servicio secreto británico y de las autoridades policiales nos han llegado informes contradictorios. Las fuentes de Washington aseguran que el asesino conocido como Jason Bourne murió cinco años atrás en Hong Kong, en una operación conjunta entre norteamericanos y británicos. Sin embargo, portavoces de la Secretaría de Estado y de la Inteligencia británica niegan todo conocimiento al respecto y afirman que una operación conjunta como la descrita es altamente improbable. Sin embargo, otra fuente, en este caso procedente de la sede de la Interpol en París, ha afirmado que su agencia de Hong Kong tenía noticia de la supuesta muerte de Jason Bourne, pero a causa de la parcialidad de los informes y de la imprecisión de las fotografías no concedieron demasiado crédito a la historia. Se supuso que Bourne había desaparecido en la República Popular de China con un último contrato que resultó fatal para él. Lo único que se sabe con certeza es que hoy, en la pintoresca ciudad belga de Anderlecht, el general James Teagarten, comandante de la OTAN, ha sido asesinado, y que un hombre que afirma ser Jason Bourne se ha atribuido la muerte de este noble y famoso soldado... A continuación les mostraremos un viejo retrato robot, elaborado a partir de las declaraciones de varias personas que aseguran haber visto a Bourne de cerca. Recuerden que este retrato se confeccionó buscando una similitud de facciones en diversas fotografías para luego reunirlas en una; considerando que el asesino goza de gran reputación por sus cambios de apariencia, es probable que no resulte de gran valor.»

De pronto, toda la pantalla quedó cubierta por el rostro de un hombre, algo irregular e indefinido.
—¡No es David! —exclamó John St. Jacques.
—Podría serlo, hermano —respondió Marie.

«Y ahora continuamos con otras noticias. La sequía que ha diezmado grandes zonas de Etiopía...»

—¡Apaga ese maldito trasto! —gritó Marie mientras saltaba del sillón y se dirigía al teléfono—. ¿Dónde está el número de Conklin? Lo apunté aquí, en alguna parte de tu escritorio. Aquí está, en el secante. ¡San Alex tendrá que explicarme varias cosas, el muy imbécil!
—Marcó con furia, sentada en la silla de St. Jacques, golpeando el escritorio con el puño mientras las lágrimas continuaban resbalándole por las mejillas—. ¡Soy yo, maldito...! ¡Lo has matado! Has permitido que se fuera, lo has ayudado, ¡y lo has matado!
—Ahora no puedo hablara contigo, Marie —replicó un Alexander Conklin frío y controlado—. Tengo a París en la otra línea.
—¡Al carajo con París! ¿Dónde está él? ¡Sácalo de allí!
—Créeme, tratamos de encontrarlo. Aquí se ha desatado un infierno. Los británicos quieren el trasero de Peter Holland por la sola posibilidad de que exista una conexión con el Lejano Oriente; además los franceses están muy afectados por algo que no logran explicar pero despierta sus sospechas, algo como una carga especial del Deuxième en un avión procedente de Martinica, lo cual en un principio había sido rechazado. ¡Te llamaré luego, lo prometo!
La línea quedó en silencio y Marie colgó con fuerza.

—Iré a París, Johnny —dijo mientras inspiraba profundamente y se secaba las lágrimas del rostro.

—¿Qué?

—Ya me has oído. Trae a la señora Cooper hasta aquí. Jamie la adora y es maravillosa con Alison. ¿Por qué no iba a serlo? Ha tenido siete hijos, todos ya mayores y que la visitan cada domingo.

—¡Estás loca! ¡No te lo permitiré!

—No sé por qué —replicó Marie, fulminando a su hermano con la mirada—, pero sospecho que le dijiste a David algo parecido cuando él te comunicó que viajaría a París.

—¡Por supuesto que sí!

—Y no tendrás más éxito que con él si tratas de detenerme.

—Pero ¿por qué?

—Porque conozco los mismos lugares que él en París, cada calle, cada café y cada callejón, desde Sacré Coeur hasta Montmartre. Él tendrá que utilizarlos y lo encontraré mucho antes que el Deuxième o la Sûreté. —El teléfono comenzó a sonar. Marie lo atendió.

—Te prometí que llamaría enseguida —dijo la voz de Alex Conklin—. Bernardine tiene una idea que podría funcionar.

—¿Quién es Bernardine?

—Un viejo colega del Deuxième y buen amigo que está ayudando a David.

—¿Qué ha tramado?

—Ha conseguido un coche de alquiler para Jason... David. Conoce el número de matrícula y está haciendo que la transmitan a todas las patrullas policiales de París. Ha pedido que le informen si lo ven en alguna parte, pero no deben detener el coche ni molestar al conductor. Simplemente mantenerlo vigilado y hacérselo saber a él.

—¿Y tú crees que David... Jason... no se dará cuenta? Tienes muy mala memoria, peor que la de mi marido.

—Es sólo una posibilidad. Hay otras.

—¿Cuáles?

—Pues, bueno, se supone que debe llamarme. Cuando oiga las noticias sobre Teagarten, lo hará.

—¿Por qué?

—Como tú dices, ¡para que lo saque de ahí!

—¿Con Carlos en las cercanías? ¡Qué estupidez! Se me ocurre algo, mejor. Iré a París.

—¡No puedes!

—No quiero volver a oír eso. ¿Me ayudarás, o lo hago por mi cuenta?

—Yo no podría obtener ni un sello de correos en Francia, y a Holland ni siquiera le darían la dirección de la torre Eiffel.

—Entonces iré por mi cuenta. Dadas las circunstancias, me sentiré mucho más segura.

—¿Qué puedes hacer, Marie?

—No te cantaré una letanía, pero iré a todos los sitios adonde fuimos juntos cuando escapamos. De alguna manera acudirá a ellos nuevamente. Se verá obligado, porque en esa jerga que empleáis vosotros, eran lugares «seguros» y en su actual estado de ánimo necesitará recurrir a esa seguridad.

—Dios te bendiga, mi dama predilecta.

—Nos ha abandonado, Alex. Dios no existe.


Prefontaine salió del aeropuerto Logan en Boston y llamó un taxi en la plataforma atestada de gente. Sin embargo, después de mirar alrededor, bajó la mano y se colocó en la fila; las cosas habían cambiado en treinta años. Todo se había convertido en una gran cafetería, incluyendo los aeropuertos; había que hacer cola para obtener un plato de comida y también para tomar un taxi.

—Al Ritz-Carlton —indicó el juez al conductor.

—¿No lleva equipaje? —preguntó el hombre—. ¿Sólo ese pequeño bolso?

—Nada más —respondió Prefontaine, y no pudo resistir la tentación de añadir—: Tengo un guardarropa completo dondequiera que vaya.

—*Tuffi frutti* —dijo el conductor mientras se pasaba un peine de gran tamaño por el cabello y se unía a la corriente de vehículos.

—¿Tiene una reserva, señor? —preguntó el empleado de esmoquin en la recepción del Ritz.

—Debían hacerla desde mi bufete. Me llamo Scofield, Justice William Scofield, del Tribunal Supremo. No quiero ni pensar en que el Ritz ha perdido una reserva, especialmente en estos días, cuando todos piden a gritos protección para el consumidor.

—¿Justice Scofield...? Estoy seguro de que está aquí, en alguna parte, señor.

—He solicitado específicamente las habitaciones Tres-C; sin duda debe figurar en el ordenador.

—Tres-C... está reservada...

—¿Qué?

—No, no, me he equivocado, señor Justice. Aún no han llegado, quiero decir, es un error, tienen otras habitaciones. —El empleado hizo sonar la campanilla con ferocidad—. ¡Botones, botones!

—No es necesario, joven. No traigo equipaje. Sólo deme la llave y señáleme la dirección correcta.

—¡Sí, señor!

—Confío en que, como de costumbre, tendré algunas botellas de un whisky decente allá arriba.

—Si no están, se las llevaremos, señor Justice. ¿Alguna marca en particular?

—Buen whisky de maíz y centeno y buen coñac. Las bebidas blancas son para mariquitas, ¿verdad?

—Muy cierto, señor. ¡Ahora mismo, señor!

Veinte minutos después, con el rostro lavado y una copa en la mano, Prefontaine cogió el teléfono y marcó el número del doctor Randolph Gates.

—Residencia Gates —dijo la mujer en la línea.

—Oh, vamos, Edie, reconocería tu voz bajo el agua y ya han pasado casi treinta años.

—Yo también conozco la suya, pero no logro localizarla.

—Prueba con un profesor adjunto que hostigaba a tu esposo en la universidad. Aunque él no se mostraba muy impresionado con ello y probablemente tenía razón, porque yo acabé en la cárcel. Fui el primero de los jueces locales en ser arrestado, y con toda justicia.

—¿Brendan? ¡Dios santo, eres tú! Nunca creí todo lo que se ha dicho sobre ti.

—Créelo, dulzura, era cierto. Pero ahora debo hablar con el señor de la casa. ¿Está ahí?

—Supongo que sí, en realidad no lo sé. Casi no habla conmigo.

—¿Acaso las cosas no andan bien, querida?

—Me encantaría hablar contigo, Brendan. Él tiene un problema, un problema sobre el cual no sabía nada.

—Sospecho que sí, Edie, y por supuesto que conversaremos. Pero en este momento tengo que hablar con él. Ahora mismo.

—Lo llamaré por el interfono.

—No le digas que soy yo, Edith. Dile que es un hombre llamado Blackburne, de la isla de Montserrat en el Caribe.

—¿Qué?

—Haz lo que te pido, querida Edith. Es por su bien tanto como por el tuyo; tal vez más por ti, a decir verdad.

—Está enfermo, Brendan.

—Lo sé. Tratemos de ayudarlo. Haz que hable conmigo.

—Un momento.

El silencio fue interminable, los dos minutos parecieron dos horas hasta que la voz irritada de Randolph Gates irrumpió en la línea.

—¿Quién habla? —preguntó el célebre abogado.

—Cálmate, Randy, soy Brendan. Edith no ha reconocido mi voz, pero yo recuerdo muy bien la suya. Eres muy afortunado.

—¿Qué quieres? ¿Qué es esto de Montserrat?

—Bueno, acabo de llegar de allí…

—¿Qué?

—Decidí que necesitaba unas vacaciones.

—¡No puedes…! —El susurro de Gates se transformó en un grito de pánico.

—Oh, sí pude. Y por eso mismo toda tu vida va a cambiar. Verás, me encontré con esa mujer y los dos niños que tanto te interesaban, ¿los recuerdas? Es una buena historia y quiero contártela con todos sus fascinantes detalles. Has participado en un plan para matarlos, Randy, y eso ha sido una estupidez. Una terrible estupidez.

—¡No sé de qué estás hablando! ¡Nunca he oído hablar de Montserrat ni de una mujer con dos niños! ¡Eres un borracho desesperado y negaré todos tus dementes alegatos, no son más que las fantasías alcohólicas de un criminal!

—Muy bien, abogado. Pero negar cualquier alegato mío no resolverá la base de tu problema. No, eso está en París.

—¿París…?

—Cierto hombre en París. Yo no creía que ese sujeto existiese en la vida real, pero he averiguado otra cosa. En Montserrat ocurrió algo muy extraño: me confundieron contigo.

—¿Qué? —La voz de Gates sonaba trémula y apenas audible.

—Sí. Qué curioso, ¿verdad? Supongo que este hombre de París trató de ponerse en contacto contigo aquí en Boston. Alguien le diría que su majestad no se encontraba en casa y así fue como se inició la confusión. Dos brillantes cerebros jurídicos, ambos vagamente relacionados con una mujer y dos niños, y París pensó que yo era tú.

—¿Qué ocurrió?

—Cálmate, Randy. Lo más probable es que en este momento piense que estás muerto.

—¿Qué?

—Trató de hacer que me mataran, en realidad a ti. Por una transgresión.

—¡Oh, Dios mío!

—Y cuando averigüe que estás vivo y coleando, no permitirá que fracase un segundo intento.

—¡Señor!

—Es posible que haya una forma de evitarlo, muchacho, por eso debes venir a verme. Casualmente, estoy en las mismas habitaciones del Ritz que tú ocupabas cuando yo te vine a ver. Tres-C; sólo debes coger el ascensor. Te espero dentro de media hora y recuerda, tengo poca paciencia con los clientes que se retrasan porque soy un hombre muy ocupado. De paso, mi tarifa es de veinte mil dólares la hora o cualquier fracción, así que trae dinero Randy. Una buena suma. En efectivo.

Ya estaba listo, pensó Bourne estudiándose frente al espejo, satisfecho de lo que veía. Había dedicado las tres últimas horas a prepararse para su viaje a Argenteuil, a un restaurante llamado Le Coeur du Soldat, el centro de mensajes utilizado por el «mirlo» llamado Carlos el Chacal. El Camaleón se había vestido de acuerdo con el ambiente en el que iba a introducirse; la ropa era sencilla, no así el rostro y el cuerpo. Lo primero había requerido un viaje a las tiendas de segunda mano y empeño en Montmartre, donde encontró un pantalón desteñido, una camisa del ejército francés y un galón de combate igualmente desteñido que presentaba a un veterano herido. Los segundos eran algo más complejos, había tenido que teñirse el cabello, dejarse la barba de un día y colocarse otro vendaje, éste alrededor de la rodilla derecha, ceñido con fuerza para no olvidarse de la cojera perfeccionada rápidamente. Ahora tenía el cabello y las cejas de un color rojo apagado, sucio y descuidado para estar a tono con su nuevo alojamiento, un hotel barato de Montparnasse cuyo dueño establecía el menor contacto posible con la clientela.

Su cuello era más una molestia que un auténtico impedimento; o bien se estaba acostumbrando a la rigidez, o el proceso de curación realizaba su misteriosa tarea. Por otra parte, la limitación de movimientos ya no resultaba una desventaja para su aspecto general; más bien todo lo contrario: como veterano herido y amargado, le convenía no olvidarse de sus movimientos condicionados. Jason se guardó la automática de Bernardine en el bolsillo del pantalón, contó el dinero, comprobó las llaves del coche y el cuchillo de caza con funda que había comprado en una tienda de deportes. Se ató este último bajo la camisa y cojeó hasta la puerta de la pequeña, sucia y sórdida habitación. Siguiente parada: Capucines y un Peugeot en un garaje subterráneo. Estaba listo.

Una vez en la calle, sabía que debería caminar varias calles hasta encontrar una parada de taxis; éstos no eran corrientes en aquel sector de Montparnasse. Como tampoco lo era el alboroto alrededor del puesto de periódicos en la segunda esquina. La gente gritaba, algunos agitaban los brazos con el periódico en la mano y la voz llena de ira y consternación. En forma instintiva, Jason aceleró el paso, llegó al puesto y después de introducir unas monedas recogió el periódico.

Entonces contuvo el aliento mientras trataba de reprimir la conmoción que lo invadía. ¡Teagarten muerto! ¡El asesino, Jason Bourne!

¡Jason Bourne! ¡Locura, demencia! ¿Qué había ocurrido? ¿Era una resurrección de Hong Kong y Macao? ¿Estaría perdiendo lo que le quedaba de cordura? ¿Se trataría de una pesadilla tan real que lo había hecho entrar en sus dimensiones, el horror del sueño desvariado, la fantasía del terror convertida en realidad? Jason se apartó de la multitud y trastabilló por la acera hasta apoyarse contra la pared de un edificio. Sintiendo que le faltaba el aire y con el cuello dolorido, trató desesperadamente de razonar. ¡Alex! ¡Un teléfono!

—¿Qué ha ocurrido? —gritó por el micrófono a Vienna, Virginia.

—Conserva la calma y permanece con la cabeza fría —aconsejó Conklin en tono bajo e inexpresivo—. Escúchame. Quiero saber exactamente dónde estás. Bernardine pasará a recogerte y te sacará de ahí. Hará los arreglos necesarios para ponerte en un Concorde a Nueva York.

—¡Espera, un momento! El Chacal es el autor de esto, ¿verdad?

—Por lo que nos han dicho, ha sido obra de una facción de la Yihad procedente de Beirut. Ellos se atribuyen el asesinato. El que apretó el gatillo no tiene importancia. Puede que sea cierto o puede que no. Al principio no lo creí, no después de lo ocurrido con De Sole y Armbruster, pero existen ciertas coincidencias. Teagarten siempre advertía que iba a enviar las fuerzas de la OTAN al Líbano y a arrasar cada enclave palestino. Ya había sido amenazado antes; es sólo que la relación con Medusa me resulta demasiado casual. Pero para responder a tu pregunta, por supuesto que ha sido el Chacal.

—Me ha tendido una trampa… ¡Carlos me ha tendido una trampa!

—No se puede negar que el muy maldito es listo. Tú vas a buscarlo y él utiliza un contrato que te paraliza en París.

—¡Entonces lo utilizaremos contra él!

—¿De qué diablos estás hablando? ¡Tienes que irte!

—Ni hablar. Mientras él piensa que escapo y me oculto, yo avanzaré directamente hacia su guarida.

—¡Estás loco! ¡Vete mientras puedas hacerlo!

—No, me quedaré. Él sabe que ésos serán mis movimientos si quiero atraparlo, pero tal como tú dices, me tiene paralizado. Piensa que después de todos estos años el pánico me hará cometer estupideces, y Dios sabe que he cometido bastantes en el Sosiego. Pero aquí su ejército de ancianos podrá encontrarme si busca en los lugares apropiados y si sabe qué buscar. ¡Vaya si es hábil! Sacudid a ese maldito para que cometa un error. Yo lo conozco, Alex. Sé la forma en que piensa y podré adelantarme a él. Seguiré adelante, por supuesto. Ya no habrá una caverna segura para mí.

—¿Caverna? ¿Qué caverna?

—Es una forma de hablar, olvídalo. Había tomado mis precauciones antes de saber lo de Teagarten. Me encuentro bien.

—¡No estás nada bien, estás loco! ¡Vete!

—Lo siento, san Alex, éste es justo el lugar en donde quiero estar. Iré tras el Chacal.

—Bueno, tal vez pueda hacer que te muevas de ese lugar al que te aferras tanto. He hablado con Marie hace un par de horas. ¿Y adivina una cosa, mi viejo Neanderthal? Volará a París. Irá a buscarte.

—¡No puede!

—Eso mismo le dije yo, pero no estaba de humor para consejos. Dice que conoce todos los lugares a los que acudíais juntos cuando escapabais de nosotros trece años atrás. Que tú regresarías a ellos.

—Y es cierto. Ya lo he hecho. ¡Pero ella no debe venir!

—Díselo a ella, no a mí.

—¿Cuál es el número del Sosiego? No me he atrevido a llamarla. Para ser sincero, he tratado con locura de apartarla de mi mente, tanto a ella como a los niños.

—Es lo más razonable que has dicho. Aquí lo tienes.

Conklin le dictó el número con código de zona 809 y en cuanto lo hubo hecho, Bourne colgó el teléfono.

Frenéticamente, Jason pasó por el desesperante proceso de transmitir destino y número de tarjetas de crédito. Después de discutir con algún idiota en la recepción del Sosiego, logró hablar con su cuñado.

—¡Llama a Marie! —le ordenó.

—¿David?

—Sí, David. Llama a Marie.

—No puedo. No está. Ha salido hace una hora.

—¿Adónde?

—Se negó a decírmelo. Alquiló un avión desde Blackburne, pero no me dijo a qué isla se dirigía. Por aquí sólo hay Antigua o Martinica, pero puede haber volado hasta San Maartens o Puerto Rico. Se dirige a París.

—¿No podías haberla detenido?

—Dios, David, lo he intentado. ¡Maldita sea, lo he intentado!

—¿No se te ocurrió encerrarla?

—¿A Marie?

—Tienes razón... No llegará aquí hasta mañana por la mañana, como mínimo.

—¿Has visto las noticias? —gritó St. Jacques—. El general Teagarten ha sido asesinado y dicen que ha sido Jason...

—Oh, cállate —exclamó Bourne al tiempo que colgaba el teléfono. De inmediato abandonó la cabina y comenzó a caminar por la calle para ordenar sus confusos pensamientos.

Peter Holland, director de la Agencia Central de Inteligencia, se levantó detrás del escritorio y rugió al hombre lisiado que tenía delante.

—¿No hacer nada? ¿Se ha vuelto loco?

—¿Usted lo estaba también cuando habló sobre esa operación conjunta entre británicos y norteamericanos en Hong Kong?

—¡Era la verdad, maldita sea!

—Hay verdades y verdades. Algunas se basan en negar la verdad cuando ésta no sirve a nuestros fines.

—¡Mierda! ¡Políticos maricones!

—Yo no diría eso, Genghis Khan. He sabido de hombres que van al paredón, que prefieren ser ejecutados, antes de traicionar la verdad que rige sus vidas. Está equivocado, Peter.

Exasperado, Holland se dejó caer nuevamente en la silla.

—Tal vez éste no sea mi lugar, después de todo.

—Tal vez no, pero dése un poco más de tiempo. Es posible que se vuelva tan sucio como el resto de nosotros, podría ocurrirle, ¿sabe?

El director se retrepó en el asiento y echó hacia atrás la cabeza. Habló con una cadencia quebrada.

—Yo era más sucio que cualquiera de ustedes cuando estaba en campaña, Alex. Por las noches, todavía me despierto viendo los rostros de los jóvenes que me miraban mientras yo les abría el pecho con un cuchillo. Yo les quitaba la vida, pero de algún modo era consciente de que, en realidad, no tenían ni idea de por qué se encontraban allí.

—Era usted o ellos. De haber podido, le hubiesen metido una bala en la cabeza.

—Sí, supongo que sí. —El director se inclinó hacia delante y miró a Conklin a los ojos—. Pero no estamos hablando de eso, ¿verdad?

—Podría decirse que es una variación del mismo tema.

—Ya basta de disparates.

—Es un término empleado por los músicos. A mí me gusta la música.

—Entonces vayamos al pentagrama sinfónico, Alex. A mí también me gusta la música.

—Muy bien. Bourne ha desaparecido. Me dijo que creía haber encontrado una caverna —la expresión es suya, no mía—, desde la cual seguir la pista del Chacal. No mencionó dónde se encontraba y Dios sabe cuándo volverá a llamarme.

—Hice que nuestro hombre de la embajada fuera hasta el Pont-Royal y preguntara por Simon. Lo que le han dicho es cierto. Él se registró, salió y no regresó más. ¿Dónde está?

—Se mantiene apartado. Bernardine tuvo una idea, pero no funcionó. Pensó que podría mantener a Bourne bajo una discreta vigilancia si hacía circular el número de matrícula de su coche de alquiler, pero éste no fue retirado del garaje y ambos sabemos que nunca lo será. Ahora él no confía en nadie, ni siquiera en mí y, considerando toda la historia, está en su pleno derecho

Holland le dirigió una mirada fría y furiosa.

—No me está mintiendo, ¿verdad, Conklin?

—¿Por qué mentiría en un momento como éste, sobre un amigo como él?

—Eso no es una respuesta, es una pregunta.

—Entonces, no, no miento. No sé dónde está. —Y era verdad, Alex no lo sabía.

—Por lo tanto, su idea es cruzarse de brazos.

—No podemos hacer nada. Tarde o temprano, me llamará.

—¿Puede imaginar lo que dirá un comité de investigaciones del senado cuando, dentro de un par de semanas o meses, todo esto explote? Y le aseguro que explotará. Hemos enviado clandestinamente a un hombre conocido como «Jason Bourne» a París, ciudad que queda tan cerca de Bruselas como Nueva York de Chicago...

—Más cerca, creo...

—Gracias, era lo que necesitaba saber. Un ilustre comandante de la OTAN es asesinado y el susodicho «Jason Bourne» se atribuye la muerte. ¡Y nosotros no le decimos ni una palabra a nadie! ¡Cielos, terminaré limpiando las letrinas de un barco remolcador!

—Pero él no lo ha matado.

—Usted lo sabe, yo también, pero si hablamos de su historia existe ese antecedente sobre su salud mental que saldrá a la luz en cuanto nos soliciten su historial clínico.

—Se llama amnesia; no tiene nada que ver con la violencia.

—Mierda, no, es peor. No recuerda lo que ha hecho.

Conklin se aferró a su bastón y lo miró fijamente.

—Me importan un bledo las apariencias, hay una laguna. Mi intuición me indica que el asesinato de Teagarten está relacionado con Medusa. De algún modo, en alguna parte, los cables se han cruzado. Se ha interceptado un mensaje y, como respuesta, se ha lanzado una gran cortina de humo.

—Supongo que ambos hablamos el mismo idioma —dijo Holland—, pero en este momento no logro seguirlo.

—No hay nada que seguir. No se trata de aritmética ni de secuencias progresivas. Simplemente no sé cómo, pero Medusa está allí.

—Con su testimonio, podría arrestar a Burton en el estado mayor conjunto, y sin duda a Atkinson en Londres.

—No, déjelos tranquilos. Obsérvelos, pero no les hunda los botes, almirante. Como en el «refugio» de Swayne, tarde o temprano las abejas se reunirán en torno a la miel.

—Entonces, ¿qué sugiere?

—Lo que dije al entrar aquí. No haga nada; en este juego hay que saber esperar. —De pronto Alex golpeó el bastón contra la mesa—. Maldita sea, es Medusa. ¡Tiene que serlo!


Frente a un banco de la iglesia del Sagrado Sacramento en Neuilly-sur-Seine, el anciano calvo y de rostro arrugado se puso en pie trabajosamente. Paso a paso, se acercó al segundo confesionario de la izquierda. Apartó la cortina oscura y se arrodilló frente a la celosía cubierta por una tela negra, con las piernas terriblemente doloridas.

—*Angelus domini*, criatura de Dios —dijo la voz al otro lado del enrejado—. ¿Te encuentras bien?

—Mucho mejor gracias a su generosidad, *monseigneur*.

—Eso me complace, pero necesito que me complazcas aún más, como tú bien sabes... ¿Qué ocurrió en Anderlecht? ¿Qué noticias tiene mi tan querido y eficiente ejército? ¿Quién se ha atrevido?

—Nos hemos dispersado y hemos trabajado durante las últimas ocho horas, *monseigneur*. Hasta donde hemos podido determinar, dos hombres han llegado desde Estados Unidos, eso suponemos ya que sólo hablaban inglés con acento, y tomaron una habitación en una *pension de familie* enfrente del restaurante. Abandonaron el lugar poco después del atentado.

—¡Una bomba activada por control remoto!

—Eso parece, *monseigneur*. No hemos averiguado nada más.

—¿Pero por qué? ¿Por qué?

—No podemos leer la mente de los hombres, *monseigneur*.


Al otro lado del océano Atlántico, en un lujoso apartamento de Brooklyn desde cuyas ventanas se veían las fascinantes luces del puente, un *capo supremo* descansaba en un mullido sofá con una copa de Perrier en la mano. Hablaba con su amigo, que estaba sentado frente a él en un sillón y bebía un gin tonic. El joven era esbelto, de cabello oscuro y aspecto atractivo.

—Tú sabes, Frankie, yo no sólo soy inteligente, soy listo, ¿me comprendes? Me guío por matices, por indicios de lo que podría ser importante o no, y tengo una gran intuición. Escucho a un *paesano* hablar de ciertas cosas y cuando sumo cuatro más cuatro, en lugar de ocho obtengo doce. ¡Bingo! Es la respuesta. Está ese sujeto que se hace llamar «Bourne», un imbécil que se cree un gran personaje y no lo es... él sólo es un maldito *esca*, un cebo para atrapar a otra persona, y no nos interesa. Luego, el psiquiatra judío, que se siente muy indispuesto y me dice todo lo que necesito saber. Ese imbécil sólo tiene media cabeza, es una *testa balzana*; la mayor parte del tiempo no sabe quién es ni lo que hace, ¿comprendes?

—Claro, Lou.

—Y allí está ese Bourne, en París, Francia, a pocas calles de un obstáculo verdaderamente importante, un general estrafalario que los muchachos del otro lado del río querían eliminar, al igual que a los otros dos gordinflones. ¿*Capisci*?

—*Capisco*, Lou —dijo el joven de aspecto saludable desde el sillón—. Eres verdaderamente inteligente.

—Ni siquiera sabes de qué mierda te hablo, *zabaglione*. Bien podría estar hablando solo, así que ¿por qué no...? Entonces me dije: ¿por qué no tirar mi dado cargado? ¿Comprendes?

—Claro, Lou.

—Debemos eliminar a ese general de mierda porque representa un obstáculo para esa gente que nos necesita, ¿correcto?

—Correcto, Lou. Un obs... un ob...

—No te preocupes, *zabaglione*. Entonces me dije: acabemos con él y digamos que ha sido el imbécil. ¿Me entiendes?

—Oh, sí, Lou. Eres realmente inteligente.

—Así nos libramos del obstáculo y ponemos al imbécil, a este Jason Bourne, en la mira de todos. Si no lo atrapamos nosotros ni ese Chacal, lo harán los federales, ¿qué te parece?

—Es fantástico, Lou. Debo confesarlo, te respeto mucho.

—Olvida el respeto, *bello ragazzo*. En esta casa rigen otras reglas. Ven aquí y hazme el amor.

El joven se levantó del sillón y se acercó al sofá.


Marie estaba sentada en la parte trasera del avión, bebiendo café en un vaso de plástico mientras trataba desesperadamente de recordar cada lugar, cada escondrijo donde ella y David habían acudido trece años atrás. Estaban los cafés de los bajos fondos de Montparnasse, también los hoteles baratos; y un motel, ¿dónde era...? Sí, a unos quince kilómetros de París. Y una posada con un balcón en Argenteuil, donde David, Jason, le había declarado por primera vez que la amaba, pero que precisamente por eso no podía permanecer junto a ella. ¡El muy maldito! Además estaba el Sacré Coeur y cerca de él un callejón oscuro donde Jason, David, se había encontrado con el hombre que les proporcionó la información que necesitaban. ¿Dónde estaba, quién era?

—*Mesdames et messieurs* —dijo la voz amplificada desde la cabina del piloto—. *Je suis votre capitaine. Bienvenus.* —El piloto continuó hablando en francés y luego la información fue repetida en inglés, alemán, italiano y, finalmente, una mujer la tradujo al japonés—. Prevemos un viaje muy tranquilo hasta Marsella. El tiempo estimado de vuelo es de siete horas y catorce minutos, aterrizaremos a las seis de la mañana, hora de París. Disfruten del viaje.

Marie St. Jacques Webb miró por la ventanilla el océano bañado por la luz de la luna. Había volado hasta San Juan de Puerto Rico y tomó el vuelo nocturno hasta Marsella. De forma intencionada o no, allí reinaba una gran confusión en todo lo referente a los documentos de inmigración, o al menos así era trece años atrás, una época a la cual estaba volviendo. Luego tomaría un vuelo local hasta París y daría con él. Al igual que hizo trece años atrás, daría con él. ¡Era necesario! Como en el pasado, si no lo lograba, el hombre a quien amaba sería hombre muerto.

## 21

Morris Panov estaba sentado apáticamente en una silla junto a una ventana, contemplando las pasturas de una granja en alguna parte, en Maryland suponía él. Estaba en un pequeño dormitorio del primer piso, vestido con un pijama de hospital, y su brazo derecho descubierto confirmaba una historia que él conocía demasiado bien. Lo habían drogado repetidas veces, lo habían lanzado hasta la luna, para utilizar el lenguaje de los que administraban los narcóticos. Su mente había sido penetrada, violada. Mediante el uso de productos químicos, habían sacado a la superficie y expuesto sus secretos más profundos.

El daño que había ocasionado era incalculable, él lo sabía; lo que no comprendía era por qué estaba aún con vida. Y lo más curioso de todo era la deferencia con que lo trataban. ¿Por qué el guardia con aquella estúpida máscara negra se mostraba tan amable? ¿Y por qué la comida que le llevaban era tan abundante y apetitosa? Era como si en ese momento, el principal propósito de sus secuestradores fuese que recuperara las fuerzas, tan debilitadas por las drogas, y brindarle todas las comodidades posibles en aquellas circunstancias tan difíciles. ¿Por qué?

La puerta se abrió y entró el guardia enmascarado. Era un hombre bajo y robusto que en otra situación le habría parecido cómico. Tenía la cabeza demasiado voluminosa para el ridículo antifaz al estilo del Llanero Solitario, que de todos modos no representaría ningún obstáculo para una identificación inmediata. Sin embargo, considerando las circunstancias, no resultaba gracioso en absoluto. Su actitud servil era más bien amenazante. Colgada del brazo izquierdo llevaba la ropa del psiquiatra.

—Bien, doc, tiene que vestirse. Me he asegurado de que todo estuviera limpio y planchado, incluyendo la ropa interior. ¿Qué le parece?

—¿De manera que tienen su propia tintorería aquí?

—Mierda, no, los llevamos a... ¡Ah no, no me atrapará de esa manera, doc! —El guardia sonrió y mostró unos dientes algo amarillentos bajo el antifaz negro—. Muy listo, ¿eh? ¿Creyó que le diría dónde estamos?

—Sólo era curiosidad.

—Sí, claro. Como mi sobrino, el hijo de mi hermana. Siempre anda haciéndome preguntas que no quiero responder y las hace «sólo por curiosidad». Preguntas como: «Oye, tío, ¿cómo has conseguido pagarme los estudios de medicina?» ¡Sí! Es médico, como usted. ¿Qué le parece eso?

—Yo diría que el hermano de su madre es una persona generosa.

—Sí, bueno... ¿qué le vamos a hacer? Vamos, vístase, doc. Saldremos a dar un paseíto. —El guardia le entregó las prendas.

—Supongo que es inútil preguntar adónde vamos —dijo Panov mientras se quitaba el pijama y se colocaba el calzoncillo.

—Muy inútil.

—Espero que no tan inútil como su sobrino, que no le ha mencionado nada sobre ese síntoma que veo en usted. Yo en su lugar estaría bastante asustado. —Mo se subió los pantalones con expresión indiferente.

—¿De qué está hablando?

—Tal vez no sea nada. —Panov se puso la camisa y se sentó para colocarse los calcetines—. ¿Cuándo vio por última vez a su sobrino?

—Hace un par de semanas. Tuve que darle algo de dinero para cubrir su seguro. ¡Mierda, son como sanguijuelas! ¿Por qué lo pregunta?

—Sólo me preguntaba si le habría comentado algo.

—¿Sobre qué?

—Sobre su boca. —Mo se ató los zapatos y le hizo una seña con la cabeza—. Hay un espejo sobre la cómoda, vaya a echar un vistazo.

—¿A qué? —El *capo subordinato* se dirigió rápidamente al espejo.

—Sonría.

—¿Por qué?

—Por nada... Vea el amarillo de sus dientes, ¿nota el rojo apagado de las encías y cómo éstas parecen hinchadas en la parte superior?

—¿Y qué? Siempre han estado así...

—Es posible que no sea nada, pero él debió notarlo.

—¿Notar qué, por amor de Dios?

—Un ameloblastoma oral. Posiblemente.

—¿Qué diablos es eso? No me cepillo demasiado y no me gustan los dentistas. ¡Son carniceros!

—¿Quiere decir que no ha visto a un dentista o a un cirujano bucal desde hace mucho tiempo?

—¿Y qué? —El *capo* volvió a descubrir los dientes frente al espejo.

—Eso podría explicar el silencio de su sobrino.

—¿Cómo?

—Debe de suponer que usted va al dentista periódicamente y por lo tanto deja que otras personas se lo expliquen. —Con los zapatos atados, Panov se levantó.

—No le entiendo.

—Bueno, después de todo lo que usted ha hecho por él, debe de estar agradecido. Comprendo que se resista a decírselo.

—¿Decirme qué? —El guardia se volvió hacia él.

—Quizá me equivoque, pero creo que usted debería ver a un especialista de periodontitis. —Mo se puso la chaqueta—. Estoy listo —indicó—. ¿Qué hacemos ahora?

Con el ceño fruncido de preocupación, el *capo subordinato* metió la mano en el bolsillo y extrajo un gran pañuelo negro.

—Lo siento, doc, pero debo taparle los ojos.

—¿Para poder dispararme a la cabeza sin que yo lo sepa de antemano?

—No, doctor. Nada de bang-bang para usted. Es demasiado valioso.


—¿Valioso? —preguntó retóricamente el *capo supremo* en su lujosa sala en las alturas de Brooklyn—. Como una mina de oro que brota de la tierra y aterriza en tu menestra. Este judío ha trabajado con algunos de los cerebros más importantes de Washington. Sus archivos deben de valer tanto como todo Detroit.

—Nunca los conseguirás, Louis —dijo el hombre atractivo y de mediana edad, vestido con un caro traje de estambre tropical y sentado ante su anfitrión—. Deben de estar sellados y bien lejanos de tu alcance.

—Bueno, estamos trabajando en eso, señor Park Avenue, Manhattan. Supongamos, sólo como pasatiempo, supongamos que los tenemos. ¿Cuánto valdrían para ti?

El invitado se permitió una leve sonrisa aristocrática.

—¿Detroit? —respondió.

—¡*Va bene*! Me gustas, tienes sentido del humor. —Con la misma brusquedad con que había sonreído, el mafioso se puso serio, incluso desagradable—. Los cinco millones todavía se mantienen por este personaje Bourne-Webb, ¿verdad?

—Con una condición.

—No me gustan las condiciones, señor abogado, no me gustan lo más mínimo.

—Podemos recurrir a otras fuentes. Vosotros no sois los únicos en la ciudad.

—Deja que te explique una cosa, *Signor Avvocato*. En muchos sentidos nosotros, todos nosotros, somos los únicos en la ciudad. No nos mezclamos con los asuntos de otras familias. Nuestro concejo ha decidido que los contratos son algo demasiado personal, es una cuestión de sangre.

—¿Quieres oír la condición? No creo que te sientas ofendido.

—Dispara.

—Preferiría que utilizaras otra palabra...

—Adelante.

—Habrá una recompensa de dos millones y medio porque insistimos en que incluyas a la esposa de Webb y a su amigo del gobierno, Conklin.

—Hecho, señor Park Avenue, Manhattan.

—Bien. Continuemos con nuestros asuntos.

—Quiero hablar del judío.

—Ya llegaremos a él...

—Ahora.

—Por favor, no me des órdenes —advirtió el abogado, que pertenecía a una de las firmas más prestigiosas de Wall Street—. No estás en posición de exigir.

—¡Escucha, *farrabutto*! ¡No me hables en ese tono!

—Te hablaré como me plazca. En apariencia y para negociar tus asuntos, eres un sujeto muy duro, muy macho. —El abogado descruzó y volvió a cruzar las piernas con calma—. Pero en la intimidad las cosas cambian, ¿verdad? Se te ablanda el corazón, o se te endurece otra cosa, cuando ves a cierto jovencito.

—¡Maldito hijo de puta!

—Sabes, cuando era un joven abogado del ejército en Saigón, defendí a un teniente de carrera que había sido atrapado en *flagrante delito* con un muchacho vietnamita. Utilizando maniobras legales y frases ambiguas referidas a los civiles en el código militar, logré salvarlo de una licencia deshonrosa, pero era evidente que debía renunciar al servicio. Por desgracia, no pudo continuar con una vida productiva; se mató de un tiro dos horas después del veredicto. Se había convertido en un paria, quedó deshonrado frente a sus semejantes y no pudo sobrellevar la carga.

—Continúa con tus asuntos —masculló el *capo supremo* llamado Louis, con voz baja y llena de odio.

—Gracias. Primero, he dejado un sobre en la mesa del vestíbulo. Dentro está el pago por el trágico episodio de Armbruster en Georgetown y por la muerte igualmente trágica de Teagarten en Bruselas.

—Según ese doctor judío —lo interrumpió el mafioso—, tienen datos acerca de otros dos de ustedes. Un embajador en Londres y ese almirante del estado mayor conjunto. ¿Quieres añadir otra recompensa?

—Es posible que más adelante, ahora no. Ambos saben muy poco y no tienen ninguna información sobre las operaciones financieras. Burton cree que, fundamentalmente, somos veteranos archiconservadores nacidos del oprobio de Vietnam; según él estamos en el límite de la ley, pero en tal caso es un hombre con fuertes sentimientos patrióticos. Atkinson es un aficionado rico; cumple lo que se le ordena, pero no sabe por qué ni de quién proviene. Haría cualquier cosa con tal de seguir en la corte de Saint James, su única relación era con Teagarten... Conklin encontró una mina de oro con Swayne, Armbruster, Teagarten y, por supuesto, De Sole, pero los otros dos son simples maniquíes, respetables, pero maniquíes al fin y al cabo. Me pregunto cómo habrá ocurrido.

—Cuando lo averigue, y lo haré, te lo comunicaré gratis.

—¿Ah, sí? —El abogado alzó las cejas—. ¿Cómo?

—Lo sabremos. ¿Qué más?

—Hay dos cuestiones, ambas vitales. La primera te la daré yo a ti... gratis. Deshazte de ese novio tan mono que tienes. Frecuenta lugares poco recomendables y malgasta el dinero como un criminal de tres al cuarto. Nos han dicho que presume de sus contactos con gente importante. No sabemos qué más sabe o lo que ha logrado deducir, pero nos preocupa. Creo que tú también deberías preocuparte.

—¡Il prostituto! —rugió Louis al tiempo que golpeaba el brazo del sillón con el puño—. ¡Il pinguino! Está muerto.

—Acepto tu agradecimiento. La otra cuestión es mucho más importante, al menos para nosotros. La casa de Swayne en Manassas. Hay un libro, en realidad se trata de un diario, que el abogado del general no ha podido encontrar. Estaba en un estante encuadernado igual que el resto de los libros de la hilera. Tenían que saber exactamente cuál coger.

—Entonces, ¿qué quieren de mí?

—El jardinero era tu hombre. Lo pusimos en ese sitio para hacer su trabajo y le habíamos dado el único número cuya seguridad estaba garantizada: el de De Sole.

—¿Y qué?

—Para hacer su trabajo, para que el suicidio pareciera auténtico tuvo que estudiar cada movimiento de Swayne. Tú mismo me lo explicaste hasta la saciedad cuando exigías esa suma exorbitante. No resulta difícil imaginar a tu hombre espiando por la ventana a Swayne en su estudio, el lugar donde supuestamente el general se quitaría la vida. Poco a poco, tu hombre se da cuenta de que Swayne siempre retira un libro concreto del estante, escribe algo en él y vuelve a guardarlo en el mismo lugar. Eso debe de intrigarlo, ese libro en particular tiene que ser valioso. ¿Por qué no llevárselo? Yo lo haría en su lugar, y tú también. Entonces, ¿dónde está?

El mafioso se levantó lentamente y con expresión algo amenazadora.

—Escúchame, *avvocato*, sabes empezar muy bien las palabras para sacar conclusiones, pero nosotros no tenemos ningún libro como ése y te diré cómo puedo demostrarlo. Si hubiese algo por escrito que pudiese quemarte el trasero, en este mismo momento lo estaría agitando frente a tu rostro, *¿capisci?*

—Eso no suena ilógico —admitió el elegante abogado, descruzando y cruzando las piernas una vez más. El *capo* regresó al sillón con expresión sombría—. Flannagan —añadió el abogado de Wall Street—. Naturalmente, por supuesto, Flannagan. Él y esa puta de peluquera deben de tener su póliza de seguro, con alguna extorsión menor por añadidura. En realidad es un alivio. Jamás podrán utilizarlo contra nosotros sin quedar expuestos ellos mismos. Acepta mis disculpas, Louis.

—¿Has terminado con tus asuntos?

—Eso creo.

—Ahora, el psiquiatra judío.

—¿Qué le pasa?

—Como te he dicho, es una mina de oro.

—Sin los archivos de sus pacientes, de menos de veinticuatro quilates, creo.

—Entonces, crees mal —replicó Louis—. Como le dije a Armbruster antes de que se convirtiera en otro gran obstáculo para vosotros, nosotros también tenemos médicos. Especialistas en todo tipo de disciplina, incluyendo lo que ellos llaman respuestas motrices y, escucha, esto en particular se me quedó en la cabeza, «recuerdos mentales provocados bajo estados de control externo». Es una especie de pistola apoyada en la sien, sólo que sin derramamiento de sangre.

—Supongo que pretendes decirme algo.

—Puedes apostar tu casa de campo. Hemos trasladado al judío a un lugar en Pennsylvania, una especie de hospital particular donde acude sólo la gente más rica para regresar al buen camino, no sé si me entiendes.

—Creo que sí. Modernos equipos médicos, personal especializado, vigilancia en los alrededores.

—Sí, veo que lo comprendes. Varios de los tuyos han pasado por allí...

—Continúa —lo interrumpió el abogado mientras echaba una ojeada a su Rolex de oro—. No dispongo de mucho tiempo.

—Tómate tiempo para esto. Según mis especialistas, y utilizo la palabra «mis» a propósito, cada cuatro o cinco días el nuevo paciente es «lanzado hasta la luna»; ésa es la frase que utilizan, Dios sabe que no es mía. Mientras tanto, recibe un trato excelente. Lo alimentan de forma adecuada, lo mantienen en forma física, mucho sueño y toda esa mierda. Todos deberíamos cuidarnos así, ¿verdad, *avvocato*?

—Algunos de nosotros jugamos a tenis de vez en cuando.

—Bueno, usted disculpe, señor Park Avenue, Manhattan, pero mi deporte favorito es comer pasta italiana.

—Ahí es donde aparecen las diferencias culturales, ¿no?

—Sí, y no puedo censurarlo por eso, *consigliere*.

—Ya lo creo. Y mi título es de abogado.

—Deme tiempo. Podría llegar a *consigliere*.

—No viviremos tanto como para verlo, Louis. ¿Continúas o me voy?

—Continúo, señor abogado... Entonces, cada vez que el psiquiatra judío se ve lanzado hasta la luna, se encuentra en muy buen estado físico, ¿correcto?

—Entiendo que hay períodos de normalidad, pero yo no soy médico.

—No sé de qué mierda estás hablando, pero como yo tampoco soy médico aceptaré la palabra de mis especialistas. Resulta que cada vez que lo inyectan, como su mente se encuentra en excelentes condiciones, comienza a desembuchar un nombre tras otro. La mayoría de ellos son inútiles, pero de vez en cuando habrá uno que nos interese y luego otro y otro. Con cada uno inician una investigación y él suministra algunos datos, los suficientes como para trazar un bosquejo del paciente sobre el que habla, los suficientes como para poner al sujeto contra la pared cuando entremos en contacto con él. Recuerda que éstos son tiempos difíciles y el doctor judío trata a algunos de los personajes más importantes de Washington, dentro y fuera de gobierno. ¿Qué te parece eso, señor abogado?

—Sin duda es muy original —respondió el invitado lentamente, mientras estudiaba al *capo supremo*—. Sin embargo, sus archivos serían infinitamente preferibles.

—Sí, bueno, estamos trabajando en eso, pero llevará su tiempo. Esto es inmediato. Llegará a Pennsylvania dentro de un par de horas. ¿Quieres hacer un trato conmigo?

—¿Por qué? ¿Por algo que no tienes y tal vez no tengas nunca?

—Vamos, ¿quién crees que soy?

—Estoy seguro de que la respuesta no te gustaría...

—Vayamos al grano. Digamos que dentro de un par de días, tal vez de una semana, volvemos a encontrarnos. Entonces te entrego una lista de nombres que, según mi opinión, podrían interesarte. La información sobre ellos…, bueno, por el momento me la guardo. Tú escoges uno, dos o tal vez ninguno. ¿Qué podrías perder? El trato será sólo entre tú y yo. No hay nadie más involucrado con excepción de mi especialista y su ayudante, quienes no te conocen ni tú a ellos.

—¿Un pacto colateral, por decirlo de alguna manera?

—No de alguna manera, es así. Fijaré el precio según la información. Puede que sólo cueste un par de miles, puede que llegue a dos millones o que te resulte gratis, ¿quién sabe? Me mostraré justo porque quiero hacer negocios contigo, ¿*capisci*?

—Resulta muy interesante.

—¿Sabes lo que dice mi especialista? Que podríamos iniciar nuestra propia industria doméstica. Atrapar a una docena de psiquiatras, todos con fuertes relaciones en el gobierno, en el senado o en la Casa Blanca…

—Lo entiendo perfectamente —lo interrumpió el abogado, poniéndose en pie—, pero no tengo más tiempo. Tráeme una lista, Louis. —El invitado se dirigió hacia el pequeño vestíbulo de mármol.

—¿No llevaba un elegante portafolio, *Signor Avvocato*? —preguntó el *capo* mientras se levantaba del sillón.

—¿Y estropear los mecanismos no tan delicados de tu puerta?

—Es un mundo muy violento el de ahí afuera.

—No sé nada al respecto.

El abogado de Wall Street partió y, apenas se hubo cerrado la puerta, Louis corrió hacia el escritorio estilo reina Ana y virtualmente se lanzó sobre el teléfono francés de marfil. Como de costumbre, tumbó dos veces el inestable aparato hasta que, finalmente, lo sostuvo con una mano mientras marcaba con la otra.

—¡Este teléfono de mierda! —murmuró—. ¡Maldito decorador maricón…! ¿Mario?

—Hola, Louis —saludó una voz agradable en New Rochelle—. Apuesto a que has llamado para desearle feliz cumpleaños a Anthony, ¿verdad?

—¿A quién?

—A mi hijo, Anthony. Hoy cumple quince años, ¿lo habías olvidado? Toda la familia está fuera en el jardín y te echamos de menos, primo. No sabes qué jardín tenemos este año. Soy un verdadero artista.

—También es posible que seas otra cosa.

—¿Qué?

—Cómprale un regalo a Anthony y envíame la cuenta. A los

quince años podría ser una mujer. Ya es hora de que se convierta en hombre.

—Lou, eres imposible. Hay otras cosas...

—Ahora sólo hay una, Mario. ¡Y quiero la verdad de tus labios o te los desollaré!

Hubo una breve pausa antes de que el verdugo de voz agradable continuara.

—No merezco que me hables de ese modo, *cugino*.

—Tal vez sí, tal vez no. Alguien sustrajo un libro de la casa del general en Manassas, un libro muy valioso.

—Han notado su ausencia, ¿eh?

—¡Por todos los cielos! ¿Lo tienes tú?

—Lo tenía, Lou. Iba a ser un obsequio para ti, pero lo perdí.

—¿Lo perdiste? ¿Qué mierda has hecho, dejarlo en un taxi?

—No, corría para salvar el pellejo. Aquel loco con las bengalas... ¿cómo se llama...? Webb. Cuando me disparó la bala apenas si me rozó, pero yo caí al suelo y el libro se me escapó de las manos; justo cuando llegaba la policía. Él lo recogió y yo corrí como un desesperado hacia la cerca.

—¿Webb lo tiene?

—Eso creo.

—¡Dios bendito...!

—¿Alguna otra cosa, Lou? Vamos a encender las velas del pastel.

—Sí, Mario, es posible que te necesite en Washington. Hay un sujeto a quien le falta un pie pero le sobra un libro.

—Espera un momento, *cugino*, ya conoces mis reglas. Siempre quiero un mes libre entre dos viajes de negocios. ¿Cuánto tiempo llevó lo de Manassas? ¿Seis semanas? Y en mayo, lo de Key West, ¿tres, casi cuatro semanas? No puedo llamar ni enviar una postal... No, Lou, un mes libre. Tengo responsabilidades con Angie y los niños. No pienso ser un padre invisible, quiero que mis hijos tengan un modelo a seguir, ¿sabes a qué me refiero?

—¿Quién eres, Ozzie Nelson? ¡Vete a la mierda! —Louis colgó el receptor con tanta ira que apareció una grieta en el delicado tallo de marfil del aparato—. El mejor hombre que tenemos y es un excéntrico —murmuró mientras marcaba frenéticamente. Cuando respondieron al otro lado de la línea, la ansiedad y la ira se esfumaron de su voz; ya no se notaban, pero no habían desaparecido.

—Hola, Frankie, querido, ¿cómo está mi mejor amigo?

—Ah, hola, Lou —respondió la voz lánguida y vacilante desde un caro apartamento de Greenwich Village—. ¿Puedo volver a llamarte dentro dos minutos? Iba a acompañar a mi madre a coger un taxi para que regrese a Jersey. ¿Te parece bien?

—Desde luego, muchacho. Dos minutos. —¿Madre? ¡Esa puta! *¡Il pinguino!* Louis se acercó a su bar de mármol con un gran espejo y ángeles flotando sobre las botellas de whisky. Se sirvió una copa y bebió varios tragos para calmarse. El teléfono del bar comenzó a sonar.

—¿Sí? —respondió, tomando con cuidado el frágil instrumento de cristal.

—Soy yo, Lou, Frankie. Ya he despedido a mamá.

—Eres un buen chico, Frankie. Nunca olvides a tu mamá.

—Oh, no lo hago, Lou. Tú me has enseñado eso. Me has contado que gracias a ti, tu madre tuvo el funeral más lujoso que jamás se había visto en Hartford.

—Sí, compré la maldita iglesia.

—Conmovedor, verdaderamente conmovedor.

—Ahora vayamos a otra cosa que también resulta conmovedora, ¿te parece? Hoy ha sido un día terrible, Frankie, muchos problemas… ¿sabes lo que quiero decir?

—Desde luego, Lou.

—Así que estoy muy nervioso y necesito descargarme. Ven a verme, Frankie.

—Lo más rápido que un taxi pueda llevarme, Lou.

¡Prostituto! Sería el último servicio que le prestaría Frankie el Bocazas.


Una vez en la calle, el elegante abogado caminó dos calles al sur y una al este hasta la limusina que lo aguardaba aparcada frente a otra impresionante residencia en lo alto de Brooklyn. Su robusto chófer charlaba con el portero uniformado, a quien para entonces ya había entregado una generosa propina. Al ver a su jefe, el conductor se acercó rápidamente a la puerta trasera de la limusina y la abrió. Unos minutos después se hallaban en medio del tránsito en dirección al puente.

En la soledad del asiento trasero, el abogado se desabrochó el cinturón de cocodrilo, presionó los bordes de la hebilla y un pequeño cartucho cayó entre sus piernas. Lo recogió y volvió a abrocharse el cinturón.

Sosteniendo el cartucho a la luz de la ventanilla, estudió la grabadora en miniatura que se activaba con la voz. Era una máquina extraordinaria, lo bastante pequeña y con un mecanismo acrílico que le permitía pasar por los detectores más sofisticados. El abogado se inclinó hacia adelante y habló al conductor.

—¿William?

—Sí, señor. —El chófer miró por el espejo retrovisor. Vio la mano extendida de su jefe y tomó lo que le entregaba.

—Lleve esto a la casa y páselo a una cinta normal, por favor.

—Sí, señor.

El abogado de Manhattan se retrepó en el asiento y esbozó una sonrisa. De ahora en adelante Louis le daría todo lo que él quisiese. Un *capo* no cerraba tratos a espaldas de su familia ni reconocía ciertas preferencias sexuales.


Morris Panov se hallaba junto al guardia en la parte delantera del sedán. Tenía los ojos vendados y las manos flojamente atadas, casi con cortesía, como si el *capo subordinato* hubiese sentido que estaba cumpliendo órdenes innecesarias. Habían viajado unos treinta minutos en silencio cuando el guardia habló:

—¿Qué es un especialista en periodontitis? —preguntó.

—Un cirujano dental. Un médico que opera la boca de los pacientes cuando hay problemas relacionados con los dientes y el tejido de las encías.

Silencio. Siete minutos después, preguntó:

—¿Qué clase de problemas?

—Pueden ser de varios tipos, desde infecciones en las raíces hasta operaciones más complicadas, por lo general en equipo con un oncólogo.

Silencio. Cuatro minutos después:

—¿Qué es eso último... lo del Congo no-sé-qué?

—Cáncer bucal. Si se detecta a tiempo, puede ser detenido con una extirpación ósea menor. En caso contrario se puede perder toda la mandíbula. —Panov percibió que el coche se desviaba un poco del camino. Por un momento, el conductor había perdido el control.

Silencio. Un minuto y medio después:

—¿Toda la mandíbula? ¿La mitad de la cara?

—Es eso o la vida del paciente.

Treinta segundos después:

—¿Cree que yo podría tener algo así?

—Soy un doctor, no un alarmista. Sólo he advertido un síntoma, no he emitido ningún diagnóstico.

—¡Mierda! ¡Haga un diga... daga... eso!

—No estoy cualificado.

—¡A la mierda! Es un médico, ¿verdad? Quiero decir, un verdadero médico, no un *fasullo* que afirma serlo pero no tiene un título de verdad.

—Si se refiere a la universidad, sí, soy esa clase de médico.

—Entonces, ¡examíneme!

—No puedo. Tengo los ojos vendados. —De pronto Panov sintió

que la mano musculosa y fuerte del guardia le arrancaba el pañuelo. El oscuro interior del automóvil respondió a una pregunta de Mo: ¿Cómo se podía viajar en un coche con un pasajero que tenía los ojos vendados? En ese vehículo no constituía ningún problema, ya que las ventanillas eran completamente oscuras, lo cual significaba que desde el exterior no se veía nada.

—¡Adelante, mire!

—¿Qué?

Sin apartar los ojos del camino, el *capo subordinato* inclinó la gran cabeza de forma grotesca hacia Panov. Separó los gruesos labios y mostró los dientes como un niño que jugara a hacer muecas frente a un espejo.

—¡Dígame qué ve! —volvió a gritar.

—Está demasiado oscuro aquí dentro —respondió Mo, mientras miraba lo que realmente quería ver por el parabrisas delantero. Estaban en una carretera comarcal, tan estrecha y tan comarcal que sólo le faltaba ser de tierra. Dondequiera que lo estuviesen llevando, lo hacían por una ruta extremadamente indirecta.

—¡Abra la maldita ventanilla! —aulló el guardia, sin enderezar la cabeza ni apartar los ojos del camino. Su boca abierta parecía la caricatura de Orca, la ballena a punto de vomitar—. No se guarde nada. ¡Le romperé los dedos a ese cretino! ¡Podrá hacer su maldita cirugía con los codos…! Le dije a esa estúpida de mi hermana que no veía nada de bueno en ese maricón. Siempre leyendo libros, nada de acción en la calle. ¿Sabe a qué me refiero?

—Si deja de gritar durante un instante, podré echar un vistazo —amonestó Panov después de bajar la ventanilla. Lo único que se veía eran árboles y las malezas de una carretera comarcal, una que no debía de figurar en muchos mapas—. Veamos —continuó Mo, alzando las manos hasta la boca del *capo*. Sin embargo, sus ojos no se fijaron en ella, sino en el camino—. ¡Oh, Dios mío! —exclamó.

—¿Qué? —gritó el guardia.

—Pus. Placas de pus por todas partes. En las dos mandíbulas, la superior y la inferior. La peor señal.

—¡Oh, Señor! —El coche se desvió, pero no lo suficiente.

Un inmenso árbol. Más adelante. ¡Sobre el lado izquierdo de la calzada desierta! Morris Panov lanzó sus manos atadas sobre el volante, elevando el cuerpo del asiento mientras hacía girar el coche hacia la izquierda. Entonces, en el último segundo antes de que el vehículo chocara contra el árbol, se arrojó hacia la derecha y se colocó en posición fetal para protegerse.

El impacto fue tremendo. Había cristales rotos, metal aplastado, nubes de vapor que surgían del radiador y un fuego que pronto alcanzaría el tanque de gasolina. El guardia estaba vivo y gemía con el rostro ensangrentado. Panov lo arrastró fuera del vehículo y lo tendió en la hierba lo más lejos que le permitieron sus fuerzas, justo antes de que el coche estallara.

Entre la vegetación húmeda, con la respiración algo más tranquila pero el miedo todavía atenazándolo, Mo se soltó las manos y extrajo los fragmentos de cristal del rostro del guardia. Entonces lo examinó para localizar huesos rotos: el brazo derecho y la pierna izquierda eran candidatos. En el bolsillo del *capo* encontró papel timbrado robado de un hotel que nunca había oído nombrar y utilizó el bolígrafo del guardia para escribir allí un diagnóstico. Entre los objetos que extrajo había una pistola, no tenía ni idea de qué tipo, pero era pesada y demasiado grande para su bolsillo, así que se la introdujo bajo el cinturón.

Ya bastaba. Hipócrates tenía sus límites.

Panov revisó las ropas del guardia y se sorprendió al encontrar seis mil dólares y varios permisos de conducir con cinco identidades diferentes de cinco estados distintos. Tomó el dinero y los permisos para entregárselos a Alex Conklin, pero dejó intacta la billetera del *capo*. Allí llevaba fotografías de sus hijos, nietos y otros familiares, entre los que figuraría el joven cirujano a quien el mafioso había pagado los estudios de medicina. *Ciao, amico*, pensó Mo mientras se arrastraba hasta el camino, se levantaba y se alisaba la ropa, tratando de parecer lo más respetable posible.

El sentido común le indicaba que continuase hacia el norte, en la misma dirección en que viajaba el coche, regresar al sur no sólo resultaría inútil, sino también peligroso. De pronto, Panov tomó conciencia.

*¡Dios mío! ¿He hecho lo que acabo de hacer?*

Entonces se puso a temblar mientras su mente de psiquiatra le decía que era un trauma postparto.

*No seas idiota. ¡No has sido tú!*

Mo comenzó a caminar y siguió haciéndolo sin parar. No había rastro de civilización, ni un vehículo ni una casa, ni siquiera las ruinas de una vieja granja o de un primitivo muro de piedra que testimoniara, al menos, el paso de seres humanos por allí. Kilómetro tras kilómetro, Panov siguió adelante, luchando contra la fatiga provocada por el efecto de las drogas. ¿Cuánto tiempo había transcurrido? Le habían quitado el reloj, el reloj donde el día y la fecha aparecían tan pequeños que resultaba imposible leerlos, por lo tanto no tenía ni idea del tiempo que había transcurrido desde que lo sacaron del hospital Walter Reed. Tenía que encontrar un teléfono. ¡Debía ponerse en contacto con Alex Conklin! ¡Algo iba a ocurrir, y pronto!

Y ocurrió.

Mo oyó al rugido de un motor que se acercaba y giró sobre sus talones. Un coche rojo se acercaba desde el sur a toda velocidad, con el acelerador a fondo. Panov agitó los brazos furiosamente, en un gesto de súplica e impotencia. Fue en vano, el vehículo pasó junto a él como una exhalación. Entonces, para su alegría y sorpresa, se oyó el chirrido de los frenos y el aire se llenó de polvo. ¡El coche se había detenido! Corrió hacia delante mientras el vehículo retrocedía, con los neumáticos todavía chirriando. Recordó las palabras que su madre no dejaba de repetirle cuando era un jovencito en el Bronx:

*Siempre di la verdad, Morris. Es el escudo que Dios nos ha dado para que nos mantengamos virtuosos.*

Panov no seguía precisamente al pie de la letra la advertencia, pero había ocasiones en que intuía que tenía una validez socialmente recíproca. Ésta podía ser una de ellas. Por lo tanto, con la respiración algo agitada, se acercó a la ventanilla del coche rojo. Lo conducía una mujer, una rubia platino cuya edad rondaría los treinta y cinco, exageradamente maquillada y con un escote más apropiado para una película pornográfica que para una carretera comarcal de Maryland. De todos modos, las palabras de su madre resonaron en sus oídos, así que habló con la verdad.

—Comprendo que debo de tener un aspecto algo harapiento, señora, pero le aseguro que es una impresión puramente exterior. Soy médico y he sufrido un accidente...

—¡Entre, por amor de Dios!

—Se lo agradezco mucho. —En cuanto Mo hubo cerrado la puerta, la mujer puso la primera, pisó el acelerador a fondo y lanzó el vehículo como una tromba por el camino—. Es evidente que tiene prisa —observó Panov.

—Usted también la tendría si estuviera en mi lugar, amigo. ¡Allá atrás está mi marido tratando de arrancar su camión para venir a buscarme!

—Oh, ¿en serio?

—¡Estúpido hijo de mil putas! Anda por todo el país tres semanas al mes, acostándose con todas las fulanas de las carreteras... ¡y se pone como loco cuando descubre que yo también me he divertido un poco!

—Oh, lo siento mucho.

—Lo sentirá mucho más si él nos alcanza.

—¿Cómo?

—¿De veras es médico?

—Sí.

—Tal vez podamos hacer negocio.

—¿Qué?

—¿Se las arreglaría con un aborto?

Morris Panov cerró los ojos.

## 22

Bourne caminó durante casi una hora por las calles de París, tratando de ordenar las ideas, y acabó en el Sena, sobre el Pont de Solferino, el puente que conducía al Quai des Tuileries y a los jardines. Apoyado contra la baranda, mirando de forma ausente los botes que se deslizaban por el agua, la pregunta no dejaba de asaltarlo. ¿Por qué, por qué, por qué? ¿En qué estaba pensando Marie? ¡Volar hasta París! No sólo era insensato, era una estupidez, y sin embargo su esposa no era una insensata ni una idiota. Era una mujer muy inteligente con ciertas reservas de dominio y una mente rápida, analítica. Eso era lo que hacía tan insostenible su decisión; ¿qué esperaba conseguir? Ya sabía que él trabajaría mucho más seguro solo que si debía preocuparse por ella mientras buscaba al Chacal. Incluso si Marie lo encontraba, el riesgo sería doble para ambos, y ella no podía dejar de comprenderlo. Su profesión se basaba en cifras y abstracciones. Entonces, ¿por qué?

Sólo había una respuesta posible y ésta lo enfurecía. Marie pensaba que podía volver a perder el equilibrio, tal como le había ocurrido en Hong Kong. En esa ocasión Marie sola lo había vuelto a sus cabales, a una realidad compuesta de verdades a medias y recuerdos parciales, episodios fugaces con los que ella vivía desde que iniciaran su convivencia. Dios, cuánto la quería; ¡la amaba tanto! Y el hecho de que hubiese tomado esta decisión tan estúpida e insostenible sólo alimentaba ese amor, porque era algo altruista, atrozmente generoso. En el Lejano Oriente, hubo momentos en los cuales él deseó la muerte, aunque sólo fuese para eliminar la culpa que sentía por ponerla en situaciones tan peligrosas... ¿e insostenibles? La culpa aún estaba allí, siempre lo acompañaba, pero con los años había llegado a reconocer otra realidad. Sus hijos. El Chacal era un cáncer que debía ser arrancado de la vida de todos ellos. ¿Acaso Marie no podía comprenderlo y dejarlo tranquilo?

No. Porque ella no viajaba a París para salvarle la vida, confiaba demasiado en Jason Bourne como para hacer eso. Venía para salvarle la mente.

*Yo podré manejarlo, Marie. ¡Podré y lo haré!*

Bernardine. Él era la persona indicada. El Deuxième la encontraría en el Orly o en el De Gaulle. La pondrían bajo protección en un hotel y asegurarían ignorar dónde se encontraba él. Jason corrió hasta el Quai des Tuileries y allí buscó un teléfono público.

—¿Podrá hacerlo? —preguntó Bourne—. Ella sólo tiene un pasaporte al día y es norteamericano, no canadiense.

—Lo intentaré por mi cuenta —respondió Bernardine—, pero no dispondré de la ayuda del Deuxième. No sé cuánto le ha contado san Alex, pero por el momento mi condición de consejero ha sido cancelada y creo que han lanzado mi escrito por la ventana.

—¡Mierda!

—Tres veces *merde, mon ami*. El Quai d'Orsay pretende que mi ropa interior sea quemada conmigo dentro, y si no fuera porque poseo cierta información relacionada con varios miembros de la Asamblea, sin duda resucitarían la guillotina.

—¿Podría pasar unos billetes en Oficina de Inmigración?

—Sería mejor si actuara en mi anterior condición oficial, suponiendo que el Deuxième no dé a conocer rápidamente sus problemas internos. Su nombre completo, por favor.

—Marie Elise St. Jacques Webb…

—Sí, ahora lo recuerdo, al menos el St. Jacques —lo interrumpió Bernardine—. La célebre economista canadiense. Los periódicos estaban repletos de sus fotografías. *La belle mademoiselle.*

—Ella hubiese preferido prescindir de la publicidad.

—Estoy seguro de ello.

—¿Le ha dicho Alex algo respecto a Mo Panov?

—¿Su amigo médico?

—Sí.

—Me temo que no.

—¡Mierda!

—Si me permite, ahora debe pensar en usted.

—Comprendo.

—¿Pasará a buscar el coche?

—¿Debería hacerlo?

—Francamente, en su lugar yo no lo haría. No es muy probable, pero podrían rastrear la factura hasta llegar a mí. Sin embargo, el riesgo no es muy grande.

—Lo imaginaba. He comprado un mapa del metro. Utilizaré los trenes… ¿Cuándo puedo llamarlo?

—Déme cuatro o cinco horas para regresar de los aeropuertos. Por lo que ha explicado nuestro santo, su esposa podría salir por diferentes puntos de embarque. Obtener todas esas listas de pasajeros me llevará un tiempo.

—Concéntrese en los vuelos que llegarán mañana a primera hora. Ella no podría falsear un pasaporte, no sabría cómo hacerlo.

—Según Alex, no se debe subestimar a Marie Elise St. Jacques. Incluso me lo dijo en francés. Mencionó que era *formidable*.

—Podría aparecer en cualquier parte, se lo aseguro.

—¿*Qu'est-ce que c'est?*

—Es una mujer con imaginación, dejémoslo así.

—¿Y usted?

—Yo tomaré el metro. Está oscureciendo. Lo llamaré después de medianoche.

—*Bonne chance.*

—*Merci.*

Sabiendo cuál sería su próximo movimiento, Bourne cojeó por el Quai. El vendaje que llevaba en la rodilla le obligaba a fingir una pierna tullida. Había una estación de metro junto a las Tuileries, donde tomaría un tren hasta Havre-Caumartin y cambiaría a la línea del expreso norte hasta Argenteuil, pasando por la basílica St. Denis.

Argenteuil, un pueblo medieval fundado por Carlomagno hacía catorce siglos en honor de un convento de monjas. Mil quinientos años después, era una ciudad que albergaba el centro de mensajes de un asesino tan brutal como aquellos que recorrían, en los bárbaros días de Carlomagno, los campos ensangrentados con un espadón. Entonces como ahora, celebraban y justificaban la brutalidad a la sombra de la religión. Le Coeur du Soldat no estaba en una calle ni en un bulevar ni en una avenida. Estaba en un callejón sin salida, detrás de una vieja fábrica cerrada cuyos letreros desteñidos indicaban lo que alguna vez había sido una floreciente planta metalúrgica en la parte más sórdida de la ciudad. El Soldat tampoco figuraba en la guía telefónica; se llegaba a él preguntando a los desconocidos por la calle, y al recién llegado le aguardaba *une grosse secousse* ante este recóndito *pissoir*. Cuanto más ruinosos los edificios y sucias las calles, más precisas eran las indicaciones para llegar.

Cuando penetró en el oscuro callejón, Bourne se apoyó contra la vieja pared de ladrillos frente a la entrada del bar. Sobre la puerta grande y maciza colgaba un letrero rojo desvaído donde faltaban varias letras: «L C ur d Soldat.» Cada vez que se abría la puerta para dejar entrar o salir a los clientes, una metálica música marcial resonaba por el pasaje; la clientela no se componía, precisamente, de candidatos para un baile de la alta sociedad. Su apariencia entonaba con el lugar, pensó Jason mientras rascaba una cerilla contra el ladrillo, encendía un delgado puro negro y cojeaba hacia la puerta.

De no haber sido por el idioma y la música ensordecedora, el bar podría haber estado en el puerto de Palermo, Sicilia, reflexionó Bourne mientras se abría paso hacia el mostrador atestado de gente. Trataba de absorberlo con la mirada y, por un momento, se sintió confundido al no recordar cuándo había visitado Palermo. Un hombre fornido con una camisa militar dejó libre una banqueta; Jason se sentó.

Una mano lo tomó por el hombro como una tenaza; de inmediato, Bourne aferró la muñeca y la retorció, empujando la banqueta para ponerse en pie.

—¿Qué te pasa? —preguntó en francés con calma, pero lo bastante fuerte como para que lo oyeran.

—¡Es mi asiento, cerdo! ¡Sólo iba a mear!

—Entonces es posible que yo vaya cuando termines —replicó Jason, mirando fijamente los ojos del hombre. Su mano apretaba con fuerza la muñeca del adversario además de presionarle un nervio con el pulgar, lo cual no tenía nada que ver con la fuerza.

—¡Ah, eres un maldito lisiado...! —exclamó el hombre tratando de no demostrar el dolor.

—Haremos un trato —propuso Bourne al tiempo que aflojaba el pulgar—. Cuando vuelvas, nos turnaremos y te pagaré un trago cada vez que me dejes descansar esta pierna enferma. ¿De acuerdo?

El hombre fornido observó a Jason y esbozó una lenta sonrisa.

—Vaya, eres un tipo legal.

—Ni hablar, pero tampoco ando buscando pelea. Mierda, me aplastarías contra el suelo. —Bourne soltó el brazo musculoso de Camisa Militar.

—No estoy tan seguro de eso. —El hombre se echó a reír y se frotó la muñeca—. ¡Siéntate, siéntate! Iré a mear y cuando vuelva te invitaré yo a una copa. No parece que te sobren los francos.

—Bueno, como se suele decir, las apariencias engañan —respondió Jason mientras se sentaba—. Tengo ropa más elegante, pero un viejo amigo me citó aquí y me aconsejó que no me la pusiera. Acabo de ganar una buena suma en África. Ya sabes, adiestrando a los salvajes...

Unos platillos golpearon en la ensordecedora música marcial y Camisa Militar abrió los ojos de para en par.

—¿África? —preguntó el extraño—. ¡Lo sabía! Esa forma de apretarme la muñeca: LPN.

El Camaleón recurrió a lo que quedaba en el banco de datos de su memoria. LPN, *Legion Patria Nostra*. La legión extranjera de Francia, los mercenarios del mundo. No era lo que había pensado, pero sin duda le serviría.

—Dios, ¿tú también? —preguntó con inocencia.

—*¡La légion étrangère!* ¡La legión es nuestra patria!

—¡Es una locura!

—No lo andamos proclamado, por supuesto. Hay mucha envidia porque somos los mejores y nos pagan por ello, pero de todos modos reconocemos a nuestra gente. ¡Soldados!

—¿Cuándo has dejado la legión? —preguntó Bourne, temiendo encontrar problemas.

—¡Ah, hace nueve años! Me despidieron por exceso de peso antes de mi segundo reclutamiento. Tenían razón y probablemente me salvaron la vida. Soy de Bélgica, un cabo.

—A mí me licenciaron hace un mes, antes de que acabara mi primer período. Me hirieron durante nuestra incursión en Angola y ellos suponen que soy mayor de lo que dicen mis documentos. No quieren pagar convalecencias prolongadas. —Con qué facilidad surgían las palabras.

—¿Angola? ¿Y hemos hecho eso? ¿En qué estaba pensando el d'Orsay?

—No lo sé. Soy un soldado. Cumplo órdenes y no cuestiono las que no comprendo.

—¡Siéntate! Tengo los riñones a punto de estallar. Volveré enseguida. Es posible que tengamos amigos en común... No había oído hablar de ninguna operación en Angola.

Jason se inclinó hacia delante sobre el mostrador y pidió *une bière*. Por fortuna, con la música tan fuerte y lo ocupado que estaba, el camarero no podía haber oído la conversación. Por otra parte, una vez más debía agradecer a san Alex su primer consejo para un agente de campaña: «Cuando quieras obtener algo de alguien, comienza por las malas antes de ir por las buenas.» La teoría era que con el cambio de la hostilidad a la amabilidad se obtenía mucha más cooperación. Bourne se bebió la cerveza, aliviado. Había hecho un amigo en Le Coeur du Soldat. Era una incursión menor pero vital. De hecho, tal vez no resultase tan insignificante.

Cuando regresó, Camisa Militar traía tomado del hombro a un joven que apenas pasaba los veinte, de estatura media y con un físico muy desarrollado, llevaba puesta una chaqueta de campaña norteamericana. Jason se dispuso a bajar del taburete.

—¡Siéntate, siéntate! —exclamó su nuevo amigo, inclinándose hacia delante para hacerse oír sobre el gentío y la música—. He traído a un virgen.

—¿Qué?

—¿Lo has olvidado tan pronto? Va en camino de convertirse en un recluta de la legión.

—Ah, eso —rió Bourne para disimular el error—. Me llamaba la atención en un lugar como éste...

—En un lugar como éste —lo interrumpió Camisa Militar—, no importa mucho lo que hagas siempre y cuando sea violento. Pensé que debía hablar contigo. Es norteamericano y su francés es *grotesque*, pero si hablas despacio te entenderá.

—No habrá necesidad —dijo Jason con un ligero deje—. Crecí en Neutchâtel, pero he pasado varios años en Estados Unidos.

—Me alegra oír eso. —El norteamericano esbozó una sonrisa franca y sus ojos se mostraron cautelosos pero sin temor.

—Entonces, volvamos al principio —propuso el belga en un pésimo inglés—. Mi joven amigo se llama Ralph, al menos eso dice. ¿Cómo te llamas tú, mi héroe herido?

—François —respondió Jason, mientras pensaba en Bernardine y se preguntaba por un momento cómo le iría en los aeropuertos—. Y no soy ningún héroe; ellos mueren demasiado pronto... Pidan unos tragos, pago yo. —Así lo hicieron y, entre tanto, Bourne trató desesperadamente de recordar lo poco que sabía respecto a la legión extranjera francesa—. Han cambiado muchas cosas en nueve años, Maurice. —Era increíble la facilidad con que surgían las palabras, pensó el Camaleón—. ¿Por qué quieres enrolarte, Ralph?

—Supongo que es lo más sensato que puedo hacer, desaparecer durante unos años. Tengo entendido que cinco es el mínimo.

—Si logras pasar el primero, *mon ami* —intervino el belga.

—Maurice tiene razón. Hazle caso. Los oficiales son duros y difíciles...

—¡Todos franceses! —agregó el belga—. El noventa por ciento, al menos. De trescientos *étrangers*, tal vez uno llegue al cuerpo de oficiales. No te hagas ilusiones.

—Pero yo soy universitario. Ingeniero.

—Entonces construirás buenas letrinas para el campamento y diseñarás unos pozos perfectos —rió Maurice—. Díselo, François. Explícale cómo tratan a los eruditos.

—Los listos deben aprender primero a luchar —explicó Jason, esperando que fuese cierto.

—¡Para todo serán los primeros! —exclamó el belga—. Su instrucción resulta sospechosa. ¿Dudarán? ¿Empezarán a pensar cuando sólo se les paga para que cumplan órdenes...? Oh no, *mon ami*, yo no haría mucho hincapié en mi *érudition*.

—Deja que salga poco a poco —añadió Bourne—. Cuando ellos la necesiten, no cuando tú quieras ofrecerla.

—¡Bien! —exclamó Maurice—. Él sabe de qué está hablando. ¡Es un verdadero *légionnaire*!

—¿Sabes pelear? —preguntó Jason—. ¿Podrías ir tras alguien para matarlo?

—He matado a mi novia, a sus dos hermanos y a un primo, todo con un cuchillo y mis propias manos. Ella se acostaba con un banquero de Nashville y ellos la encubrían porque el sujeto les pasaba mucho dinero... Sí, puedo matar, señor François.

«Búsqueda de un Furioso Asesino en Nashville.»

«El joven ingeniero de futuro prometedor escapa a la redada...» Bourne recordó lo que había leído en los periódicos pocas semanas atrás mientras observaba el rostro del joven norteamericano.

—Enrólate en la legión —le aconsejó.

—Si llegara a necesitar una mano, señor François, ¿podría utilizarlo como referencia?

—No te ayudaría, jovencito, sería peor. Si te vas presionado, diles la verdad. Será tu mejor credencial.

—¡*Aussi bien!* Él conoce la legión. No incorporarán maníacos si pueden evitarlo, pero... ¿cómo lo dirías, François?

—Harán la vista gorda, creo.

—*Oui.* Miran hacia otro lado cuando existen... ¿*encore*, François?

—Cuando hay circunstancias atenuantes.

—¿Lo ves? Mi amigo François también sabe pensar. Me pregunto cómo habrá logrado sobrevivir.

—No he permitido que ellos lo notasen, Maurice.

Un camarero cubierto con el delantal más sucio que Jason había visto en su vida palmeó al belga en el cuello.

—*Votre table, René.*

—¿Y qué? —Camisa Militar se alzó de hombros—. Es sólo otro nombre. ¿*Quelle différence?* Comeremos y si tenemos suerte no nos envenarán.

Dos horas después, con cuatro botellas de agrio *vin ordinaire* consumidas por Maurice y Ralph junto con un pescado bastante sospechoso, Le Coeur du Soldat continuaba con su ritual de todas las noches. De vez en cuando se iniciaba alguna pelea, que interrumpían los musculosos camareros. La música marcial evocaba batallas perdidas y ganadas, generando discusiones entre viejos soldados que habían formado parte de las tropas de asalto. Esos hombres eran carne de cañón, resentidos y a la vez orgullosos de haber sobrevivido; porque ellos habían sobrevivido a la sangre y el horror que sus superiores ni siquiera conocían. Era el grito colectivo de los soldados de a pie proclamado desde los tiempos del faraón hasta los de Corea y Vietnam. Los oficiales uniformados mandaban desde la retaguardia y los soldados rasos morían para preservar la sabiduría de sus superiores. Bourne recordaba Saigón y no podía criticar la existencia de Le Coeur du Soldat.

El cantinero principal, un hombre grueso y calvo con gafas metálicas, atendió un teléfono oculto bajo el extremo del mostrador. Jason lo observó entre la gente que se movía. Los ojos del hombre recorrieron el salón. La conversación parecía ser importante, no lo que allí sucedía. Pronunció unas breves palabras, metió la mano bajo el mostrador y la mantuvo allí unos momentos; había marcado. Otra vez, habló rápidamente y colgó el teléfono con calma. Era la clase de acción descrita por el viejo Fontaine en la isla del Sosiego. Mensaje recibido, mensaje transmitido. Y al otro lado de esa línea receptora, estaba el Chacal.

Era cuanto deseaba ver esa noche; debía reflexionar sobre algunos puntos. Tal vez contratase hombres, como había hecho en el pasado. Hombres que no significaban nada para él, a los que podía pagar, sobornar, chantajear o amenazar para que cumpliesen las órdenes sin más explicaciones.

—Acabo de ver al hombre con quien debía encontrarme —comentó a Maurice y a Ralph, que estaban casi inconscientes—. Quiere que salga.

—¿Nos abandonas? —gimió el belga.

—Oye, no tendrías que hacer eso —intervino el joven norteamericano.

—Sólo por esta noche. —Bourne se inclinó sobre la mesa—. Estoy trabajando con otro legionario, un tipo que está en un asunto donde se baraja mucho dinero. Yo no os conozco, pero me parecéis hombres decentes—. Bourne extrajo un fajo de billetes y separó mil francos, quinientos para cada uno de sus compañeros—. Coged esto y guardadlo en el bolsillo, ¡rápido!

—¡Mierda!

—¡*Merde*!

—No hay ninguna garantía, pero quizá podáis serme útiles. Mantened la boca cerrada y salid diez o quince minutos después que yo. Y no bebáis más vino, mañana os quiero ver sobrios… ¿A qué hora abre este lugar, Maurice?

—No estoy seguro de que cierre. He estado aquí a los ocho de la mañana. Por supuesto, a esa hora no hay tanta gente…

—Venid alrededor del mediodía. Pero con la cabeza despejada, ¿de acuerdo?

—Seré *le caporal extraordinaire de la Légion*. ¡El hombre que una vez fui! ¿Me pongo el uniforme? —Maurice eructó.

—Mierda, no.

—Yo llevaré traje y corbata. Tengo un traje y una corbata, ¡os lo juro! —exclamó el norteamericano entre hipos.

—No. Los dos vendréis tal como estáis ahora, pero sobrios. ¿Entendido?

—Suenas *tres américain, mon ami.*

—Ya lo creo.

—No lo soy, pero la verdad no suele ser mercancía corriente aquí, ¿verdad?

—¿*Où est-ce que...?*

—Yo sé a qué se refiere. Lo he aprendido muy bien. Uno siempre dice mentiras con la corbata puesta.

—Nada de corbata, Ralph. Os veré mañana.

Bourne se levantó y, de pronto, lo asaltó un pensamiento. En lugar de dirigirse hacia la puerta, se acercó con cautela al extremo del mostrador y al enorme cantinero. No había ningún asiento vacío, así que, amablemente, se abrió sitio entre dos parroquianos, pidió un Pernod y una servilleta donde escribió con su bolígrafo:

«El nido de un mirlo vale un millón de francos. Propósito: un consejo de carácter confidencial. Si te interesa, dentro de media hora ve a la vieja fábrica a la vuelta de la esquina. ¿Qué podrías perder? Te daré cinco mil francos más si vas solo.»

Bourne dobló la servilleta junto con un billete de cien francos y llamó al cantinero con una seña. El hombre se acomodó las gafas metálicas como si el gesto de aquel parroquiano desconocido fuese una impertinencia. Lentamente, trasladó su enorme cuerpo y apoyó los gruesos brazos tatuados sobre el mostrador.

—¿Qué pasa? —preguntó con mal humor.

—Te he escrito un mensaje —respondió el Camaleón con la mirada fija en las gafas del cantinero—. Voy solo y espero que consideres lo que te pido. Soy un hombre que ha sufrido heridas, pero no soy un hombre pobre.

Rápidamente pero con extrema suavidad, Bourne tomó la mano del cantinero y le pasó la servilleta con el billete. Después de dirigir una última mirada suplicante al sorprendido sujeto, Jason se volvió hacia la puerta acentuando su cojera.

Una vez fuera, Bourne se apresuró en llegar a la entrada del callejón. Suponía que su operación en el mostrador le había tomado entre ocho y doce minutos. Consciente de que el cantinero lo estaba mirando, no había intentado comprobar si sus dos compañeros continuaban en la mesa, pero lo más probable era que sí. Camisa Militar y Chaqueta de Campaña no estaban muy sobrios y en su condición los minutos no contaban. Sólo podía esperar que quinientos francos a cada uno les despertasen cierto grado de responsabilidad y que salieran cuando él les había indicado. La verdad era que confiaba más en Maurice-René que en el joven norteamericano que se hacía llamar Ralph. Un ex cabo de la legión extranjera estaba imbuido de un reflejo automático cuando se trataba de órdenes: las cumplía ciegamente, tanto ebrio como sobrio. No era imprescindible, pero Jason podía llegar a necesitar su ayuda. Sí, si el cantinero de Le Coeur du Soldat había quedado lo suficientemente intrigado por el dinero y por la perspectiva de mantener una conversación solitaria con un lisiado a quien, evidentemente, podía matar con uno de sus brazos tatuados.

Bourne aguardó en la calle. En la penumbra del callejón, cada vez había menos gente que entraba o salía. Los primeros siempre estaban en mejor forma que los segundos y todos pasaban frente a él sin dirigir una sola mirada al vagabundo apoyado contra la pared.

Los instintos prevalecieron. Camisa Militar arrastró al joven norteamericano fuera del bar y, en cuanto se hubo cerrado la puerta, le propinó una bofetada diciéndole que cumpliera las órdenes, que ya eran ricos y podían ganar mucho más dinero.

—¡Es mejor que recibir un disparo en Angola! —exclamó el ex legionario con suficiente intensidad como para que Bourne lo oyese—. ¿Por qué habrán hecho eso?

Jason los detuvo en la entrada del callejón y los empujó contra la pared del edificio.

—Soy yo —dijo con voz autoritaria.

—¡Sacrebleu...!

—¡Qué diablos...!

—¡Silencio! Si queréis, podréis ganar otros quinientos francos esta noche. Si no, hay otros veinte hombres dispuestos a ello.

—¡Somos camaradas! —protestó Maurice-René.

—¡Y yo podría volarte el trasero por asustarnos de este modo! Pero mi amigo tiene razón, somos camaradas, eso no es basura comunista, ¿verdad Maurice?

—¡Taisez-vous!

—Significa que te calles —le explicó Bourne.

—Ya lo sé. Me lo han dicho muchas veces...

—Escúchame. Dentro de poco es posible que el cantinero salga a buscarme. Es posible, pero también puede ser que no lo haga. Simplemente, no lo sé. Es el hombre gordo y calvo que lleva gafas. ¿Alguno de vosotros lo conoce?

El norteamericano se alzó de hombros, pero el belga asintió con la cabeza.

—Se llama Santos y es *espagnol*.

—¿Español?

—O *latino-américain*. Nadie lo sabe.

Ilich Ramírez Sánchez, pensó Jason.

Carlos el Chacal, venezolano de nacimiento, terrorista repudiado a quien ni siquiera los soviéticos podían manejar. Era normal que acudiera a los suyos.

—¿Lo conoces bien?

Ahora fue el belga quien se encogió de hombros.

—Es la mayor autoridad en Le Coeur du Soldat. Se dice que ha aplastado las cabezas de algunos que se portaban demasiado mal. Primero siempre se quita las gafas y ni siquiera los soldados más aguerridos quieren ser testigos de lo que ocurre después de esa señal... Si piensas que va a salir a buscarte, yo te aconsejaría que te fueses.

—Quizá salga para verme, no para hacerme daño.

—Ése no es Santos...

—No es necesario que conozcas los pormenores, no te conciernen. Pero si sale por esa puerta, quiero que inicies una conversación con él. ¿Podrás hacerlo?

—*Mais certainement*. Varias veces he dormido en su colchón escaleras arriba. Me ha subido Santos en persona cuando llegaba la mujer de la limpieza.

—¿Arriba?

—Vive en el primer piso, sobre el café. Se comenta que nunca sale, nunca se le ve por las calles y ni siquiera va a los mercados. Hay otras personas que compran las provisiones o simplemente se las envían.

—Comprendo. —Jason extrajo el dinero y entregó otros quinientos francos a cada uno—. Volved al callejón y si Santos sale, detenedlo y comportaos como si hubierais bebido demasiado. Pedidle dinero, una botella, cualquier cosa.

Con un gesto infantil, Maurice-René y Ralph tomaron los billetes y se miraron como cómplices victoriosos. ¡François, el *légionnaire* loco, entregaba dinero como si lo imprimiese él mismo! El entusiasmo de ambos hombres iba en aumento.

—¿Cuánto rato quieres que entretengamos a ese sujeto? —preguntó el norteamericano.

—¡Le arrancaré las orejas de esa cabeza calva! —añadió con decisión el belga.

—No, sólo el tiempo suficiente para que yo pueda comprobar que va solo —dijo Bourne—, que nadie lo acompaña ni sale después.

—Un juego de niños, amigo.

—No sólo nos ganaremos tu dinero, sino también tu respeto. ¡Tienes la palabra de un cabo de la *Légion*!

—Resulta conmovedor. Ahora, iros.

Los dos borrachos se tambalearon hacia el callejón, y Chaqueta de Campaña palmeó los hombros de Camisa Militar en un gesto de triunfo.

Casi al borde de la esquina, Jason se pegó a la pared de ladrillos y esperó. Seis minutos después, oyó las palabras que esperaba con tanta desesperación.

—¡Santos! ¡Mi gran amigo Santos!

—¿Qué haces aquí, René?

—Mi joven amigo norteamericano estaba mareado pero ya se encuentra bien, ha vomitado.

—¿Norteamericano?

—Te lo presentaré, Santos. Está a punto de convertirse en un gran soldado.

—¿Hay una cruzada infantil en alguna parte? —Bourne espió por la esquina mientras el cantinero calvo miraba a Ralph—. Buena suerte, cara de niño. Ve a buscar tu guerra en un parque infantil.

—Habla el francés muy rápido, señor, pero he entendido algo. Usted será un gigante, ¡pero yo puede ser un hijo de puta muy malo!

El cantinero rió y le respondió en inglés.

—Entonces tendrás que ser malo en alguna parte, cara de niño. Sólo permitimos caballeros pacíficos en Le Coeur du Soldat... Ahora debo irme.

—¡Santos! —exclamó Maurice-René—. Préstame diez francos. Me he dejado la cartera en casa.

—Si alguna vez has tenido cartera, se quedó en África del Norte. Ya conoces mi política. Ni un céntimo para ninguno de vosotros.

—¡El dinero que tenía se fue en tu pescado podrido! ¡Hizo vomitar a mi amigo!

—La próxima vez, ve hasta París y cena en el Ritz... ¡Ah, sí! Recuerdo que comisteis, pero os fuisteis sin pagar. —Jason retrocedió rápidamente cuando el cantinero volvió la cabeza hacia la salida del callejón—. Buenas noches, René. A ti también, niño guerrero. Tengo asuntos que atender.

Bourne corrió por la acera hacia los portones de la vieja fábrica. Santos ibà a buscarlo. Solo. Después de cruzar la calle a la sombra de la refinería cerrada, permaneció inmóvil y únicamente movió la mano para sentir el frío metal de la automática. ¡Con cada paso de Santos, el Chacal estaba más cerca!

Momentos después, la inmensa figura emergió del callejón, cruzó la calle en penumbra y se acercó a los portones cubiertos de herrumbre.

—Estoy aquí, *monsieur* —se anunció Santos.

—Le agradezco que haya venido.

—Preferiría que primero cumpliera con su palabra. Creo que en su nota mencionaba cinco mil francos.

—Aquí los tiene.

Jason metió la mano en el bolsillo, extrajo el dinero y se lo entregó al administrador de Le Coeur du Soldat.

—Gracias —dijo Santos mientras avanzaba para tomar los billetes—. ¡Llevaoslo! —añadió.

De pronto, a espaldas de Bourne, los viejos portones de la fábrica se abrieron. Dos hombres salieron rápidamente y, antes de que Jason pudiese desenfundar el arma, un instrumento contundente se estrelló contra su cabeza.

## 23

—Estamos solos —dijo la voz en la habitación oscura cuando Bourne abrió los ojos. El voluminoso cuerpo de Santos empequeñecía el tamaño de un gran sillón y la baja intensidad de la única lámpara volvía más blanca su enorme cabeza calva. Jason dobló el cuello y se palpó la furiosa hinchazón bajo el cabello. Estaba en el extremo de un sofá—. No hay sangre ni rotura, sólo un bulto que imagino muy doloroso —comentó el hombre del Chacal.

—Tu diagnóstico es exacto, en especial la última parte.

—El instrumento era de goma dura y estaba acolchado. Los resultados son fáciles de predecir salvo en lo que se refiere a conmociones. A tu lado, en una bandeja, tienes una bolsa de hielo. Te conviene usarla.

Bourne cogió la bolsa fría y se la llevó a la cabeza.

—Eres muy considerado —ironizó.

—¿Por qué no? Tenemos varias cosas de qué hablar, por ejemplo, un millón de francos.

—Es tuyo, bajo las condiciones señaladas.

—¿Quién eres? —preguntó Santos de repente.

—Ésa no es una de las condiciones.

—No eres joven.

—No es que tenga importancia alguna, pero tú tampoco.

—Llevabas una pistola y un cuchillo. El segundo es para hombres más jóvenes.

—¿Quién lo dice?

—Nuestros reflejos... ¿Qué sabes sobre un mirlo?

—Del mismo modo podrías preguntarme cómo llegué a tener noticia de Le Coeur du Soldat.

—Dímelo.

—Alguien me lo comentó.

—¿Quién?

—Lo siento, no es una de las condiciones. Soy un intermediario y ésta es mi forma de trabajar. Así lo piden mis clientes.

—¿También te piden que te vendes la rodilla para fingir una herida? Cuando abriste los ojos, presioné la zona; no noté ninguna señal de dolor, ni luxación ni quebradura. Además, no llevas ninguna identificación, pero sí una considerable suma de dinero.

—Yo no explico mis métodos, sólo dejo en claro cuáles son mis limitaciones. He logrado hacerte llegar el mensaje, ¿verdad? Considerando que no tenía un número de teléfono, dudo que hubiese tenido tanto éxito de haber entrado en tu establecimiento vestido con traje y con un maletín en la mano.

Santos echó a reír.

—Nunca hubieses pasado por la puerta. Te habrían detenido y desnudado en el callejón.

—Eso pensé... Negociemos, ¿digamos por un millón de francos?

El hombre del Chacal se encogió de hombros.

—Me parece que si un comprador menciona semejante suma en su primera oferta, estará dispuesto a subirla. Digamos un millón y medio. Tal vez dos.

—Pero yo no soy el comprador, soy el intermediario. Me han autorizado a pagar un millón, una suma demasiado elevada a mi entender, pero el tiempo es lo esencial. Tómalo o déjalo, tengo otras alternativas.

—¿En serio?

—Sin duda.

—No si eres un cadáver a quien encuentran flotando en el Sena sin identificación.

—Ya veo. —Jason miró alrededor en la penumbra del apartamento; se parecía muy poco al café de la planta baja. Los muebles eran grandes, como los requería su dueño, pero habían sido escogidos con buen gusto y, sin ser elegantes, tampoco eran ordinarios. Lo más sorprendente era la biblioteca que cubría la pared entre las dos ventanas. El erudito en Bourne hubiese deseado leer los títulos, ello le hubiera brindado un retrato más claro del hombre enorme y extraño que, por su forma de hablar, parecía haber sido educado en la Sorborna, un bruto por su aspecto externo y quizás otra persona en el interior. Volvió a mirar a Santos—. Entonces, ¿no tengo libertad para irme de aquí cuando lo desee?

—No —respondió el enlace del Chacal—. Habría sido diferente si hubieses respondido a mis simples preguntas, pero tus condiciones... o limitaciones, lo hacen imposible. Bueno, yo también tengo condiciones y tu vida depende de ellas.

—A eso lo llamo ser conciso.

—No hay ninguna razón para no serlo.

—Por supuesto, perderías cualquier posibilidad de cobrar un millón de francos, o quizá mucho más, como tú mismo has sugerido.

—Entonces, permite que te sugiera otra cosa —dijo Santos mientras cruzaba los brazos como un clérigo, mirando de forma ausente sus grandes tatuajes—. Un hombre que dispone de tantos fondos no sólo los entregará a cambio de su vida, también brindará cualquier información que se le pida para evitar un innecesario y agudísimo dolor. —De pronto, el hombre del Chacal golpeó el puño contra el brazo del sillón y gritó—: ¿Qué sabes respecto a un mirlo? ¿Quién te habló de Le Coeur du Soldat? ¿De dónde vienes, quién eres y quién es tu cliente?

Bourne quedó paralizado pero su mente parecía funcionar a toda velocidad. ¡Debía salir de allí! Debía ponerse en contacto con Bernardine... ¿Cuántas horas se había retrasado su llamada? ¿Dónde estaba Marie? A pesar de todo ello el gigante que se hallaba al otro lado de la habitación le impediría cualquier movimiento. Santos no era ni un mentiroso ni un tonto. Mataría a su prisionero fácilmente y sin vacilar; y Jason no lograría embaucarlo con informaciones falsas o confusas. El hombre del Chacal estaba protegiendo dos territorios, el suyo y el de su mentor. Al Camaleón sólo le quedaba una alternativa: exponer una parte de la verdad lo bastante peligrosa como para que resultase creíble. Algo tan plausible que rechazarlo fuera inaceptable. Jason colocó la bolsa de hielo sobre la bandeja y habló lentamente desde la penumbra del gran sofá.

—Es evidente que no me interesa morir por un cliente o ser torturado para proteger su información, así que te diré lo que sé, lo cual es menos de lo que quisiera, dadas las circunstancias. Responderé a tus preguntas por orden si el miedo me permite recordar. Para empezar, yo no dispongo de fondos personales. Me encuentro con un hombre en Londres y le entrego la información. Él libera una cuenta en Berna, Suiza, con un nombre y un número que yo le he dado... Pasaremos por alto la cuestión de mi vida y el «agudísimo dolor». Ya he respondido las dos preguntas. Veamos, ¿qué sé respecto a un mirlo? Le Coeur du Soldat formaba parte de la misma pregunta. Me dijeron que un anciano de nombre y nacionalidad desconocidos, aunque sospecho que era francés, se acercó a una famosa figura pública y le contó que era el blanco de un asesinato. ¿Quién cree a un anciano borracho, en especial si pide una recompensa y cuenta con extensos antecedentes policiales? Por desgracia el asesinato se realizó pero, afortunadamente, el difunto se encontraba con un ayudante cuando el anciano lo puso sobre aviso. Ese hombre se encuentra en estrecha relación con mi cliente y el homicidio fue un acontecimiento que ambos celebraron con satisfacción. De forma confidencial, el ayudante transmitió la información del anciano. Un mirlo ha enviado un mensaje a través de un café conocido como Le Coeur du Soldat en Argenteuil. Este mirlo debe de ser un hombre extraordinario y ahora mi cliente desea ponerse en contacto con él... En cuanto a mí, mis oficinas son habitaciones de hotel en diversas ciudades. Actualmente estoy registrado en el Pont-Royal bajo en nombre de Simon. Allí conservo mi pasaporte y otros documentos. —Bourne se detuvo con las palmas extendidas—. Acabo de decirte toda la verdad tal como la conozco.

—No es toda la verdad —corrigió Santos, en voz baja y gutural—. ¿Quién es tu cliente?

—Me matarían si te lo dijese.

—Te mataré ahora mismo si no lo haces —replicó el enlace del Chacal, mientras sacaba el cuchillo de Jason de su ancho cinturón.

La hoja brilló a la luz de la lámpara.

—¿Por qué no me das la información que quiere mi cliente junto con un nombre y un número, cualquier nombre y número? Si lo haces te garantizo dos millones de francos. Mi cliente sólo pide que yo sea el único intermediario. ¿Qué podría pasar? El mirlo puede negarse y decirme que me vaya al infierno... ¡Tres millones!

Los ojos de Santos vacilaron como si la tentación fuese demasiado para su imaginación.

—Tal vez cerremos un trato más tarde...

—Ahora.

—¡No! —El hombre de Carlos levantó su corpachón del asiento y se acercó al sofá mientras sostenía el cuchillo de forma amenazadora—. Tu cliente.

—Plural —respondió Bourne—. Es un grupo de hombres poderosos de Estados Unidos.

—¿Quiénes?

—Ocultan sus nombres como secretos nucleares, pero yo conozco uno y ése debería bastarte.

—¿Quién?

—Descúbrelo por tu cuenta, al menos averigua la importancia de lo que te estoy diciendo. ¡Debes proteger a tu mirlo! Cerciórate de que te digo la verdad y, mientras tanto, vuélvete tan rico como para hacer lo que te plazca durante el resto de tu vida. Podrías viajar, desaparecer, quizá disponer de tiempo para esos libros en lugar de preocuparte por la basura de allí abajo. Tal como has señalado, ninguno de los dos somos jóvenes. En mi calidad de intermediario, te ofrezco una generosa remuneración que te convertirá en un hombre acomodado, libre de todo trabajo desagradable. Es lo mismo, ¿qué podría pasar? ¿Que yo o mis clientes seamos rechazados? No hay trampa en esto. Mis clientes no quieren verlo, sino contratarlo.

—¿Cómo podría hacerse eso? ¿Cómo llegaría a comprobarlo?

—Invéntate algún alto cargo y llama al embajador norteamericano en Londres, su nombre es Atkinson. Dile que has recibido información confidencial de la Dama Serpiente. Pregúntale si debes llevarla a la práctica.

—¿La Dama Serpiente? ¿Qué es eso?

—Medusa. Se hacen llamar Medusa.


Mo Panov se disculpó y bajó del taburete. Se abrió paso por el atestado restaurante de la carretera hacia el lavabo de hombres, mirando desesperadamente alrededor en busca de un teléfono. ¡No había ninguno! Él único maldito aparato estaba a dos metros de su taburete, bien a la vista de la rubia platino, cuya paranoia estaba tan profundamente arraigada como las raíces oscuras de su cabello. Al pasar había comentado que debía llamar a su consultorio para que los empleados supieran lo que había ocurrido y dónde estaba, pero de inmediato ella lo había cubierto de insultos.

—¡Para que un enjambre de policías vengan a buscarlo! Y una mierda, matasanos. Desde su consultorio llamarán a los polis, ellos se pondrán en contacto con mi amante esposo y me encontraré rebotando de culo por todos los alambres de púas del país. Él conoce a cada policía de la carretera. Creo que les dice dónde encontrar a las mujerzuelas.

—No habría razón para que yo la mencionara, le aseguro que no lo haría. Si lo recuerda, dijo que quizás él se sienta molesto conmigo.

—Estará algo más que molesto, le arrancará la nariz. No pienso correr ningún riesgo, y usted no parece muy listo. Soltaría todo lo de su accidente y de inmediato tendríamos a los policías.

—Lo que dice no tiene sentido.

—Muy bien, lo tendrá. Gritaré «¡violación!» y, ¿ve esos camioneros que no parecen nada maricones?, les diré que lo recogí en la carretera hace dos días y he sido su esclava sexual desde entonces. ¿Qué le parece esto?

—Muy interesante. ¿Al menos puedo ir al lavabo? Tengo una urgencia.

—Por supuesto. No hay teléfonos en los retretes de estos lugres.

—¿En serio? Realmente, no es que me sienta decepcionado, lo pregunto por curiosidad. ¿Por qué no? Los camioneros se ganan la vida, no están interesados en robar unas monedas.

—Vaya, usted viene del Reino de las Hadas, matasanos. En las carreteras pasan cosas. Si las personas llaman por teléfono, habrá otra gente que quiera saber quién está al aparato.

—¿En serio?

—Oh, Dios. Dése prisa. Sólo tenemos tiempo para comer un bocadillo, así que lo pediré. Él tomará por la Setenta, no la Noventa y siete. No se le ocurrirá.

—¿Ocurrírsele qué? ¿Qué son Setenta y Noventa y siete?

—¡Carreteras, por el amor de Dios! ¡Son carreteras! Usted es un médico muy estúpido. Vaya al lavabo. Tal vez más tarde nos detengamos en un motel donde podamos continuar con nuestra conversación mientras le doy una bonificación por adelantado.

—¿Cómo?

—Soy una profesional. ¿Eso va en contra de su religión?

—No, por Dios. Soy un firme defensor.

—Bien. ¡Dése prisa!

Entonces Mo Panov se dirigió hacia el lavabo y comprobó que la mujer tenía razón. No había ningún teléfono y la ventana al exterior era demasiado estrecha para cualquier cosa que no fuese un gato pequeño o una rata grande. Pero él tenía dinero, una buena suma junto con cinco permisos de conducir de cinco estados diferentes. En el léxico de Jason Bourne, eran armas, en especial el dinero. Mo se dirigió al urinario, donde se tomó su tiempo antes de regresar a la puerta y abrirla unos centímetros para observar a la rubia. De pronto la hoja se abrió violentamente y lo aplastó contra la pared.

—¡Lo siento, amigo! —exclamó un hombre bajo y corpulento que lo sostuvo por los hombros mientras Mo se llevaba las manos a la cara—. ¿Te encuentras bien?

—Oh sí, por supuesto.

—¡No estás nada bien, te sangra la nariz! Ven aquí, junto a las toallas —le ordenó el camionero, que tenía la manga izquierda de la camiseta enrollada para sostener el paquete de cigarrillos—. Vamos, inclina la cabeza hacia atrás mientras te echo un poco de agua fría en la nariz. Apóyate contra la pared. Así está mejor; se te pasará enseguida. —Con suavidad, el hombre lo sostuvo por el cuello mientras le presionaba la nariz con las toallas húmedas y de vez en cuando las retiraba para comprobar si la hemorragia se había detenido—. Listo, amigo, ya casi ha parado. Respira profundamente por la boca, ¿me comprendes? Con la cabeza echada hacia atrás, ¿está bien?

—Gracias —dijo Panov mientras sostenía las toallas, sorprendido de que una hemorragia nasal pudiese ser detenida tan rápido—. Muchas gracias.

—No me lo agradezcas, fui yo quien te dio sin querer —respondió el camionero mientras orinaba—. ¿Te encuentras mejor ahora? —preguntó abrochándose el pantalón.

—Sí. —Y contra el consejo de su difunta madre, Mo decidió aprovechar el momento y olvidar la rectitud—. Pero te confesaré que ha sido culpa mía, no tuya.

—¿A qué te refieres? —preguntó el camionero bajo y corpulento mientras se lavaba las manos.

—Francamente, me escondía tras la puerta para observar a una mujer de la que quiero escapar… no sé si me entiendes…

El médico personal de Panov rió y se secó las manos.

—Pues claro. ¡Es la historia del sexo masculino! Ellas te atrapan en sus garras y adiós, lloran y no sabes qué hacer, gritan y estás a sus pies. En mi caso es distinto. Me casé con una verdadera europea. Tiene algunos problemas con el idioma, pero es agradecida. Fantástica con los niños, maravillosa conmigo y todavía me excito cuando la veo. No es como esas princesas de mierda que andan por aquí.

—Ésa es una opinión extremadamente interesante, incluso visceral —comentó el psiquiatra.

—¿Es qué?

—Nada. Quisiera salir de aquí sin que ella me descubra. Tengo algo de dinero…

—Guarda tu dinero. ¿Quién es ella?

Ambos hombres fueron hasta la puerta y Panov la entornó unos centímetros.

—Es la de allí, la rubia que no deja de mirar esta puerta y la de salida. Se está poniendo muy nerviosa…

—Mierda —lo interrumpió el camionero bajo—. ¡Es la mujer del Bronk! Se ha desviado bastante.

—¿Desviarse? ¿El Bronk?

—Él conduce su camión por las carreteras del este, no por éstas. ¿Qué diablos hace ella aquí?

—Creo que trata de evitarlo.

—Sí —asintió el compañero de Mo—. He oído decir que se había metido en problemas.

—¿La conoces?

—Diablos, sí. He estado en un par de sus barbacoas. Él prepara una salsa infernal.

—Debo salir de aquí. Como te he dicho, tengo algo de dinero…

—Eso me has dicho y lo discutiremos luego.

—¿Dónde?

—En mi camión. Es uno rojo con rayas blancas aparcado a la derecha de la salida. Da la vuelta a la cabina y permanece escondido.

—Ella me verá salir.

—No. Me acercaré y le daré una gran sorpresa. Le explicaré que la policía está sobre aviso y que el Bronk se dirige hacia el sur, a las Carolinas. Al menos eso es lo que he oído.

—¿Cómo podré agradecértelo?

—Probablemente con parte de ese dinero del que no dejas de hablar. Aunque no será demasiado. El Bronk es un animal y yo soy un cristiano que ha vuelto a nacer. —El camionero bajo abrió la puerta y estuvo a punto de volver a incrustar a Mo contra la pared. Panov observó a su cómplice mientras éste se acercaba a la mesa con los brazos extendidos, abrazaba a su vieja amiga y comenzaba a hablar rápidamente; los ojos de la mujer parecían muy atentos, estaba como hipnotizada. Mo salió rápidamente del lavabo, pasó por el comedor y corrió hasta el enorme camión rojo con rayas blancas. Jadeante y con el corazón desbocado, se agachó detrás de la cabina y esperó.

De pronto, la esposa del Bronk salió como una tromba y se precipitó hacia su automóvil rojo brillante con el cabello platino volando grotescamente a sus espaldas. Entró en el vehículo y pocos segundos después se oyó el rugido del motor: la mujer continuó hacia el norte mientras Mo la observaba atónito.

—¿Cómo van las cosas, amigo…? ¿Dónde diablos estás? —gritó el hombre bajo y anónimo que no contento con detener una hemorragia nasal de forma sorprendente, también lo había rescatado de una esposa maniática cuya paranoia se basaba en partes iguales en la culpa y la venganza.

*Basta, idiota*, se dijo Panov mientras respondía.

—¡Por aquí, amigo!

Media hora después llegaron a las afueras de un pueblo no identificado y el camionero frenó frente a unas tiendas.

—Allí encontrarás un teléfono, amigo. Que tengas suerte.

—¿Estás seguro? —preguntó Mo—. Me refiero al dinero.

—Completamente —respondió el hombre bajo detrás del volante—. Doscientos dólares están bien, tal vez me los haya ganado, pero el dinero corrompe, ¿no te parece? Me han ofrecido cincuenta veces transportar droga, ¿sabes lo que les digo?

—¿Qué?

—Que se vayan a mear contra el viento con su veneno. Se volverá contra ellos y los dejará ciegos.

—Eres una buena persona —le agradeció Panov mientras bajaba.

—Tengo algunas deudas. —La puerta de la cabina se cerró y el camión siguió su camino. Mo se volvió en busca de un teléfono.

—¿Dónde diablos estás? —gritó Alexander Conklin en Virginia.

—¡No lo sé! —respondió Panov—. Si yo fuera un paciente diría que ha sido la prolongación de una secuencia onírica freudiana y desarrollaría una tediosa interpretación, porque estas cosas no ocurren nunca. Pero me ha ocurrido a mí. ¡Me han drogado, Alex!

—Conserva la calma. Ya lo habíamos imaginado. Debemos saber dónde estás. Hay que afrontarlo, ellos también te están buscando.

—Muy bien, muy bien… ¡Espera un minuto! Hay una farmacia al otro lado de la calle. El letrero dice: «El mejor de Battle Ford.» ¿Eso te ayuda en algo?

El suspiro al otro lado de la línea fue la respuesta.

—Sí, me ayuda. Si fueras un entusiasta de la guerra civil, una persona socialmente productiva en lugar de un insignificante psiquiatra, tú también lo sabrías.

—¿Qué diablos significa eso?

—Dirígete al antiguo campo de batalla en el farallón Ford. Es un hito nacional; hay indicaciones por todas partes. Un helicóptero estará allí dentro de media hora, ¡y no hables con nadie!

—¿Sabes lo autoritario que suenas? Sin embargo yo me he llevado la peor parte…

—¡Fuera, mamón!


Bourne entró en el Pont-Royal y de inmediato se acercó al conserje nocturno. Sacó un billete de quinientos francos para colocarlo en la mano del hombre.

—Me llamo Simon —se presentó con una sonrisa—. He estado fuera. ¿Algún mensaje?

—Ninguno, *monsieur* Simon —fue la tranquila respuesta—. Pero hay dos hombres fuera, uno en Montalembert y el otro sobre la rue du Bac.

Bourne sacó un billete de mil francos y se lo entregó.

—Yo pago a un observador eficaz, y pago bien. Continúe así.

—Por supuesto, *monsieur*.

Bourne fue hasta el ascensor de bronce. Al llegar a su planta, recorrió rápidamente los pasillos hasta llegar a la habitación. Todo seguía como lo había dejado, con excepción de la cama, que estaba hecha. La cama. Oh, Dios, necesitaba descansar, dormir. Ya no era como antes. Algo estaba ocurriendo en su interior, le faltaba energía, aliento. Sin embargo, necesitaba ambas cosas, ahora más que nunca. Oh, Señor, deseaba acostarse… No. Estaba Marie, y Bernardine. Se dirigió al teléfono y marcó el número que había memorizado.

—Lo siento, me he retrasado —se excusó.

—Cuatro horas, *mon ami*. ¿Qué ha ocurrido?

—Ahora no tengo tiempo. ¿Qué hay de Marie?

—Nada. Absolutamente nada. No aparece en ningún vuelo internacional que esté en el aire en este momento o programado para partir. Incluso he comprobado los transbordos desde Londres, Lisboa, Estocolmo y Amsterdam. Nada. No hay ninguna Marie Elise St. Jacques Webb camino de París.

—Tiene que estar. Ella no cambiaría de idea, no es su estilo. Y no sabría cómo evitar la Oficina de Inmigración.

—Repito. No figura en las listas de ningún vuelo con destino a París.

—¡Mierda!

—Seguiré intentándolo, amigo mío. Las palabras de san Alex aún resuenan en mis oídos. No subestimes a *la belle mademoiselle*.

—Ella no es una maldita *mademoiselle*, es mi esposa. No es uno de nosotros, Bernardine, no es un agente en campaña capaz de mentir y traicionar. Pero está en camino. ¡Yo lo sé!

—Las compañías aéreas, no, ¿qué más puedo decir?

—Nada más —respondió Jason. Sus pulmones parecían incapaces de absorber el aire que necesitaba y sentía los párpados pesados—. Siga intentando.

—¿Qué ha ocurrido esta noche? Cuéntemelo.

—Mañana —respondió David Webb con voz apenas audible—. Mañana… Me siento muy cansado y debo transformarme en otra persona.

—¿De qué está hablando? Suena diferente.

—No es nada. Mañana. Debo pensar… O tal vez no.


En Marsella, la fila en la Oficina de Inmigración era corta debido a lo temprano de la hora. Marie adoptó una expresión de hastío aunque esto era lo último que sentía. Ya había llegado su turno para presentar el pasaporte.

—*Américaine* —dijo el oficial, algo soñoliendo—. ¿Ha venido en viaje de placer o por negocios, *madame*?

—*Je parle français, monsieur. Je suis canadienne d'originne… Quebec. Séparatiste.*

—¡*Ah bien*! —El empleado continuó en francés y sus ojos adormecidos se abrieron un poco—. ¿Viene por negocios?

—No. Éste es un viaje de recuerdos. Mis padres eran de Marsella y ambos han muerto hace poco. Quiero conocer sus orígenes, el sitio donde vivían…, quizá comprenderlos mejor.

—Resulta extraordinariamente conmovedor, encantadora señora —dijo el oficial de inmigración, admirando a aquella atractiva turista—. ¿Necesita a un guía? Cada rincón de esta ciudad está grabado en mi mente de forma indeleble.

—Es muy amable. Estaré en el Sofitel Vieux Port. ¿Cómo se llama? Usted ya sabe mi nombre.

—Lafontaine, *madame*. ¡A su servicio!

—¿Lafontaine? ¿En serio?

—¡Por supuesto!

—Qué interesante.

—Yo soy muy interesante —comentó el oficial con los párpados entornados no precisamente de sueño, mientras los sellos de goma bajaban implacables sobre el pasaporte de la turista—. ¡Estoy a su servicio, *madame*!

*Debe de ser una característica familiar*, pensó Marie mientras se dirigía a la zona de equipajes. Desde allí tomaría un vuelo local a París bajo el nombre que más le gustase.

François Bernardine despertó sobresaltado y se apoyó en los codos con el ceño fruncido.

«Ella está en camino. ¡Yo lo sé!» Las palabras del esposo, que la conocía mejor que nadie. «No figura en las listas de ningún vuelo con destino a París.» Sus propias palabras. París. ¡La cuestión clave era «París»!

Pero ¿y si no era ése su destino?

El veterano del Deuxième se levantó rápidamente de la cama a la luz del amanecer que se filtraba por las ventanas altas y estrechas de su apartamento. En menos minutos de los que su rostro parecía requerir y después de completar el aseo, se vistió y salió a la calle. En el parabrisas de su Peugeot encontró la inevitable multa, algo que ya no podía solucionar con una sencilla llamada por teléfono. Bernardine suspiró, quitó el papel del cristal y se sentó tras del volante.

Cincuenta y ocho minutos después entraba en el aparcamiento de un pequeño edificio de ladrillos en el gran complejo de carga del aeropuerto Orly. El edificio era indefinido, pero el trabajo que se realizaba en el interior no. Se trataba de una dependencia de la Oficina de Inmigración, una sección de gran importancia conocida simplemente como Oficina de Llegadas Aéreas, donde sofisticados ordenadores elaboraban registros inmediatos de cada viajero que llegaba a Francia por todos los aeropuertos internacionales. Para la Oficina de Inmigración era algo vital, pero el Deuxième no solía acudir allí, ya que las personas que les interesaban acostumbraban utilizar otros puntos de entrada. Sin embargo, según la teoría de que lo evidente pasa desapercibido, Bernardine pedía con frecuencia información a la Oficina de Llegadas Aéreas. De vez en cuando se había visto recompensado, y se preguntaba si ocurriría lo mismo en esta ocasión.

Diecinueve minutos después sabía la respuesta. Había obtenido una recompensa, pero su valor era considerablemente menor porque la información había llegado demasiado tarde. Había un teléfono público en el vestíbulo de la oficina, Bernardine insertó una moneda y marcó el número de Pont-Royal.

—¿Sí? —carraspeó la voz de Jason Bourne.

—Siento haberlo despertado.

—¿François?

—Sí.

—Me estaba levantando. En la calle hay dos hombres mucho más cansados que yo, a menos que los hayan relevado.

—¿Relacionados con lo de anoche?

—Sí. Se lo contaré cuando lo vea. ¿Me ha llamado por eso?

—No. Estoy en Orly y temo tener malas noticias. La información demuestra que soy un completo idiota. Debí haberlo considerado… Su esposa llegó a Marsella hace poco más de dos horas. No a París. A Marsella.

—¿Y por qué es una mala noticia? —exclamó Jason—. ¡Sabemos dónde está! Podemos… Oh, Dios, ya comprendo a qué se refiere —Bourne hizo una pausa—. Puede tomar un tren, alquilar un coche…

—Incluso puede volar a París utilizando el nombre que prefiera —añadió Bernardine—. Sin embargo, tengo una idea. Probablemente sea tan inútil como mi cerebro, pero la sugeriré de todos modos. ¿Ustedes tienen algún… cómo se dice? ¿Algún apodo especial para llamarse? ¿*Sobriquets* de cariño, quizá?

—Francamente, no somos muy dados a ese tipo de cosas… Un momento. Hace un par de años, nuestro hijo Jamie tenía problemas para pronunciar «mami». Invertía la palabra y decía «mima». Solíamos hacer bromas con ello y yo la llamé así durante unos meses, hasta que él aprendió.

—Sé que ella habla el francés con fluidez. ¿Lee los periódicos?

—Religiosamente, al menos las páginas de economía. No estoy seguro de que haga lo mismo con el resto; es su ritual de la mañana.

—¿Incluso en un momento crítico?

—Especialmente en un momento crítico. Asegura que la tranquiliza.

—Enviémosle un mensaje… en las páginas de economía.


El embajador Phillip Atkinson se dispuso a iniciar una tediosa mañana de papeleo en la embajada norteamericana en Londres. El aburrimiento se veía agravado por un latido sordo en las sienes y un sabor repugnante en la boca. No era una típica resaca, porque raras veces bebía whisky y no se había emborrachado desde hacía más de veinticinco años. Mucho tiempo atrás, unos treinta meses antes de la caída de Saigón, había descubierto los límites de su talento, de sus oportunidades y, por encima de todo, de sus recursos. Cuando a los veintinueve años volvió de la guerra con recomendaciones que, sin ser excepcionales, al menos eran razonables, su familia le había comprado un lugar en la Bolsa de Nueva York, donde en treinta meses había perdido poco más de treinta millones de dólares.

—¿No has aprendido nada en Andover y en Yale? —había rugido su padre—. ¿Ni siquiera te has relacionado con gente de Wall Street?

—Papá, todos me envidiaban, tú lo sabes. Mi aspecto, las muchachas… me parezco a ti, papá. Todos estaban confabulados en mi contra. ¡Algunas veces pienso que en realidad querían atacarte a través de mí! Ya sabes lo que dicen. Padre e hijo, miembros de la alta sociedad, y todos esos disparates. ¿Recuerdas la columna del *Daily News*, cuando nos compararon con los Fairbank?

—¡Conozco a Doug desde hace cuarenta años! —aulló el padre—. Ha llegado a la cima, es uno de los mejores.

—Él no asistió a Andover ni a Yale, papá.

—¡No tuvo necesidad, por amor de Dios! Pero espera. ¿Servicio diplomático…? ¿Qué diablos era ese título que te dieron en Yale?

—Licenciado en letras.

—¡Olvida eso! Había otra cosa. Unos cursos o algo parecido.

—Me especialicé en literatura inglesa y también asistí a clases de ciencias políticas.

—¡Eso es! Deja de lado esa basura para soñadores. Destacabas en lo otro, en lo de las ciencias políticas.

—Papá, no fue mi mejor curso.

—¿Aprobaste?

—Sí, a duras penas.

—No, ¡con matrícula! ¡Así ha sido!

Y Phillip Atkinson III inició su carrera en el servicio diplomático, con la ayuda de un valioso colaborador político que era su padre. Nunca había mirado hacia atrás. Aunque el ilustre hombre había muerto hacía ocho años, él nunca olvidaba el último consejo del viejo caballo de guerra:

—No eches a perder todo esto, hijo. Si quieres beber o alternar con alguna prostituta, hazlo dentro de tu casa o en un maldito desierto bien lejos, ¿me comprendes? Y a esa esposa que tienes, como quiera que se llame, trátala con verdadera afecto siempre que estés en público, ¿comprendido?

—Sí, papá.

Y por eso Phillip Atkinson se sentía tan desazonado esa mañana en particular. Había pasado la velada en una cena con gente irrelevante, aunque pertenecía a la familia real. Todos habían bebido hasta que el alcohol les salía por las orejas; pero su esposa los disculpaba porque pertenecían a la familia real. Él sólo había podido soportar todo aquello con siete copas de Chablis. Había momentos en los que añoraba aquellos días del viejo Saigón, en los que vagaba y bebía libremente.

El teléfono comenzó a sonar y Atkinson manchó su firma en un documento carente de sentido para él.

—¿Sí?

—El alto comisario del Comité Central Húngaro al aparato, señor.

—¿Qué? ¿Quién es? ¿Quiénes son? ¿Lo... los hemos conseguido reconocer?

—No lo sé, señor embajador. En realidad, ni siquiera sé pronunciar el nombre.

—Bueno, páseme la llamada.

—¿Señor embajador? —dijo la voz profunda en el teléfono—. ¿El señor Atkinson?

—Sí, soy Atkinson. Discúlpeme, pero no recuerdo ni su nombre ni la asociación húngara que ha mencionado.

—No tiene importancia. Hablo en nombre de la Dama Serpiente...

—¡Un momento! —gritó el embajador ante la corte de St. James—. Permanezca al aparato y continuaremos hablando dentro de un instante. —Atkinson conectó el aparato de escucha y esperó hasta que se hubieron acallado totalmente los ruidos del mecanismo—. Muy bien, continúe.

—He recibido instrucciones de la Dama Serpiente y me han dicho que confirmara su origen con usted.

—¡Confirmado!

—¿Debo cumplir por lo tanto estas instrucciones?

—¡Por Dios, sí! Lo que le ordenen... ¡mire lo que ha pasado con Teagarten en Bruselas y con Armbruster en Washington! ¡Protéjame! ¡Haga lo que le digan!

—Gracias, señor embajador.


Bourne se sumergió primero en una bañera de agua tan caliente como pudo soportar y luego tomó la ducha más fría que aguantó. Acto seguido, se cambió el vendaje del cuello, regresó a la pequeña habitación del hotel y se dejó caer en la cama. Así que Marie había encontrado una forma sencilla e ingeniosa de llegar a París. ¡Mierda!

¿Cómo conseguiría encontrarla y protegerla? ¿Tendría ella alguna idea de lo que estaba haciendo? David acabaría volviéndose loco. Lo dominaría el pánico y cometería miles de errores.

*¡Oh, Dios mío, soy David!*

Basta. Debía controlarse.

El teléfono comenzó a sonar, Jason lo atendió en la mesita de noche.

—¿Sí?

—Santos quiere verte. Su corazón está tranquilo.

## 24

El helicóptero del Servicio de Emergencia Médica aterrizó, desconectaron los rotores y la hélice se detuvo. Siguiendo el procedimiento habitual de desembarque de un paciente, sólo entonces se abrió la puerta y se bajó la escalinata metálica. Un médico auxiliar uniformado precedió a Panov y lo ayudó hasta la pista, donde un segundo hombre vestido de civil lo escoltó hasta la limusina que aguardaba. En el interior lo esperaban Peter Holland, director de la CIA, y Alex Conklin, este último en el asiento plegable de la derecha para poder conversar. El psiquiatra se sentó junto a Holland; respiró hondo, exhaló el aire y se retrepó en el asiento.

—Soy un maníaco —aseguró, acentuando cada palabra—. Un completo demente, yo mismo firmaré los papeles para mi reclusión.

—Está a salvo, y eso es lo único que cuenta, doctor —le dijo Holland.

—Me alegro de verte, loco Mo —añadió Conklin.

—¿Tienes idea de lo que he hecho...? ¡He estrellado un coche contra un árbol y yo iba dentro! Luego, después de caminar por medio país me recogió la única persona que conozco en cuya cabeza debe de haber más tornillos sueltos que en la mía. Es una mujer con la líbido desquiciada y huye de su esposo camionero, quien según supe después, es conocido como el Bronk. Mi ramera-chófer procedió a retenerme como rehén, profiriendo amenazas tales como que gritaría «¡violación!» en un comedor lleno de camioneros con aspecto de caníbales... con excepción del que me sacó de allí. —Panov se detuvo de repente y metió la mano en el bolsillo—. Toma —continuó mientras depositaba los cinco permisos de conducir y los seis mil dólares en manos de Conklin.

—¿Qué es esto? —preguntó Alex, atónito.

—He robado un banco y he decidido convertirme en chófer profesional... ¿Qué crees que es? Se lo cogí al hombre que me vigilaba. He descrito lo mejor posible el lugar del accidente a los tripulantes del helicóptero. Volarán hacia allí para buscarlo. Lo encontrarán; no podría ir a ninguna parte andando.

Peter Holland tomó el teléfono de la limusina y presionó tres botones. En menos de dos segundos, habló.

—Envíen el mensaje a EMS-Arlington, equipo cincuenta y siete. El hombre que recogerán deberá ser trasladado directamente a Langley. A la enfermería. Y manténganme informado de lo que ocurre. Lo siento, doctor. Continúe.

—¿Continuar? ¿Con qué? Me han raptado, encerrado en una especie de granja y, si no me equivoco, inyectado con el suficiente pentotal de sodio como para convertirme en un habitante del Reino de las Hadas, según me acusó no hace mucho la señora Escila Caribdis.

—¿De qué diablos está hablando? —preguntó Holland.

—De nada, almirante, o señor director, o...

—Peter está bien, Mo —completó Holland—. Simplemente, no lo comprendo.

—No hay nada que comprender con excepción de los hechos. Mis alusiones son intentos compulsivos de una falsa erudición. Se llama ansiedad postparto.

—Por supuesto, ahora lo entiendo a la perfección.

Panov se volvió hacia el director con una sonrisa nerviosa.

—Creo que debo disculparme, Peter. Aún estoy trastornado. Estos últimos dos días no han sido exactamente representativos de mi estilo de vida normal.

—Creo que a todos nos ha ocurrido lo mismo —respondió Holland—. He conocido algunas de esas podridas sustancias, pero nada como esto, nada que permita manipular la mente.

—No hay prisa, Mo —añadió Conklin—. No te precipites, ya te han castigado bastante. Si lo deseas, podemos postergar la conversación por unas horas para que descanses y te tranquilices.

—¡No seas estúpido, Alex! —protestó el psiquiatra con dureza—. Por segunda vez he puesto en peligro la vida de David. Ése es el peor castigo. No hay un instante que perder... Olvídese de Langley, Peter. Lléveme a una de sus clínicas. Empezaré a volar otra vez y diré todo lo que recuerde, consciente o inconscientemente. ¡Deprisa! Yo les diré a los médicos lo que deben hacer.

—Debe de estar bromeando —suspiró Holland mirando a Panov.

—En absoluto. Los dos debéis saber lo que yo sé, incluso los datos que no podré facilitaros en estado consciente. ¿No lo comprendéis?

El director cogió de nuevo el teléfono y pulsó un único botón. En el asiento delantero, al otro lado del cristal, el conductor levantó el receptor.

—Ha habido un cambio de planes —informó Holland—. Diríjase a Estéril Cinco.

La limusina aminoró la marcha y en la siguiente intersección viró a la derecha, hacia las colinas ondulantes y los campos verdes de Virginia. Morris Panov cerró los ojos como en un trance, o como un hombre dispuesto a afrontar una dura prueba: su propia ejecución, tal vez. Alex miró a Peter Holland, ambos se volvieron hacia Mo y luego se miraron de nuevo. Sin duda Panov tenía una razón para lo que estuviese haciendo. Ninguno de los tres habló hasta que, media hora después, llegaron a la propiedad llamada Estéril Cinco.

—Director y acompañantes —anunció el conductor al guardia vestido con el uniforme de una empresa privada de seguridad, aunque en realidad trabajaba para la CIA.

La limusina avanzó por el largo acceso bordeado de árboles.

—Gracias —murmuró Mo, mientras abría los ojos y parpadeaba—. Trataba de despejarme y, con un poco de suerte, de bajar la presión sanguínea.

—No es necesario que lo haga —insistió Holland.

—Sí, es imprescindible —replicó Panov—. Tal vez con el tiempo logre recordar las cosas con cierta claridad, pero ahora no puedo y no disponemos de tiempo. —Mo miró a Conklin—. ¿Qué hay de nuevo?

—Peter lo sabe todo. Por el bien de esa presión sanguínea no entraré en detalles, pero lo principal es que David se encuentra bien. Al menos no hemos recibido noticias que lo nieguen.

—¿Marie? ¿Y los niños?

—En la isla —respondió Alex, evitando la mirada de Holland.

—¿Qué es este Estéril Cinco? —preguntó Panov a Peter—. Supongo que habrá uno o varios especialistas de la clase que necesito.

—En relevos, durante las veinticuatro horas. Es probable que usted conozca a algunos.

—Preferiría que no fuera así. —El vehículo largo y oscuro avanzó por la calzada circular y se detuvo frente a la escalinata de piedra del edificio. Era una mansión georgiana con columnas y constituía el centro de la propiedad—. Vamos —dijo Mo con suavidad mientras salía.

Las escultóricas puertas blancas, el suelo de mármol rosado y la elegante escalinata en espiral que arrancaba del gran vestíbulo, disimulaban de forma majestuosa la verdadera labor que se realizaba en Estéril Cinco. Desertores, dobles o triples agentes y oficiales de campaña regresaban después de complejas misiones para descansar y someterse a interrogatorios que continuamente se comprobaban. El personal, compuesto por personas con una autorización Cuatro-

Cero, consistía en unidades de dos médicos y tres enfermeras que trabajaban por turnos. También lo integraban cocineros y servicio doméstico reclutado en el servicio diplomático, en su mayoría perteneciente a embajadas en el extranjero, y guardias con entrenamiento militar. Se movían discretamente por la casa y el parque, con la mirada siempre alerta, todos con un arma oculta o a la vista, excepto el personal médico. Cada visitante, sin excepción, debía llevar un distintivo en la solapa que le entregaba el mayordomo de la residencia. Éste los recibía y les indicaba el lugar de su cita prefijada. El hombre era un intérprete retirado de la CIA, pero con su cabello canoso, su cortesía al hablar y el traje oscuro, más bien parecía un actor de cine.

Naturalmente, el mayordomo quedó muy sorprendido al ver a Peter Holland. Se enorgullecía de recordar cada cita en Estéril Cinco.

—¿Una visita sorpresa, señor?

—Me alegro de verlo, Frank. —El director estrechó la mano del ex intérprete—. Seguramente recordará a Alex Conklin...

—Buen Dios, ¿eres tú, Alex? ¡Han pasado años! —Las manos se estrecharon de nuevo—. ¿Cuándo fue la última vez...? Esa mujer loca de Varsovia, ¿no?

—El KGB todavía se está riendo —respondió Conklin—. El único secreto que tenía era la receta del peor *golumpki* que he probado en la vida... ¿Todavía ejerces, Frank?

—De vez en cuando —dijo el mayordomo con una mueca—. Estos jóvenes traductores no distinguen un quiche de un *kluski*.

—Puesto que yo tampoco —intervino Holland—, ¿me permite unas palabras con usted, Frank? —Los dos hombres se apartaron y hablaron en voz baja mientras Alex y Mo Panov permanecían en su sitio, el último con el ceño fruncido y respirando hondo. El director regresó y les entregó sendos distintivos para las solapas.

—Sé adónde ir ahora —les dijo—. Frank llamará para avisar.

Los tres subieron por la escalinata en espiral, Conklin cojeando, y atravesaron un pasillo alfombrado sobre el lado izquierdo de la enorme mansión. En la pared derecha había una puerta diferente de todas las demás que habían visto. Era de grueso roble barnizado, con cuatro pequeñas aberturas en los paneles superiores y dos botones negros en una caja metálica junto al picaporte. Holland insertó una llave, la hizo girar y presionó el botón inferior; de inmediato se encendió una luz roja en la pequeña cámara fija instalada en el techo. Veinte segundos después se oyó el conocido sonido metálico de un ascensor al detenerse.

—Adentro, caballeros —les indicó el director. La puerta se cerró y el ascensor comenzó a bajar.

—¿Hemos subido para bajar? —preguntó Conklin.

—Seguridad —explicó el director—. Es la única forma de llegar al lugar adonde vamos. No hay ascensor en la planta baja.

—¿Por qué no, si es que puede preguntarlo un hombre al que le falta un pie? —dijo Alex.

—Creo que tú podrías contestar eso mejor que yo —replicó el director—. Todos los accesos al sótano están sellados, con excepción de los dos ascensores que no se paran en la planta baja y para los cuales se necesita una llave. Éste y otro en el ala opuesta. Éste nos lleva a donde queremos ir, el otro conduce a las calderas, las unidades de aire acondicionado y el resto de equipo subterráneo normal. Frank me ha dado la llave. Si no la devuelvo a su ranura en un determinado período de tiempo, se activa una alarma.

—Todo esto me parece inútilmente complicado —comentó Panov con nerviosismo—. Juguetitos caros.

—No creas, Mo —respondió Conklin con suavidad—. Sería muy sencillo ocultar explosivos en los conductos de la calefacción. ¿Sabías que durante los últimos días que Hitler pasó en un refugio, algunos de sus ayudantes más sensatos trataron de inyectar un gas venenoso en el mecanismo de filtrado del aire? Éstas son sólo precauciones.

El ascensor se detuvo y la puerta se abrió.

—A la izquierda, doctor —señaló Holland. El pasillo era de un blanco prístino y brillante, antiséptico a su manera, lo que resultaba muy apropiado ya que el complejo subterráneo era un centro médico altamente sofisticado. No sólo se dedicaba a la curación de hombres y mujeres, sino también a destruirlos, a vencer sus resistencias con el fin de obtener información y, así, prevenir las filtraciones en operaciones de alto riesgo, lo cual había salvado vidas muchas veces.

Entraron en una habitación que contrastaba por completo con el brillante y antiséptico pasillo. En su interior, los sillones eran pesados y la iluminación suave, había una cafetera sobre la mesa junto con varias tazas, y periódicos y revistas cuidadosamente plegados sobre otras mesas. El lugar contaba con todas las comodidades de una antesala diseñada para la espera. Se abrió una puerta y apareció un hombre con una chaqueta blanca de médico; tenía el ceño fruncido y parecía inseguro.

—¿Director Holland? —dijo, mientras se acercaba a Peter con la mano extendida—. Soy el doctor Walsh, del segundo turno. No es necesario que le diga que no lo esperábamos.

—Me temo que ha sido una emergencia; una que hubiese preferido evitar. ¿Me permite presentarle al doctor Morrris Panov? A menos que ya lo conozca.

—He oído hablar de él, por supuesto. —Walsh volvió a extender la mano—. Es un placer, doctor, y también un privilegio.

—Es posible que cambie de parecer antes de que terminemos. ¿Podemos hablar a solas?

—Naturalmente. Mi consultorio está dentro. —Los dos hombres salieron y la puerta se cerró.

—¿No deberías ir con ellos? —preguntó Conklin a Peter.

—¿Por qué no tú?

—Maldita sea, tú eres el director. ¡Deberías insistir!

—Eres su mejor amigo.

—Yo no tengo ninguna influencia aquí.

—La mía desapareció cuando Mo pasó por esa puerta. Ven, bebamos un poco de café. Este lugar me produce escalofríos. —Holland fue hasta la mesa y sirvió dos tazas—. ¿Cómo lo prefiere?

—Con más leche y azúcar de los que debería tomar. Yo lo serviré.

—Yo sigo bebiéndolo solo —dijo el director mientras se apartaba de la mesa y sacaba un paquete de cigarrillos del bolsillo de su camisa—. Mi esposa afirma que algún día el ácido me matará.

—Hay quien opina que será el tabaco.

—¿Qué?

—Mira. —Alex señaló el letrero sobre la pared opuesta. Rezaba: «Gracias por no fumar».

—Tengo suficiente influencia como para desobedecer —anunció Holland con suavidad mientras encendía un cigarrillo.

Transcurrieron casi veinte minutos. De vez en cuando, alguno de los dos cogía una revista o un periódico sólo para volver a dejarlo momentos después y mirar hacia la puerta. Finalmente, veintiocho minutos después de que saliera con Panov, apareció el doctor llamado Walsh.

—Dice que usted sabe lo que está pidiendo y que no tiene objeciones, director Holland.

—Tengo muchas objeciones, pero él no parece tomarlas en cuenta… Oh, discúlpeme, doctor. Él es Alex Conklin. Uno de los nuestros y gran amigo de Panov.

—¿Cómo se siente usted, señor Conklin? —preguntó Walsh.

—Preferiría que no hiciera lo que quiere hacer pero él dice que es necesario. En ese caso, comprendo por qué insiste en ello. Si carece de importancia, lo sacaré de aquí yo mismo, con un pie de menos y todo. ¿Es necesario, doctor? ¿Y qué peligro corre?

—Siempre existen riesgos cuando se trata de drogas, especialmente en cuanto al equilibrio químico, y él lo sabe. Por eso ha ideado un flujo intravenoso que prolonga su propio sufrimiento psicológico pero, de alguna manera, reduce el daño potencial.

—¿De alguna manera? —exclamó Alex.

—Quiero ser sincero. Él también.

—Al grano, doctor —dijo Holland.

—Si las cosas salen mal, necesitará dos o tres meses de terapia. Nada permanente.

—¿Y la necesidad? —insistió Conklin—. ¿Es imprescindible?

—Sí —respondió Walsh—. Lo que le ha ocurrido no sólo es reciente, lo ha consumido. Ha obsesionado su consciente, lo cual sólo puede significar que ha inflamado su subconsciente. Él tiene razón. Sus recuerdos inalcanzables se encuentran en el filo de la navaja... Yo sólo he venido aquí por razones de cortesía. Él insistía en que procediéramos y, por lo que me ha dicho, yo haría lo mismo. Y ustedes también.

—¿Qué medidas de seguridad tomará? —preguntó Alex.

—La enfermera saldrá y permanecerá al otro lado de la puerta. Sólo habrá una grabadora, estaré yo y uno de ustedes o los dos. —El doctor regresó a la puerta y luego se volvió—. Los haré llamar en el momento indicado —añadió antes de desaparecer de nuevo.

Conklin y Peter Holland se miraron. El segundo período de espera comenzó. Para su sorpresa, terminó apenas diez minutos después. Una enfermera se presentó en la antesala y les pidió que la siguiesen. Atravesaron lo que parecía ser un laberinto de antisépticas paredes blancas, sólo interrumpidas por paneles del mismo color con picaportes de vidrio que cumplían las funciones de puertas. Durante la breve caminata, sólo se encontraron con otro ser humano: un hombre con bata blanca, que llevaba un máscara quirúrgica blanca y salió por una puerta también blanca. Su mirada viva y penetrante era algo acusatoria, como si los considerara extraños de un mundo diferente que no tenía acceso libre a Estéril Cinco.

La enfermera abrió una puerta encima de la cual parpadeaba una luz roja. Ella se llevó el dedo índice a los labios, indicando silencio. Holland y Conklin entraron en una habitación oscura y se detuvieron frente a una cortina blanca por la que se filtraba un poco de luz. Entonces oyeron las suaves palabras del doctor.

—Irá hacia atrás, doctor. No mucho, sólo un día o dos, cuando comenzó a sentir el dolor sordo y constante en el brazo... el brazo, doctor. ¿Por qué le causan dolor en el brazo? Estaba en una granja, una pequeña granja a través de cuya ventana se veían los campos. Entonces ellos le vendaron los ojos y comenzaron a hacerle daño en el brazo. El brazo, doctor.

De pronto, se encendió una tenue luz verde que se reflejó en el techo. La cortina se abrió por control remoto y descubrió la cama, el paciente y el médico. Walsh soltó el botón junto a la cama y los miró, gesticulando lentamente con las manos como para indicar: «No hay nadie más aquí. ¿Confirmado?»

Ambos testigos asistieron con la cabeza, primero como hipnotizados y luego asqueados ante la palidez de Panov y las lágrimas que comenzaban a deslizarse de sus ojos abiertos de par en par. De repente ambos distinguieron al mismo tiempo las correas blancas que emergían por debajo de la sábana blanca para sujetar a Mo; la orden debía de ser suya.

—El brazo, doctor. Debemos comenzar con el procedimiento de invasión física, ¿verdad? Porque usted sabe lo que eso provoca, ¿no es cierto? Conduce a otro procedimiento invasor que no puede permitir. Debe detener su progresión.

El grito fue un prolongado alarido de desafío y horror.

—¡No, no! ¡No se lo diré! ¡Lo he matado una vez, y no volveré a hacerlo! ¡Aléjense de míiii…!

Alex se desplomó y cayó al suelo. Sin pronunciar palabra, el almirante de hombros anchos, un veterano de las operaciones más clandestinas del Lejano Oriente, sujetó a Conklin y lo condujo con la enfermera.

—Sáquelo de aquí, por favor.

—Sí, señor.

—Peter —murmuró Alex mientras trataba de erguirse en vano—. ¡Lo siento, Dios mío, lo siento!

—¿Qué sientes? —preguntó Holland.

—¡Debería mirar, pero no puedo hacerlo!

—Comprendo. Todo está demasiado cerca. En tu lugar, probablemente yo tampoco podría.

—¡No, tú no lo entiendes! Mo dijo que había matado a David, pero no fue él. ¡Era yo quien realmente quería matarlo! Estaba equivocado, pero intenté hacerlo con toda la experiencia que poseo. Y ahora he vuelto a hacerlo. Lo he enviado a París… ¡No es Mo, soy yo!

—Apóyelo contra la pared, señorita. Deje que se deslice al suelo y permítanos hablar a solas.

—Sí, señor. —La enfermera cumplió la orden y partió para dejar solos a Alex y a Holland en el laberinto antiséptico.

—Ahora me escucharás, soldado —susurró el director de la CIA, arrodillándose frente a Conklin—. Este maldito carrusel de culpas debe detenerse, es necesario, de otro modo nadie será de mucha ayuda para nadie. ¡Me importa una mierda lo que tú o Panov hayáis hecho hace trece años, cinco o ahora! Todos somos personas razonablemente inteligentes, y hemos hecho lo que cada uno consideraba necesario en su momento… ¿Sabes una cosa, san Alex? Sí, sé cómo te llaman. Cometemos errores. Es muy poco práctico, ¿verdad? Tal vez no seamos tan inteligentes, después de todo. Quizá Panov no sea el mejor «no sé qué» de la conducta; tal vez tú no seas el sujeto más astuto en campaña, el que ha sido canonizado, y es posible que yo no sea el estratega maravilloso en que me han convertido. Y entonces, ¿qué? Cogemos las maletas y vamos a donde debemos ir.

—¡Oh, por amor de Dios, cállate! —gritó Conklin, tratando de levantarse.

—¡Shhh!

—¡Oh, mierda! ¡Lo que menos necesito es un sermón tuyo! Si tuviera dos pies, te cerraría el pico a la fuerza.

—¿Ahora utilizamos la violencia física?

—Yo era cinturón negro. De primera clase, almirante.

—Vaya. Yo ni siquiera sé luchar.

Sus miradas se encontraron y Alex fue el primero en reír con suavidad.

—Ya he comprendido el mensaje, Peter. Ayúdame, ¿quieres? Volveré a la antesala y te esperaré. Vamos, dame la mano.

—Ni lo sueñes —replicó Holland, alzándose sobre Conklin—. Hazlo por tus propios medios. Alguien me ha contado que el santo recorrió doscientos kilómetros en territorio enemigo, atravesando ríos, arroyos y junglas, y llegó a la base de Foxtrot preguntando si alguien tenía una botella de whisky.

—Sí, bueno, eso fue distinto. Yo era mucho más joven y tenía un pie más que ahora.

—Haz como si lo tuvieras, san Alex. —Holland guiñó un ojo—. Voy adentro. Uno de nosotros debe estar allí.

—¡Cabrón!

Durante una hora y cuarenta y siete minutos, Conklin permaneció sentado en la antesala. El pie artificial nunca le había latido, pero lo hacía ahora. No sabía qué significaba aquella sensación imposible, pero tampoco podía ignorarla. Al menos le ofrecía algo con que distraerse, y Alex añoró tiempos pasados, cuando tenía los dos pies. ¡Oh, cómo había pretendido cambiar el mundo! Y qué feliz se había sentido en un destino que lo forzó a convertirse en el alumno más joven que pronunciara un discurso de despedida en la historia de su escuela secundaria; en el novato más joven jamás aceptado en Georgetown: una luz muy, muy brillante que resplandecía al final de los túneles universitarios. La decadencia se había iniciado cuando alguien, en alguna parte, había descubierto que en realidad no se llamaba Alexander Conklin, sino Aleksei Nikolae Konsolikov. Ese hombre cuyo rostro ya no recordaba le había formulado una pregunta casual, una pregunta cuya respuesta cambiaría la vida de Conklin.

—¿Por casualidad habla usted ruso?

—Por supuesto —le había respondido él, sorprendido de que su interlocutor pudiese pensar lo contrario—. Como usted bien sabe, mis padres fueron inmigrantes. Yo no sólo me he criado en un hogar ruso, sino también en un vecindario ruso; al menos durante mi infancia. Resultaba imposible comprar una hogaza de pan en el *ovoshchnoi otdel* si no se hablaba en ruso. Y en la escuela de la iglesia, los religiosos más viejos se aferraban con ferocidad al idioma, al igual que los polacos. Estoy seguro de que este hecho contribuyó a que abandonara la fe.

—Sin embargo, según ha mencionado, eso ocurría años atrás.

—Sí.

—¿Qué ha cambiado?

—Estoy seguro de que debe figurar en algún informe de su gobierno y no creo que satisfaga a su perverso senador McCarthy.

Con el recuerdo de aquellas palabras, el rostro regresó a Alex. Era uno de media edad y de pronto se había vuelto inexpresivo, con los ojos nublados pero cargados de ira reprimida.

—Le aseguro, señor Conklin, que no guardo ninguna relación con el senador. Usted lo llama perverso y yo tengo otros términos que no vienen al caso... ¿Qué ha cambiado?

—A una edad bastante avanzada, mi padre se convirtió en lo mismo que había sido en Rusia. Un comerciante con éxito, un capitalista. Llegó a tener siete supermercados en grandes galerías. Se llaman «El Puesto de Conklin». Ahora tiene más de ochenta y aunque lo quiero profundamente, lamento decir que es un ardiente partidario del senador. Por consideración a sus años, sus esfuerzos y su odio por los soviéticos, simplemente tendré que evitar el tema.

—Es usted muy inteligente y muy diplomático.

—Inteligente y diplomático —había reconocido Alex.

—He comprado un par de veces en El Puesto de Conklin. Son tiendas bastante caras.

—Oh, sí.

—¿De dónde proviene el «Conklin»?

—De mi padre. Mi madre dice que lo vio en un anuncio de aceite para motores unos cuatro o cinco años después de su llegada. Por supuesto, el Konsolikov debía desaparecer. Según dijo una vez el fanático de mi padre: «Sólo los judíos con nombres rusos pueden hacer dinero aquí.» De nuevo evitaré el tema.

—Muy diplomático.

—No resulta difícil. Él también tiene sus cosas buenas.

—Y aunque no fuera así, estoy seguro de que usted podría ser convincente con su diplomacia y la forma de ocultar sus sentimientos.

—¿Por qué me parece que esa frase quiere sugerir algo?

—Porque es verdad, señor Conklin. Yo represento a un agencia del gobierno que está extremadamente interesada en usted. Allí su futuro sería tan ilimitado como el de cualquier recluta potencial con el que ha hablado en la última década...

Había mantenido esa conversación hacía casi treinta años, reflexionó Alex, mientras volvía a mirar la puerta de la antesala del centro médico Estéril Cinco. Y qué enloquecidos habían sido los años intermedios. En un esfuerzo titánico por lograr una expansión poco práctica, su padre había ido demasiado lejos, comprometiendo enormes sumas de dinero que sólo existían en su imaginación y en las mentes de los codiciosos banqueros. Había perdido seis de sus siete supermercados, el último y más pequeño le permitía un ritmo de vida que él consideraba inaceptable, por lo que sufrió un conveniente ataque cardíaco y murió cuando la vida adulta de Alex estaba a punto de iniciarse.

Berlín... oriental y occidental. Moscú, Leningrado, Tashkent y Kamchatka. Viena, París, Lisboa y Estambul. Luego de vuelta al otro lado del mundo, hacia los puestos de servicio en Tokyo, Hong Kong, Seúl, Camboya, Laos y finalmente Saigón, con la tragedia de Vietnam. A lo largo de los años, con su dominio de los idiomas y la experiencia ganada en la lucha por la supervivencia, se había convertido en el principal hombre de la Agencia para las operaciones clandestinas, su estratega primordial en las actividades secretas. Entonces, una mañana en que la neblina pendía sobre el Mekong Delta, una mina terrestre había destrozado su vida tanto como su pie. Quedaba muy poco que hacer para un hombre de acción que no podía moverse con libertad; el resto había sido rodar pendiente abajo. Aceptaba y disculpaba su excesiva afición a la bebida por considerarla genética. El invierno depresivo del ruso se extendió a la primavera, el verano y el otoño. Pero de pronto hubo un respiro en aquel hombre esquelético y tembloroso cuyos despojos estaban a punto de sucumbir. David Webb, Jason Bourne, apareció en su vida de nuevo.

La puerta se abrió e interrumpió piadosamente sus recuerdos. Peter Holland entró lentamente en la antesala. Tenía el rostro pálido y demacrado, los ojos vidriosos, y en la mano izquierda llevaba dos cajas de plástico, presumiblemente con las cintas grabadas.

—En lo que me quede de vida —dijo Peter con voz baja y hueca, apenas más que un susurro—, pido a Dios que nunca tenga que volver a pasar por esto, que nunca deba ser testigo de algo así.

—¿Cómo está Mo?

—Pensé que no saldría con vida... Pensé que terminaría por suicidarse. De vez en cuando Walsh debía detenerse. Te aseguro que el doctor estaba muy asustado.

—¿Por qué no lo suspendió, por amor de Dios?

—Se lo pregunté. Dijo que las instrucciones de Panov no sólo eran explícitas, sino que las había puesto por escrito, firmado y esperaba que se cumplieran al pie de la letra. Tal vez exista una especie de código tácito de ética entre los médicos, no lo sé. Pero sí sé que Walsh le estaba haciendo un electrocardiograma del que raras veces apartaba la vista. Yo tampoco lo hacía; era más agradable que mirar a Mo. ¡Jesús, salgamos de aquí!

—Espera un momento. ¿Qué hay de Panov?

—No está listo para una fiesta de bienvenida. Se quedará aquí un par de días bajo observación. Walsh me llamará por la mañana.

—Quiero verlo.

—No hay nada que ver excepto una piltrafa humana. Créeme, no te gustará verlo y él no querría que lo hicieses. Vamos.

—¿Adónde?

—A tu... a nuestro apartamento en Vienna. Supongo que tendrás un casete.

—Tengo de todo a excepción de un cohete aeroespacial, aunque ni siquiera puedo usar la mayoría de ello.

—Quiero detenerme para comprar una botella de whisky.

—En el apartamento hay de todo.

—¿No te molesta? —preguntó Holland, estudiando a Alex.

—¿Importaría si así fuese?

—En lo más mínimo... Si mal no recuerdo, hay una habitación de más, ¿verdad?

—Sí.

—Bien. Es posible que pasemos casi toda la noche escuchando esto. —El director agitó las cintas—. Al principio no significará nada. Sólo captaremos el dolor, no la información.

Eran poco más de las cinco de la tarde cuando abandonaron la propiedad conocida en la Agencia como Estéril Cinco. A final de septiembre los días eran más cortos y el sol poniente anunciaba el próximo cambio con una intensidad de color que significaba la muerte de una estación y el nacimiento de otra.

—La luz siempre es más brillante antes de nuestra muerte —comentó Conklin, sentado junto a Holland en la limusina, mientras miraba por la ventanilla.

—Eso no sólo me resulta inexacto sino que, posiblemente, también sea bastante superficial —declaró Peter con fatiga—. Aunque no me arriesgaré a sostener esto último hasta saber quién lo dijo. ¿Quién ha sido?

—Jesús, creo.

—Las Sagradas Escrituras nunca han sido corregidas. Demasiadas reuniones alrededor del fuego y muy pocos datos confirmados en el lugar de los hechos.

Alex soltó una risa suave y reflexiva.

—¿Alguna vez las has leído? Me refiero a las Sagradas Escrituras.

—En su mayor parte.

—¿Por obligación?

—Diablos, no. Mis padres eran tan agnósticos como pueden serlo dos personas sin acabar considerados como ateos y parias. Cerraban el pico al respecto y me enviaban junto con mis dos hermanas a un servicio protestante una semana, a una misa católica la siguiente y a una sinagoga después de eso. No era algo regular, pero, según creo, querían que tuviésemos una visión general. Eso despierta el interés por la lectura en los niños. La curiosidad natural envuelta en misticismo.

—Irresistible —admitió Conklin—. Yo he perdido la fe. Ahora, después de años de proclamar mi independencia espiritual, me pregunto si no me estará faltando algo

—¿Qué?

—Consuelo, Peter. No tengo consuelo.

—¿De qué?

—No lo sé. De las cosas que escapan a mi control, tal vez.

—Te refieres a que no tienes el consuelo del perdón, un perdón metafísico. Lo siento Alex, en eso no coincidimos. Somos responsables de lo que hacemos y ninguna absolución confesional cambiará eso.

Conklin volvió la cabeza y miró a Holland con los ojos abiertos de par en par.

—Gracias —le dijo.

—¿Por qué?

—Por opinar igual que yo, aunque utilices una variación de mis propias palabras… Hace cinco años regresé de Hong Kong con la bandera de la responsabilidad en ristre.

—No comprendo.

—Olvídalo. Ya he vuelto al buen camino. «Permanece en guardia contra los peligros de la presunción eclesiástica y el pensamiento abstracto.»

—¿Quién diablos dijo eso?

—Savonarola o Salvador Dalí, no estoy seguro.

—¡Oh, por Dios, basta de disparates! —rió Holland.

—¿Por qué? Es la primera vez que reímos. ¿Qué ocurrió con sus dos hermanas?

—Ésa es una broma aún mejor —respondió Peter, con una sonrisa traviesa en los labios—. Una es monja y vive en Nueva Delhi. La otra preside su propia firma de relaciones públicas en Nueva York y maneja mejor el yiddish que la mayoría de sus colegas de la profesión. Hace un par de años me contó que habían dejado de llamarla *shiksa*. Le encanta la vida que lleva; a mi otra hermana en la India le ocurre lo mismo.

—Sin embargo, tú elegiste las fuerzas armadas.

—Nada de «sin embargo», Alex. Simplemente las elegí. Era un joven colérico que realmente creía que estaban dejando este país a su suerte. Provenía de una familia privilegiada: dinero, influencias y una cara escuela preparatoria. Eso me garantizaba, a mí, no al chico negro en las calles de Filadelfia o Harlem, un ingreso automático en Annapolis. Pensé que, de alguna manera, debía ganarme ese privilegio. Debía demostrar que la gente como yo no sólo utilizaba las ventajas para evitar las responsabilidades, sino en algunos casos para aumentarlas.

—El renacimiento de la aristocracia —comentó Conklin—. *Noblesse oblige...*, la nobleza impone obligaciones.

—Eso no es justo —protestó Holland.

—Sí, lo es y en un sentido muy real. En griego, *aristo* significa «mejor» y *kratia* «dominio». En la antigua Atenas, aquellos jóvenes conducían ejércitos para demostrar que estaban dispuestos a sacrificarse por los más humildes, ya que éstos se encontraban bajo sus órdenes, las órdenes de los mejores.

Con los ojos entornados, Peter Holland echó la cabeza hacia atrás sobre el asiento de terciopelo.

—Tal vez era eso en parte, no estoy seguro; de verdad, no estoy seguro. Pedíamos tanto... ¿para qué? ¿Por la colina Pork Chop? ¿Por unas tierras inútiles en el Mekong? ¿Por qué? Dios, ¿por qué? Hombres con el vientre y el pecho destrozados por la bala de un enemigo que estaba a medio metro de ellos... un Cong que conocía las junglas que ellos pisaban por primera vez. ¿Qué clase de guerra era ésa...? Si los sujetos como yo no iban y decían: «Mirad, aquí estoy, con vosotros», ¿cómo diablos crees que hubiésemos resistido tanto tiempo? Se habrían levantado rebeliones en masa y tal vez hubiera sido mejor. Esos muchachos eran los negros, los latinos y el resto de los desposeídos que apenas si sabían leer y escribir. Los privilegiados tenían ventajas, ellos no realizaban el trabajo sucio y en su mayoría no participaban del combate. Con los otros era diferente. Si significaba algo el hecho de que yo, un maldito privilegiado, estuviese con ellos, ésa fue la mejor acción de mi vida. —De pronto Holland dejó de hablar y cerró los ojos.

—Lo siento, Peter, no pretendía remover aguas pasadas, de verdad. En realidad había comenzado con mis culpas, no con las tuyas. Es sorprendente cómo encaja todo y da vueltas sobre sí mismo. ¿Cómo lo habías llamado? El carrusel de culpas. ¿Cuándo se detiene?

—Ahora —decidió Holland, enderezándose en el asiento. Cogió el teléfono de la limusina, marcó dos números y habló—. Déjenos en Vienna, por favor. Después vaya a un restaurante chino y tráiganos lo mejor que tengan. Francamente, mis platos predilectos son las costillas y el pollo al limón.


Holland había tenido razón. Escuchar por primera vez la sesión de Panov bajo los efectos del suero resultó un suplicio. La voz sonaba devastadora y el contenido emocional era más fuerte que la información, en especial para los que conocían al psiquiatra. Sin embargo, con la segunda audición lograron concentrarse enseguida, sin duda debido al mismo sufrimiento que oían. No había tiempo para dejarse llevar por los sentimientos personales; de pronto la información lo era todo. Los dos hombres comenzaron a tomar nota a toda prisa, deteniéndose de vez en cuando para volver a pasar algún párrafo que no quedaba del todo claro. Con la tercera audición afinaron aún más los puntos principales y, al final de la cuarta, Alex y Peter Holland habían escrito treinta páginas cada uno. Luego pasaron una hora en silencio, repasando sus respectivos análisis.

—¿Estás listo? —preguntó el director de la CIA desde el sofá, con un lápiz en la mano.

—Sí —dijo Conklin, sentado ante el escritorio con su equipo completo electrónico y el casete junto al codo izquierdo.

—¿Alguna observación para comenzar?

—Sí —respondió Alex—. El noventa y nueve coma cuarenta y cuatro por ciento de lo que hemos oído no nos revela nada más que la habilidad de Walsh para dirigir interrogatorios. Mucho antes de que yo hubiese descubierto una pista, él ya la estaba siguiendo. Y yo no soy exactamente un principiante en lo que se refiere a interrogatorios.

—De acuerdo —dijo Holland—. Yo tampoco era tan malo, en especial cuando contaba con un instrumento contundente. Walsh es eficiente.

—Más que eso, pero ahora no nos afecta. De la información que ha logrado extraer a Mo, lo más importante no es lo que él ha revelado; debemos asumir que ha repetido casi todo lo que yo le he dicho. Lo principal se encuentra en lo que oyó y ahora recuerda. —Conklin separó varias páginas—. Aquí hay un ejemplo: «La familia estará contenta... nuestro supremo nos dará la bendición». Está repitiendo las palabras de otra persona, no las suyas. Mo no está familiarizado con la jerga criminal, al menos no como para realizar una asociación automática, pero ésta se encuentra allí. Si consideramos la palabra «supremo» en italiano y le anteponemos otra, obtendremos la expresión *capo supremo*, que remite a un personaje en absoluto celestial. De pronto la «familia» se encuentra a años luz de Norman Rockwell, y la «bendición» puede interpretarse como una recompensa o premio.

—La mafia —dijo Peter con la mirada firme y despejada a pesar de las copas que, evidentemente, no había asimilado—. No se me ocurrió, pero lo había percatado de forma instintiva. Muy bien, aquí hay algo más por el estilo, lo digo porque también son frases que no parecen de Panov. —Holland pasó las hojas y se detuvo en una concreta—. Aquí está. «Nueva York lo quiere todo.» —Peter continuó pasando las páginas—. Y otra vez aquí. «Ese Wall Street es algo grande de verdad.» —El DCI volvió a pasar las hojas—. Y éste. «Los rubitos»... el resto está muy confuso.

—Lo he oído, pero no logré encontrarle ningún sentido.

—¿Por qué iba a ser de otro modo, señor Aleksei Konsolikov? —Holland sonrió—. A pesar de tu educación, debajo de esa apariencia anglosajona late el corazón de un ruso. No es sensible a lo que algunos de nosotros debemos soportar.

—¿Eh?

—Yo soy un blanco, anglosajón y protestante, «los rubitos» no es más que otro término peyorativo que nos han endilgado, debo admitirlo, otras minorías pisoteadas. Piénsalo. Armbruster, Swayne, Atkinson, Burton, Teagarten... todos «rubitos». Y Wall Street, ciertas firmas en ese bastión financiero WASP de blancos, anglosajones y protestantes.

—Medusa —dijo Alex, asintiendo con la cabeza—. Medusa y la mafia. ¡Bendito sea Dios!

—Pero tenemos un número de teléfono. —Peter se inclinó hacia delante en el sillón—. Estaba en el libro mayor que Bourne obtuvo en la propiedad de Swayne.

—Ya lo he intentado, ¿te acuerdas? Sólo es un contestador automático.

—Con eso nos basta. Podemos obtener una dirección.

—¿Para qué? Quien recoje los mensajes lo hace por control remoto, y si tiene dos dedos de frente lo debe de hacer desde un teléfono público. Será imposible de rastrear.

—¿No estás muy al corriente en alta tecnología, verdad hombre de campaña?

—Por así decirlo —respondió Conklin—. Me compré uno de esos vídeos para poder ver viejas películas, y no logro descubrir cómo se apaga ese maldito reloj que parpadea. Llamé al que me lo vendió y me indicó que leyera las instrucciones en el papel interior, que aún no he sabido encontrar.

—Entonces, deja que te explique lo que podemos hacer con un contestador automático: podemos estropearlo desde fuera.

—Fascinante. Y aparte de matar la fuente, ¿qué diablos lograremos con eso?

—Lo has olvidado. Con el número tendremos la dirección.

—¿Y qué?

—Alguien tendrá que ir a reparar la máquina.

—Oh.

—Lo atrapamos y descubrimos quién lo ha enviado allí.

—Sabes, Peter, tienes posibilidades. Considerando que eres un novato y a pesar de la inmerecida posición que ocupas actualmente.

—Lástima que no pueda ofrecerte un trago.


Bryce Ogilvie, de la firma legal Ogilvie, Spofford, Crawford y Cohen, estaba dictando una respuesta sumamente compleja a la división antimonopolios del Departamento de Justicia cuando su línea telefónica privada comenzó a sonar; sólo sonaba en su escritorio. Levantó el receptor, pulsó el botón verde y habló rápidamente.

—Espere —ordenó, mirando a su secretaria—. ¿Me disculpa, por favor?

—Por supuesto, señor. —La secretaria se levantó de su silla, atravesó la inmensa oficina y desapareció al otro lado de la puerta.

—Sí, ¿qué ocurre? —preguntó Ogilvie, dirigiéndose al teléfono.

—La máquina no funciona —informó la voz en la línea inviolable.

—¿Qué ha ocurrido?

—No lo sé. Sólo se oye la señal de ocupado.

—Es el mejor equipo que se puede obtener. Tal vez estaba llamando alguien cuando usted lo intentó.

—He estado marcando durante las últimas dos horas. Hay un fallo. Hasta las mejores máquinas se estropean alguna vez.

—Muy bien, envíe a alguien para revisarla. Utilice a uno de los negros.

—Naturalmente. Ningún blanco iría allí.

## 25

Era poco más de medianoche cuando Bourne salió del metro en Argenteuil. Había dividido el día y dedicado el tiempo que le quedaba libre, entre las disposiciones que debía adoptar, a buscar a Marie. Había ido de un barrio a otro, recorrió cada café, cada tienda, cada hotel grande o pequeño que formara parte de la pesadilla vivida trece años atrás, cuando ambos se habían ocultado como fugitivos. Más de una vez había contenido el aliento al ver a una mujer a lo lejos o frente a un café; una nuca, un perfil fugaz, y en dos ocasiones una cabellera rojiza; cualquiera de ellas podría haber sido su esposa vista de lejos o en la penumbra de un café. Ninguna era Marie, pero Bourne comenzaba a percibir su propia ansiedad y de ese modo tenía más posibilidades de controlarla. Éstas habían sido las horas más insoportables del día; el resto sólo estaba lleno de obstáculos y frustración.

¡Alex! ¿Dónde diablos estaba Conklin? ¡No lograba ponerse en contacto con él en Virginia! Debido a la diferencia horaria, había contado con Alex para que se encargara de los detalles, en especial de lo referente a la transferencia de fondos. En la costa este de Estados Unidos, la jornada laboral comenzaba a las cuatro de la tarde, hora de París, y en esta ciudad se interrumpía a las cinco o antes, según el mismo horario. Eso dejaba una hora escasa para transferir más de un millón de dólares a un supuesto señor Simon en un banco escogido por él. Y eso significaba que dicho señor Simon debía darse a conocer en algún establecimiento bancario de la ciudad. Bernardine le había resultado de gran ayuda. ¡Diablos, lo había hecho posible!

—En la rue de Grenelle hay un banco que el Deuxième utiliza con frecuencia. Pueden aceptar cambios de horario y la ausencia de un par de firmas auténticas, pero no dan nada a cambio de nada. No confían en nadie, en especial si está relacionado con nuestro benévolo gobierno socialista.

—Quiere decir que a pesar de los teletipos, hasta que llegue el dinero no lo entregan.

—Ni un céntimo. Podría llamar el presidente en persona y le dirían que lo recogiese en Moscú, que según ellos es el lugar adonde pertenece.

—Como no puedo comunicarme con Alex, he pasado por alto el banco en Boston y he llamado a nuestro hombre en las islas Caimán, donde Marie ha ingresado el dinero. Es canadiense, al igual que el banco. Está esperando instrucciones.

—Haré una llamada. ¿Estará en el Pont-Royal?

—No. Yo lo llamaré.

—¿Dónde está?

—Podría decirse que soy una mariposa ansiosa y confundida que vuela de un lugar a otro, guiado por vagos recuerdos.

—La está buscando.

—Sí. Pero en realidad usted no lo ha preguntado, ¿verdad?

—Discúlpeme, pero en parte espero que no la encuentre.

—Gracias. Volveré a llamarlo dentro de veinte minutos.

Entonces había acudido a otro lugar que recordaba, el Trocadero y el Palais de Chaillot, en una de cuyas terrazas le habían disparado años atrás; se había producido un tiroteo y la gente corría por la interminable escalera de piedra, personas que se ocultaban por un instante entre las grandes estatuas doradas y las fuentes para luego desaparecer de su vista por los jardines. ¿Qué había ocurrido? ¿Por qué recordaba el Trocadero? Marie había estado allí, en alguna parte. ¿En qué lugar de ese enorme complejo? ¿Dónde…? ¡Una terraza! Ella estaba en una terraza. Cerca de una estatua, pero ¿cuál de ellas? ¿Descartes? ¿Racine? ¿Talleyrand? La primera que se le ocurrió fue la de Descartes. La encontró, pero no a Marie. Al mirar el reloj, Bourne comprobó que habían transcurrido casi tres cuartos de hora desde que había hablado con Bernardine. Al igual que los hombres de su recuerdo, bajó corriendo la escalera y se dirigió a un teléfono.

—Vaya al banco Normandie y pregunte por *monsieur* Tabouri. Sabe que un tal *monsieur* Simon se propone transferir más de siete millones de francos desde las Caimán con una autorización de su banquero en las islas. Estará encantado de permitirle utilizar su teléfono, pero créame, le cobrará la llamada.

—Gracias, François.

—¿Dónde está ahora?

—En el Trocadero. Es una locura. Me asaltan toda clase de sensaciones, todas las vibraciones, pero ella no está. Acaso sean los recuerdos que se me escapan. Diablos, quizá recibí un disparo en este sitio, simplemente no lo sé.

—Vaya al banco.

Obedeció a François y treinta y cinco minutos después de su llamada a las Caimán, *monsieur* Tabouri, un hombre de piel cetrina y sonrisa perpetua, le confirmó que sus fondos estaban avalados. Bourne solicitó setecientos cincuenta mil francos, en los billetes más grandes que fuera posible. Se los entregó y, sin dejar de sonreír, el obsequioso banquero lo llevó a un lado, lejos del escritorio —lo cual le pareció bastante ridículo ya que no había nadie más en la oficina— y le habló en voz baja junto a una ventana.

—Hay unas maravillosas oportunidades de adquirir bienes raíces en Beirut, créame, lo sé con seguridad. Soy un experto en lo que se refiere al Oriente Medio y estos estúpidos enfrentamientos no pueden durar mucho más. ¡*Mon Dieu*, no quedará nadie con vida! Volverá a convertirse en el París del Mediterráneo. Propiedades por una fracción de su valor, ¡hoteles por *le ridicule*!

—Parece interesante. Me mantendré en contacto.

Había escapado del banco Normandie como si en su interior se ocultaran los gérmenes de una enfermedad mortal. Había regresado al Pont-Royal para intentar una vez más comunicarse con Alex Conklin en Estados Unidos. En Vienna, Virginia, ya era casi la una de la tarde y todavía le respondía el contestador automático con la voz de Alex pidiendo que dejasen el mensaje. Por innumerables razones, Jason habían decidido no hacerlo.

Y ahora estaba en Argenteuil, subiendo la escalera del metro hacia la calle, donde lentamente y con cautela, se iría acercando al barrio de Le Coeur du Soldat. Tenía claras instrucciones: no debía ser el hombre de la noche anterior. No debía cojear, ni vestirse con viejos uniformes de desecho, ni ofrecer una imagen que alguien pudiese reconocer. Debía ser un simple trabajador, llegar a los portones de la antigua refinería y fumar apoyado contra la pared. Esto tendría lugar entre las doce y media y la una de la madrugada. Ni antes ni después.

Cuando preguntó a los mensajeros de Santos, después de entregarles varios cientos de francos por sus molestias, el motivo de tantas precauciones nocturnas, el hombre menos inhibido había respondido:

—Santos nunca sale de Le Coeur du Soldat.

—Anoche salió.

—Sólo unos instantes —replicó el mensajero más hablador.

—Comprendo. —Pero en realidad Bourne no había comprendido, sólo podía hacer cábalas. ¿Sería Santos una especie de prisionero del Chacal, confinado día y noche en ese ruinoso café? Era una pregunta fascinante, teniendo en cuenta la corpulencia y la fuerza de aquel hombre, combinadas con una inteligencia superior a la normal.

Eran las doce y treinta y siete cuando Jason, vestido con tejanos, una gorra y un suéter oscuro con escote en pico, llegó a los portones de la vieja fábrica. Sacó un paquete de Gauloise y se apoyó contra la pared para encender uno con una cerilla, sosteniendo la llama más tiempo de lo necesario antes de apagarla. Sus pensamientos regresaron al enigmático Santos, el principal enlace en el ejército del Chacal, el satélite más seguro en la órbita del asesino, un hombre que parecía haber aprendido el francés en la Soborna. Sin embargo, Santos era latinoamericano, venezolano, si los instintos de Bourne no fallaban. Fascinante. Y Santos quería verlo «con el corazón en paz». Bravo amigo, pensó Jason. Santos había llamado al aterrorizado embajador de Londres y le había hablado de una cuestión tan delicada que, en comparación, las elecciones internas de un partido político parecían la esencia de la neutralidad. Lo único que Atkinson podía hacer era afirmar enfáticamente que se cumpliese cualquier instrucción impartida por la Dama Serpiente. El poder de ésta era la única protección del embajador, su último refugio.

Por lo tanto, Santos podía quebrantar las reglas; esa decisión provenía de la razón, no de la lealtad ni de la obligación. El enlace quería escapar de aquella cloaca y, con la perspectiva de tres millones de francos, más una multitud de lugares lejanos para escoger a lo largo y ancho del planeta, su cerebro le indicaba que escuchase, que considerase la oferta. Si se presentaban las oportunidades, existían alternativas en la vida. Para Santos, el vasallo de Carlos, que tal vez había comenzado a sentirse asfixiado por la lealtad hacia su amo, se había presentado una oportunidad. Gracias a esta idea instintiva Bourne había tratado de convencerlo con frases como: «Podría viajar, desaparecer... convertirse en un hombre rico, libre de preocupaciones y trabajos conflictivos». Las palabras clave eran «libre» y «desaparecer», y los ojos de Santos le habían respondido. Estaba dispuesto a morder el cebo de tres millones de francos y Bourne no tenía ningún inconveniente en permitirle que rompiera el sedal y nadara libremente con ellos.

Jason miró el reloj; había transcurrido un cuarto de hora. Sin duda los esbirros de Santos estaban registrando las calles, una última inspección antes de que apareciese el sumo sacerdote de los contactos. Jason pensó fugazmente en Marie, en las sensaciones que había experimentado en el Trocadero, recordó las palabras del viejo Fontaine cuando ambos aguardaban a Carlos y vigilaban los senderos del Sosiego desde la ventana del almacén. «Está cerca, lo presiento. Es como cuando se acerca un trueno distante.» De una forma diferente, muy diferente, Jason había experimentado sensaciones similares en el Trocadero. ¡Basta! ¡Santos! ¡El Chacal!

El reloj señalaba la una de la madrugada, cuando los dos mensajeros del Pont-Royal salieron del callejón y cruzaron la calle hacia los portones de la antigua refinería.

—Santos lo verá ahora —dijo el más hablador.

—No lo veo.

—Debe acompañarnos. Él no sale de Le Coeur du Soldat.

—¿Por qué será que me huele a podrido?

—No existe ninguna razón para sentir eso. Él tiene el corazón en paz.

—¿Y su cuchillo?

—No lleva cuchillo ni arma alguna. Nunca va armado.

—Me alegra saberlo. Vamos.

Los hombres lo escoltaron por el callejón y pasaron frente a la entrada iluminada por un neón hasta llegar a una abertura apenas iluminada entre los edificios. De uno en uno, con Jason en medio, se dirigieron a la parte trasera del café, donde Bourne se encontró con lo último que hubiese esperado ver en aquella parte de la ciudad. De hecho era un jardín inglés. Un terreno de unos diez metros de largo por seis de ancho, con espalderas por donde subían varias enredaderas en flor, una andanada de color bajo la luna de Francia.

—Es todo un espectáculo —comentó Jason—. Representa mucho trabajo.

—¡Ah, es la pasión de Santos! Nadie lo comprende, pero tampoco se atreven a tocar una sola flor.

Fascinante.

Condujeron a Bourne a un pequeño ascensor exterior cuya estructura metálica estaba fijada a la pared de piedra del edificio. No se veía ninguna otra entrada. Con bastante dificultad lograron introducirse los tres en el ascensor y cuando la reja de hierro se hubo cerrado, el mensajero silencioso pulsó un botón en la oscuridad y dijo:

—Estamos aquí, Santos. Camelia. Súbanos.

—¿Camelia? —preguntó Jason.

—Para indicar que todo anda bien. En caso contrario, mi amigo hubiese dicho «lila» o «rosa».

—¿Qué hubiese ocurrido entonces?

—No le gustaría saberlo. Incluso yo prefiero no pensarlo.

—Naturalmente. Por supuesto.

El ascensor se detuvo con una inquietante sacudida y el mensajero silencioso abrió una pesada puerta de acero, para lo cual tuvo que empujar con todo su peso. Bourne fue conducido a la conocida habitación con los muebles elegantes, la biblioteca y la lámpara de pie, que iluminaba a Santos en su enorme sillón.

—Podéis iros, amigos —indicó Santos a los mensajeros—. Pedid vuestro dinero al encargado y, por amor de Dios, decidle que dé cincuenta francos a René y al norteamericano que se hace llamar Ralph. Luego que los saque de aquí. Andan meándose por los rincones. Decid que el dinero es de su amigo de anoche, que se ha olvidado de ellos.

—¡Oh, mierda! —exclamó Jason.

—Lo habías olvidado, ¿verdad? —Santos sonrió.

—He estado ocupado en otros asuntos.

—¡Sí, señor! ¡Sí, Santos! —En lugar de dirigirse al fondo de la habitación y al ascensor, los dos enviados abrieron una puerta en la pared izquierda y desaparecieron. Bourne los miró sorprendido mientras se iban.

—Hay una escalera que conduce a la cocina —explicó en respuesta a su pregunta no formulada—. La puerta se abre desde dentro, sólo yo puedo abrirla desde la escalera. Siéntate, Simon. Eres mi invitado. ¿Cómo tienes la cabeza?

—La inflamación ha desaparecido, gracias. —Bourne se sentó en el gran sofá, hundiéndose entre los almohadones. No quedó en una posición muy autoritaria y ésa era precisamente la intención—. Entiendo que tienes el corazón en paz.

—Y el deseo de obtener tres millones de francos en la parte avarienta de ese mismo corazón.

—Entonces, ¿has quedado satisfecho con tu llamada a Londres?

—Nadie puede haber aleccionado a un hombre para que reaccionara de ese modo. Existe una Dama Serpiente y es evidente que infunde gran respeto y temor en lugares importantes, lo que significa que ese reptil femenino no carece de poder.

—Es lo que he tratado de decirte.

—Acepto tu palabra. Ahora, recapitulemos lo que pedías, tu demanda, por así decirlo…

—Mis condiciones —lo interrumpió Jason.

—Muy bien, tus condiciones —admitió Santos—. Tú y sólo tú debes ponerte en contacto con el mirlo, ¿correcto?

—En efecto.

—¿Puedo preguntar por qué?

—Para ser sincero, ya sabes demasiado, más de lo que suponen mis clientes; pero, claro, ninguno de ellos ha estado a punto de perder la vida en la primera planta de un café de Argenteuil. No quieren tener ninguna relación contigo, no quieren rastros y, en ese terreno, eres vulnerable.

—¿Cómo? —Santos estrelló el puño contra el brazo del sillón.

—En París, un anciano con antecedentes penales trató de advertir a un miembro de la Asamblea que iba a ser asesinado. Fue él quien mencionó al mirlo y quien habló sobre Le Coeur du Soldat. Afortunadamente, nuestro hombre lo oyó y, de forma discreta, pasó la información a mis clientes, pero eso no basta. ¿Cuántos ancianos más hay en París que, en medio de sus divagaciones seniles, pueden mencionar Le Coeur du Soldat... y a *ti*? No, no puedes establecer ningún contacto con mis clientes.

—¿Ni siquiera a través de ti?

—Yo desapareceré; tú, no. Aunque, sinceramente, creo que deberías ir pensando en hacerlo. Toma, te he traído una cosa. —Bourne se inclinó hacia delante en el sofá y hurgó en el bolsillo trasero. Extrajo un rollo de francos sujetos con una goma elástica. Jason se lo arrojó a Santos, quien lo atrapó en el aire.

—Doscientos mil francos a cuenta. Me han autorizado a entregártelos para asegurarnos de que pondrás tu máximo esfuerzo. Tú me das la información que necesito, yo la transmito a Londres y aunque el mirlo no acepte la oferta de mis clientes, tú recibes igualmente los tres millones.

—Pero tú podrías desaparecer antes de eso, ¿verdad?

—Haz que me vigilen tal como has hecho hasta ahora, que me sigan hasta Londres y en el viaje de vuelta. Si quieres, te llamaré para informarte de las compañías aéreas y los números de vuelo. ¿Qué podría ser más razonable?

—Yo te lo diré, *monsieur* Simon —respondió Santos al tiempo que levantaba el inmenso corpachón del asiento para caminar de forma señorial hasta una mesa de juego, situada junto a la pared lacada del apartamento—. Ven aquí, por favor.

Jason se levantó del sofá y fue hasta la mesa del juego, donde quedó sorprendido.

—Eres muy cuidadoso, ¿verdad?

—Lo intento... Oh, no culpes a los conserjes, ellos te son fieles. Yo me muevo por debajo de ese nivel. Prefiero las camareras y mayordomos. Son menos corruptos y nadie los echa de menos si un día no se presentan.

Sobre la mesa estaban los tres pasaportes de Bourne, cortesía de Cacto en Washington, al igual que la pistola y el cuchillo que le habían quitado la noche anterior.

—Resultas muy convincente, pero esto no resuelve nada.

—Ya lo veremos —respondió Santos—. Ahora aceptaré tu dinero, por mi esfuerzo máximo, pero en lugar de volar a Londres, haz que Londres se traslade a París. Mañana por la mañana. Cuando haya llegado al Pont-Royal me llamarás. Te daré mi número privado, por supuesto. Entonces jugaremos al juego de los soviéticos. Haremos un cambio, como si atravesáramos un puente con nuestros respectivos prisioneros. El dinero por la información.

—Estás loco, Santos. Mis clientes no querrán exponerse tanto. Acabas de perder el resto de los tres millones.

—¿Por qué no lo intentas? Siempre podrían contratar a un ciego, ¿verdad? A un turista inocente con un maletín de doble fondo. Los papeles no activan ninguna alarma. ¡Inténtalo! Es la única forma de obtener lo que buscas.

—Haré lo que pueda —aceptó Bourne.

—Aquí tienes mi teléfono. —Santos cogió un naipe que había sobre la mesa, sobre el cual se veían unos números escritos a mano—. Llámame cuando Londres llegue. Mientras tanto, puedo asegurarte que te vigilaré de cerca.

—Eres todo un personaje.

—Te acompañaré al ascensor.


Marie estaba sentada en la cama, bebía té caliente en la habitación a oscuras mientras escuchaba los sonidos de París al otro lado de las ventanas. Dormir no sólo era imposible, resultaba intolerable, una pérdida de tiempo cuando cada hora tenía vital importancia. Había tomado el primer vuelo de Marsella a París y se dirigió directamente al Meurice, sobre la rue de Rivoli, el mismo hotel donde había esperado trece años atrás. En esa ocasión aguardaba que un hombre se dejase convencer o perdiese la vida, dejando atrás gran parte de la suya en el proceso. En el pasado había pedido un poco de té y él había vuelto a ella. Ahora, de forma inconsciente tal vez, había vuelto a hacerlo, pidió té al servicio nocturno, como si la repetición del ritual pudiese producir una reiteración de su presencia en el lugar, ocurrida tantos años atrás.

¡Oh Dios, ella lo había visto! ¡No era ni una ilusión ni un error, era David! Había abandonado el hotel a media mañana para comenzar a vagar, siguiendo la lista que había confeccionado en el avión. Iba de un lugar a otro sin ninguna secuencia lógica, se limitaba a seguir una sucesión de lugares tal como le habían venido a la mente. Era una lección que él había aprendido de Jason Bourne trece años atrás: «Cuando escapas o persigues, analiza tus alternativas, pero siempre recuerda la primera. Suele ser la más acertada. La mayor parte de tiempo deberás prestarle atención.»

Por lo tanto, había seguido la lista, desde el muelle del Bateau Mouche al fondo de la avenida George V hasta el banco sobre la Madeleine y, luego, al Trocadero. Allí había vagado sin rumbo fijo por las terrazas, como en un trance, buscando una estatua que no lograba recordar entre los grupos de turistas que pasaban conducidos por sus gritones y solícitos guías. Todas las grandes estatuas comenzaban a parecerse y de pronto Marie se había sentido aturdida. El sol de finales de agosto resultaba cegador. Estaba a punto de sentarse en un banco de mármol siguiendo otro precepto de Jason Bourne: «El descanso es un arma.» En ese momento, más adelante, descubrió a un hombre vestido con una gorra y un suéter oscuro de escote en pico; el hombre se volvió y corrió hacia la palaciega escalera de piedra que conducía a la avenida Gustave V. Ella conocía esa forma de correr, los pasos largos; ¡los conocía mejor que nadie! Cuántas veces lo había observado, con frecuencia sin que la vieran, mientras él corría por la pista de la universidad para descargarse de la ira que lo invadía. ¡Era David! Marie se había levantado de un salto para correr tras él.

—¡David! ¡David, soy yo...! ¡Jason!

Había chocado contra un guía turístico que conducía a un grupo de japoneses. El hombre se había enfadado; ella estaba furiosa. Con brusquedad, se había abierto paso entre los sorprendidos orientales, que, en su mayoría, eran más bajos que ella. Pero la diferencia de altura no le había servido de nada. Su marido había desaparecido. ¿Adónde habría ido? ¿A los jardines? ¿A la calle, con el gentío y el tránsito del Pont d'Iéna? Por amor de Dios, ¿adónde?

—¡Jason! —había gritado con todas sus fuerzas—. ¡Jason, regresa!

La gente la miraba, algunos con simpatía, imaginando un amor contrariado; otros simplemente con desaprobación. Marie había corrido por la interminable escalera hasta la calle y ni siquiera sabía cuánto tiempo había pasado buscándolo. Finalmente, agotada, había tomado un taxi para regresar al Meurice. Algo aturdida, llegó a su habitación y se dejó caer sobre la cama, conteniendo las lágrimas. No era momento para lloros. Debía descansar un poco y comer; según las lecciones de Jason Bourne, tenía que recuperar energías. Después regresaría a las calles para continuar la búsqueda. Tendida allí, con la vista fija en la pared, sintió que el pecho se le expandía y experimentó una pasiva alegría. Al mismo tiempo que ella buscaba a David, él la buscaba a ella. Su esposo no había escapado, ni Jason Bourne tampoco. Él no la había visto en ninguna de sus personalidades. Había tenido otro motivo para su apresurada salida del Trocadero, pero sólo podía haber una razón para que estuviese allí. Él también hurgaba en esos recuerdos de París, trece años atrás. Él también comprendía que en alguna parte de esos recuerdos la encontraría.

Marie había descansado, ordenó la habitación y, dos horas después, volvió a las calles.

Ahora, mientras bebía el té, aguardaba con impaciencia la llegada del amanecer. El nuevo día significaba la continuación de su búsqueda.

—¡Bernardine!

—*Mon Dieu*, son las cuatro de la madrugada, supongo que tendrá algo vital que decirle a este anciano de setenta años.

—Tengo un problema.

—Yo creo que tiene varios, pero me parece que eso no es un gran mérito. ¿De qué se trata?

—Estoy muy cerca, pero necesito un hombre de punta.

—Por favor hable más claro y a ser posible en francés. Eso de «hombre de punta» debe ser un término norteamericano. Ustedes tiene un montón de frases esotéricas. Estoy seguro de que en Langley hay alguien que se sienta a inventarlas.

—Vamos, no tengo tiempo para sus *bon mots*.

—Déme un momento, amigo mío. No trato de ser irónico, sólo intento despertarme… Ya está, ahora tengo los pies en el suelo y un cigarrillo en los labios. ¿De qué se trata?

—Mi enlace con el Chacal espera que esta mañana llegue un inglés desde Londres con dos millones ochocientos mil francos…

—Bastante menos de lo que dispone usted, supongo —lo interrumpió Bernardine—. El banco Normandie le ha prestado sus servicios, ¿verdad?

—Totalmente. Tengo el dinero allí y ese Tabouri suyo es un encanto. Ha tratado de venderme una propiedad en Beirut.

—Tabouri es un ladrón; pero lo de Beirut suena interesante.

—Por favor.

—Lo siento. Continúe.

—Me están vigilando, así que no puedo ir hasta el banco y tampoco dispongo de ningún inglés que traiga el dinero al Pont-Royal.

—¿Ése es todo su problema?

—Sí.

—¿Está dispuesto a desprenderse de… digamos cincuenta mil francos?

—¿Para qué?

—Tabouri.

—Supongo que sí.

—Ha firmado documentos, supongo.

—Por supuesto.

—Redacte y firme otro documento donde libre el dinero a… Un momento, tengo que ir al escritorio. —La línea quedó en silencio mientras Bernardine se trasladaba a otra habitación; instantes después su voz regresó—. ¿*Alló*?

—Estoy aquí.

—Oh, esto irá perfecto —comentó el ex especialista del Deuxième—. Lo hundí con un bote en los alfaques de la Costa Brava. Los tiburones se dieron un banquete; era tan gordo y delicioso. El nombre es Antonio Scarzi, un sardo que intercambiaba drogas por información, pero por supuesto usted no sabe nada de eso.

—Por supuesto. —Bourne deletreó el apelllido.

—Correcto. Cierre el sobre, frótese un lápiz o una estilográfica por el pulgar e imprima las huellas a lo largo del precinto. Entonces entréguaselo al conserje para el señor Scarzi.

—Comprendido. ¿Qué hay del inglés? Sólo quedan unas horas para que llegue la mañana.

—El inglés no es un problema. La mañana, sí, la falta de tiempo. Transferir fondos de un banco a otro es cosa de niños: se pulsan algunos botones, al instante los ordenadores procesan los datos y listo, las cifras aparecen sobre el papel. Otra cosa muy diferente es conseguir casi tres millones de francos en efectivo, y su enlace no querrá aceptar libras o dólares por miedo a que lo atrapen al cambiarlos o ingresarlos. Añada a esto el inconveniente de que los billetes deben ser grandes para que el bulto no llame la atención de los guardias de aduana… Su enlace, *mon ami*, sin duda es consciente de estas dificultades.

Con la vista fija en la pared, Jason reflexionó sobre las palabras de Bernardine.

—¿Cree que me está probando?

—Debe hacerlo.

—El dinero podría reunirse de los departamentos extranjeros de diferentes bancos. Un pequeño avión privado podría cruzar el canal y aterrizar en campo abierto, donde habría un coche esperando para trasladar al hombre a París.

—*Bien*. Por supuesto. Sin embargo, hasta la gente más influyente necesita tiempo para esta clase de operaciones. No haga que parezca demasiado simple, eso resultaría sospechoso. Mantenga a su enlace informado de los progresos que usted realice pero haga hincapié en la importancia de guardar el secreto. Explíquele que al no poder correr ningún riesgo, se suscitarán retrasos. Si no los hubiera, podría pensar que se trata de una trampa.

—Comprendo a qué se refiere. Es lo mismo que había dicho antes: no hacer que parezca tan sencillo porque no resultaría creíble.

—Hay algo más, *mon ami*. Un camaleón puede ser muchas cosas a la luz del día; sin embargo, estará más seguro en la oscuridad.

—Se olvida de una cosa —dijo Bourne—. ¿Qué hay del inglés?

—No se preocupe, *mon ami* —dijo Bernardine.

Jason nunca había organizado ni visto una operación que se desarrollara con tanta fluidez, tal vez gracias a las aptitudes de un hombre resentido e inteligente a quien habían apartado del juego demasiado pronto. Durante todo el día, Bourne se mantuvo en contacto telefónico con Santos. Mientras tanto, Bernardine hizo que otra persona fuese a buscar el sobre con las instrucciones y se lo llevase, momento en el cual se encontró con *monsieur* Tabouri. Poco después de las cuatro y media, el veterano del Deuxième apareció en el Pont Royal atraviado con una traje oscuro a rayas finas que parecía proclamar su procedencia británica. Entró en el ascensor y después de equivocarse dos veces de camino, logró dar con la habitación de Bourne.

—Aquí está el dinero —anunció, dejando caer el maletín al suelo y yendo directamente hacia el bar de Jason. Allí tomó dos botellas en miniatura de ginebra Tanqueray, las abrió y vació el licor en un vaso de dudosa limpieza—. *A votre santé* —agregó. Entonces bebió la mitad de su vaso, respiró profundamente por la boca y engulló el resto de un trago—. No había hecho nada como esto desde hacía años.

—¿En serio?

—Francamente, no. Se las encargaba a otra persona. Es demasiado peligroso… No obstante, Tabouri se sentirá en deuda con usted para siempre y la verdad es que me ha convencido respecto a lo de Beirut.

—¿Qué?

—Por supuesto, yo no cuento con tantos recursos como usted, pero durante cuarenta años, un porcentaje de *le fonds de contingence* se ha desviado hacia Ginebra en mi beneficio. No soy un hombre pobre.

—Puede ser un hombre muerto si lo descubren saliendo de aquí.

—Oh, pero no saldré —dijo Bernardine mientras volvía a registrar la pequeña nevera—. Me quedaré en esta habitación hasta que usted hay concluido sus asuntos. —François abrió dos botellas más y, sosteniéndolas en una sola mano, las vació en el vaso—. Es posible que ahora mi viejo corazón lata más despacio —añadió mientras caminaba hasta el deficiente escritorio, apoyaba el vaso sobre el secante y procedía a extraer de sus bolsillos dos automáticas y tres granadas, colocándolo todo en fila frente al vaso—. Sí, ahora me relajaré.

—¿Qué diablos es eso? —exclamó Jason.

—Creo que ustedes los norteamericanos lo llaman métodos de disuasión —respondió Bernardine—. Aunque, francamente, me parece que tanto ustedes como los soviéticos se burlan de sí mismos al invertir tanto dinero en armamentos que no funcionan. Yo provengo de una era diferente. Cuando usted salga a ocuparse de sus asuntos, dejará la puerta abierta. Si alguien se acerca por ese estrecho pasillo, verá una granada en mi mano. Esto no es abstracción nuclear, es disuasión.

—La acepto —dijo Bourne mientras se dirigía a la puerta—. Quiero terminar con esto.

Un vez en Montalembert, Jason fue hasta la esquina y, tal como hiciera en la vieja fábrica de Argenteuil, se apoyó contra la pared y encendió un cigarrillo. Allí esperó con una postura descuidada y la mente en plena actividad.

Un hombre se acercó a él por la rue du Bac. Era el locuaz mensajero de la noche anterior; se detuvo, con la mano en el bolsillo de la chaqueta.

—¿Dónde está el dinero? —preguntó el hombre en francés.

—¿Dónde está la información? —respondió Bourne.

—Primero el dinero.

—Eso no es lo convenido. —Sin previo aviso, Jason tomó al esbirro de Argenteuil por las solapas y lo levantó del suelo. Con la mano que le quedaba libre, apretó la garganta del mensajero y le clavó los dedos en la carne—. Regresa y dile a Santos que se ha ganado un billete de ida al infierno. Yo no negocio de este modo.

—¡Ya basta! —exclamó la voz baja de un hombre que rodeó la esquina a la derecha de Jason. La enorme figura de Santos se acercó a ellos—. Déjalo ir, Simon. Él no es nadie. Esto es sólo entre tú y yo.

—Pensé que nunca salías de Le Coeur du Soldat.

—Tú has cambiado eso, ¿verdad?

—Así parece. —Bourne soltó al mensajero, quien miró a Santos. Ante un gesto de su gran cabeza, el hombre se alejó a todo correr.

—Su inglés ha llegado —dijo Santos cuando estuvieron a solas—. Traía una maleta, lo he visto con mis propios ojos.

—Llegó con una maleta —repitió Jason.

—Así que Londres ha capitulado. Por lo visto están muy ansiosos.

—Los riesgos son muy altos y no pienso añadir una palabra más. La información, por favor.

—Primero volvamos a determinar el procedimiento, ¿te parece?

—Ya lo hemos hecho varias veces… Tú me entregas la información, mi cliente me indica que actúe basándome en ella; si se efectúa un contacto satisfactorio, te traeré los tres millones de francos.

—Hablas de un «contacto satisfactorio». ¿Qué te dejará satisfecho? ¿Cómo sé yo que no me engañarás y te quedarás con mi dinero cuando, en realidad, has logrado establecer el contacto por el que han pagado tus clientes?

—Eres un sujeto desconfiado, ¿verdad?

—Oh, muy desconfiado. Nuestro mundo, señor Simon, no está poblado de santos.

—Tal vez haya más de los que tú supones.

—Me extrañaría. Contesta, por favor.

—Muy bien, lo intentaré… ¿Cómo sabré que el contacto es firme? Muy sencillo. Simplemente lo sabré porque en eso consiste mi trabajo. Por eso me pagan y un hombre en mi posición no comete esta clase de errores y vive para disculparse. He perfeccionado el procedimiento, he realizado mi investigación y yo también formularé dos o tres preguntas. Entonces lo sabré de un modo o de otro.

—Eso es una respuesta evasiva.

—En nuestro mundo, señor Santos, mostrarse evasivo no es ningún defecto, ¿verdad? En cuanto a tu temor a que te mienta y me quede con el dinero, puedo asegurarte que no cultivo enemigos como tú y la red que evidentemente controla tu mirlo. Tampoco me enemistaría con mis clientes. Eso sería una locura que terminaría con mi vida.

—Admiro tu perspicacia y tu prudencia —dijo el intermediario del Chacal.

—La biblioteca no mentía. Eres un hombre culto.

—Eso no viene al caso, pero tengo ciertas credenciales. Las apariencias pueden constituir tanto un obstáculo como una ventaja... Lo que estoy a punto de decirte, Simon, sólo lo saben cuatro hombres sobre la faz de la Tierra, y todos hablan francés con fluidez. La forma en que decidas utilizar esa información, depende de ti. Sin embargo, a la menor alusión sobre Argenteuil, lo sabré de inmediato y jamás saldrás del Pont-Royal con vida.

—¿El contacto puede realizarse tan rápido?

—Con un número de teléfono. Pero a partir del momento en que nos separemos, esperarás al menos una hora para llamar. Si no lo cumples también lo sabré, y te repito que serías hombre muerto.

—Una hora. De acuerdo... ¿Sólo otras tres personas tienen este número? ¿Por qué no escoges al que menos te agrade para que pueda aludir a él de forma indirecta si llegara a ser necesario?

Santos se permitió una pequeña sonrisa apagada.

—Moscú —dijo con suavidad—. Arriba, en la plaza Dzerzhinski.

—¿El KGB?

—El mirlo está organizando un cuadro militar en Moscú... siempre Moscú. Es su obsesión.

Ilich Ramírez Sánchez, pensó Bourne. Entrenado en Nóvgorod. Rechazado por el Komitet como maníaco. ¡El Chacal!

—Lo tendré en cuenta, si llego a necesitarlo. ¿El número, por favor?

Santos lo dictó dos veces junto con las palabras que Bourne debía pronunciar. Habló lentamente y era evidente que le impresionaba que Jason no anotara nada.

—¿Está claro?

—Grabado de forma indeleble. No necesito lápiz ni papel. Si todo sale como espero, ¿de qué forma deseas que te entregue el dinero?

—Llámame, tú tienes mi número. Entonces vendré a verte y nunca volveré a Argenteuil.

—Buena suerte, Santos. Algo me dice que la mereces.

—Nadie la merece más. Ya he bebido la cicuta demasiadas veces.

—Sócrates —dijo Jason.

—No directamente. Los diálogos de Platón, para ser exactos. *Au revoir.*

Santos se alejó y Bourne, con el corazón desbocado, regresó al Pont-Royal, reprimiendo desesperadamente el deseo de correr. «Un hombre que corre es objeto de curiosidad, un blanco.» Una lección perteneciente a los cantos de Jason Bourne.

—¡Bernardine! —gritó mientras corría por el pasillo estrecho y vacío hacia su habitación, consciente de la puerta abierta y el anciano sentado ante el escritorio, con una granada en una mano y una pistola en la otra—. Puede dejar las armas, ¡nos ha tocado el gordo!

—¿Quién pagará? —preguntó el veterano del Deuxième mientras Bourne cerraba la puerta.

—Yo —respondió Bourne—. Si esto funciona como supongo, su cuenta en Ginebra crecerá como la espuma.

—No hago lo que hago por dinero, amigo mío. Ni siquiera lo he considerado.

—Lo sé, pero mientras continuemos entregando francos como si los imprimiéramos en el garaje, ¿por qué no habría usted de recibir su parte?

—No se me ocurre ninguna objeción.

—Una hora —anunció Jason—. Cuarenta y tres minutos, para ser exactos.

—Y entonces, ¿qué?

—Sabré si es cierto, si efectivamente es cierto. —Bourne se echó sobre la cama con los brazos cruzados en la nuca y la mirada encendida—. Anote esto, François. —Jason recitó el número de teléfono que le había comunicado Santos—. Compre, soborne o amenace a cada contacto de alto nivel que haya tenido en el servicio telefónico de París, pero consígame la dirección correspondiente a ese número.

—No es un encargo tan difícil…

—Sí, lo es —replicó Bourne—. Será inviolable, él no actuaría de ningún otro modo. Sólo lo tienen cuatro personas en toda la organización.

—Entonces, quizá no debamos subir a los niveles altos sino al contrario, tendremos que ir hacia abajo. A los túneles del servicio telefónico que transcurren bajo las calles.

Jason giró la cabeza hacia Bernardine.

—No se me había ocurrido.

—¿Por qué iba a hacerlo? Usted no pertenece al Deuxième. La fuente son los técnicos, no los chupatintas sentados detrás de sus escritorios... Yo conozco a varios. Esta noche escogeré a uno y realizaré una discreta llamada a su casa...

—¿Esta noche? —lo interrumpió Bourne, sentándose en la cama.

—Costará alrededor de mil francos, pero conseguirá la dirección de este teléfono.

—No puedo esperar hasta la noche.

—Habrá un riesgo adicional si intentamos localizarlo en su trabajo. Esos hombres están controlados por monitores, nadie confía en nadie en el servicio telefónico. Es la paradoja del socialista: hay que dar responsabilidades a los trabajadores, pero ninguna autoridad individual.

—¡Un momento! —exclamó Jason desde la cama—. Tiene sus número particulares ¿verdad?

—Figuran en la guía, sí. Esas personas no están en listas privadas.

—Haga que llame la esposa de alguno. Una emergencia. Un técnico debe volver a casa.

Bernardine asintió con un gesto.

—No está mal, amigo mío. No está nada mal.

Los minutos se transformaron en cuartos de hora mientras el oficial retirado del Deuxième ponía manos a la obra, prometiendo recompensas a las esposas de los técnicos si éstas hacían lo que les pedía. Dos le colgaron, tres lo despidieron con epítetos nacidos en los desconfiados barrios bajos de París; pero la sexta, en medio de las obscenidades, declaró: «¿Por qué no?» Siempre y cuando la rata con que se había casado comprendiese que el dinero era de ella.

Cuando hubo transcurrido la hora, Jason salió del hotel y caminó lentamente por la acera. Cruzó cuatro calles hasta que descubrió un teléfono público en el quai Voltaire, junto al Sena. Un manto de oscuridad se posaba sobre París y tanto los botes del río como los puentes que lo cruzaban tenían las luces encendidas. Mientras se acercaba a la cabina roja, comenzó a respirar profundamente, ejercitando un control de sí mismo que nunca había creído posible. Estaba a punto de efectuar la llamada más importante de su vida, pero no podía permitir que el Chacal lo supiese, suponiendo que en realidad se tratara de él. Jason entró, introdujo la moneda y marcó.

—¿Sí? —Era la voz de una mujer, el *oui* francés brusco y duro. Una parisina.

—Los mirlos dan vueltas en el cielo —dijo Bourne, repitiendo las palabras de Santos en francés—. Hacen mucho ruido... todos menos uno. Éste guarda silencio.

—¿Desde dónde llama?

—Desde aquí, desde París. Pero no soy de París.

—¿De dónde, entonces?

—De donde los inviernos son mucho más fríos —respondió Jason, sintiendo el sudor en su frente. Control. ¡Control!—. Es urgente que me ponga en contacto con un mirlo.

De pronto la línea en silencio, un vacío y Bourne contuvo la respiración. Entonces llegó la voz baja, firme y tan hueca como el silencio anterior.

¡El Chacal! ¡Era el Chacal! Ese francés rápido y fluido no podía ocultar un acento latino.

—¿Hablo con una persona de Moscú?

—Yo no he dicho eso —respondió Bourne. Su propio dialecto francés era uno que empleaba con frecuencia, con el acento gutural del gascón—. Sólo he dicho que los inviernos son más fríos que en París.

—¿Quién es?

—Alguien a quien una persona que lo conoce considera lo bastante importante como para confiarle este número junto con las palabras que debía pronunciar. Yo puedo ofrecerle el contrato de su carrera, de su vida. El precio carece de importancia, póngalo usted mismo, pero los que pagan figuran entre los hombres más poderosos de Estados Unidos. Controlan gran parte de la industria norteamericana, al igual que las instituciones financieras del país y tienen acceso directo a los centros neurálgicos del gobierno.

—Ésta es una llamada muy extraña. Muy poco ortodoxa.

—Si no está interesado, olvidaré este número y acudiré a otra parte. Yo soy sólo el intermediario. Un simple sí o no bastará.

—Yo no me comprometo con cosas sobre las que no sé nada, con gente de la que nunca he oído hablar.

—Si yo pudiera revelar sus puestos, usted los reconocería, créame. Sin embargo, por el momento no busco un compromiso, sólo su interés. Si la respuesta es afirmativa, podré relevarle más. En caso contrario, bueno, lo habré intentado y me veré forzado a buscar en otra parte. Los periódicos afirman que ayer él se encontraba en Bruselas. Lo encontraré. —Hubo un breve silencio ante la mención de Bruselas y la alusión a Jason Bourne—. ¿Sí o no, mirlo?

Silencio. Finalmente, el Chacal habló.

—Vuelva a llamarme dentro de dos horas —le ordenó, y colgó el teléfono.

¡Estaba hecho! Jason se apoyó contra el aparato mientras el sudor le corría por el rostro y el cuello. El Pont-Royal. ¡Debía regresar con Bernardine!

—¡Era Carlos! —anunció mientras cerraba la puerta y se dirigía directo hacia el teléfono junto a la cama al tiempo que extraía la tarjeta de Santos de su bolsillo. Marcó el número y segundos después habló—. El pájaro está confirmado —dijo—. Dame un nombre, por favor. —La pausa fue breve—. Ya lo tengo. Dejaré la mercancía al conserje. Estará cerrada y sellada, cuéntala y envíame los pasaportes. Haz que tu mejor hombre la recoja y deshazte de los perros. Podrían conducir a un mirlo hasta ti. —Jason colgó y se volvió hacia Bernardine.

—El número de teléfono está en el distrito quince —informó el veterano del Deuxième—. Nuestro hombre lo sabía o al menos lo supuso cuando se lo dije.

—¿Qué hará?

—Volverá a los túneles y averiguará más cosas.

—¿Nos llamará aquí?

—Por suerte, tiene una moto. Dijo que volvería a su puesto en unos diez minutos y que se pondría en contacto con nosotros en este número dentro de una hora como máximo.

—¡Perfecto!

—No del todo. Quiere cinco mil francos..

—Podía haber pedido diez veces eso. ¿Qué significa «dentro de una hora como máximo»? ¿Cuánto falta para que llame?

—Usted salió hace una media hora o algo más y él me llamó poco después. Yo diría que dentro de la próxima media hora.

El teléfono sonó. Veinte segundos después tenían una dirección en el bulevar Lefebvre.

—Me voy —anunció Jason Bourne, tomando la automática de Bernardine del escritorio y guardándose dos granadas en el bolsillo—. ¿Le importa?

—Son suyas —respondió el Deuxième mientras hurgaba bajo la chaqueta y extraía una segunda arma del cinturón—. En París hay tantos carteristas que siempre hay que ir precavido. Pero ¿para qué las quiere?

—Tengo al menos un par de horas y quiero echar un vistazo.

—¿Solo?

—¿Con quién más? Si pedimos ayuda, me arriesgo a recibir un disparo o a pasar el resto de mi vida en prisión por un asesinato en Bélgica con el que no he tenido nada que ver.

El ex juez de la corte de primera instancia en Boston, el otrora honorable Brendan Patrick Prefontaine, observó al lloroso y desconsolado Randolph Gates sentado en el sofá del hotel Ritz-Carlton, con el rostro oculto entre las manos.

—Oh, Dios, qué irrevocable es la caída de los poderosos —observó Brendan mientras se servía una copa de whisky con hielo—. Así que te han timado, Randy. A la francesa. Tu cerebro ágil y tu presencia imperial no te ayudaron mucho cuando viste a *Paree*, ¿verdad? Nunca debiste dejar la granja, soldadito.

—Dios mío, Prefontaine, ¡tú no sabes por lo que he pasado! Estaba erigiendo un monopolio: París, Bonn, Londres y Nueva York con los mercados laborales del Lejano Oriente; una empresa que valía miles de millones. Pero de pronto me sacaron del Plaza-Athénée, me metieron en un coche y me vendaron los ojos. Me metieron en un avión y me llevaron a Marsella, donde me ocurrieron las cosas más horribles. Debía permanecer en una habitación donde, según un horario, me inyectaban… ¡durante más de seis semanas! Traían mujeres, filmaban películas, ¡no era yo mismo!

—Tal vez eras la persona que nunca has reconocido en ti, Randy. Ese que ha aprendido a anticipar una recompensa inmediata, no sé si utilizo la frase correctamente. Consigues para tus clientes enormes ganancias mediante la especulación, mientras miles de empleos se pierden en el proceso. Oh sí, mi querido realista, eso es recompensa inmediata.

—Te equivocas, juez…

—Resulta muy agradable volver a oír ese término. Gracias, Randy.

—Los sindicatos adquirieron demasiado poder. La industria se debilitó. ¡Muchas compañías tuvieron que emigrar para sobrevivir!

—¿Y no hablar? Por extraño que parezca, es posible que tengas parte de razón, pero nunca has considerado una alternativa y de todos modos nos estamos apartando del tema. Después de tu confinamiento en Marsella, volviste convertido en un adicto y, por supuesto, estaban las películas del eminente abogado en situaciones comprometedoras.

—¿Qué podía hacer? —gritó Gates—. ¡Estaba arruinado!

—Sabemos lo que hiciste. Te convertiste en el hombre de confianza de ese Chacal en el mundo de las altas finanzas, un mundo donde la competencia es un peso indeseable que conviene perder por el camino.

—Así fue como me encontró por primera vez. El monopolio que estábamos formando se oponía a ciertos intereses en Japón y Taiwán. Ellos lo contrataron… ¡Oh, Dios mío, me matará!

—¿Otra vez? —preguntó el juez.

—¿Qué?

—Te olvidas de una cosa. Él supone que ya estás muerto… gracias a mí.

—Tengo juicios que atender, una audiencia en el Congreso la próxima semana. ¡Él sabrá que estoy vivo!

—No si no te dejas ver.

—¡Debo hacerlo! Mis clientes esperan…

—Entonces coincido contigo —lo interrumpió Prefontaine—. Te matará. Lo siento mucho, Randy.

—¿Qué voy a hacer?

—Hay una solución, no sólo para tu dilema actual sino para los próximos años. Por supuesto, requerirá cierto sacrificio por tu parte. Para comenzar, una larga convalecencia en un centro privado de rehabilitación, pero incluso antes de eso necesitaré toda tu cooperación. Lo primero nos asegura tu desaparición inminente y lo segundo la captura y eliminación de Carlos el Chacal. Serás libre, Randy.

—¡Lo que quieras!

—¿Cómo te pones en contacto con él?

—¡Tengo un número de teléfono! —Gates hurgó en el bolsillo hasta dar con su cartera. La abrió con manos temblorosas—. ¡Sólo lo tienen cuatro personas!


Prefontaine aceptó su primer pago de veinte mil dólares por hora y ordenó a Randy que se fuese a casa, suplicara el perdón de Edith y se preparara para salir de Boston al día siguiente. Brendan había oído hablar de un centro privado de rehabilitación en Minneapolis, donde acudían los ricos en busca de ayuda discreta; él se ocuparía de los detalles por la mañana y lo llamaría, naturalmente a cambio de un segundo pago por sus servicios. En cuanto el tembloroso Gates hubo salido de la habitación, Prefontaine se dirigió al teléfono y llamó a John St. Jacques a la posada del Sosiego.

—John, soy el juez. No me haga preguntas, pero tengo información urgente que podría ser de gran valor para el marido de su hermana. Sé que no puedo hablar con él, pero tengo entendido que se mantiene en contacto con una persona de Washington...

—Se llama Alex Conklin —lo interrumpió St. Jacques—. Un momento, juez. Marie apuntó el número sobre el secante del escritorio. Espere. —El ruido de un receptor al apoyarlo sobre una superficie dura precedió al clic de otro que era levantado—. Aquí está. —El hermano de Marie dictó el número.

—Se lo explicaré todo más tarde. Gracias, John.

—¡Últimamente todo el mundo se repite! —protestó St. Jacques.

Prefontaine marcó el número con prefijo de Virginia. La respuesta fue breve y brusca.

—¿Sí?

—Señor Conklin, me llamo Prefontaine y he obtenido este número a través de John St. Jacques. Debo decirle algo con urgencia.

—Usted es el juez —dijo Alex.

—En tiempo pasado, me temo. Muy pasado.

—¿De qué se trata?

—Sé cómo pueden ponerse en contacto con el hombre a quien llaman el Chacal.

—¿Qué?

—Escúcheme.


Bernardine observó el teléfono que sonaba y por un momento se preguntó si debía cogerlo. No había ninguna duda; tenía que hacerlo.

—¿Sí?

—¿Jason? Eres tú, ¿verdad...? Tal vez me haya equivocado de habitación.

—¿Alex? ¿Eres tú?

—¿François? ¿Qué haces ahí? ¿Dónde está Jason?

—Las cosas han ocurrido muy rápido. Sé que ha estado tratando de hablar contigo.

—Ha sido un día difícil. Ya tenemos a Panov con nosotros.

—Una buena noticia.

—Y hay otra. Un número de teléfono donde puede encontrarse al Chacal.

—¡Lo tenemos! Y una dirección. Nuestro hombre salió hace una hora.

—Por amor de Dios, ¿cómo lo consiguió?

—Un complicado proceso que, según creo, sólo él podía llevar a término. Tiene una imaginación brillante. Es un verdadero *caméléon*.

—Comparemos —propuso Conklin—. ¿Cuál es el tuyo?

Bernardine recitó el número que había anotado sobre las instrucciones de Bourne.

El silencio en el teléfono fue como un grito mudo.

—Son distintos —suspiró Alex finalmente, con voz ahogada—. ¡Son distintos!

—Una trampa —dijo el veterano del Deuxième—. ¡Por todos los cielos, es una trampa!

## 26

Bourne ya había pasado dos veces frente a las viejas y oscuras casas de piedra sobre el bulevar Lefebvre, en el apartado distrito quince. Entonces regresó a la rue d'Alésia y se detuvo en un café. Casi todas las mesas de la acera, con sus velas cubiertas por tulipas de cristal, estaban ocupadas por animados estudiantes de la Sorbona y Montparnasse. Ya eran casi las diez y los camareros estaban cada vez más indignados con la mayoría de los clientes, que no mostraba gran generosidad, ni en el corazón ni en el bolsillo. Jason sólo quería un café bien cargado, pero el ceño fruncido del *garçon* lo convenció de que si sólo pedía café no obtendría más que barro, así que también pidió una copa del coñac más caro que recordó.

Cuando el camarero se alejó, Jason tomó su pequeño bloc y un bolígrafo, y cerró los ojos por un momento. Luego los abrió y dibujó cuanto recordaba de la hilera de casas. Se trataba de tres bloques con dos casas acopladas cada uno separados por dos estrechos callejones. Las casas eran de tres pisos y se accedía a ellas mediante una empinada escalera de ladrillo. A ambos lados de la hilera había baldíos cubiertos de escombros, lo que quedaba de otros edificios demolidos. La dirección que se ajustaba al número de teléfono del Chacal, dirección que sólo podía obtenerse en los túneles subterráneos para efectuar alguna reparación, correspondía a la última casa de la derecha, y no era necesaria gran dosis de imaginación para intuir que Carlos ocupaba todo el edificio, si no toda la hilera.

Carlos se preocupaba mucho por la seguridad, por lo que cabía suponer que su cuartel general en París sería una fortaleza equipada con toda la protección humana y electrónica que pudiese proporcionar la lealtad y la alta tecnología. Y por ser tan distante y poco frecuentado, el distrito quince servía para sus propósitos mucho mejor que cualquier otro sector más poblado de la ciudad. Por ese motivo,

Bourne había pagado a una ramera borracha para que lo acompañase durante su primera incursión frente a las casas; él mismo cojeaba tambaleante junto a su compañera. En la segunda ocasión había llevado a otra prostituta, pero esta vez caminó con normalidad. Ahora conocía el terreno, al menos esto representaba el comienzo del fin. ¡Se lo juraba a sí mismo!

El camarero llegó con el café y la copa, y cuando Jason colocó un billete de cien francos sobre la mesa, su expresión hostil se transformó en neutral.

—*Merci* —murmuró.

—¿Hay un teléfono público cerca de aquí? —preguntó Bourne mientras extraía otro billete, éste de diez francos.

—Calle abajo, a cincuenta o sesenta metros —respondió el camarero, con los ojos fijos en el dinero.

—¿No hay nada más cerca? —Jason sacó otro billete, de veinte francos.

—Venga conmigo —indicó el *garçon* de delantal, recogiendo el dinero con delicadeza antes de conducir a Bourne hacia el interior del café y hasta una cajera sentada al fondo del salón.

La mujer, enjuta y de rostro amarillento, pareció fastidiada; evidentemente, supuso que Bourne era un cliente disgustado.

—Déjalo usar tu teléfono —dijo el camarero.

—¿Para qué? —replicó la bruja—. ¿Para que llame a China?

—Llamará aquí cerca. Te pagará.

Jason sacó a relucir un billete de diez francos y miró con inocencia los ojos desconfiados de la mujer.

—Bah, llame —accedió mientras sacaba un teléfono de debajo de la caja registradora y tomaba el dinero—. Tiene bastante cable, así que puede llevárselo hasta la pared, como hacen todos. ¡Hombres! ¡Los negocios y la cama, sólo piensan en eso!

Bourne marcó el número del Pont-Royal y pidió que lo pusieran con su habitación, esperando que Bernardine atendiese a la primera o segunda llamada. Para la cuarta ya estaba preocupado, y a la octava se sintió profundamente inquieto. ¡Bernardine no estaba allí! ¿Santos habría…? No, el veterano del Deuxième estaba armado y sabía cómo utilizar sus «métodos de disuasión», al menos se hubiese producido un tiroteo y, en caso extremo, hubiera volado la habitación con una granada. Bernardine se había ido por su propia voluntad. ¿Por qué?

Había varias razones posibles, pensó Bourne mientras devolvía el teléfono y regresaba a su mesa en la acera. La primera y la más placentera era que hubiese recibido alguna noticia de Marie. El viejo oficial del servicio secreto no le alimentaría falsas esperanzas detallándole las redes que había tendido por toda la ciudad, pero Jason estaba seguro de que éstas se hallaban ahí. Bourne no quería pensar en otros posibles motivos, así que lo mejor sería olvidar a Bernardine. Tenía asuntos urgentes que considerar, los más urgentes de su vida, de manera que regresó al café cargado y al bloc; cada detalle debía ser exacto.

Una hora después terminó el café, tomó un sorbo de coñac y derramó el resto en la acera, bajo el habitual mantel rojo y manchado. Abandonó el café y la rue d'Alésia, tomó a la derecha para caminar lentamente, como lo hubiese hecho un anciano, hacia el bulevar Lefebvre. A medida que se acercaba a la última esquina, fue adquiriendo conciencia del sonido ululante y errático que parecía provenir de diferentes direcciones. ¡Sirenas! ¡Las sirenas de dos notas pertenecientes a la policía de París! ¿Qué había ocurrido? ¿Qué estaba ocurriendo? Jason abandonó su paso de anciano y corrió hasta el final del edificio que se alzaba frente al Lefebvre y a la hilera de viejas casas de piedra. De inmediato quedó paralizado, invadido por la furia, la sorpresa y el pánico. ¿Qué estaban haciendo?

Cinco coches patrulla convergían en el lugar y frenaron bruscamente frente al edificio de la derecha. Entonces apareció una gran camioneta de la policía e iluminó las dos entradas del edificio con el foco mientras un pelotón de hombres uniformados se apostaban en la calle con armas automáticas, cubriéndose detrás de los coches patrulla... ¡Se preparaba un ataque!

Idiotas. ¡Malditos idiotas! ¡Poner a Carlos sobre aviso significaba perder al Chacal! El asesinato era su profesión; escapar, su obsesión. Trece años atrás, Bourne se había enterado de que el enorme refugio de Carlos en las colinas de Vitry-sur-Seine, en las afueras de París, tenía más tabiques falsos y escaleras secretas que un castillo del Loira en los tiempos de Luis XIV. El hecho de que nadie hubiese determinado nunca cuál era la propiedad ni bajo qué nombre se registraba no desmentía los rumores. Y con tres edificios supuestamente separados en el bulevar Lefebvre, también cabía presuponer que se encontraban unidos por túneles subterráneos.

Por amor de Dios, ¿quién había organizado aquello? ¿Se habría cometido algún terrible error? ¿Él y Bernardine habían sido unos torpes por pensar que el Deuxième o los hombres de Peter Holland en París no habían intervenido el teléfono de Pont-Royal o sobornado a los operadores del hotel? De ser así, esta torpeza tenía su fundamento: era casi imposible intervenir un teléfono rápidamente, en un hotel tan pequeño, sin que se notara. La tecnología requería a un extraño en el establecimiento y los sobornos se combatían con sobornos mayores por parte del sujeto bajo vigilancia. ¿Santos? ¿Micrófonos colocados en la habitación por una doncella o un botones? No parecía probable. Santos no expondría al Chacal, en especial si había decidido no cumplir con su contrato. ¿Quién? ¿Cómo? Las preguntas bullían en la imaginación de Jason mientras con horror y desaliento observaba la escena que se desarrollaba en el bulevar Lefebvre.

—Por orden de la policía, todos los residentes deben evacuar el edificio. —Las órdenes metálicas del altavoz resonaron por la calle—. Tienen un minuto antes de que procedamos por la fuerza.

*¿Qué hacían?*, gritó Bourne en el vacío silencioso de su mente. *Lo has perdido. Lo he perdido.* ¡Era una locura! ¿Quién? ¿Por qué?

Primero se abrió la puerta sobre el lado izquierdo del edificio en la cima de la escalera.

Un hombre petrificado, bajo, obeso, vestido con camiseta y pantalones sostenidos por tirantes, salió con prudencia a la luz del foco mientras se cubría el rostro con las manos y volvía la cabeza para protegerse los ojos.

—¿Qué ocurre, *messieurs*? —exclamó con voz trémula—. Yo soy sólo un panadero, un buen panadero, ¡pero no sé nada acerca de esta calle salvo que el alquiler es barato! ¿Es eso un crimen para la policía?

—No andamos buscándole a usted, *monsieur* —continuó la voz amplificada.

—¿Dicen que no me buscan? Llegan aquí como un ejército, aterrorizan a mi mujer y a mis hijos al hacerles pensar que es su último minuto de vida... ¿y dicen que no nos buscan? ¿Qué clase de razonamiento es ése? ¿Vivimos entre fascistas?

*¡Daos prisa!*, pensó Jason. *¡Por amor de Dios, deprisa! ¡Cada segundo es un minuto para escapar, una hora para el Chacal!*

Entonces se abrió la puerta sobre el tramo derecho de la escalera y apareció una monja vestida con hábito negro. Permaneció en actitud insolente a la entrada y no mostró ningún temor en su voz casi operística.

—¿Cómo se atreven? —rugió—. Es hora de vísperas y ustedes vienen a molestar. ¡Sería mejor que pidiesen perdón por sus pecados en lugar de interrumpir a los que rezan a Dios por los suyos!

—Muy convincente, hermana —respondió el policía por el altavoz—. Pero nos han informado otra cosa y, con todo respeto, insistimos en registrar su casa. Si se niega, tendremos que mostrarnos irreverentes para cumplir con nuestras órdenes.

—¡Somos las Hermanas Magdalenas de la Caridad! —exclamó la monja—. ¡Ésta es la sagrada morada de mujeres dedicadas al Señor!

—Respetamos su punto de vista, hermana, pero entraremos de todos modos. Si lo que dice es cierto, estoy seguro de que las autoridades ofrecerán una generosa contribución para su causa.

*¡Perdéis el tiempo!*, gritó Bourne en silencio. *¡Él escapa!*

—Entonces, que vuestras almas se condenen por este pecado, ¡pero adelante, venid a violar este suelo sagrado!

—¿De verdad, hermana? —preguntó otro oficial por el altavoz—. En los cánones no creo que haya nada que le conceda el derecho a condenar almas por un motivo tan endeble... Vaya, *monsieur* inspector. Es posible que bajo ese hábito encuentre una ropa interior más típica del arrabal.

¡Conocía esa voz! ¡Era Bernardine! ¿Qué había ocurrido? ¿El veterano del Deuxième lo había traicionado, después de todo? ¡En ese caso, habría otra muerte esa noche!

Los hombres de uniforme negro, pertenecientes a la brigada antiterrorista, corrieron hasta la escalera con las armas listas para disparar. Mientras tanto, los gendarmes rodeaban el bulevar Lefebvre al norte y al sur, e iluminaron toda la zona con el parpadeo rojo y azul de los coches patrulla. Nadie debía acercarse.

—¿Puedo entrar? —gritó el panadero. No hubo respuesta, por lo que el hombre obeso corrió hacia dentro, sosteniéndose los pantalones.

Un oficial vestido de civil, al parecer el jefe del grupo, se reunió con su unidad y, ante un movimiento de su cabeza, todos corrieron escaleras arriba y entraron mientras la monja insolente mantenía la puerta abierta.

Jason permaneció al borde del edificio, con el cuerpo pegado a la pared. El sudor le bañaba la frente y el cuello, y sus ojos no se apartaban de la escena incompresible que se desarrollaba en el Lefebvre. Ahora sabía quién, pero ¿por qué? ¿Sería verdad? ¿El hombre en quien más confiaban Alex Conklin y él mismo, sería en realidad otro par de ojos y oídos para el Chacal? ¡Dios, no quería creerlo!

Pasaron doce minutos y cuando reapareció la versión parisiense de los SWAT junto con su jefe, Bourne vio que varios de los hombres se inclinaban ante la abadesa y le besaban la mano. Entonces supo que sus instintos y los de Conklin no se habían equivocado.

—¡Bernardine! —gritó el oficial mientras se acercaba al primer coche patrulla—. ¡Está acabado! ¡Fuera! ¡No volverá a hablar ni con el más insignificante miembro del Deuxième, ni siquiera con el hombre que limpia los retretes! ¡Está desterrado...! ¡Si de mí dependiera, haría que lo fusilaran!... ¡Un asesinato internacional en el bulevar Lefebvre! ¡Un amigo del Bureau! ¡Un agente al que debemos proteger! ¡Un maldito convento de monjas, miserable hijo de puta! ¡Mierda! ¡Un convento de monjas! Salga de mi coche, cerdo inmundo. ¡Salga antes de que un arma se dispare por accidente y su estómago vaya a parar al arroyo a donde pertenece!

Bernardine bajó del coche patrulla con las piernas temblando y cayó dos veces en la acera. Jason deseaba correr hacia su amigo, pero esperó, consciente de que eso era lo que debía hacer. Los coches patrulla y la camioneta se alejaron a toda velocidad, pero Bourne todavía debía esperar. Observaba alternativamente a Bernardine y la entrada de la casa del Chacal. Porque era la casa del Chacal, la monja lo demostraba. Carlos no lograba desprenderse de su fe perdida, siempre la utilizaba como pantalla, pero era más que eso. Mucho más.

Bernardine se tambaleó hacia las sombras de una tienda abandonada tiempo atrás, frente a la casa del bulevar Lefebvre. Jason dobló la esquina y corrió hacia él. Lo sostuvo al ver que el veterano del Deuxième se apoyaba contra el escaparate, respirando en forma agitada.

—Por amor de Dios, ¿qué ha ocurrido? —exclamó Bourne mientras lo sujetaba por los hombros.

—Tranquilo, *mon ami* —dijo Bernardine con voz ahogada—. El cerdo que estaba sentado a mi lado, un político buscando apoyo, sin duda, me golpeó en el pecho antes de arrojarme del coche. Ya se lo he dicho, no conozco a toda la gente vinculada al Bureau en estos días. Ustedes tienen los mismos problemas en Norteamérica así que, por favor, no me sermonee.

—Es lo último que se me ocurriría hacer. Ésta es la casa, Bernardine. ¡Aquí mismo, justo frente a nosotros!

—También es una trampa.

—¿Qué?

—Alex y yo lo hemos confirmado. Los números de teléfono eran diferentes. Supongo que no ha llamado a Carlos, tal como él le pidió que hiciera.

—No. Tenía la dirección y quería hacerlo esperar. ¿Qué más da? ¡Ésta es la casa!

—Oh, éste es el lugar donde debía acudir su señor Simon, y si de verdad resultaba ser el *señor Simon* sería conducido a otro punto de reunión. Pero si no lo era, recibiría un disparo, puf, otro cadáver en busca del Chacal.

—¡Se equivoca! —insistió Jason sacudiendo la cabeza mientras hablaba serena y rápidamente—. Esto puede ser un rodeo, pero Carlos sigue alerta. No permitirá que nadie más que él me liquide. Ése es su mandato.

—¿Y también es el suyo respecto a él?

—Sí. Yo tengo una familia; él tiene una leyenda incierta. Mi vida está completa, pero la suya es un gran vacío, ya no tiene ningún significado real. Ha llegado al límite. Sólo podría continuar si avanzara en mi territorio, en el territorio de David Webb, y eliminara a Jason Bourne.

—¿Webb? ¿David Webb? En nombre de Dios todopoderoso, ¿quién es ése?

—Yo —respondió Bourne, con una sonrisa triste mientras se apoyaba junto a Bernardine contra el escaparate—. Es una locura, ¿verdad?

—¿Locura? —exclamó el veterano del Deuxième—. ¡Es *fou*! ¡Una demencia imposible de creer!

—Créalo.

—¿Tiene familia e hijos y hace esto?

—¿Alex no se lo ha dicho?

—Si lo hizo, lo pasé por alto pensando que era una pantalla, se dice de todo. —Sacudiendo la cabeza, el anciano miró a su compañero—. ¿De verdad tiene una familia de la cual no desea escapar?

—Al contrario, deseo regresar con ella lo antes posible. Son las únicas personas del mundo a quienes quiero de verdad.

—¡Pero usted es Jason Bourne, el Camaleón asesino! ¡Los rincones más oscuros del mundo criminal tiemblan ante su nombre!

—Oh, vamos, eso es un poco exagerado, incluso para usted.

—¡En absoluto! Usted es Bourne, sólo superado por el Chacal...

—¡No! —gritó Jason olvidando de pronto a David Webb—. ¡Él no representa una competencia para mí! ¡Yo lo atraparé! ¡Lo mataré!

—Muy bien, muy bien, *mon ami* —lo tranquilizó Bernardine dirigiéndole una mirada de incomprensión—. ¿Qué quiere que haga?

Jason Bourne se volvió y, durante unos momentos, respiró profundamente contra el cristal. Entonces, en medio de las brumas de la indecisión, la estrategia del Camaleón comenzó a definirse. Se volvió y observó la calle oscura y el edificio de piedra a la derecha.

—La policía se ha ido —comentó con suavidad.

—Por supuesto, ya lo había notado.

—¿También había notado que no ha salido nadie de los otros dos edificios? Sin embargo, hay luces en varias de las ventanas.

—Estaba preocupado, ¿qué puedo decir? No me di cuenta. —Bernardine alzó las cejas ante un recuerdo repentino—. Pero había rostros en las ventanas, varios rostros, yo los vi.

—Sin embargo, nadie salió.

—Muy comprensible. La policía, hombres con armas corriendo por ahí. Mejor protegerse, ¿no?

—¿Incluso cuando los policías, las armas y los coches patrulla se han ido? ¿Se limitan a mirar la televisión como si nada hubiese ocurrido? ¿No sale nadie para hablar con los vecinos? Esto no es normal, François; ni siquiera es forzadamente normal. Forma parte de un plan.

—¿A qué se refiere? ¿Cómo?

—Un hombre sale al porche y grita ante el foco. La atención se centra en él y transcurren unos preciosos segundos. Entonces, al otro lado aparece una monja mostrando una venerable indignación, se pierden más segundos, más horas para Carlos. Se organiza el asalto y el Deuxième acaba con las manos vacías. Y cuando todo ha terminado, las cosas vuelven a la normalidad, una normalidad sospechosa. El plan estaba trazado de antemano, por eso no se ha suscitado una curiosidad normal, nada de gente en la calle, nada de excitación, ni siquiera una indignación colectiva después de la crisis. ¿No le dice nada todo esto?

Bernardine asintió con la cabeza.

—Una estrategia convenida de antemano, llevada a cabo por profesionales —afirmó el veterano oficial de campaña.

—Opino lo mismo.

—Se ha dado cuenta usted, no yo —replicó Bernardine—. Déjese de amabilidades, Jason. He estado apartado del juego demasiado tiempo. Soy demasiado viejo y poco imaginativo.

—Yo también he estado al margen mucho tiempo —le dijo Bourne—. Pero para mí los riesgos son tan altos que debo obligarme a pensar como un hombre a quien quería olvidar.

—¿Es *monsieur* Webb quien habla?

—Supongo que sí.

—Entonces, ¿dónde nos habíamos quedado?

—Con un panadero enfadado, una monja furiosa y varios rostros en diversas ventanas. En este momento la ventaja es nuestra, pero no por mucho tiempo.

—¿Cómo?

—Carlos interrumpirá toda actividad aquí, y lo hará rápido. Ahora no tiene alternativa. En su guardia pretoriana alguien ha entregado a otra persona la dirección de su cuartel general en París y puede apostar su pensión, si todavía la tiene, a que ahora está subiéndose por las paredes tratando de averiguar quién lo ha traicionado...

—¡Atrás! —Bernardine lo aferró por la chaqueta y lo arrastró hasta el rincón más apartado entre los escaparates oscuros—. ¡Escóndase! ¡Al suelo!

Los dos hombres se lanzaron boca abajo y Bourne se volvió para ver la calle. Por la derecha apareció una segunda camioneta, pero ésta no pertenecía a la policía. Era más reluciente y ancha, más baja y potente. El único parecido con la camioneta policial era la luz cegadora del foco; aunque en este caso había dos, uno a cada lado del parabrisas, y se movían sobre los flancos del vehículo. Jason sacó el arma que llevaba bajo el cinturón, la pistola de Bernardine, sabiendo que su compañero ya había sacado la automática del bolsillo. La luz del foco izquierdo los sobrepasó mientras Bourne susurraba:

—Buen trabajo, ¿pero cómo los descubrió?

—El reflejo de las luces sobre el escaparate —respondió el viejo

François—. Por un momento pensé que era mi antiguo colega que regresaba para terminar el trabajo que había empezado. Concretamente, mi estómago en el arroyo... Dios mío, ¡mire!

La camioneta pasó frente a los dos primeros edificios y de pronto se detuvo a la entrada del último, a unos cincuenta metros de la tienda. Acto seguido se abrió la puerta trasera y bajaron cuatro hombres con armas automáticas. Dos de ellos corrieron hacia la calle, uno se dirigió al frente del edificio y el cuarto permaneció junto al vehículo con actitud amenazadora, su MAC-10 lista para abrir fuego. Una suave luz amarilla apareció en la cima de la escalera de ladrillo; la puerta se había abierto y un hombre con impermeable negro estaba saliendo. Permaneció unos momentos allí mientras miraba a izquierda y derecha del bulevar Lefebvre.

—¿Es él? —susurró François.

—No, a menos que lleve tacones altos y una peluca —respondió Jason mientras hurgaba en el bolsillo de la chaqueta—. Lo reconoceré en cuanto lo vea... ¡porque lo he visto todos los días de mi vida!
—Bourne sacó una de las granadas que también había pedido a Bernardine. Dejó la automática, tomó el explosivo con ambas manos y examinó el seguro para comprobar que no estaba oxidado.

—¿Qué diablos está haciendo? —preguntó el viejo veterano del Deuxième.

—El hombre de arriba es un señuelo —respondió Jason con tono frío e inexpresivo—. Dentro de un instante, otro que ocupará su lugar correrá escaleras abajo y entrará en la camioneta, ya sea por la puerta delantera o por las traseras. Espero que sean estas últimas, aunque en realidad no importa gran cosa.

—¡Está loco! ¡Lo matarán! ¿De qué le servirá un cadáver a esa familia suya?

—No usa el cerebro, François. Al regresar, los guardias subirán por las puertas traseras porque no hay espacio delante. Es muy distinto subir a un camión que saltar de él. Para cuando entre el último hombre y se disponga a cerrar las puertas, ya tendré una primera granada dentro de ese vehículo... Y no tengo ninguna intención de convertirme en un cadáver. ¡Quédese aquí!

Antes de que Bernardine pudiese añadir nada más, el Delta de Medusa se arrastró hacia el oscuro bulevar. La única luz provenía de los focos, que ahora estaban fijos a los lados de la camioneta y favorecían sus posibilidades de pasar inadvertido. La brillante luz blanca oscurecía la noche alrededor; su único gran riesgo era el guardia apostado junto a las puertas abiertas. Se ocultó en las sombras de las sucesivas tiendas como si avanzase entre los pastos del Mekong Delta hacia un campamento de prisioneros, aprovechando cada vez que el guardia volvía la vista hacia otra dirección. Bourne vigilaba atentamente al hombre junto a la puerta en lo alto de la escalera.

De pronto emergió otra figura, una mujer con un maletín en una mano y un gran bolso en la otra. Habló con el hombre del impermeable negro mientras la atención del guardia se centraba en ellos dos. Bourne se arrastró en silencio, apoyándose en los codos y las rodillas hasta llegar al punto más cercano a la camioneta desde donde podía observar la escena de la escalera sin ser descubierto. Se sintió aliviado al observar que los dos guardias de la calle forzaban la vista y parpadeaban deslumbrados por el foco. Tenía todas las ventajas dadas las circunstancias. Ahora era cuestión de tiempo, de precisión y de toda la experiencia que había acumulado en épocas demasiado lejanas y casi olvidadas. Debía recordar, el instinto debía impulsarlo a través de sus brumas personales. Ahora. Tenía el final de la pesadilla al alcance de la mano.

¡Estaba ocurriendo! De pronto se despertó una furiosa actividad en la puerta y una tercera figura salió rápidamente para reunirse con las otras dos. El hombre era más bajo que el del impermeable, llevaba una boina y un maletín en la mano. Al parecer impartió algunas órdenes que afectaron al guardia de la camioneta, quien corrió hasta la acera mientras el recién llegado le lanzaba el maletín. De inmediato el guardia se colocó el arma bajo el brazo izquierdo y atrapó el proyectil de cuero.

—*Allez. ¡Nous partons! ¡Vite!* —gritó el segundo hombre mientras hacía una seña para que los dos de la escalera lo siguiesen a la camioneta. El hombre del impermeable se reunió con el guardia junto a las puertas traseras del vehículo y la mujer acompañó al que había impartido las órdenes… ¿El Chacal? ¿Era Carlos? ¿Era él?

Bourne deseaba desesperadamente creerlo y por lo tanto decidió que sí. Al portazo de la entrada lateral siguió el rugido poderoso del motor: los dos ruidos eran una señal. Los otros tres guardias abandonaron sus puestos y corrieron hacia las puertas traseras de la camioneta. Uno tras otro, subieron tras el hombre del impermeable negro. Jason vio piernas que se flexionaban, brazos que se estiraban, manos que se aferraban a la estructura metálica del vehículo para impulsar los cuerpos hacia el interior con un rápido esfuerzo muscular, después de arrojar las armas al interior. Entonces, un par de manos se extendieron hacia las manijas interiores de las puertas…

¡Ahora! Bourne arrancó la anilla de la granada y corrió hacia la parte posterior de la camioneta como nunca había corrido en su vida. Con un salto giró el cuerpo en el aire y aterrizó de espaldas, sujetando la portezuela izquierda mientras arrojaba la granada al interior. Al cabo de seis segundos estallaría. Jason se puso de rodillas con los brazos extendidos y cerró las puertas. Se produjo una andanada de disparos y ocurrió un milagro. La camioneta del Chacal era blindada... ¡también por dentro! No hubo perforaciones en el acero, sólo golpes sordos, el silbido de los rebotes, y los gritos de los heridos en el interior.

El reluciente vehículo arrancó a toda velocidad por el bulevar Lefebvre mientras Bourne corría hacia las tiendas desiertas sobre el lado este de la calle. Casi había terminado de cruzar la ancha avenida cuando sobrevino lo imposible. ¡Lo imposible!

La camioneta del Chacal estalló en pedazos e iluminó el cielo nocturno de París. En ese mismo momento una limusina color café dobló la esquina haciendo chirriar los neumáticos. Tenía las ventanillas abiertas y por ellas se asomaban hombres armados que rociaban toda la zona con un fuego indiscriminado. Jason se arrojó a la entrada más cercana para colocarse en posición fetal en medio de las sombras. No sentía miedo, sino furia; debía aceptar el hecho de que éstos bien podían ser los últimos momentos de su vida. Había fracasado. ¡Había fallado a Marie y a sus hijos! Pero no de este modo. Bourne corrió hacia la acera con el arma en la mano. Moriría matando, ¡matando! Éste era el estilo de Jason Bourne.

Entonces ocurrió lo increíble. ¿Una sirena? ¿La policía? La limusina emprendió la retirada a toda velocidad, esquivando los restos ardientes de la camioneta del Chacal, y desapareció por la calle oscura mientras un coche patrulla llegaba con la sirena encendida y frenaba bruscamente a pocos metros de las llamas. ¡Aquello no tenía sentido!, pensó Jason. ¿Por qué antes habían acudido cinco coches y ahora sólo uno? ¿Por qué? E incluso esta pregunta era superflua. Para organizar su estrategia, Carlos había empleado no uno, sino siete señuelos, tal vez ocho, todos prescindibles. Y todos habían recibido una muerte terrible guiados por él. El Chacal se había librado de la trampa que le había puesto su odiada presa: Delta, el producto de Medusa, una creación del servicio secreto estadounidense. Una vez más, el asesino se había anticipado a sus pensamientos, pero no lo había matado. Habría otro día, otra noche.


—¡Bernardine! —gritó el oficial del Deuxième que apenas media hora antes había repudiado a su colega. Saltando del coche patrulla el hombre volvió a gritar—: ¡Bernardine! ¿Dónde está...? Dios mío, ¿dónde está? ¡He vuelto, viejo amigo! No podía dejarlo. Señor, ¡usted tenía razón, ahora lo comprendo! ¡Oh, por favor, dígame que está vivo! ¡Respóndame!

—Es otro quien ha muerto —respondió Bernardine mientras lenta y trabajosamente abandonaba la tienda que se alzaba a unos sesenta metros de Bourne—. Traté de decírselo, pero no quiso escucharme...

—¡Tal vez me precipité! —gritó el oficial, que corrió hacia el anciano para abrazarlo mientras los demás policías, con los brazos cruzados frente al rostro, rodeaban a una distancia prudente la camioneta incendiada—. ¡He llamado por radio a nuestra gente para que regresase! —añadió el oficial—. Tiene que creerme, viejo amigo, volví porque no podía irme enfadado con un antiguo camarada. No tenía la menor idea de que ese cerdo del periódico lo había atacado. ¡Cuando me lo dijo, lo eché fuera! Entonces regresé a buscarlo... ¡pero, por Dios, no esperaba nada parecido!

—Es horrible —asintió el veterano del Deuxième mientras observaba rápidamente el bulevar de arriba abajo. Concretamente se fijó en los muchos rostros asustados que se asomaban a las ventanas de los tres edificios de piedra. Todo se había venido abajo por la explosión de la camioneta y la desaparición de la limusina. Los esbirros se habían quedado sin su líder y la ansiedad los consumía—. El error no fue sólo suyo, mi antiguo camarada —continuó con cierto tono de disculpa en la voz—. Yo me equivoqué de edificio.

—¡Ajá! —exclamó el miembro del Deuxième en tono de justificación—. ¿Usted se equivocó de edificio? Un error considerable, ¿eh, François?

—Las consecuencias hubiesen sido mucho menos trágicas si no me hubiera abandonado con tanta prisa, como usted mismo ha dicho. En lugar de escuchar a un hombre de mi experiencia, me ordenó bajar de su coche y tuve que presenciar todo este horror momentos después de su partida.

—¡Seguimos sus órdenes! ¡Registramos el edificio... un edificio equivocado!

—De haber permanecido aquí para conversar conmigo unos momentos, esto se hubiese evitado y un amigo podría estar vivo. Tendré que incluir esto en mi informe...

—Por favor, viejo amigo —lo interrumpió el oficial—. Razonemos juntos por el bien del Bureau... —Esta vez lo interrumpió la aparición del camión de bomberos. Bernardine levantó una mano y condujo a su ex camarada hasta el otro lado del bulevar con la excusa de no molestar a los bomberos, aunque en realidad era para que Jason Bourne pudiese oírlos—. Cuando llegue nuestra gente —continuó el miembro del Deuxième con voz autoritaria—, ¡evacuaremos los edificios y detendremos a todos los residentes para interrogarlos!

—Dios mío —exclamó Bernardine—, ¡no añada la estupidez a la incompetencia!

—¿Qué?

—La limusina, la limusia color café, seguramente la habrá visto.

—Sí, por supuesto. El conductor dice que escapó.

—¿No le dijo nada más?

—Bueno, el camión estaba en llamas y había un lío tremendo al tratar de comunicarnos con el personal por la radio...

—¡Mire todos esos cristales rotos! —exclamó François, señalando los escaparates al otro lado de donde se ocultaba Jason Bourne—. Mire los agujeros en la acera y en la calle. Disparos, mi antiguo compañero. ¡Esos sujetos escaparon creyendo que me habían matado! No diga nada, no haga nada. Deje a esa gente tranquila.

—Usted me resulta incomprensible...

—Y usted es un tonto. Si por cualquier motivo existe la menor posibilidad de que uno de esos asesinos vuelva, no puede haber impedimentos.

—Ahora es inescrutable.

—En absoluto —protestó Bernardine mientras los bomberos apagaban las llamas con gigantescos extintores—. Envíe a su gente a los edificios. Que pregunten si todo está en orden y expliquen que las autoridades han determinado que los terribles sucesos del bulevar han sido provocados por criminales. La crisis ha pasado, ya no hay motivo de alarmar.

—Pero, ¿eso es cierto?

—Es lo que deseamos que crean. —Una ambulancia llegó como una tromba seguida por dos coches patrulla, con todas las sirenas al máximo volumen. En ambas esquinas se había reunido una muchedumbre. Muchos parecían haberse vestido a toda prisa y no llevaban más que los pantalones con la camiseta, mientras que otros habían salido directamente con una vieja bata. Ahora la camioneta del Chacal era una masa de metales retorcidos y cristales rotos—. Deje que la gente satisfaga su morbosidad y luego envíe algunos hombres para que los dispersen —continuó Bernardine—. Dentro de un par de horas, cuando se hayan llevado los cuerpos, anuncie en voz bien alta a su destacamento que la emergencia ha pasado y ordene que se retiren todos menos uno. Ese hombre permanecerá aquí de guardia hasta que hayan despejado los escombros del bulevar. También le dará instrucciones de no molestar a nadie que abandone los edificios, ¿está claro?

—En absoluto. Usted dijo que alguien podría ocultarse...

—Sé lo que he dicho —replicó el ex consejero del Deuxième—. Eso no cambia nada.

—Entonces, ¿usted permanecerá aquí?

—Sí. Recorreré la zona poco a poco y con discreción.

—Ya veo... ¿Qué hay del informe policial? ¿Y mi informe?

—Utilice parte de la verdad, no toda por supuesto. Recibió el soplo de que precisamente a esta hora ocurriría un acto de violencia relacionado con la división narcóticos del Bureau; le resulta imposible revelar el nombre de su informante. Vino aquí encabezando un contingente policial y no encontró nada, pero poco después sus instintos profesionales lo impulsaron a regresar, aunque desgraciadamente ya era demasiado tarde para evitar la matanza.

—Es posible que incluso me recomienden para un ascenso —dijo el oficial, aunque de pronto frunció el ceño—. ¿Y su informe? —preguntó con suavidad.

—Ya veremos si es necesario elevarlo, ¿no cree? —respondió el recién rehabilitado consejero del Deuxième.


El personal médico envolvió los cuerpos de las víctimas y los colocó en una ambulancia mientras un camión se llevaba los restos del vehículo destruido. La cuadrilla limpió la calle y varios comentaron que no debían esmerarse demasiado en la tarea o ya nadie reconocería al Lefebvre. Un cuarto de hora después, los trabajos habían concluido. El camión se alejó y el único policía que permanecía en el lugar pidió a la cuadrilla que lo llevasen hasta el teléfono policial más cercano, a varias calles de distancia. Ya eran más de las cuatro y muy pronto el alba iluminaría el cielo de París como preludio a la bulliciosa actividad que se iniciaría poco después. Sin embargo, en aquel momento la única señal de vida en el bulevar Lefebvre eran las cinco ventanas iluminadas en los edificios controlados por el Chacal. En el interior de esas habitaciones había hombres y mujeres que tenían vedado el sueño. Debían trabajar para su *monseigneur*.


Bourne permanecía sentado en la acera, con las piernas estiradas y la espalda apoyada contra la pared interior de una tienda, frente al edificio donde el atemorizado panadero y la indignada monja se habían enfrentado a la policía. Bernardine se agazapaba en un escondrijo similar a varios metros de distancia, frente al primer edificio donde la camioneta del Chacal se había detenido para recoger su condenada carga. El plan era claro: Jason seguiría y capturaría por la fuerza al primero que saliese de cualquiera de los tres edificios mientras que el anciano veterano del Deuxième seguiría al que saliese en segundo lugar, averiguaría adónde se dirigía, pero no trataría de establecer contacto. Bourne suponía que el mensajero del asesino eran el panadero o la monja, por lo que había escogido el sector norte de la hilera de casas.

En parte tenía razón, pero no había imaginado la escena que se desarrollaría ante sus ojos. A las cinco y diecisiete, dos monjas con hábito y cofia blanca llegaron desde el sur montadas en sendas bicicletas y haciendo sonar los timbres de los manillares. Las religiosas se detuvieron frente a la casa que supuestamente albergaba a las Hermanas Magdalenas de Caridad. Se abrió la puerta y tres monjas más, cada una con su bicicleta, bajaron la escalera para reunirse con sus correligionarias. Discretamente, montaron en los sillines y la procesión se alejó por la calle; el único consuelo para Jason fue el hecho de que la indignada monja del Chacal cerraba la marcha pedaleando sola. Sin saber cómo lo llevaría a cabo pero seguro de que lo haría, Bourne abandonó el refugio y cruzó el bulevar oscuro. Cuando llegó a las sombras del solar contiguo a la casa del Chacal, se abrió otra puerta. Agazapado, observó al obeso panadero, que bajaba rápidamente la escalera para dirigirse hacia el sur. Bernardine también tenía que cumplir su parte, pensó Jason mientras se levantaba y comenzaba a correr tras su procesión de monjas ciclistas.

El tránsito de París es un enigma incesante a cualquier hora del día o de la noche. También proporciona buenas excusas para cualquiera que desee llegar temprano o tarde, así como para los que llegan a un destino equivocado. En síntesis, los parisinos, detrás de un volante, encarnan los últimos vestigios civilizados de un desenfreno mortal, posiblemente superados por sus colegas de Roma o Atenas. Y así fue para las Hermanas Magdalenas de Caridad, especialmente para la superiora, que pedaleaba en la retaguardia. En una intersección de la rue Lecourbe de Montparnasse, una congestión de camiones le impidió continuar la marcha con sus compañeras. Con expresión bondadosa, ella les hizo una seña para que continuasen y tomó por una estrecha calle lateral, donde de pronto comenzó a pedalear más rápido. Con la herida del cuello dolorida por el esfuerzo, Bourne no aceleró el paso, no tuvo necesidad de hacerlo. Al fondo de la calle, el letrero azul con letras blancas decía *impasse*, un callejón sin salida.

Jason encontró la bicicleta encadenada a una farola apagada y se apostó en la oscuridad de un umbral a menos de cinco metros. Alzó la mano y se tocó el vendaje húmedo y caliente del cuello; no sangraba en exceso. Con suerte, no habría saltado más de un punto... Oh, Dios, sentía tanto cansancio en las piernas... No, «cansancio» no era la palabra adecuada. Tenía los músculos doloridos por el esfuerzo al que habían sido sometidos. Sus paseos diarios no constituían ninguna preparación para permanecer al acecho o realizar virajes bruscos o para detenerse violentamente y reanudar la carrera. Apoyado contra la pared, respiró hondo con la mirada fija en la bicicleta, tratando de reprimir un pensamiento irritante que no dejaba de asaltarlo: unos pocos años atrás ni siquiera hubiese notado la molestia en sus piernas. Ésta no lo hubiese atormentado.

El sonido de un cerrojo rompió el silencio del estrecho callejón oscuro, seguido por el chirrido de una pesada puerta al abrirse. Era la entrada de la casa frente a la bicicleta encadenada. Con la espalda contra la pared, Jason desenfundó la pistola y observó cómo la mujer vestida de monja corría hasta la farola. Durante unos momentos, manipuló la llave en la penumbra, tratando de insertarla en el candado. Bourne salió de su refugio para avanzar rápida y silenciosamente hacia ella.

—Llegará tarde a la misa matinal —le dijo.

La mujer se volvió y dejó caer la llave para introducir, al instante, a mano derecha entre los pliegues del hábito. Jason saltó hacia ella sujetándole el brazo mientras, al mismo tiempo, le arrebataba la cofia blanca. Al ver su rostro descubierto, lanzó una exclamación.

—Dios mío —susurró—. ¡Es usted!

## 27

—¡Yo la conozco! —exclamó Bourne—. París, hace años, se llama
Lavier, Jacqueline Lavier. Tenía una tienda de ropa femenina, Les
Classiques, en Saint Honoré. ¡El cuartel de Carlos en el Faubourg! La
encontré en un confesionario de Neuilly-sur-Seine. Pensé que había
muerto. —El rostro anguloso y envejecido de la mujer aparecía defor-
mado por la desesperación. Trató de zafarse pero Jason dio un paso
de lado para obligarla a dar la vuelta y sujetarla contra la pared, mientras le apretaba el cuello con el antebrazo izquierdo—. Pero no murió.
Formaba parte de la trampa que acabó en el Louvre, ¡que estalló en el
Louvre! Ahora me acompañará. Muchos hombres murieron en esa
trampa, franceses, y yo no pude quedarme allí para contarles cómo
había ocurrido o quién era responsable. En mi país, cuando alguien
mata a un policía se enfrenta con graves problemas. Aquí ocurre lo
mismo, y cuando se trata de policías la búsqueda no se abandona.
Ellos recordarán el Louvre, ¡recordarán a sus hombres!

—¡Se equivoca! —exclamó la mujer con voz ahogada, sus grandes
ojos verdes abiertos de par en par sobre el hábito negro—. Se equivoca de persona...

—¡Es Lavier! Reina del Arrabal, el único contacto con la mujer del
Chacal, la mujer del general. No me diga que me equivoco, las seguí a
las dos cuando salieron de Neuilly y se dirigieron a esa iglesia donde
sonaban las campanas y había sacerdotes por todas partes. ¡Uno de
ellos era Carlos! Momentos despues su fulana volvió a salir, pero usted no. Ella partió a toda prisa, así que entré y la describí a usted a un
viejo cura, suponiendo que lo fuese, y él me dijo que estaba en el segundo confesionario de la izquierda. Me acerqué y al correr la cortina
la vi. Muerta. Supuse que la habían asesinado, todo estaba ocurriendo
con demasiada rapidez. ¡Carlos debía estar allí! Estaba a mi alcance, al
de mi arma, o tal vez yo me encontraba en la mira de la suya. Co-

mencé a correr como un loco ¡y finalmente lo vi! En la calle, vestido
con su hábito negro. Supe que era él porque en cuanto me vio, comenzó a correr entre el tránsito. Luego lo perdí, ¡lo perdí...! Pero
todavía me quedaba un as en la manga. Usted. Corrí la voz: «Lavier
ha muerto.» Precisamente lo que esperaban que hiciera, ¿verdad?
¿Verdad?

—Se lo repito, ¡se equivoca! —La mujer ya no se debatía, era inútil.
En lugar de ello permanecía muy rígida contra la pared, sin mover ni
un músculo, como si de ese modo se le fuese a permitir hablar—.
¿Quiere escucharme? —preguntó con dificultad ya que Jason todavía
le apretaba el cuello con el antebrazo.

—Olvídelo, señora —respondió Bourne—. Cuando salgamos de
aquí, parecerá que la estoy ayudando. Está a punto de sufrir un des-
mayo. A su edad, es algo bastante normal, ¿verdad?

—Espere.

—Demasiado tarde.

—¡Tenemos que hablar!

—Lo haremos. —Sin más demora, Jason colocó ambas manos sobre los hombros de la mujer, donde los tendones se entrelazan con
los músculos del cuello. Ella se desplomó y él la levantó en brazos. La
llevó por el callejón como si un ferviente suplicante acompañara a
una religiosa trabajadora social. La luz del amanecer comenzaba a ilu-
minar el cielo y varios madrugadores, entre ellos un joven que corría
con pantalones cortos, se acercaron al hombre que llevaba a la monja
en brazos—. ¡Ha estado con mi esposa y mis hijos enfermos durante
casi dos días sin dormir! —explicó el Camaleón en un francés colo-
quial—. ¿Alguien podría buscarme un taxi para que la lleve de vuelta a
su convento en el distrito noveno?

—¡Yo lo haré! —exclamó el joven corredor—. Hay una parada
nocturna en la rue de Sèvres, ¡y soy muy rápido!

—Es usted una bendición, *monsieur* —le agradeció Jason, aunque
experimentó una inmediata antipatía hacia el muchacho, demasiado
joven y seguro.

Seis minutos después, llegó el taxi con el joven dentro.

—Le aseguré al conductor que usted tenía dinero —le explicó
mientras bajaba—. Confió en que sea cierto.

—Por supuesto. Y gracias.

—Dígale a la hermana lo que he hecho —añadió el joven en pantalones cortos mientras él y Bourne introducían a la mujer inconsciente
en la parte posterior del taxi—. Necesitaré toda la ayuda que pueda
obtener cuando llegue mi hora.

—Confío en que no sea algo inminente —dijo Jason, tratando de
corresponder a la sonrisa del joven.

—¡Espero que no! Represento a mi firma en el maratón. —El niño demasiado desarrollado comenzó a trotar en el lugar.

—Gracias otra vez. Espero que ganes el próximo.

—¡Dígale a la hermana que rece por mí! —gritó el infantil atleta mientras se alejaba corriendo.

—Al Bois de Boulogne —indicó Bourne al conductor después de cerrar la puerta.

—¿Al Bois? ¡Ese idiota me dijo que era una emergencia! Que debía llevar a la monja hasta un hospital.

—Ha bebido demasiado, ¿qué quiere que le diga?

—El Bois de Boulogne —repitió el conductor, asintiendo con la cabeza—. Deje que le dé un poco el aire. Yo tengo una prima segunda en el convento de Lyon. Cuando sale por una semana, se emborracha hasta las orejas. ¿Quién puede culparla?

En el Bois, los rayos del sol matinal se iban volviendo más cálidos y sentada en el banco de uno de los senderos la mujer de mediana edad vestida con hábito de monja comenzó a mover la cabeza.

—¿Cómo está, hermana? —preguntó Jason, sentado junto a su prisionera.

—Creo que me ha atropellado un tanque del ejército —respondió la mujer mientras parpadeaba y abría la boca para coger aire—. Como mínimo ha sido un tanque.

—Y supongo que sabe mucho más sobre ellos que sobre las Hermanas Magdalenas de la Caridad.

—Bastante más —admitió la mujer.

—No se moleste en buscar la pistola —dijo Bourne—. La cogí del costoso cinturón que lleva bajo el hábito.

—Me satisface que reconozca su valor. Forma parte de nuestro tema de conversación. Como no me ha llevado a una comisaría, supongo que me concede la oportunidad de hablar.

—Sólo si lo que dice conviene a mis propósitos, espero que lo comprenda.

—Pero es que debe ser así, ya lo verá. He fallado. Usted me ha atrapado. No estoy donde debería estar y, sea la hora que fuere, la luz me indica que ya es demasiado tarde para inventar excusas. Además, mi bicicleta o bien ha desaparecido o sigue encadenada a la farola.

—Yo no la cogí.

—Entonces estoy muerta. Y si ha desaparecido, también lo estoy, ¿no lo comprende?

—¿Porque no está donde se supone que debería estar?

—Por supuesto.

—¡Usted es Lavier!

—En efecto. Soy Lavier. Pero no soy la mujer que usted conoció.

Ella era mi hermana Jacqueline, yo soy Dominique Lavier. Teníamos muy poca diferencia de edad y desde pequeñas nos parecíamos mucho. Pero no se equivoca respecto a Neuilly-sur-Seine y a lo que vio allí. Mi hermana fue asesinada por quebrantar una regla fundamental, por cometer un pecado mortal, si lo prefiere. Se dejó dominar por el pánico y lo condujo a usted hasta la mujer de Carlos, su secreto más querido y provechoso.

—¿A mí...? ¿Usted sabe quién soy?

—Todo París, el París del Chacal, sabe quién es usted, *monsieur* Bourne. Nadie lo ha visto, se lo aseguro, pero saben que está aquí y que anda tras Carlos.

—¿Y usted forma parte de ese París?

—Sí.

—¡Por Dios, ese hombre mató a su hermana!

—Soy consciente de eso.

—Y, sin embargo, ¿trabaja para él?

—Hay veces en que las alternativas de una persona se reducen considerablemente. Sólo queda vivir o morir. Hasta hace seis años, cuando cambió de dueños, Les Classiques resultaba vital para *monseigneur*. Yo ocupé el lugar de Jacqui...

—¿Tan simple fue eso?

—No fue difícil. Yo era más joven y, sobre todo, parecía más joven. —Lavier esbozó una sonrisa pensativa y sus arrugas se acentuaron—. Mi hermana solía decir que era frecuente entre la gente mediterránea. De todos modos, la cirugía plástica es algo muy habitual en el mundo de la alta costura. Fingimos que Jacqui había ido a Suiza para someterse a una operación facial, y yo regresé a París después de ocho semanas de preparación.

—¿Cómo pudo? Sabiendo lo que sabía, ¿cómo diablos pudo hacerlo?

—Al principio ignoraba lo que averigüé después y para entonces carecía de importancia. En ese momento sólo tenía la opción que acabo de mencionarle. Vivir o morir.

—¿Nunca se le ocurrió acudir a la policía o a la Sûreté?

—¿Respecto a Carlos? —La mujer miró a Bourne como si regañara a un niño tonto—. Debe de estar bromeando.

—Así que se embarcó alegremente en el juego del asesinato.

—No de forma consciente. Me introdujeron paso a paso. Al principio me dijeron que Jacqueline había muerto en un accidente, mientras navegaba con el amante de turno, y que me pagarían una enorme suma de dinero si aceptaba ocupar su lugar. Les Classiques era mucho más que un gran salón...

—Mucho más —la interrumpió Jason—. Allí se guardaban los más confidenciales secretos militares y del servicio secreto que suministraba al Chacal su fulana, la esposa de un distinguido general.

—Yo no lo averigüé hasta mucho después de que el general la matara. Creo que su nombre era Villiers.

—Así es. —Jason contempló las aguas todavía oscuras de una fuente al otro lado del sendero, donde flotaban los lirios blancos. Su mente se llenó de imágenes—. Yo los encontré. Villiers estaba en un sillón de respaldo alto, con un arma en la mano, mientras que su esposa se hallaba tendida en la cama, desnuda y ensangrentada; muerta. Él iba a suicidarse. Era la ejecución justa para un traidor, me dijo, ya que la devoción por su esposa había cegado su juicio y, en esa ceguera, había traicionado a su amada Francia. Yo lo convencí de que había otro camino y estuvo a punto de hacerme caso, trece años atrás. En una extraña casa de la calle Setenta y uno de Nueva York.

—Ignoro lo que ocurrió en Nueva York, pero el general Villiers dejó instrucciones para que después de su muerte saliese a la luz lo ocurrido en París. Cuando murió y se dio a conocer la verdad, se dice que Carlos enloqueció de furia y asesinó a varios militares de alto grado, simplemente porque eran generales.

—Es una vieja historia —replicó Bourne con dureza—. Ya han pasado trece años. ¿Qué ocurre ahora?

—No lo sé, *monsieur*. Yo no tengo ninguna alternativa, ¿verdad? Supongo que uno u otro me matará.

—Quizá no. Ayúdeme a atraparlo y quedará libre de ambos. Podrá regresar al Mediterráneo y vivir en paz. Ni siquiera tendrá necesidad de desaparecer, simplemente volverá adonde sea después de unos cuanto años muy lucrativos en París.

—¿Desaparecer? —preguntó Lavier, estudiando el rostro demacrado de su captor—. ¿Quiere decir esfumarse?

—No habrá necesidad de eso. Carlos no podrá encontrarla porque habrá muerto.

—Sí, entiendo esa parte. Lo que me interesa es la desaparición junto con los años «lucrativos». ¿Usted me lo proporcionaría?

—Sí.

—Ya veo… ¿Eso le ofreció a Santos? ¿Una desaparición lucrativa?

Jason recibió las palabras como una bofetada en pleno rostro y miró a su prisionera.

—Así que fue Santos después de todo —dijo con suavidad—. Lo del Lefebvre era una trampa. Por Dios, sí que es eficiente.

—Está muerto. Han vaciado y cerrado Le Coeur du Soldat.

—¿Qué? —Aturdido, Bourne volvió a mirar a la Lavier—. ¿Ésa ha sido su recompensa por tenderme una trampa?

—No, por traicionar a Carlos.

—No comprendo.

—*Monseigneur* tiene ojos en todas partes, estoy segura de que eso no le sorprenderá. Observaron que Santos, el ermitaño, enviaba fuera pesadas cajas con su proveedor de alimentos, y ayer por la mañana no podó ni regó su precioso jardín, un ritual veraniego tan exacto como la salida del Sol. Guiaron a un hombre al depósito del proveedor para abrir las cajas...

—Libros —aventuró Jason con suavidad.

—Almacenados allí hasta nuevas instrucciones —completó Dominique Lavier—. La desaparición de Santos se efectuaría de forma rápida y en secreto.

—Y Carlos sabía que no habría nadie en Moscú que entregara un número de teléfono.

—¿Qué?

—Nada... ¿Qué clase de hombre era Santos?

—No lo conocí, ni siquiera lo había visto. Sólo he oído unos pocos rumores.

—No tengo tiempo para más. ¿Qué se decía?

—Al parecer era un hombre muy corpulento...

—Ya sé eso —la interrumpió Jason con impaciencia—. Y por los libros ambos sabemos que era un hombre culto. Su forma de hablar indicaba que había recibido una completa instrucción. ¿De dónde venía y por qué trabajaba para el Chacal?

—Se dice que era cubano y que luchó en la revolución de Fidel, que era un gran filósofo, que había estudiado derecho junto con Castro y que en el pasado fue un gran atleta. Pero, como en todas las revoluciones, los conflictos internos amargaron las victorias; al menos eso es lo que dicen mis viejos amigos de las barricadas del primero de mayo.

—¿Me puede traducir eso, por favor?

—Fidel estaba celoso de los líderes de algunas escuadrillas, en especial del Che Guevara y del hombre al que conocíamos como Santos. Castro sabía que ellos dos eran grandes hombres, tal vez más que él, y no toleró la competencia. Envió al Che a una misión que acabó con su vida y fraguó cargos contrarrevolucionarios en contra de Santos. Le faltaba menos de una hora para ser ejecutado cuando Carlos y sus hombres irrumpieron en la prisión y se lo llevaron.

—¿Se lo llevaron? Seguramente disfrazados de sacerdotes.

—No lo dudo. En el pasado Cuba estuvo dominada por la Iglesia con toda su demencia medieval.

—Lo dice con amargura.

—Yo soy una mujer, el sumo pontífice no. Él es sólo medieval.

—Comprendo... Por lo tanto, Santos unió sus fuerzas a las de

Carlos, dos marxistas decepcionados en busca de una causa personal, o tal vez de su Hollywood personal.

—Eso escapa a mi comprensión, *monsieur*, pero por lo que puedo colegir esa fantasía brillante pertenece a Carlos; el destino de Santos era el amargo desencanto. Le debía la vida al Chacal, ¿así que por qué no entregársela? ¿Qué más le quedaba...? Hasta que usted llegó.

—Eso es todo lo que necesito. Gracias. Sólo quería rellenar algunos huecos.

—¿Huecos?

—Cosas que no sabía.

—¿Y qué hacemos ahora, *monsieur* Bourne? ¿No era ésa su primera pregunta?

—¿Qué desea hacer, *madame* Lavier?

—Sé que no quiero morir. Y no soy *madame* Lavier en el sengido conyugal. Nunca me han gustado las limitaciones y las ventajas me parecían innecesarias. Durante años fui una prostituta muy bien cotizada en Montecarlo, Niza y Cap Ferrat, hasta que perdí mis atributos físicos. Incluso entonces, continué teniendo algunos amigos, amantes temporales que se ocupaban de mí en recuerdo de los viejos tiempos. Ahora casi todos ellos están muertos, una auténtica pena.

—Me pareció entender que le pagaban sumas enormes por adoptar la identidad de su hermana.

—Oh, sí, y hasta cierto punto todavía me pagan porque sigo siendo valiosa. Me muevo entre la elite de París, donde abundan los rumores, y eso suele ser útil. Tengo un hermoso apartamento en la Montaigne. Antigüedades, buenas pinturas, criados, cuentas bancarias, todo lo que supone que debe tener una mujer que en el pasado se movió en los círculos de la alta costura. Y dinero. Todos los meses mi banco recibe ochenta mil francos de Ginebra. Una suma más que suficiente para pagar mis gastos. Como comprenderá, yo debo pagarlos, nadie más podría hacerlo.

—Entonces, tiene dinero.

—No, *monsieur*. Tengo un estilo de vida, no dinero. Ése es el estilo del Chacal. Exceptuando a los ancianos, sólo paga por lo que recibe como servicio inmediato. Si en algún momento el dinero de Ginebra no llegara a mi banco el día diez del mes, me echarían en el plazo de treinta días. Aunque, de todos modos, si Carlos decidiera deshacerse de mí, no necesitaría acudir a Ginebra. Estaría acabada, como sin duda lo estoy ahora. Si esta mañana regresara a mi apartamento, nunca volvería a salir, como mi hermana jamás salió de esa iglesia en Neuilly-sur-Seine. Al menos, no con vida.

—¿Esta convencida de eso?

—Por supuesto. En el lugar donde dejé encadenada la bicicleta se suponía que debía recibir instrucciones de uno de los ancianos. Las órdenes eran precisas y debía seguirlas al pie de la letra. Una mujer que conozco debía encontrarse conmigo veinte minutos después en una panadería del St. Germain, donde intercambiaríamos la ropa. Ella seguiría con la misión de las Magdalenas y yo me entrevistaría con un mensajero de Atenas en una habitación del hotel Trémoille.

—¿La misión de las Magdalenas…? ¿Quiere decir que esas mujeres en bicicleta realmente eran monjas?

—Con todos sus votos de castidad y pobreza, *monsieur*. Yo soy una superiora del convento de Lyon que las visita con frecuencia.

—Y la mujer de la panadería. ¿Ella es…?

—De vez en cuando comete algún pecadillo, pero es una espléndida administradora.

—Señor —murmuró Bourne.

—Lo mencionan con frecuencia… ¿Comprende ahora lo irremediable de mi posición?

—No estoy muy seguro.

—Entonces me veo obligada a dudar de que en efecto sea el Camaleón. Yo no estuve en la panadería. La entrevista con el mensajero griego no llegó a celebrarse. ¿Dónde estaba yo?

—Sufrió un retraso. Se rompió la cadena de la bicicleta, la rozó un camión en la rue Lecourbe. Diablos, la asaltaron. ¿Qué más da? Sufrió un retraso.

—¿Cuánto tiempo ha pasado desde que me dejó inconsciente?

Jason miró el reloj bajo el brillante sol matinal.

—Poco más de una hora, me parece; tal vez una hora y media. Considerando su atuendo, el taxista recorrió el parque varias veces para buscar un lugar lo más solitario posible donde bajarla. Le di una generosa propina por su ayuda.

—¿Una hora y media? —preguntó Lavier, significativamente.

—¿Y?

—¿Por qué no he llamado aún a la panadería o al hotel Trémoille?

—¿Complicaciones…? No, resultaría demasiado fácil de comprobar —descartó Bourne, sacudiendo la cabeza.

—¿O? —Lavier clavó sus grandes ojos verdes en los de él—. ¿O, *monsieur*?

—El bulevar Lefebvre —respondió Jason lenta y suavemente—. La trampa. Después de escapar a la suya, él escapó a la mía tres horas después. Entonces yo cambié de estrategia y la atrapé a usted.

—Exactamente. —La mujer que en el pasado había ejercido la prostitución en Montecarlo asintió con un gesto—. Él no puede saber lo que ha ocurrido entre nosotros, por lo tanto, tendrá que ejecutarme. Un peón eliminado del juego. No puede decir nada sustancial a las autoridades, nunca ha visto al Chacal, sólo puede repetir los rumores de humildes subordinados.

—¿Nunca lo ha visto?

—Es posible que sí, pero sin saberlo. En París los rumores vuelan. Éste con la piel cetrina o aquél con los ojos negros y el bigote oscuro. «Mira, ése es Carlos», ¡cuántas veces he oído esta frase! Pero no, nunca se me ha acercado un hombre para decirme: «Yo soy el que hace tu vida más placentera, elegante prostituta de otros tiempos.» Me limito a encontrarme con ancianos que de vez en cuando me transmiten alguna información, como esta noche en el bulevar Lefebvre.

—Ya veo. —Bourne se puso en pie y estiró el cuerpo mientras miraba a su prisionera—. Yo puedo sacarla —anunció con suavidad—. Sacarla de París, de Europa. Adonde el Chacal no pueda encontrarla. ¿Es lo que desea?

—Tanto como lo anhelaba Santos —respondió Lavier, con ojos implorantes—. De buen grado mi lealtad pasará de él a usted.

—¿Por qué?

—Porque él es viejo, tiene el rostro gris y no representa competencia para usted. Usted me ofrece la vida, él sólo la muerte.

—Entonces, es una decisión razonable —admitió Jason con una sonrisa incierta pero cálida en los labios—. ¿Tiene dinero? Quiero decir, encima.

—Las religiosas hacen votos de pobreza, *monsieur* —respondió Dominique Lavier en respuesta a su sonrisa—. En realidad llevo varios cientos de francos. ¿Por qué?

—No es suficiente —continuó Bourne mientras hurgaba en el bolsillo y extraía un impresionante fajo de billetes—. Aquí tiene tres mil —dijo mientras le entregaba el dinero—. Cómprese ropa, estoy seguro de que sabrá cómo, y tome una habitación en el Meurice de la rue de Rivoli.

—¿Qué nombre debo usar?

—¿Cuál prefiere?

—¿Qué le parece Brielle? Es un hermoso pueblecito de la costa.

—¿Por qué no? Déme diez minutos para salir de aquí y luego váyase. La veré en el Meurice al mediodía.

—¡De todo corazón, Jason Bourne!

—Olvidemos ese nombre.


El Camaleón salió del Bois de Boulogne y se dirigió a la parada de taxis más cercana. Minutos después, un asombrado taxista aceptaba cien francos por permanecer en el último puesto de la fila, mientras el pasajero esperaba su informe agachado en el asiento trasero.

—¡La monja ha salido, *monsieur*! —exclamó el conductor—. ¡Ha subido al primer taxi!

—Sígalo —ordenó Jason, sentándose.

En la avenida Victor Hugo, el taxi de Lavier se detuvo frente a una de las pocas excepciones dentro de la tradición parisiense; un teléfono público abierto con cúpula de plástico.

—Deténgase aquí —indicó Bourne, y bajó en cuanto el vehículo se hubo acercado al bordillo. Cojeando, el Camaleón se dirigió rápida y silenciosamente hasta el teléfono y se detuvo detrás de la frenética monja. Ella no lo veía, pero él podía oírla con claridad.

—¡El Meurice! —gritó en el teléfono—. El nombre es Brielle. Estará allí al mediodía... Sí, sí, pasaré por mi apartamento, me cambiaré de ropa y llegaré dentro de una hora. —Lavier colgó y se volvió—. ¡No! —exclamó al ver a Jason.

—Me temo que sí —dijo Bourne—. ¿Tomamos mi taxi o el suyo? «Es viejo y tiene el rostro gris.» Ésas fueron sus palabras, Dominique. Bastante descriptivas para alguien que nunca ha visto a Carlos.


Un Bernardine furioso salió del Pont-Royal con el portero que había ido a buscarlo.

—¡Esto es absurdo! —gritó mientras se acercaba al taxi—. No, no lo es —se corrigió, mirando al interior—. Simplemente, es una locura.

—Entre —ordenó Jason, sentado al otro lado de la mujer vestida con hábito de monja. François obedeció y observó las prendas negras, la cofia blanca y puntiaguda y el rostro pálido de la monja sentada entre ambos—. Le presento a una de las más hábiles actrices del Chacal —añadió Bourne—. Podría ganar una fortuna en su *cinéma-vérité*, se lo aseguro.

—No soy un hombre particularmente religioso, pero confío en que no habrá cometido un error. Yo, o tal vez ambos, lo hicimos con ese cerdo panadero.

—¿Por qué?

—¡Es un panadero, y nada más que eso! Estuve a punto de ponerle una granada en el horno, ¡pero nadie más que un panadero francés podría suplicar de ese modo!

—Tiene sentido —comentó Jason—. La lógica ilógica de Carlos. No recuerdo quién lo dijo, probablemente fui yo mismo. —El taxi efectuó un cambio de sentido y se adentró en la rue du Bac—. Iremos al Meurice —añadió Bourne.

—Estoy seguro de que habrá un motivo —especuló Bernardine, sin dejar de mirar el rostro enigmático y pasivo de Dominique Lavier—. Me refiero a que esta dulce anciana no dice nada.

—¡No soy una anciana! —gritó la mujer con vehemencia bajo la puntiaguda cofia blanca.

—Por supuesto que no, querida —respondió el veterano del Deuxième—. Sólo resulta más deseable en su edad madura.

—¡Vaya, qué amable!

—¿Por qué el Meurice? —preguntó Bernardine.

—Es la última trampa que el Chacal me ha tendido —respondió Bourne—. Cortesía de nuestra persuasiva hermana Magdalena de la Caridad, aquí presente. Él espera que esté allí y no pienso defraudarlo.

—Llamaré al Deuxième. Gracias a un asustado burócrata, harán cualquier cosa que les pida. No debe correr ese riesgo, amigo mío.

—No quisiera ofenderlo, François, pero usted mismo me ha confesado que ya no conoce a toda la gente del Bureau. No puedo arriesgarme a que se filtre la información. Algún hombre podría dar la alarma.

—Permítanme ayudar. —La voz suave y dulce de Dominique Lavier se alzó sobre el rumor del tránsito como el zumbido inicial de una sierra de eléctrica—. Yo puedo ser de ayuda.

—Ya he aceptado su ayuda antes, señora, y me conducía a mi propia muerte. No, gracias.

—Eso fue antes, no ahora. Ya comprenderá que en este momento mi posición es desesperada.

—¿No he oído estas mismas palabras hace poco?

—No. Acabo de añadir la frase «en este momento». Por amor de Dios, póngase en mi lugar. No puedo fingir que comprendo todo, pero este viejo *boulevardier* que está a mi lado acaba de mencionar que llamaría al Deuxième. ¡Al Deuxième, *monsieur* Bourne! ¡Algunos lo consideran la Gestapo francesa! Incluso si sobrevivo, estoy marcada por esa infame agencia del gobierno. Sin duda me enviarían a algún horrible penal al otro lado del mundo… ¡Oh, conozco las historias del Deuxième!

—¿En serio? —dijo Bernardine—. Yo no. Suena maravilloso de verdad.

—Hay otra cuestión —continuó Lavier mientras se arrancaba la almidonada cofia blanca de la cabeza, un gesto que llamó la atención del conductor, quien alzó las cejas en el espejo retrovisor—. Sin mí, sin mi presencia en el Meurice vestida de un modo completamente diferente, Carlos ni siquiera se acercará a la rue de Rivoli. —Bernardine tocó el hombro de la mujer y se llevó el índice a los labios mientras señalaba al conductor con un movimiento de cabeza. Dominique añadió rápidamente—: El hombre con quien desea entrevistarse no estará allí.

—Me parece lógico —dijo Bourne al tiempo que se inclinaba para mirar al veterano del Deuxième—. También tienen un apartamento en la Montaigne, donde se supone que debe cambiarse de ropa y ninguno de los dos podremos entrar con ella.

—Eso nos coloca ante un dilema, ¿verdad? —comentó Bernardine—. No podremos controlar el teléfono desde la calle.

—¡No sean idiotas! No tengo más remedio que cooperar con ustedes, ¡y si no lo ven deberían caminar guiados por perros lazarillos! Este anciano transmitirá mi nombre a los archivos del Deuxième en cuanto tenga ocasión de hacerlo, y por más circunstancial que sea la relación del notorio Jason Bourne con el Deuxième, se suscitarán algunos profundos interrogantes, ya planteados en el pasado por mi hermana Jacqueline, dicho sea de paso. ¿Quién es ese tal Bourne? ¿Es real o no? ¿Es el asesino de Asia o es un fraude? Ella misma me llamó una noche a Niza después de beber demasiado coñac. Es posible que usted recuerde esa noche, *monsieur le Caméléon*, y un restaurante terriblemente caro en las afueras de París. Usted la amenazó. ¡La amenazó en nombre de ciertas personas poderosas y secretas! Le exigió que revelara lo que sabía respecto a cierto conocido suyo. Por entonces yo no sospechaba de quién se trataba, pero comprendí que mi hermana estaba asustada. Dijo que usted parecía trastornado, que sus ojos se tornaban vidriosos y que profería palabras en un idioma que ella no comprendía.

—Lo recuerdo —dijo Bourne fríamente—. Cenamos, yo la amenacé y ella se asustó. Fue al lavabo, sobornó a alguien para que hiciese una llamada y yo tuve que salir de allí.

—¿Y ahora el Deuxième está aliado con esas poderosas personas secretas? —Dominique Lavier sacudió la cabeza repetidas veces y bajó la voz—. No, *messieurs*, soy una superviviente y no lucho contra fuerzas superiores.

Después de un breve silencio, Bernardine habló.

—¿Cuál es su dirección en la avenida Montaigne? Se la daré al conductor. Pero antes, escúcheme, *madame*; si sus palabras demuestran ser falsas, conocerá todos los horrores del Deuxième.


Marie estaba sentada frente a la mesa de su pequeña habitación del Meurice, leyendo los periódicos. Su atención se desviaba constantemente, le resultaba imposible concentrarse. Su ansiedad la había mantenido despierta desde que regresó al hotel pasada la medianoche, después de recorrer cinco de los cafés que solía frecuentar con David tantos años atrás. Finalmente, a las cuatro y pico de la madrugada había dejado de dar vueltas en la cama y, vencida por la fatiga, se había dormido con la luz abierta. Esta misma luz la despertó casi seis horas después. No había vuelto a dormir tanto desde aquella primera noche en la isla del Sosiego y ahora todo aquello le parecía un recuerdo distante, exceptuando el dolor tan real por la ausencia de sus hijos.

*No pienses en ellos, es demasiado doloroso. Piensa en David... ¡no, piensa en Jason Bourne! ¿Dónde? ¡Concéntrate!*

Marie dejó el *Paris Tribune* y se sirvió una tercera taza de café solo. Entonces se volvió hacia la cristalera que conducía a un pequeño balcón sobre la calle. Para su disgusto, la brillante mañana se había convertido en un día lúgubre y gris. Muy pronto llovería y su búsqueda por las calles se haría aún más difícil. Resignada, se bebió el café y volvió a colocar la elegante taza en el lujoso platillo, fastidiada de que no fuese la simple vajilla que tanto ella como David preferían en su rústica cocina de Maine. Oh, Dios, ¿volverían algún día allí?

*¡No pienses en esas cosas! ¡Concéntrate!*

Marie recogió el *Tribune* y pasó las páginas sin ver más que palabras aisladas, sin frases ni párrafos ni ningún hilo de pensamiento, sólo palabras. Entonces una se destacó al final de una columna incongruente. La palabra era «mima», seguida por un número de teléfono. Marie estaba a punto de volver la página cuando alguna parte de su cerebro le gritó que se detuviese.

Mima, *mami*, un niño y sus primeros balbuceos. ¡*Mima*! ¡Jamie, su Jamie! ¡Así la había llamado durante varias semanas! David había bromeado al respecto mientras ella, preocupada, se preguntaba si su hijo tendría problemas de lenguaje.

«También podría tratarse de una simple confusión, *mima*», había reído David.

¡*David*! Marie se aferró a la página. Era la sección de economía del periódico, la que revisaba por instinto cada mañana mientras tomaba el café. ¡David le estaba enviando un mensaje! De un empujón, se levantó volcando la silla y corrió hasta el teléfono con el periódico en la mano. Temblando, marcó el número. Al no recibir respuesta, pensó que el pánico le había hecho cometer un error o que no había marcado el prefijo local de París, así que volvió a marcar, pero esta vez más despacio y con precisión.

Ninguna respuesta. Pero era David, lo presentía, ¡lo sabía! ¡La había estado buscando en el Trocadero y ahora utilizaba un apodo que sólo ellos dos conocían!

*¡Amor, amor mío, te he encontrado!* También sabía que no podría permanecer encerrada en su pequeña habitación. Vagaría de un lado al otro, marcaría a cada minuto y enloquecería si nadie contestaba. «Cuando te encuentres tensa e inquieta, y te sientas a punto de esta-

llar, busca algún lugar donde puedas estar en movimiento sin llamar la atención. ¡No dejes de moverte! Eso es vital. No puedes permitir que te explote la cabeza.» Una de las lecciones de Jason Bourne. Con la mente funcionando a toda velocidad, Marie se vistió más rápido de lo que jamás lo había hecho en toda su vida. Arrancó el mensaje del *Tribune* y abandonó la sofocante habitación, tratando de no correr hasta los ascensores. Necesitaba las atestadas calles de París para mantenerse en movimiento sin que nadie lo notase. De un teléfono público al otro.

El descenso hasta el vestíbulo fue interminable y agobiante. Con ella bajó una pareja de norteamericanos, él cargando un equipo de fotografía y ella con ojos violeta y una cabellera oxigenada que parecía fijada con cemento. Durante todo el trayecto, los turistas se quejaron sin cesar porque en París, Francia, no había suficiente gente que hablase en inglés. Por fin las puertas del ascensor se abrieron y Marie pudo salir de allí para sumergirse en el concurrido vestíbulo del Meurice.

Marie cruzó el salón hacia las grandes cristaleras de la entrada, pero de pronto se detuvo. En un recargado sillón a su derecha, un anciano vestido con traje oscuro a rayas lanzó una exclamación mientras inclinaba el delgado cuerpo hacia delante. El hombre la miró con la boca abierta por la sorpresa y los ojos desorbitados.

—¡Marie St. Jacques! —susurró—. ¡Dios mío, salga de aquí!

—¿Perd... qué?

Rápidamente y con dificultad, el anciano francés se puso en pie y observó el vestíbulo con breves y sutiles movimientos de cabeza.

—No deben verla aquí, señora Webb —advirtió en voz baja, pero no por ello menos dura y autoritaria—. ¡No me mire! Observe su reloj. Mantenga la cabeza agachada. —El veterano del Deuxième apartó la vista, saludando con la cabeza a varias personas en los sillones cercanos. Entonces continuó, casi sin mover los labios—: Salga por la puerta de la izquierda, la que se utiliza para el equipaje. ¡Deprisa!

—¡No! —respondió Marie con los ojos fijos en el reloj—. ¡Usted me conoce; pero yo a usted no! ¿Quién es?

—Un amigo de su marido.

—Dios mío, ¿está él aquí?

—Preferiría saber por qué está usted aquí.

—Ya me había alojado en este hotel en otra ocasión. Se me ocurrió que tal vez lo recordaría.

—Y lo ha hecho, aunque me temo que en el contexto equivocado. *Mon Dieu*, de otro modo jamás lo hubiese escogido. Ahora váyase.

—¡Ni hablar! Debo encontrarlo. ¿Dónde está?

—Si no se va, es posible que sólo encuentre un cadáver. Hay un mensaje para usted en el *Paris Tribune*...

—Lo tengo en el bolso. La página de economía. «Mima…»

—Llame dentro de varias horas.

—No puede hacerme esto.

—Usted no puede hacerle esto a él. ¡Lo mataría! Salga de aquí. ¡Ahora!

Con los ojos cegados por la furia, el miedo y las lágrimas, Marie se volvió hacia la zona izquierda del vestíbulo. Deseaba desesperadamente mirar atrás, pero sabía con la misma desesperación que no podía hacerlo. Al llegar a las estrechas cristaleras, chocó con un botones uniformado que entraba con varias maletas.

—*¡Pardon, madame!*

—*Moi aussi* —balbuceó ella mientras esquivaba el equipaje y salía a la calle.

¿Qué podía hacer? ¿Qué debía hacer? David estaba en alguna parte dentro del hotel, ¡dentro del hotel! Y un hombre desconocido la identificaba, la ponía sobre aviso y le ordenaba que saliese: ¡que se fuese de allí! ¿Qué estaba ocurriendo? Por Dios, ¡alguien trataba de matar a David! ¿Quién era, quiénes eran? ¿Dónde estaban?

*¡Ayúdame! Por amor de Dios, Jason, dime qué debo hacer. ¿Jason…? ¡Sí, Jason…! ¡Ayúdame!* Marie permaneció paralizada mientras algunos taxis y limusinas se separaban del tránsito para detenerse frente al Meurice. Allí los recibió un portero de galones dorados que saludó a los recién llegados e hizo correr a los botones en todas las direcciones. Una gran limusina negra con una discreta insignia religiosa pintada sobre la puerta del pasajero, la enseña cruciforme de algún alto cargo de la iglesia, se acercó lentamente a la zona de recepción. Marie observó el pequeño emblema; era circular y no tenía más que quince centímetros de diámetro, un anillo púrpura que rodeaba un alargado crucifijo dorado. Marie contuvo el aliento; su pánico tomaba ahora una nueva dimensión. Ella había visto anteriormente aquella insignia, pero sólo recordaba que la había llenado de horror.

La limusina se detuvo. El servicial y sonriente portero abrió ambas puertas para dejar salir a cinco sacerdotes, uno del asiento delantero y cuatro del espacioso sector posterior. Curiosamente, los cuatro últimos prelados se confundieron de inmediato con la gente que pasaba por la calle, dos de ellos se dirigieron hacia la parte delantera del vehículo y dos hacia la parte trasera. Uno de los sacerdotes pasó junto a Marie y la rozó con su sotana negra. El rostro del cura pasó tan cerca de ella que alcanzó a ver los ojos brillantes y nada piadosos de un hombre que no formaba parte de ninguna orden religiosa. ¡Entonces recordó aquel emblema, aquella insignia religiosa!

Años atrás, cuando David, Jason, seguía una terapia con Panov, Mo le había hecho dibujar todas las imágenes que recordase. Una y otra vez aparecía ese círculo terrible con el crucifijo alargado, para terminar invariablemente rasgado o apuñalado repetidas veces con la punta del lápiz. ¡El Chacal!

De pronto una figura que cruzaba la rue de Rivoli llamó la atención de Marie. Era un hombre alto, vestido de oscuro, con un suéter y pantalones oscuros, cojeaba esquivando el tránsito mientras con una mano se protegía el rostro de la llovizna que pronto se convertiría en lluvia. ¡La cojera era falsa! Por un breve instante la pierna se había enderezado y en el balanceo de hombros con que había compensado el movimiento descubrió un gesto desafiante que ella conocía demasiado bien. ¡Era David!

A menos de tres metros de ella, otra persona descubrió lo mismo. De inmediato, el hombre se llevó una radio en miniatura a los labios. Marie corrió con las manos extendidas como las garras de una tigresa, y se lanzó sobre el asesino vestido de sacerdote.

—¡David! —gritó mientras clavaba las uñas en el rostro del hombre del Chacal.

Los disparos estallaron en la rue de Rivoli. En medio del pánico, mucha gente se refugió en el hotel mientras que muchos más se alejaban de la entrada. Todos gritaban e intentaban protegerse de la locura asesina que de pronto había estallado en aquella calle civilizada. En la violenta lucha contra el hombre que quería matar a su esposo, la fuerte muchacha criada en un rancho canadiense le arrebató la automática del cinturón y le disparó a la cabeza; la sangre y el tejido volaron por el aire.

—¡Jason! —volvió a gritar mientras el asesino caía.

Pero de pronto advirtió que, excepto el cadáver a sus pies, no había nadie a su alrededor. ¡Ella era el blanco! Entonces, desde la muerte supo que le sería concedida la vida. El francés anciano y aristocrático que la había reconocido en el vestíbulo salió como una tromba por la entrada principal, mientras disparaba su automática sobre la limusina negra, deteniéndose un instante para apuntar a las piernas de un falso sacerdote, cuya arma se dirigía hacia él.

—¡*Mon ami!* —rugió Bernardine.

—¡Aquí! —gritó Bourne—. ¿Dónde está ella?

—¡*A votre droite! Auprès de...* —Un único disparo estalló desde las cristaleras del Meurice. Mientras caía, el veterano del Deuxième gritó—: *Les Capucines, mon ami. ¡Les Capucines!* —Bernardine se desplomó sobre la acera y un segundo disparo acabó con su vida.

Marie estaba paralizada. ¡No podía moverse! Todo era una ventisca, un huracán de fragmentos helados estrellándose con tanta fuerza contra su rostro que no le permitían pensar ni hallar una lógica. En medio de sollozos descontrolados, cayó de rodillas y luego se derrumbó sobre la acera, gritando desesperadamente algo que sólo entendió el hombre que de pronto estuvo a su lado.

—Mis hijos… ¡Oh, Dios, mis hijos!

—Nuestros hijos —dijo Jason Bourne con una voz que no era la de David Webb—. Debemos irnos de aquí, ¿comprendes?

—¡Sí, sí! —Con gran dificultad, Marie se puso en pie sostenida por el esposo a quien no estaba segura de conocer—. ¿David?

—Por supuesto que soy David. ¡Vamos!

—Me asustas…

—Me asusto a mí mismo. ¡Vamos! Bernardine nos ha dado nuestra salida. Corre conmigo, ¡cógete de la mano!

Juntos corrieron por la rue de Rivoli y giraron hacia el este por el bulevar Saint Michel hasta que los paseantes parisienses, en su *nonchalance de jour*, les demostraron que estaban a salvo de los hombres del Meurice. Entonces se detuvieron en un callejón y se abrazaron.

—¿Por qué lo has hecho? —preguntó Marie, acariciándole el rostro—. ¿Por qué has escapado de nosotros?

—Porque estoy mejor solo, tú lo sabes.

—Antes no era así, David… ¿o debo decir Jason?

—Los nombres no importan, ¡debemos irnos!

—¿Adónde?

—No estoy seguro. Pero podemos hacerlo, eso es lo importante. Hay una forma de escapar. Bernardine nos la ha dejado.

—¿El anciano francés?

—No hablemos de él, ¿de acuerdo? Al menos durante un rato. Me siento destrozado.

—Muy bien, no hablaremos de él. Sin embargo mencionó Les Capucines… ¿qué quiso decir?

—Es nuestra puerta de escape. Allí me espera un coche. Eso era lo que me estaba diciendo. ¡Vamos!


Partieron a toda velocidad en el Peugeot por la autopista Barbizon hacia Villeneuve-St. George. Marie viajaba sentada muy cerca de su esposo, aferrada a su brazo. Sin embargo, era consciente de que la calidez que ella irradiaba no era correspondida en igual medida. De ese hombre ardiente que se sentaba tras el volante, sólo una parte era su David, el resto era Jason Bourne y ahora era él quien estaba al mando.

—¡Por amor de Dios, dime algo! —exclamó Marie.

—Estoy pensando… ¿Por qué has venido a París?

—¡Por todos los cielos! —estalló Marie—. ¡Para buscarte, para ayudarte!

—Seguramente habrás pensado que era lo correcto; pero te has equivocado, ¿sabes?

—Esa voz otra vez —protestó ella—. ¡Ese maldito tono de voz! ¿Quién diablos crees que eres para juzgarme? ¿Dios? Para decirlo de forma contundente o brutal, si prefieres, tienes problemas para recordar algunas cosas, querido.

—No respecto a París —objetó Jason—. Conservo todos los recuerdos de París. Todo.

—¡Tu amigo Bernardine no opinaba lo mismo! Me dijo que nunca hubieses escogido el Meurice si estuvieras en lo cierto.

—¿Qué? —Por un momento, Bourne miró más severamente a su esposa.

—Piensa. ¿Por qué has elegido el Meurice?

—No lo sé, no estoy seguro. Es un hotel, simplemente se me ocurrió el nombre.

—Piensa. ¿Qué ocurrió años atrás en el Meurice, justo en la entrada?

—Sé, sé que ocurrió algo. ¿Tú?

—Sí, amor mío, yo. Me alojé allí bajo un nombre falso y tú viniste a buscarme. Caminamos juntos hasta el puesto de periódicos de la esquina y en un horrible instante, ambos supimos que mi vida nunca volvería a ser la misma, contigo o sin ti.

—¡Oh, Señor, lo había olvidado! Los periódicos, tu fotografía en todas las portadas. Eras la funcionaria del gobierno canadiense…

—La economista canadiense fugitiva —le corrigió Marie—. Buscada por toda Europa, ¡acusada de múltiples asesinatos en Zurich y de robos millonarios en bancos suizos! Esa clase de titulares no se olvidan nunca, ¿verdad? Pueden ser refutados, puede probarse que son totalmente falsos, y sin embargo siempre permanece la sombra de una duda. «Donde hay humo debe haber habido fuego.» Creo que es por el bromuro. Mis propios colegas de Ottawa, queridísimos amigos con los cuales había trabajado durante años, ¡tenían miedo de hablarme!

—¡Un momento! —gritó Bourne, dirigiendo su mirada encendida hacia la esposa de David—. Eran falsos, sólo se trataba de una maniobra para atraparme. ¡Tú lograste comprenderlo y yo no!

—Por supuesto que sí, porque tú estabas tan obsesionado que no podías verlo. Entonces no me importó porque mi mente analítica ya había tomado una decisión; mi mente, que podría competir con la tuya en cualquier momento, mi encantador intelectual.

—¿Qué?

—¡Mira la carretera! Has pasado el desvío, al igual que pasaste el de nuestra cabaña hace sólo unos pocos días, ¿o han sido años?

—¿De qué diablos estás hablando?

—Ese pequeño hotel cerca de la Barbizon, donde nos alojamos. Amablemente les pediste que encendieran el fuego en el comedor: éramos los únicos huéspedes. Por tercera vez lograba penetrar la máscara de Jason Bourne, había otra persona detrás, alguien de quien me estaba enamorando profundamente.

—No me hagas esto.

—Es necesario, David. Aunque sólo sea por mí. Debo saber que estás ahí.

Silencio. Un cambio de sentido sobre la *grand-route* y el conductor pisó el acelerador a fondo.

—Estoy aquí —susurró el esposo mientras la rodeaba con el brazo para estrecharla—. No sé por cuánto tiempo, pero estoy aquí.

—Date prisa, amor mío.

—Lo haré. Sólo quiero abrazarte.

—Y yo quiero llamar a los niños.

—Ahora sé que estoy aquí.

## 28

—Nos dirás voluntariamente cuanto queremos saber o te lanzaremos a una órbita química que ni siquiera soñaste para el doctor Panov —amenazó Peter Holland, director de la CIA, con una voz tan dura e inexpresiva como el granito tallado—. Además, me explayaré en las medidas que estoy dispuesto a tomar porque provengo de la vieja escuela, *paesano*. Me importan una mierda las reglas que benefician a la basura. Si juegas a las adivinanzas conmigo, te lanzaré vivo a doscientos kilómetros de Hatteras metido en un torpedo. ¿Queda claro?

Con pesadas escayolas alrededor del brazo izquierdo y la pierna derecha, el *capo subordinato* se hallaba tendido en una cama de la enfermería de Langley. Previamente, el director de la CIA había ordenado al personal médico que se retirase por su propia seguridad. El rostro naturalmente hinchado del mafioso parecía aún más grande debido a las hinchazones alrededor de los ojos y la boca, resultado de haberse golpeado la cabeza contra el salpicadero cuando Mo Panov estrelló el coche contra un roble. El hombre miró a Holland y luego sus ojos entrecerrados se volvieron hacia Conklin, sentado en una silla y aferrado con manos ansiosas al bastón que nunca lo abandonaba.

—No tiene ningún derecho, señor Importante —replicó el *capo* con voz ronca—. Los derechos los tengo yo, ¿sabe a qué me refiero?

—El doctor también los tenía y vosotros los habéis violado. ¡Señor, vaya si los habéis violado!

—Exijo la presencia de mi abogado.

—¿Dónde diablos estaba el abogado de Panov? —gritó Alex, golpeando el bastón contra el suelo.

—El sistema no funciona así —protestó el paciente, tratando de alzar las cejas con indignación—. Además, yo he sido amable con el doctor. ¡Él se aprovechó de mi bondad!

—Eres un chiste —dijo Holland—. Un chiste que no resulta divertido en absoluto. Aquí no hay abogados, macarrón, sólo nosotros tres y el torpedo que preveo en tu futuro.

—¿Qué quieren de mí? —exclamó el mafioso—. ¿Creen que sé algo? Sólo cumplo órdenes, como hacía mi hermano mayor, que en paz descanse, y mi padre, que en paz descanse también, y probablemente su padre, sobre el cual no sé nada.

—Varias generaciones dedicadas al bien, ¿verdad? —observó Conklin—. Los parásitos nunca se libran de su destino.

—Siga, está refiriéndose a mi familia, sea cual fuere la mierda que esté diciendo.

—Mis disculpas a su blasón —agregó Alex.

—Precisamente nos interesa esa familia tuya, Augie —intervino el director—. Porque eres Augie, ¿verdad? El nombre aparecía en uno de los cinco permisos de conducir y nos pareció el más auténtico.

—¡Bueno, por lo visto no es tan inteligente, señor Importante! —exclamó el paciente inmovilizado mientras agitaba los labios hinchados con dificultad—. Ninguno de esos nombres es el mío.

—Debemos llamarte de alguna manera —dijo Holland—. Aunque sólo sea para grabarlo en el torpedo para que, dentro de varios milenios, algún arqueólogo pueda asignarle una identidad a la dentadura que estará estudiando.

—¿Qué te parece Italo? —preguntó Conklin.

—Demasiado étnico —respondió Peter—. Me gusta «Idiota» porque se ajusta a la realidad. Terminará atado dentro de un tubo y arrojado sobre la plataforma continental por los crímenes que han cometido otras personas. Eso es ser verdaderamente idiota.

—¡Basta! —rugió el idiota—. Está bien, me llamo Nicolo, Nicholas Dellacroce, ¡y aunque sólo sea por haberles dicho eso, deben brindarme protección! Al igual que con Vallachi, eso forma parte del trato.

—¿En serio? —Holland frunció el ceño—. No recuerdo haberlo mencionado.

—¡Entonces no obtendrán nada!

—Te equivocas, Nicky —intervino Alex desde el otro lado de la pequeña habitación—. Obtendremos todo lo que deseamos. La única desventaja será que nos veremos obligados a hacerlo con una sola inyección. No podremos someterte a un interrogatorio o llevarte a un tribunal federal, ni siquiera hacerte firmar una declaración.

—¿Qué?

—Cuando salgas tendrás el cerebro de un vegetal. Claro que en cierto sentido eso será una bendición. Apenas si te darás cuenta cuando te encierren dentro de ese torpedo en Hatteras.

—Oiga, ¿de qué está hablando?

—Simple lógica —respondió el ex comando naval y actual jefe de la CIA—. No esperarás que cuando nuestro equipo médico haya terminado contigo te dejemos a la vista, ¿verdad? Una autopsia nos representaría treinta años de prisión y, francamente, no dispongo de tanto tiempo... ¿Qué prefieres, Nicky? ¿Quieres hablar con nosotros o deseas un sacerdote?

—Debo pensar...

—Vamos Alex —dijo Holland mientras se dirigía hacia la puerta—. Iré a buscar un sacerdote. Este pobre hijo de puta necesitará todo el consuelo posible.

—En momentos como éste —agregó Conklin mientras apoyaba el bastón en el suelo y se ponía en pie—, reflexiono seriamente sobre la crueldad del hombre hacia el hombre. Entonces le doy una explicación racional. No se trata de brutalidad, ya que eso es sólo una abstracción descriptiva; simplemente es una costumbre que nos afecta a todos. Sin embargo, existe el individuo, su cuerpo y su mente, junto con las sensibles terminaciones nerviosas. Es el tormento del dolor más agudo. Gracias a Dios, yo siempre he estado en segundo plano, fuera del alcance, al igual que los socios de Nicky. Los otros cenan en elegantes restaurantes mientras él se hunde en un tubo más allá de la plataforma continental, a diez kilómetros de profundidad, con el cuerpo implosionando.

—¡Está bien, está bien! —gritó Nicolo Dellacroce mientras se retorcía en la cama y desordenaba las sábanas con su corpachón—. Háganme esas malditas preguntas, pero a cambio me darán protección, ¿*capisce*?

—Eso dependerá de la autenticidad de tus respuestas —advirtió Holland mientras regresaba a la cama.

—En tu lugar yo no me andaría por las ramas, Nicky —observó Alex mientras cojeaba de nuevo hacia la silla—. Un dato falso e irás a dormir con los peces.

—No necesito instrucciones, ya lo he comprendido.

—Comencemos, señor Dellacroce —dijo el jefe de la CIA mientras sacaba una pequeña grabadora del bolsillo, revisaba las pilas y la colocaba sobre la mesa blanca junto a la cama del paciente. Entonces se acercó una silla y habló a la grabadora plateada—. Soy el almirante Peter Holland, actual director de la Agencia Central de Inteligencia, y en caso necesario mi voz puede cotejarse con el registro vocal. Esto es una entrevista con un informante a quien llamaremos John Smith y cuya voz deberá aparecer distorsionada en la cinta maestra. La identificación del informante está en los archivos confidenciales de mi despacho. Muy bien, señor Smith, abreviaremos todos estos detalles para ir a las preguntas esenciales. Las generalizaré en lo posible para su seguridad, pero usted sabrá exactamente a qué me refiero y espero respuestas concretas. ¿Para quién trabaja, señor Smith?

—Para los Distribuidores Automáticos Atlas, ciudad de Long Island —respondió Dellacroce con voz ronca y poco clara.

—¿A quién pertenece la compañía?

—Ignoro de quién es. La mayoría de nosotros trabaja desde nuestras casas, debemos ser unos quince o tal vez veinte sujetos, ¿sabe a qué me refiero? Reparamos las máquinas y enviamos los informes.

Holland miró a Conklin y los dos hombres se sonrieron. Con una sola respuesta el mafioso se había colocado dentro de un amplio círculo de potenciales informantes. Nicolo no era nuevo en el juego.

—¿Quién firma los cheques con que le pagan, señor Smith?

—Un tal Louis de Fazio, un auténtico hombre de negocios por lo que yo sé. Él nos asigna los trabajos.

—¿Sabe dónde vive?

—En la zona alta de Brooklyn. Alguien me dijo que cerca del río.

—¿Cuál era su destino cuando nuestro personal lo interceptó?

Dellacroce cerró los ojos hinchados un momento antes de responder.

—Una de esas clínicas para alcohólicos y drogadictos al sur de Filadelfia, cosa que usted ya sabe, señor Importante, porque encontraron el mapa en el coche.

Holland apagó la grabadora con un movimiento furioso.

—¡Te dirigías a Hatteras, hijo de puta!

—Oiga, usted diga lo que le venga en gana, yo haré mi informe, ¿de acuerdo? Había un mapa, siempre lo hay, y nosotros debemos llevar a esos sujetos ridículos por carreteras poco transitadas como si condujésemos al presidente o a un *superiore* a la junta de los Apalaches. Déme un lápiz y papel y le apuntaré la dirección que figura en la placa de bronce de la entrada. —El mafioso alzó el brazo sano y señaló al director con el índice—. Seré exacto, señor Importante, porque no quiero dormir con los peces, ¿*capisce*?

—Pero no quieres que te grabemos —dijo Holland con cierto fastidio en la voz—. ¿Por qué?

—¡A la mierda con eso! ¿Cómo la llamó? Una cinta *maestra*. ¿Supone que nuestra gente no tiene espías aquí? ¡Ja! ¡Ese maldito doctor suyo podría estar en nuestra nómina!

—No es cierto, pero llegaremos hasta un médico del ejército que sí lo está. —Peter Holland tomó el cuaderno de mensajes y el lápiz de la mesita, y acercó ambas cosas a Dellacroce. No se molestó en conectar la grabadora.

En la ciudad de Nueva York, en la calle Ciento treinta y ocho entre Broadway y la avenida Amsterdam, el corazón de Harlem, un hombre alto y negro, de unos treinta y cinco años, se tambaleaba por la acera. Después de chocar contra la pared desconchada de un viejo edificio de apartamentos, cayó sentado sobre el asfalto con las piernas extendidas. Su rostro sin afeitar se volvió hacia la derecha y el hombre habló en el cuello de su maltrecha camisa militar.

—Si me vieras ahora —dijo en voz baja al micrófono en miniatura bajo la tela—, pensarías que he invadido el distrito comercial para blancos de Palm Springs.

—Lo estás haciendo muy bien —lo animó la voz metálica por el receptor cosido en la parte trasera del cuello del agente—. Tenemos el sitio cubierto; te avisaremos con tiempo suficiente. Ese contestador automático está tan atestado que echa humo.

—¿Cómo han conseguido entrar allí, siendo tan paliduchos?

—Era muy temprano, tanto que nadie notó nuestro color.

—Estoy impaciente por verlos salir. ¿La policía está al corriente de esta misión? Me molestaría mucho que me arrestaran ahora que me he dejado crecer esta barba. Me pica muchísimo y a mi nueva esposa no le gusta.

—Debiste quedarte con la primera, compañero.

—Muy gracioso, muchachito blanco. A ella no le gustaban los horarios ni los lugares. Como cuando tuve que pasar varias semanas en Zimbabwe. ¿Quieres responderme, por favor?

—Los uniformados tiene tu descripción. Colaboras en un arresto federal, así que te dejarán tranquilo. ¡Un momento! La conversación ha terminado. Ése debe ser nuestro hombre; lleva una cartera de la telefónica atada al cinturon. Sí. Se dirige hacia la puerta. Es todo tuyo, emperador Jones.

—Muy gracioso, niño blanco. Ya lo tengo, le aseguro que es blando como un mousse de chocolate. Le da pánico entrar en ese palacio.

—Lo cual significa que es nuestro hombre —dijo la voz metálica en el cuello—. Buena señal.

—Todo lo contrario, jovencito —replicó el agente negro de inmediato—. Si lo que dices es cierto, él no sabrá nada y para llegar a su fuente habrá que atravesar demasiadas capas.

—¿Oh? Entonces, ¿cómo lo descifrarás?

—Tecnología sobre el terreno. Debo ver los números cuando los programe en su reparador.

—¿Qué diablos significa eso?

—Es posible que sea nuestro hombre, pero además está asustado y no por el lugar.

—¿Qué quieres decir?

—Lo veo en su cara, amigo. Si pensara que está siendo seguido u observado, podría entrar números falsos para despistar.

—El que está despistado soy yo.

—Debe reproducir los números que corresponden al control remoto para que las señales puedan ser transmitidas...

—Olvídalo —suspiró la voz en el cuello de la camisa—. No comprendo nada de tecnología. Además, tenemos a un hombre en esa compañía, «Reco algo». Te está esperando.

—Entonces, tengo trabajo que hacer. Corto, pero no perdáis el contacto conmigo. —El agente se levantó del suelo y con paso vacilante se dirigió hacia el ruinoso edificio. El técnico de teléfonos ya había llegado al primer piso, donde dobló hacia la derecha por el estrecho y sucio pasillo; era evidente que había estado antes allí ya que no vacilaba ni miraba los desvaídos números de las puertas. Las cosas resultarían un poco más sencillas, estimó el hombre de la CIA aliviado, ya que su tarea excedía la competencia de la Agencia. ¿Competencia? Mierda, era ilegal.

Subió las escaleras de tres en tres, atenuando el inevitable crujido de la vieja escalera con las dobles suelas de goma. De espaldas contra la pared, espió desde la esquina el pasillo lleno de basura y vio cómo el mecánico insertaba tres llaves distintas en tres cerraduras verticales, las hacía girar sucesivamente y entraba por la última puerta de la izquierda. Después de todo, quizá no resultase tan sencillo, reconsideró el agente. En cuanto el hombre hubo cerrado la puerta, corrió silenciosamente por el pasillo y permaneció inmóvil, escuchando. No era ninguna maravilla, pero tampoco había ocurrido lo peor, pensó al oír el ruido de un solo pestillo que se cerraba. El técnico tenía prisa. Colocó la oreja contra la pintura desconchada de la puerta y contuvo el aliento. Treinta segundos después giró la cabeza, exhaló, inspiró profundamente y volvió a la puerta. Aunque amortiguadas, captó las palabras con la suficiente claridad como para comprender el significado.

—Central, aquí Mike en la calle Ciento treinta y ocho, sección doce, máquina dieciséis. Parece increíble, pero en este edificio hay otra unidad. —El silencio posterior duró unos veinte segundos—. No, ¿eh? Bueno, tenemos una interferencia y no le veo el sentido... ¿Qué? ¿Televisión por cable? No hay nada de eso en este vecindario, créeme... Oh, ya comprendo, hermano. Cable en la zona. Los chicos de la droga saben vivir bien, ¿no? Por fuera sus casas parecen mierda, pero por dentro disfrutan de todas las comodidades. Entonces, despeja la línea y yo lo desviaré. Me quedaré aquí hasta que tenga una señal clara, ¿de acuerdo, hermano?

El agente se apartó de la puerta y volvió a respirar, esta vez con alivio. Podía partir sin un enfrentamiento, ya tenía todo lo que necesitaba. Calle Ciento treinta y ocho, sección doce, máquina dieciséis. Además, conocían la firma que había instalado el equipo. La compañía Reco-Metropolitan de Nueva York. En adelante los blancos paliduchos se ocuparían del asunto. Regresó a la dudosa escalera y se alzó el cuello de la camisa, desecho del ejército.

—Por si me atropella un camión, ahí van los datos. ¿Me oís?

—Fuerte y claro, emperador Jones.

—Es la máquina dieciséis en lo que llaman sección doce.

—¡Lo tengo! Te has ganado la paga.

—Al menos podrías decir: «Excelente, viejo amigo.»

—Eres tú quien ha ido a la universidad, no yo.

—Algunos de nosotros logramos hazañas... ¡Un momento! ¡Tengo compañía!

En la base de la escalera apareció un negro bajo y macizo. Con sus ojos oscuros abiertos de par en par, miró al agente mientras lo apuntaba con un arma. El hombre de la CIA se cubrió rápidamente pegándose a la pared, mientras cuatro disparos sucesivos resonaban en el pasillo. El agente se asomó hacia la escalera y disparó su propia arma dos veces, pero con una fue suficiente. Su asaltante cayó al suelo sucio del vestíbulo.

—¡Me ha herido una pierna! —gritó el agente—. Pero él ha caído... no puedo decir si está muerto o no. Traed el vehículo y sacadnos de aquí. Pronto.

—Está en camino. ¡Quédate donde estás!


Pasaban unos minutos de las ocho de la mañana siguiente cuando Alex Conklin entró cojeando en la oficina de Peter Holland, causando gran impresión entre los guardias de la entrada con su acceso inmediato al director.

—¿Ha habido algo? —preguntó Holland, alzando la vista de los documentos sobre su escritorio.

—Nada —respondió el oficial retirado con ira, mientras se dirigía al sillón contra la pared—. ¡Nada, maldita sea! ¡Dios, qué día de mierda! ¡Y no ha hecho más que empezar! Casset y Valentino tratan de averiguar algo enviando mensajes a todas las cloacas de París, pero hasta ahora no han obtenido nada... ¡Señor! ¡Mira la trama de todo eso y dame una pista! Swayne, Armbruster, De Sole, nuestro mudo hijo de puta. Luego Teagarten, con una tarjeta de visita de Bourne, cuando sabemos muy bien que se trata de una trampa del Chacal. Pero no hay ninguna lógica que relacione a Carlos con Teagarten y por extensión con Medusa. Nada tiene sentido, Peter. Hemos perdido el hilo… ¡todo se nos ha ido de la mano!

—Cálmate —aconsejó Holland con suavidad.

—¿Cómo diablos podría? Bourne ha desaparecido, si es que no ha muerto. De Marie no hay rastro, no sabemos ni una palabra de ella. Y luego nos enteramos de que hace unas pocas horas Bernardine ha sido asesinado en un tiroteo en la Rivoli. ¡Por Dios, le dispararon a plena luz del día! Eso significa que Jason estaba allí… ¡tenía que estar allí!

—Pero como ninguno de los muertos o heridos coincide con su descripción, podemos suponer que ha logrado escapar, ¿verdad?

—Podemos esperar eso, sí.

—Has pedido una pista —dijo el director—. No estoy seguro de poder proporcionártela, pero puedo darte algo parecido.

—¿Nueva York? —Conklin se enderezó en el sillón—. ¿El contestador automático? ¿Ese rufián de De Fazio en la zona alta de Brooklyn?

—Ya llegaremos a Nueva York y a todo eso. De momento quiero que nos concentremos en esa pista tuya, en el hilo que has mencionado.

—No soy el niño más tonto del barrio, pero ¿dónde está?

Holland se retrepó en la silla, mirando primero los documentos sobre el escritorio y luego a Alex.

—Hace setenta y dos horas, cuando decidiste confesármelo todo, dijiste que la estrategia de Bourne se basaba en lograr la alianza entre el Chacal y este Medusa de nuestros días, sirviendo él mismo como blanco para los dos. ¿No era ésta la premisa básica? Los dos bandos quieren verlo muerto. Carlos tiene dos motivos, venganza y la seguridad de que Bourne puede identificarlo; los hombres de Medusa una razón: ha averiguado demasiado sobre ellos.

—Ésta era la premisa, sí —admitió Conklin mientras asentía con la cabeza—. Por eso realicé esas llamadas por teléfono, aunque nunca esperé encontrar lo que hallé. Dios, una organización internacional nacida en Saigón hace veinte años, integrada por algunos de los personajes más importantes dentro y fuera del gobierno, además de las fuerzas armadas. Yo no buscaba este resultado. Supuse que descubriría diez o doce millonarios cuyas cuentas bancarias no saldrían airosas de una investigación, pero no esto, no este Medusa.

—Para decirlo en pocas palabras —continuó Holland con el ceño fruncido, bajando la vista un momento hacia los documentos que tenía delante—, en cuanto se hubiese establecido la conexión entre Medusa y Carlos, éste recibiría la información de que Medusa deseaba eliminar a un hombre a cualquier precio.

—Lo principal aquí era la importancia y el nivel social de los sujetos que se ponían en contacto con Carlos —le explicó Conklin—. Debían de pertenecer a la clase de clientes que el Chacal nunca ha logrado tener.

—Entonces se revelaría el nombre de la víctima, digamos un tal «John Smith», conocido años atrás como Jason Bourne, y el Chacal no podría negarse. Bourne, el hombre a quien más odia.

—Sí. Por eso la relación entre Medusa y Carlos debía ser tan sólida. Carlos tenía que aceptarlos y descartar cualquier posibilidad de que se tratase de una trampa.

—Porque Jason Bourne proviene del Medusa de Saigón —continuó el director de la CIA—, y Carlos lo sabe. Pero Bourne nunca tuvo ninguna participación en sus botines de posguerra. Eso es el trasfondo del asunto, ¿verdad?

—La lógica no podría ser más lineal. Durante tres años lo utilizaron y casi pierde la vida en una operación clandestina. Al parecer, después descubrió que varios de sus compañeros conducían Jaguar, navegaban en yate y percibían sumas de seis cifras mientras él vivía de una pensión estatal. Eso acabaría con la paciencia de Juan el Bautista, por no decir nada de Barrabás.

—Es una partitura magnífica —comentó Holland, esbozando una leve sonrisa—. Casi oigo cómo los tenores se elevan triunfantes y los bajos se escabullen por el escenario en una maquiavélica derrota. ¡No me mires así, Alex, hablo en serio! Es verdaderamente ingenioso. Resulta tan inevitable que se ha convertido en una profecía.

—¿De qué diablos estás hablando?

—Bourne tenía razón desde el principio. Todo ocurrió tal como lo había previsto, pero hubo algo que ni siquiera alcanzó a imaginar. Porque era inevitable, en alguna parte debía haber una polinización cruzada.

—Por favor, baja de Marte y explícale eso a un habitante de la Tierra, Peter.

—¡Medusa está utilizando al Chacal! Ahora. El asesinato de Teagarten lo demuestra, a menos que estés dispuesto a aceptar que ha sido obra de Bourne.

—Por supuesto que no.

—Entonces alguien de Medusa que ya tenía noticias de Jason Bourne debió mencionar el nombre de Carlos. No pudo ser de otro modo. Tú no mencionaste ninguno de los dos a Armbruster, a Swayne o a Atkinson en Londres, ¿verdad?

—Por supuesto que no. Aún no era el momento, no estábamos listos para apretar los gatillos.

—¿Quién queda? —preguntó Holland.

Alex miró al director.

—Buen Dios —exclamó con suavidad—. ¿De Sole?

—Sí, De Sole, el especialista tan mal pagado que se quejaba constantemente de que nadie podía educar a sus hijos y nietos con un salario del gobierno. Estuvo presente en todas nuestras conversaciones, comenzando por tu ataque hacia nosotros en la sala de conferencias.

—Es verdad, pero en esa ocasión nos limitamos a Bourne y al Chacal. Nadie mencionó a Armbruster, a Swayne, a Teagarten o a Atkinson; todavía no había aparecido en escena el nuevo Medusa. Diablos, Peter, ni siquiera tú lo sabías hasta hace setenta y dos horas.

—Sí, pero De Sole estaba al corriente porque se había vendido; formaba parte del complot. Debía de estar sobre alerta: «Cuidado. Nos han descubierto. Un maniático amenaza con ponernos en evidencia.» Tú mismo me has dicho que se había desatado el pánico desde la Comisión de Comercio hasta el Departamento de Compras del Pentágono y la embajada de Londres.

—Es cierto —reconoció Conklin—. Tanto, que dos de ellos tuvieron que ser eliminados junto con Teagarten y nuestro descontento De Sole. Los superiores de Dama Serpiente decidieron rápidamente quiénes eran sus miembros vulnerables. ¿Pero dónde encajan Carlos o Bourne? No existen ninguna relación.

—Habíamos acordado que sí.

—¿De Sole? —Conklin sacudió la cabeza—. Es una idea atrayente, pero no me convence. No podía sospechar que sabíamos lo de Medusa porque ni siquiera habíamos comenzado con ello.

—Pero cuando lo hicisteis los hechos debieron de inquietarlo, porque, aunque se trataba de puntos separados, una crisis se precipitaba demasiado pronto tras la otra. En cuestión de horas.

—Menos de veinticuatro. Sin embargo, eran puntos separados.

—No para un analista de analistas —replicó Holland—. Si parece un pato y actúa como un pato, debes buscar a un pato. Creo que en algún momento, De Sole encontró la relación entre Jason Bourne y el demente que se había infiltrado en Medusa, el nuevo Medusa.

—Por amor de Dios, ¿cómo?

—No lo sé. Tal vez porque tú nos dijiste que Bourne había salido del viejo Medusa de Saigón. Ése es un buen punto de partida.

—Dios mío, tal vez tengas razón —dijo Alex, apoyándose en el respaldo del sillón—. Hemos sugerido que este demente anónimo estaba resentido porque lo habían dejado fuera del nuevo Medusa. Yo mismo lo mencioné en todas las llamadas: «Ha pasado años reuniendo los datos... Tiene nombres, grados y bancos en Zurich.» ¡Señor, estaba ciego! Les dije esas cosas a unos extraños por teléfono y ni siquiera se me ocurrió que había mencionado los orígenes de Bourne en Medusa ante De Sole.

—¿Por qué iba a pensar en ello? Tú y tu hombre decidisteis jugar por vuestra propia cuenta.

—Tenía razones de peso —replicó Conklin—. Por lo que yo sabía, tú pertenecías a Medusa.

—Muchas gracias.

—Vamos, no me vengas con eso. «Tenemos a un hombre muy vinculado con las altas esferas en Langley.» Éstas fueron las palabras que me dijeron desde Londres. ¿Qué hubieses pensado tú? ¿Qué hubieses hecho?

—Exactamente lo mismo que tú —respondió Holland con una sonrisa tensa en los labios—. Pero se supone que Alex Conklin es tanto más hábil e inteligente que yo.

—Muy amable.

—No te culpes, hiciste lo que cualquiera de nosotros hubiese hecho en tu lugar.

—Eso sí te lo agradezco. Y por supuesto, tienes razón. Ha tenido que ser De Sole; ignoro cómo, pero debió de ser él. Probablemente utilizó años de información almacenada, nunca olvidaba nada. Su cerebro era una esponja que lo absorvía todo y jamás permitía que se le escapase un dato. Podía recordar palabras, frases, incluso gestos de aprobación o desaprobación que los demás olvidábamos. Y yo le brindé toda la historia de Bourne y el Chacal para que luego la utilizara alguien de Medusa en Bruselas.

—Hicieron más que eso, Alex —dijo Holland mientras cogía varios documentos de su escritorio—. Se apropiaron de tu estrategia. Utilizaron la rivalidad entre Jason y el Chacal, pero el control está en manos de Medusa y no en las tuyas. Al igual que trece años atrás, Bourne está de nuevo en Europa, quizá con su esposa o quizá no, pero la diferencia consiste en que, además de Carlos, la Interpol y todas las autoridades policiales del continente, lleva otra amenaza mortal sobre sus espaldas.

—Eso es lo que afirman tus documentos, ¿verdad? ¿La información de Nueva York?

—No puedo garantizarlo, pero creo que sí. Es la polinización cruzada de la que hablaba, la abeja que viaja de una flor podrida a la otra transportando veneno.

—Explícate, por favor.

—Nicolo Dellacroce y sus superiores.

—¿La mafia?

—Es coherente, aunque no sea socialmente aceptable. Medusa salió del cuerpo de oficiales de Saigón y todavía delega su trabajo sucio a los soldados hambrientos y a los suboficiales corruptos. Investiga a los hombres como Nicky D. y el sargento Flannagan. Cuando se trata de asesinar, secuestrar o utilizar drogas con los prisioneros, los muchachos de camisa almidonada permanecen en la oscuridad; resulta imposible encontrarlos.

—Pero al parecer, tú los has encontrado —dijo Conklin con impaciencia.

—Eso pensamos, y al hablar en plural me refiero a una discreta consulta con nuestra gente en la división contra el crimen en Nueva York, en especial una unidad llamada Pelotón S.I.

—Nunca he oído hablar de ella.

—En su mayoría son italianos norteamericanos, se hacen llamar los Sicilianos Intocables.

—Muy apropiado.

—Según los archivos de la Reco-Metropolitan…

—¿La qué?

—La compañía que instaló el contestador automático en la calle Ciento treinta y ocho de Manhattan.

—Perdón. Continúa.

—Según los archivos, la máquina se alquiló a una pequeña firma importadora de la avenida Once, a varias manzanas de los muelles. Hace una hora recibimos los registros telefónicos de los dos útimos meses. ¿Adivinas qué encontramos?

—Preferiría que me lo dijeras —replicó Alex con énfasis.

—Nueve llamadas a un número razonablemente aceptable de la zona alta de Brooklyn, y tres en el espacio de una hora a un teléfono muy improbable de Wall Street.

—Alguien estaba nervioso…

—Eso pensamos, en este caso el plural se refiere a nuestra propia unidad. Pedimos a los sicilianos todos sus datos sobre la zona alta de Brooklyn.

—¿De Fazio?

—Digámoslo así. Él vive allí, pero el teléfono figura a nombre de la compañía Distribuidores Automáticos Atlas, ciudad de Long Island.

—Tiene sentido. Es una estupidez, pero tiene sentido. ¿Qué hay de De Fazio?

—Es un *capo* de poca monta, pero ambicioso, que pertenece a la familia Giancavallo. Es muy tacaño, muy clandestino, muy perverso… y muy homosexual.

—¡Dios bendito…!

—Los Intocables nos hicieron jurar que guardaríamos el secreto. Se proponen hacerlo saltar por su cuenta.

—Tonterías —replicó Conklin con suavidad—. Una de las primeras cosas que aprendemos en este negocio es a mentir, en especial a cualquiera que sea lo bastante idiota como para confiar en nosotros. Lo utilizaremos en cualquier momento que nos resulte conveniente. ¿Cuál es el otro número de teléfono, el improbable?

—Pertenece a la firma legal más poderosa de Wall Street.

—Medusa —concluyó Alex con firmeza.

—Lo mismo opino. Tienen setenta y seis abogados en los pisos del edificio. ¿Cuál de ellos será; o cuáles, si hay más de uno?

—¡Me importa una mierda! Iremos tras de De Fazio y de cualquiera que él haya enviado a París. A Europa para alimentar al Chacal. Son las armas que apuntan hacia Jason y todo lo demás carece de importancia. Pónganse a trabajar en De Fazio. ¡Él es quien está bajo contrato!

Peter Holland se retrepó en el asiento con expresión tensa.

—Teníamos que llegar a esto, ¿verdad Alex? —preguntó con suavidad—. Ambos tenemos nuestras prioridades... Yo haría cualquier cosa que estuviese en mis manos para salvar las vidas de Jason Bourne y su esposa, pero no violaré mi juramento de defender ante todo a este país. No podría hacerlo y sospecho que tú lo sabes. Mi prioridad es Medusa, según tus propias palabras una organización internacional que pretende convertirse en un gobierno dentro de nuestro gobierno. Debo ir tras ellos. Primero y antes que nada, sin preocuparme por las víctimas. Para decirlo en pocas palabras, amigo mío, y espero que de verdad lo seas, los Bourne o como quiera que se llamen son prescindibles. Lo siento, Alex.

—Éste es el verdadero motivo de haberme llamado esta mañana, ¿verdad? —dijo Conklin mientras plantaba su bastón en el suelo y se levantaba con torpeza.

—Sí.

—Tiene su propio plan contra Medusa... y nosotros no podemos formar parte de él.

—No, no podéis. Esencialmente es un conflicto de intereses.

—Eso te lo admito. No dudaríamos en causarle grandes problemas si eso ayudara en algo a Jason y a Marie. Naturalmente, mi opinión tanto personal como profesional es que si todo el maldito gobierno de Estados Unidos no puede arrancar una Medusa sin sacrificar a un hombre y una mujer que han entregado tanto, ¡no estoy seguro de que valga una mierda!

—Yo tampoco —suspiró Holland al tiempo que se levantaba detrás del escritorio—. Pero juro que lo intentaré, sin olvidar las prioridades que ya he mencionado antes.

—¿Me brindarán alguna ayuda?

—Cualquier cosa que esté en mis manos y que no comprometa nuestra investigación sobre Medusa.

—¿Qué le parecen dos asientos en un avión militar a París, con autorización de la Agencia?

—¿Dos asientos?

—Panov y yo. Fuimos juntos a Hong Kong, ¿por qué no a París?

—¡Alex, estás loco de atar!

—Creo que no comprendes, Peter. La esposa de Mo murió diez años después de su matrimonio y yo nunca tuve el coraje de embarcarme en una boda. Como verás, Jason Bourne y Marie son la única familia que tenemos. Ella prepara un pastel de carne excepcional, te lo aseguro.

—Dos billetes a París —concedió Holland con el rostro ceniciento.

## 29

Marie observó a su marido mientras éste caminaba de un lado a otro con movimientos pausados y enérgicos. Sin detenerse, recorría el trayecto entre el escritorio y las dos ventanas que daban al jardín del Auberge des Artistes, en Barbizon. El hotel era el que Marie recordaba, pero no formaba parte de la memoria de David Webb; y cuando él lo había comentado, su mujer cerró los ojos unos momentos, recordando otra voz del pasado.

«Por encima de todo, debe evitar las tensiones extremas, la clase de opresión producida por circunstancias que amenazan la vida. Si ves que regresa a ese estado mental, y lo reconocerás cuando lo veas, debes detenerlo. Sedúcelo, abofetéalo, llora, enfurécete, cualquier cosa, pero deténlo.»

Morris Panov, su querido amigo, el médico y la fuerza motriz que había impulsado la terapia de su esposo.

Marie había intentado la seducción pocos minutos después de que estuvieran a solas. Había sido un error, incluso un poco absurdo e incómodo para ambos. Ninguno de los dos se sentía ni remotamente excitado. Sin embargo la situación no había sido embarazosa, permanecieron abrazados en la cama; ambos comprendían la situación.

—Somos un par de ases del sexo, ¿verdad? —había dicho Marie.

—Lo hemos sido —respondió David Webb con suavidad—. Y no dudo de que volvamos a serlo. —Entonces Jason Bourne se apartó de ella y se levantó—. Debo redactar una lista —dijo con apremio mientras se dirigía hacia la típica mesa rústica que hacía las veces de escritorio—. Debemos saber dónde estamos y hacia dónde nos dirigimos.

—Y yo tengo que llamar a Johnny a la isla —añadió Marie mientras se levantaba y se alisaba la falda—. Después llamaré a Jamie. Lo tranquilizaré y le diré que volveremos pronto. —Marie se dirigió a la mesa donde descansaba el teléfono, pero Jason (el marido que no era su marido) le cerró el paso.

—No —se opuso Bourne con suavidad, sacudiendo la cabeza.

—No me digas eso —protestó ella con los ojos brillantes de ira.

—Lo ocurrido en el Rivoli tres horas atrás lo ha cambiado todo. Ahora nada es igual. ¿No lo comprendes?

—Sólo veo que mis hijos están a varios miles de kilómetros de mí y me propongo hablar con ellos. ¿Es que tú no lo comprendes?

—Claro que sí, pero no puedo permitirlo —respondió Jason.

—¡Maldita sea, señor Bourne!

—¿Quieres escucharme? Hablarás con Johnny y con Jamie, los dos lo haremos, pero no desde aquí ni mientras permanezcan en la isla.

—¿Qué...?

—Dentro de unos momentos llamaré a Alex y le pediré que los saque a todos de allí, incluyendo a la señora Cooper, por supuesto.

Marie había mirado a su esposo y de pronto comprendió.

—¡Oh, Dios mío, Carlos!

—Sí. Ahora sólo le queda un sitio hacia donde apuntar: el Sosiego. Y si aún no lo sabe, pronto averiguará que Jamie y Alison están con Johnny. Confío en tu hermano y en sus guardias nativos, pero aun así los quiero fuera de allí antes de que anochezca en las islas. Tampoco sé si Carlos tiene contactos que le permitan rastrear una llamada entre este lugar y el Sosiego, pero sé que no podrá hacerlo con el teléfono de Alex. Por eso no puedes llamar ahora.

—¡Entonces, por amor de Dios, llama a Alex! ¿Qué diablos estás esperando?

—No estoy seguro. —Por un momento una expresión aterrada brilló en los ojos de su esposo; era la mirada de David Webb, no la de Jason Bourne—. Tengo que decidir adónde envío a los niños.

—Alex lo sabrá, *Jason* —apuntó Marie, mirándolo a los ojos—. Ahora.

—Sí... sí, por supuesto. Ahora. —La expresión ausente y vacía desapareció y Bourne levantó el receptor.

Alexander Conklin no estaba en Vienna, Virginia. En su lugar, oyó la monótona voz grabada que tuvo el efecto de un trueno ensordecedor.

«—El número al que ha llamado ha quedado fuera de servicio.»

Bourne había vuelto a marcar dos veces más, aferrándose a la desesperada esperanza de que la compañía telefónica francesa hubiese cometido algún error. Entonces había caído el rayo fulminante.

«—El número al que ha llamado ha quedado fuera de servicio.» Por tercera vez.

Jason había comenzado a deambular por la habitación, de la mesa a las ventanas y nuevamente a la mesa. De vez en cuando, su mirada nerviosa se dirigía hacia el exterior para, segundos después, escrutar una creciente lista de nombres y lugares. Marie sugirió que almorzaran, pero Jason no oyó sus palabras y ella permaneció observándolo en silencio desde el otro extremo de la habitación.

Los movimientos rápidos y bruscos de su esposo se parecían a los de un gran felino inquieto: ágiles, ininterrumpidos y alerta ante lo inesperado. Eran los movimientos de Jason Bourne y del Delta de Medusa, no los de David Webb. Marie recordó los informes médicos recopilados por Mo Panov al principio de la terapia de David. Muchos estaban repletos de descripciones completamente divergentes de personas que aseguraban haber visto al Camaleón, pero entre los más veraces se hallaba una referencia común a los movimientos felinos del «asesino». Por entonces, Panov buscaba indicios sobre la identidad de Jason Bourne, ya que hasta el momento sólo tenían un nombre de pila e imágenes fragmentadas de una muerte dolorosa en Camboya. Mo solía preguntarse si tras la agilidad física de su paciente se escondía algo más que una simple complexión atlética; curiosamente, no lo había.

Mientras recordaba, Marie se sintió a la vez fascinada y repelida por las sutiles diferencias físicas entre las dos personalidades que habitaban en su marido. Ambos eran fuertes y elegantes, capaces de desarrollar trabajos difíciles y que exigían una gran coordinación física; pero mientras que la fuerza y la agilidad de David procedían de un deseo natural por lograr la perfección, Jason estaba invadido por la malevolencia y sus logros no le producían ningún placer, ya que la hostilidad era su único propósito. Cuando Marie mencionó esta observación a Panov, la respuesta había sido concisa.

—David no podría matar. Bourne, sí; ha sido entrenado para ello.

Sin embargo, Mo se había mostrado complacido de que ella hubiese detectado las diferentes «manifestaciones físicas», como había denominado su observación.

—Será otra señal para ti. Cuando veas a Bourne, trae de regreso a David lo más rápido que puedas. Si no lo logras, llámame.

Ahora no podía traer de regreso a David, pensó. Por el bien de los niños, de ella misma y de David, no se atrevía a intentarlo.

—Saldré un rato —anunció Jason junto a la ventana.

—¡No puedes! —exclamó Marie—. Por amor de Dios, no me dejes sola.

Bourne frunció el ceño y bajó la voz, debatiéndose interiormente en un conflicto indefinido.

—Sólo conduciré hasta la carretera para buscar un teléfono, eso es todo.

—Llévame contigo. Por favor. Ya no puedo permanecer por más tiempo sola.

—Está bien... En realidad, necesitaremos varias cosas. Compraremos ropa, cepillos de dientes, una navaja de afeitar y lo que se nos ocurra entre tanto.

—Quieres decir que no podremos volver a París.

—Es probable que lo hagamos, pero no a nuestros hoteles. ¿Tienes el pasaporte?

—Pasaporte, dinero, tarjetas de crédito, todo. Estaban en el bolso que no sabía que tenía hasta que tú me lo diste en el coche.

—No me pareció buena idea dejarlo en el Meurice. Vamos. Lo primero es encontrar un teléfono.

—¿A quién llamarás?

—A Alex.

—Acabas de intentarlo.

—En su apartamento; ha debido de abandonar su refugio de Virginia. Me pondré en contacto con Mo Panov. Vamos.

Volvieron a viajar hacia el sur hasta la pequeña ciudad de Corbeil-Essones, donde se alzaba un centro comercial relativamente nuevo a algunos kilómetros de la autopista. El concurrido complejo formaba una mancha en la campiña francesa, pero los fugitivos se alegraron de verlo. Jason aparcó el coche y como cualquier pareja que hubiese salido de compras, recorrieron la galería central buscando frenéticamente un teléfono público.

—¡No había ninguno en la autopista! —exclamó Bourne con los dientes apretados—. ¿Qué suponen que debe hacer una persona si sufre un accidente o tiene un pinchazo?

—Esperar a la policía —respondió Marie—. Además, sí que había un teléfono, sólo que estaba roto. Tal vez por eso no hay más... Allí veo uno.

Jason volvió a pasar por el irritante proceso de pedir una llamada al extranjero, con operadoras locales a quienes les resultaba fastidioso comunicarse con la rama internacional del sistema. Entonces el trueno regresó, distante pero implacable.

«—Aquí Alex —dijo la voz grabada en la línea—. Estaré fuera durante un tiempo, visitando un lugar donde se ha cometido un error lapidario. Llámeme dentro de cinco o seis horas. Ahora son las nueve y media de la mañana, hora oficial del este. Fuera, Juneau.»

Aturdido, Bourne colgó el teléfono y miró a Marie.

—Ha ocurrido algo y debo encontrarle el sentido. Sus últimas palabras han sido: «Fuera, Juneau.»

—¿Juneau? —Marie entornó los ojos un momento y luego volvió a abrirlos—. Alfa, Bravo, Charlie —comenzó con suavidad—. ¿El alfabeto militar? —Entonces continuó rápidamente—. Foxtrot, Gato... India, ¡*Juneau*! ¡Juneau es por la J y la J es por Jason...! ¿Qué decía el resto?

—Ha ido a visitar no sé que sitio...

—Ven, caminemos —lo interrumpió ella cuando descubrió los rostros curiosos de dos hombres que esperaban para llamar; lo tomó del brazo y lo alejó de allí—. ¿No podía ser más claro? —preguntó mientras se mezclaban con el gentío.

—Era una grabación... «donde se ha cometido un error lapidario».

—¿Qué?

—Decía que lo llamasen al cabo de cinco o seis horas, que estaba visitando un lugar donde se había cometido un error lapidario, ¿lapidario? ¡Dios mío, es Rambouillet!

—¿El cementerio?

—Donde trató de matarme hace trece años. ¡Eso es! ¡Rambouillet!

—No puede llegar en cinco o seis horas —objetó Marie—. No importa cuándo haya dejado el mensaje, no puede volar a París y luego conducir hasta Rambouillet en cinco horas. En ese momento estaba en Washington.

—Por supuesto que puede, los dos lo hemos hecho antes. Un avión del ejército que despega de la base Andrews en misión diplomática hacia París. Peter Holland lo ha dejado fuera, pero antes le ha hecho un regalo de despedida. Un premio por haberle entregado a Medusa. —De pronto Bourne consultó el reloj—. En las islas aún no son más de las doce. Busquemos otro teléfono.

—¿Johnny? ¿El Sosiego? ¿De verdad piensas...?

—¡No puedo dejar de pensar! —la interrumpió Jason mientras avanzaba rápidamente arrastrándola por la mano—. *Glace* —dijo de pronto mientras miraba a la derecha.

—¿Helado?

—Dentro hay un teléfono —respondió él mientras se acercaba a los grandes escaparates de una *pâtisserie*—. Cómprame uno de vainilla —pidió al entrar con ella en el concurrido local.

—¿Vainilla y qué?

—Lo que sea.

—No podrás oír...

—Él me oirá a mí, con eso basta. No es necesario que te des prisa. —Bourne se dirigió hacia el teléfono y de inmediato comprendió por qué nadie lo utilizaba: el ruido del lugar era casi insoportable—. *Mademoiselle, s'il vous plaît, ¡c'est urgent!* —Tres minutos después, mientras se apretaba el oído izquierdo con el dedo, Jason tuvo el inesperado placer de oír la voz del empleado más irritante del Sosiego.

—Aquí Pritchard, adjunto a gerencia de la posada del Sosiego. Desde la centralita me informan que tiene una emergencia, señor. ¿Puedo preguntarle la naturaleza de su...?

—¡Cállese! —gritó Jason desde la cacofónica tienda de helados en Corbeil-Essonnes, Francia—. Quiero hablar con St. Jay, ahora mismo. Soy su cuñado.

—¡Oh, qué placer oírlo, señor! Han ocurrido muchas cosas desde su partida. Sus adorables hijos se alojan con nosotros y ese muchachito suyo juega conmigo en la playa; todo está...

—Con el señor St. Jacques, por favor. ¡Ahora!

—Por supuesto, señor. Está arriba...

—¿Johnny?

—David, ¿dónde estás?

—Eso no importa. Sal de ahí. ¡Llévate a los niños y a la señora Cooper y marchaos!

—Ya lo sabemos todo, Dave...

—¿Quién?

—Dave. Tú.

—Sí... sí, por supuesto. ¿Qué sabes?

—Hace unas horas llamó Alex Conklin y me dijo que alguien llamado Holland se pondría en contacto con nosotros. Tengo entendido que es el jefe de tu servicio de inteligencia.

—Sí. ¿Y lo hizo?

—Unos veinte minutos después de que Alex lo hiciera. Dijo que un helicóptero vendría a buscarnos a eso de las dos de la tarde. Debía conseguir la autorización para que una nave militar aterrizara. Ya había pensado en la señora Cooper, yo no sé una palabra de cambiar pañales. David, ¿qué diablos está ocurriendo? ¿Dónde está Marie?

—Está bien; luego te lo explicaré todo. Obedece a Holland. ¿Mencionó adónde os llevaría?

—No quería hacerlo. Pero ningún maldito norteamericano nos dará órdenes a mí y a tus hijos, los hijos de mi hermana canadiense. Se lo he dicho con toda claridad.

—Muy bien, Johnny. Hazte amigo del director de la CIA.

—Me importa una mierda quién sea. ¡Esto también se lo dije!

—Aún mejor. ¿Y qué te respondió?

—Dijo que iríamos a una casa muy segura en Virginia. Yo le expliqué que la mía era lo bastante segura, que teníamos restaurante, servicio de habitaciones, playa y diez guardias capaces de volarle las pelotas a doscientos metros de distancia.

—Qué delicadeza en la expresión. ¿Y qué respondió a eso?

—En realidad se rió. Luego me explicó que en su refugio había veinte guardias que podían volarme las pelotas a cuatrocientos metros, además de una cocina, servicio de habitaciones y un televisor para los niños, con lo cual no puedo competir.

—Eso parece bastante persuasivo.

—Bueno, dijo algo que considero aún más persuasivo y que de verdad no puedo igualar. Me dijo que no había ningún acceso público al lugar, que era una vieja propiedad de Fairfax donada al gobierno por un embajador que tenía más dinero que Ottawa, con su propia pista de aterrizaje y un camino de entrada a seis kilómetros de la carretera.

—Conozco el sitio —dijo Bourne, esforzándose por oír en medio del bullicio de la *pâtisserie*—. Es la propiedad Tannenbaum. Y tiene razón; es el mejor de los refugios. Nos aprecia.

—Ya te lo he preguntado antes… ¿dónde está Marie?

—Conmigo.

—¡Te ha encontrado!

—Luego, Johnny. Te llamaré a Fairfax. —Jason colgó el teléfono mientras su esposa se abría paso entre la muchedumbre y le entregaba una taza de plástico rosa con una cucharilla azul clavada en una crema oscura.

—¿Y los niños? —preguntó con los ojos brillantes, alzando la voz sobre el tumulto.

—Todo está bien, mejor de lo que cabía esperar. Alex ha llegado a la misma conclusión que yo respecto al Chacal. Peter Holland los llevará a todos a un refugio en Virginia, incluyendo a la señora Cooper.

—¡Gracias a Dios!

—Gracias a Alex. —Bourne miró la taza de plástico rosa con la cucharilla azul—. ¿Qué diablos es esto? ¿No tenían vainilla?

—Es un helado de frutas cubierto con chocolate caliente. Era del hombre que estaba a mi lado, pero él sólo gritaba a su mujer, así que lo tomé.

—No me gusta el chocolate caliente.

—Entonces puedes gritar a tu esposa. Vamos, debemos comprar algo de ropa.


Poco después del mediodía, el sol caribeño ardía sobre la posada del Sosiego mientras John St. Jacques bajaba al vestíbulo con un bolso LeSport en la mano derecha. Saludó con un movimiento de cabeza al señor Pritchard, con quien había hablado por teléfono unos momentos atrás para explicarle que estaría fuera varios días y contactaría con él cuando llegase a Toronto. El resto del personal había sido informado de su repentina partida, ya que él confiaba plenamente en el gerente ejecutivo y en su valioso ayudante, el señor Pritchard. Estando ellos al frente de todo no creía que se presentase ningún problema. La posada del Sosiego debía mantenerse cerrada. Sin embargo, en el caso de que surgiese alguna dificultad, debían ponerse en contacto con sir Henry Sykes en la residencia del gobernador.

—¡No habrá ningún problema estando yo al frente! —había respondido Pritchard—. El personal de reparaciones y mantenimiento trabajará como siempre en su ausencia.

St. Jacques abandonó el edificio circular e ingresó en la primera villa de la derecha, que se encontraba más cerca de la escalera que conducía al muelle y a las dos playas. En el interior, la señora Cooper y los niños esperaban la llegada del helicóptero de largo recorrido perteneciente a la Marina de Estados Unidos. Éste los conduciría hasta Puerto Rico, donde tomarían un avión militar con rumbo a la base Andrews de la fuerza aérea en las afueras de Washington.

A través de los enormes ventanales, el señor Pritchard observó cómo su jefe desaparecía en el interior de la Villa Uno. Al mismo tiempo, oyó las hélices de un enorme helicóptero que se acercaba a la posada.

En cuestión de minutos sobrevolaría el muelle y descendería para recoger a sus pasajeros. Al parecer, éstos también habían oído el aparato, pensó el señor Pritchard cuando vio salir a St. Jacques sujetando la mano de su pequeño sobrino. Detrás de él apareció la arrogante señora Cooper con una criatura en brazos, seguida por los dos guardias favoritos que llevaban el equipaje. Pritchard descolgó el teléfono que no estaba conectado con la centralita y marcó.

—Aquí la oficina del director adjunto de Inmigración, él mismo al aparato.

—Querido tío…

—¿Eres tú? —preguntó el oficial del aeropuerto Blackburne, bajando la voz abruptamente—. ¿Qué has averiguado?

—Algo muy importante, te lo aseguro. ¡Lo he oído todo por teléfono!

—Ambos seremos generosamente recompensados por las más altas autoridades. Es posible que se trate de terroristas, ¿sabes?, y que St. Jacques en persona sea el líder. Se dice que incluso pueden engañar a Washington. ¿Qué información puedo brindarles, mi brillante sobrino?

—Los llevarán a un «refugio» en Virginia. Se lo conoce como propiedad Tannenbaum y posee su propio aeropuerto, ¿puedes creer algo así?

—Puedo creer cualquier cosa en lo que se refiere a estos animales.

—Asegúrate de incluir mi nombre y mi posición, querido tío.

—¿Haría yo lo contrario, podría hacer lo contrario? ¡Seremos los héroes de Montserrat...! Pero recuerda, mi inteligente sobrino, todo debe permanecer en el más estricto secreto. Ambos hemos jurado guardar silencio, no lo olvides. ¡Sólo piensa! Nos han escogido para servir a una gran organización internacional. Los líderes del mundo conocerán nuestra contribución.

—El corazón me rebosa de orgullo. ¿Puedo saber cómo se llama esta augusta organización?

—¡Shhh! No tiene nombre, eso forma parte del secreto. El dinero ha sido transferido por medio de un ordenador bancario directamente desde Suiza; ésa es la prueba.

—Un encargo sagrado —concluyó el señor Pritchard.

—Y muy bien pagado, mi honrado sobrino, además sólo se trata del comienzo. Yo mismo estoy controlando todos los aviones que aterrizan aquí y envío las listas de pasajeros a Martinica, ¡nada menos que a un famoso cirujano! Claro que de momento todos los vuelos están retenidos, órdenes de la residencia del gobernador.

—¿Y el helicóptero militar norteamericano? —preguntó el admirado Pritchard.

—¡Shhh! Eso también es un secreto, todo es un secreto.

—Entonces se trata de un secreto que muchos conocen, mi querido tío. Ahora mismo hay personas observándolo en la playa.

—¿Qué?

—Está aquí. En este mismo momento el señor St. Jay y los niños están subiendo. También esa desagradable señor Cooper...

—Debo llamar a París de inmediato —le interrumpió el oficial de Inmigración al tiempo que cortaba la comunicación—. ¿París? —repitió el señor Pritchard—. Qué inspirador. ¡Qué privilegiados somos!


—No se lo he contado todo —anunció Peter Holland con suavidad, sacudiendo la cabeza mientras hablaba—. Quise hacerlo, lo intenté, pero había algo en sus ojos, en sus propias palabras en realidad. Dijo que no dudaría en causarnos grandes problemas si con ello ayudara a Bourne y a su esposa.

—No lo dudo. —Charles Casset asintió con un gesto y se sentó frente al escritorio del director, con un viejo registro de ordenador en la mano—. Cuando lea esto lo comprenderá. Es verdad que hace años Alex trató de matar a Bourne en París... Era su mejor amigo e intentó volarle la cabeza por razones equivocadas.

—Ahora Conklin se encuentra camino de París. Él y Morris Panov.

—Eso es responsabilidad suya, Peter. Yo no lo hubiese hecho, no sin condiciones.

—No pude negarme.

—Por supuesto que podía. No quiso hacerlo.

—Se lo debíamos. Él nos ha traído a Medusa; y de ahora en adelante, Charlie, eso es lo único que nos importa.

—Comprendo, director Holland —dijo Casset con frialdad—. Supongo que debido a ciertas complicaciones con el extranjero, se está introduciendo torpemente en una conspiración intestina que debería ser probada de forma incontestable antes de alertar a los guardianes de la armonía interna, a saber, el FBI.

—¿Me está amenazando, maldito?

—Desde luego, Peter. —Casset reemplazó la expresión fría por una sonrisa tranquila y débil—. Está quebrantando la ley, señor director, y eso es algo lamentable, querido muchacho, como hubiesen dicho mis predecesores.

—¿Qué diablos quiere de mí? —exclamó Holland.

—Que apoye a uno de los nuestros, a uno de los mejores que jamás hemos tenido. No sólo quiero que lo haga, insisto en ello.

—Si cree que voy a dárselo todo, incluyendo el nombre de la firma legal de Medusa en Wall Street, es que está loco. ¡Es nuestra piedra angular!

—Por amor de Dios, regrese a la marina, almirante —espetó el director adjunto, recuperando la frialdad en la voz—. Si cree que estoy sugiriendo eso, no ha aprendido gran cosa sentado en esa silla.

—Vamos, sabelotodo, eso se parece mucho a la insubordinación.

—Por supuesto que sí, porque soy un insubordinado; pero no estamos en la marina. No puede pasarme por la quilla ni colgarme del palo mayor ni quitarme mi ración de ron. Sólo podría despedirme y, si lo hace, mucha gente se preguntará por qué, lo cual no sería en absoluto conveniente para la Agencia. Pero eso no será necesario.

—¿De qué diablos está hablando, Charlie?

—Bueno, para comenzar no estoy hablando de esa firma legal en Nueva York porque tiene razón, es nuestra piedra angular, y Alex con su infinita imaginación la haría pedazos.

—Algo así pensaba…

—Entonces le repito, estaba usted en lo cierto. —Casset asintió con un gesto—. Por lo tanto, mantengamos a Alex lejos de nuestra piedra angular, lo más lejos posible de nosotros, pero entreguémosle nuestro pagaré. Algo tangible a lo que pueda aferrarse por conocer su valor.

Silencio. Entonces Holland habló:

—No entiendo ni una palabra de lo que dice.

—Lo haría si conociese mejor a Conklin. Él ya sabe que existe una relación entre Medusa y el Chacal. Usted mismo comentó que se trataba de una profecía.

—Dije que la estrategia era tan perfecta que resultaba inevitable. De Sole fue un catalizador imprevisto que precipitó los acontecimientos, él y lo que diablos haya ocurrido allá en Montserrat. ¿Qué es ese pagaré, ese algo de valor tangible?

—La condición, Peter. Con su información no puede permitir que Alex ande suelto por Europa, de la misma manera que no podría darle el nombre de esa firma legal de Nueva York. Necesitamos un contacto con él para estar al corriente de lo que se propone. Alguien como su amigo Bernardine, sólo que esta persona también debe ser amiga nuestra.

—¿Y dónde encontramos a una persona así?

—Yo tengo un candidato, y espero que no haya escuchas.

—Desde luego —dijo Holland con un dejo de ira—. Yo no creo en esa basura y esta oficina se registra cada mañana. ¿Quién es el candidato?

—Un hombre de la embajada soviética en París —respondió Casset con calma—. Creo que es el más indicado.

—¿Un De Sole?

—En absoluto. Es un oficial del KGB cuya principal prioridad nunca cambia. Encontrar a Carlos. Matar a Carlos. Proteger Nóvgorod.

—¿Nóvgorod? ¿El pueblo o ciudad norteamericanizada de Rusia, donde el Chacal comenzó su entrenamiento?

—Escapó de allí antes de que lo mataran por demente. Pero no sólo se trata de un pueblo norteamericano, ése es un error que cometemos con frecuencia. Hay sectores franceses, británicos, israelíes, holandeses, españoles, germano occidentales y Dios sabe cuántos más. Docenas de kilómetros cuadrados arrebatados al bosque a lo largo del río Vóljgov, salpicados de colonias, en cada una de las cuales, al entrar, uno podría jurar que se encuentra en otro país… suponiendo que pudiera entrar, lo cual resulta imposible. Al igual que las granjas de reproducción arias, las *Lebensborn* de la Alemania nazi, Nóvgorod es uno de los secretos más celosamente guardados de Moscú. Están tan interesados en el Chacal como Jason Bourne.

—¿Cree que este sujeto del KGB cooperará, que nos mantendrá informados acerca de Conklin si establecen contacto?

—Puedo intentarlo. Después de todo, tenemos un objetivo en común, y yo sé que Alex lo aceptará porque conoce el interés de los soviéticos por tener a Carlos en la lista de bajas.

Holland se inclinó hacia delante en su silla.

—Aseguré a Conklin que haría todo lo que pudiese para ayudarlo, siempre y cuando no comprometiese con ello nuestra investigación sobre Medusa. Aterrizará en París en menos de una hora. ¿Transmito instrucciones a nuestro servicio diplomático para que se ponga en contacto con usted?

—Dígale que llame a Charlie Bravo Más Uno —indicó Casset mientras se levantaba y dejaba el registro de ordenador sobre el escritorio—. No sé cuánto podré hacer en una hora, pero me pondré a trabajar. Tengo una vía segura para comunicarme con nuestro ruso gracias a una distinguida «consultora» de los nuestros en París.

—Déle una recompensa.

—Ya me la ha pedido; aunque sería más apropiado decir que me acosa con ello. Regenta el mejor servicio de acompañantes de la ciudad, las muchachas deben pasar por una revisión semanal.

—¿Por qué no las contratamos a todas? —preguntó el director con una sonrisa.

—Creo que siete de ellas ya figuran en la nómina —respondió el director adjunto con semblante serio en contraste con sus cejas arqueadas.


Con las piernas vacilantes, el doctor Morris Panov bajó la escalera metálica del avión con salvoconducto diplomático, ayudado por un corpulento cabo de la marina que llevaba su maleta y vestía un uniforme almidonado color caqui.

—¿Cómo consiguen conservar tan buen aspecto después de un viaje tan horrible como éste? —preguntó el psiquiatra.

—Ninguno de nosotros tendrá tan buen aspecto después de un par de horas sueltos por París, señor.

—Algunas cosas nunca cambian, cabo. Gracias a Dios... ¿Dónde está ese delincuente lisiado que venía conmigo?

—Ha ido a buscar un diplograma.

—¿Me lo podría repetir? Ha mencionado una cosa que me resulta incomprensible.

—No es tan difícil, doctor —rió el marino mientras conducía a Panov hacia un vehículo con su correspondiente conductor uniformado y una bandera norteamericana al costado—. Durante nuestro descenso, la torre se comunicó por radio con el piloto para informar que había un mensaje urgente para él.

—Supuse que había ido al lavabo.

—Creo que eso también, señor. —El cabo colocó la maleta en la rejilla trasera y ayudó a Mo a entrar en el vehículo—. Despacio, doctor, levante un poco más la pierna.

—Ése es el otro, no yo —protestó el psiquiatra—. Es a él a quien le falta un pie.

—Nos han dicho que ha estado enfermo, señor.

—No tenía nada en las piernas... Lo siento joven, ha sido sin ánimo de ofender. Es que no me gusta volar en pequeños artefactos, a cientos de kilómetros del suelo. No han salido demasiados astronautas de la avenida Tremont, en el Bronx.

—¡Estará bromeando, doctor!

—¿Qué?

—¡Yo vivo en la calle Garden, ya sabe, al otro lado del zoológico! Me llamo Fleishman, Morris Fleishman. Me alegra encontrar a un compatriota del Bronx.

—¿Morris? —dijo Panov estrechando su mano—. ¿Morris el Marino? Debería mantener una conversación con tus padres... Buena suerte, Mo. Y gracias por tu amabilidad.

—Que se mejore, doctor. Y cuando vuelva a ver la avenida Tremont, dele recuerdos de mi parte, ¿de acuerdo?

—Por supuesto, Morris —respondió el otro Morris, alzando la mano mientras el vehículo diplomático se ponía en marcha.

Cuatro minutos después, acompañado por el conductor, Panov entraba en el largo pasillo gris que constituía el acceso libre a Francia para funcionarios gubernamentales de naciones acreditadas por el Quai d'Orsay. Entraron en la gran sala de descanso donde había pequeños grupos de hombres y mujeres, conversando suavemente en diversos idiomas. Alarmado, Mo advirtió que Conklin no se encontraba a la vista; estaba a punto de volverse hacia su conductor-acompañante cuando una joven vestida con el uniforme neutral de las azafatas se acercó a él.

—¿*Docteur*? —le preguntó.

—Sí —respondió Mo, sorprendido—. Pero me temo que mi francés está bastante oxidado si todavía recuerdo algo.

—No hay problema, señor. Su compañero ha pedido que permanezca aquí hasta su regreso. Sólo serán unos pocos minutos... Por favor, siéntese. ¿Puedo traerle una copa?

—Whisky con hielo, si es tan amable —respondió Panov, mientras se sentaba en un sillón.

—Por supuesto, señor.

La azafata se retiró mientras el conductor dejaba la maleta de Mo junto al sillón.

—Debo regresar al vehículo —dijo el escolta diplomático—. Usted estará bien aquí.

—Me pregunto adónde habrá ido —murmuró Panov, consultando el reloj.

—Probablemente a buscar un teléfono al exterior, doctor. Vienen aquí, reciben sus mensajes y salen como posesos a buscar teléfonos públicos; no les gustan los que hay aquí. Los rusos siempre caminan más rápido, los árabes son los más lentos.

—Seguramente se debe a sus respectivos climas —comentó el psiquiatra con una sonrisa.

—No apueste su estetoscopio. —El conductor se echó a reír y alzó la mano en un saludo informal—. Cuídese, señor, y vaya a descansar. Parece cansado.

—Gracias, joven. Adiós. —*Estoy cansado*, pensó Panov mientras el escolta desaparecía por el corredor gris. *Estoy muy cansado, pero Alex tenía razón. Si hubiese venido aquí solo, nunca lo hubiera perdonado. ¡David! ¡Debemos encontrarlo! Podría sufrir un daño incalculable, ninguno de ellos lo comprende. Con un simple acto su frágil mente podría retroceder años, trece años. Volvería a ser un asesino en activo, ¡y para él no habría nada más…!* Una voz. La figura inclinada sobre él le estaba hablando—. Lo siento, perdóneme.

—Su copa, doctor —dijo la azafata con amabilidad—. No quería despertarlo, pero usted se agitaba y parecía dolorido.

—No, en absoluto, querida mía. Sólo estoy cansado.

—Lo comprendo, señor. Los viajes repentinos suelen ser agotadores, y si son largos e incómodos aún resultan peores.

—Ha tocado los tres puntos clave, señorita —sonrió Panov mientras tomaba la copa—. Gracias.

—Es norteamericano, supongo.

—¿Cómo lo ha adivinado? No llevo botas de vaquero ni una camisa hawaiana.

La mujer se puso a reír de una forma encantadora.

—Conozco al conductor que lo ha traído hasta aquí. Pertenece al servicio de seguridad norteamericano y me gusta, es muy atractivo.

—¿Seguridad? ¿Como la policía?

—Oh, sí, pero nosotros nunca utilizamos esa palabra. Allí está su compañero. —La azafata bajó la voz—. ¿Puedo preguntarle una cosa, doctor? ¿Su amigo necesita una silla de ruedas?

—Dios mío, no. Ha caminado así durante años.

—Disfrute de su estancia en París, señor.

La mujer partió mientras Alex esquivaba varios grupos de extranjeros hasta llegar a él. Se sentó en un sillón junto a Panov y se inclinó hacia delante con expresión preocupada.

—¿Qué ocurre? —preguntó Mo.

—Acabo de hablar con Charlie Casset en Washington.

—Es el que te gusta, el que te inspira confianza, ¿verdad?

—Es el mejor cuando utiliza el cerebro. Cuando puede ver, escuchar y buscar por su cuenta, no cuando se limita a leer palabras en un papel o en un monitor de ordenador sin formular preguntas.

—¿Por casualidad estás invadiendo mi territorio otra vez, doctor Conklin?

—La semana pasada acusé a David de eso y te diré lo que me respondió. Éste es un país libre y a pesar de tus conocimientos, el sentido común no es privilegio tuyo.

—*Mea culpa* —dijo Panov asintiendo con la cabeza—. Por lo que veo, tu amigo ha hecho algo que no apruebas.

—Ha hecho algo que él no aprobaría si tuviese más información acerca de la persona con quien lo hizo.

—Eso suena declaradamente freudiano, hasta diría que es facultativamente imprudente.

—Supongo que ambas cosas. Ha hecho un trato con un hombre llamado Dimitri Krupkin, de la embajada rusa aquí en París. Trabajaremos con el KGB local tú y yo, Bourne y Marie, si logramos encontrarlos. Espero que eso ocurra en Rambouillet dentro de un par de horas.

—¿Qué estás diciendo? —preguntó Mo, atónito y con voz apenas audible.

—Es una larga historia y no tenemos mucho tiempo. Moscú quiere la cabeza del Chacal separada del resto de su cuerpo. Washington no podrá protegernos, así que los soviéticos actuarán como paterfamilias provisionales, en caso de encontrarnos en apuros.

Panov frunció el ceño y luego sacudió la cabeza, como si tratara de absorber una información muy extraña. Entonces habló.

—Supongo que no es tu proceder habitual, pero hay cierta lógica en ello.

—Sólo en teoría, Mo —dijo Conklin—. No con Dimitri Krupkin. Yo lo conozco. Charlie no.

—¿Es uno de los malos?

—¿Kruppie malo? No, no…

—¿Kruppie?

—Nos conocimos a finales de los sesenta en Estambul. Ambos éramos unos jóvenes buscavidas. Luego estuvimos juntos en Atenas y en Amsterdam. Krupkin no es mala persona y trabaja como un hijo de puta para Moscú. Cuenta con un cerebro relativamente sagaz, mejor que el del ochenta por ciento de los payasos en nuestra profesión, pero tiene un problema. En esencia, está en el bando equivocado, en la sociedad equivocada. Sus padres tendrían que haber emigrado con los míos cuando los bolcheviques se apoderaron del trono.

—Lo había olvidado. Tu familia era rusa.

—Saber el idioma representa una ventaja con Kruppie. Así capto los matices. Es un capitalista puro. No sólo le gusta el dinero, sino que le obsesiona todo lo que significa. Podrían comprarlo, siempre y cuando estuviera seguro de que nadie lo descubriría.

—¿Te refieres al Chacal?

—En Atenas vi que lo compraban unos empresarios griegos que vendían pistas de aterrizaje adicionales a Washington, a pesar de saber que los comunistas iban a echarnos fuera. Le pagaron para que cerrara el pico. Luego lo vi comerciar con diamantes en Amsterdam. Traficaba entre los comerciantes del Nieuwmarkt y la dacha-elite de Moscú. Una noche tomamos juntos unas copas en el Kattengat y yo le pregunté: «Kruppie, ¿qué mierda estás haciendo?» ¿Sabes qué me respondió? Vestido con un traje que yo nunca hubiese podido comprar, me dijo: «Aleksei, haré todo lo que pueda para vencerte, para ayudar a que el Soviet Supremo gane el predominio sobre el mundo, pero mientras tanto, si deseas unas vacaciones, tengo una hermosa casa frente al lago en Ginebra.» ¿Qué te parece?

—Es notable. Por supuesto, le habrás contado todo esto a tu amigo Casset...

—Por supuesto que no —replicó Conklin.

—Señor, ¿por qué no?

—Porque es evidente que Krupkin no ha revelado a Charlie lo que sabía sobre mí. Casset podrá tener su trato, pero yo pienso hacer el mío.

—¿Con qué? ¿Cómo?

—David, Jason, tiene más de cinco millones en las Caimán. Con una pequeña parte de esta cantidad compraré a Kruppie. Si necesitamos que trabaje sólo para nosotros, lo hará.

—Lo cual significa que no confías en Casset.

—A Charlie le confiaría mi vida —dijo Alex—. Pero no estoy seguro de querer ponerla en sus manos. Él y Peter Holland tienen unas prioridades y nosotros tenemos otras. La de ellos es Medusa, las nuestras son David y Marie.

—¿*Messieurs*? —La azafata regresó y se dirigió a Conklin—. Ha llegado su coche, señor. Se encuentra en la plataforma sur.

—¿Está segura de que es para mí? —preguntó Alex.

—Discúlpeme, *monsieur*, pero el encargado ha preguntado por un señor Smith que tenía dificultades con una pierna.

—Sin duda tiene razón respecto a eso.

—He llamado a un mozo para que los ayude con el equipaje, *messieurs*. Deberán caminar bastante. Se reunirá con ustedes en la plataforma.

—Muchas gracias. —Conklin se levantó y extrajo unos billetes del bolsillo.

—*Pardon, monsieur* —lo detuvo la azafata—. No nos permiten aceptar propinas.

—Es cierto. Lo había olvidado... Tengo la maleta detrás de su mostrador, ¿verdad?

—Donde la dejó su acompañante, señor. Junto con la del doctor, estará en la plataforma dentro de unos minutos.

—Gracias de nuevo —dijo Alex—. Siento lo de la propina.

—Nos pagan lo suficiente, señor, pero gracias por su amabilidad.

Mientras se dirigían a la terminal principal del aeropuerto de Orly, Conklin se volvió hacia Panov.

—¿Cómo sabía ella que eres médico? —le preguntó—. ¿Te has ofrecido como psiquiatra?

—En absoluto. Los viajes me resultarían agotadores.

—¿Entonces? Yo no he dicho nada respecto a que fueras médico.

—Conoce al escolta de seguridad que me llevó hasta la sala de espera. En realidad, creo que lo conoce bastante bien. Con ese delicioso acento francés que tiene, comentó que era «muy atractivo».

—Ah —suspiró Alex mientras observaba las señales que conducían hacia la plataforma sur.

Ninguno de los dos se percató de un hombre de aspecto distinguido, tez cetrina, cabellos negros ondulados y grandes ojos oscuros, que salía rápidamente del salón para diplomáticos con la mirada fija en ellos. Se acercó a la pared y avanzó entre el gentío hasta que estuvo en diagonal frente a Conklin y a Panov, cerca de la plataforma para taxis. Entonces, como si no estuviera seguro, extrajo una pequeña fotografía del bolsillo y la estudió detenidamente, alzando la vista de vez en cuando hacia los dos pasajeros estadounidenses. La fotografía mostraba al doctor Morris Panov, ataviado con una bata blanca de hospital. En el rostro del médico había una expresión nublada y extraña.

Los norteamericanos salieron a la plataforma y el hombre de cabello oscuro los imitó. Los primeros miraron alrededor en busca de un taxi, el hombre de cabello oscuro hizo señas a un coche privado. Un taxista bajó de su vehículo, se acercó a Conklin y a Panov para hablarles en voz baja mientras un mozo llegaba con el equipaje; y acto seguido los dos norteamericanos subieron al taxi. El extraño que los seguía entró en el coche privado aparcado dos vehículos más atrás.

—¡*Pazzo*! —exclamó el hombre de cabello oscuro en italiano a la mujer elegantemente vestida sentada al volante—. ¡Te digo que es una locura! Esperamos durante tres días, vigilando todos los aviones norteamericanos que llegan, y estamos a punto de renunciar cuando ese idiota de Nueva York resulta tener razón. ¡Son ellos! Espera, yo conduciré. Bájate y ponte en contacto con los nuestros. Diles que llamen a De Fazio; que vaya á su restaurante favorito y espere mi llamada. No debe marcharse hasta que hayamos hablado.

—¿Es usted, anciano? —preguntó la azafata en el salón para diplomáticos, hablando suavemente en el teléfono de su mostrador.

—Soy yo —respondió la voz trémula al otro lado de la línea—. El ángelus resuena eternamente en mis oídos.

—Entonces es usted.

—Ya te lo he dicho, así que adelante.

—La lista que nos entregaron la semana pasada incluía a un norteamericano delgado de media edad, aquejado de cojera, posiblemente acompañado por un médico. ¿Es eso correcto?

—¡Correcto! ¿Qué sucede?

—Han pasado por aquí. Utilicé el tratamiento de «doctor» con el acompañante del lisiado y respondió a él.

—¿Adónde han ido? ¡Es vital que lo sepa!

—Lo ignoro, pero pronto se lo averiguaré, anciano. El mozo que ha llevado su equipaje hasta la plataforma sur conseguirá la descripción y la matrícula del vehículo que ha venido a buscarlos.

—¡En nombre de Dios, vuelva a llamarme con la información!

A cinco mil kilómetros de París, Louis de Fazio estaba solo, sentado ante una mesa al fondo del restaurante Trafficante en la avenida Prospect de Brooklyn, en Nueva York. Terminó el *vitello tonnato* que constituía su almuerzo tardío y se limpió los labios con la servilleta rojo brillante, tratando de parecer tan jovial como de costumbre. Sin embargo, en ese momento hubiese mordido la servilleta en lugar de tocarse la boca con ella. *¡Maledetto!* Había estado en Trafficante durante casi dos horas... ¡dos horas! Y había tardado tres cuartos en llegar allí después de que lo llamaran del Palacio de la Pasta Garafola, en Manhattan. Eso significaba que habían transcurrido casi tres horas desde que aquellos imbéciles de París detectaran a sus dos objetivos. ¿Cuánto necesitaban aquellos dos *bersaglios* para ir desde el aeropuerto hasta un hotel en la ciudad? *¿Tres horas?* Era imposible, a menos que ese sujeto de Palermo pasase primero por Londres, Inglaterra, lo cual no era tan disparatado si se conocía Palermo.

¡Sin embargo, De Fazio sabía que había estado en lo cierto! Por lo que el psiquiatra judío había dicho bajo los efectos de la droga, no había otra alternativa. Él y su amigo sólo podían ir a París a buscar a su compañero... Así que el psiquiatra y Nicolo habían desaparecdido, ¿qué mierda importaba eso? El judío había escapado y Nicky cumpliría una condena. Pero Nicolo no hablaría; sabía muy bien que si lo hacía, recibiría una cuchillada en los riñones en cualquier rincón. Además, Nicky no tenía informaciones tan concretas que no pudiesen ser rebatidas por los abogados. El psiquiatra, a su vez, sólo sabía que había estado en la habitación de una granja, suponiendo que recordase eso. Con excepción de Nicolo, no había visto a nadie más.

Pero Louis de Fazio sabía que tenía razón. Por ello había más de siete millones esperándolo en París. ¡Siete millones! ¡Dios bendito! Podría entregar a los sujetos de Palermo más de lo que éstos esperaban y todavía le quedaría una buena suma.

Un viejo camarero del viejo país, un tío de Trafficante, se acercó a la mesa y Louis contuvo el aliento.

—Hay una llamada para usted, *signor* De Fazio.

Como de costumbre, el *capo supremo* se dirigió a un teléfono público al final de un pasillo oscuro, junto al lavabo de caballeros.

—Aquí Nueva York —dijo De Fazio.

—Aquí París, *signor* Nueva York. ¡Esto también es *pazzo*!

—¿Dónde has estado? ¿Has sido tan *pazzo* como para conducir hasta Londres? ¡Hace tres horas que espero!

—He estado viajando por varias carreteras secundarias, lo cual sólo tiene importancia para mis nervios. ¡El lugar donde me encuentro ahora es una locura!

—¿Y bien?

—Estoy utilizando el teléfono de un portero, lo cual me cuesta alrededor de cien dólares norteamericanos. Y el *buffone* francés no deja de mirar por la ventana para asegurarse de que no le robaré nada; tal vez me lleve su almuerzo, ¿quién sabe?

—¿Qué portero? ¿De qué me hablas?

—Estoy en un cementerio a unos cuarenta kilómetros de París. Te lo aseguro…

—¿Un *cimitero*? —lo interrumpió Louis—. ¿Para qué diablos?

—¡Porque tus dos amigos han venido hasta aquí directamente desde el aeropuerto, ignorante! En estos momentos se está celebrando un entierro, una procesión nocturna con velas que pronto se apagarán a causa de la lluvia. Si tus dos amigos han volado hasta aquí para asistir a esta ceremonia bárbara, ¡es que la contaminación atmosférica en Estados Unidos reblandece el cerebro! No habíamos acordado esta *sciocchezze*, Nueva York. Tenemos nuestro propio trabajo que hacer.

—Han ido a encontrarse con el otro —concluyó De Fazio suavemente, como para sí mismo—. En cuanto al trabajo, si alguna vez queréis volver a colaborar con nosotros, con Filadelfia, con Chicago o con Los Ángeles, haced lo que yo os diga. Recibiréis una generosa paga por ello, ¿*capisci*?

—Admito que eso suena mejor.

—Permanece oculto, pero no los pierdas de vista. Averigua adónde van y a quiénes ven. Iré hasta allí lo antes posible, pero tendré que hacerlo vía Canadá o México para asegurarme de que nadie me sigue. Llegaré mañana por la noche o pasado por la mañana.

—*Ciao* —se despidió París.

—*Omertà* —dijo Louis de Fazio.

## 30

Las velas ardían en medio de la llovizna nocturna mientras la comitiva fúnebre avanzaba solemnemente detrás del ataúd blanco llevado por seis hombres, algunos de los cuales comenzaron a resbalar sobre el sendero cada vez más húmedo del cementerio. Flanqueando la procesión había cuatro tambores, dos a cada lado, tocando la lenta cadencia de la marcha fúnebre, algo desacompasada debido a las rocas inesperadas y los bordes de las lápidas ocultas en la oscuridad. Mientras observaba el extraño rito nocturno, Morris Panov sacudió la cabeza perplejo, aliviado al ver que Alex Conklin cojeaba entre las lápidas hacia su punto de reunión.

—¿Alguna señal de ellos? —preguntó Alex.

—Ninguna —respondió Panov—. Por lo que veo a ti no te ha ido mucho mejor.

—Todo lo contrario. Tropecé con un lunático.

—¿Cómo?

—La casa del portero estaba iluminada, así que fui hasta allí pensando que David o Marie podían habernos dejado un mensaje. En el exterior había un payaso que miraba sin cesar por la ventana. Dijo que era el portero y me preguntó si quería alquilarle el teléfono.

—¿El teléfono?

—Aseguró que había una tarifa nocturna especial, ya que el teléfono público más cercano se encontraba a diez kilómetros por el camino.

—Un lunático —concordó Panov.

—Le expliqué que estaba buscando a un hombre y una mujer con quienes debía encontrarme, y que tal vez me habrían dejado un mensaje. No había ningún mensaje, pero insistía en ofrecerme el teléfono. Por doscientos francos: una locura.

—Debe de ser un negocio floreciente en París —comentó Mo con una sonrisa—. ¿Por casualidad no había visto a una pareja vagando por allí?

—Se lo pregunté y él asintió con la cabeza; aseguró que había docenas. Entonces señaló este desfile a la luz de las velas antes de regresar a su maldita ventana.

—A propósito, ¿qué es este desfile?

—También se lo pregunté. Es una secta religiosa, sólo entierran a sus muertos por la noche. Supone que son gitanos. Mientras me lo explicaba, se persignaba.

—Pronto serán gitanos mojados —observó Panov al tiempo que se alzaba el cuello, ya que la llovizna estaba arreciando.

—Señor, ¿por qué no se me ha ocurrido? —exclamó Conklin.

—¿La lluvia? —preguntó el sorprendido psiquiatra.

—No, el gran sepulcro colina arriba, al otro lado de la portería. ¡Allí fue donde ocurrió!

—¿Donde trataste de…? —Mo no completó la pregunta, no era necesario.

—Donde pudo haberme matado, pero no lo hizo —terminó Alex por él—. ¡Vamos!

Los dos norteamericanos regresaron por el camino de grava que pasaba frente a la portería. Entonces comenzaron a ascender por la colina oscura salpicada de lápidas blancas, brillantes bajo la lluvia.

—Despacio —exclamó Panov sin aliento—. Tú estás acostumbrado a ese pie inexistente que tienes, pero mi prístino cuerpo aún no se ha recuperado de los estragos producidos por las drogas.

—Lo siento.

—¡Mo! —gritó una voz de mujer desde un pórtico de mármol encima de ellos. La figura agitó los brazos entre las columnas de un sepulcro tan grande que parecía un pequeño mausoleo.

—¿Marie? —gritó Panov corriendo por delante de Conklin.

—¡Qué bien! —rugió Alex mientras cojeaba con dificultd entre la hierba húmeda y resbaladiza—. Oyes la voz de una mujer y de repente te olvidas de los estragos. ¡Necesitas un psiquiatra, farsante!

Los abrazos fueron sinceros: una familia se reunía. Mientras Panov y Marie hablaban en voz baja, Jason Bourne se llevó a Conklin a un lado bajo el pequeño techo de mármol. Ya llovía copiosamente. Abajo, las velas de la procesión se habían apagado y parte de la gente se dispersaba mientras que otros mantenían su posición junto al sepulcro.

—No pretendía escoger este lugar, Alex —se disculpó Jason—. Pero con toda esa gente allí abajo no se me ocurrió ningún otro.

—¿Recuerdas la portería y ese sendero ancho que conducía hasta el aparcamiento…? Habías ganado. Yo me había quedado sin municiones y tú podrías haberme volado la cabeza.

—Te equivocas, ¿cuántas veces te lo he dicho? No podía matarte. Estaba en tus ojos; aunque no era capaz de distinguirlos con claridad, sabía lo que había allí. Ira y confusión, pero por encima de todo, confusión.

—Eso jamás ha sido un motivo para no matar a un hombre que trata de asesinarte.

—Lo es si no puedes recordar. La memoria puede desaparecer, pero no los destellos, las imágenes palpitantes. Aparecen y se desvanecen sin cesar, pero están ahí.

Conklin miró a Bourne con una sonrisa triste en el rostro.

—Las imágenes palpitantes. Ése era un término de Mo. Tú se lo has robado.

—Probablemente —admitió Jason mientras ambos se volvían al unísono hacia Marie y Panov—. Ella le está hablando de mí, ¿verdad?

—¿Por qué no? Está tan preocupada como él.

—No soporto pensar cuántas preocupaciones más les daré a los dos. Y a ti también, supongo.

—¿Qué tratas de decirme, David?

—Sólo eso. Olvida a David. Aquí y ahora, David Webb no existe. Es una comedia que hice para su esposa y lo hago muy mal. Quiero que vuelva a Estados Unidos con sus hijos.

—¿Sus hijos? Estás loco. Ha venido a buscarte y te ha encontrado. Recuerda lo que ocurrió en París hace trece años y no piensa abandonarte. Sin ella hoy estarías muerto.

—Es un impedimento. Tiene que irse. Ya encontraré un modo.

Alex observó los ojos fríos de la creación conocida en el pasado como el Camaleón y habló con serenidad.

—Eres un cincuentón, Jason. No estamos en el París de hace trece años ni en el Saigón del pasado. Ahora necesitas toda la ayuda que puedas conseguir. Si ella piensa que puede proporcionarte una parte de esa ayuda, yo soy el primero en creerla.

Bourne bajó la mirada hacia Conklin.

—Yo juzgaré por mí mismo.

—Eso es un poco excesivo, amigo.

—Tú sabes a qué me refiero —dijo Jason, suavizando el tono—. No quiero que ocurra lo mismo que en Hong Kong. Eso no es ningún problema para ti.

—Tal vez no... Mira, salgamos de aquí. Nuestro conductor conoce un pequeño restaurante rústico en Epernon, a unos diez kilómetros de aquí, donde podremos hablar con tranquilidad. Tenemos varios temas que tratar.

—Dime una cosa —preguntó Bourne sin moverse del sitio—. ¿Por qué Panov? ¿Por qué has traído a Mo contigo?

—Porque de otro modo, me hubiese puesto estricnina en la vacuna para la gripe.

—¿Qué diablos quieres decir?

—Exactamente eso. Él forma parte de nosotros y tú lo sabes mejor que Marie o que yo mismo.

—Le ha ocurrido algo, ¿verdad? Le ha ocurrido algo por culpa mía.

—Ya ha pasado y ha vuelto. Por ahora es todo lo que debes saber.

—Ha sido Medusa, ¿verdad?

—Sí, pero te repito que ha vuelto y, aparte de estar un poco cansado, se encuentra bien.

—¿Un poco…? ¿Tu conductor ha dicho que conoce un pequeño restaurante a diez kilómetros de aquí?

—Sí. Conoce muy bien París y todos los alrededores.

—¿Quién es?

—Un argelino francés que ha trabajado para la Agencia durante años. Charlie Casset lo ha reclutado para nosotros. Es fuerte, inteligente y recibe una generosa paga por ambas virtudes. Sobre todo, es de fiar.

—Supongo que eso es suficiente.

—No lo supongas, acéptalo.


Se sentaron en un reservado al fondo de la pequeña fonda rural, con su correspondiente pabellón gastado, duros bancos de pino y un vino perfectamente aceptable. El dueño, un hombre gordo y de tez rojiza, proclamó que la cocina era extraordinaria; pero como ninguno de ellos tenía hambre, Bourne pidió cuatro entrantes para dejar contento al propietario. Y lo logró. El hombre envió dos grandes jarras de buen vino de la casa junto con una botella de agua mineral y permaneció alejado de la mesa.

—Muy bien, Mo —dijo Jason—, no me contarás lo ocurrido ni quién lo ha hecho, pero sigues siendo el mismo médico práctico, alitvo y charlatán que hemos conocido durante trece años, ¿estoy en lo cierto?

—En efecto, mi esquizofrénico prófugo de Bellevue. Y por si acaso piensas que soy un héroe, quiero dejar absolutamente claro que sólo estoy aquí para proteger mis derechos civiles. Mi principal interés se centra en mi encantadora Marie, quien como verás se sienta a mi lado, no al tuyo. La boca se me hace agua sólo de pensar en su pastel de carne.

—Oh, cuánto te quiero, Mo —rió la esposa de David Webb, apretando el brazo de Panov.

El doctor respondió besándola en la mejilla.

—Estoy aquí —dijo Conklin—. Me llamo Alex y tengo un par de cosas de que hablar entre las que no figura el pastel de carne; aunque debes saber, Marie, que ayer le dije a Peter Holland que era excelente.

—¿Qué ocurre con mi maldito pastel de carne?

—Es la salsa —intervino Panov.

—Estamos aquí para hablar de una cosa, ¿podemos comenzar? —dijo Jason Bourne con voz inexpresiva.

—Lo siento, cariño.

—Trabajaremos junto con los soviéticos. —Conklin habló rápidamente, cortando la inmediata reacción de Bourne y de Marie—. No os preocupéis. Conozco el contacto desde hace años, pero Washington no lo sabe. Se llama Krupkin, Dimitri Krupkin, y tal como le he dicho a Mo, es capaz de venderse por cinco monedas de plata.

—Dale treinta y una —lo interrumpió Bourne—, para asegurarte de que estará de nuestro lado.

—Supuse que dirías eso. ¿Tienes un tope?

—Ninguno.

—No tan rápido —intervino Marie—. ¿Cuál sería una cifra razonable para empezar?

—Nuestra economista ha hablado —proclamó Panov, alzando el vaso.

—Si consideramos su posición en la KGB de París, diría que alrededor de cinco mil dólares.

—Ofrécele treinta y cinco, y sube hasta setenta y cinco bajo presión. Por supuesto, puedes llegar hasta cien en caso necesario.

—Por amor de Dios —exclamó Jason, controlando la voz—. Estamos hablando de nosotros, del Chacal. ¡Dale lo que te pida!

—Quien se vende sin dificultad, traiciona sin dificultad. Con una contraoferta.

—¿Está ella en lo cierto? —preguntó Bourne dirigiéndose a Conklin.

—Normalmente, sí; pero en este caso la contraoferta tendría que ser una mina de diamantes. Los soviéticos desean más que nadie que Carlos se incluya en la lista de bajas, y el hombre que les lleve su cadáver se convertirá en el héroe del Kremlin. Recuerda que lo entrenaron en Nóvgorod. Moscú nunca olvidará eso.

—Entonces, haz caso a Marie, limítate a comprarlo —dijo Jason.

—Comprendo. —Conklin se inclinó hacia delante e hizo girar la copa de agua—. Lo llamaré esta noche, de un teléfono público a otro, y estableceré una cita para mañana. Tal vez un almuerzo en las afueras de París. Muy temprano, antes de que lleguen los clientes regulares.

—¿Por qué no aquí? —preguntó Bourne—. No podrás ir mucho más lejos y ya conozco el camino.

—¿Por qué no? —aceptó Alex—. Hablaré con el dueño. Pero no vendremos los cuatro, sólo Jason y yo.

—Lo daba por sentado —replicó Bourne con frialdad—. Marie no debe verse involucrada. No deben verla ni oírla, ¿queda claro?

—David, de verdad...

—Sí, de verdad.

—Yo me quedaré con ella —los interrumpió Panov—. ¿Comeremos pastel de carne? —añadió, a todas luces para aliviar la tensión.

—No tengo cocina, pero hay un restaurante encantador donde sirven trucha fresca.

—Habrá que sacrificarse —suspiró el psiquiatra.

—Opino que deberías comer en la habitación. —Ahora la voz de Bourne sonaba inflexible.

—No seré una prisionera —replicó Marie con suavidad, mientras miraba fijamente a su marido—. Nadie sabe quiénes somos ni dónde estamos. Me parece que una persona que se encierra en su cuarto llama mucho más la atención que una francesa completamente normal ocupada en sus asuntos.

—Tiene razón —observó Alex—. Si Carlos ha tendido sus redes, podría detectar la presencia de alguien con un comportamiento extraño. Además, Panov procede del bando izquierdo. Finge que eres un médico o algo parecido, Mo. Nadie lo creerá pero te dará un toque de distinción. Por razones que se me escapan, los médicos suelen quedar fuera de toda sospecha.

—Psicópata desagradecido —murmuró Panov.

—¿Podemos volver a nuestros asuntos? —dijo Bourne con frialdad.

—Eres muy grosero, David.

—Estoy muy impaciente, ¿os molesta?

—Muy bien, tranquilos —apaciguó Conklin—. Estamos todos muy nerviosos pero las cosas deben quedar claras. Cuando Krupkin esté a bordo, su primer paso será rastrear los números que Gates le ha dado a Prefontaine en Boston.

—¿Qué dices? —preguntó el perplejo psiquiatra.

—Tú no estabas al corriente, Mo. Prefontaine es un juez impugnado a quien acudió un contacto del Chacal. En resumen, el contacto entregó a nuestro juez un número para entrar en comunicación con el Chacal aquí en París, pero éste no coincidía con el que Jason había obtenido. Sin embargo, no hay duda de que este hombre, cuyo nombre es Gates, había hablado con Carlos.

—¿Randolph Gates? ¿El obsequio de Boston a la sala de sesiones del Genghis Khan?

—El mismo.

—¡Jesús mío...! Lo siento, no debería decir esto, soy judío. Qué diablos, no soy nada. Pero debéis admitir que es un golpe.

—Un gran golpe. Debemos averiguar a quién pertenece ese número de París. Krupkin lo hará por nosotros. Es complicado, lo admito, pero es así.

—¿Complicado? —exclamó Panov—. ¿Vas a plantear un cubo de Rubik en árabe? ¿Un crucigrama del *London Times*? ¿Quién es ese Prefontaine, juez, abogado o lo que sea? Parece el nombre de un vino malo.

—Es un vino añejo y muy bueno —intervino Marie—. Te gustará, doctor. Podrías pasar meses estudiándolo porque es más inteligente que la mayoría de nosotros y conserva intacto su gran intelecto a pesar de inconvenientes tales como el alcohol, la corrupción, la pérdida de la familia y la prisión. Es un sujeto curioso, Mo, y, a diferencia de los demás criminales, no culpa a nadie salvo a sí mismo. Tiene un maravilloso e irónico sentido del humor. Si el poder judicial norteamericano fuese inteligente, lo cual no parece muy probable si observamos el Departamento de Justicia, volvería a ponerlo en activo. En un principio, persiguió a los del Chacal porque me querían matar a mí y a mis hijos. Si en la segunda ronda logra ganar un dólar, merece cada centavo y yo me ocuparé de que lo obtenga.

—Eres concisa. Veo que te cae bien.

—Lo adoro, al igual que os adoro a ti y a Alex. Todos os habéis arriesgado mucho por nosotros...

—¿Podemos volver al motivo de nuestra reunión? —preguntó el Camaleón con ira—. El pasado no me interesa, el mañana sí.

—No sólo eres grosero, querido mío, sino también terriblemente desagradecido.

—Amén. ¿Dónde estábamos?

—De momento, con Prefontaine —respondió Alex con dureza, mirando a Bourne—. Pero es posible que no importe, porque probablemente no sobreviva a Boston... Te llamaré mañana a la fonda de Barbizon y te comunicaré la hora del almuerzo. Nos reuniremos aquí. Controla el tiempo cuando vuelvas ahora para que no tengamos que esperarte como gansos. Además, si ese gordo dice la verdad respecto a su *cuisine*, a Kruppie le encantará y dirá a todo el mundo que él lo ha descubierto.

—¿Kruppie?

—Tranquilízate. Ya te lo he dicho, nos conocemos desde hace mucho.

—Y no preguntéis más —agregó Panov—. No os gustaría oír lo de Estambul y Amsterdam. Los dos son un par de ladrones.

—Pasamos —dijo Marie—. Adelante, Alex, ¿qué ocurrirá mañana?

—Mo y yo tomaremos un taxi hasta vuestra fonda y luego tu marido y yo regresaremos aquí. Os llamaremos después del almuerzo.

—¿Qué hay de ese conductor tuyo, el que te envió Casset? —preguntó el Camaleón con ojos fríos e inquisitivos.

—¿Qué le pasa? Por el trabajo de esta noche cobrará el doble de lo que ganaría en un mes con su taxi. Cuando nos haya dejado en el hotel, desaparecerá. No volveremos a verlo.

—¿Verá a alguien más?

—No si desea vivir y enviar dinero a sus familiares en Argelia. Ya te lo he dicho, Casset lo ha autorizado. Es de fiar.

—Mañana, entonces —concluyó Bourne con expresión sombría, mirando a Marie y a Morris Panov—. Cuando partamos hacia París, permaneceréis en Barbizon y no abandonaréis la fonda. ¿Entendido?

Marie se puso tensa sobre el banco de pino.

—Voy a decirte una cosa, David. No me importa hablar ante Mo y a Alex porque ellos forman parte de nuestra familia tanto como los niños. Todos, todos nosotros te complacemos y en cierto sentido te mimamos debido a las terribles pruebas por las que has pasado. Pero de ninguna manera permitiremos que nos des órdenes como si fuéramos seres inferiores ante tu augusta presencia. ¿Queda claro?

—Perfectamente, señora. Entonces quizá deberías regresar a Estados Unidos, donde no tendrás que convivir con mi augusta presencia. —Jason Bourne se levantó empujando la silla—. Mañana será un día agitado, así que debo dormir un poco. Últimamente no he podido hacerlo y un hombre más inteligente que cualquiera de nosotros me dijo que el descanso era un arma. Considero que es cierto... Permaneceré en el coche durante dos minutos. Decide tú misma. Estoy seguro de que Alex podrá sacarte de Francia.

—Mierda —masculló Marie.

—Amén —dijo el Camaleón mientras se alejaba.

—Ve con él —aconsejó Panov rápidamente—. Ya sabes lo que está ocurriendo.

—¡No podré manejarlo, Mo!

—No lo manejes, sólo permanece con él. Eres la única atadura que tiene. Ni siquiera es necesario que hables, sólo permanece allí. Con él.

—Ha vuelto a convertirse en el asesino.

—Nunca te haría daño...

—Por supuesto que no, esto ya lo sé.

—Entonces, proporciónale un vínculo con David Webb. Él lo necesita, Marie.

—¡Oh Dios, lo quiero tanto! —gritó la esposa mientras se levantaba para correr tras su marido, transformado ahora en otra persona.

—¿Le has dado el consejo apropiado, Mo? —preguntó Conklin.

—No lo sé, Alex. Pero no creo que deba estar a solas con sus pesadillas. Ninguno de nosotros debería hacerlo. Esto no es psiquiatría, sólo sentido común.

—Algunas veces pareces un verdadero médico, ¿lo sabías?


El sector argelino de París se extiende entre los distritos décimo y undécimo. Cubre apenas tres manzanas cuyos edificios bajos son parisienses, pero los sonidos y los olores árabes. Una limusina larga y negra ingresó en este enclave étnico, con la pequeña insignia dorada de una alta jerarquía eclesiástica en sus puertas. Se detuvo frente a un edificio de madera de tres plantas, donde un viejo sacerdote salió del vehículo y se dirigió a la puerta. Escogió un nombre en los buzones y pulsó un botón que hizo sonar una campanilla en el primer piso.

—¿*Oui*? —respondió la voz metálica en el antiguo interfono.

—Soy un mensajero de la embajada norteamericana —respondió el visitante vestido de sacerdote. Su francés era bastante incorrecto, como ocurría con frecuencia entre los norteamericanos—. No puedo dejar mi vehículo, pero tengo un mensaje urgente para usted.

—Bajaré enseguida —respondió el conductor argelino-francés reclutado por Charles Casset en Washington. Tres minutos después, el hombre emergía del edificio y salía a la acera—. ¿Por qué va vestido de ese modo? —preguntó al mensajero que esperaba junto al gran automóvil, ocultando la insignia de la puerta trasera.

—Soy el capellán católico, hijo mío. Nuestro *chargé d'affaires* militar quisiera intercambiar unas palabras con usted. —El sacerdote abrió la puerta.

—Haría muchas cosas por ustedes —rió el conductor mientras se inclinaba para mirar al interior de la limusina—, pero no me uniré a su ejército... Sí, señor, ¿en qué puedo ayudarlo?

—¿Adónde ha llevado a nuestra gente? —preguntó la figura desde el asiento trasero, con las facciones en la oscuridd.

—¿Qué gente? —preguntó el argelino con repentina preocupación.

—Los dos que ha recogido en el aeropuerto hace unas horas. El lisiado y su amigo.

—Si pertenece usted a la embajada y ellos quieren que lo sepan, lo llamarán y se lo dirán, ¿no le parece?

—¡Tú me lo dirás! —Por detrás del vehículo apareció un tercer hombre. Era muy fornido y llevaba uniforme de chófer. Avanzó rápidamente hacia delante, alzó un brazo y golpeó la cabeza del argelino con una gruesa porra para luego introducirlo en el coche. El anciano vestido de sacerdote subió tras él y cerró la puerta mientras el conductor corría para situarse tras el volante. La limusina se alejó a toda velocidad.

Una hora después, sobre la desierta rue Houdon, a una calle de la plaza Pigalle, el cuerpo magullado y ensangrentado del argelino era arrojado fuera del vehículo. En el interior, la figura en sombras se dirigió al sacerdote que él mismo había ordenado.

—Ve a buscar el coche y aparca en la puerta del hotel del lisiado. Permanece despierto, te relevarán por la mañana y podrás descansar todo el día. Informa de todos sus movimientos y síguelo dondequiera que vaya. No me falles.

—Nunca, *monseigneur*.


Dimitri Krupkin no era un hombre alto, pero lo parecía. Tampoco era particularmente robusto y, sin embargo, la figura parecía mucho más corpulenta de lo que era en realidad. Su rostro era agradable y algo carnoso, y llevaba siempre erguida la gran cabeza. Tenía las cejas espesas, un cabello canoso y cortado con esmero, una pequeña barba que combinaba seductoramente con sus despiertos ojos azules, y una sonrisa que parecía perpetua. Sus rasgos definían a un hombre que disfrutaba de la vida y de su trabajo, utilizando su inteligencia en ambos quehaceres. En ese momento se hallaba en un reservado al fondo del restaurante campestre de Epernon, mirando a Alex Conklin, quien estaba sentado junto a Bourne y acababa de explicarle que ya no bebía.

—¡El mundo se está acabando! —exclamó el ruso con su acento tan peculiar—. ¿Ves lo que ocurre con un buen hombre en el desenfrenado Occidente? Es una vergüenza para tus padres. Debieron haberse quedado con nosotros.

—No creo que quieras comparar los índices de alcoholismo en nuestros dos países.

—No, si apostamos dinero —replicó Krupkin con una sonrisa—. Hablando de dinero, mi viejo y querido enemigo, ¿cómo y dónde me pagaréis según lo acordado anoche por teléfono?

—¿Cómo y dónde desea que le paguen? —preguntó Jason.

—Ajá, ¿es usted mi benefactor, señor?

—Seré yo quien le pague, sí.

—¡Un momento! —susurró Conklin con la mirada fija en la entrada del restaurante. Se inclinó hacia el lado abierto del reservado con la mano sobre la frente y se enderezó rápidamente mientras una pareja se sentaba a la mesa de la izquierda de la puerta.

—¿Qué ocurre? —preguntó Bourne.

—No lo sé, no estoy seguro.

—¿Quién ha entrado, Aleksei?

—De eso se trata. Creo que lo conozco, pero no es así.

—¿Dónde está sentado? ¿En un reservado?

—No, en una mesa. En el rincón más alejado del mostrador. Está con una mujer.

Krupkin se desplazó hasta el borde del asiento, extrajo la cartera del bolsillo y sacó un pequeño espejo del interior. Lo tomó con ambas manos y lo colocó en la posición adecuada.

—Debes de ser adicto a las páginas de sociedad de los periódicos sensacionalistas parisienses —rió el ruso mientras volvía a guardar el espejo en el bolsillo de la chaqueta—. Trabaja en la embajada italiana, ésa es su esposa. Paolo y Davinia no sé qué. Según creo, se las dan de pertenecer a la nobleza. Son del *corpo diplomatico* y se encargan del protocolo. Celebran fiestas de etiqueta y derrochan dinero.

—No me muevo en esos círculos, pero lo he visto en alguna parte.

—Por supuesto que sí. Como a cualquier estrella de la pantalla italiana, o a esos dueños de viñedos que elogian las virtudes del Chianti Classico en los anuncios de la televisión.

—Tal vez tengas razón.

—La tengo. —Krupkin se volvió hacia Bourne—. Le apuntaré el nombre de un banco y el número de una cuenta en Ginebra. —El soviético hurgó en su bolsillo en busca de un bolígrafo y cogió una servilleta de papel. No pudo utilizar ninguna de las dos cosas ya que un hombre de unos treinta años, con un traje ajustado, se acercó rápidamente a la mesa.

—¿Qué ocurre, Sergei? —preguntó Krupkin.

—No con usted, señor —respondió el asistente soviético—. Con él —añadió, señalando a Bourne.

—¿Qué ocurre? —repitió Jason.

—Alguien le sigue. Al principio no estábamos seguros, ya que se trata de un hombre mayor con un problema urinario. En dos ocasiones salió del coche rápidamente para ir al lavabo, pero cuando regresó llamó por el teléfono del vehículo y miró a través del parabrisas para leer el nombre del restaurante. Eso ocurrió hace apenas unos minutos.

—¿Cómo sabe que me estaba siguiendo?

—Porque llegó poco antes que usted y nosotros ya estábamos vigilando la zona desde hacía media hora.

—¡Vigilando la zona! —exclamó Conklin mirando a Krupkin—. Creí que esta entrevista era estrictamente privada.

—Querido Aleksei, bondadoso Aleksei, quién me salvaría de mí mismo. ¿De verdad creías que iba a encontrarme contigo sin tener en cuenta mi propia protección? No por ti, mi viejo amigo, sino por tus agresores en Washington. ¿Puedes imaginarlo? Un director adjunto de la CIA negocia conmigo respecto a un hombre y finge creer que no lo conozco. Una táctica de principiantes.

—¡Maldito seas, yo no se lo he dicho!

—Oh, vaya, entonces el error es mío. Mis disculpas, Aleksei.

—No lo haga —lo interrumpió Jason con firmeza—. Ese anciano trabaja para el Chacal...

—¡Carlos! —gritó Krupkin con el rostro ruborizado y los ojos furiosos—. ¿El Chacal anda detrás de ti, Aleksei?

—No, de él —respondió Conklin—. De tu benefactor.

—¡Buen Dios! Ahora lo comprendo todo. Así que tengo el gran honor de conocer al famoso Jason Bourne. ¡Un gran placer, señor! Tenemos el mismo objetivo en lo que se refiere a Carlos, ¿verdad?

—Si sus hombres son eficaces, es posible que alcancemos ese objetivo en menos de una hora. ¡Vamos! Salgamos de aquí por la puerta trasera, la cocina, una ventana, cualquier sitio. Me ha encontrado y puede apostar su trasero a que saldrá en mi busca. Pero no sabe que estamos enterados. ¡Vamos!

Mientras los tres hombres se levantaban de la mesa, Krupkin impartió instrucciones a su ayudante.

—Que lleven el coche hasta la puerta trasera, a la entrada de servicio si la hay. Pero con discreción, Sergei. No debe parecer que lleváis prisa, ¿entendido?

—Podemos conducir un kilómetro por la carretera y volver a campo traviesa hasta la parte trasera del edificio. El anciano del coche no nos verá.

—Muy bien, Sergei. Que nuestros hombres permanezcan en sus puestos, pero que estén preparados.

—Por supuesto, camarada. —El ayudante regresó rápidamente a la entrada.

—¿Tus hombres? —estalló Alex—. ¿Has traído a todo un destacamento?

—Por favor, Aleksei, seamos francos. Después de todo, es culpa tuya. Anoche por teléfono no me hablaste de tu conspiración contra tu propio director adjunto.

—¡No se trataba de una conspiración, por amor de Dios!

—Tampoco hay una afinidad total entre los dos, ¿verdad? No, Aleksei Nicolae Konsolikov, tú sabías que podrías utilizarme y lo has hecho, por así decirlo. Mi buen y viejo adversario, nunca olvides que eres ruso.

—¿Queréis callaros y salir de aquí?

Esperaron en el Citroën blindado de Krupkin al borde de un

campo cubierto de malezas, a trescientos metros del coche del anciano, desde donde se divisaba claramente la entrada del restaurante. Para fastidio de Bourne, Conklin y el oficial del KGB se sumieron en los recuerdos como dos viejos profesionales, analizando las estrategias que habían utilizado en operaciones secretas del pasado y señalándose mutuamente los errores. El grupo de apoyo soviético se hallaba en un sedán a un lado de la carretera, en diagonal al restaurante. Dos hombres armados estaban listos para saltar, con las armas automáticas a punto.

De pronto, una camioneta Renault se detuvo frente a la fonda. En el interior había tres parejas; excepto el conductor, todos bajaron riendo y caminaron lentamente hacia la entrada mientras su compañero conducía el coche hacia el pequeño aparcamiento contiguo.

—Deténgalos —ordenó Jason—. Podrían resultar muertos.

—Es cierto, señor Bourne, pero si lo hacemos perderemos al Chacal.

Jason miró al ruso en medio de una oleada de ira y confusión que le nubló los pensamientos. Quiso protestar, pero en vano; las palabras no surgían. Después ya era demasiado tarde para hablar. Una camioneta color café se desvió de la autopista de París y tomó por la carretera.

—¡Es la del bulevar Lefebvre, la que escapó! —exclamó Bourne, recuperando la voz.

—¿La de dónde? —preguntó Conklin.

—Hace unos días hubo problemas en el Lefebvre —explicó Krupkin—. Estalló un automóvil o una camioneta. ¿Se refiere a eso?

—Era una trampa para mí. Había dos camionetas, una doble para Carlos… era una trampa. Ésta es la segunda. Apareció por una calle lateral oscura y abrió fuego indiscriminado en un intento de abatirnos.

—¿Abatiros? —Alex miró a Jason y apreció la ira en los ojos del Camaleón, el gesto tenso y rígido de su boca junto con la lenta contracción de sus fuertes manos.

—A Bernardine y a mí —susurró Bourne, pero de pronto alzó la voz—. Quiero un arma —gritó—. ¡La pistola en mi bolsillo no servirá para nada!

El conductor era el fornido ayudante de Krupkin, Sergei; se inclinó bajo el asiento y extrajo un AK-47 ruso para entregárselo a Bourne. Una limusina marrón oscuro frenó bruscamente ante la entrada del restaurante y derrapó. Como comandos entrenados, dos hombres saltaron por la puerta lateral con los rostros cubiertos por medias, esgrimiendo armas automáticas. Corrieron hasta la entrada y se situaron a ambos lados de la puerta doble. Una tercera persona emergió del vehículo. Era un hombre calvo, vestido con una sotana. Ante un movimiento de su arma, los dos esbirros se acercaron a las puertas y colocaron la mano sobre los picaportes de bronce. El conductor de la camioneta pisó el acelerador sin moverse del lugar.

—¡Adelante! —gritó Bourne—. ¡Es él! ¡Es Carlos!

—¡No! —rugió Krupkin—. Aguardemos. Ahora es nuestra trampa y debe quedar atrapado... dentro.

—¡Por amor de Dios, hay esa gente! —replicó Jason.

—En todas las guerras hay víctimas, señor Bourne, y por si no se ha dado cuenta, esto es una guerra. Suya y mía. Además, la suya es mucho más personal que la mía.

De pronto, se oyó un grito ensordecedor del Chacal y los dos terroristas franquearon las puertas violentamente, abriendo fuego con las armas.

—¡Ahora! —gritó Sergei con el motor en marcha y el acelerador a fondo.

El Citroën avanzó a toda velocidad hacia la camioneta, pero en una fracción de segundo quedó desviado. Una poderosa explosión se produjo a su derecha. El coche gris con el anciano dentro voló por el aire, enviando al Citroën hacia la izquierda, contra la vieja cerca que bordeaba el aparcamiento contiguo a la posada. En ese instante, en lugar de avanzar, la camioneta del Chacal retrocedió y se detuvo bruscamente. El conductor saltó del vehículo y se ocultó tras él; había descubierto al grupo de apoyo soviético. Mientras los dos rusos corrían hacia el restaurante, el conductor del Chacal mató a uno de ellos con una ráfaga de su arma. El otro se arrojó a los campos observando con impotencia cómo el hombre de Carlos destrozaba los neumáticos y las ventanillas del vehículo soviético.

—¡Salid! —gritó Sergei, empujando a Bourne al exterior, mientras su aturdido superior y Alex Conklin bajaban tras él y se acuclillaban junto a la cerca.

—¡Vamos! —exclamó Jason mientras se levantaba aferrado a su AK-47—. Ese hijo de puta ha volado el coche por control remoto.

—¡Yo iré primero! —propuso el soviético.

—¿Por qué?

—Francamente, soy más joven y más fuerte...

—¡Cállese! —Bourne corrió en zigzag para atraer el fuego, arrojándose al suelo cuando el conductor del Chacal comenzó a disparar. Entonces alzó el arma entre los pastos, consciente de que el hombre pensaba que había dado en el blanco; la cabeza sobresalió y cuando Jasón apretó el gatillo, desapareció.

Al oír el grito agónico desde detrás de la camioneta, el segundo de los rusos se levantó de entre las malezas y continuó hacia la entrada del restaurante. En el interior resonaban las ráfagas de disparos acompañadas por gritos de pánico, seguidos de más estallidos. Dentro de la antes bucólica fonda campestre se desarrollaba una auténtica pesadilla de terror y de sangre. Bourne se puso en pie junto con Sergei y ambos corrieron a reunirse con el otro soviético. Ante una señal de Bourne, los rusos abrieron las puertas y entraron como una tromba.

Los siguientes sesenta segundos mostraron una escena de infierno como la que imaginó Munch. Un camarero y dos de los hombres que habían entrado con sus parejas estaban muertos: dos tendidos en el suelo con las cabezas destrozadas, los rostros desfigurados y bañados en sangre; y el otro reclinado hacia atrás en la silla, con los ojos vidriosos abiertos de par en par y las ropas ensangrentadas a causa de los innumerables agujeros de bala. Las mujeres estaban en un estado de conmoción total, gimiendo y gritando alternativamente mientras trataban de trepar por las paredes de pino del compartimiento. La elegante pareja de la embajada italiana no se veía por ninguna parte.

De pronto Sergei corrió hacia delante disparando el arma; al fondo de la habitación se escondía una figura que Bourne no había visto. El asesino con el rostro cubierto saltó de entre las sombras apuntándoles con su rifle automático, pero antes de que pudiera aprovechar la ventaja, el soviético lo derribó. ¡Otro más! Un cuerpo agazapado detrás del mostrador de la barra. ¿Sería el Chacal? Jason se volvió hacia la pared diagonal, escudriñando cada escondrijo cerca de los estantes de vinos. Se lanzó a la base de la barra mientras el otro soviético, evaluando la situación, corría hacia las mujeres histéricas mientras movía el arma de un lado al otro para protegerlas. La cabeza cubierta con una media se asomó por el mostrador y junto con ella surgió el arma. Bourne se levantó de un salto, sujetando el cañón caliente con la mano izquierda mientras maniobraba la AK-47 con la derecha; disparó a quemarropa contra el rostro contorsionado detrás de la media. No era Carlos. ¿Dónde estaba el Chacal?

—¡Allí! —gritó Sergei como si hubiese oído la furiosa pregunta de Jason.

—¿Dónde?

—En esas puertas.

Era la cocina del restaurante. Ambos convergieron sobre las puertas batientes. Bourne movió de nuevo la cabeza, la señal para que ambos la franqueasen, pero antes de que pudiesen actuar, una explosión en el interior los derribó. Había estallado una granada lanzando contra las puertas una lluvia de metralla. El humo inundó el comedor con un olor acre y repugnante.

Silencio.

Jason y Sergei volvieron a acercarse a la entrada de la cocina y una segunda explosión seguida por una ráfaga de disparos los detuvo. Las balas perforaron los delgados paneles de las puertas batientes.

Silencio.

Nadie se movió.

Silencio.

Era demasiado para el furioso y apasionado Camaleón. Movió el seguro de su AK-47, desplazó la palanca de acción y colocó el gatillo para un fuego automático. Entonces se lanzó contra las puertas, arrojándose al suelo.

Silencio.

Otra escena del infierno. Una parte de la pared exterior había sido volada. El obeso dueño del local y su cocinero estaban muertos, clavados a los estantes de la cocina bañados en sangre.

Bourne se levantó lentamente con las piernas inseguras. Cada nervio de su cuerpo estaba exacerbado y al borde de la histeria. Como en un trance, observó entre el humo y los escombros hasta que sus ojos se fijaron en un fragmento grande y siniestro de papel clavado a la pared con un cuchillo de carnicero. Bourne se acercó y arrancó el cuchillo mientras leía las palabras escritas en lápiz negro.

*Los árboles de Tannenbaum arderán y los niños serán leña. Duerme tranquilo, Jason Bourne.*

Los espejos de su vida estallaron en miles de fragmentos. Sólo podía gritar.

31

—¡Basta, David!

—Dios mío, está loco, Aleksei. ¡Sergei, sujétalo con fuerza, tú ayúdalo! Ponedlo en el suelo para que pueda hablarle. ¡Debemos salir de aquí rápido!

En medio de forcejeos, los dos ayudantes rusos lograron dominar a Bourne, quien no dejaba de gritar, y lo tendieron sobre la hierba. Jason había salido por el hueco de la pared derrumbada y corrió hacia las malezas en un inútil intento de encontrar al Chacal, disparando su AK-47 al campo hasta que su cargador estuvo vacío. Sergei y el otro soviético habían corrido hacia él y, después de que el primero lograra arrebatarle el arma de las manos, lo habían conducido en un ataque de histerismo hasta la parte trasera de la fonda, donde los esperaban Alex y Krupkin. Entonces llevaron a Bourne hasta el frente del restaurante, donde el Camaleón volvió a sufrir un nuevo ataque de histeria.

La camioneta del Chacal había desaparecido. Carlos había invertido su ruta de escape y Jason Bourne había enloquecido.

—¡Sujetadlo! —rugió Krupkin de rodillas junto a Jason, mientras los otros dos lo asían. El oficial del KGB tomó al norteamericano por el rostro, para obligar a Treadstone Setenta y uno a que lo mirase—. Se lo diré una sola vez, señor Bourne, y si no lo comprende puede quedarse aquí solo y sufrir las consecuencias. Pero nosotros debemos irnos. Si logra controlarse, nos pondremos en contacto con los oficiales indicados de su gobierno en el plazo de una hora. He leído la amenaza y le aseguro que los suyos son capaces de proteger a su familia. Pero usted, usted mismo debe formar parte de ese informe. Puede recuperar la razón o puede irse al infierno. ¿Qué prefiere?

Luchando contra las rodillas que lo sujetaban al suelo, el Camaleón suspiró como si hubiese sido su hálito final.

—Sacadme a esos idiotas de encima —dijo.

—Uno de esos idiotas te salvó la vida —respondió Conklin.

—Y yo se la salvé al otro. Amén.


El Citroën blindado recorrió rápidamente la carretera comarcal hacia la autopista a París. Por el teléfono celular, Krupkin ordenó que un equipo se dirigiese inmediatamente a Epernon para que se llevaran los restos del vehículo ruso. Habían colocado con sumo cuidado el cuerpo del hombre asesinado en el maletero del Citroën y la versión oficial, si era necesaria, explicaría que dos diplomáticos de rango inferior habían asistido a un almuerzo campestre cuando ocurrió la masacre. Varios de los asesinos llevaban los rostros cubiertos con medias; además, como ellos habían tenido que escapar para salvar sus vidas apenas si habían podido ver a los demás. Cuando todo terminó, habían vuelto al restaurante para cubrir a las víctimas y tratar de calmar a las mujeres histéricas y al único hombre sobreviviente. Habían llamado a sus superiores para informar acerca del horrible incidente y recibieron instrucciones de informar a la policía local y regresar de inmediato a la embajada. Los intereses soviéticos no podían ponerse en peligro por su presencia accidental en el lugar, ya que se trataba de un enfrentamiento entre criminales franceses.

—Suena muy ruso —comentó Krupkin.

—¿Se lo tragarán? —preguntó Alex.

—No tiene importancia —respondió el soviético—. Lo de Epernon apesta a represalia del Chacal. El anciano que muere en la explosión, los dos terroristas soubordinados con los rostros cubiertos: la Sûreté conoce los indicios. Si nos vemos involucrados, estamos en el lado correcto, así que no investigarán nuestra presencia.

Bourne permanecía en silencio sentado junto a la ventanilla. Krupkin estaba a su lado y Conklin en el asiento plegable frente al ruso. Jason rompió su furioso silencio, apartó la vista del paisaje para golpear el apoyabrazos con el puño.

—¡Oh, Dios, los niños! —gritó—. ¿Cómo puede haber averiguado ese maldito lo de la casa Tannenbaum?

—Discúlpeme, señor Bourne —lo interrumpió Krupkin con suavidad—. Comprendo que para mí es mucho más fácil decirlo que para usted aceptarlo, pero muy pronto estará en contacto con Washington. Tengo bastantes datos respecto a la capacidad de la Agencia para proteger a los suyos, y le garantizo que es exasperantemente efectiva.

—¡No lo será tanto cuando Carlos ha logrado averiguar dónde están!

—Tal vez no lo hizo —dijo el soviético—. Es posible que disponga de otra fuente.

—No la hay.

—Nunca se sabe, señor.

Recorrieron las calles de París bajo el deslumbrante sol de la tarde mientras los peatones sudaban con el calor del estío. Finalmente llegaron a la embajada soviética en el bulevar Lannes y franquearon la reja de entrada con el permiso de los guardias, quienes reconocieron al instante el Citroën gris de Krupkin. Circularon alrededor del patio de adoquines y se detuvieron frente a la imponente escalinata de mármol, que junto con la escultórica arcada formaban la entrada.

—Permanezca cerca, Sergei —ordenó el oficial del KGB—. Si debemos establecer contacto con la Sûreté, usted es el indicado. —Entonces se volvió hacia el ayudante que estaba junto a Sergei en el asiento delantero—. No se ofenda, joven, pero a lo largo de los años mi amigo y conductor se ha vuelto muy hábil en estas situaciones. Sin embargo, usted también tiene una tarea. Prepare el cuerpo de nuestro leal y difunto camarada para la cremación. Asuntos Internos le explicará lo del papeleo. —Con un movimiento de cabeza, Dimitri Krupkin indicó a Bourne y a Alex Conklin que bajasen del coche.

Una vez en el interior, Dimitri explicó al guardia armado que prefería que sus invitados no tuviesen que pasar por el detector de metales al que debían someterse todos los visitantes de la embajada soviética.

—¿Se imaginan la de alarmas que se activarían? —susurró después a Alex y a Bourne—. Dos norteamericanos armados de la salvaje CIA vagando por los pasillos de este bastión del proletariado. Dios mío, yo siento el frío de Siberia en los testículos.

Atravesaron el vestíbulo lujosamente decorado al estilo del siglo diecinueve y se detuvieron frente a un típico ascensor francés con reja de bronce, entraron en él y subieron hasta la segunda planta. La reja se abrió y, mientras los conducía por un amplio pasillo, Krupkin explicó:

—Utilizaremos una sala de conferencias privada. Ningún americano, aparte de vosotros, la ha visto ni la verá nunca, ya que es una de las pocas oficinas donde no hay micrófonos.

—No querrás repetir esa afirmación ante un detector de mentiras, ¿verdad? —preguntó Conklin riendo.

—Al igual que tú, Aleksei, hace mucho tiempo que he aprendido cómo engañar a esas máquinas idiotas; pero aunque no fuese así, en este caso lo haría sin inconveniente, ya que es la verdad. Para ser sinceros, nos protege de nosotros mismos. Ahora, acompañadme.

La sala de conferencias tenía el tamaño de un comedor mediano, pero contaba con una mesa larga y pesada, y con oscuros muebles masculinos. Las sillas también eran pesadas, macizas y bastante incómodas. Las paredes estaban recubiertas de paneles color caoba, con el inevitable retrato de Lenin centrado de forma aparatosa detrás de la cabecera, junto a la cual se hallaba una mesa baja con el teléfono.

—Sé que estáis ansiosos —dijo Krupkin, acercándose al aparato—, así que autorizaré una línea internacional. —Dimitri levantó el receptor, pulsó un botón y habló rápidamente en ruso. Entonces colgó y se volvió hacia los norteamericanos—. Os han asignado el número veintiséis, es el último boton de la derecha, en la segunda hilera.

—Gracias. —Conklin extrajo un papel del bolsillo y se lo entregó al oficial del KGB—. Necesito otro favor, Kruppie. Esto es un número de teléfono de París. Se supone que es una línea directa con el Chacal, pero no coincide con otro número que Bourne obtuvo y que le permitió ponerse en contacto con él. No sabemos dónde está, pero en cualquier caso, guarda relación con Carlos.

—Y no queréis llamar por miedo a que descubran que conocéis el número… Comprendo. ¿Por qué ponerlos sobre aviso cuando no es necesario? Yo me ocuparé de ello. —Krupkin miró a Jason con la expresión de un colega comprensivo—. Mantenga la bondad y la firmeza en su corazón, señor Bourne, como dirían los zaristas al hacer frente a un peligro todavía oculto. A pesar de sus temores, yo confío enormemente en la capacidad de Langley. Ha perjudicado muchas de mis operaciones.

—Estoy seguro de que usted también les habrá causado problemas —dijo Jason con impaciencia, mirando la consola del teléfono.

—Eso es lo que me da fuerzas para continuar.

—Gracias, Kruppie —dijo Alex—. Usando tus mismas palabras, eres un buen y viejo enemigo.

—¡Una vergüenza para tus padres! Si hubiesen permanecido en la madre Rusia, piénsalo. ¡Ahora mismo tú y yo podríamos estar al mando del Komitet!

—¿Y tener dos casas frente al lago?

—¿Estás loco, Aleksei? ¡Seríamos los amos de todo el lago Ginebra! —Krupkin se volvió y abandonó la habitación riendo suavemente.

—Para vosotros todo esto es un maldito juego, ¿verdad? —acusó Bourne.

—Hasta cierto punto —reconoció Alex—. Pero no cuando una información robada puede conducir a la pérdida de vidas, de ambos bandos, por supuesto. Entonces aparecen las armas y terminan los juegos.

—Llama a Langley —dijo Jason bruscamente, mientras señalaba el teléfono—. Holland tendrá que darnos algunas explicaciones.

—Llamar a Langley no servirá de nada...

—¿Qué?

—Es demasiado temprano; apenas si son las siete de la mañana en Estados Unidos. Pero no te preocupes.

—¿Que no me preocupe? —exclamó Bourne—. ¿Qué quieres decir? Estoy al límite, Alex. ¡Mis hijos están allí!

—Tranquilízate, sólo he querido decir que tengo su número particular. —Conklin se sentó ante el teléfono y marcó—. ¿Peter? Soy Alex. Abre los ojos y despierta, marinero. Tenemos problemas.

—No tengo que despertar —respondió la voz desde Fairfax, Virginia—. Acabo de regresar de correr siete kilómetros.

—Oh, los que tenéis dos pies os creéis muy listos.

—Dios mío, lo siento, Alex... No quise...

—Por supuesto que no, alférez Holland, pero tenemos un problema.

—Lo cual significa que al menos habéis establecido contacto. Has localizado a Bourne.

—Está a mi lado. Llamamos desde la embajada soviética en París.

—¿Qué? ¡Bendito sea Dios!

—No se trata de Dios, sino de Casset, ¿lo recuerdas?

—Oh sí, lo había olvidado... ¿Qué hay de su esposa?

—Mo Panov está con ella. El doctor nos brinda el apoyo médico, lo cual es un alivio.

—En efecto. ¿Algún otro progreso?

—Nada que vaya a gustarte, pero no te queda más remedio que oírlo.

—¿De qué estás hablando?

—El Chacal sabe lo de Tannenbaum.

—¡Estás loco! —gritó el director de la CIA, con tanta fuerza que se produjo un sonido metálico en la línea transoceánica—. ¡Nadie lo sabe! Sólo Charlie Casset y yo. Hemos organizado un cronograma con nombres falsos y pistas que conducen hacia Centroamérica. Están tan alejadas de París que nadie podría haber establecido una relación. Además, ¡no se mencionaba a Tannenbaum en las órdenes! ¡El hermetismo ha sido total, porque no podíamos permitir que nadie más manejase el secreto!

—Los hechos son los hechos, Peter. Mi amigo tiene una nota en donde dice que los árboles de Tannenbaum arderán y los niños con ellos.

—¡Hijo de puta! —exclamó Holland—. No cuelgues —le ordenó—. Llamaré a St. Jacques y haré que seguridad los traslade esta misma mañana. ¡No cuelgues! —Conklin miró a Bourne. El teléfono estaba entre ambos así que los dos oyeron las palabras.

—Si hay una fuga de información, y la hay, no puede provenir de Langley —dijo Alex.

—¡Tiene que ser! No ha buscado lo suficiente.

—¿Dónde debe buscar?

—Dios, vosotros sois los expertos. El helicóptero que fue a buscarlos, la tripulación, la gente que dio la autorización a una aeronave norteamericana para volar sobre territorio del Reino Unido. ¡Dios mío! Carlos compró al maldito gobernador de la Corona allá en Montserrat y también a su funcionario de la división de narcóticos. ¿Por qué no habría de interceptar las comunicaciones entre nuestros militares y Plymouth?

—Pero ya lo has oído —insistió Conklin—. Los nombres eran falsos, los datos conducían a Centroamerica y, por encima de todo, en los vuelos de relevo nadie sabía lo de la propiedad Tannenbaum. Nadie. Hay una filtración.

—Por favor, ahórrame esa jerga secreta.

—No es nada secreta. Una filtración es un espacio que no ha sido llenado…

—¿Alex? —La voz furiosa de Peter Holland se oyó de nuevo en la línea.

—¿Sí, Peter?

—Los estamos trasladando y no os diré adónde ni siquiera a vosotros. St. Jacques refunfuñó porque la señora Cooper y los niños ya estaban aposentados, pero le he dicho que tienen una hora.

—Quiero hablar con Johnny —exigió Bourne al teléfono.

—Es un placer oírle, aunque sólo sea por teléfono —respondió Holland.

—Gracias por todo lo que hace por nosotros —dijo Jason con suavidad y franqueza—. Hablo en serio.

—*Quid pro quo*, Bourne. En su cacería del Chacal ha hecho salir un conejo grande y horrible del sombrero.

—¿Qué?

—Medusa. La nueva.

—¿Cómo va eso? —intervino Conklin.

—Estamos haciendo nuestra propia polinización cruzada entre los sicilianos y varios bancos europeos. Ensucia todo lo que toca, pero ahora tenemos más cables tendidos hacia esa poderosa firma legal de Nueva York que en un despegue de la NASA. Nos estamos acercando.

—Buen trabajo —los felicitó Jason—. ¿Me dicta el número de Tannenbaum para que pueda hablar con John St. Jacques?

Holland se lo dio, Alex lo anotó y colgó.

—El teléfono es todo tuyo —lo invitó Conklin mientras se levantaba de la silla con dificultad y se colocaba a un lado de la mesa.

Bourne se sentó y se concentró en la miríada de botones que tenía delante. Tomó el receptor y leyó los números que Alex había anotado para pulsar los dígitos correspondientes.

Los saludos fueron breves y Jason lanzó sus preguntas con voz dura y autoritaria.

—¿Con quién has hablado acerca de la casa Tannenbaum?

—Un momento, David —dijo St. Jacques, instintivamente a la defensiva—. ¿A qué te refieres con eso?

—Lo que he dicho. Entre el Sosiego y Washington, ¿con quién has hablado respecto a Tannenbaum?

—¿Quieres decir después de que Holland me hablara de ello?

—Por amor de Dios, Johnny, no pudo haber sido antes, ¿verdad?

—No, no pudo, Sherlock Holmes.

—Entonces, ¿con quién?

—Contigo. Sólo contigo, querido cuñado.

—¿Qué?

—Ya me has oído. Todo ocurría tan rápido que lo más probable es que incluso se me olvidara el nombre de Tannenbaum. En caso de que lo recordara, puedes comprender que no iba a gritarlo a los cuatro vientos.

—Tienes que haberlo hecho. La información se filtró y no fue desde Langley.

—Tampoco desde mí. Mira, doctor Académico, es posible que no tenga un título universitario, pero tampoco soy idiota. Tengo a mis sobrinos en la otra habitación y espero poder verlos crecer... Por eso nos trasladan, ¿verdad?

—Sí.

—¿Están muy mal las cosas?

—Muy mal. El Chacal.

—¡Señor! —estalló St. Jacques—. ¡Si ese canalla aparece por aquí, será mío!

—Tranquilo, Canadá —aconsejó Jason con voz más tranquila y pensativa, sin ira—. Tú dices, y yo te creo, que sólo hablaste conmigo acerca de la propiedad Tannenbaum. Y si mal no recuerdo, fui yo mismo quien mencionó el nombre.

—Es cierto. Lo recuerdo porque cuando Pritchard me dijo que habías llamado, yo estaba en la otra línea hablando con Henry Sykes en Montserrat. ¿Te acuerdas del ayudante del gobernador?

—Por supuesto.

—Le estaba pidiendo que mantuviese cierta vigilancia sobre el Sosiego porque yo debía partir por unos días. Naturalmente, él ya lo sabía porque había tenido que autorizar la entrada del avión norteamericano. Recuerdo claramente que me preguntó adónde iba y yo me limité a responderle que a Washington. Ni siquiera se me ocurrió aludir a Tannenbaum y Sykes no me presionó. Evidentemente sospechó que guardaba alguna relación con los terribles sucesos ocurridos. Podría decirse que es un profesional en estos asuntos. —St. Jacques se detuvo, pero antes de que Bourne pudiera hablar murmuró con voz ronca—: ¡Oh, Dios mío!

—Pritchard —dijo Jason—. Permaneció en la línea.

—¿Por qué? ¿Por qué iba a hacerlo?

—Olvidas que Carlos compró a tu gobernador de la Corona y a su jefe de narcóticos. Debieron de costarle mucho dinero, podía comprar a Pritchard por bastante menos.

—No, te equivocas, David. Pritchard puede ser un estúpido engreído, pero no se volvería contra mí por dinero. No es tan importante en las islas, aunque el prestigio sí, y con excepción de los momentos en que me saca de quicio, yo se lo proporciono. En realidad cumple muy bien con su trabajo.

—No queda nadie más, hermano.

—Sólo hay una forma de averiguarlo. Estoy aquí, no allí, y en este momento no puedo regresar.

—¿A qué te refieres?

—Quiero hablar de esto con Henry Sykes. ¿Te parece bien?

—De acuerdo.

—¿Cómo está Marie?

—Tan bien como cabría esperar considerando las circunstancias. Johnny, no quiero que ella sepa nada sobre todo esto, ¿me comprendes? Cuando hable contigo, y sé que lo hará, dile que ya estáis acomodados y que todo anda bien. Ni una palabra respecto al traslado o a Carlos.

—Comprendo.

—¿Todo anda bien, verdad? ¿Cómo están los niños? ¿Cómo se está tomando Jamie todo esto?

—Es posible que te sientas celoso, pero se lo está pasando en grande. Y la señora Cooper ni siquiera me deja tocar a Alison.

—Me alegro de las dos cosas. No estoy celoso.

—Gracias. ¿Y tú? ¿Algún progreso?

—Me mantendré en contacto —replicó Bourne. Colgó y se volvió hacia Alex—. No tiene sentido, pero los movimientos de Carlos siempre lo tienen si se observan con la suficiente atención. Me deja una amenaza que me enloquece de miedo, pero no tiene ninguna intención de cumplirla. ¿Qué piensas de ello?

—Sólo quería que enloquecieras —respondió Conklin—. El Chacal no atacará una propiedad como Tannenbaum desde lejos. Quiere desequilibrarte para que cometas errores. Quiere tener el control en sus manos.

—Es otro motivo para que Marie regrese a Estados Unidos lo antes posible. Debe irse. La quiero dentro de una fortaleza, no almorzando a la vista de todos en Barbizon.

—Comparto más que anoche esta opinión.

Lo interrumpió el ruido de una puerta al abrirse. Krupkin entró en la habitación con varios registros de ordenador.

—El número que me habéis dado está fuera de servicio —informó con cierta vacilación en la voz.

—¿A servicio de quién estaba? —preguntó Jason.

—Esto no va a gustaros más que a mí. Si pudiese encontrar una alternativa creíble os mentiría, pero no puedo y, sin lugar a dudas, tampoco debo hacerlo. Hace cinco días fue transferido por una organización evidentemente falsa al nombre de Webb. David Webb.

Conklin y Bourne miraron al oficial de inteligencia soviético en silencio, en la habitación parecían haber descargas eléctricas de gran voltaje.

—¿Por qué estás tan seguro de que no nos gustará la información? —preguntó Alex con suavidad.

—Mi viejo y buen enemigo —comenzó Krupkin con voz no más alta que la de Conklin—. Cuando el señor Bourne salió de ese terrorífico restaurante con un trozo de papel en la mano, estaba histérico. En tu intento de calmarlo, de hacer que recuperase el control, lo llamaste David... Ahora tengo un nombre, aunque sinceramente preferiría no tenerlo.

—Olvídelo —dijo Bourne.

—Haré lo posible, pero hay formas...

—No me refería a eso —lo interrumpió Jason—. Tendré que vivir con el hecho de que lo sabe, ya me las arreglaré. ¿Dónde se instaló ese teléfono? ¿Cuál es la dirección?

—Según los ordenadores, es una misión perteneciente a una orden llamada Hermanas Magadalenas de la Caridad. Evidentemente también es falsa.

—No lo crea —lo corrigió Bourne—. Existe. Es auténtica y sirve como cortina. O servía.

—Fascinante —murmuró Krupkin—. Casi todas las diversas facetas del Chacal están relacionadas con la Iglesia. Un *modus operandi* brillante. Se dice que en el pasado estudió para el sacerdocio.

—Entonces la Iglesia os lleva ventaja —comentó Alex, con expresión risueña—. Lo han echado fuera antes que vosotros.

—Yo no subestimo al Vaticano —rió Dimitri—. Últimamente ha demostrado que nuestro demente Joseph Stalin se equivocó de prioridades al preguntar cuántas tropas tenía el papa. Su santidad no las necesita, ha alcanzado más logros que Stalin con todas sus purgas. El poder lo tiene quien infunde más temor, ¿verdad, Aleksei? Todos los príncipes de esta Tierra lo utilizan con una eficacia brutal. Y todo gira en torno a la muerte, al miedo a ella, antes o después. ¿Cuándo creceremos y les diremos a todos ellos que se vayan al infierno?

—La muerte —susurró Jason con el ceño fruncido—. Muerte en Rivoli, en el Meurice, las Hermanas Magdalenas… ¡Dios mío, lo había olvidado por completo! ¡Dominique Lavier! Ella estaba en el Meurice, es posible que todavía esté allí. ¡Recuerdo que dijo colaboraría conmigo!

—¿Por qué iba a hacerlo? —preguntó Krupkin con dureza.

—Porque Carlos mató a su hermana y ella no tuvo alternativa. O se unía a él o también moriría asesinada. —Bourne se volvió hacia el teléfono—. Necesito el número del Meurice…

—Cuatro, dos, seis, cero, tres, ocho, seis, cero —dijo Krupkin mientras Jason tomaba un lápiz y anotaba los números en la libreta de Alex—. Un lugar encantador, en el pasado se lo conocía como el hotel de los reyes. Su restaurante me gusta especialmente.

Bourne pulsó los botones, y alzó una mano para que guardasen silencio.

Después de reflexionar unos segundos, recordó que el nombre acordado era *madame* Brielle y pidió al operador que lo comunicase con su habitación. Al oír el *«Mais oui»* del hombre, asintió con la cabeza mirando a Alex y a Dimitri Krupkin. Lavier respondió.

—¿Sí?

—Soy yo, *madame* —dijo Jason con un francés sin apenas acento; el Camaleón estaba al mando—. Su casera sugirió que podríamos encontrarla allí. El vestido de la señora está listo. Nos disculpamos por el retraso.

—Debían traerlo ayer al mediodía, ¡idiotas! Había previsto ponérmelo ayer por la noche en Le Grand Véfour. ¡Fue humillante!

—Mil disculpas. Podemos enviárselo al hotel de inmediato.

—¡Es un completo idiota! Estoy segura de que mi doncella también le dijo que sólo permanecería aquí dos días. Llévelo a mi apartamento en la Montaigne, ¡y será mejor que esté allí a las cuatro en punto o no recibirá su cuenta en seis meses! —La conversación terminó de forma contundente con un sonoro chasquido al otro lado de la línea.

Bourne colgó el receptor; tenía la frente cubierta de sudor.

—He estado lejos de esto demasiado tiempo —masculló y respiró hondo—. Tiene un apartamento en la Montaigne y estará allí a las cuatro.

—¿Quién diablos es Dominique «no sé qué»? —exclamó Conklin completamente abatido.

—Lavier —respondió Krupkin—. Utiliza el nombre de su hermana muerta, Jacqueline, cuya personalidad adoptó hace años.

—¿Usted lo sabía? —preguntó Jason, impresionado.

—Sí, pero nunca nos ha servido de gran cosa. Era una artimaña lógica: un aspecto similar, varios meses de ausencia, cirugía plástica y cierta preparación, todo bastante normal en el anormal mundo de la alta costura. ¿Quién observa o escucha a alguien en ese ambiente superficial? Nosotros la hemos vigilado, pero nunca nos ha conducido hasta el Chacal; no sabría cómo. No tiene un acceso directo; toda la información que transmite al Chacal pasa por un filtro, debe atravesar varias paredes de piedra. Es el estilo del Chacal.

—No siempre —replicó Bourne—. Había un hombre llamado Santos que regentaba un café en Argenteuil llamado Le Coeur du Soldat. Él tenía acceso. Me lo entregó; era un hombre especial.

—¿Era? —Krupkin alzó las cejas—. ¿En pasado?

—Está muerto.

—Ese café de Argenteuil, ¿continúa funcionando?

—Lo cerraron —admitió Jason sin mostrar frustración.

—Por lo tanto, el acceso ya no existe.

—Claro, pero confío en lo que me dijo porque lo mataron por ello. Quería desaparecer, al igual que esta tal Lavier, sólo que su vinculación se remontaba a los inicios. A Cuba, donde Carlos había salvado de la ejecución a un hombre tan inadaptado como él mismo. Sabía que podría utilizar a ese hombre, a ese gigante imponente capaz de operar en medio de la escoria de la sociedad. Santos tenía acceso directo. Lo demostró al entregarme un número que realmente me condujo al Chacal. Muy pocos hombres podrían hacerlo.

—Fascinante —comentó Krupkin con los ojos fijos en Bourne—. Pero al igual que podría preguntar mi viejo y buen enemigo Aleksei, quien ahora lo está observando igual que yo, ¿adónde quiere llegar, señor Bourne? Sus palabras son ambiguas, pero las acusaciones que ha dado a entender parecen peligrosas.

—Para usted. No para nosotros.

—¿Cómo?

—Santos me informó de que sólo cuatro hombres en el mundo tienen acceso directo al Chacal. Uno de ellos está en la plaza Dzerzhinski. «Un alto mando del Komitet», fueron las palabras de Santos. Créame, no tenía en gran estima a su superior.

Fue como si un director del Politburó le hubiese propinado una bofetada a Dimitri Krupkin, en medio de la plaza Roja, durante un desfile del primero de mayo. Su rostro adquirió un tinte ceniciento y permaneció con los ojos abiertos, sin parpadear.

—¿Qué más le dijo este Santos? ¡Debo saberlo!

—Sólo que Carlos mantenía alguna relación con Moscú, que estaba estableciendo contacto con gente en las altas esferas. Para él era una obsesión. Descubrir ese contacto en la Dzerzhinski, significaría un gran avance. Mientras tanto, sólo tenemos a Dominique Lavier…

—¡Mierda, mierda! —rugió Krupkin, interrumpiendo a Jason—. ¡Qué locura! ¡Sin embargo, es perfectamente lógico! Ha respondido a varias preguntas, señor Bourne, preguntas que bullían en mi mente. Cuántas veces he estado al borde y siempre nada. Bueno, debo decirles una cosa, caballeros, los juegos del demonio no están restringidos a los que habitan en el infierno. Se admiten otros jugadores. ¡Dios mío, me han llevado de un lado a otro como han querido! ¡No habrá más llamadas desde este teléfono!


Eran las tres y media de la tarde, hora de Moscú, y el hombre mayor con uniforme de oficial del ejército soviético caminó tan rápido como le permitía su edad por los pasillos del cuarto piso del KGB, en la plaza Dzerzhinski. Era un día caluroso y, como de costumbre, el aire acondicionado no funcionaba, de manera que el general Grigori Rodchenko se permitió un privilegio de los de su jerarquía: llevaba abierto el cuello de la camisa. Esto no evitaba que el sudor se deslizara por los surcos de sus mejillas profundamente arrugadas y le cayera hasta el cuello; pero la ausencia de esa faja ceñida sobre la garganta resultaba un alivio.

Rodchenko llegó a los ascensores, pulsó un botón y esperó apretando una llave en la mano. Cuando se abrieron las puertas de la derecha, se alegró de que no hubiese nadie en el interior. Era más fácil que ordenar a todos que salieran: al menos resultaba mucho menos incómodo. Entonces entró, encajó la llave en la cerradura más alta del panel y volvió a esperar mientras el mecanismo se ponía en marcha. Inmediatamente el ascensor lo condujo a las plantas subterráneas del edificio.

Las puertas se abrieron y el general salió, consciente del persuasivo silencio que reinaba en los pasillos. Al cabo de unos momentos, aquello cambiaría, pensó. Avanzó por el pasillo izquierdo hasta llegar a una gran puerta de acero con un cartel metálico en el centro.

PROHIBIDO EL PASO. SÓLO PERSONAL AUTORIZADO.

Era una advertencia inútil, consideró mientras extraía una delgada tarjeta del bolsillo y la introducía lentamente en una ranura a la derecha. Sin la tarjeta, e incluso si se insertaba demasiado rápido, la puerta no se abriría. Se oyeron dos chasquidos. Rodchenko retiró la tarjeta y la pesada puerta se desplazó mientras un monitor de televisión controlaba su entrada.

Un rumor surgía de docenas de cubículos iluminados indicando su funcionamiento. El lugar tenía el tamaño de un gran salón de baile zarista, pero sin la decoración. Mil piezas de material en blanco y gris, y cientos de personas vestidas con batas inmaculadas, trabajando en compartimientos de paredes blancas. Por fortuna, el aire era fresco, en realidad casi frío. La maquinaria lo exigía, ya que éste era el centro de comunicaciones del KGB. Durante las veinticuatro horas del día, llegaba información desde todo el mundo.

El viejo soldado recorrió el conocido camino hasta el pasillo más alejado de la derecha y se dirigió hacia el último cubículo, al fondo de la enorme habitación. Era una larga caminata y el general tenía la respiración entrecortada y las piernas cansadas. Entró en el pequeño compartimiento, y saludó al operador, quien alzó la vista hacia su visitante y se quitó los auriculares. Sobre la mesa blanca frente a él había una gran consola electrónica con una miríada de interruptores, sintonizadores y un tablero de llaves. Rodchenko se sentó en una silla metálica junto al hombre.

—¿Ha tenido noticias del coronel Krupkin en París? —preguntó jadeante.

—He tenido noticias acerca del coronel Krupkin, general. Siguiendo sus instrucciones de grabar las conversaciones telefónicas del coronel, incluyendo las líneas internacionales autorizadas por él, hace algunos minutos he recibido una cinta desde París. Me parece que usted debería oírla.

—Como de costumbre, es usted sumamente eficiente y yo le estoy muy agradecido. Estoy seguro de que el coronel Krupkin nos informará de los sucesos, pero como usted sabe está muy ocupado.

—No es necesario que me dé explicaciones, señor. Estas conversaciones han sido grabadas durante la última media hora. ¿Los auriculares, por favor?

Rodchenko se colocó los aparatos y asintió con la cabeza. El operador colocó un bloc y varios lápices ante el general; a continuación tocó algunos interruptores del tablero y se retrepó en su silla mientras el poderoso *direktor* del Komitet se inclinaba hacia delante, escuchando. Al cabo de un momento el general comenzó a tomar notas; minutos después escribía furiosamente. La cinta finalizó y Rodchenko se quitó los auriculares. Miró con severidad al operador, sus pequeños ojos eslavos brillaban inflexibles entre los pliegues de piel arrugada. Los surcos de su rostro parecían más pronunciados que nunca.

—Borre la cinta y luego destruya el carrete —ordenó mientras se levantaba de la silla—. Como de costumbre, no ha oído nada.

—Como de costumbre, general.

—También como de costumbre, tendrá su recompensa.

Eran las cuatro y diecisiete minutos cuando Rodchenko regresó a su oficina y se sentó ante su escritorio, estudiando los apuntes. ¡Parecía increíble! Sin embargo, era cierto: él mismo había oído las palabras y las voces. No las que se referían a *monseigneur* en París; ahora aquel hombre quedaba en segundo término y podía ser localizado en cuestión de minutos, si era necesario. Eso podía esperar, pero lo otro no, ¡ni un instante más! El general tomó el teléfono y llamó a su secretaria.

—Quiero una comunicación vía satélite con nuestro consulado en Nueva York, de inmediato. La conversación es de máxima seguridad y no debe ser interferida.

¿Cómo podía ocurrir?

¡Medusa!

# 32

Con el ceño fruncido, Marie oyó la voz de su esposo en el teléfono y asintió con un gesto dirigido a Mo Panov al otro lado de la habitación.

—¿Dónde estás ahora? —le preguntó.

—En un teléfono público del plaza Athénée —le respondió Bourne—. Volveré dentro de un par de horas.

—¿Qué ha sucedido?

—Complicaciones, pero también algunos avances.

—Eso no me dice nada.

—No hay gran cosa que decir.

—¿Cómo es ese Krupkin?

—Es un sujeto curioso. Nos llevó a la embajada soviética y pude hablar con tu hermano por una de sus líneas.

—¿Qué...? ¿Cómo están los niños?

—Bien. Todo marcha bien. Jamie se está divirtiendo mucho y la señora Cooper no deja que Johnny toque a Alison.

—Lo cual significa que mi hermano prefiere no tocar a Alison.

—Probablemente.

—¿Me das el número? Me gustaría llamar.

—Holland está estableciendo una línea segura. Lo sabremos dentro de una hora o dos.

—Eso significa que estás mintiendo.

—Probablemente. Deberías estar con ellos. Tengo prisa, ya te llamaré.

—Un momento. Mo quiere hablar contigo...

La línea quedó en silencio. Al otro lado de la habitación, Panov sacudió la cabeza lentamente mientras observaba la reacción de Marie ante la conversación bruscamente interrumpida.

—Olvídalo —dijo—. Soy la última persona con quien desea hablar.

—Él está allí otra vez, Mo. Ya no es David.

—Ahora tiene un trabajo diferente —añadió Panov con suavidad—. David no podría manejarlo.

—Creo que nunca te había oído decir nada tan alarmante.

El psiquiatra asintió con la cabeza.

—Es posible que tengas razón.


El Citroën gris estaba aparcado en diagonal al edificio donde vivía Dominique Lavier, en la elegante avenida Montaigne. Krupkin, Alex y Bourne estaban sentados en la parte posterior, Conklin ocupaba de nuevo el asiento plegable ya que la posición era más apropiada para su tamaño y su pierna lisiada. La conversación era mínima, ya que los tres hombres miraban ansiosamente hacia las cristaleras del edificio.

—¿Está seguro de que esto funcionará? —preguntó Jason.

—Sólo estoy seguro de que Sergei es un profesional competente —respondió Krupkin—. Lo entrenaron en Nóvgorod, ya sabe, y su francés es impecable. También cuenta con una variedad de identificaciones que engañarían a la División de Documentos del Deuxième Bureau.

—¿Qué hay de los otros dos? —insistió Bourne.

—Subalternos silenciosos, a las órdenes de su superior y fieles a él. También son expertos en su oficio. ¡Ahí viene!

Sergei salió por las cristaleras, giró hacia la izquierda y momentos después cruzaba la ancha avenida hacia el Citroën. Llegó hasta el vehículo, rodeó el capó y se sentó tras el volante.

—Todo está en orden. *Madame* no ha regresado y el apartamento es el número veintiuno, primer piso, al frente y a la derecha. Lo hemos registrado por completo; no hay micrófonos.

—¿Está seguro? —preguntó Conklin—. Aquí no hay lugar para errores, Sergei.

—Disponemos del mejor instrumental, señor —respondió el agente del KGB con una sonrisa—. Siento decirlo, pero han sido fabricados por la corporación General Electronics bajo contrato con Langley.

—Dos puntos para nuestro bando —comentó Alex.

—Menos doce por permitir que robaran la tecnología —concluyó Krupkin—. Además, estoy seguro de que hace años nuestra *madame* Lavier debió de tener micrófonos cosidos al colchón.

—Los hemos examinado —intervino Sergei.

—Gracias, pero me refiero a que el Chacal no puede vigilar a su personal en todo París. Las cosas se complican.

—¿Dónde están los dos hombres restantes? —preguntó Bourne.

—En el vestíbulo, señor. Yo me reuniré con ellos dentro de un instante y tendremos un vehículo de apoyo en la calle, todos comunicados por radio, por supuesto... Ahora lo conduciré hasta allí.

—Un momento —intervino Conklin—. ¿Cómo entraremos? ¿Qué diremos?

—No tendrá que decir nada. Pertenecen al personal secreto autorizado del SDECE francés...

—¿Del qué? —preguntó Jason.

—Del Servicio de Documentación Externa y Contraespionaje —respondió Alex—. Es lo más parecido a Langley que hay aquí.

—¿Y el Deuxième?

—Una rama especial —explicó Conklin distraído, con la mente en otra parte—. Hay quien opina que es un cuerpo de elite, otros dicen lo contrario... Sergei, ¿no lo comprobarán?

—Ya lo han hecho, señor. Después de mostrar mi identificación al conserje y a su ayudante, les proporcioné un número de teléfono para que confirmaran el servicio y mi identidad. Luego les describí a ustedes tres y les pedí que me permitiesen entrar en el apartamento de *madame* Lavier. Ahora los llevaré hasta allí. El portero se quedará más tranquilo.

—Algunas veces, la sencillez respaldada por la autoridad resulta lo más efectivo en un engaño —observó Krupkin mientras el Citroën se desplazaba entre el fluido tránsito de la amplia avenida hacia la entrada del edificio de piedra blanca—. Aparque el coche a la vuelta de la esquina, donde no se vea, Sergei —ordenó el oficial del KGB mientras abría la puerta—. ¿Tiene mi radio, por favor?

—Sí, señor —respondió el agente y entregó a Krupkin un intercomunicador electrónico en miniatura—. Le avisaré cuando esté en mi puesto.

—¿Con esto me mantendré en contacto con todos vosotros?

—Sí, camarada. A más de cincuenta metros la frecuencia no se puede detectar.

—Vamos, caballeros.

Una vez en el vestíbulo de mármol, Krupkin hizo una seña al conserje formalmente vestido detrás del mostrador, con Jason y Alex a su derecha.

—*La porte est ouverte* —informó el conserje con la cabeza gacha, para evitar el contacto visual—. Yo no estaré a la vista cuando llegue *madame* —continuó en francés—. Ignoro cómo han logrado entrar; sin embargo, hay una puerta de servicio en la parte trasera del edificio.

—Por cortesía oficial es la que hemos utilizado —dijo Krupkin con la vista fija al frente mientras los tres se dirigían al ascensor.

El apartamento de Lavier era un testamento del mundo de la elegancia y la alta costura. Las paredes estaban cubiertas con fotografías de los importantes de la moda asistiendo a grandes desfiles y con bocetos originales de famosos diseñadores. Como en un Mondrian, el mobiliario era austero y de colores atrevidos, predominando el rojo, el negro y el verde oscuro; las sillas, sofás y mesas sólo recordaban vagamente estos muebles, parecían más propios de una nave espacial.

Como si se hubiesen puesto de acuerdo, tanto Conklin como el ruso se lanzaron a registrar las mesas y examinar las notas manuscritas. Varias de ellas estaban junto a un teléfono nacarado, sobre algo parecido a una mesa verde.

—Si esto es un escritorio —dijo Alex—, ¿dónde diablos están los cajones o los tiradores?

—Es la última novedad de Leconte —respondió Krupkin.

—¿El tenista? —preguntó Alex.

—No, Aleksei, el diseñador de muebles. Si presionas salen disparados hacia afuera.

—Será una broma, supongo.

—Inténtalo.

Conklin obedeció y ante sus ojos se abrió un cajón que antes era prácticamente invisible.

—Que me aspen...

De pronto, la radio en miniatura de Krupkin emitió dos señales agudas en el interior de su bolsillo.

—Debe de ser Sergei —dijo Dimitri mientras sacaba el aparato—. ¿Está en su puesto, camarada? —continuó hablando en la base de la radio.

—Más que eso —dijo la voz suave del ayudante acompañada de una pequeña descarga de estática—. Lavier acaba de entrar en el edificio.

—¿Y el conserje?

—No está a la vista.

—Bien. Fuera, Aleksei, sal de ahí. Lavier está subiendo.

—¿Quieres esconderte? —preguntó Conklin en tono jocoso mientras examinaba una agenda.

—Preferiría no comenzar con una hostilidad inmediata, lo cual sin duda ocurrirá si te descubre metiendo la nariz en sus efectos personales.

—Muy bien, muy bien. —Alex devolvió la libreta al cajón y lo cerró—. Pero si ella no coopera, me llevaré este librito negro.

—Cooperará —aseguró Bourne—. Ya os lo he dicho, quiere desaparecer y sólo podrá hacerlo si muere el Chacal. El dinero es secundario, no es que carezca de importancia, pero librarse de todo es lo principal.

—¿Dinero? —preguntó Krupkin—. ¿Qué dinero?

—Le he ofrecido un precio y lo pagaré.

—Puedo asegurarle que el dinero no es algo secundario para *madame* Lavier —añadió el ruso.

El ruido de una llave en la cerradura resonó por la sala. Los tres hombres se volvieron hacia la puerta mientras una sorprendida Dominique Lavier entraba en el apartamento. Sin embargo, su sobresalto fue tan breve como fugaz. Alzó las cejas como una majestuosa modelo, volvió a guardar con calma la llave en el bolso y miró a los intrusos.

—Bien, Kruppie, debí imaginar que tenías algo que ver con esto.

—Ah, la encantadora Jacqueline, ¿o te parece que dejemos de fingir, Domie?

—¿Kruppie? —exclamó Alex—. ¿Domie...? ¿Qué es esto? ¿Un encuentro de viejos amigos?

—El camarada Krupkin es uno de los más famosos oficiales del KGB en París —explicó Lavier mientras se dirigía hacia la larga mesa roja detrás del sofá de seda blanca para dejar el bolso—. Conocerlo es *de rigueur* en ciertos círculos.

—Tiene sus ventajas, querida Domie. No puedes imaginar la cantidad de información probadamente falsa que el Quai d'Orsay me suministra en esos círculos. De paso, tengo entendido que conoces a nuestro amigo norteamericano y que incluso has mantenido ciertas negociaciones con él, por lo que sólo te presentaré a su colega, *monsieur* Aleksei Konsolikov.

—No te creo. Él no es soviético. Tengo el olfato acostumbrado a percibir la presencia de las bestias.

—¡Ah, me has destrozado, Domie! Pero tienes razón, fue una decisión desafortunada de sus padres. Por lo tanto, será mejor que se presente él mismo, si lo desea.

—Me llamo Conklin, Alex Conklin, señorita Lavier, soy norteamericano. Sin embargo, en cierto sentido nuestro amigo común, «Kruppie», está en lo cierto. Mis padres eran rusos y yo lo hablo con fluidez, así que no puede engañarme cuando estamos en compañía de soviéticos.

—Encantador.

—Bueno, al menos es provechoso, si conoce a Kruppie.

—¡Me habéis herido, fatalmente herido! —exclamó Krupkin—. Pero mi dolor carece de importancia en este encuentro. ¿Trabajarás con nosotros, Domie?

—Trabajaré con vosotros, Kruppie. ¡Dios mío, vaya si lo haré!

Sólo pido que Jason Bourne concrete su oferta. Con Carlos soy un animal enjaulado, pero sin él soy una cortesana vieja y casi indigente. Quiero que pague por la muerte de mi hermana y por todo lo que me ha hecho, pero no quisiera dormir en una zanja.

—Ponga usted el precio —intervino Bourne.

—Escríbalo —añadió Conklin mirando a Krupkin.

—Veamos —dijo Lavier mientras rodeaba el sofá y se dirigía al escritorio Leconte—. Estoy rondando los sesenta, en un sentido u otro, no tiene importancia, y sin la amenaza del Chacal o de cualquier enfermedad fatal es posible que me queden unos quince o veinte años. —Se inclinó sobre el escritorio y anotó una cifra en un bloc, arrancó la hoja y se irguió mirando al norteamericano alto—. Para usted, señor Bourne. Preferiría no discutir, considero que es una cifra justa.

Jason cogió el papel y leyó la cantidad: un millón de dólares.

—Es justa —aceptó Bourne, devolviéndole el papel—. Decida cómo y dónde desea recibir el pago y yo haré las disposiciones necesarias cuando salgamos de aquí. Tendrá el dinero por la mañana.

La vieja cortesana miró a los ojos de Bourne.

—Le creo —afirmó mientras volvía a inclinarse sobre el escritorio y anotaba sus instrucciones. Entonces se enderezó y entregó el papel a Jason—. Trato hecho, *monsieur*. Que Dios nos permita llevar a cabo el asesinato. Si no lo hace, moriremos.

—¿Habla como hermana Magdalena?

—Hablo como una hermana aterrorizada, ni más ni menos.

Bourne asintió con un gesto.

—Me gustaría hacerle varias preguntas —dijo—. ¿Quiere sentarse?

—*Oui*. Y un cigarrillo. —Lavier se dirigió al sofá y hundida entre los almohadones, tomó su bolso de la mesa roja. Extrajo un paquete de cigarrillos, sacó uno y cogió un mechero dorado de la mesa de café—. Un hábito asqueroso pero muy necesario en determinados momentos —comentó mientras encendía la llama e inhalaba profundamente.

—¿Qué ocurrió en el Meurice? ¿Cómo ocurrió?

—Lo que ocurrió fue la mujer, supongo que su mujer, al menos eso deduje. Tal como habíamos acordado, usted y su amigo del Deuxième debían situarse de tal modo que cuando Carlos llegara para atraparlo, usted lo mataría. Por razones que nadie puede comprender, su mujer gritó al verlo cruzar la Rivoli, el resto lo vio usted mismo… ¿Cómo pudo decirme que tomara una habitación en el Meurice sabiendo que ella se alojaba allí?

—Eso tiene una fácil respuesta. No sabía que estaba allí. Ahora, ¿cuál es nuestra posición?

—Carlos todavía confía en mí. Según he sabido, culpa de todo a su esposa y no tiene motivos para colgarme el muerto. Después de todo, usted estaba allí y eso prueba mi lealtad. De no haber sido por el oficial del Deuxième, ahora estaría muerto.

Bourne volvió a asentir con la cabeza.

—¿Cómo puede ponerse en contacto con él?

—Yo sola no puedo. Nunca lo he hecho ni tampoco lo he intentado. Él lo prefiere de este modo y, tal como le dije, los cheques siempre llegan a tiempo, así que no tengo ningún motivo para hacerlo.

—Pero le envía mensajes —insistió Jason—. Usted misma lo dijo.

—Sí, es verdad, pero nunca de forma directa. Llamo a diversos ancianos a algunos cafés baratos. Los nombres y los números varían cada semana y algunos de ellos ni siquiera saben de qué les estoy hablando, pero los que sí están al corriente llaman a otros de inmediato, y éstos, a su vez, a otros. De algún modo el mensaje llega a destino; y muy rápido, por cierto.

—¿Qué os decía? —intervino Krupkin con énfasis—. Todos los mensajeros con nombres falsos y los cafés inmundos. ¡Paredes de piedra!

—Sin embargo, los mensajes llegan a destino —insistió Alex Conklin repitiendo las palabras de Lavier.

—Kruppie tiene razón. —La mujer se llevó el cigarrillo a la boca con gesto nervioso—. Los caminos son intrincados hasta el punto de resultar inescrutables.

—Eso no importa —dijo Alex como sumido en sus propios pensamientos—. Se ponen en contacto con Carlos rápidamente, según ha dicho.

—Es cierto.

Conklin miró fijamente a Lavier.

—Quiero que envíe el mensaje más urgente que jamás haya transmitido al Chacal. Debe contactar con él directamente. Se trata de una emergencia sobre la cual no puede hablar con nadie que no sea Carlos en persona.

—¿Respecto a qué? —irrumpió Krupkin—. ¿Qué podría ser tan urgente como para convencer al Chacal? Al igual que nuestro señor Bourne, lo obsesionan las trampas y, dadas las circunstancias, cualquier comunicación directa huele a chamusquina.

Alex sacudió la cabeza y cojeó hasta una ventana. Allí volvió a adoptar una expresión pensativa y concentrada que se reflejaba en sus ojos. Lentamente, su mirada su deslizó hacia la calle.

—Dios mío, podría funcionar —susurró para sí.

—¿Qué podría funcionar? —preguntó Bourne.

—¡Dimitri, de prisa! Llama a la embajada y que nos envíen la limusina diplomática más grande y lujosa de que dispongan tus proletarios.

—¿Qué?

—¡Haz lo que te digo! ¡Rápido!

—¿Aleksei...?

—¡Ahora!

La fuerza y la urgencia de la orden de Conklin surtieron su efecto. El ruso se dirigió rápidamente al teléfono nacarado y marcó mientras interrogaba a Alex con la mirada. Lavier observó a Jason y éste sacudió la cabeza perplejo mientras Krupkin pronunciaba una serie de frases breves y entrecortadas en ruso.

—Listo —dijo el oficial del KGB al colgar—. Ahora debes ofrecerme una razón bien convincente para lo que he hecho.

—Moscú —respondió Conklin sin apartar la mirada de la ventana.

—Alex, por amor de Dios...

—¿Qué estás diciendo? —rugió Krupkin.

—Debemos sacar a Carlos de París —explicó Conklin mientras se volvía hacia ellos—. ¿Qué mejor que Moscú? —Antes de que los atónitos caballeros pudieran responder, Alex miró a Lavier—. ¿Dice que aún confía en usted?

—No tiene motivos para sospechar de mí.

—Entonces, dos palabras serán suficientes. «Moscú, emergencia.» Ése será el mensaje que le enviará. Hágalo como mejor le parezca, pero insista en que la naturaleza de la crisis exige que hable sólo con él.

—Pero yo nunca he...

—Entonces tendrá más fuerza —la interrumpió Conklin, volviéndose hacia Bourne y Krupkin—. En esta ciudad él tiene todas las cartas, todas. Dispone de armas, de una intrincada red de pistoleros y correos, y por cada grieta en la que puede esconderse, hay varias docenas más disponibles para él. París es su territorio, su refugio, podríamos correr ciegamente por toda la ciudad durante días, semanas o incluso meses, y no llegaríamos a ninguna parte hasta el momento en que os tuviera a ti y a Marie encañonados; también podéis incluirnos a Mo y a mí en ese final. Londres, Amsterdam, Bruselas, Roma, cualquier ciudad nos sería más ventajosa que París; pero la mejor es Moscú. Curiosamente, es el único lugar del mundo que tiene cierto efecto hipnótico sobre él, y también es el menos hospitalario.

—Aleksei, Aleksei —exclamó Dimitri Krupkin—. De veras creo que deberías reconsiderar tu abstinencia de alcohol, es evidente que has perdido el juicio. Supongamos que Domie logra comunicarse con Carlos y le dice lo que tú quieres. ¿Supones que sólo porque hay una «emergencia» en Moscú saldrá corriendo a tomar el próximo avión hacia allí? ¡Es una locura!

—Puedes apostar hasta el último rublo que hayas conseguido en el mercado negro —respondió Conklin—. Ese mensaje es sólo para convencerlo de que se ponga en contacto con ella. Cuando lo haga, Lavier activará la bomba. Ha conseguido una información extraordinaria que sólo puede transmitirle a él en persona, sin intermediarios.

—¿Qué información podría ser ésa? —preguntó Lavier mientras sacaba otro cigarrillo y lo encendía.

—El KGB de Moscú está cercando al hombre del Chacal en la plaza Dzerzhinski. Ya lo tienen entre diez o doce oficiales del más alto rango. Cuando lo encuentren, Carlos quedará neutralizado en el Komitet y, lo que es aún peor, perderá a un informante que sabe demasiado acerca de él para ser sometido a los interrogatorios de Lubyanka.

—Pero, ¿cómo se habrá enterado ella de eso? —preguntó Jason.

—¿Quién se lo diría? —agregó Krupkin.

—Es la verdad, ¿no?

—También lo son las subestaciones secretas de Beijing, Kabul y, perdonad la impertinencia, la isla Príncipe Eduardo de Canadá. Sin embargo, vosotros no las sacáis a la luz —objetó Krupkin.

—No sabía lo de Príncipe Eduardo —se sorprendió Alex—. De todos modos, hay momentos en que la publicidad no es necesaria, sólo los medios para transmitir la información de forma creíble. Hace unos momentos no disponía de esos medios, pero ahora se ha llenado la brecha. Ven aquí, Kruppie; acércate tú solo y mantente apartado de la ventana. Mira por el borde de las cortinas. —El soviético obedeció; se situó junto a Conklin y separó un poco la tela—. ¿Qué ves? —preguntó Alex mientras señalaba un coche viejo y oscuro aparcado en la avenida Montaigne—. No casa mucho con este vecindario, ¿verdad?

Krupkin no se molestó en responder. En lugar de ello, extrajo la radio en miniatura del bolsillo y pulsó el botón transmisor.

—Sergei, hay un automóvil marrón oscuro a unos ochenta metros de la entrada del edificio.

—Lo sabemos, señor —respondió el agente—. Lo tenemos vigilado y, si se fija, nuestro vehículo de apoyo está aparcado al otro lado de la calle. Es un anciano que sólo se mueve para mirar por la ventanilla.

—¿Tiene un teléfono en el coche?

—No, camarada. Si abandona el automóvil, lo seguiremos, así que no podrá llamar a menos que usted indique lo contrario.

—No indicaré lo contrario. Gracias, Sergei. Fuera. —El ruso miró a Conklin—. El anciano. Lo habías visto.

—Con calva y todo —afirmó Alex—. No es ningún tonto, ya ha hecho esto antes y sabe que lo observamos. No puede salir por miedo a perderse algo y si tuviera un teléfono, ya habría otros en la Montaigne.

—El Chacal. —Bourne dio un paso adelante y luego se detuvo, recordando la orden de Conklin de permanecer alejados de la ventana.

—¿Lo comprendéis ahora? —preguntó Alex, dirigiendo la pregunta a Krupkin.

—Por supuesto —concedió el oficial del KGB con una sonrisa—. Por eso querías una aparatosa limusina de nuestra embajada. Cuando salgamos, Carlos sabrá que han enviado un vehículo diplomático soviético para recogernos. ¿Y para qué íbamos a estar aquí si no para interrogar a *madame* Lavier? Naturalmente, me reconocerán. Verán que me acompaña un hombre alto que podría ser Jason Bourne, además de un individuo más bajo con una pierna lisiada, lo cual confirmará que sí se trata de Jason Bourne. Nuestra profana alianza quedará establecida y, naturalmente, durante el duro interrogatorio a *madame* Lavier se habrán caldeado los ánimos y aparecerán referencias al informante del Chacal en la plaza Dzerzhinski.

—Hecho del cual sólo puedo haberme enterado a través de mi relación con Santos en Le Coeur du Soldat —concluyó Jason con suavidad—. Por lo tanto, Dominique tiene un testigo fiable para respaldar su información: un anciano del ejército del Chacal. Debo admitirlo, san Alex, ese cerebro diabólico que tienes no ha perdido su astucia.

—Me parece oír a un profesor que conocí en el pasado... Pensé que nos había abandonado.

—Así es.

—Sólo por un tiempo, espero.

—Bien hecho, Aleksei. Aún tienes el don; puedes continuar abstemio si lo consideras necesario, por más que me duela. Siempre se trata de ver los matices, ¿verdad?

—No siempre —respondió Conklin, sacudiendo la cabeza—. La mayoría de las veces se trata de errores tontos. Por ejemplo, nuestra nueva colega, «Domie», como tú la llamas de forma afectuosa, creía que aún confiaban en ella. Sin embargo no era así, al menos no por completo. Han enviado a un anciano para vigilar su apartamento, pero su coche llama la atención en una calle llena de Jaguar y Rolls-Royce. Por lo tanto, combiaremos de estrategia y con suerte lograremos nuestro cometido. Moscú.

—Déjame analizarlo —dijo Krupkin—. Aunque en ese terreno siempre has sido mucho mejor que yo, Aleksei. Prefiero el mejor vino al más profundo pensamiento, aunque tanto en tu país como en el mío lo segundo conduce invariablemente a lo primero.

—¡*Merde!* —gritó Dominique Lavier al tiempo que aplastaba el cigarrillo—. ¿De qué están hablando estos dos idiotas?

—Nos lo dirán, créame —respondió Bourne.

—Tal como se ha dicho y repetido hasta la saciedad —continuó el soviético—, años atrás entrenamos a un demente en Nóvgorod y le hubiésemos metido una bala en la cabeza de no haberse escapado. Si sus métodos hubieran sido admitidos por algún gobierno legítimo, en especial por alguna de las dos superpotencias, se habría producido un enfrentamiento que ninguno de nosotros podrá permitir jamás. Sin embargo, al principio era un verdadero revolucionario y nosotros, los más auténticos revolucionarios del mundo, lo desheredamos. Desde su punto de vista, ha sido una gran injusticia, que nunca olvidará. Siempre anhelará regresar al seno materno, ya que allí fue donde nació. ¡Dios mío, es despreciable la cantidad de gente que ha matado como «agresores» mientras amasaba una fortuna!

—Pero los soviéticos lo habéis repudiado —intervino Jason— y él quiere cambiar eso. Debe ser reconocido como el experto asesino que entrenasteis. Su ego de psicópata es la base de todo lo que Alex y yo hemos urdido. Según Santos, se jactaba constantemente del cuadro que estaba organizando en Moscú. «Siempre Moscú, es su obsesión», me dijo Santos. Él sólo tenía noticia de ese oficial de alto rango del KGB, pero me dijo que Carlos afirmaba tener a otros en posiciones clave. Bajo la personalidad de *monseigneur* les había estado enviando dinero durante años.

—Así que el Chacal cree tener un grupo de partidarios dentro de nuestro gobierno —observó Krupkin—. A pesar de todo, aún cree que podrá regresar. Sin duda es unególatra patológico, pero nunca ha comprendido la mentalidad rusa. De forma temporal podrá corromper a algunos oportunistas y cínicos, pero ellos se volverán contra él para protegerse. A nadie le gusta pasar una temporada en Lubyanka o en Siberia. La aldea pavloviana del Chacal arderá.

—Entonces con más razón correrá a Moscú para apagar el fuego —dijo Alex.

—¿A qué te refieres? —preguntó Bourne.

—El incendio se iniciará cuando el hombre del Chacal en la plaza Dzerzhinski sea descubierto, él lo sabe. La única forma de impedirlo sería viajar a Moscú y tomar una determinación. Si su informante no logra eludir la seguridad interna, el Chacal tendrá que matarlo.

—Lo había olvidado —interrumpió Bourne—. Otra cosa que dijo Santos: casi todos los rusos de la nómina de Carlos hablan francés. Busque a un hombre de alto rango en el Komitet que hable francés.

La radio de Krupkin volvió a emitir dos señales agudas, apenas amortiguadas por la chaqueta. El soviético volvió a sacarla y habló.

—¿Sí?

—No sé cómo ni por qué, camarada —anunció la voz tensa de Sergei—, pero la limusina del embajador acaba de llegar al edificio. ¡Le juro que no tengo idea de lo que ha ocurrido!

—Yo sí. He pedido que la enviasen.

—¡Pero todo el mundo verá las banderas de la embajada!

—Incluyendo, espero, a un anciano vigilante en un automóvil marrón. Bajaremos enseguida. Fuera. —Krupkin se volvió hacia los demás—. Ha llegado el coche, caballeros. ¿Dónde nos encontraremos, Domie? ¿Y cuándo?

—Esta noche —respondió Lavier—. Hay una exposición en La Galerie d'Or, en la rue de Paradis. El artista es un joven principiante que desea ser estrella del rock o algo parecido, pero es el furor del momento y todo el mundo estará allí.

—Esta noche, entonces. Vamos caballeros. En contra de nuestros instintos, debemos hacer que se percaten de nuestra presencia abajo en la acera.


La gente entraba y salía del lugar mientras una ensordecedora banda de rock, que afortunadamente se hallaba ubicada en un salón contiguo, ofrecía el acompañamiento musical. De no haber sido por las pinturas en las paredes y los pequeños focos que las iluminaban, cualquiera podría haber pensado que se encontraba en una discoteca y no en una de las elegantes galerías de arte de París.

Mediante unas señas con la cabeza, Dominique Lavier logró atraer a Krupkin hasta un rincón del gran salón. Entre sonrisas, cejas alzadas y risitas fingidas, lograron disimular una conversación.

—Entre los ancianos se ha corrido la voz de que *monseigneur* estará fuera varios días. Sin embargo, todos deben continuar buscando al norteamericano alto con su amigo lisiado e informar cada vez que los vean.

—Observo que has hecho bien tu trabajo.

—Mientras le transmitía la información, guardó completo silencio. Sin embargo, en su respiración se percibía el odio. Sentí que se me helaban los huesos.

—Está camino de Moscú —dijo el ruso—. Sin duda a través de Praga.

—¿Qué harán ahora?

Krupkin echó la cabeza hacia atrás en una risa falsa y silenciosa. Luego bajó la vista hacia ella y respondió con una sonrisa.

—Moscú.

## 33

Bryce Ogilvie, gerente accionista de Ogilvie, Spofford, Crawford y Cohen, solía enorgullecerse de su autodisciplina. Ésta no sólo consistía en mostrar una apariencia serena, sino en la fría calma con que controlaba sus más profundos temores en los momentos de crisis. Sin embargo, cuando llegó a su oficina, hacía apenas un cuarto de hora, y oyó sonar su teléfono privado, se sintió alarmado por una llamada tan temprana a través de esa línea concreta. Ante el fuerte acento del cónsul soviético en Nueva York exigiéndole una entrevista inmediata, hubo de reconocer que experimentaba un repentino vacío en el pecho. Cuando el ruso le indicó, le ordenó, que estuviese en el hotel Carlyle, habitación 4-C, al cabo de una hora, en lugar de encontrarse como de costumbre en el apartamento de la calle 32 y Madison, Bryce sintió un dolor ardiente que ocupó ese vacío en su pecho. Tímidamente sugirió que el encuentro era un poco precipitado y el ardor de su pecho se convirtió en una llamarada que subió hasta su garganta tras la respuesta del soviético.

—Lo que tengo que enseñarle le hará lamentar amargamente haberme conocido y haber tenido ocasión de encontrarse conmigo esta mañana. ¡Quiero verle allí!

Ogilvie estaba reclinado en su limusina hasta donde le permitía el asiento, con las piernas estiradas y rígidas sobre la alfombrilla. Por su mente circulaban pensamientos abstractos referidos a su riqueza personal, poder e influencias. ¡Debía controlarse! Después de todo, él era Bryce Ogilvie, quizás el abogado corporativo de mayor éxito en Nueva York; Randolph Gates era el único que podía competir con él en su especialidad.

¡Gates! Pensar en ese hijo de puta lo ayudaría a distraerse. Medusa había pedido un pequeño favor al célebre Gates, un nombramiento insignificante y perfectamente aceptable para una comisión relacionada con el gobierno, ¡y él ni siquiera había respondido a las llamadas telefónicas! Llamadas efectuadas por otra fuente perfectamente aceptable, el irreprochable e imparcial jefe del Departamento de Compras del Pentágono, un imbécil llamado general Norman Swayne, que sólo buscaba la mejor información. Bueno, tal vez era algo más que eso, pero Gates no podía saberlo... ¿Gates? Hacía poco había aparecido algo en el *Times* respecto a un juicio del cual se había retirado. ¿De qué se trataba?

La limusina se detuvo frente al hotel Carlyle. En el pasado había sido el alojamiento favorito de la familia Kennedy en Nueva York y ahora era el preferido de los soviéticos para sus encuentros clandestinos. Ogilvie aguardó a que el portero uniformado abriera la puerta trasera izquierda para bajar. Normalmente no lo hubiese hecho, ya que consideraba que la espera era un remilgo innecesario, pero esta mañana era diferente, debía recuperar el control sobre sí mismo. Necesitaba volver a ser el Ogilvie frío como el hielo que tanto temían sus adversarios legales. El trayecto en el ascensor hasta la tercera planta fue rápido. La caminata por el pasillo alfombrado de azul hasta la habitación 4-C llevó mucho más tiempo, a pesar de que la distancia era más corta. Bryce Ogilvie respiró hondo, con calma, y pulsó el timbre con la espalda muy erguida. Después de veintiocho segundos que el abogado contó irritado, el cónsul general soviético abrió la puerta. Era un hombre delgado de altura mediana, con un rostro aguileño, tez pálida y grandes ojos color café.

Vladimir Sulikov era un hombre fuerte de setenta y tres años llenos de una nerviosa energía. Era un intelectual, un ex profesor de historia en la Universidad de Moscú comprometido con el marxismo. Sin embargo, si se consideraba su posición resultaba curioso que no fuera miembro del Partido Comunista. En realidad, no pertenecía a ninguna ortodoxia política, prefiriendo el papel pasivo del individuo heterodoxo en una sociedad colectivista. Eso, junto con su inteligencia particularmente aguda, le había sido muy útil; lo enviaban a puestos donde hombres más conformistas no hubiesen sido tan efectivos. La combinación de estos atributos, junto con una gran dedicación al ejercicio físico, hacía que Sulikov pareciese diez o quince años más joven. Su presencia resultaba inquietante para los que debían negociar con él, ya que de algún modo irradiaba una sabiduría adquirida con la experiencia sumada a la vitalidad de la juventud.

Los saludos fueron breves. Sulikov le estrechó la mano con frialdad y le ofreció su sillón para que se sentase. Luego permanció frente a la chimenea de mármol blanco como si ésta fuese la pizarra de un aula. Mantuvo las manos en la espalda como un agitado profesor a punto de preguntar y amonestar a un estudiante problemático.

—Vayamos al grano —dijo el ruso con frialdad—. ¿Conoce al almirante Peter Holland?

—Sí, por supuesto. Es el director de la Agencia Central de Inteligencia, ¿por qué lo pregunta?

—¿Es uno de ustedes?

—No.

—¿Está seguro?

—Por supuesto que sí.

—¿Es posible que se haya convertido en uno de ustedes sin que usted lo sepa?

—Imposible, ni siquiera lo conozco en persona. Si esto es una especie de interrogatorio al estilo soviético, practíquelo con otra persona.

—Oh, ¿al reputado abogado norteamericano le molesta que le formulen unas simples preguntas?

—Me molesta que me insulten. Ha hecho una afirmación sorprendentemente por teléfono. Quisiera una explicación, así que, por favor, adelante.

—Se lo explicaré, abogado, puede creerme. Lo haré, pero a mi manera. Nosotros los rusos protegemos nuestros flancos; es una lección que hemos aprendido de la tragedia y el triunfo de Stalingrado, una experiencia que ustedes los norteamericanos nunca han tenido que soportar.

—Yo he estado en otra guerra, como bien sabe —replicó Ogilvie fríamente—, pero si los libros de historia cuentan la verdad, ustedes recibieron cierta ayuda del invierno ruso.

—Eso resulta difícil de explicar a los miles y miles de cadáveres rusos congelados.

—Se lo aseguro, tiene tanto mis condolencias como mis felicitaciones, pero no es la explicación que le había pedido.

—Sólo trato de formularle una axioma, joven. Tal como se ha dicho, estamos destinados a repetir las dolorosas lecciones de historia que desconocemos. Verá, nosotros protegemos nuestros flancos, y si en el terreno diplomático sospechamos que hemos sido víctimas de una situación vergonzosa en el ámbito internacional, reforzamos esos flancos. Es una lección muy simple para una persona tan cultivada como usted, abogado.

—Y tan obvia que resulta trivial. ¿Qué ocurre con el almirante Holland?

—Un momento. Primero permítame preguntarle acerca de un hombre llamado Alexander Conklin.

Sorprendido, Bryce Ogilvie se enderezó bruscamente en su sillón.

—¿Dónde ha conseguido ese nombre? —preguntó con voz apenas audible.

—Hay más. Alguien llamado Panov, Mortimer o Moishe Panov, un psiquiatra judío, según creemos. Y por fin, abogado, un hombre y una mujer que suponemos son el asesino Jason Bourne y su esposa.

—¡Dios mío! —exclamó Ogilvie con los ojos abiertos de par en par—. ¿Qué tienen que ver esas personas con nosotros?

—Eso es lo que debemos averiguar —respondió Sulikov, mirando al abogado de Wall Street—. Es evidente que los conoce a todos, ¿verdad?

—Bueno, sí... ¡no! —replicó rápidamente Ogilvie con el rostro ruborizado—. La situación es muy diferente. No tiene nada que ver con nuestro negocio, un negocio en el que hemos invertido millones, ¡desarrollado durante veinte años!

—También han recibido millones a cambio, abogado, ¿me permite recordárselo?

—¡Capital arriesgado en los mercados internacionales! —gritó el abogado—. Eso no es ningún crimen en este país. El dinero fluye al otro lado del mar presionando un botón de un ordenador. ¡No es un crimen!

—¿En serio? —El cónsul general soviético alzó las cejas—. Suponía que era usted mejor abogado de lo que sugiere esta afirmación. Han estado comprando compañías por toda Europa a través de entidades corporativas falsas o sucursales. Las firmas que adquieren representan fuentes de abastecimiento, con frecuencia en los mismos mercados, y luego determinan los precios entre compañías que antes eran competidoras. Creo que eso se llama confabulación y restricción de comercio, términos legales que no constituyen un problema para la Unión Soviética, ya que es el Estado quien determina los precios.

—¡No existe ninguna evidencia que sustente esas acusaciones! —declaró Ogilvie.

—Por supuesto que no, siempre y cuando haya mentirosos y abogados sin escrúpulos que asesoren y sobornen a los embusteros. Es una empresa laberíntica, realizada con brillantez, y ambos nos hemos beneficiado con ella. Durante años ustedes nos han vendido todo lo que hemos deseado o necesitado, incluyendo todas las informaciones importantes en las listas confidenciales de su gobierno.

—¡No hay pruebas! —insistió el abogado de Wall Street con énfasis.

—No estoy interesado en las pruebas, sólo en los nombres que le he mencionado. Se los diré por orden: almirante Holland, Alexander Conklin, doctor Panov y por último Jason Bourne y su esposa. Por favor, hábleme de ellos.

—¿Por qué? —le suplicó Ogilvie—. Acabo de explicarle que no guardan ninguna relación con nosotros, ¡nada que ver con nuestros acuerdos!

—Nosotros no opinamos lo mismo. ¿Por qué no empieza por el almirante Holland?

—¡Oh, por amor de Dios…! —El alarmado abogado sacudió la cabeza, balbuceó varias veces y al fin comenzó a hablar—. Holland…, muy bien. Reclutamos a un hombre de la CIA, a un analista llamado De Sole que se dejó llevar por el pánico y quiso cortar sus relaciones con nosotros. Naturalmente, no podíamos permitirlo, de manera que lo eliminamos, de forma profesional, tal como nos vimos obligados a hacer con varios otros que consideramos peligrosamente inestables. Holland puede haber sospechado y probablemente haya especulado con alguna maniobra sucia, pero nada mas. Los profesionales que empleamos no dejan rastros. Nunca lo hacen.

—Muy bien —dijo Sulikov, mirando al nervioso Ogilvie desde su lugar frente a la chimenea—. Ahora, Alexander Conklin.

—Es un ex jefe de la CIA y está relacionado con Panov, un psiquiatra. Ambos se mantienen en contacto con el hombre a quien llaman ustedes Jason Bourne y con su esposa. La relación es de muchos años, en realidad se remonta a Saigón. Últimamente, varios de los nuestros han recibido llamadas y amenazas, y De Sole había llegado a la conclusión de que este Bourne, con la ayuda de Conklin, era el responsable.

—¿Cómo logró averiguarlo?

—No lo sé. Sólo sé que debe ser eliminado y nuestros profesionales han aceptado el contrato… los contratos. Todos deben desaparecer.

—Ha mencionado Saigón.

—Bourne formaba parte del antiguo Medusa —admitió Ogilvie con sigilo—. Como casi todos los componentes de ese grupo, era un ladrón inadaptado. Tal vez reconociera simplemente a alguien de veinte años atrás. Según la historia que oyó De Sole, este Bourne, cuyo verdadero nombre no es ése, entre paréntesis, fue entrenado por la CIA para hacerse pasar por un asesino internacional. El propósito era atrapar a otro asesino al que llaman el Chacal. Finalmente, la estrategia falló y Bourne fue retirado: «Gracias por intentarlo, viejo amigo, pero ya ha terminado.» Es evidente que él pretendía mucho más que eso, así que se lanzó tras nosotros. ¿Ahora lo comprende? Los dos temas no tienen nada que ver, no existe ninguna relación. Son totalmente independientes.

El ruso separó las manos y dio un paso adelante. Su expresión mostraba más preocupación que alarma.

—¿De verdad es usted tan ciego, o es que su visión está tan limitada que no atina a ver más allá de su propia empresa?

—Rechazo su insulto injustificado. ¿De qué diablos está hablando?

—La conexión existe allí porque fue maquinada y creada para un solo propósito. Ustedes sólo han sido un producto secundario, un asunto incidental que de pronto cobró una inmensa importancia para las autoridades.

—No... no comprendo —susurró Olgivie con el rostro cada vez más pálido.

—Acaba de mencionar a un «asesino al que llaman el Chacal», y antes de eso se refirió a Bourne como un bribón relativamente insignificante entrenado para hacerse pasar por asesino, una estrategia que falló, por lo cual lo retiraron.

—Es lo que me han dicho.

—¿Y qué más le han dicho respecto a Carlos el Chacal? ¿Y acerca del hombre que utiliza el nombre de Jason Bourne? ¿Qué sabe de ellos?

—Muy poco, francamente. Dos viejos asesinos que han estado persiguiéndose durante años. En realidad, ¿a quién le importa? Lo único que me preocupa es el hecho de que nuestra organización permanezca en el más estricto secreto, cuestión que usted ha tenido a bien poner en duda.

—Aún no lo comprende, ¿verdad?

—¿Comprender qué, por amor de Dios?

—Es posible que Bourne no sea el modesto bribón que usted supone, en particular si tiene en cuenta a sus aliados.

—Por favor, sea más explícito —dijo Ogilvie en tono inexpresivo.

—Está utilizando a Medusa para atrapar al Chacal.

—¡Imposible! ¡Ese Medusa fue destruido hace años en Saigón!

—Es evidente que él no opina lo mismo. ¿Le importaría quitarse esa elegante chaqueta, subirse la manga y mostrar el pequeño tatuaje de su brazo?

—¡Ni hablar! ¡Es una marca de honor en una guerra que nadie apoyaba, pero en la que nosotros tuvimos que luchar!

—Oh, vamos, abogado. ¿Desde los desembarcaderos y los depósitos de suministros en Saigón? ¿Robando y enviando mensajeros a los bancos suizos? No se dan medallas por esos actos heroicos.

—¡Puras especulaciones sin fundamento! —exclamó Ogilvie.

—Dígale eso a Jason Bourne, un graduado de la Dama Serpiente original. Oh, sí, abogado, él los ha buscado, los ha encontrado y los está utilizando para atrapar al Chacal.

—Por amor de Dios, ¿cómo?

—Para ser sincero, lo ignoro, pero será mejor que lea esto. —El cónsul general se acercó rápidamente al escritorio, tomó un montón de hojas escritas a máquina y se las entregó a Bryce Ogilvie—. Son unas conversaciones telefónicas que se han realizado hace cuatro horas en nuestra embajada de París. Hemos establecido las identidades. Léalo con cuidado, abogado, y luego dígame su opinión legal.

El célebre abogado, el «Ogilvie frío como el hielo«, cogió los papeles y comenzó a leer rápidamente. A medida que pasaba las páginas, su rostro fue perdiendo color hasta alcanzar la palidez de la muerte.

—Dios mío, lo saben todo. ¡Hay micrófonos en mi oficina! ¿Cómo? ¿Por qué? ¡Es una locura! ¡No tenemos filtraciones!

—De nuevo le sugiero que diga eso a Jason Bourne y a su amigo de Saigón, Alexander Conklin. Ellos lo han descubierto.

—¡Imposible! —rugió Ogilvie—. Hemos comprado o eliminado a cualquier miembro de la Dama Serpiente que sospechara siquiera la naturaleza de nuestras actividades. Señor, ¡no eran tantos y sólo había unos pocos en campaña! Ya se lo he dicho, eran ladrones buscados por crímenes en Australia y el Lejano Oriente. ¡Conocíamos a todos los que estaban en campaña!

—Me parece que se han olvidado de un par —observó Sulikov.

El abogado volvió a las páginas escritas a máquina con la frente cubierta de sudor.

—Dios del cielo, estoy arruinado —susurró con voz ahogada.

—Ya lo había pensado —le dijo el cónsul soviético de Nueva York—, pero claro, siempre existen alternativas, ¿verdad…? Por supuesto, nosotros sólo tenemos una salida. Al igual que gran parte del continente, los despiadados corsarios capitalistas nos han engañado. Ovejas guiadas al matadero por la codicia de este monopolio norteamericano de mercados financieros rivales, que venden productos y servicios inferiores a precios desorbitados, que utilizan documentos falsos para demostrar la aprobación de Washington y así entregar miles de productos restringidos a nosotros y a nuestros países satélites.

—¡Maldito hijo de puta! —explotó Ogilvie—. Ustedes, todos ustedes, han colaborado con nosotros. Han conseguido millones como intermediarios en los países del Bloque, desviaron rutas, cambiaron nombres. Dios, ¡hasta llegaron a repintar barcos por todo el Mediterráneo, el Egeo, a través del Bósforo, por no mencionar los puertos en el Báltico!

—Demuéstrelo, abogado —lo retó Sulikov sonriendo—. Si lo desea, podría ayudarle a desertar. Su experiencia sería muy bien recibida en Moscú.

—¿Qué? —gritó Ogilvie con una expresión de pánico en el rostro.

—Bueno, sin duda no podrá permanecer aquí una hora más de lo que sea absolutamente necesario. Lea esas palabras, señor Ogilvie. Lo someterán a una vigilancia electrónica antes de que las autoridades lo detengan.

—Oh, Dios mío...

—Podría tratar de operar desde Hong Kong o Macao, ellos estarían encantados con su dinero, pero teniendo en cuenta los problemas a que se enfrentan con los mercados del continente y el tratado sino-británico del noventa y siete, es posible que vean con desagrado su proceso legal. Yo diría que Suiza queda descartada; las leyes recíprocas son muy restringidas en la actualidad, tal como ha descubierto Vesco. Ah, Vesco. Podría reunirse con él en Cuba.

—¡Basta! —gritó Ogilvie.

—Claro que también podría contrarrestar las pruebas del Estado; hay muchas cosas que desenmarañar. Hasta es posible que le reduzcan unos diez años de su sentencia de treinta.

—Maldito sea, ¡lo mataré!

La puerta de la habitación se abrió de repente y un guardia del consulado apareció amenazador con la mano bajo la chaqueta. El abogado se había puesto en pie; temblando de impotencia, regresó al sillón y se inclinó hacia delante con la cabeza entre las manos.

—Semejante comportamiento no daría muy buena impresión —objetó Sulikov—. Vamos, abogado, debe mantener la calma. No es momento para un estallido emocional.

—¿Cómo diablos puede decir eso? —preguntó Ogilvie al borde de las lágrimas—. Estoy acabado.

—Eso es demasiado tajante para un hombre con tantos recursos como usted. Lo digo en serio. Es cierto que no puede permanecer aquí, pero sus recursos continúan siendo inmensos. Actúe desde esa posición de fuerza. Logre concesiones, es el arte de la supervivencia. Con el tiempo, las autoridades comprenderán el valor de sus contribuciones. Así ha ocurrido con Boesky, Levine y varios otros que cumplen sentencias mínimas jugando al tenis y al backgamon sin perder un centavo de sus fortunas. Inténtelo.

—¿Cómo? —suspiró el abogado, mirando al ruso con los ojos irritados y suplicantes.

—Lo principal es dónde —le explicó Sulikov—. Busque un país neutral que no tenga tratado de extradición con Washington, uno en el que pueda persuadir a los funcionarios para que le garanticen una residencia provisional, de modo que esté en condiciones de continuar con sus actividades empresariales. El término «provisional» es extremadamente elástico, por supuesto. Los Emiratos, Marruecos, Turquía, Grecia..., en esos países hay posibilidades muy atractivas, y todos cuentan con colonias de habla inglesa. Hasta es posible que estemos en condiciones de ayudarlo, con toda discreción.

—¿Por qué iban a hacerlo?

—Sigue ciego, señor Ogilvie. A cambio de un precio, naturalmente. Usted tiene una operación extraordinaria en Europa. Se encuentra en pleno funcionamiento. Bajo nuestro control, se podrían obtener beneficios considerables de ella.

—¡Oh, Dios mío! —exclamó el líder de Medusa mirando al cónsul general.

—¿De verdad cree tener alguna alternativa, abogado...? Vamos, debemos darnos prisa. Habrá que efectuar varios arreglos. Afortunadamente, aún es temprano.


Eran las tres y veinticinco de la tarde cuando Charles Casset entró en la oficina de Peter Holland en la Agencia Central de Inteligencia.

—Traigo novedades —anunció el director adjunto, y añadió con menos entusiasmo—: O algo parecido.

—¿La firma Ogilvie? —preguntó Holland.

—De los soviéticos —respondió Casset mientras colocaba varias fotografías sobre el escritorio de Holland—. Hace una hora nos las han enviado por fax desde el aeropuerto Kennedy. Créeme, la hora siguiente ha sido bastante laboriosa.

—¿De Kennedy? —Con el ceño fruncido, Peter estudió los duplicados de los facsímiles. Era una secuencia de fotografías que mostraba a un grupo de gente pasando por los detectores de metales en una de las terminales del aeropuerto. En cada fotografía se veía la cabeza de un hombre rodeada por un círculo rojo—. ¿De qué se trata? ¿Quién es?

—Son pasajeros a punto de tomar un avión de Aeroflot con rumbo a Moscú. Seguridad suele fotografiar a los ciudadanos norteamericanos que realizan estos vuelos.

—¿Y? ¿Quién es él?

—Ogilvie en persona.

—¿Qué?

—Se encuentra en el vuelo de las dos, directo a Moscú, aunque en principio no debía estar allí.

—¿Cómo?

—Tres llamadas a su oficina han obtenido la misma respuesta. Está fuera del país, en Londres, hotel Dorchester. Sin embargo, en la recepción del Dorchester nos comunicaron que tenía una reserva pero que no había llegado, por lo tanto estaban tomando sus recados.

—No comprendo, Charlie.

—Es una cortina de humo urdida con bastante precipitación. En primer lugar, ¿por qué una persona tan rica como Ogilve iba a viajar por Aeroflot cuando podría tomar el Concorde hasta París y un vuelo de Air France hasta Moscú? Además, ¿por qué en su oficina nos han asegurado que está en Londres cuando la verdad es que se dirige hacia Moscú?

—Lo de Aeroflot es obvio —apuntó Holland—. Está bajo protección soviética y ésa es la línea aérea estatal. Lo del Dorchester de Londres tampoco es inexplicable. Sirve para despistar a la gente... Dios mío, ¡para despistarnos a nosotros!

—En efecto. Por lo tanto, Valentino ha estado trabajando un poco con sus sofisticados equipos. ¿Adivina qué ha encontrado? La señora Ogilvie y sus dos hijos adolescentes se encuentran en un vuelo de Air Maroc a Casablanca con rumbo a Marrakech.

—¿Marrakech...? Air Maroc, Marruecos, Marrakech. Un momento. En esos datos que Conklin había tomado de los registros del hotel Mayflower había una mujer, una de las tres personas relacionadas con Medusa, que había estado en Marrakech.

—Tiene una gran memoria, Peter. Esa mujer y la esposa de Ogilvie habían sido compañeras de cuarto en Bennington a principios de los setenta. Familias de abolengo. Sus linajes les aseguran años de lealtad y consejos mutuos.

—Charlie, ¿qué diablos está ocurriendo?

—Los Ogilvie han recibido un aviso y han escapado. Además, si no me equivoco y logramos investigar varios cientos de cuentas, descubriremos que han transferido muchos millones desde Nueva York hacia Dios sabe dónde, fuera del país.

—¿Qué más?

—Ahora Medusa se encuentra en Moscú, señor director.

# 34

Con fatiga, Louis de Fazio arrastró su pequeña figura fuera del taxi en el bulevar Masséna. Le seguía su primo Mario, mucho más robusto y musculoso, oriundo de Larchmont, Nueva York. Permanecieron en la acera frente a un restaurante cuyo nombre aparecía en rojo sobre los ventanales verdes: «Tetrazzini's».

—Éste es el lugar —indicó Louis—. Estarán en un comedor privado en la parte trasera.

—Es bastante tarde. —Mario consultó su reloj bajo la farola—. Tengo la hora de París; aquí ya es casi medianoche.

—Esperarán.

—Aún no me has dado sus nombres, Lou. ¿Cómo debemos llamarlos?

—De ninguna manera —respondió De Fazio mientras se dirigía a la entrada—. Nada de nombres; de todos modos, no tendrían significado. Lo único que debes hacer es mostrarte respetuoso, ¿sabes a qué me refiero?

—No es necesario que me lo digas, Lou, de verdad —lo reprendió Mario con su voz suave—. Pero para mi propia información, ¿por qué lo mencionas?

—Es un diplomático de alto rango —le explicó el *capo supremo*, deteniéndose un momento para mirar al hombre que, sin saberlo, había estado a punto de matar a Jason Bourne en Manassas, Virginia—. Opera en Roma entre los círculos selectos del gobierno, pero es el contacto directo con los *capios* de Sicilia. Él y su esposa gozan de una notable reputación, ¿comprendes?

—Sí y no —confesó el primo—. Si es tan importante, ¿por qué acepta un trabajo tan humilde como el de seguir a nuestras víctimas?

—Porque puede hacerlo. Tiene acceso a lugares a los que nuestros *pagliacci* ni siquiera pueden acercarse, ¿comprendes? Además, he comunicado a nuestra gente de Nueva York quiénes eran nuestros clientes, especialmente uno de ellos, ¿*capisci*? Desde Manhattan hasta el sur de Palermo, estos hombres tienen un lenguaje que utilizan exclusivamente entre ellos, ¿lo sabías, *cugino*? Se limita a un par de órdenes: «Hazlo», y «No lo hagas».

—Creo que comprendo, Lou. Les debemos respeto.

—Respeto, sí, mi querido primo, pero nada de concesiones, ¿*capisci*? ¡Nada de concesiones! Hay que correr la voz de que ésta es una operación controlada por Lou de Fazio del principio hasta el fin. ¿Me has entendido?

—En este caso, quizá pueda regresar a casa con Angie y los niños —comentó Mario, sonriendo.

—¿Qué…? ¡Cierra el pico, *cugino*! Sólo con este trabajo tendrás lo suficiente para mantener a tu montón de *bambini* un año entero.

—No son un montón, Lou, sólo cinco.

—Vamos. Recuérdalo, les guardaremos respeto, pero nada más.

El pequeño comedor privado parecía una versión en miniatura de Tetrazzini's. El ambiente era completamente italiano. Las paredes estaban cubiertas con viejas láminas de Venecia, Roma y Florencia, se oían suaves arias operísticas y tarantelas, y la iluminación era indirecta con zonas en sombras. Si un cliente no sabía que se encontraba en París, podía pensar que estaba cenando en la Via Frascati de Roma, en uno de los muchos *ristoranti* familiares que se extendían a lo largo de aquella antigua calle.

En el centro de la habitación había una gran mesa redonda cubierta por un mantel rojo, con cuatro sillas colocadas de forma equidistante. Contra las paredes se apoyaban más sillas por si se celebraba una conferencia de jefes o para que se distribuyeran los subalternos, que por lo general iban armados. Ante la mesa se sentaba un hombre de aspecto distinguido, con piel aceitunada y ondeado cabello oscuro; a su izquierda se hallaba una mujer de media edad, elegantemente vestida y peinada. Entre los dos había una botella de Chianti Classico y las copas algo toscas que tenían delante no parecían adecuadas para comensales tan aristocráticos. En una silla, detrás del diplomático, descansaba una maleta de cuero negro.

—Yo soy De Fazio —se presentó el *capo supremo* de Nueva York, mientras cerraba la puerta—. Éste es mi primo Mario, de quien ya habrán oído hablar, un hombre de mucho talento que ha escatimado un poco de su precioso tiempo en familia para estar con nosotros.

—Sí, por supuesto —dijo el mafioso aristócrata—. Mario, *il boia*, *esecuzione garantito*, mortal con cualquier arma. Siéntense, caballeros.

—Estas descripciones carecen de sentido —intervino Mario mientras se acercaba a una silla—. Soy eficaz en mi trabajo, eso es todo.

—Palabras de profesional, *signore* —añadió la mujer mientras De Fazio y su primo se sentaban—. ¿Les apetece un poco de vino o alguna otra bebida?

—Aún no —respondió Louis—. Tal vez más tarde, tal vez. Mi hábil pariente por parte de madre, que en paz descanse, me ha formulado una buena pregunta antes de entrar. ¿Cómo debemos llamarlos? ¿Señor y señora París, Francia? De todas formas, no tengo ninguna necesidad de conocer sus verdaderos nombres.

—*Conte* y *contessa*. Así suelen llamarnos —respondió el marido con una sonrisa. Sin embargo, su gesto parecía más el de una máscara que el de un rostro humano.

—¿Ves a qué me refiero, *cugino*? Son personas de categoría... Muy bien, señor conde, ¿qué le parece si nos pone al corriente de todo?

—Por supuesto, *signor* De Fazio —respondió el romano con voz tan tensa como su anterior sonrisa, ahora borrada por completo—. Lo pondré al corriente y, si de mí dependiera, también lo pondría en alguna parte bien lejos.

—Hey, ¿qué mierda está diciendo?

—¡Lou, por favor! —intervino Mario suavemente pero con firmeza—. Cuida tu vocabulario.

—¿Y el suyo qué? ¿Qué clase de lenguaje es ése? ¿Adónde quiere enviarme?

—Usted me ha preguntado lo ocurrido, *signor* De Fazio, y yo se lo estoy diciendo —continuó el conde con voz tensa como antes—. Ayer al mediodía mi esposa y yo estuvimos a punto de ser asesinados... Asesinados, *signor* De Fazio. Ni estamos acostumbrados, ni podemos permitir esta clase de experiencias. ¿Imagina usted en qué se ha metido?

—¿Ustedes? ¿Lo han intentado con ustedes?

—Si se refiere a si sabían quiénes éramos, afortunadamente no. De haberlo sabido, ¡dudo que estuviéramos sentados ante esta mesa!

—*Signor* De Fazio —interrumpió la condesa, dirigiendo una mirada a su esposo para indicarle que se calmara—. Hemos sabido que tiene un trabajo referente a ese lisiado y su amigo, el médico ¿Es verdad?

—Sí —confirmó el *capo supremo* con cautela—. Pero el trabajo se ha extendido, ¿sabe a qué me refiero?

—No tengo la menor idea —respondió el conde con frialdad.

—Voy a contárselo porque es posible que necesite su ayuda. Como les he dicho, se les pagará muy bien.

—¿Por qué se «extiende» el contrato? —intervino de nuevo la mujer.

—Debemos eliminar a otra persona. A un tercer individuo con quien estos dos han venido a reunirse.

El conde y la condesa se miraron de inmediato.

—Un «tercer individuo» —repitió el hombre de Roma mientras se llevaba la copa de vino a los labios—. Comprendo… Un contrato por tres víctimas suele ser bastante lucrativo. ¿Hasta qué punto, *signor* De Fazio?

—Eh, oiga, ¿acaso le pregunto yo cuánto gana por semana en París? Digamos que es una buena suma y para ustedes solos habrá una cifra con cinco ceros, si todo resulta según lo previsto.

—Seis cifras abarcan un amplio espectro —observó la condesa—. También indica que el contrato es por siete.

—¿Siete…? —De Fazio miró a la mujer conteniendo el aliento.

—Más de un millón de dólares —concluyó la condesa.

—Sí, bueno, para nuestros clientes es importante que estas personas abandonen este mundo —explicó Louis volviendo a respirar, ya que no habían relacionado los siete dígitos con siete millones—. Nosotros no preguntamos por qué, sólo cumplimos nuestro encargo. En situaciones como ésta, los que nos contratan suelen mostrarse generosos, nosotros conservamos la mayor parte del dinero y nuestra reputación por un trabajo eficiente. ¿No es así, Mario?

—Estoy seguro de ello, Lou, pero yo no intervengo en esos asuntos.

—Recibes tu paga, ¿verdad, *cugino*?

—De otro modo no estaría aquí, Lou.

—¿Ven a qué me refiero? —dijo De Fazio, mirando a los aristócratas de la mafia europea, quienes no mostraron la más mínima reacción y permanecieron con la mirada fija en él—. Bueno, ¿qué ocurre? Oh, es lo de ayer. ¿Cómo sucedió? ¿Los vieron y algún gorila disparó un par de veces para ahuyentarlos? Ocurrió así, ¿verdad? No puede haber sido de otra manera. No sabían quiénes eran ustedes; pero los veían con demasiada asiduidad, por lo tanto, decidieron utilizar un poco de violencia. Es una vieja treta: si ves con demasiada frecuencia a un extraño, haz algo para que se cague de miedo.

—Lou, te he pedido que moderes tu lenguaje.

—¿Moderarme? ¡Ya estoy perdiendo la paciencia! ¡Quiero cerrar el trato!

—Para hablar claro —intervino la condesa con voz suave, ignorando las palabras de De Fazio—, dice que debe matar a ese lisiado y su amigo el médico, además de un tercer individuo, ¿es correcto?

—Hablando claro, es correcto.

—¿Sabe quién es el tercer sujeto, y tiene además una fotografía o una descripción detallada?

—Desde luego. Es un canalla del gobierno a quien enviaron aquí hace años para efectuar una *esecuzione*, igual que Mario, ¿se imaginan? Pero estos tres individuos han perjudicado a nuestros clientes, los han perjudicado en serio. Éste es el motivo del contrato, ¿qué más puedo decirles?

—No estamos seguros —respondió la condesa mientras sorbía el vino con delicadeza—. Tal vez usted no lo sepa.

—¿Saber qué?

—Que hay una persona que quiere ver muerto a este tercer individuo más que ustedes —le explicó la condesa—. Ayer al mediodía asaltó un café de la campiña, abrió fuego indiscriminadamente y mató a varias personas, todo porque su tercer individuo estaba dentro. Nosotros también. Vimos cómo un guardia lo ponía sobre aviso y él salía a toda prisa. Se transmitieron determinadas emergencias. Nosotros partimos de inmediato, pocos minutos antes de la masacre.

—¡*Condannare*! —exclamó De Fazio—. ¿Quién es el maldito que quiere matarlo? ¡Díganmelo!

—Ayer empleamos todo el día en tratar de averiguarlo —comenzó la mujer mientras deslizaba los dedos por el cristal de la copa como si ésta fuese una afrenta a su sensibilidad—. Sus víctimas nunca están solas. Siempre hay hombres alrededor de ellas, guardias armados, y al principio no sabíamos de dónde provenían. Luego, en la avenida Montaigne, vimos una limusina soviética que iba a buscarlos. Su tercer hombre estaba en compañía de un conocido oficial del KGB, así que ahora creemos saberlo.

—Aunque ustedes podrían confirmarlo —intervino el conde—. ¿Cómo se llama este tercer hombre de su contrato? Considero que tenemos derecho a saberlo.

—¿Por qué no? Es un sujeto llamado Bourne, Jason Bourne, quien está amenazando a nuestros clientes.

—*Ecco* —dijo el esposo con suavidad.

—*Ultimo* —agregó la esposa—. ¿Qué saben acerca de este tal Bourne?

—Lo que les he dicho. Lo enviaron bajo protección del gobierno y los peces gordos de Washington lo engañaron. Entonces se enfadó y terminó por amenazar a nuestros clientes. Un auténtico cerdo.

—¿Nunca ha oído hablar de Carlos el Chacal? —preguntó el conde, estudiando al *capo supremo*.

—Oh, sí, claro que he oído de él y comprendo a qué se refiere. Se dice que este Chacal y Bourne se la tienen mutuamente jurada, pero no le daba importancia. Ya saben, pensaba que sólo era un asunto de las películas y los libros, pero luego me dijeron que es un verdadero asesino. ¿Cómo podía saberlo?

—Es muy real —dijo la condesa.

—Pero tal como les he dicho, me importaba un rábano. Quiero al psiquiatra judío, al lisiado y a esa carroña de Bourne, nada más. Los quiero, ya.

El diplomático y su esposa se miraron, entonces se encogieron de hombros con cierta sorpresa y la *contessa* cedió la palabra a su marido.

—Su sentido de la ficción se ha visto superado por la realidad —dijo el conde.

—¿Cómo dice?

—Existió un Robin Hood, ¿sabe?, pero no era un noble de Locksley. Era un bárbaro jefe sajón que se opuso a los normandos, un sanguinario asesino sólo ensalzado en las leyendas. Y existió un Inocencio III, un papa que no era nada inocente y seguía la salvaje política de su predecesor, san Gregorio VII, que tampoco era nada santo. Entre ambos redujeron Europa a pedazos, la bañaron en ríos de sangre para obtener poder político y enriquecer los cofres del «Sagrado Imperio». Siglos antes existió Casio V Longino de Roma, amado protector de España, quien sin embargo torturó y mutiló a cien mil españoles.

—¿De qué diablos está hablando?

—Esos hombres se han convertido en leyenda, *signor* De Fazio. Circulan diferentes versiones de lo que fueron, pero pese a todo eran reales. Al igual que lo es el Chacal, y eso constituye un problema mortal para usted. Por desgracia, también para nosotros, ya que presenta una complicación inadmisible.

—¿Qué? —Con la boca abierta, el *capo supremo* observó a los dos aristócratas italianos.

—La presencia de los soviéticos era a la vez alarmante y enigmática —continuó el conde—. Entonces advertimos una posible conexión que usted acaba de confirmar. Hace años que Moscú busca al Chacal con el único propósito de ejecutarlo, pero sólo ha obtenido un cadáver tras otro. De algún modo, Dios sabe cómo, Jason Bourne ha negociado con los rusos para lograr su objetivo común.

—Por amor de Dios, hable en el idioma que quiera, ¡pero con palabras que tengan sentido! Yo no he asistido a la Universidad de Harvard. No lo necesitaba, ¿*capisci*?

—Ayer fue el Chacal quien atacó esa posada campestre. Es quien anda buscando a Jason Bourne. Éste ha sido lo bastante estúpido como para regresar a París y persuadir a los soviéticos para que colaboren con él. Han sido unos estúpidos, ya que esto es París y Carlos vencerá. Matará a Bourne junto a sus dos amigos, y se reirá de los rusos. Entonces proclamará a los departamentos clandestinos de todos los gobiernos que ha triunfado, que es el *padrone*, el maestro. En Norteamérica no conocen la historia completa, sólo algunos fragmentos, ya que sus intereses en Europa se limitan al dinero. Pero nosotros la hemos vivido, la hemos observado con fascinación y ahora estamos hipnotizados por ella. Dos maestros asesinos dominados por el odio, cuyo único propósito es acabar con el contrario.

—¡Oiga, un momento! —exclamó De Fazio—. Este cerdo de Bourne es un farsante, un *contraffazione*. ¡No es un verdugo!

—Se equivoca, *signore* —dijo la condesa—. Es posible que no haya salido a la arena con un arma, pero ahora se ha convertido en su instrumento favorito. Pregúnteselo al Chacal.

—¡A la mierda con el Chacal! —gritó De Fazio, levantándose de la silla.

—¡Lou!

—¡Cállate, Mario! ¡Ese Bourne es mío, nuestro! Nosotros lo mataremos, nosotros nos sacaremos fotografías con los tres, los sujetaremos por el pelo para que nadie pueda decir que no los hemos matado.

—Ahora es usted un *pazzo* —acusó el conde de la mafia con suavidad, en contraposición con los gritos del *capo supremo*—. Y por favor, baje el tono de voz.

—Entonces no me provoque...

—Está tratando de explicar las cosas, Lou —justificó el pariente de De Fazio, el asesino—. Quiero escuchar lo que el caballero tiene que decir porque podría ser vital para mi forma de encararlo. Siéntate, primo. —Louis obedeció—. Por favor, continúe, conde.

—Gracias, Mario. No le molesta que le llame Mario, ¿verdad?

—En absoluto, señor.

—Tal vez debería visitar Roma...

—Tal vez deberíamos regresar a París —intervino de nuevo el *capo supremo*.

—Muy bien —dijo el romano, dividiendo la atención entre De Fazio y Mario, pero favoreciendo a este último—. Es posible que logren eliminar a las tres víctimas con un rifle de largo alcance, pero ni podrán acercarse a los cuerpos. Los guardias soviéticos estarán mezclados con la demás gente del lugar, si ven que ustedes dos se acercan abrirán fuego por suponer que trabajan para el Chacal.

—Entonces, debemos crear una situación en la cual las víctimas queden aisladas —concluyó Mario con los codos sobre la mesa, mirando al conde con sus ojos inteligentes—. Tal vez una emergencia a primera hora de la mañana. Un incendio en sus habitaciones quizás, algo que los haga salir. Ya lo he hecho antes, entre la confusión de los coches de bomberos, las sirenas de la policía y el pánico general, se puede hacer salir a la víctimas y cumplir con los encargos.

—Es una buena estrategia, Mario, pero eso no descarta a los guardias soviéticos.

—¡Los eliminaremos! —gritó De Fazio.

—Ustedes sólo son dos —objetó el diplomático—, y hay al menos tres hombres en Barbizon, por no mencionar el hotel de París donde se alojan el lisiado y el médico.

—Entonces, los igualaremos en número. —El *capo supremo* se secó el sudor de la frente con el reverso de la mano—. Primero atacaremos Barbizon, ¿de acuerdo?

—¿Con sólo dos hombres? —preguntó la condesa abriendo los ojos maquillados de par en par.

—¡Ustedes tienen gente! —exclamó De Fazio—. Usaremos algunos de sus hombres, les pagaré generosamente.

El conde movió la cabeza lentamente y habló con suavidad.

—No iremos a la guerra contra el Chacal. Ésas son mis instrucciones.

—¡Malditos maricones!

—Un comentario interesante proviniendo de usted —observó la condesa con una pequeña sonrisa insultante en los labios.

—Tal vez nuestros superiores no sean tan generosos como los suyos —continuó el diplomático—. Estamos dispuesto a cooperar hasta cierto punto, pero nada más.

—¡Nunca harán otro embarque a Nueva York, o a Filadelfia o a Chicago!

—Dejaremos que nuestros superiores se ocupen de estas cuestiones. —De pronto alguien llamó a la puerta con cuatro golpes sucesivos—. *Avanti* —dijo el conde, mientras sacaba la automática del cinturón. La ocultó bajo el mantel rojo y sonrió al gerente de Tetrazzini's que acababa de entrar.

—*Emergenza* —anunció el hombre excesivamente grueso, quien avanzó rápidamente hacia el elegante mafioso para entregarle una nota.

—*Grazie.*

—*Prego* —respondió el gerente mientras regresaba a la puerta y salía tan rápido como había entrado.

—Es posible que los dioses de Sicilia le sonrían, después de todo —comentó el conde mientras leía—. Este comunicado es del hombre que sigue a sus víctimas. Están en las afueras de París, a solas. Por razones que no alcanzo a comprender, no hay guardias con ellos. No tienen protección.

—¿Dónde? —gritó De Fazio, levantándose de un salto.

Sin responder, el diplomático tomó su mechero de oro con calma, encendió el pedacito de papel, y lo dejó acto seguido en el cenicero.

Mario también se levantó, el hombre de Roma dejó el mechero sobre la mesa e hizo aparecer el arma que tenía bajo el mantel.

—Primero discutiremos el precio —dijo mientras la nota se convertía en cenizas negras—. Decididamente, nuestros superiores de Palermo no son tan generosos como los suyos. Por favor, hablen pronto, ya que cada minuto cuenta.

—¡Maldito hijo de puta!

—Mi complejo de Edipo no es asunto suyo. ¿Cuánto, *signor* De Fazio?

—Llegaré hasta el límite —respondió el *capo supremo* mientras se sentaba y observaba los restos chamuscados de la nota—. Trescientos mil dólares. Ni uno más.

—Eso es excremento —bufó la condesa—. Vuelva a intentarlo. Los segundos se transforman en minutos y usted no puede perderlos.

—¡Muy bien, muy bien! ¡El doble!

—Más gastos —añadió la mujer.

—¿Y eso qué mierda significa?

—Su primo Mario tiene razón —replicó el diplomático—. Por favor, modere su vocabulario ante mi esposa.

—Me cago...

—Se lo he advertido, *signore*. Los gastos significan doscientos cincuenta mil más.

—¿Qué son ustedes, dos chiflados?

—No, usted es vulgar. El total suma un millón ciento cincuenta mil dólares, que serán pagados según las instrucciones de nuestros enlaces en Nueva York. En caso contrario, usted será eliminado en... ¿cómo era, *signor* De Fazio...?, en la zona alta de Brooklyn.

—¿Dónde están las víctimas? —preguntó el derrotado *capo supremo*, con aspecto abatido.

—En un pequeño aeropuerto privado en Pontcarré, a unos tres cuartos de hora de París. Están esperando un avión que se vio obligado a aterrizar en Poitiers debido al mal tiempo. No podrá llegar hasta dentro de una hora y cuarto, como mínimo.

—¿Ha traído el equipo que habíamos solicitado? —preguntó Mario rápidamente.

—Todo está allí —respondió la condesa, señalando la gran maleta negra sobre una silla contra la pared.

—¡Un coche, rápido! —gritó De Fazio mientras su primo se encargaba de la maleta.

—En la calle —respondió el conde—. El conductor sabrá adónde llevarlos. Ya ha estado en ese lugar.

—Vamos, *cugino*. ¡Esta noche podremos saldar cuentas!

Con excepción de un empleado tras el mostrador y otro en la torre de control contratados para hacer horas extras, el pequeño aeropuerto privado de Pontcarré estaba desierto. Alex Conklin y Mo Panov permanecieron discretamente rezagados mientras Bourne conducía a Marie al exterior y se detenía junto a una pequeña cerca frente a la pista. La zona estaba demarcada por dos hileras de luces color ámbar, donde debía aterrizar el avión de Poitiers; las habían encendido pocos minutos antes.

—Ya no tardará mucho —observó Jason.

—Todo esto es una estupidez —replicó la esposa de Webb—. Todo.

—No hay razón para que te quedes y existen todos los motivos para que te vayas. Lo estúpido sería que permanecieras sola en París. Alex tiene razón. Si la gente de Carlos te encontrara, te tomaría como rehén, ¿para qué correr el riesgo?

—Porque soy muy capaz de permanecer oculta y no quiero esperar a quince mil kilómetros de ti. Tendrá que perdonarme si me preocupo por usted, señor Bourne.

Jason la miró, agradecido de estar en la penumbra, ya que de ese modo ella no distinguía con claridad sus ojos.

—Entonces sé razonable y usa la cabeza —replicó con frialdad. De pronto se sentía demasiado viejo para fingir aquella falta de sentimientos—. Ahora sabemos que Carlos está en Moscú y Krupkin ha ido tras él. Nosotros volaremos allí por la mañana y estaremos bajo la vigilancia del KGB en la ciudad más protegida del mundo. ¿Qué más se puede pedir?

—Hace trece años te protegía el gobierno estadounidense en Nueva York y no te sirvió de gran cosa.

—Hay una enorme diferencia. En aquella ocasión el Chacal sabía exactamente hacia dónde me dirigía y cuándo llegaría. Ahora ni siquiera sospecha que sabemos que ha viajado a Moscú. Tiene otros problemas que son muy importantes para él y cree que nosotros seguimos aquí en París: ha ordenado a su gente que continúe buscándonos.

—¿Y qué haréis en Moscú?

—No lo sabemos hasta que lleguemos, pero sin duda nuestra posición será mejor que aquí, en París. Krupkin ha estado muy ocupado. En Dzerzhinski, cada oficial de rango que habla francés está bajo vigilancia. Según ha dicho, el idioma ha limitado las posibilidades y la situación podría saltar… Algo saltará, tenemos todas las ventajas. Cuando ocurra, no quiero preocuparme por ti.

—Es lo más agradable que has dicho en las últimas treinta y seis horas.

—Tal vez. Deberías estar con los niños y lo sabes. Ellos te necesitan y tú estarás a salvo. La señora Cooper es maravillosa, pero no es su madre. Además, es probable que tu hermano ya tenga a Jamie fumando sus puros habanos y jugando al Monopoly con dinero de verdad.

Marie miró a su esposo y esbozó una leve sonrisa en la oscuridad.

—Gracias por la broma. La necesitaba.

—Seguramente es cierto... me refiero a tu hermano. Si hay mujeres bonitas entre el personal, es muy posible que nuestro hijo ya haya perdido la virginidad.

—¡David! —Bourne guardó silencio. Marie emitió una risita y luego continuó—. Supongo que no podré discutir contigo.

—Lo harías si hubiese algún punto débil en mis argumentos, doctora St. Jacques. Eso es algo que he aprendido en los últimos trece años.

—¡Todavía me opongo a este insensato viaje de regreso a Washington! De aquí a Marsella, luego a Londres, y luego otro avión a Dulles. Sería mucho más sencillo tomar un vuelo desde Orly hasta Estados Unidos.

—Ha sido idea de Peter Holland. Él mismo irá a buscarte, así que podrás preguntárselo; no se muestra muy explícito por teléfono. Sospecho que no quiere tratar con las autoridades francesas por miedo a que la información llegue a la gente de Carlos. Una mujer sola con un nombre frecuente en vuelos repletos probablemente sea lo mejor.

—Pasaré más tiempo sentada en los aeropuertos que en el aire.

—Es posible, así que tápate esas magníficas piernas que tienes y lleva una Biblia.

—Qué encantador —dijo Marie tocando su rostro—. De pronto oigo la voz de David.

—¿Qué? —De nuevo, Bourne permaneció insensible a su calidez.

—Nada. Hazme un favor, ¿quieres?

—¿De qué se trata? —preguntó Jason con voz distante.

—Tráeme de regreso a ese David.

—Averigüemos qué ocurre con ese avión —indicó Bourne de repente mientras la asía por el codo para conducirla de regreso al interior. *Estoy envejeciendo, y ya no podré ser lo que soy durante mucho más tiempo. El Camaleón desaparece, la imaginación ya no es la misma de antes. ¡Pero no puedo detenerme! ¡No ahora! ¡Aléjate de mí, David Webb!*

En el momento en que entraban en la pequeña terminal, el teléfono del mostrador comenzó a sonar. El empleado lo atendió.

—¿*Oui*? —El hombre escuchó no más de cinco segundos—. *Merci* —dijo colgando para volverse hacia las cuatro personas que esperaban—. Era la torre. El avión de Poitiers aterrizará aproximadamente dentro de cuatro minutos. El piloto ha solicitado que estuviese lista, *madame*, ya que quisiera volar por delante del frente de tormenta que se desplaza hacia el oeste.

—Yo también —dijo Marie, y echó a correr hacia Alex Conklin y Mo Panov. Las despedidas fueron breves, los abrazos fuertes y las palabras sinceras. Bourne volvió a conducir a su esposa al exterior—. Acabo de recordar una cosa… ¿dónde están los guardias de Krupkin? —preguntó mientras Jason abría la reja y se dirigían juntos hacia la pista iluminada.

—No los necesitamos ni queremos que estén aquí. En la avenida Montaigne quedó establecida la relación con los soviéticos, por lo que debemos suponer que vigilan la embajada. Sin guardias subiendo y bajando de coches, la gente de Carlos no podrá informar de ningún movimiento nuestro.

—Ya veo. —En ese momento se oyó el rugido de un pequeño avión que sobrevolaba el campo y comenzaba su descenso hacia la pista de mil metros—. Te quiero mucho, David —se despidió Marie, alzando la voz para que la oyera por encima del estruendo del avión que se acercaba.

—Él también —dijo Bourne mientas las imágenes se estrellaban en su mente—. Yo te quiero.

El avión apareció entre la hilera de luces color ámbar, una máquina blanca con forma de bala y alas cortas que se extendían por detrás del fuselaje confiriéndole el aspecto de un furioso insecto volador. El piloto hizo girar en círculo el avión y lo detuvo bruscamente mientras se abría la puerta automática y una escalinata metálica blanca descendía hasta el suelo. Jason y Marie corrieron hacia la puerta del aparato.

Todo ocurrió con el impacto repentino de un vendaval asesino, ¡los vientos implacables y furiosos de la muerte! Disparos. Dos armas automáticas, una cerca y otra más lejos, destrozos de cristales y agujeros en la madera. En la terminal se oyó un grito desgarrador: una bala había dado en el blanco.

Con ambas manos, Bourne tomó a Marie por la cintura y la introdujo en el avión mientas gritaba al piloto:

—¡Cerrad la puerta y salid de aquí!

—¡*Mon dieu*! —exclamó el hombre desde la cabina—. ¡*Echappez*! —gritó para ordenar a Jason que se alejase de la puerta mientras aceleraba el motor del avión.

Bourne se arrojó al suelo y alzó la vista. Marie tenía el rostro pegado a la ventanilla y gritaba histéricamente. El avión se alejó como una tromba por la pista; había escapado.

No ocurría lo mismo con Bourne. Estaba atrapado en medio de

las luces ambarinas. No importaba la posición que adoptase, su silueta resultaba claramente visible. Entonces extrajo la automática del cinturón, el arma que le había entregado Bernardine, y comenzó a arrastrarse por el asfalto hacia la hierba al otro lado de la zona cercada.

Los disparos volvieron a sonar, pero ahora fueron tres tiros aislados en el interior de la terminal, donde se habían apagado las luces. Debían de provenir de la pistola de Conklin o de la del empleado, en caso de que tuviera un arma. Panov estaba desarmado. Entonces, ¿quién había resultado herido…? ¡No había tiempo! Una andanada de disparos procedió del rifle automático más cercano, fue una descarga prolongada que roció el flanco del pequeño edificio y las cercanías de la reja.

De repente la segunda arma automática comenzó a disparar; por el sonido, estaba al otro lado de la sala de espera. Momentos después se produjeron dos disparos aislados, el último acompañado de un grito, también al otro lado del edificio.

—¡Me han herido!

La voz era el grito angustiado de un hombre, al otro lado del edificio. ¡El rifle automático! Jason se colocó en cuclillas entre la hierba y espió en la oscuridad. Algo se movió. Alzó la automática y disparó en aquella dirección mientras se ponía en pie y echaba a correr, no soltó el gatillo hasta que se quedó sin balas. Para entonces ya había llegado a la parte este del edificio, donde se acababa la pista y las luces ambarinas. Con gran prudencia, se acercó a la cerca baja que rodeaba la terminal. Sobre la grava grisácea del aparcamiento distinguió algo que lo alentó: la figura de un hombre que se retorcía en el suelo. Apoyando el arma en la grava, el hombre logró sentarse.

—¡*Cugino*! ¡Ayúdame! —La respuesta fue otra andanada de disparos en el lado oeste del edificio, a la derecha del hombre herido—. ¡Por Dios! ¡Estoy malherido! —Una nueva descarga del arma automática, junto con el estrépito de cristales rotos. El asesino del lado oeste había destrozado las ventanas y disparaba al interior.

Bourne soltó su automática vacía y saltó por encima de la cerca. Al caer sintió un fuerte dolor en la pierna izquierda.

*¿Qué me ha ocurrido? ¿Por qué me duele? ¡Mierda!* Cojeando, se acercó a la esquina del edificio y atisbó al otro lado. La figura sobre la grava cayó hacia atrás, incapaz de sostenerse con el rifle automático. Jason palpó el suelo, encontró una piedra grande y la arrojó con todas sus fuerzas más allá del hombre herido. Al caer, la piedra rebotó sobre la grava y por un momento pareció el sonido de pasos que se acercaban. El asesino se alzó con un movimiento espasmódico aferrado al arma, que le resbaló dos veces de las manos.

¡Ahora! Bourne corrió hacia el aparcamiento y se lanzó sobre el hombre armado. Arrancó el rifle de las manos del asesino y le asestó un golpe en la cabeza con la culata. El hombre bajo y delgado se desmayó. Se oyó otra andanada de disparos en el exterior del edificio, acompañada por más cristales rotos. El asesino se estaba acercando a los del interior. ¡Debía detenerlo!, pensó Jason sin aliento, con todos los músculos doloridos. ¿Dónde estaba el hombre de ayer? ¿Dónde estaba Delta de Medusa? El Camaleón de Treadstone Setenta y uno... ¿dónde estaba?

Bourne aferró la ametralladora MAC-10 y corrió hacia la puerta lateral de la terminal.

—¡Alex! —gritó—. ¡Déjame entrar! ¡Tengo el arma!

La puerta se abrió violentamente.

—¡Dios mío, estás vivo! —exclamó Conklin en la oscuridad mientras Jason entraba corriendo—. Mo está mal, lo han herido en el pecho. El empleado está muerto y no podemos hablar con la torre. Deben de haber ido allí primero. —Alex cerró la puerta—. ¡Al suelo!

Una descarga barrió las paredes. Bourne se arrodilló y respondió el fuego, para arrojarse acto seguido junto a Conklin.

—¿Qué ha ocurrido? —preguntó Jason jadeante, con el rostro empapado de sudor.

—El Chacal.

—¿Cómo?

—Nos ha engañado a todos. A ti, a mí, a Krupkin y a Lavier; pero el peor de todos soy yo. Ha hecho correr la voz de que se iría de viaje por un tiempo y nosotros creímos que la trampa había funcionado; todo señalaba hacia Moscú. Nos ha hecho caer en su propia trampa. ¡Oh, Dios, cómo nos ha hecho caer! ¡Debí sospecharlo! Era demasiado claro. Lo siento David. ¡Oh, Dios, lo siento!

—Está allí fuera, ¿verdad? Quiere matarme él mismo, no le importa nada más.

De pronto, una poderosa linterna fue arrojada a través de una de las ventanas rotas. Bourne alzó la MAC-10 y disparó de inmediato para apagar la luz. Sin embargo, el mal ya estaba hecho; los atacantes los habían visto.

—¡Por aquí! —gritó Alex, sujetando a Jason y lanzándose tras el mostrador mientras la silueta en la ventana lanzaba una lluvia de disparos. Entonces se detuvo al oír el chasquido de un cerrojo.

—¡Tiene que recargar! —susurró Bourne—. ¡Quédate aquí!

Jason se levantó y corrió hacia las puertas con el arma aferrada en la mano derecha. Su cuerpo estaba tenso y preparado para matar, si los años se lo permitían. ¡Tenía que hacerlo!

Bourne se arrastró a través de la reja que había abierto para Marie y entonces giró a la derecha. Él era Delta, del Medusa de Saigón, ¡podría hacerlo! Aquí no había jungla protectora, pero tenía cuanto necesitaba: la oscuridad, las sombras intermitentes de las innumerables nubes que ocultaban la luna.

*¡Úsalo todo! Para eso te entrenaron hace tantos años, tantos. ¡Olvídalo, olvida el tiempo! ¡Hazlo! Ese animal agazapado a pocos metros quiere verte muerto a ti, a tu esposa y a tus hijos. ¡Muertos!*

Lo impulsaba la rapidez nacida de la furia más pura y Bourne sabía que para vencer debía hacerlo pronto, con toda la velocidad que había en él. Se arrastró rápidamente a lo largo de la cerca que rodeaba el campo y, cuando hubo pasado la esquina del edificio, se preparó para el momento final. Aún llevaba la ametralladora apretada en la mano, pero ahora tenía el dedo índice sobre el gatillo. A no más de diez metros de distancia, crecían unos arbustos que precedían a dos gruesos árboles; si lograba llegar hasta allí, la ventaja sería suya. Se encontraría en «terreno alto», con el Chacal en el valle de la muerte.

Bourne alcanzó los arbustos. En ese momento se alzó un gran estruendo de cristales rotos seguido por otra andanada, esta vez tan prolongada que el cargador debió quedar vacío. No lo habían descubierto, la figura junto a la ventana había retrocedido para recargar. Estaba concentrado en esa tarea, no en la posibilidad de escapar. Carlos también había envejecido y perdido habilidad, pensó Jason Bourne. ¿Dónde estaba las bengalas que siempre se utilizaban en operaciones como ésa? ¿Dónde estaban los ojos alerta que, sin perder detalle, cargaban armas en la más completa oscuridad?

Una nube ocultó los rayos amarillos de la luna, reinaba la oscuridad. Bourne saltó sobre la cerca para ocultarse entre los arbustos y luego corrió hasta el primero de los dos árboles, donde pudo erguirse, observar la escena y considerar sus opciones.

Algo andaba mal. Todo el asunto mostraba una traza primitiva que no lograba asociar con el Chacal. El asesino había aislado la terminal *ad valorem* y el precio era alto, pero aquella ecuación mortal estaba incompleta. En lugar de sutileza no había más que fuerza bruta.

La figura junto a la ventana destrozada había gastado las municiones y el atacante apoyó la espalda contra el edificio mientras sacaba otro cargador del bolsillo. Jason abandonó la protección de los árboles mientras abría fuego con su MAC-10, levantando el polvo ante el asesino para luego disparar a su alrededor.

—¡Se acabó! —gritó mientras se acercaba al hombre—. Estás muerto, Carlos, con un movimiento de mi dedo... ¡si es que de verdad eres el Chacal!

El hombre arrojó el arma.

—No lo soy, señor Bourne —anunció el asesino de Larchmont, Nueva York—. Nos hemos visto antes, pero no soy la persona que usted busca.

—¡Al suelo, hijo de puta! —El hombre obedeció y Jason se acercó a él—. ¡Separa las piernas y los brazos! —Cumplió la orden—. ¡Levanta la cabeza!

El hombre obedeció de nuevo y Bourne observó su rostro, vagamente iluminado por las luces distantes de la pista.

—¿Lo ve? —resolló Mario—. No soy quien usted piensa.

—Dios mío —susurró Jason, incrédulo—. Estaba en la propiedad de Manassas, Virginia. ¡Trató de matar a Cacto y luego a mí!

—Contratos, señor Bourne, nada más.

—¿Qué me dice de la torre? ¡El hombre que estaba en la torre!

—Yo no mato indiscriminadamente. Cuando el avión de Poitiers recibió el permiso para aterrizar, le ordené que se fuese. Perdóneme, pero su esposa también estaba en la lista. Afortunadamente, como es una madre, no he podido hacerlo.

—¿Quién diablos es usted?

—Ya se lo he dicho. Un empleado bajo contrato.

—Los he visto mejores.

—Tal vez no sea su aliado, pero sirvo bien a mi organización.

—¡Dios, es de Medusa!

—He oído antes ese nombre, pero eso es todo lo que puedo decirle... Permítame dejar algo en claro, señor Bourne. Mi esposa no quedará viuda ni mis hijos huérfanos por un contrato. Eso queda fuera de toda consideración. Significan demasiado para mí.

—Pasará ciento cincuenta años en prisión y eso sólo si lo procesan en un estado donde no haya pena de muerte.

—No con lo que yo sé, señor Bourne. Nos protegerán a mi familia y a mí; un nuevo nombre, tal vez una bonita granja en Dakota o Wyoming. Esperaba este momento.

—¡Allí dentro hay un amigo mío que está herido, maldito!

—¿Una tregua, entonces? —preguntó Mario.

—¿Qué diablos quiere decir eso?

—Tengo un coche muy veloz a un kilómetro de aquí. —El asesino de Larchmont, Nueva York, extrajo un aparato de debajo del cinturón—. Podría llegar en menos de un minuto. Estoy seguro de que el conductor conoce el hospital más cercano.

—¡Hágalo!

—Está hecho, Jason Bourne —anunció Mario, al tiempo que pulsaba un botón.

Habían trasladado a Morris Panov al quirófano; Louis de Fazio todavía descansaba sobre una camilla, ya que se había determinado que su herida era leve. Después de algunas negociaciones entre Washington y el Quai d'Orsay, el criminal conocido como Mario se hallaba bajo la custodia de la embajada norteamericana en París.

Un médico en bata blanca salió a la sala de espera del hospital; tanto Conklin como Bourne se levantaron, temiendo lo peor.

—No pretendo ser portador de buenas noticias —anunció el médico en francés—, ya que los estaría engañando. Su amigo tiene afectados los dos pulmones y la pared del corazón. Me temo que a lo sumo tendrá un cuarenta por ciento de probabilidades de salir con vida. Sin embargo, es un hombre de voluntad fuerte que desea vivir. En ocasiones, eso significa más que todos los problemas médicos. ¿Qué más puedo decirles?

—Gracias, doctor. —Jason se alejó.

—Necesito un teléfono —pidió Alex al cirujano—. Debería ir hasta nuestra embajada, pero no dispongo de tiempo. ¿Tengo alguna garantía de que no habrá interferencias?

—Supongo que todas las garantías —respondió el médico—. No sabríamos cómo hacerlo. Utilice mi despacho, por favor.


—¿Peter?

—¡Alex! —exclamó Holland desde Langley, Virginia—. ¿Todo marcha bien? ¿Marie ha salido ya?

—Para responder a su primera pregunta, no, ha habido problemas; en lo que se refiere a Marie, supongo que te llamará aterrada en cuanto llegue a Marsella. Ese piloto no tocará la radio.

—¿Qué?

—Dígale que estamos bien, que David ha salido ileso...

—¿De qué está hablando? —lo interrumpió el director de la CIA.

—Nos han atacado mientras esperábamos el avión de Poitiers. Me temo que Mo Panov está bastante mal, tanto que ni siquiera quiero pensar en ello. Estamos en un hospital y el doctor no se ha mostrado muy esperanzador.

—Oh, Dios, Alex, lo siento.

—A su manera, Mo es un luchador. Todavía apuesto por él. A propósito, no se lo digas a Marie. Ella lo estima demasiado.

—Por supuesto. ¿Puedo hacer algo?

—Sí, Peter. Puedes decirme por qué Medusa está aquí, en París.

—¿En París? No concuerda con lo que yo sé, y puedo asegurarte que sé bastante.

—Pues no hay ninguna duda. Los dos hombres que nos dispararon hace una hora fueron enviados por Medusa. Incluso tenemos una especie de confesión.

—¡No lo comprendo! —protestó Holland—. No existe ningún lazo con París.

—Te equivocas —lo contradijo el ex oficial del servicio secreto—. La teoría tan lógica concebida por Bourne. Medusa se une al Chacal y el blanco es Jason Bourne.

—Justamente, Alex. Sólo era una hipótesis convincente, pero nunca llegó a ocurrir.

—Es evidente que sí.

—Por lo que nosotros sabemos, ahora Medusa está en Moscú.

—¿En Moscú? —Conklin casi deja caer el teléfono sobre el escritorio del médico.

—En efecto. Nos hemos concentrado en la firma legal de Ogilvie en Nueva York y hemos interceptado todo lo posible. De algún modo, no sabemos cómo, Ogilvie ha recibido un aviso y ha abandonado el país. Tomó un avión de Aeroflot hasta Moscú y su familia se dirigía a Marrakech.

—¿Ogilvie…? —susurró Alex, y retrocedió unos años en el recuerdo—. ¿De Saigón? ¿Un abogado que era oficial en Saigón?

—Sí. Estamos convencidos de que dirige Medusa.

—¡Me habéis retenido esta información!

—Sólo el nombre de la firma. Ya te dije que nosotros teníamos unas prioridades y vosotros otras distintas. Para nosotros, lo primero era Medusa.

—¡Maldito marinero estúpido! —estalló Conklin—. Yo conozco a Ogilvie, para ser más exactos, lo conocí. Te diré cómo lo llamaban en Saigón: Ogilvie, frío como el hielo. El abogado de más labia de todo Vietnam. Con algunas citaciones y un poco de investigación, yo podría haberos dicho dónde yacen enterrados algunos de sus esqueletos. ¡Lo has estropeado todo! Podríais haberlo atrapado por sobornar a las cortes militares en un par de asesinatos. Dios, ¿por qué no me lo dijisteis?

—Para serte sincero, Alex, nunca lo preguntaste. Simplemente diste por sentado que yo no te lo diría.

—Muy bien, muy bien, ya está hecho; a la mierda todo. Para mañana o pasado tendrás a nuestros dos sujetos de Medusa, así que ponte a trabajar en ellos. Ambos quieren salvar el pellejo. El *capo* es un inmoral, pero su principal hombre no deja de implorar por su familia y no pertenece a la organización.

—¿Qué haréis vosotros? —preguntó Holland.

—Vamos camino a Moscú.

—¿Tras Ogilvie?

—No, tras el Chacal. Pero si veo a Bryce, le daré recuerdos tuyos.

## 35

Buckingham Pritchard estaba sentado junto a su uniformado tío, Cyril Sylvester Pritchard, adjunto a gerencia de Inmigración, en la oficina de sir Henry Sykes en el palacio del gobernador de Montserrat. Con ellos estaba su abogado, el mejor procurador nativo que Sykes había podido persuadir para que representase a los Pritchard, en caso de que la Corona levantase cargos contra ellos por complicidad con terroristas. Sentado detrás de su escritorio, sir Henry miró con sorpresa al abogado, Jonathan Lemuel, quien alzó la vista al techo sin intención de beneficiarse del ventilador tropical, antes bien para demostrar su incredulidad. Lemuel era un abogado educado en Cambrigde, un «joven becario de las colonias quien años atrás había ganado bastante dinero en Londres para regresar en el otoño de su vida a su Serrat natal y disfrutar de los frutos de sus esfuerzos». Ahora, sir Henry había persuadido a su amigo negro para que ayudase a un par de idiotas que parecían haberse mezclado en una delicada cuestión internacional

La sorpresa de sir Henry y la exasperada incredulidad de Jonathan Lemuel se produjeron después de la siguiente conversación entre Sykes y el adjunto a gerencia de Inmigración.

—Señor Pritchard, hemos averiguado que su sobrino escuchó una conversación telefónica entre John St. Jacques y su cuñado, el norteamericano David Webb. Además, su sobrino admite casi con entusiasmo haberlo llamado a usted para transmitirle determinada información que se reveló en dicha conversación y que, como respuesta, usted dijo que debía ponerse en contacto de inmediato con París. ¿Es eso cierto?

—Es la pura verdad, sir Henry.

—¿Con quién ha hablado usted en París? ¿Cuál es el número de teléfono?

—Con todo respeto, señor, he jurado guardar el secreto.

Ante esa respuesta concisa y completamente inesperada, Jonathan Lemuel había alzado sus atónitos ojos al techo. Una vez recuperado de la sorpresa, Sykes puso fin a la breve pausa.

—¿De qué se trata, señor Pritchard?

—Mi sobrino y yo formamos parte de una organización internacional en la que figuran los principales líderes del mundo y hemos jurado guardar el secreto.

—Dios santo, está convencido de ello —murmuró sir Henry.

—Oh, por todos los santos —exclamó Lemuel al tiempo que inclinaba la cabeza—. Nuestro servicio telefónico no es de los más sofisticados, especialmente en lo que se refiere a teléfonos públicos, que según supongo serán los que deben utilizar. Pero dentro de un par de días podemos localizar ese número. ¿Por qué no simplifican las cosas y se lo entrega a sir Henry ahora? Es evidente que necesita saberlo lo antes posible, ¿qué daño podría causar?

—El daño sería para nuestros superiores en la organización. Me lo han especificado de forma personal.

—¿Cómo se llama esta organización internacional?

—No lo sé, sir Henry. Eso forma parte del secreto, ¿no lo comprende?

—Me temo que es usted quien no lo comprende, señor Pritchard —replicó Sykes con un tono cortante que comenzaba a mostrar su ira.

—Oh, se equivoca, sir Henry, ¡se lo demostraré! —replicó el adjunto a gerencia mirando a cada uno de los hombres como si quisiera ganarse la confianza del escéptico Sykes, del perplejo abogado y también de su adorado sobrino—. Desde una institución bancaria suiza han transferido una gran suma de dinero a mi cuenta, aquí en Montserrat. Las instrucciones fueron claras aunque flexibles. Los fondos debían ser generosamente utilizados en cada una de las misiones que me asignaran: transporte, entretenimiento, alojamiento. Me dijeron que lo dejaban completamente a mi juicio, pero por supuesto llevo un registro por escrito con todos los gastos, tal como lo hago en calidad de oficial de Inmigración. ¡Sólo personas superiores depositarían tanta confianza en un hombre a quien sólo conocen por su posición y su reputación envidiables!

Henry Sykes y Jonathan Lemuel volvieron a mirarse. A la sorpresa y la incredulidad se unió la más completa fascinación. Sir Henry se inclinó hacia delante sobre el escritorio.

—Aparte de esta, digamos…, profunda observación de John St. Jacques, para lo cual ha requerido los servicios de su sobrino, ¿ha recibido algún otro encargo?

—Hasta el momento, no, señor, pero estoy seguro de que cuando los líderes comprueben lo expeditivo que he sido, habrá más.

Lemuel alzó un poco la mano para detener a Sykes, cuyo rostro había enrojecido.

—Dígame —le preguntó rápida y suavemente—. Esta gran suma de dinero enviada desde Suiza, ¿a cuánto ascendía? La cantidad carece de importancia legal y sir Henry siempre podrá llamar a su banco bajo las leyes de la Corona, así que por favor, dígalo ahora.

—¡Trescientas libras! —respondió Pritchard con tono de orgullo.

—¿Trescientas...? —El abogado fue incapaz de continuar.

—No es exactamente impresionante, ¿eh? —murmuró sir Henry, reclinándose en el asiento.

—No exactamente —admitió Lemuel—. ¿Cuáles han sido sus gastos?

—Todo figura aquí con precisión —afirmó el adjunto a gerencia de Inmigración, mientras sacaba un pequeño bloc del bolsillo superior del uniforme.

—Mi brillante tío siempre es muy preciso —acotó Buckingham Pritchard.

—Gracias, sobrino.

—¿Cuánto? —insistió el abogado.

—Veintiséis libras con cinco chelines en moneda inglesa, o el equivalente de ciento treinta y dos dólares del Caribe.

—Sorprendente —murmuró Sykes.

—He guardado escrupulosamente cada recibo —continuó el adjunto a gerencia, cada vez más entusiasmado mientras continuaba leyendo—. Están dentro de una caja fuerte en mi apartamento de la bahía Old Road e incluyen los siguientes gastos: un total de diecisiete dólares con dieciocho centavos por llamadas locales al Sosiego, pues no quise utilizar el teléfono oficial; veintitrés dólares con sesenta y cinco centavos por las llamadas de larga distancia a París; sesenta y ocho dólares con ochenta centavos... en una cena para mí y mi sobrino en Veu Point, se trataba de una entrevista de negocios, naturalmente...

—Ya es suficiente —lo interrumpió Jonathan Lemuel, secándose la frente con un pañuelo a pesar de que el ventilador bastaba para la habitación.

—Estoy preparado para presentarlo todo a su debido tiempo...

—He dicho que es suficiente, Cyril.

—Debe saber que discutí con un taxista cuando él se ofreció a aumentar el precio de un recibo y lo censuré firmemente desde mi posición oficial.

—¡Basta! —bramó Sykes con las venas del cuello hinchadas—. ¡Los dos han sido unos completos estúpidos! El solo hecho de haber considerado la posibilidad de que St. Jacques sea un criminal es un disparate.

—Sir Henry —intervino el Pritchard más joven—. ¡Yo mismo he visto lo que ocurrió en la posada del Sosiego! Fue horrible. Ataúdes en el muelle, la capilla destrozada, embarcaciones del gobierno por toda nuestra pacífica isla... ¡Disparos, señor! Pasarán meses antes de que podamos abrir de nuevo.

—¡Exactamente! —rugió Sykes—. ¿Suponen que Johnny St. Jacques destruiría voluntariamente su propiedad, su propio negocio?

—Han ocurrido cosas más extrañas en el mundo del crimen, sir Henry —replicó Cyril Sylvester Pritchard con expresión de astucia—. Por mi posición oficial ha oído muchísimas historias. Los incidentes que ha descrito mi sobrino se llaman tácticas de distracción y se emplean para crear la ilusión de que los criminales son las víctimas. Me lo explicaron con toda claridad.

—¿Ah, sí? —exclamó el ex general de brigada del ejército británico—. Bueno, permítame explicarle otra cosa. ¡Un terrorista internacional buscado en el mundo entero los ha embaucado! ¿Saben la pena general por colaborar y encubrir un asesino como éste? Lo diré claramente, por si ha escapado a su análisis. Es la pena de muerte frente a un pelotón de fusilamiento o, en el peor de los casos, la ejecución pública en la horca. Ahora, ¿cuál es ese maldito número de París?

—Considerando las circunstancias —murmuró el adjunto a gerencia, tratando de reunir toda la dignidad posible a pesar de que su tembloroso sobrino lo tenía aferrado por el brazo izquierdo y su mano derecha también temblaba mientras buscaba el bloc—. Se lo escribiré... Hay que preguntar por un mirlo. En francés, sir Henry. Yo apenas sé unas pocas palabras, sir Henry. En francés, sir Henry.

Al oír la llamada de un guardia armado vestido de manera informal con un pantalón blanco y una chaqueta holgada de lino blanco, John St. Jacques entró en la biblioteca de su nuevo refugio, una propiedad en la bahía Chesapeake. El guardia, un hombre musculoso con claras facciones hispanas que estaba junto a la puerta, señaló el teléfono sobre el gran escritorio de cerezo.

—Para usted, señor Jones. Es el director.

—Gracias, Héctor —dijo Johnny y se detuvo un momento—. ¿De verdad es necesario eso de señor Jones?

—Tan necesario como Héctor. Mi verdadero nombre es Roger... o Daniel. Lo que sea.

—Comprendo. —St. Jacques se acercó al escritorio y levantó el receptor—. ¿Holland?

—El número que consiguió su amigo Sykes es una pantalla, pero útil.

—Tal como diría mi cuñado, por favor, sea claro.

—Es el número de un café a orillas del Sena. La contraseña es preguntar por un mirlo, *un oiseau noir*, y entonces alguien grita. Si el mirlo está allí, se establece el contacto. En caso contrario, hay que intentarlo de nuevo.

—¿Por qué es útil?

—Lo intentaremos las veces que sean necesarias, con un hombre dentro.

—Aparte de eso, ¿qué está ocurriendo?

—Sólo puedo darle una respuesta incompleta.

—¡Maldita sea!

—Marie lo pondrá al corriente...

—¿Marie?

—Vuelve a casa. Está furiosa, pero es una madre y esposa aliviada.

—¿Por qué está furiosa?

—Le he programado un viaje de regreso que incluye varios vuelos largos.

—Diablos, ¿por qué? —exclamó el hermano con ira—. ¿Por qué no le ha enviado un maldito avión? Le ha resultado de más valor que cualquier otro de su estúpido congreso o de su inútil administración, ¡y para ellos envía aviones a todas partes! ¡No estoy de broma, Holland!

—Yo no envío esos aviones —replicó el director con firmeza—. Son otros quienes lo hacen. Los que yo envío despiertan demasiada curiosidad en tierra extranjera y no pienso añadir nada más al respecto. Su seguridad es más importante que su comodidad.

—Estamos de acuerdo en eso, jefe.

El director se detuvo con evidente enfado.

—¿Sabe una cosa? En realidad no es usted un sujeto muy agradable.

—Mi hermana me soporta, lo cual sirve de contrapeso a su opinión. ¿Por qué está aliviada... como esposa y madre, creo que ha dicho?

Holland guardó silencio, no con irritación esta vez, sino buscando las palabras.

—Ha ocurrido un desagradable incidente, algo que ninguno de nosotros podía prever, ni siquiera imaginar.

—¡De nuevo esas malditas excusas! ¿Qué han pasado por alto esta vez? ¿Un cargamento de misiles para los agentes del Ayatollah en París? ¿Qué ha ocurrido?

Por tercera vez, Peter Holland guardó un momento de silencio, aunque su respiración resultaba audible en la línea.

—¿Sabe, joven? Yo podría colgar este teléfono y olvidarme de su existencia, lo cual resultaría bastante conveniente para mi presión sanguínea.

—Mire, jefe, mi hermana está allí fuera. Ella y un sujeto con el cual se casó y que me parece una excelente persona. Hace cinco años ustedes estuvieron a punto de matarlos en Hong Kong. Yo no conozco todos los detalles porque ellos son demasiado decentes o demasiado estúpidos como para hablar acerca de lo sucedido, ¡pero sé lo suficiente como para decidir que a usted no le confiaría ni la paga de un camarero en las islas!

—Me parece justo —dijo Holland, apaciguado—. Aunque no importe demasiado, entonces yo no ocupaba este cargo.

—Tiene razón, no importa. Se trata de su sistema subterráneo. Usted hubiese hecho lo mismo.

—Conociendo las circunstancias, es posible. Quizás usted también, si las conociese. Pero eso tampoco importa. Es historia.

—El presente es el presente —replicó St. Jacques—. ¿Qué ha ocurrido en París, cuál ha sido ese «desagradable incidente»?

—Según Conklin, hubo una emboscada en un aeropuerto privado de Pontcarré. Lo impidieron. Su cuñado resultó ileso, al igual que Alex. No puedo decirle nada más.

—No necesito saber nada más.

—He hablado con Marie hace unos momentos. Está en Marsella y llegará aquí mañana antes del mediodía. Yo mismo iré a buscarla y luego nos llevarán a Chesapeake.

—¿Qué hay de David?

—¿Quién?

—¡Mi cuñado!

—Oh… sí, por supuesto. Ha salido hacia Moscú.

—¿Qué?

El avión comercial de Aeroflot apagó los motores y salió de la pista principal en el aeropuerto Sheremetyevo de Moscú. El piloto carreteó por la pista adyacente y se detuvo a cuatrocientos metros de la terminal mientras se efectuaba un anuncio en ruso y en francés.

—Habrá un retraso de cinco o siete minutos antes del desembarco. Por favor, permanezcan sentados.

No ofrecieron ninguna explicación y los pasajeros que no eran ciudadanos soviéticos regresaron a sus lecturas, suponiendo que el retraso se debía al despegue de otro avión. Sin embargo, los que sí eran soviéticos y los que estaban familiarizados con sus procedimientos, sabían que se trataba de otra cosa. La zona delantera del enorme avión, cerrada por una cortina, estaba reservada para pasajeros especiales. Ahora la estaban evacuando, si no completamente, al menos en parte. Una plataforma elevada con una escalerilla de metal cubierta se acercaría a la salida frontal. A unos cientos de metros siempre esperaba una limusina del gobierno y durante un momento se veían las espaldas de los pasajeros desembarcados mientras los ayudantes de vuelo recorrían el avión para segurarse de que no hubiese cámaras a la vista. Nunca las había. Estos viajeros eran propiedad del KGB y, por razones que sólo conocía el Komitet, no debían ser vistos en la terminal internacional Sheremetyevo. Éste era el caso esta tarde, en las afueras de Moscú.

Alex Conklin bajó cojeando la escalerilla cubierta seguido por Bourne, quien llevaba los dos grandes bolsos de avión que constituían su equipaje mínimo. Dimitri Krupkin emergió de la limusina y corrió hacia ellos mientras apartaban la escalera del avión y los poderosos motores comenzaban a rugir con más fuerza.

—¿Cómo está tu amigo el doctor? —preguntó el oficial de inteligencia soviético en voz alta, para que lo oyesen por encima del estruendo.

—¡Se mantiene firme! —gritó Alex—. ¡Es posible que no lo supere, pero lucha como un demonio!

—¡Ha sido culpa tuya, Aleksei! —El avión se alejó y Krupkin bajó un poco la voz—. Debiste llamar a Sergei a la embajada. Su unidad estaba preparada para escoltarte a donde quisieras.

—En realidad pensamos que si lo hacíamos estaríamos dando la alerta.

—¡Mejor una alerta inhibitoria que invitar a un ataque! —replicó el ruso—. Bajo nuestra protección los hombres de Carlos nunca se hubiesen atrevido a atacarles.

—No ha sido el Chacal —dijo Conklin en un tono de voz normal ya que el rugido del avión se había convertido en un zumbido lejano.

—Por supuesto que no ha sido él, está aquí. Han sido sus secuaces, que cumplían órdenes.

—Ni sus secuaces ni sus órdenes.

—¿De qué estás hablando?

—Te lo diré luego. Salgamos de aquí.

—Un momento. —Krupkin alzó las cejas—. Primero debemos hablar. Antes que nada, bienvenidos a la Madre Rusia. Segundo, te agradecería que no comentaras con nadie ciertos aspectos de mi estilo de vida mientras cumplo servicios para el gobierno en el Occidente hostil.

—Tú lo sabes, Kruppie, uno de estos días te atraparán.

—Nunca. Me adoran porque proporciono al Komitet más rumores útiles sobre las altas esferas del corrompido mundo libre que ningún otro oficial en el extranjero. También agasajo mejor a mis superiores en ese mismo mundo corrupto que ningún otro oficial en ninguna otra parte. Ahora, si arrinconamos al Chacal aquí en Moscú, sin duda llegaré a ser miembro del Politburó, me convertirán en un héroe.

—Entonces sí que podrás robar.

—¿Por qué no? Todos lo hacen.

—Si no os importa —interrumpió Bourne fríamente mientras dejaba las dos bolsas en el suelo—. ¿Qué ha ocurrido? ¿Habéis hecho algún progreso en la plaza Dzerzhinski?

—No son pocos considerando que han transcurrido menos de treinta horas. Hay trece sospechosos de ser el hombre de Carlos, todos ellos hablan francés con fluidez. Se encuentran bajo completa vigilancia, tanto humana como electrónica; sabemos exactamente dónde están a cada minuto, también a quién ven y con quién hablan por teléfono. Yo estoy trabajando con dos comisarios de rango, ninguno de los cuales habla francés, en realidad ni siquiera saben hablar ruso correctamente, pero así funcionan las cosas algunas veces. Lo importante es que los dos son de confianza y competentes; prefieren colaborar en la detención del Chacal antes que volver a combatir contra los nazis. Han cooperado mucho en la organización de la vigilancia.

—Vuestra vigilancia es pésima y tú lo sabes —objetó Alex—. Caéis sobre los retretes en los lavabos de mujeres cuando perseguís a un sujeto.

—Esta vez no ocurrirá, ya que yo mismo los he escogido —insistió Krupkin—. Aparte de cuatro de los nuestros, todos entrenados en Nóvgorod, son desertores del Reino Unido, Norteamérica, Francia y Sudáfrica; personas todas con antecedentes en servicios de inteligencia que perderían sus dachas si complicaran las cosas. Te aseguro que me gustaría ser designado para el Presidium, tal vez incluso para el Comité Central. Tal vez me enviarían a Washington o a Nueva York.

—Allí sí que te llenarías los bolsillos —comentó Conklin.

—Eres cruel, Aleksei, extremadamente cruel. Sin embargo, después de unos cuantos vodkas recuérdame que te hable acerca de unas propiedades adquiridas por nuestro encargado de negocios que teníamos en Virginia hace un par de años. Fue una ganga y encima se la financió el banco de su amante en Richmond. ¡Ahora hay quien quiere comprarlas por diez veces su precio...! Vamos al coche.

—No doy crédito a mis oídos —exclamó Bourne mientras recogía las bolsas.

—Bienvenido al verdadero mundo del espionaje de alta tecnología —le explicó Conklin riendo suavemente—. Al menos desde cierto punto de vista.

—Desde todos los puntos de vista —continuó Krupkin mientras se dirigían a la limusina—. Aunque dejaremos esta conversación mientras viajamos en un vehículo oficial, ¿verdad, caballeros? Tienen habitaciones en el Metropole, en Marx Prospekt. Es muy cómodo y yo mismo he desconectado todos los micrófonos.

—Lo comprendo, pero ¿cómo lo has logrado?

—Como bien sabes, las situaciones embarazosas son el mayor enemigo del Komitet. He explicado a Asuntos Internos que correríamos el riesgo de grabar información sumamente embarazosa para algunas personas y que lo más probable era que quien oyese las cintas acabase en Kamchatka. —Llegaron al vehículo y un conductor, vestido con un traje oscuro idéntico al que llevaba Sergei en París, les abrió la puerta trasera—. La tela es la misma —comentó Krupkin en francés al advertir la reacción de sus compañeros ante el parecido—. Por desgracia, la confección no lo es. Yo insistí para que Sergei llevara el suyo al Faubourg a que lo rehiciesen.

El hotel Metropole es un edificio restaurado, prerrevolucionario y construido en el florido estilo arquitectónico preferido por los zares, quienes habían visitado Viena y París a finales de siglo. Los techos son altos, abunda el mármol y los tapices son invalorables. El elaborado vestíbulo es por esencia un desafío dirigido a un gobierno que permite la entrada a tantos ciudadanos miserables. Las majestuosas paredes y las relucientes arañas parecen observar con desprecio a los humildes intrusos. Sin embargo, estas características no afectaban a Dimitri Krupkin, cuya figura señorial parecía estar a sus anchas en el lugar.

—¡Camarada! —lo llamó el gerente en voz baja mientras el oficial del KGB acompañaba a sus invitados hasta los ascensores—. Hay un mensaje urgente para usted. —Continuó avanzando rápidamente hacia él para darle una nota plegada—. He recibido instrucciones de entregársela personalmente.

—Se lo agradezco. —Dimitri observó al hombre que se alejaba y luego desplegó el papel mientras Bourne y Conklin permanecían tras él—. Debo ponerme en contacto de inmediato con Dzerzhinski. Es la prolongación de mi segundo comisario. Vamos, démonos prisa.

Las habitaciones, al igual que el vestíbulo, pertenecían a otro tiempo, a otra era, incluso a otro país, sólo empobrecidas por los tejidos desteñidos y las malas restauraciones de las molduras. En realidad, estas imperfecciones contribuían a acentuar la distancia entre el pasado y el presente. Los dos dormitorios estaban uno frente al otro y en medio se situaba una gran sala de estar con un bar y varias botellas de licores poco frecuentes en los estantes de Moscú.

—Sírvanse —invitó Krupkin mientras se dirigía hacia un teléfono que había sobre un falso escritorio antiguo, una especie de híbrido del estilo reina Ana y algún Luis posterior—. Oh, se me olvidaba, Aleksei, te pediré un poco de té o agua mineral.

—No te molestes —dijo Conklin mientras tomaba su bolsa para dirigirse a la alcoba de la izquierda—. Tomaré un baño, ese avión estaba muy sucio.

—Confío en que el viaje os haya resultado agradable —comentó Krupkin, alzando la voz mientras marcaba—. A propósito, ingrato, encontraréis vuestras armas en los cajones de las mesitas de noche. Son de calibre 38 Graz Buyra automáticas. Venga, señor Bourne. Usted no es abstemio y ha sido un viaje largo. Esta conversación puede llevar bastante tiempo. Mi comisario número dos es un sujeto muy charlatán.

—Creo que aceptaré su invitación —dijo Jason al tiempo que dejaba caer su bolsa junto a la puerta del otro dormitorio. Se acercó al bar y escogió una botella que le resultaba familiar. Se sirvió una copa mientras Krupkin comenzaba a hablar en ruso. Como no comprendía el idioma, se dirigió a un par de altas ventanas catedralicias que se asomaban a la ancha avenida conocida como la Marx Prospekt.

—*Dobryi dyen... Da, da, ¿pochemu...? Sadovaia togda. Dvadtsat minut.* —Krupkin sacudió la cabeza irritado mientras colgaba el teléfono. El gesto atrajo la atención de Jason hacia el soviético.

—Mi segundo comisario no se ha mostrado comunicativo en esta ocasión, señor Bourne. La urgencia de las órdenes se lo ha impedido.

—¿A qué se refiere?

—Debemos partir de inmediato. —Krupkin se volvió hacia el dormitorio de la izquierda y alzó la voz—. ¡Aleksei, sal de ahí! ¡Rápido! He tratado de explicarle que acababais de llegar —continuó el hombre del KGB, dirigiéndose a Jason—, pero se desentendió. Incluso llegué a decirle que uno de vosotros estaba tomando una ducha, pero su único comentario fue: «Dígale que salga y se vista.» —Conklin salió de la habitación con la camisa abierta y secándose el rostro con una toalla—. Lo siento, Aleksei, debemos irnos.

—¿Adónde? Acabamos de llegar.

—Nos han destinado un apartamento en la Sadovaia, el «gran bulevar» de Moscú, señor Bourne. No serán los Champs-Elysées, pero tampoco es un lugar insignificante. Los zares sabían cómo edificar.

—¿Qué hay allí? —preguntó Conklin.

—El comisario número uno —respondió Krupkin—. Lo utilizaremos como una especie de cuartel general. Un anexo pequeño y bastante delicioso de plaza Dzerzhinski, salvo que nadie conoce su existencia a excepción de nosotros cinco. Ha surgido un problema y debemos acudir de inmediato.

—Ya tengo bastante —dijo Jason, y dejó la copa sobre el bar.

—Termínatelo —dijo Alex mientras cojeaba trabajosamente hacia la alcoba—. Debo quitarme el jabón de las orejas y volver a ponerme esa maldita bota.

Bourne alzó la copa y miró al oficial de campaña soviético, quien a su vez contemplaba a Conklin con el ceño fruncido y una expresión curiosamente triste.

—Lo conoció antes de que perdiera el pie, ¿verdad? —preguntó Jason en voz baja.

—Oh, sí, señor Bourne. Nos conocemos desde hace veinticinco o veintiséis años. Estambul, Atenas, Roma... Amsterdam. Era un adversario terrible. Por supuesto, entonces éramos jóvenes, los dos delgados, rápidos y orgullosos de nosotros mismos. Anhelábamos desesperadamente vivir de acuerdo con nuestros sueños. Fue hace mucho tiempo. Ambos éramos terriblemente eficaces, ¿sabe? En realidad, él era mejor que yo, pero nunca le comente que se lo he confesado. Siempre veía una imagen más amplia, un camino más largo que yo. Era el ruso que había en él, por supuesto.

—¿Por qué utiliza la palabra «adversario»? —preguntó Jason—. Suena deportivo, como si se tratara de un juego. ¿No era su enemigo?

La gran cabeza de Krupkin se volvió hacia Bourne y sus ojos no mostraron ninguna calidez.

—Por supuesto que era mi enemigo, señor Bourne, y por si alberga alguna duda, aún lo es. Le ruego que no confunda mi complacencia. Las debilidades de un hombre pueden mezclarse con su fe, pero no la disminuyen. No soy católico para expiar mis pecados y así continuar pecando a pesar de mis creencias, pero sí creo. Mis abuelos murieron ahorcados, ahorcados, señor, por robar gallinas de una propiedad de los Romanov. Prácticamente ninguno de mis antecesores gozó del privilegio de recibir una educación. La revolución soviética de Karl Marx y Lenin hizo posible el comienzo de todas las cosas. Se cometieron miles y miles de errores, algunos imperdonables y muchos más brutales, pero fue un comienzo. Yo mismo soy a la vez la prueba y el error de ello.

—No estoy seguro de comprenderlo.

—Porque ustedes y sus ineficaces intelectuales nunca han entendido lo que nosotros hemos sabido desde el inicio. *Das Kapital*, señor Bourne, propone etapas hacia una justicia social, económica y política, pero no especifica qué clase de gobierno resultará al final. Sólo afirma que no podía continuar como era.

—No soy un especialista en este terreno.

—No es necesario que uno lo sea. Dentro de cien años es posible que ustedes sean los socialistas y, con suerte, nosotros seremos los capitalistas, ¿da?

—Dígame una cosa —continuó Jason mientas oía cómo se cerraban los grifos en la habitación de Conklin—. ¿Usted sería capaz de matar a Alex... a Aleksei?

—Tanto como él a mí; con un profundo pesar, si el valor de la información lo exigiese. Somos profesionales. Ambos lo comprendemos, aunque en ocasiones no nos guste.

—No logro comprenderles, a ninguno de los dos.

—Ni siquiera lo intente, señor Bourne. Usted aún no ha llegado. Se está acercando, pero no está allí.

—¿Quiere explicarme eso, por favor?

—Usted está en la cima, Jason... ¿puedo llamarlo Jason?

—Por favor.

—Tiene alrededor de cincuenta años, ¿no?

—En efecto. Cumpliré cincuenta y uno dentro de pocos meses. ¿Y qué?

—Aleksei y yo hemos pasado los sesenta. ¿Tiene idea del cambio que esto produce?

—No.

—Permítame explicárselo. Aún se ve a sí mismo más joven, como un postadolescente que pasa a la acción apenas un instante después de haber planeado la estrategia, y en muchos sentidos tiene razón. La voluntad todavía domina los controles motrices, aún es el amo de su cuerpo. Entonces, de pronto, a pesar de que la voluntad y el cuerpo continúan siendo fuertes, lenta e insidiosamente el cerebro comienza a rechazar la necesidad de tomar una decisión inmediata, tanto intelectual como físicamente. Simplificando: nos importa menos. ¿Deben condenarnos o felicitarnos por haber sobrevivido?

—Creo que acaba de confesar que no podría matar a Alex.

—No cuente con ello, Jason Bourne, David o quienquiera que sea.

Conklin apareció con la cojera más pronunciada y una mueca de dolor.

—En marcha.

—¿Has vuelto a atarla mal? —preguntó Jason—. ¿No quieres que yo...?

—Olvídalo —lo interrumpió Alex, irritado—. Hay que ser contorsionista para colocar siempre bien esta maldita cosa.

Bourne comprendió y abandonó todo intento de ayudarlo a ajustar la prótesis. Krupkin volvió a contemplar a Alex con esa extraña mezcla de tristeza y curiosidad. Entonces habló rápidamente.

—El coche está aparcado calle arriba. Allí llama menos la atención. Haré que uno de los camareros vaya a buscarlo.

—Gracias —dijo Conklin con gratitud en la mirada.

El opulento apartamento en la transitada Sadovaia era uno de tantos de un viejo edificio de piedra que, al igual que el Metropole, reflejaba los grandes excesos arquitectónicos del antiguo imperio ruso. Los apartamentos se utilizaban y se espiaban sobre todo para recibir a los dignatarios extranjeros; tanto las doncellas y los porteros como los conserjes solían someterse a interrogatorios del KGB cuando no trabajaban directamente para el Komitet. Las paredes estaban cubiertas de terciopelo rojo y el pesado mobiliario evocaba al Antiguo Régimen. Sin embargo, a la derecha del gigantesco hogar de la sala se destacaba un objeto como la pesadilla de un decorador: una gran consola negra de televisión, con sus correspondientes aparatos reproductores para los diferentes tamaños de cintas de vídeo.

La segunda contradicción con el decorado, y sin duda una afrenta a la memoria de los elegantes Romanov, era un hombre corpulento con un uniforme arrugado, abierto por el cuello y manchado con vestigios de comidas recientes. Tenía el rostro carnoso y llevaba el cabello gris muy corto. Una mella en su dentadura amarillenta indicaba una inveterada aversión al dentista. Era el rostro de un campesino; sus ojos pequeños mostraban la inteligencia propia de la gente de campo. Era el comisario número uno de Krupkin.

—No hablo su idioma con fluidez —anunció el hombre uniformado—, pero lo comprendo. Además, para ustedes no tengo nombre ni posición oficial. Llámenme coronel, ¿de acuerdo? Tengo un rango superior, pero los norteamericanos piensan que todos los soviéticos del Komitet somos «coronel», ¿*da*?

—Yo hablo ruso —intervino Alex—. Si le resulta más sencillo, úselo, yo se lo traduciré a mi colega.

—¡Ja! —rió el coronel—. ¿Así que Krupkin no puede engañarlo?

—No, no puede.

—Eso es bueno. Habla demasiado rápido, ¿*da*? Incluso en ruso sus palabras parecen balas perdidas.

—En francés también, coronel.

—A propósito —intervino Dimitri—, ¿podemos ir a nuestros asuntos, camarada? Nuestro compañero en Dzerzhinski indicó que debíamos presentarnos de inmediato.

—¡*Da*! De inmediato. —El oficial del KGB se dirigió a la gran consola de ébano, tomó un mando a distancia y se volvió hacia los demás—. Hablaré en inglés, será una buena práctica. Observen. Todo está en una cinta. El material ha sido filmado por los hombres y mujeres que escogió Krupkin para seguir a los nuestros que hablan francés.

—Personas que no llegarían a una componenda con el Chacal —les aclaró Krupkin.

—¡Observen! —insistió el campesino-coronel mientras manipulaba el mando a distancia.

La pantalla se encendió y aparecieron las primeras tomas, poco nítidas e inconexas. La mayor parte se había filmado con cámaras manuales desde un coche. Las escenas mostraban a determinados hombres caminando por las calles de Moscú o entrando en vehículos oficiales, con los cuales recorrían toda la ciudad y, en algunos casos, salían al campo. Todos los sujetos bajo vigilancia se encontraban con otros hombres y mujeres cuyos rostros aumentaban los objetivos. Varias escenas se desarrollaban en el interior de edificios, con lo cual la imagen aparecía lóbrega y oscura por la escasez de luz.

—¡Ésa es una puta muy cara! —rió el coronel mientras un hombre que rondaba los setenta acompañaba a una mujer mucho más joven hasta un ascensor—. Es el hotel Solnechy, en Varshavkoye. Revisaré personalmente los comprobantes del general y encontraré un leal aliado, ¿da?

La entrecortada cinta continuó mientras Krupkin y los dos norteamericanos se cansaban de aquella película que parecía interminable e inútil. Entonces, de pronto apareció una enorme catedral a cuyas puertas se agolpaba la muchedumbre. La luz indicaba que era poco después del mediodía.

—Es la catedral de San Basilio en la plaza Roja —explicó Krupkin—. Ahora se ha convertido en un excelente museo, pero de vez en cuando algún fanático, por lo general extranjero, celebra una pequeña ceremonia. Nadie lo impide, lo cual es justamente lo que los fanáticos querrían que hiciéramos.

La pantalla volvió a oscurecerse y la cámara se movió con furia momentáneamente. El agente que la manejaba se había introducido entre el gentío. A continuación quedó de nuevo fija, tal vez al estar apoyada contra una columna. Enfocaba a un hombre mayor cuyo cabello blanco contrastaba con el impermeable negro que llevaba puesto. Caminaba por una nave lateral, observando la sucesión de iconos y las majestuosas vidrieras.

—Rodchenko —anunció el campesino-coronel con voz gutural—. El gran Rodchenko.

El hombre de la pantalla se adentró en lo que parecía ser un gran rincón de piedra de la catedral, donde dos gruesos cirios colocados sobre un pedestal proyectaban sombras vacilantes sobre la pared. La cámara se movió bruscamente hacia arriba. Probablemente, el agente se había subido a un banco. De pronto la imagen se hizo más detallada y las figuras se agrandaron. Había activado el objetivo mientras avanzaba entre la multitud de turistas. El sujeto de cabello blanco se acercó a otro hombre, un sacerdote calvo, delgado y de tez oscura.

—¡Es él! —gritó Bourne—. ¡Es Carlos!

Un tercer hombre apareció en la pantalla y se reunió con los otros dos.

—¡Por Dios! —exclamó Conklin mientras todos los ojos se clavaban en el televisor—. ¡Pare la imagen! —El comisario del KGB accionó el mando y la imagen permaneció fija—. ¡El otro! ¿Lo reconoces, David?

—Sí y no —respondió Bourne con voz apenas audible mientras su mente se poblaba de imágenes del pasado.

Había explosiones, luces blancas y deslumbrantes con figuras borrosas que corrían por la jungla... y vio a un hombre, un oriental a quien le disparaban repetidamente y gritaba mientras un arma automática lo despedazaba contra el tronco de un árbol. Las nieblas de la confusión se disolvieron para dar paso a la imagen de una chabola con una mesa larga rodeada de soldados. A la derecha había una silla de madera donde se sentaba un hombre que parecía nervioso. De pronto Jason supo quién era ese hombre, ¡era él mismo! Un Bourne muchísimo más joven y frente a él otra figura uniformada paseaba de un lado al otro como una fiera enjaulada, mientras reprendía violentamente al hombre conocido como Delta Uno. Con los ojos fijos en el televisor, Jason contuvo el aliento al comprender que estaba viendo una versión más vieja de ese hombre que lo reprendía.

—Un juez en una base al norte de Saigón —susurró.

—Es Ogilvie —dijo Conklin con voz hueca y distante—. Bryce Ogilvie... Dios mío, se han puesto en contacto. ¡Medusa ha encontrado al Chacal!

## 36

—Era un juicio, ¿verdad, Alex? —preguntó Bourne perplejo, con voz vacilante—. Un juicio militar.

—Sí —respondió Conklin—. Pero el acusado no eras tú.

—¿No?

—No. Tú eras el que había presentado los cargos, algo muy poco frecuente entre los miembros de tu grupo. En el ejército hubo muchas personas que trataron de detenerte, pero no lo lograron... Hablaremos luego.

—Quiero saberlo ahora —indicó Jason con firmeza—. Ese hombre está con el Chacal, justo ahí, delante de nuestras narices. Quiero saber quién es, qué es y por qué se encuentra aquí, en Moscú, con el Chacal.

—Luego...

—Ahora. Tu amigo Krupkin nos está ayudando, yo se lo agradezco. El coronel también está de nuestra parte, en otro caso no estaríamos viendo lo que hay en la pantalla en este momento. Quiero saber qué ocurrió entre ese hombre y yo, todas las medidas de seguridad de Langley pueden irse al infierno. Cuanto más sepa respecto a él, ahora, mejor sabré qué preguntar y cómo actuar. —De repente Bourne se volvió hacia los soviéticos—. Para su información, hay un período de mi vida que no consigo recordar por completo, no necesitan saber nada más. Adelante, Alex.

—A mí me resulta difícil recordar lo que ocurrió anoche —comentó el coronel.

—Dile lo que desea saber, Aleksei. No puede interferir en nuestros intereses. El capítulo de Saigón está cerrado, al igual que el de Kabul.

—Está bien. —Conklin se sentó en una silla y se dio masaje en la pantorrilla izquierda; trató de hablar con cierta indiferencia, pero no lo consiguió del todo—. En diciembre de mil novecientos setenta, uno de tus hombres resultó muerto durante una patrulla de reconocimiento. Se dijo que había sido un accidente, pero tú sabías que no era cierto. Sabías que estaba previsto. Se trataba de un camboyano y, por supuesto, no era ningún santo pero, como conocía todas las rutas del contrabando, te resultaba muy valioso.

—Sólo imágenes —lo interrumpió Bourne—. Todo lo que tengo son fragmentos. Veo la secuencia, pero no logro recordar.

—Los hechos ya no son importantes, están enterrados junto con varios miles de sucesos controvertibles. Al parecer, fracasó un gran negocio con narcóticos en el Triángulo y echaron la culpa a tu compañero. Por lo tanto, algunos pájaros de cuenta en Saigón pensaron que debían dar una lección a sus muchachos. Se desplazaron hasta tu territorio y lo eliminaron haciéndose pasar por una unidad del Vietcong. Sin embargo, tú los habías visto desde una colina y la ira te dominó. Los seguiste de regreso al helicóptero y les ofreciste dos alternativas: o bien atacabas el helicóptero sin dejar sobrevivientes o volvían contigo a la base. Regresaron mientras tus hombres les apuntaban y obligaste al comandante a aceptar tus múltiples cargos de asesinato. Entonces apareció Ogilvie en busca de sus muchachos de Saigón.

—En aquel momento ocurrió algo, ¿verdad? Una locura, todo se volvió confuso y complicado.

—Ya lo creo. Bryce te llevó al estrado y te hizo parecer un loco, un mentiroso patológico y un asesino que, de no haber sido por la guerra, estaría en una prisión de máxima seguridad. Te insultó de todas las maneras posibles y exigió que revelaras tu verdadero nombre, lo que no podías hacer pues hubieran masacrado a la familia de tu primera esposa camboyana. Trató de enredarte con palabras y cuando comprendió que de ese modo no lograría nada, amenazó al jurado militar con exponer a todo el batallón bastardo, lo cual tampoco podía permitirse. Los malhechores de Ogilvie salieron libres por falta de pruebas y después del juicio tuvieron que encerrarte en las barracas hasta que Ogilvie regresó a Saigón.

—Se llamaba Kwan Soo —dijo Bourne, sacudiendo la cabeza como en medio de una pesadilla—. No era más que un niño. Tenía dieciséis o diecisiete años y enviaba el dinero que obtenía con las drogas a tres aldeas para que pudieran comer. No había otra forma... ¡oh, mierda! ¿Qué habríamos hecho cualquiera de nosotros si nuestras familias hubieran estado muriéndose de hambre?

—Tú no podías decir eso en el juicio y lo sabías. Tuviste que cerrar la boca y soportar los furiosos ataques de Ogilvie. Yo viajé para verte y te aseguro que nunca había conocido a un hombre ejercitando tanto control sobre su odio.

—Yo no lo recuerdo así, al menos lo poco que recuerdo. Una parte vuelve a mí, no es mucho, pero es algo.

—Durante el juicio te adaptaste al entorno, como un verdadero camaleón, podría decirse. —Sus miradas se encontraron, y Jason volvió a observar la pantalla del televisor.

—Y allí está, con Carlos. Es un pequeño mundo podrido, ¿verdad? ¿Él sabe que soy Jason Bourne?

—Imposible —dijo Conklin mientras se levantaba de la silla—. Entonces no existía Jason Bourne. Ni siquiera había un David, sólo un guerrillero a quien llamaban Delta Uno. No se utilizaban nombres, ¿lo recuerdas?

—Siempre se me olvida; ¿qué más debo saber? —Jason señaló la pantalla—. ¿Por qué está en Moscú? ¿Por qué dices que Medusa ha encontrado al Chacal?

—Porque él es la firma legal de Nueva York.

—¿Qué? —Bourne se volvió hacia Conklin—. ¿Él es...?

—El presidente de la junta directiva —completó Alex—. La Agencia se acercó demasiado y él escapó. Hace dos días.

—¿Por qué diablos no me lo dijiste? —exclamó Jason con ira.

—Porque ni por un momento se me ocurrió que estaríamos aquí, mirando esta imagen en la pantalla. Aún no lo comprendo, pero tampoco puedo negarlo. Además, no vi razón para mencionarte un nombre que no sabía si recordarías, relacionado con el incidente personal que tal vez tampoco tendrías presente. ¿Para qué añadir una complicación innecesaria? Ya tienes suficientes.

—¡Muy bien, Aleksei! —intervino Krupkin agitado, dando un paso adelante—. He oído palabras y nombres que evocan ciertos recuerdos desagradables para mí, por lo tanto creo que me corresponde formular un par de preguntas; una en concreto. ¿Quién es este Ogilvie que tanto os preocupa? Nos habéis dicho que estuvo en Saigón, pero ¿quién es ahora?

—¿Por qué no? —se preguntó Conklin con suavidad—. Es un abogado de Nueva York que encabeza una organización con sucursales por toda Europa y el Mediterráneo. Al principio, utilizaban el chantaje y las influencias para comprar compañías enteras; han acaparado mercados y establecido precios, y para hacerlo han tenido que entrar en el juego de matar contratando a algunos de los mejores profesionales disponibles. Las pruebas indican que han pagado el asesinato de varios oficiales del gobierno. El ejemplo más reciente, del cual sin duda habréis oído hablar, es el del general Teagarten, jefe supremo de la OTAN.

—¡Increíble! —susurró Krupkin.

—¡Por Dios! —exclamó el campesino-coronel, con los ojos fuera de las órbitas.

—Oh, son muy imaginativos, y Ogilvie es el más ingenioso de todos. Es el Hombre Araña, y ha tejido una tela fabulosa desde Washington hasta todas las capitales de Europa. Desgraciadamente para él y gracias a mi amigo aquí presente, lo hemos atrapado como una mosca en su propia tela. Determinadas personas de Washington a las que no podía corromper estaban a punto de descubrirlo, pero hace dos días se le puso sobre aviso. No tengo ni la más remota idea de por qué ha venido a Moscú.

—Es posible que yo pueda echar alguna luz sobre el asunto —dijo Krupkin. Entonces miró al coronel del KGB y asintió con un gesto como diciendo «está bien»—. No sé nada, absolutamente nada, de los asesinatos que mencionas. Sin embargo, tu descripción se ajusta a una empresa norteamericana en Europa que desde hace años sirve a nuestros intereses.

—¿De qué forma? —preguntó Alex.

—Con toda clase de tecnología secreta norteamericana, además de armamentos, equipos, repuestos de aviones y misiles; incluso los aviones y misiles mismos a través de los países del bloque. Supongo que sabrás que negaré ante quien sea haberte revelado esto alguna vez.

—Por supuesto —asintió Conklin con un gesto—. ¿Cómo se llama esta empresa?

—No tiene un nombre único. Se trata de cincuenta o sesenta compañías con tantos títulos y orígenes diferentes que resulta imposible determinar las relaciones específicas.

—Existe un nombre y está dirigida por Ogilvie.

—Lo había supuesto —dijo Krupkin con una mirada fría y una expresión que de pronto parecía la de un fanático implacable—. Sin embargo, puedo asegurarte que lo que tanto te preocupa de tu abogado norteamericano no es nada comparado con nuestras propias preocupaciones. —Dimitri se volvió hacia el televisor donde la imagen fija temblaba. Ahora sus ojos brillaban por la ira—. El oficial del servicio secreto soviético que ven en ese pantalla es el general Rodchenko, el segundo a cargo del KGB, importante asesor del primer ministro de la Unión Soviética. Se pueden hacer muchas cosas en nombre de los intereses rusos sin conocimiento del primer ministro, pero actualmente resulta imposible en las áreas que tú describes. ¡Y nunca, nunca, a través de los servicios de Carlos el Chacal! Estas situaciones son peligrosas catástrofes.

—¿Tienes alguna sugerencia? —preguntó Conklin.

—Una pregunta estúpida —respondió el coronel con brusquedad—. El arresto, luego Lubyanka y luego el silencio.

—No es la solución idónea —objetó Alex—. La CIA sabe que Ogilvie está en Moscú.

—¿Dónde está el problema? Nos deshacemos de una persona nociva y de sus crímenes y luego continuamos con nuestros asuntos.

—Tal vez les parecerá extraño, pero el problema no sólo radica en la persona nociva y sus crímenes, incluso en lo que atañe a la Unión Soviética. Radica en el encubrimiento, en lo que se refiere a Washington.

El oficial del Komitet miró a Krupkin y habló en ruso.

—¿De qué está hablando éste?

—Para nosotros resulta difícil comprenderlo —respondió Dimitri en su idioma nativo—, sin embargo, para ellos constituye un problema. Trataré de explicarlo.

—¿Qué dice? —preguntó Bourne con fastidio.

—Creo que está a punto de ofrecer una lección de educación cívica, al estilo norteamericano.

—Este tipo de lecciones suele caer en oídos sordos en Washington —replicó Krupkin, y de inmediato volvió a hablar en ruso para dirigirse a su superior del KGB—. Verá, camarada, en Estados Unidos nadie nos culparía por aprovecharnos de las actividades criminales de este Ogilvie. Tienen un proverbio que repiten con tanta frecuencia que cubre océanos de culpa: «A caballo regalado no le mires el dentado.»

—¿Qué tienen que ver los dientes de un caballo con los regalos? De su trasero sale abono para las granjas, de su boca sólo saliva.

—Pierde parte de sentido con la traducción. De todos modos, es evidente que este abogado, Ogilvie, tenía muchas conexiones con el gobierno, oficiales que han hecho la vista gorda ante sus dudosas prácticas a cambio de grandes sumas de dinero, prácticas que han generado millones y millones de dólares. Se han quebrantado leyes, asesinado hombres y aceptado mentiras como si fueran verdades; básicamente, ha existido una considerable corrupción y, como sabemos, los norteamericanos están obsesionados con la corrupción. Llegan a calificar cada convenio progresista como «potencialmente corrupto» y nadie puede hacer nada al respecto. Tienden sus trapos sucios al sol para que el mundo los vea como si fuesen medallas de honor.

—Porque lo son —replicó Alex—. Muchos de vosotros no lo comprendéis porque ocultáis todos vuestros acuerdos, todos los crímenes que cometéis y cada boca que cerráis. Sin embargo, partiendo de que las comparaciones son odiosas, os ahorraré el discurso. Sólo os diré que Ogilvie debe ser enviado de vuelta para saldar cuentas, ése es el «convenio progresista» que debéis realizar.

—Lo tendremos en cuenta.

—No es suficiente —dijo Conklin—. Mirad, ya se sabe demasiado acerca de esta empresa y el resto se conocerá en cuestión de días, incluyendo la conexión con la muerte de Teagarten. No podéis dejar que permanezca aquí. No sólo Washington, sino toda la comunidad europea saltaría sobre vosotros. Ésta sería una auténtica situación conflictiva, por no mencionar sus efectos sobre el comercio, sobre las importaciones y exportaciones...

—Ya te hemos comprendido, Aleksei —lo interrumpió Krupkin—. Suponiendo que este convenio pueda realizarse, ¿quedará claro que Moscú ha colaborado para que este criminal regrese a enfrentarse con la justicia norteamericana?

—Es evidente que no podríamos hacerlo sin vosotros. Como oficial de campaña temporal y extraoficial, lo juraré frente a los comités de espionaje del congreso si es necesario.

—Y que no hemos tenido nada, absolutamente nada que ver con los crímenes que has mencionado, en especial con el del comandante supremo de la OTAN.

—Quedará absolutamente claro. Ha sido una de las principales razones de vuestra colaboración. Vuestro gobierno expresó su repulsa por el asesinato.

Krupkin miró a Alex con dureza y bajó la voz. Por un momento se volvió hacia la pantalla del televisor y luego volvió a Conklin.

—¿Y el general Rodchenko? —preguntó—. ¿Qué haremos con el general Rodchenko?

—Eso es asunto vuestro —respondió Alex con suavidad—. Ni Bourne ni yo hemos oído mencionar ese nombre.

—*Da* —dijo Krupkin y volvió a asentir con la cabeza lentamente—. Por otra parte, lo que hagáis con el Chacal en territorio soviético es cosa vuestra. Sin embargo, tened la seguridad de que cooperamos al máximo.

—¿Por dónde empezamos? —preguntó Jason con impaciencia.

—Por el principio. —Dimitri miró al comisario del KGB—. Camarada, ¿ha comprendido lo que hemos dicho?

—Lo suficiente, Krupkin —respondió el corpulento campesinocoronel mientras se dirigía a un teléfono que había en una mesa de mármol empotrada en la pared. Tomó el receptor y marcó; enseguida atendieron la llamada—. Soy yo —dijo el comisario en ruso—. El tercer hombre de la séptima cinta con Rodchenko y el sacerdote, el que Nueva York ha identificado como un norteamericano llamado Ogilvie. Debe ser sometido a vigilancia y no se le permitirá abandonar Moscú. —De pronto el coronel alzó las cejas y su rostro enrojeció—. ¡Esa orden queda revocada! Ya no está bajo la responsabilidad de Relaciones Diplomáticas, ahora únicamente es asunto del KGB... ¿Una razón? ¡Piense un poco, cabeza de chorlito! Dígales que estamos convencidos de que es un doble agente norteamericano. Luego continúe con las patrañas de costumbre: encubrimiento de enemigos del Estado a causa de negligencia, sus posiciones elevadas quedan de nuevo bajo la supervisión del Komitet, y el discurso de siempre. También puede mencionar que no hay que mirar los dientes de los caballos regalados... Yo no comprendo más que usted, camarada, pero es probable que los sujetos de traje ajustado sí lo entiendan. Alerte a los aeropuertos. —El comisario colgó.

—Listo —dijo Conklin mientras se volvía hacia Bourne—. Ogilvie permanecerá en Moscú.

—¡Ogilvie me importa una mierda! —estalló Jason con los dientes apretados—. ¡He venido aquí por Carlos!

—¿El sacerdote? —preguntó el coronel mientras se apartaba de la mesa.

—En efecto.

—Muy sencillo. Ataremos una cuerda muy larga al general Rodchenko sin que él lo advierta. Usted estará al otro extremo. Volverá a encontrarse con su sacerdote Chacal.

—No pido nada más —declaró Jason Bourne.


El general Grigori Rodchenko estaba sentado ante una mesa junto a una ventana en el restaurante Lastochka, frente al puente Krymsky tendido sobre el río Moskvá. Era su lugar preferido para una cena a medianoche; las luces del puente y de los barcos que se deslizaban lentamente constituían un espectáculo tranquilizador para la vista y para el metabolismo. Necesitaba una atmósfera serena ya que durante los últimos dos días las cosas habían sido demasiado inquietantes. ¿Habría acertado? ¿Habría dado en el blanco su intuición o se habría equivocado? Por el momento no podía saberlo, pero aquella misma intuición le había permitido sobrevivir al demente Stalin durante la juventud, al colérico Jruschov en la madurez y al inepto Brézhnev unos años después. Ahora había una nueva Rusia bajo Gorbachov, un nuevo soviet y, a decir verdad, su vejez se complacía por ello. Tal vez las cosas se relajasen un poco y las antiguas enemistades se desvaneciesen en un horizonte que en el pasado fue hostil. Sin embargo, los horizontes en realidad nunca cambiaban, siempre eran distantes y llanos, encendidos de color o de oscuridad, pero aun así distantes, llanos e inalcanzables.

Él era un sobreviviente, Rodchenko lo sabía y como tal se protegía desde todos los ángulos. También se congraciaba con todos los ángulos posibles. Por lo tanto, había trabajado mucho para ganarse la confianza del presidente, era un experto en obtener información para el Komitet; era el contacto inicial con la empresa norteamericana conocida como Medusa, dato que sólo él poseía en Moscú, a través de la cual se habían realizado embarques extraordinarios en toda Rusia y en las naciones satélites. Por otro lado, también era un enlace con *monseigneur* en París, Carlos el Chacal, a quien había persuadido o pagado para que rechazase los contratos que pudiesen implicar a la Unión Soviética. Había sido el máximo burócrata, trabajaba entre bastidores en el escenario internacional, sin buscar el aplauso ni la celebridad, sólo la supervivencia. Entonces, ¿por qué lo había hecho? ¿Era una simple reacción nacida de la fatiga y el miedo? No, era el desarrollo lógico de los sucesos, algo consecuente con las necesidades de su país y, por encima de todo, con la absoluta necesidad de que Moscú se desvinculara tanto de Medusa como del Chacal.

Según el cónsul general en Nueva York, Bryce Ogilvie estaba acabado en Norteamérica. La sugerencia del cónsul había sido buscarle asilo en alguna parte y, a cambio, ir absorbiendo gradualmente sus innumerables propiedades en Europa. El cónsul general en Nueva York no estaba preocupado por las manipulaciones financieras de Ogilvie, quien violaba más leyes que jurados había para procesarlo, sino por los asesinatos. Hasta donde se podía determinar, éstos se habían extendido demasiado y habían alcanzado a varios altos oficiales del gobierno norteamericano; a menos que estuviese muy equivocado incluían el asesinato del comandante supremo de la OTAN. Además, para agravar esta cadena de horrores, Nueva York opinaba que, en un intento por salvar algunas de sus compañías de la confiscación, Ogilvie podría haber ordenado más asesinatos en Europa, en especial el de algunos poderosos ejecutivos que estaban al corriente de las complejas conexiones internacionales que unían a una gran firma legal con el nombre clave de Medusa. Si aquellos crímenes por contrato ocurrían mientras Ogilvie estaba en Moscú, podrían surgir algunas cuestiones que el gobierno no toleraría. Por lo tanto, había que introducirlo y sacarlo de la Unión Soviética lo antes posible, recomendación que era más fácil de decir que de llevar a la práctica.

De pronto, reflexionó Rodchenko, en medio de esta danza macabra había aparecido el paranoide *monseigneur* de París. ¡Era necesario que se encontraran de inmediato! Carlos se lo había exigido a gritos por el teléfono público que empleaban para comunicarse, pero debían tomarse todas las precauciones posibles. Como siempre, el Chacal le había pedido que la entrevista fuese en un lugar público, lleno de gente, con numerosas salidas donde dar vueltas como un halcón hasta que su mirada profesional estuviese satisfecha. Después de dos llamadas más, el lugar de reunión se había fijado: la catedral de San Basilio en la plaza Roja, durante las primeras horas de la tarde, cuando el lugar quedaba invadido por los turistas, y en un rincón oscuro a la derecha del altar, donde había salidas al exterior a través de los pasillos de la sacristía.

Entonces, durante aquella tercera llamada, como un relámpago sobre el mar Negro, Grigori Rodchenko se había visto asaltado por una idea tan intrépida y a la vez tan sencilla que por un momento se quedó sin aliento. Era la solución que alejaría por completo al gobierno soviético de cualquier relación o complicidad tanto con el Chacal como con el Medusa de Ogilvie, en caso de que aquel distanciamiento fuese necesario a ojos del mundo civilizado.

Simplemente, sin que ninguno de ellos lo supiese, debía reunir al Chacal y a Ogilvie, aunque sólo fuese por un segundo, el tiempo suficiente para obtener una prueba fotográfica. No necesitaba nada más.

El día anterior se había presentado en Relaciones Diplomáticas para solicitar una breve entrevista de rutina con Ogilvie. Durante la amistosa conversación, Rodchenko había esperado a que se presentase su oportunidad, un momento que había previsto con todo detalle.

—Usted veranea en Cape Cod, ¿da? —había dicho el general.

—Yo sólo voy los fines de semana. Mi esposa y los niños permanecen allí durante toda la temporada.

—Cuando me enviaron a Washington, hice dos grandes amigos norteamericanos en Cape Cod. He pasado algunos fines de semana maravillosos con ellos. Es posible que los conozca, son los Frost: Hardleigh y Carol Frost.

—Por supuesto que sí. Al igual que yo, él es un abogado que se especializa en leyes marítimas. Viven frente a la costa, en Denis.

—Una mujer muy atractiva, la señora Frost.

—Mucho.

—*Da.* ¿Alguna vez ha intentado reclutar al esposo para su firma?

—No. Él posee la suya: Frost, Goldfarb y O'Shaunessy cubre toda la costa desde su sede en Massachusetts.

—Es como si ya lo conociese de antes, señor Ogilvie, aunque sólo sea a través de nuestras amistades comunes.

—Lamento que nunca nos hayamos encontrado en Cape.

—Bueno, tal vez pueda aprovechar esta relación indirecta que existe entre nosotros y pedirle un favor, un detalle insignificante comparado con la ayuda que le proporciona mi gobierno.

—Según tengo entendido, la ayuda es mutua —replicó Ogilvie.

—Ah, yo no comprendo nada de estas cuestiones diplomáticas, pero creo estar en condiciones de intervenir a su favor si usted quisiera colaborar con nosotros.

—¿De qué se trata?

—Hay un sacerdote, un cura socialista militante, quien asegura ser un agitador marxista muy conocido en los tribunales de Nueva York. Ha llegado hoy y exige una reunión clandestina dentro de unas pocas horas. No tenemos tiempo para comprobar su identidad, pero como insiste en que tiene una historia de «persecuciones» legales en los tribunales de Nueva York, además de varias fotografías en los periódicos, usted podría reconocerlo.

—Es posible que sí, si es quien afirma.

—¡Da! En cualquier caso, haremos saber cúanto ha cooperado con nosotros.

Todo había quedado acordado. Ogilvie se mezclaría entre el gentío de la catedral de San Basilio, cerca del punto de reunión. Cuando viera que Rodchenko se acercaba a un sacerdote a la derecha del altar, debía tropezarse con el oficial del KGB, como si estuviera sorprendido. Se saludarían de un modo rápido y brusco, como dos personas civilizadas entre las cuales existe cierta hostilidad. La proximidad física también era importante, ya que el lugar era tan oscuro que al abogado no le resultaría fácil distinguir al sacerdote.

Ogilvie había actuado con la experiencia de un hábil abogado litigante atrapando verbalmente a un testigo de la acusación con una pregunta objetable, para luego gritar «retiro la pregunta» y así dejar mudo al fiscal.

El Chacal se había alejado furioso, pero no antes de que una mujer mayor y obesa, con una cámara en miniatura en su bolso, le tomara una serie de fotografías con una película de alta velocidad. Ahora esa prueba estaba a buen recaudo en la oficina de Rodchenko. En la carpeta rezaba: «Vigilancia del norteamericano B. Ogilvie.»

Debajo de la fotografía que mostraba al asesino con el abogado norteamericano, decía lo siguiente: «El sujeto con un contacto, todavía no identificado, durante un encuentro clandestino en la catedral de San Basilio. Duración del encuentro: once minutos, treinta y dos segundos. Fotografías enviadas a París para cualquier comprobación posible. Se supone que el contacto sin identificar podría ser Carlos el Chacal.»

Huelga decir que París estaba elaborando una respuesta que incluía varias fotografías del Deuxième Bureau y la Sûreté. La contestación: «Confirmado. Definitivamente, el Chacal.»

¡Qué chocante! Y en suelo soviético.

Por otro lado, el asesino había demostrado ser menos complaciente. Después del breve e incómodo encuentro con el norteamericano, Carlos había reanudado su inquisición, dejando entrever parte de su personalidad salvaje y brutal bajo la superficie helada.

—¡Se están acercando a usted!

—¿Quiénes?

—El Komitet.

—¡Yo soy el Komitet!

—Tal vez esté usted equivocado.

—En el KGB no ocurre nada sin que yo lo sepa. ¿Dónde ha obtenido esta información?

—París. Krupkin es la fuente.

—Krupkin haría cualquier cosa para progresar, incluso difundir informaciones falsas. Es todo un enigma, un día es el eficiente y políglota oficial de inteligencia y al siguiente actúa como un payaso en las fiestas francesas para convertirse en el alcahuete de los ministros que están de viaje. No se le puede tomar en serio, particularmente en lo que se refiere a cuestiones de gravedad.

—Espero que tenga razón. Mañana por la noche me pondré en contacto con usted. ¿Estará en casa?

—No para recibir una llamada suya. Estaré cenando solo en el Lastochka. ¿Qué hará usted mañana?

—Asegurarme de que no se equivoca. —El Chacal había desaparecido ente el gentío de la catedral.

Eso había ocurrido más de veinticuatro horas atrás y hasta el momento Rodchenko no había recibido ninguna noticia que alterase sus planes. Tal vez el psicópata había regresado a París, convencido de que sus sospechas paranoides no tenían fundamento; quizá necesitaba ponerse en movimiento y recorrer toda Europa para aplacar su momento de pánico. ¿Quién podía saberlo? Carlos también era un enigma. Había en él una parte de sádico, de conocedor de los métodos más tenebrosos de la crueldad y el asesinato; sin embargo, otra parte reflejaba un romántico enfermo y retorcido, un eterno adolescente que trataba de alcanzar una fantasía sin ninguna relación con él. ¿Quién podía saberlo? Se acercaba el momento en que Carlos recibiría una bala en la cabeza como respuesta.

Rodchenko alzó una mano para llamar al camarero; pediría café y coñac, el excelente coñac francés reservado para los verdaderos héroes de la Revolución, en especial para los sobrevivientes. Pero no se acercó el camarero, sino el gerente del Lastochka con un teléfono en la mano.

—Hay una llamada urgente para usted, general —informó el hombre de traje negro y holgado mientras colocaba el teléfono sobre la mesa y le entregaba el cable de extensión que debía conectarse a la clavija de la pared.

—Gracias. —El gerente se alejó y Rodchenko conectó el aparato—. ¿Diga?

—Lo vigilan en todas partes —anunció la voz del Chacal.

—¿Quién?

—Su propia gente.

—No lo creo.

—Le he observado todo el día. ¿Le describo los lugares donde ha estado durante las últimas treinta horas? Empezaremos con las copas que ha tomado en un café de la Kalinin, un quiosco en el Arabat, el Slavyanski para almorzar y luego un paseo a lo largo de Luznekaia.

—¡Basta! ¿Dónde está usted?

—Salga del Lastochka. Hágalo lentamente y con indiferencia. Se lo indicaré. —La línea quedó en silencio.

Rodchenko colgó y llamó al camarero para que le trajese la cuenta. La reacción inmediata de éste no se debió tanto al rango del general como al hecho de que era el último comensal en el restaurante. Después de dejar el dinero sobre la cuenta, el viejo soldado dio las buenas noches, atravesó el vestíbulo y salió. Era casi la una y media de la madrugada; salvo algunos rezagados con demasiado vodka en el cuerpo, la calle estaba desierta. Momentos después, una silueta recortada a la luz de una farola emergió de la entrada de una tienda, unos treinta metros a su derecha. Era el Chacal, todavía con la sotana negra y alzacuello blanco de un cura. Hizo señas al general para que éste se reuniese con él mientras caminaba lentamente hacia un coche marrón aparcado al otro lado de la calle. Rodchenko alcanzó al asesino, quien ahora esperaba en la acera junto al vehículo, justo enfrente del restaurante Lastochka.

De pronto, el Chacal encendió una linterna e iluminó la ventanilla abierta del coche. Por un momento, el viejo soldado contuvo la respiración y sus ojos escudriñaron la horrible escena que se le ofrecía. El agente del KGB sentado al volante estaba echado hacia atrás sobre el asiento, con el cuello abierto y la ropa bañada en sangre. Junto a la ventanilla se encontraba el otro agente de vigilancia, con las muñecas y tobillos atados con alambre. Tenía el rostro rodeado por una gruesa cuerda, muy tensa sobre la boca, que le permitía sólo una tos entrecortada. Estaba vivo, con los ojos desorbitados de terror.

—El conductor fue entrenado en Nóvgorod —anunció el general.

—Lo sé —respondió Carlos—. Tengo sus documentos. Ese entrenamiento ya no es como antes, camarada.

—El otro es el enlace de Krupkin aquí en Moscú. El hijo de un buen amigo, según me han dicho.

—Ahora es mío.

—¿Qué piensa hacer? —preguntó Rodchenko, mientras se volvía hacia el Chacal.

—Corregir su error —respondió Carlos mientras alzaba el arma con el silenciador puesto y disparaba tres balas a la garganta del general.

## 37

El cielo nocturno era desapacible y las nubes de tormenta se arremolinaban sobre Moscú con una promesa de lluvia, rayos y truenos. El sedán marrón aceleró por la carretera comarcal entre los campos cubiertos de malezas. El conductor aferraba el volante como un maniático y de vez en cuando miraba a su prisionero, un joven que no dejaba de forcejear con los alambres que le impedían mover manos y pies, con los ojos desorbitados por el enorme dolor que le causaba la cuerda atada alrededor de la cara.

El asiento trasero estaba cubierto de sangre y allí se hallaban los cuerpos del general Grigori Rodchenko y del oficial graduado en Nóvgorod que encabezaba el grupo de vigilancia del viejo soldado. De pronto, sin aminorar la marcha ni dar ninguna señal de lo que iba a hacer, el Chacal descubrió lo que estaba buscando y salió de la carretera. Con un chirrido de neumáticos, el sedán se introdujo entre la hierba y segundos después se detuvo de repente, de manera que los cadáveres cayeron contra el respaldo del asiento delantero. Carlos abrió la puerta y bajó; procedió a sacar los cadáveres ensangrentados de sus criptas tapizadas y los arrastró entre las malezas, para dejar acto seguido al general prácticamente encima del oficial del Komitet.

Luego regresó al coche y sacó al joven oficial del KGB con una mano mientras sostenía un cuchillo de caza con la hoja brillante en la otra.

—Tenemos mucho de qué hablar, tú y yo —anunció el Chacal en ruso—. Serías muy estúpido si te callaras algo. No, eres demasiado blando, demasiado joven. —Carlos arrojó al hombre al suelo y la hierba se dobló bajo su peso. Extrajo la linterna y se arrodilló junto al prisionero, acercando el cuchillo a los ojos del agente.

El cuerpo exánime y sangriento había pronunciado sus últimas palabras y éstas retumbaban como timbales en los oídos de Ilich Ramírez Sánchez. ¡Jason Bourne estaba en Moscú! Debía de ser Bourne, ya que el joven agente del KGB había soltado la información en un torrente de palabras aterrorizadas, confesando cualquier cosa que pudiese salvarle la vida.

«El camarada Krupkin, dos norteamericanos, ¡uno alto y el otro cojo! Los llevamos al hotel, luego a la Sadovaia para una reunión.»

Krupkin y el odiado Bourne habían comprado a su gente en París, ¡en París, su impenetrable campamento armado! Luego le habían seguido el rastro hasta Moscú. ¿Cómo? ¿Quiénes...? Ahora ya daba lo mismo. Lo único importante era que el Camaleón se alojaba en el Metropole, los traidores de París podían aguardar. ¡En el Metropole! Su principal enemigo estaba a una hora de allí, seguramente durmiento, y no sospechaba que Carlos el Chacal lo supiera. El asesino experimentó el placer del triunfo... sobre la vida y la muerte. Los médicos le decían que se estaba muriendo, pero solían equivocarse, ¡eso era lo que ocurría en su caso! La muerte de Jason Bourne renovaría su vida.

Sin embargo, la hora era poco apropiada. Las tres de la madrugada no era un momento conveniente para que lo viesen recorriendo las calles o los hoteles de Moscú. Aquella ciudad se encontraba bajo permanente sospecha y la misma oscuridad incrementaba las precauciones. Todos sabían que los camareros nocturnos de los principales hoteles estaban armados y que los escogían tanto por su buena puntería como por sus aptitudes para el servicio. Con la luz del día se relajaba un poco la vigilancia, el trajín de la mañana marcaba el momento más conveniente para atacar. Y vaya si atacaría.

Pero la noche resultaba adecuada para otra clase de ataque, al menos para el preludio. Había llegado el momento de llamar a sus discípulos en el gobierno soviético y hacerles saber que *monseigneur* había llegado, que su mesías personal se encontraba allí para liberarlos. Antes de abandonar París había reunido un expediente tras otro. Parecían inofensivas páginas en blanco colocadas dentro de carpetas hasta que se exponían a los rayos infrarrojos, entonces aparecían los documentos escritos a máquina. Había escogido una pequeña tienda abandonada en Vavilova como cuartel general. Se pondría en contacto con cada uno de sus hombres desde un teléfono público y les indicaría que acudieran a las cinco y media y que tomaran por calles poco transitadas y callejones para llegar. A las seis y media habría terminado el trabajo. Todos sus discípulos estarían armados con la información que los elevaría, a él y a ella, hasta lo más alto de la elite de Moscú. Era otro ejército invisible, mucho más reducido que el de París pero igualmente efectivo y consagrado a Carlos, el *monseigneur* que hacía la vida infinitamente más cómoda a sus partidarios. A las siete y media, el poderoso Chacal estaría apostado en el Metropole. A esa hora comenzaban a despertar los huéspedes y el vestíbulo bullía en medio de una confusión de conversaciones, ansiedades y papeleo. En el Metropole se prepararía para Jason Bourne.

Uno a uno, como cautelosos rezagados bajo las primeras luces del amanecer, cinco hombres y tres mujeres llegaron a la ruinosa entrada de la tienda abandonada en una calle conocida como la Vavilova. Su cautela era comprensible: se trataba de un vecindario poco frecuentado, no por la dudosa reputación de sus habitantes —ya que la policía de Moscú era muy activa en aquellas zonas— sino por el estado decrépito de los edificios. El lugar estaba en proceso de restauración; sin embargo, como ocurría con proyectos similares en las urbes del mundo entero, el progreso sólo avanzaba a dos velocidades: lenta y nula. La única ventaja, que de todos modos encerraba sus peligros, era la existencia de luz eléctrica y Carlos la utilizaba en provecho propio.

Permaneció al fondo de la habitación desnuda, con una lámpara en el suelo a sus espaldas. La luz recortaba su silueta y dejaba sus facciones en la penumbra, cosa que él acentuaba subiéndose el cuello de la sotana. A su derecha había una vieja mesa de madera sobre la cual él había esparcido las carpetas; a la izquierda, oculta bajo un montón de periódicos, tenía su recortada modelo 56, el arma de asalto AK-47 con el cargador colocado. Bajo el cinturón el Chacal tenía otro cargador. No obstante, sólo llevaba el arma por costumbre ya que no esperaba tropezar con ninguna dificultad, sólo con adoración.

Carlos observó a su audiencia y advirtió que todos se dirigían miradas furtivas entre sí. Nadie hablaba, el aire húmedo de la tienda abandonada estaba cargado de recelos. El Chacal sabía que debía alejar aquellos temores lo antes posible, de manera que había reunido ocho sillas desvencijadas de las diversas oficinas al fondo de la tienda. La gente se sentía menos tensa cuando podía sentarse, eso era un tópico. Sin embargo, hasta el momento todos permanecían de pie.

—Gracias por haber acudido esta mañana —dijo el Chacal en ruso, alzando la voz—. Por favor, tomen asiento. Nuestra conversación no será muy larga, pero requerirá el máximo de concentración. El camarada que se encuentra más cerca de la puerta, ciérrela, por favor. Ya estamos todos.

Un burócrata de andar ceremonioso cerró la puerta vieja y maciza y los demás tomaron asiento, tratando de distanciarse al máximo entre sí. Carlos esperó hasta que se desvanecieron los ruidos de las sillas contra el suelo y todos estuvieron sentados. Entonces, como un experto orador, se detuvo unos momentos antes de dirigirse a su cautivada audiencia. Miró brevemente a cada uno con sus penetrantes ojos oscuros, como si tratara de transmitir la sensación de que cada persona era especial para él. Mientras las observaba, las mujeres se alisaron la ropa. Todos llevaban el atuendo característico de los oficiales gubernamentales de mayor nivel: prendas confeccionadas con telas pardas de corte conservador, pero bien planchadas e impecables.

—Yo soy el *monseigneur* de París —se presentó el asesino vestido de sacerdote—. He pasado varios años seleccionando a cada uno de ustedes con la ayuda de algunos camaradas aquí en Moscú y en otros puntos. Soy quien les ha enviado grandes sumas de dinero sin pedir más que aguardaran en silencio mi llegada y me tributaran la misma lealtad que yo he mostrado con ustedes. En sus rostros veo varias preguntas, así que permítanme ampliar la explicación. Años atrás, figuré entre los pocos escogidos para recibir entrenamiento en Nóvgorod.

Hubo una reacción débil, pero perceptible, por parte de los ocho elegidos. El mito de Nóvgorod coincidía con su realidad, era un avanzado centro de entrenamiento para los camaradas más dotados; al menos eso creían, ya que de Nóvgorod solamente se hablaba en susurros. Varias personas asintieron con la cabeza y, después de comprobar el impacto de su revelación, Carlos continuó.

—Desde entonces he estado en varios países extranjeros promulgando los intereses de la gran revolución soviética. He sido un comisario clandestino con una cartera muy flexible que ha requerido muchos viajes a Moscú, junto con una profunda investigación en cada una de las áreas de las que ustedes son responsables. —El Chacal volvió a interrumpirse y luego continuó bruscamente, con dureza—: Sus posiciones son de responsabilidad, pero no gozan de la autoridad que deberían ejercer. No llegan a apreciarlos en su justo valor porque hay mucha gente inútil por encima de ustedes.

Ahora la reacción del grupo fue algo más audible, menos reprimida.

—Comparadas con áreas similares en los gobiernos de nuestros adversarios —continuó Carlos—, aquí en Moscú nos hemos quedado muy por detrás cuando deberíamos ir en cabeza. ¡Eso ha sucedido porque su capacidad ha sido aplastada por funcionarios atrincherados a quienes les importan más sus propios privilegios que el buen funcionamiento de los departamentos!

La respuesta fue inmediata y las tres mujeres aplaudieron con suavidad.

—Por este motivo, por estos motivos, mis camaradas y yo los hemos escogido. También por eso les he enviado fondos, ya que el dinero que han recibido es el precio aproximado de los privilegios de que disfrutan sus superiores. ¿Por qué no iban a recibirlos y disfrutarlos ustedes igual que ellos?

Entre la audiencia se oyó un murmullo de «¿por qué no?» y «tiene razón». Ahora todos se miraban mutuamente mientras asentían con la cabeza. De improviso el Chacal comenzó a enumerar los ocho puntos en cuestión.

—Los Ministerios de Transporte, Información, Economía, y los Departamentos de Importación y Exportación, Procedimientos Legislativos, Suministros Militares, Investigaciones Científicas y por último, aunque no por ello menos importante, Nombramientos del Presidium... Éstos son sus dominios, pero ustedes han sido excluidos de todas las decisiones finales. Esto ya no puede seguir así: ¡deben realizarse cambios!

Los oyentes se levantaron al unísono. Ya no eran extraños, sino personas unidas por una misma causa. Entonces uno, el prudente burócrata que había cerrado la puerta, se decidió a hablar.

—Usted parece conocer bien nuestra situación, señor, pero ¿qué se puede hacer para cambiarla?

—Esto —anunció Carlos mientra señalaba dramáticamente las carpetas esparcidas sobre la mesa. Lentamente la gente volvió a sentarse, mirándose entre sí cuando no observaban las carpetas—. Sobre esta mesa están los expedientes confidenciales de sus superiores. Contienen informaciones tan comprometedoras que, al presentarlas, cada uno de ustedes tendrá garantizado un ascenso inmediato y en varios casos podrán acceder a los puestos más altos. Sus superiores no tendrán alternativa, ya que estas carpetas son como puñales que apuntan a sus cuellos, si se diesen a conocer caerían en desgracia y serían ejecutados.

—¿Señor? —Una mujer de media edad, con un vestido azul indefinido, se levantó lentamente. Llevaba el cabello rubio grisáceo recogido en un moño severo y se lo tocó con timidez mientras hablaba—. Yo reviso los expedientes personales diariamente y con frecuencia descubro errores, ¿cómo puede estar seguro de que éstos son exactos? Porque en caso contrario, podríamos encontrarnos en una posición extremadamente incómoda, ¿no le parece?

—El hecho de que cuestione usted su autenticidad es un insulto, señora —respondió el Chacal con frialdad—. Yo soy el *monseigneur* de París. He descrito con exactitud sus situaciones individuales, al mismo tiempo que he expuesto la inferioridad de sus superiores. Más aún, con grandes costos y riesgos para mí mismo y para mis socios aquí en Moscú, les he enviado dinero en secreto para que sus vidas fuesen más cómodas.

—En cuanto a mí —lo interrumpió un hombre demacrado, que llevaba gafas y un traje color tostado—, aprecio el dinero y he destinado el mío a nuestro fondo colectivo, en espera de una moderada retribución. ¿Cuál es el vínculo que nos une? Yo estoy en el Ministerio de Finanzas, y con esto me absuelvo a mí mismo de toda complicidad ya que me he mostrado claro en cuanto a mi condición social.

—No sé qué significa eso, señor contable, pero es usted tan claro como su paralizado Ministerio —replicó un hombre obeso con un traje negro demasiado ceñido para su envergadura—. ¡También albergo dudas respecto a su capacidad para reconocer una moderada retribución! Naturalmente, yo me encuentro en Suministros Militares, ¡y no dejan ustedes de estafarnos!

—¡Lo mismo que hacen con Investigaciones Científicas! —exclamó un miembro de la audiencia bajo y vestido con un traje de tweed. Sin duda, la forma irregular en que estaba cortada su barba se debía a su problema de visión, que quedaba de manifiesto con las gruesas gafas que descansaban sobre su nariz—. ¡Retribuciones! ¿Qué hay de las partidas de dinero?

—¡Hay más que suficiente para ustedes, científicos de escuela primaria! ¡Hay mejores modos de gastar el dinero!

—¡Basta! —exclamó el sacerdote asesino al tiempo que alzaba los brazos como un mesías—. No nos encontramos aquí para discutir conflictos internos, ya que todos ellos se resolverán cuando surja nuestra nueva elite. ¡Recuérdenlo! ¡Yo soy el *monseigneur* de París, y juntos crearemos un nuevo orden purificado para nuestra gran revolución! La complacencia se ha terminado.

—Es una idea emocionante, señor —comentó una mujer de poco más de treinta años. Llevaba una falda plisada y era una popular presentadora de televisión, por lo que todos los demás la conocían bien—. Sin embargo, ¿podemos volver al tema de la exactitud de los expedientes?

—Ya ha quedado establecida —replicó Carlos mientras los miraba de uno en uno—. En caso contrario, ¿cómo sabría todo lo referente a ustedes?

—Yo no dudo de usted, señor —continuó la presentadora—. Pero como periodista siempre debo recurrir a una segunda fuente para confirmar la información, a menos que el Ministerio determine lo contrario. Como usted no se encuentra en el Ministerio de Información, señor, y dado que todo lo que diga conservará un carácter confidencial, ¿podría ofrecernos una fuente secundaria?

—¿Tendré que verme acosado por periodistas manipuladores cuando hablo con la verdad? —El asesino estaba furioso—. Todo lo que les he dicho es cierto y ustedes lo saben.

—También lo eran los crímenes de Stalin y han permanecido enterrados durante treinta años junto con veinte millones de cadáveres.

—¿Quiere pruebas, periodista? Le daré pruebas. Cuento con los ojos y los oídos de los líderes del KGB, en concreto con los del gran general Grigori Rodchenko en persona. Él es mis ojos y mis oídos además, si les interesa saber una verdad más demoledora, está en deuda conmigo, ¡ya que también soy su *monseigneur* de París!

Hubo un movimiento entre la audiencia, una vacilación colectiva junto con varios carraspeos. La periodista volvió a hablar suavemente, con sus grandes ojos oscuros clavados en el hombre vestido de sacerdote.

—Usted podrá ser lo que afirma, señor —comenzó—, pero no escucha la emisora nocturna de Radio Moscú. Hace más de una hora se ha anunciado que el general Rodchenko ha sido asesinado por criminales extranjeros. También se ha informado que todos los altos cargos del Komitet han sido convocados a una sesión de emergencia para evaluar las circunstancias de la muerte del general. Las especulaciones señalan que debieron existir razones extraordinarias para que un hombre con la experiencia del general Rodchenko cayese en una trampa tendida por estos criminales extranjeros.

—Desmenuzarán sus expedientes —añadió el prudente burócrata mientras se levantaba trabajosamente—. Lo observarán todo con microscopio para encontrar esas «razones extraordinarias». —El circunspecto oficial público miró al asesino con sotana—. Tal vez lo descubran a usted, señor, junto con sus expedientes.

—No —replicó el Chacal, con la frente bañada en sudor—. ¡No! Eso es imposible. Yo tengo las únicas copias, ¡no hay otras!

—Si cree eso, clérigo —intervino el hombre obeso del Ministerio de Suministros Militares—, es que no conoce al Komitet.

—¿Conocerlo? —gritó Carlos mientras le comenzaba a temblar la mano izquierda—. ¡Su alma me pertenece! ¡Para mí no existen secretos ya que soy el depositario de todos los secretos! Tengo libros enteros de información referente a los gobiernos de todas partes, sobre sus líderes, sus generales y sus más altos cargos. ¡Tengo fuentes de información por todo el mundo!

—Pero ha perdido a Rodchenko —continuó el hombre de Suministros Militares mientras también él se levantaba del asiento—. Por cierto, ahora que lo pienso, ni siquiera se ha mostrado sorprendido.

—¿Qué?

—Lo primero que hacemos todos nosotros al levantarnos es conectar la radio. Supongo que casi todos estábamos al corriente de la muerte de Rodchenko. Pero usted no, sacerdote, y cuando nuestra periodista se lo comunicó, no mostró ninguna señal de sorpresa.

—¡Por supuesto que me sorprendí! —gritó el Chacal—. Pero ustedes no comprenden que poseo un extraordinario control. ¡Por eso los líderes del marxismo mundial confían en mí y me necesitan!

—Eso ni siquiera es de buen tono —murmuró la mujer de cabello rubio grisáceo, que era una experta en expedientes personales.

También ella se levantó.

—¿Qué está diciendo? —Ahora la voz de Carlos era un ronco susurro de condena que crecía rápidamente en intensidad y en volumen—. Yo soy el *monseigneur* de París. Les he hecho la vida más cómoda por encima de sus miserables expectativas. ¿Es posible que ahora duden de mí? ¿Cómo podría estar al corriente de todo lo que sé? ¿Cómo podría haber expuesto tantos conocimientos en esta habitación si no figurara entre los más privilegiados de Moscú? ¡Recuerden quién soy!

—Sin embargo, no sabemos quién es —objetó otro hombre mientras se ponía en pie. Al igual que los demás varones, llevaba un traje limpio, oscuro y bien planchado, pero se advertía una diferencia en su confección, como si dedicara grandes esfuerzos a su apariencia. Su rostro también era diferente: parecía más pálido que el de los demás y la mirada resultaba más intensa; daba la impresión de que sopesaba las palabras al hablar—. Aparte del título religioso que se ha apropiado, ignoramos por completo su identidad y es evidente que usted no tiene intención de revelarla. En cuanto a la información que posee, ha hablado de debilidad e injusticia en nuestro sistema, pero este es un defecto muy común entre los ministerios. Podría haber escogido a otras doce personas de doce divisiones diferentes y me atrevo a decir que las quejas hubiesen sido las mismas. En eso no hay nada nuevo...

—¿Cómo se atreve? —gritó Carlos el Chacal con las venas del cuello hinchadas—. ¿Quién es usted para decirme semejante cosa? ¡Yo soy el *monseigneur* de París, un verdadero hijo de la Revolución!

—Y yo soy auditor general del Departamento de Procedimientos Legislativos, camarada *monseigneur*, y un producto mucho más joven de la Revolución. Quizá no conozca a los líderes del KGB como usted, pero sí sé las penas que se imponen por tomar los procesos penales por cuenta propia si nos enfrentamos en secreto con nuestros superiores en lugar de informar directamente a la Oficina de Irregularidades. Son condenas a las que preferiría no arriesgarme sin más pruebas que unos expedientes que provienen de una fuente desconocida y que bien podrían ser obra de oficiales insatisfechos, incluso por debajo de nuestra posición. Francamente, no me interesa verlos, ya que prestar testimonio en un juicio preliminar podría resultar perjudicial para mi situación.

—¡Es un abogado insignificante! —rugió el asesino con sotana, apretando los puños. Tenía los ojos inyectados en sangre—. ¡Todos tergiversan la verdad! ¡Son amigos íntimos de los vientos de la conveniencia!

—Muy bien dicho —replicó el abogado de Procedimientos Legislativos con una sonrisa—. Lástima que haya plagiado la frase del inglés Blackstone, camarada.

—¡No toleraré su insolencia!

—No tendrá que hacerlo, camarada sacerdote, no pienso quedarme ni un minuto más. Mi consejo legal para todos los que están en esta habitación es que me imiten.

—¿Se atreve?

—Desde luego —respondió al abogado soviético, permitiéndose un momento de humor mientras miraba alrededor con una sonrisa—. Es posible que tenga que procesarme a mí mismo y soy demasiado hábil en mi trabajo.

—¡El dinero! —aulló el Chacal—. ¡Les he enviado mucho!

—¿Dónde están los recibos? —preguntó el abogado con inocencia—. Usted mismo se aseguró de que eso fuera imposible de comprobar. Sobres en el buzón o en un cajón de la oficina y notas que debíamos quemar. Entre nuestros compatriotas, ¿quién admitiría haberlas colocado allí? Es el camino hacia Lubyanka. Adiós, camarada *monseigneur* —se despidió el abogado del Departamento de Procedimientos Legislativos; colocó la silla en su lugar y luego se dirigió hacia la puerta.

Uno a uno, tal como habían llegado, los miembros del grupo siguieron al abogado no sin antes volverse un momento hacia el hombre extraño que, de un modo tan breve y exótico, había interrumpido la monotonía de sus vidas. Todos sabían por instinto que en su camino se encontraría con la desgracia y la ejecución. La muerte.

Sin embargo, ninguno estaba preparado para lo que siguió. De pronto el asesino con sotana pareció electrificado por los relámpagos de la locura. Sus ojos oscuros ardieron con un fuego incontenible que sólo podía sofocarse mediante la violencia, ¡una venganza implacable, brutal y salvaje por todas las injusticias cometidas en su propósito de matar a los infieles! El Chacal barrió los expedientes de la mesa y se lanzó sobre el montón de periódicos; tomó el arma mortal de debajo de los papeles y rugió:

—¡Deténganse! ¡Todos ustedes!

Nadie obedeció y de la energía psicopática del asesino surgió la orden del momento. El Chacal apretó el gatillo y mató a hombres y mujeres. En medio de los gritos de los que aún estaban en la puerta, corrió hacia la calle saltando por encima de los cadáveres sin dejar de disparar el rifle automático, lanzando maldiciones y condenando a los infieles a un infierno que sólo él imaginaba.

—¡Traidores! ¡Inmundicia! ¡Basura! —gritó frenético el Chacal mientras saltaba sobre los cuerpos y corría hacia el coche que había confiscado al Komitet y a su incompetente unidad de vigilancia.

La noche había termiando para dar paso a la mañana.


El teléfono del Metropole no sólo comenzó a sonar, sino que pareció entrar en erupción. Sobresaltado, Alex Conklin abrió los ojos y trató de despejarse mientras tanteaba en busca del estridente aparato sobre la mesita de noche.

—¡Aleksei, quédate donde estás! ¡No permitas que nadie entre en las habitaciones y ten las armas a punto!

—¿Krupkin...? ¿De qué diablos estás hablando?

—Un perro rabioso anda suelto por Moscú.

—¿Carlos?

—Se ha vuelto completamente loco. Mató a Rodckenko y despedazó a los dos agentes que seguían al general. Un granjero encontró los cuerpos a eso de las cuatro de la madrugada. Por lo visto, los perros lo despertaron con sus ladridos, el viento debió llevarles el olor de la sangre, supongo.

—Cristo, ha perdido el control... Pero ¿por qué crees...?

—Uno de nuestros agentes fue torturado antes de morir —lo interrumpió el oficial del KGB, anticipándose a la pregunta—. Era el que nos condujo desde el aeropuerto, un protegido mío e hijo de un compañero de la universidad. Un joven prometedor que pertenecía a una excelente familia, pero no estaba entrenado para la prueba por la que tuvo que pasar.

—Así que puede haber hablado a Carlos de nosotros, ¿verdad?

—Sí... Pero hay más. Hace aproximadamente una hora, ocho personas han sido asesinadas con un arma automática en Vavilova. Ha sido una verdadera masacre. Antes de morir, una mujer del Ministerio de Información, una *direktor* de segunda clase, mencionó que el asesino era un cura de París que se hacía llamar *monseigneur*.

—¡Por Dios! —exclamó Conklin mientras bajaba las piernas al suelo y miraba de forma ausente el muñón donde en el pasado había habido un pie—. Era su cuadro militar.

—Así lo llamaba —dijo Krupkin—. Si lo recuerdas, te advertí que sus reclutas lo abandonarían ante la primera señal de peligro.

—Llamaré a Jason...

—¡Aleksei, escúchame!

—¿Qué? —Conklin sostuvo el teléfono bajo el mentón mientras buscaba su prótesis.

—Hemos formado un escuadrón táctico de asalto, hombres y mujeres vestidos de civil. Ahora están recibiendo instrucciones y llegarán ahí dentro de poco.

—Buena tirada.

—Pero hemos decidido no alertar al personal del hotel ni a la policía.

—Seríais idiotas si lo hicierais —replicó Alex—. ¡Atraparemos aquí a ese hijo de puta! Nunca lo lograríamos con el lugar lleno de uniformes y de empleados histéricos. El Chacal tiene ojos en todas partes.

—Obedéceme —le ordenó el soviético—. No permitas que entre nadie, permanece lejos de las ventanas y toma todas las precauciones pertinentes.

—Naturalmente... ¿A qué te refieres con las ventanas? Necesitará tiempo para averiguar dónde estamos; tendrá que interrogar a las camareras y mozos.

—Perdóname, viejo amigo —lo interrumpió Krupkin—, pero imagínate a un sacerdote angelical preguntando en recepción por dos norteamericanos, uno con una cojera pronunciada, en medio de la actividad matinal del vestíbulo.

—Pese a ser un paranoico, tienes razón.

—Estáis en una planta alta y directamente frente a vosotros está el techo de un viejo edificio de oficinas.

—También piensas bastante rápido.

—Sin duda más rápido que ese tonto de Dzerzhinski. Me hubiese comunicado contigo mucho antes, pero mi comisario Kartoshki no me llamó hasta hace dos minutos.

—Despertaré a Bourne.

—Ten cuidado.

Conklin no oyó el último consejo del soviético. Ya estaba colgando el receptor para comenzar a colocarse la bota y unir rápidamente las tiras de Velcro alrededor de su pantorrilla. Entonces abrió el cajón de la mesilla de noche y extrajo la Graz Burya automática, un arma especialmente diseñada por el KGB con tres recortes para municiones. La Graz era muy especial ya que era la única arma automática que permitía el uso de un silenciador. El instrumento cilíndrico había rodado hacia la parte delantera del cajón; Conklin lo cogió y lo enroscó en el caño. Se puso el pantalón trabajosamente, guardó el arma bajo el cinturón y se dirigió hacia la puerta. Al abrirla se encontró con Jason, completamente vestido, de pie frente a una ventana en la adornada sala victoriana.

—Era Krupkin, ¿verdad? —preguntó Bourne.

—Sí. Aléjate de la ventana.

—¿Carlos? —Bourne se apartó de inmediato y se volvió hacia Alex—. ¿Sabe que estamos en Moscú? ¿Sabe dónde nos alojamos?

—La respuesta es sí para ambas preguntas. —De forma breve y concisa, Conklin le transmitió la información de Krupkin—. ¿Te dice algo todo esto? —preguntó Alex cuando hubo terminado.

—Ha estallado —respondió Jason en voz baja—. Tenía que ocurrir. La bomba de relojería que había en su cabeza finalmente ha detonado.

—Opino lo mismo. Sus reclutas de Moscú le han fallado. Probablemente le dijeron que se fuese al demonio y entonces explotó.

—Lamento mucho las vidas que ha costado, de verdad —continuó Bourne—. Quisiera que hubiese pasado de otro modo, pero no me apena su estado mental. Lo que le ha ocurrido es lo que había urdido para mí: el desequilibrio total.

—Kruppie lo ha dicho —añadió Conklin—. Siente un deseo patológico de volver con las personas que descubrieron primero su demencia. Si sabe que te encuentras aquí, y cabe suponer que así sea, la obsesión se incrementará. Tu muerte reemplazaría la suya otorgándole una especie de triunfo simbólico, tal vez.

—Has hablado demasiado con Panov. Me pregunto cómo estará Mo.

—Mejor sería ignorarlo. Llamé al hospital a las tres de la madrugada, hora de París. Es posible que pidiera el uso del brazo izquierdo y que sufra una parálisis parcial de la pierna derecha, pero ahora creen que sobrevivirá.

—Me importan una mierda sus brazos y piernas. ¿Qué dicen de su cabeza?

—Aparentemente está intacta. La enfermera jefe de planta comentó que por ser un médico, es muy mal paciente.

—¡Gracias a Dios!

—Pensé que eras agnóstico.

—Es una frase simbólica, pregúntaselo a Mo. —Bourne advirtió el arma bajo el cinturón de Alex y la señaló—. ¿No te parece demasiado ostensible?

—¿Para quién?

—Para el servicio de habitaciones —respondió Jason—. He pedido algo de comer y una gran cafetera.

—Ni hablar. Krupkin dijo que no permitiéramos entrar a nadie y le he dado mi palabra.

—Me parece un poco paranoico...

—Yo le dije lo mismo, pero éste es su territorio, no el nuestro. Al igual que con las ventanas.

—¡Un momento! —exclamó Bourne—. Supongamos que tiene razón.

—No es muy probable, pero sí posible, excepto que... —Conklin no llegó a terminar la frase. Jason tomó su propia Graz Burya de debajo de la chaqueta y se dirigió hacia la puerta de la habitación—. ¿Qué estás haciendo? —gritó Alex.

—Es posible que le conceda a tu amigo Kruppie más confianza de la que merece, pero vale la pena intentarlo. Colócate allí —le ordenó Bourne mientras señalaba el rincón izquierdo de la habitación—. Dejaré la puerta sin llave, cuando llegue el mayordomo dile que entre... en ruso.

—¿Qué harás tú?

—Hay una máquina de hielo en el pasillo; no funciona, pero está en un recodo junto a una máquina de Pepsi que tampoco funciona. Me esconderé allí.

—Gracias a Dios que existen los capitalistas, no importa lo engañados que estén. ¡Adelante!

El miembro de Medusa conocido en el pasado como Delta abrió la puerta, observó el pasillo del Metropole en ambas direcciones y salió rápidamente. Se precipitó por el corredor hasta el recodo que albergaba las dos máquinas y se agazapó junto a la pared interior derecha. Allí esperó con las rodillas y las piernas resentidas, dolores que pocos años atrás no había experimentado y de pronto oyó el sonido de un carrito que se acercaba. El ruido aumentó hasta que el carrito cubierto con un mantel se detuvo frente a la puerta de la habitación. Bourne estudió al camarero; era un joven de unos veinte años, rubio, bajo y con el ademán de un obsequioso criado. Con cautela, el muchacho llamó a la puerta. No era Carlos, pensó Jason mientras se levantaba con dificultad. Oyó la voz de Conklin indicando al mayordomo que entrase, y mientras el joven abría la puerta, Bourne volvió a guardar el arma con calma. Entonces se inclinó para frotarse la pantorrilla derecha, donde notaba la hinchazón de un calambre muscular.

Todo ocurrió con el impacto de una sola ola furiosa al golpear contra una roca. Una figura vestida de negro salió de un recodo del pasillo y pasó corriendo ante las máquinas. Bourne volvió a pegarse a la pared. ¡Era el Chacal!

## 38

¡Había estallado la locura! Carlos empujó con todas sus fuerzas al camarero rubio, quien cayó al pasillo mientras el carrito se derrumbaba hacia un lado; la comida de los platos salpicó las paredes y la alfombra. Inesperadamente el camarero se lanzó hacia la izquierda y giró en el aire mientras, de forma sorprendente, sacaba un arma de debajo del cinturón. El Chacal alcanzó a percibir el movimiento con el rabillo del ojo y se volvió rápidamente disparando su arma automática. El joven ruso quedó clavado contra la pared con la cabeza y el torso perforados de balas. Durante este horrible y prolongado momento, la Graz Burya de Bourne se le enganchó en la cinturilla del pantalón. Jason desgarró la tela mientras los ojos de Carlos, llenos de furia y de triunfo se clavaban en los suyos.

Bourne logró soltar su arma y volvió a agazaparse contra la pared del pequeño recodo, mientras la andanada de disparos del Chacal destrozaba la máquina de refrescos y el plástico que cubría la máquina de hielo estropeada. Tendido boca abajo, Jason se asomó por la esquina mientras apretaba el gatillo de la Graz Burya automática. Al mismo tiempo se oyeron otros disparos que no pertenecían a una ametralladora. ¡Alex estaba disparando desde el interior de la habitación! ¡Tenían a Carlos entre dos fuegos! Era posible... ¡Todo podía acabar en el pasillo de un hotel de Moscú! ¡Ojalá ocurriera, ojalá!

El Chacal rugió, fue un grito desafiante que indicaba que lo habían herido. Bourne volvió a introducirse en el compartimiento pegado a la pared y por un momento lo distrajo el sonido de la máquina de hielo que había comenzado a funcionar. De nuevo se puso en cuclillas y acercó el rostro a la esquina, cuando la locura asesina volvió a estallar en el pasillo. Como un animal enjaulado y enfurecido, un Carlos herido daba vueltas sin propósito disparando continuamente el arma como si tratase de atravesar unas paredes invisibles que se cerraban sobre él. Al final del pasillo se oyeron dos gritos histéricos, uno de hombre y otro de mujer; una pareja había resultado muerta o herida bajo la andanada de balas perdidas.

—¡Abajo! —El grito de Conklin fue una orden inmediata por algo que Jason no veía—. ¡Cúbrete! ¡Aférrate a las malditas paredes!

Bourne obedeció aunque de momento sólo comprendía que debía ocultarse en el mínimo espacio posible, protegiéndose al máximo la cabeza. El rincón. Se arrojó hacia allí mientras la primera explosión sacudía las paredes, en alguna parte, y entonces siguió una segunda, mucho más cercana, esta vez en el pasillo mismo. ¡Granadas!

El humo se mezcló con el yeso caído y los cristales destrozados. Disparos. Nueve, uno tras otro, una Graz Burya automática. ¡Alex! Jason se levantó del rincón y corrió hacia el pasillo. Conklin estaba junto a la puerta de la habitación, frente al carrito tumbado, registrándose frenéticamente los bolsillos de los pantalones.

—¡No tengo más! —gritó con furia, refiriéndose a las municiones que les había dado Krupkin—. ¡Ha corrido hacia el otro pasillo y no me queda una maldita bala!

—A mí sí y soy mucho más rápido que tú —exclamó Jason mientras quitaba el cargador vacío para reemplazarlo por otro nuevo—. Vuelve a entrar y llama a recepción. Diles que despejen el vestíbulo.

—Krupkin dijo…

—¡Me importa una mierda lo que dijera! ¡Que detengan los ascensores, que cierren todas las escaleras de salida y que se mantengan apartados de esta planta!

—Entiendo a qué te refieres…

—¡Hazlo! —Bourne corrió por el pasillo y se detuvo ante la pareja tendida en la alfombra, ambos se movían y gemían. Tenían las ropas empapadas en sangre, ¡pero se movían! Jason se volvió hacia Alex, quien estaba a punto de entrar en la habitación—. ¡Consigue ayuda por aquí! —ordenó, señalando una salida al fondo del pasillo—. ¡Están vivos! ¡Utiliza sólo esta salida!

La cacería comenzó, agravada y entorpecida por el hecho de que se había difundido la voz por la décima planta del Metropole. No se necesitaba una gran imaginación para comprender que detrás de aquellas puertas cerradas, a ambos lados del pasillo, la gente llamaba aterrada a recepción, ya que los estallidos de los disparos resonaban por los pasillos. La estrategia de Krupkin basada en un grupo de asalto vestido de civil había quedado invalidada por la primera andanada del arma del Chacal.

¿Dónde estaba? Se veía otra puerta de salida al fondo del largo pasillo en donde Jason había entrado; pero también había entre quince y dieciocho habitaciones a ambos lados. Carlos no era estúpido y estando herido utilizaría hasta la última táctica aprendida durante toda una vida de violencia, aunque sólo fuese para consumar el asesinato que anhelaba más que la vida misma. De pronto Bourne comprendió la exactitud de la descripción, ya que se ajustaba también a sí mimo. ¿Qué le había dicho el viejo Fontaine en la isla del Sosiego, en aquel almacén desde donde habían observado la procesión de sacerdotes sabiendo que uno de ellos trabajaba para el Chacal...? «Dos viejos leones enfrentados, a quienes no les importa quién resulte muerto en el fuego cruzado.» Éstas habían sido las palabras de Fontaine, un hombre que había sacrificado su vida por alguien a quien apenas conocía porque su propia vida había acabado, porque la mujer que amaba había desaparecido. Mientras avanzaba lentamente y con prudencia hacia la primera puerta de la izquierda, Jason se preguntó si él podría hacer lo mismo. Deseaba con todas sus fuerzas vivir con Marie y los niños, pero si ella desaparecía, si ellos desaparecían, ¿tendría la vida algún sentido para él? ¿Podría seguir adelante si reconocía algo en otro hombre que reflejaba una parte de sí mismo?

*No hay tiempo. ¡Medita cuando tengas tiempo, David Webb! Ahora no me sirves para nada, eres un débil hijo de puta. ¡Aléjate de mí! Debo atrapar un ave rapaz que he andado buscando durante trece años. Sus garras son como navajas y ya ha matado a demasiada gente y ahora quiere matar a los míos, a los tuyos. ¡Aléjate de mí!*

Manchas de sangre. Sobre la alfombra oscura destacaban unas gotas húmedas que brillaban bajo la tenue luz del pasillo. Bourne se agachó y las tocó, estaban húmedas y pasaban frente a la primera y la segunda puerta, se detenían en la izquierda para cruzar el pasillo. Luego continuaban zigzagueando, como si el asesino hubiese localizado la herida y controlado en parte la hemorragia. El rastro pasaba frente a la sexta y la séptima puertas de la derecha y se detenía repentinamente, aunque no por completo. Había unas gotas apenas visibles hacia la izquierda y luego volvían a cruzar el pasillo: ¡allí estaba! Una ligera mancha roja justo sobre la manija de la octava puerta de la izquierda, a unos cinco metros de la escalera de emergencia. Carlos lo esperaba al otro lado de esa puerta y mantenía como rehén a quien estuviese dentro.

Ahora la precisión cobraba especial importancia. Cada movimiento y cada sonido debía concentrarse en la captura o el asesinato. Respirando hondo mientras trataba de controlar los espasmos musculares que le recorrían todo el cuerpo, Bourne volvió sobre sus pasos sin hacer ruido. Aún no se había alejado mucho de la octava puerta de la izquierda cuando de pronto percibió los sollozos esporádicos y los gritos ahogados que provenían de las habitaciones a ambos lados del pasillo. Las órdenes debían ser claras: «Permanezcan dentro de sus habitaciones. No permitan entrar a nadie. Estamos investigando.» Siempre era «nosotros», nunca «la policía» o «las autoridades», palabras que suscitarían el pánico. Precisamente era lo que el Delta Uno de Medusa tenía en mente. El pánico y la distracción, eternos componentes de la celada humana, los aliados de siempre en cualquier trampa.

Jason alzó la Graz Burya para apuntar a una de las arañas del pasillo y disparó dos veces gritando a pleno pulmón mientras las ensordecedoras explosiones acompañaban la lluvia de cristales que caía desde el techo.

—¡Allí va! ¡Con traje negro! —Armando mucho alboroto, Bourne corrió por el pasillo hasta la octava puerta de la izquierda y luego continuó mientras volvía a gritar—. ¡La salida, la salida! —Allí se detuvo de repente y lanzó un tercer disparo a otra araña. A continuación apoyó la espalda contra la pared opuesta a la octava puerta e, impulsándose con fuerza, se lanzó contra ella. Quedó arrancada de los goznes y Jason cayó al suelo con el arma en ristre, lista para disparar.

¡Se había equivocado! Lo comprendió de inmediato: ¡se preparaba un trampa final! Oyó otra puerta que se abría en alguna parte del pasillo, ¡tal vez lo oyó o quizá lo supo de forma instintiva! Bourne rodó furiosamente hacia la derecha varias veces hasta que sus piernas chocaron contra una lámpara de pie y pudo empujarla hacia la puerta. Entonces descubrió a una pareja de ancianos, abrazados en cuclillas en un rincón.

La figura vestida con una túnica blanca entró como una tromba en la habitación mientras disparaba el arma automática de forma indiscriminada y ensordecedora. Bourne disparó varias veces hacia ella mientras se precipitaba a la pared de la izquierda, sabiendo que aunque sólo fuese durante una fracción de segundo, estaría en el punto ciego a la derecha del asesino. ¡Era suficiente!

El Chacal recibió la bala en el hombro, ¡en el hombro derecho! El arma le saltó literalmente de las manos cuando recibió el impacto de la Graz Burya. Sin detenerse un instante, el Chacal giró y la túnica blanca se hinchó como una vela mientras se aferraba la herida con la mano izquierda y empujaba con violencia la lámpara hacia el rostro de Jason.

Bourne volvió a apretar el gatillo, pero el disparo quedó desviado por el impacto del pesado pie de la lámpara. Repitió la acción; sin embargo sólo se oyó un inconfundible chasquido metálico, ¡el cargador estaba vacío! De nuevo en cuclillas, trató de alcanzar la temible arma automática mientras Carlos salía al pasillo por la puerta destrozada. Jason se levantó, ¡las rodillas se le doblaban! ¡Oh, Dios! Se arrastró hasta el borde de la cama y una vez allí se lanzó sobre las sábanas en busca del teléfono sobre la mesita de noche, ¡estaba destruido, el Chacal lo había reventado de un disparo! La mente desquiciada de Carlos recurría a todas las tácticas que había empleado en el pasado.

¡Otro ruido! Éste sonó fuerte y abrupto. Habían abierto la pesada puerta metálica de la salida de emergencia y la hoja se había estrellado con violencia contra la pared. El Chacal bajaba la escalera hacia el vestíbulo. ¡Si en recepción habían hecho caso a Conklin, estaba atrapado!

Bourne miró a la pareja de ancianos en el rincón y se sintió conmovido al observar que el hombre protegía a la mujer con su propio cuerpo.

—No se preocupen —dijo en voz baja para tratar de calmarlos—. Es probable que no me entiendan ya que no hablo ruso, pero ahora están a salvo.

—Nosotros tampoco hablamos ruso —respondió el hombre, que evidentemente era inglés. Estiró el cuello para mirar a Jason mientras trataba de levantarse—. ¡Hace treinta años yo hubiese estado ante esa puerta! Octavo Ejército con Monty, ¿sabe? Fue grandioso en El Alamein... todos nosotros, por supuesto. Pero como dicen por allí, los años no pasan en balde.

—Preferiría que no fuera cierto, general...

—Sólo de brigada...

—¡Bien! —Bourne se sentó en la cama y se palpó las rodillas, ya las sentía más fuertes—. ¡Debo encontrar un teléfono!

—En realidad, lo que más me enfurece es esa maldita túnica —continuó el veterano de El Alamein—. ¡Una verdadera vergüenza, cojones! Perdóname, cariño.

—¿De qué está hablando?

—¡De la bata blanca, muchacho! Tiene que ser la de Binky, la pareja al otro lado del pasillo con quienes estamos viajando. Debió de robarla en esa tienda encantadora de Lausanne. Ya era bastante malo que la hubiese cogido, ¡pero que encima se la haya dado a ese cerdo es imperdonable!

En cuestión de segundos, Jason cogió el arma del Chacal y salió al pasillo como una tromba. De inmediato supo que Binky merecía más admiración de la que le profesaba el general de brigada. Se hallaba tendido en el suelo, desangrándose por las cuchilladas silenciosas que había recibido en el vientre y el cuello.

—¡No puedo hablar con nadie! —gritó una mujer con escasos cabellos grises. Estaba de rodillas junto a la víctima, sollozando histéricamente—. Luchó como un loco... ¡de alguna forma sabía que ese sacerdote no dispararía el arma!

—Trate de mantener cerradas las heridas donde pueda —gritó Bourne mientras se volvía hacia el teléfono. ¡Estaba intacto! Corrió hasta él y en lugar de llamar a recepción o a la centralita, marcó el número de su habitación.

—¿Krupkin? —gritó Alex.

—¡No, soy yo! Primero: Carlos está en la escalera, ¡la del pasillo por donde me fui yo! Segundo: aquí hay un hombre con heridas de arma blanca, en el mismo pasillo, séptima puerta a la derecha. De prisa.

—Lo antes que pueda. Tengo una línea libre para llamar a la oficina.

—¿Dónde diablos está ese grupo del KGB?

—Acaba de llegar. Krupkin llamó hace unos instantes desde el vestíbulo, por eso pensé que eras...

—¡Iré a la escalera!

—Por amor de Dios, ¿por qué?

—¡Porque es mío!

Jason corrió hacia la puerta sin ofrecer ni una palabra de consuelo a la histérica esposa; no se le ocurría nada que decirle. Avanzó rápidamente hacia la salida de emergencia, con el arma del Chacal en la mano. Comenzó a bajar, pero de pronto oyó el sonido de sus propios zapatos; se detuvo en el séptimo escalón y se los quitó, al igual que los calcetines. De algún modo, la superficie fría de los peldaños bajo sus pies le recordó la jungla, la fría hierba de la mañana bajo los pies. Por algún abstracto y absurdo recuerdo, se sintió más dueño de sus temores. La jungla siempre había sido una amiga para Delta Uno.

Jason bajó un piso tras otro, siguiendo los inevitables rastros de sangre, ahora más abundantes, ya que la última herida era demasiado severa como para contener la hemorragia con una simple presión. En dos ocasiones el Chacal se había presionado la herida: una vez ante la puerta de la cuarta planta y otra al llegar a la segunda; pero en esos lugares había quedado un charco de sangre, ya que se había visto obligado a soltarla para manipular las cerraduras exteriores, imposibles de abrir.

El primer piso, la planta baja, ¡el final! ¡Carlos estaba atrapado! ¡En alguna parte entre las sombras se encontraba la muerte del asesino y su liberación! En silencio, Bourne extrajo una caja de cerillas del bolsillo. Apoyado contra la pared, arrancó una para encender toda la caja y la arrojó por encima de la barandilla, listo para disparar contra cualquier bulto que se moviese debajo.

No había nada, ¡nada! El lugar estaba vacío, ¡allí no había nadie! ¡Era imposible! Jason bajó el último tramo de escalera y golpeó la puerta del vestíbulo.

—¿*Shto?* —gritó el ruso desde el otro lado—. *¡Kto tam!*

—¡Soy un norteamericano! ¡Estoy trabajando con el KGB! ¡Déjenme pasar!

—¿*Shto...*?

—Yo lo comprendo —gritó otra voz—. Por favor, comprenda usted que le estaremos apuntando con varias armas cuando se abra la puerta, ¿queda claro?

—¡Sí! —gritó Bourne, recordando que debía dejar caer al suelo el arma de Carlos en el último instante. La puerta se abrió.

—¡*Da*! —exclamó el oficial de la policía soviética, aunque de inmediato se corrigió al ver la ametralladora a los pies de Jason—. ¡*Nyet*!

—*Nye za shto* —dijo Krupkin jadeante, mientras corría hacia él.

—¿*Pochemu*?

—¡*Komitet*!

—*Prekrasno*. —El policía asintió de forma obsequiosa, pero permaneció en su sitio.

—¿Qué está haciendo? —preguntó Krupkin—. ¡El vestíbulo está despejado y hemos apostado nuestro escuadrón de asalto!

—¡Él ha estado aquí! —susurró Bourne como si su voz ardiente y suave oscureciese aún más las incomprensibles palabras.

—¿El Chacal? —preguntó Krupkin, sorprendido.

—¡Ha bajado por esta escalera! No pudo salir a ningún otro piso. Todas las puertas de incendios están cerradas desde dentro, sólo pueden abrirse desde el exterior.

—*Skazki* —dijo el oficial del KGB en ruso—. ¿Durante los últimos diez minutos ha salido alguien por esta puerta a pesar de nuestras instrucciones?

—¡No, señor! —respondió el *mititsiya*—. Sólo una mujer histérica con la bata manchada. En medio del pánico, cayó cuando estaba en el baño y se cortó. Pensamos que podía sufrir un ataque cardíaco por la forma en que gritaba. La acompañamos de inmediato a enfermería.

Krupkin se volvió hacia Jason y le tradujo:

—Sólo ha pasado una mujer, una mujer aterrorizada que se había herido.

—¿Una mujer? ¿Está seguro? ¿De qué color tenía el cabello?

Dimitri formuló la pregunta al guardia y cuando obtuvo su respuesta volvió a mirar a Bourne.

—Dice que era rojizo y bastante rizado.

—¿Rojizo? —Una imagen bastante desagradable se formó en la mente de Jason—. Un teléfono... ¡el de la recepción! Venga, es posible que necesite su ayuda. —Seguido por Krupkin, Bourne corrió descalzo hasta un empleado en el mostrador de recepción—. Un plano con las habitaciones del décimo piso. Rápido.

—¿Señor?

Krupkin tradujo y el empleado colocó sobre el mostrador una gran carpeta de hojas sueltas abierta en la página indicada.

—¡Esta habitación! —indicó Jason mientras señalaba un cuadrado en el plano, haciendo todo lo posible por no alarmar al atemorizado empleado—. ¡Llame por teléfono! Si la línea está ocupada, despéjela.

Krupkin volvió a traducir y colocaron el teléfono ante Bourne. Él levantó el receptor y habló.

—Soy el hombre que entró en su habitación hace sólo unos momentos...

—Oh, sí, por supuesto, mi querido amigo. ¡Estoy muy agradecida! El médico ha llegado y Binky...

—Debo averiguar un dato ahora mismo... ¿Lleva usted postizos para el cabello o pelucas cuando viaja?

—Yo diría que esa pregunta es algo impertinente...

—Señora, no tengo tiempo para formalismos, ¡debo saberlo! ¿Los lleva?

—Bueno, sí. En realidad no es ningún secreto. Todos mis amigos lo saben y me perdonan la coquetería. Es que sufro diabetes y tengo el cabello muy débil.

—¿Una de las pelucas es pelirroja?

—A decir verdad, sí. Me gusta cambiar...

Bourne colgó bruscamente y miró a Krupkin.

—Ese hijo de puta ha logrado escapar. ¡Era Carlos!

—¡Venga conmigo! —dijo Krupkin mientras ambos atravesaban el vestíbulo vacío hacia el complejo de oficinas en la parte trasera del Metropole. Finalmente llegaron a la puerta de la enfermería y entraron. Allí ambos se movieron y lanzaron una exclamación ante el espectáculo que se les ofrecía.

Había rollos de gasa rota y carretes de esparadrapo de diversos tamaños junto con jeringas quebradas y frascos de antibióticos esparcidos sobre la camilla y el suelo, como si todo hubiese sido empleado en medio del pánico. Sin embargo, los hombre apenas si se fijaron en el desorden, ya que sus ojos estaban fijos en la mujer que había atendido al enajenado paciente. La enfermera del Metropole estaba echada hacia atrás en la silla, la garganta punzada, mientras un hilillo de sangre manchaba su inmaculado uniforme. ¡La locura!


De pie junto a la sala, Dimitri Krupkin hablaba por teléfono al tiempo que Alex Conklin se frotaba la pierna en el sillón de brocado y Bourne miraba por la ventana la Marx Prospekt. Alex observó al oficial del KGB con una sonrisa en su rostro demacrado y Krupkin le devolvió la mirada mientras asentía con la cabeza. Entre ambos se estaban transmitiendo un mensaje de reconocimiento. Eran respetables adversarios en una guerra interminable y básicamente inútil, en la cual sólo se ganaban batallas sin que jamás se resolviesen los conflictos filosóficos.

—Entonces, cuento con su promesa, camarada —dijo Krupkin en ruso— y le aseguro que pienso recordársela... ¡Por supuesto que estoy grabando esta conversación! ¿No haría usted lo mismo...? ¡Bien! Nos comprendemos y entendemos el alcance de nuestras responsabilidades, así que permítame recapitular. El hombre está gravemente herido, de manera que hay que poner sobre aviso al servicio de taxis y a todos los médicos y hospitales de Moscú. Hemos hecho circular la descripción del vehículo robado y cualquier información sobre el hombre o el coche debe ser transmitida solamente a usted. La pena por desobedecer estas instrucciones es Lubyanka, eso debe quedar bien claro... ¡Bien! Queda entendido y espero recibir noticias suyas en cuanto reciba usted alguna información, ¿estamos? No sufra un ataque cardíaco, camarada. Soy muy consciente de que usted es mi superior, pero estamos en la sociedad del proletariado, ¿verdad? Simplemente, siga el consejo de un subordinado con gran experiencia. Que pase un buen día... No, no es una amenaza, sólo es una frase que he oído en París, de origen norteamericano, creo. —Krupkin colgó el teléfono y suspiró—. Me temo que hay mucho que decir sobre nuestra desaparecida y educada aristocracia.

—No lo digas muy alto —dijo Conklin, señalando el teléfono con un movimiento de cabeza—. Por lo que veo, no hay ninguna novedad.

—Nada sobre lo que actuar de inmediato, pero hay un dato bastante interesante, incluso fascinante en un sentido macabro.

—Supongo que te refieres a Carlos.

—En efecto. —Krupkin sacudió la cabeza mientras Jason se volvía hacia él desde la ventana—. Me detuve en la oficina para reunirme con el grupo de asalto y sobre el escritorio tenía ocho sobres grandes, de los que sólo habían abierto uno. La policía los encontró en Vavilova y después de leer el contenido del primero, se desentendió de ellos.

—¿Qué eran? —rió Alex—. ¿Secretos de estado donde se acusa al Politburó en pleno de ser homosexual?

—Es probable que no te hayas equivocado mucho —intervino Bourne—. Era lo que se proponía el Chacal en Vavilova. O bien les iba a mostrar algo sucio que tenía sobre ellos o pretendía entregarles los pecados de otras personas.

—En este caso se trata de lo segundo —dijo Krupkin—. Una colección de las más descabelladas acusaciones dirigidas a los jefes de nuestros principales ministerios.

—Tiene montones de basura como ésa. Es el procedimiento habitual de Carlos; así logra penetrar en círculos que de otro modo le estarían vedados.

—Veo que no me ha comprendido, Jason —continuó el oficial del KGB—. Cuando digo descabelladas me refiero exactamente a eso, a cosas imposibles de creer. Son disparates.

—Casi siempre da en el blanco. Yo en su lugar no lo echaría en saco roto.

—Si pudiese lo haría sin dudarlo, se lo aseguro. Casi toda la información es sensacionalismo barato. Allí no hay nada extraordinario, por supuesto, pero junto con esas tonterías aparecen datos distorsionados, momentos, lugares, funciones e incluso identidades. Por ejemplo, el Ministerio de Transportes no se encuentra donde dice un expediente concreto, sino a cien metros de distancia; cierto camarada *direktor* no está casado con la dama que se menciona allí, sino con otra persona. La mujer que aparece es su hija, quien no vive en Moscú sino en Cuba, en donde reside desde hace siete años. Además, el hombre que se menciona como jefe de Radio Moscú y a quien se le acusa prácticamente de todo, salvo de mantener relaciones sexuales con perros, murió hace once meses y era un reconocido católico ortodoxo que hubiera sido mucho más feliz como devoto sacerdote. Logré descubrir estas flagrantes mentiras en cuestión de minutos, pero estoy seguro de que hay muchas más.

—¿Estás diciendo que alguien ha tendido una trampa a Carlos? —preguntó Conklin.

—Es algo tan evidente que nuestros jueces más rígidos y doctrinarias se reirían de ello. Quien le haya proporcionado estas melodramáticas «revelaciones» quería dejarlo en ridículo.

—¿Rodchenko? —preguntó Bourne.

—No se me ocurre nadie más. Grigori, aunque nunca lo llamé así cara a cara, sino general, era un consumado estratega, el máximo sobreviviente, así como un marxista profundamente comprometido. El control era su proverbio, su afición, y si lograba controlar al infame Chacal por el bien de la madre patria, ¡qué profundo regocijo para él! Sin embargo, el Chacal lo mató con aquellas simbólicas balas en el cuello. ¿Sería traición o sería que a Rodchenko no le importaba que lo descubriese? ¿Qué ocurrió? Nunca lo sabremos. —El teléfono sonó y Krupkin lo atendió de inmediato—. ¿*Da*? —Cambiando al ruso, Dimitri hizo señas a Conklin para que volviese a colocarse la bota ortopédica—. Ahora escúcheme con sumo cuidado, camarada. La policía no debe efectuar ningún movimiento, es fundamental que pasen desapercibidos. Utilicen uno de nuestros vehículos sin identificación en lugar del coche patrulla, ¿queda claro...? Bien. Utilizaremos la frecuencia Moray.

—¿Algún progreso? —preguntó Bourne, que se apartó de la ventana mientras Dimitri colgaba el teléfono.

—¡Algo importante! —respondió Krupkin—. Han visto el vehículo en la carretera Nemchinovka en dirección a Odintsovo.

—Eso no me dice nada. ¿Qué hay en Odintsovol, o como quiera que se llame?

—No lo sé a ciencia cierta, pero cabe suponer que él sí. Recuerde que conoce bien Moscú y sus alrededores. Odintsovo es lo que podríamos llamar un suburbio comercial, a unos treinta y cinco minutos de la ciudad...

—¡Maldita sea! —gritó Alex, debatiéndose con las tiras Velcro de la bota.

—Déjame ayudarte —dijo Jason con una voz que no admitía objeciones, mientras se inclinaba para disimular rápidamente las gruesas tiras de tela—. ¿Por qué Carlos utiliza todavía el coche de Dzerzhinski? —preguntó a Krupkin—. Él no suele correr esa clase de riesgos.

—No tiene más remedio. Debe de saber que todos los taxis de Moscú son brazos silenciosos del Estado y, después de todo, está gravemente herido y ahora no va armado, pues en caso contrario hubiese disparado contra usted. No se encuentra en condiciones de amenazar a un conductor o de robar un coche... Además, ha llegado muy rápido a la carretera Nemchinovka; han descubierto el vehículo por pura casualidad. El camino no está transitado, cosa que también debe de saber.

—¡Salgamos de aquí! —exclamó Conklin, irritado tanto por las atenciones de Jason como por su propia incapacidad. Se levantó, trastabilló un poco, rechazó con ira el apoyo de Krupkin y se dirigió hacia la puerta—. Ya hablaremos en el coche. Estamos perdiendo el tiempo.


—Moray, adelante por favor —dijo Krupkin en ruso, sentado junto al conductor del grupo de asalto en el asiento delantero. Tenía el micrófono junto a los labios y la mano sobre el dial de la radio—. Moray, ¿me recibe?

—¿Qué diablos está diciendo? —preguntó Bourne en el asiento trasero con Alex.

—Trata de establecer contacto con el vehículo sin insignias del KGB que está siguiendo a Carlos. Pasa de una frecuencia ultra alta a la otra. Es el código Moray.

—¿Qué?

—Es una anguila, Jason —respondió Krupkin—. Pertenece a la familia de las morenas con agallas porosas y es capaz de descender hasta grandes profundidades. Algunas especies son bastante mortíferas.

—Gracias, Peter Lorre —dijo Bourne.

—Muy bien —rió el hombre del KGB—. Pero tendrá que admitir que lo he descrito bien. Hay muy pocas radios que puedan transmitirla o recibirla.

—¿Cuándo nos la robaron?

—Oh, no, no es invento suyo. En realidad se la robamos a los británicos. Como de costumbre, Londres es muy discreta respecto a estas cuestiones, pero en determinados campos están mucho más avanzados que ustedes y los japoneses. Es ese maldito MI-6. Cenan en sus clubes de Knightsbridge, fuman sus odiosas pipas, fingen inocencia y nos envían desertores entrenados en Old Vic.

—También han tenido sus filtraciones —apuntó Conklin a la defensiva.

—Más exageradas en sus revelaciones hechas con inquina que en la realidad, Aleksei. Tú has estado apartado de esto demasiado tiempo. Ambos hemos perdido más que ellos en este terreno, pero los británicos saben cómo actuar en las situaciones embarazosas; nosotros aún no hemos aprendido esta venerable cualidad. Enterramos nuestras «filtraciones», como tú las llamas, nos esforzamos demasiado por lograr esa respetabilidad que nos elude con tanta frecuencia. Aunque supongo que, en comparación, aún somos históricamente jóvenes. —Krupkin volvió a cambiar al ruso—. ¡Moray, adelante por favor! Estoy llegando al final del espectro. ¿Dónde está, Moray?

—¡Deténgase ahí, camarada! —exclamó la voz metálica por el altavoz—. Estamos en contacto. ¿Me oye?

—Suena como un eunuco, pero le oigo.

—Usted debe ser el camarada Krupkin...

—¿A quién esperaba, al papa? ¿Quién es?

—Orlov.

—¡Bien! ¡Usted sabe lo que hace!

—Espero que usted también, Dimitri.

—¿Por qué lo dice?

—Por sus insufribles órdenes de no hacer nada, por eso. Estamos a dos kilómetros del edificio, he conducido entre los sembrados de una pequeña colina y tenemos el vehículo a la vista. Se encuentra en el aparcamiento y el sospechoso está dentro.

—¿Qué edificio? ¿Qué colina? No entiendo nada.

—La armería Kubinka.

Ante las palabras del ruso, Conklin se echó hacia atrás en el asiento.

—¡Oh, Dios mío!

—¿Qué ocurre?

—Ha llegado a una armería. —Alex percibió la expresión confundida en el rostro de Bourne—. En este país las armerías son mucho más que lugares de encuentro para legionarios y reservistas. Son cuarteles de entrenamiento y depósitos de armas.

—No se dirigía a Odintsovo —intervino Krupkin—. La armería está mucho más al sur, en las afueras de la ciudad, unos cuatro o cinco kilómetros más lejos. Ya ha estado antes allí.

—En esos lugares debe de haber fuertes medidas de seguridad —apuntó Bourne—. No podrá entrar sin más.

—Ya lo ha hecho —lo corrigió el oficial del KGB de París.

—Me refiero a las zonas restringidas, a los depósitos llenos de armas.

—Eso es lo que me preocupa —continuó Krupkin mientras jugueteaba con el micrófono que tenía en la mano—. Si ya ha estado antes allí, ¿qué sabe acerca de la instalación... ¿A quién conoce?

—¡Llamad al lugar y ordenad que lo detengan! —insistió Jason.

—Supongamos que me pongo en contacto con la persona equivocada, o que ya ha alcanzado las armas y con ello lo provocamos. Con una llamada, un enfrentamiento hostil, o incluso la aparición de un vehículo extraño, podríamos provocar la muerte de varias docenas de hombres y mujeres. Ya hemos visto lo que ha hecho en el Metropole y en Vavilova. Ha perdido el control, está loco de atar.

—Dimitri —dijo la voz metálica de la radio en ruso—. Está ocurriendo algo. El hombre acaba de salir por una puerta lateral con una bolsa de arpillera y se dirige hacia el coche. Camarada, no estoy seguro de que se trate del mismo hombre. Es probable que sí, pero se advierte algo diferente en él.

—¿A qué se refiere? ¿A la ropa?

—No, lleva un traje oscuro y lleva el brazo derecho en un cabestrillo negro igual que antes; sin embargo se mueve más rápido, su paso es más firme y anda más erguido.

—¿Quiere decir que no parece estar herido?

—Ésa es la impresión que da.

—Podría estar fingiendo —sugirió Alex—. Ese hijo de puta podría utilizar sus últimas fuerzas y convencernos de que está preparado para una maratón.

—¿Con qué propósito, Aleksei? ¿Para qué fingir?

—No lo sé, pero si tu hombre puede controlarlo desde el coche, también él puede ver el coche. Tal vez simplemente tenga mucha prisa.

—¿Qué está ocurriendo? —preguntó Bourne, irritado.

—Alguien ha salido con una bolsa y se dirige hacia el coche —le tradujo Conklin.

—¡Por amor de Dios, detenedlo!

—No estamos seguros de que sea el Chacal —le explicó Krupkin—. Lleva la misma ropa, incluso el cabestrillo del brazo, pero se advierten ciertas diferencias...

—¡Quiere hacerle pensar que no es él! —exclamó Jason.

—¿*Shto...*? ¿Qué?

—Se está colocando en su lugar para imaginar cómo actuaría usted. Quizá no sepa que lo hemos descubierto, pero debe suponer lo peor y actuar de acuerdo con ello. ¿Cuánto tardaremos en llegar allí?

—Por la forma en que conduce mi temerario y joven camarada, yo diría que tres o cuatro minutos.

—¡Krupkin! —la voz irrumpió por el altavoz—. Han salido otras cuatro personas, tres hombres y una mujer. ¡Han echado a correr hacia el coche!

—¿Qué ha dicho? —preguntó Bourne. Alex se lo tradujo y Jason frunció el ceño—. ¿Rehenes? —murmuró para sí—. ¡Por supuesto! —El Delta de Medusa se inclinó hacia delante y tocó el hombro de Krupkin—. Ordene a su hombre que arranque en cuanto el coche se haya puesto en marcha. Dígale que se haga notar, que toque la bocina como un loco cuando pase frente a la armería, debe pasar frente a ella por un lado u otro.

—¡Mi querido amigo! —dijo el oficial del servicio secreto soviético—. ¿Le importaría decirme por qué iba a dar yo una orden semejante?

—Porque su colega tenía razón y yo estaba equivocado. El hombre del cabestrillo no es Carlos. El Chacal está dentro, aguardando a que la caballería se aleje del fuerte para poder escapar en otro vehículo, si es que existe la caballería.

—En nombre de nuestro venerado Karl Marx, ¿puede explicarme cómo ha llegado a esta contradictoria conclusión?

—Muy sencillo. Ha cometido un error. Aunque pudiera, usted no dispararía a ese coche en la carretera, ¿verdad?

—De acuerdo. Hay otras cuatro personas allí dentro, sin duda inocentes ciudadanos soviéticos obligados a aparentar otra cosa.

—¿Rehenes?

—Sí, por supuesto.

—¿Cuándo ha oído hablar de personas que corran como endemoniadas hacia una situación en la que actuarán como rehenes? Aunque les hubiesen apuntado con un arma desde la puerta, uno o dos, si no todos, tratarían de protegerse detrás de los otros vehículos.

—Es posible...

—Pero estaba en lo cierto respecto a un detalle. Carlos tiene un contacto dentro de esa armería: el hombre del cabestrillo. Puede que sólo sea un ruso inocente con un hermano o una hermana en París, pero trabaja para el Chacal.

—¡Dimitri! —gritó la voz metálica en ruso—. ¡El coche se aleja rápidamente del aparcamiento!

Krupkin pulsó el botón del micrófono y emitió las instrucciones pertinentes. Básicamente debían seguir el vehículo, hasta la frontera con Finlandia en caso necesario; pero cuando llegase el momento de detenerlo, debían hacerlo sin violencia e incluso llamar a la policía si no había más remedio. La última orden fue pasar frente a la armería tocando la bocina con insistencia. El agente llamado Orlov preguntó en ruso:

—¿De qué mierda servirá?

—¡He tenido una visión de san Nicolás, el Bueno! Además, soy su benévolo superior, ¡así que obedezca sin discutir!

—Usted no se encuentra bien, Dimitri.

—¿Quiere un excelente informe por sus servicios o uno que lo enviaría a Tashkent?

—Ya salgo, camarada.

Krupkin volvió a colocar el micrófono en el receptáculo del salpicadero.

—Todo sigue su curso —anunció vacilante—. Si he de morir a manos de un asesino loco o de un lunático que muestra cierta decencia, supongo que lo mejor será escoger esto último. Contrariamente a lo que dicen los más esclarecidos escépticos, tal vez exista un Dios después de todo. ¿Querrías comprar una casa a orillas de un lago en Ginebra, Aleksei?

—Quizá la compre yo —respondió Bourne—. Si sobrevivo a este día y hago lo que debo hacer, ponga un precio. No lo discutiré.

—Hey, David —intervino Conklin—. Ese dinero es de Marie, no tuyo.

—Ella me hará caso… le hará caso

—¿Qué hacemos ahora, hombre de las mil caras?

—Déme todas las armas que necesito y déjeme en el descampado justo frente a la armería. Luego entre en el aparcamiento y, de forma muy ostensible, compruebe que el coche se ha ido y aléjese a toda velocidad.

—¿Quieres que te dejemos solo? —exclamó Alex.

—Es la única forma de atraparlo.

—¡Es una locura! —gritó Krupkin.

—No, Kruppie, es la realidad —replicó Jason Bourne con llaneza—. Así ha sido desde el principio. Uno a uno, es la única manera.

—¡Eso es heroísmo de niñato! —rugió el ruso, golpeando el respaldo del asiento con el puño—. Peor aún, es una estrategia ridícula. ¡Si está usted en lo cierto, yo podría rodear la armería con todo un ejército!

—Eso es exactamente lo que él desearía, lo que yo querría si fuera Carlos. ¿No lo comprende? Podría escapar en medio de la confusión, no representaría un problema para ninguno de los dos, pues ambos lo hemos hecho demasiadas veces. Las muchedumbres y la ansiedad son nuestra protección, un juego de niños. Un cuchillo en un uniforme y el uniforme es nuestro, arrojas una granada a las tropas y después de la explosión te conviertes en una de las víctimas tambaleantes: es un juego de niños para un asesino profesional. Créame, yo lo sé; a pesar de mí mismo me he convertido en uno de ellos.

—¿Y qué piensas poder hacer tú solo, Batman? —preguntó Conklin mientras se frotaba con furia la pierna lisiada.

—Acechar al asesino que quiere matarme y atraparlo.

—¡Eres un maldito megalómano!

—Tienes toda la razón. Es la única forma de participar en este juego mortal. Es el único estímulo que interviene.

—¡Es una locura! —gritó Krupkin.

—Tengo derecho a estar un poco loco. Si pensara que el ejército ruso podría asegurar mi supervivencia, pediría su presencia a gritos. Pero no es así. Sólo existe este camino… Detened el coche y dejadme elegir las armas.

## 39

El sedán verde oscuro del KGB trazó la última curva en el camino que se abría entre la campiña. El descenso había sido gradual. Las tierras inferiores eran llanas, con campos de pastos silvestres que rodeaban el gran edificio donde se alzaba la armería Kubinka. Ésta parecía surgir de la tierra, como una caja enorme colocada en medio del paisaje bucólico. Era una obra del hombre repulsiva, de madera oscura, míseras ventanas y tres pisos de alto, que ocupaba una hectárea del terreno. Al igual que el edificio en sí, la entrada era espaciosa, cuadrada y sin adornos, con excepción del monótono bajorrelieve sobre la puerta, donde se veían tres soldados soviéticos a punto de entrar en batalla con los rifles terciados.

Armado con una auténtica AK-47 rusa y con cinco cargadores, Bourne saltó del vehículo y se ocultó entre la vegetación al otro lado del camino, directamente frente a la entrada. El aparcamiento de la armería estaba a la derecha del largo edificio y delante de este último se extendía un jardín descuidado bordeado por una hilera de arbustos, en medio del cual se alzaba un poste blanco del que pendía la bandera soviética, inmóvil en el aire quieto de la mañana. Jason cruzó el camino corriendo y se agazapó detrás del seto; sólo disponía de unos momentos para espiar entre los arbustos y averiguar cómo funcionaban los sistemas de seguridad de la armería. Al menos, parecían descuidados hasta el punto de resultar, informales, si no irrelevantes. A la derecha de la entrada había una ventana similar a la taquilla de un teatro. Detrás de ella, un guardia uniformado leía una revista y otro dormía a su lado con la cabeza apoyada sobre la mesa. Dos soldados más aparecieron ante las inmensas puertas dobles de la armería. Ambos parecían despreocupados y uno consultó el reloj mientras el otro encendía un cigarrillo.

Ésa era toda la seguridad de Kubinka; no se había producido ningún ataque inesperado ni esperaban nada parecido, al menos ningún movimiento había alertado a los guardias de la entrada. Resultaba muy extraño. El Chacal estaba dentro de aquella instalación militar y sin embargo no se advertía ninguna señal de ello, ninguna indicación de que en alguna parte en el interior del complejo él estaba controlando al menos a cinco personas: un hombre que fingía ser él, otros tres hombres y una mujer.

¿Y el aparcamiento? No había comprendido la conversación entre Alex, Krupkin y la voz de la radio, pero ahora sí comprendía que cuando habían hablado de gente que salía y corría hacia el vehículo robado, ¡no se habían referido a la entrada principal! ¡Debía de haber una salida al aparcamiento! Dios, sólo disponía de unos segundos antes de que el coche del Komitet arrancara y entrara rugiendo en el gran aparcamiento de tierra, lo rodeara y saliera como una tromba. Si Carlos pretendía escapar, ¡aprovecharía aquel momento! Cuanto más lograra alejarse de la armería, más difícil resultaría seguirle el rastro. Y él, la eficiente máquina asesina de Medusa, ¡estaba en el lugar equivocado! Por otro lado, el espectáculo de un civil corriendo con un arma automática en la mano dentro de un recinto militar significaría una invitación al desastre. ¡Era una pequeña y estúpida omisión! Tres o cuatro palabras más y un oyente menos arrogante hubiesen evitado el error. Siempre eran los detalles, lo que parecía insignificante, lo que hacía fracasar las operaciones secretas. ¡Mierda!

De pronto, a ciento cincuenta metros de distancia, el sedán del KGB entró como una tromba en el estacionamiento, levantando nubes de polvo y haciendo saltar pequeñas piedras bajo los neumáticos. No había tiempo para pensar, sólo para actuar. Bourne se apretó la AK-47 contra la pierna derecha para ocultarla al máximo mientras se levantaba. Con la mano derecha fue rozando los arbustos: un jardinero que estudiaba su próximo trabajo, tal vez, o alguien que paseaba sin rumbo fijo. Para cualquiera que lo observara, su actitud debía ser la de una persona que podía haber estado caminando por allí desde hacía bastante rato sin ser visto.

Bourne se volvió hacia la entrada de la armería. Los dos soldados reían suavemente y el que no fumaba miraba el reloj de nuevo. Entonces el objeto de su pequeña conspiración apareció ante la puerta, una muchacha morena y atractiva que no tendría más de veinte años. Con expresión risueña, la joven se llevó las manos a los oídos, esbozó una mueca grotesca y se dirigió rápidamente hacia el soldado que miraba la hora para besarlo en los labios. Los tres se tomaron del brazo, con la mujer en medio, y caminaron hacia la derecha, alejándose de la entrada.

¡Un choque! Metal que se estrellaba contra metal y el sonido de cristales rotos en el aparcamiento. Algo había ocurrido con el coche del Komitet que llevaba a Alex y a Krupkin; el joven conductor del grupo de asalto había chocado contra otro vehículo en medio del polvo. Aprovechando el estruendo como excusa, Jason comenzó a recorrer el camino. Al recordar la imagen de Conklin, caminó con una cojera que le ayudaba a disimular mejor el arma. Volvió la cabeza, esperando ver a los dos soldados y a la mujer dirigiéndose hacia el accidente, pero descubrió que corrían en la dirección opuesta, alejándose de cualquier complicación.

Bourne abandonó la cojera, atravesó el seto vivo y corrió hacia el sendero que se extendía hasta el final del edificio, sin preocuparse ya por el arma. Llegó al final del sendero jadeante, con las venas del cuello a punto de estallar. El sudor le bañaba el rostro y le bajaba por el cuello, mojándole la camisa. Jadeante, se aferró a la AK-47 y pegó la espalda a la pared del edificio para luego dar vuelta a la esquina y entrar en el aparcamiento. El espectáculo lo dejó aturdido. El sonido de sus pies al correr, combinado con la ansiedad que le hacía latir las sienes, habían cubierto todos los demás sonidos. La visión que lo mareaba debía de ser el resultado de múltiples disparos producidos por un arma con silenciador. Con total desapasionamiento, el Delta de Medusa comprendió: ya había estado muchas veces allí, años atrás. Había circunstancias en las cuales había que matar en silencio; lo ideal, aunque imposible, era el silencio total, pero al menos había que lograr el mínimo de ruido.

El joven conductor del KGB estaba tendido en el suelo, junto al maletero del sedán verde oscuro, y las heridas de la cabeza atestiguaban que estaba muerto. El coche había chocado contra el costado de una autobús del gobierno, los que solían utilizarse para trasladar a los trabajadores hasta su lugar de empleo. Cómo o por qué había ocurrido el accidente era algo que a Bourne se le escapaba. Tampoco podía saber si Alex o Krupkin habían sobrevivido; las ventanillas del coche estaban destrozadas y en el interior no se apreciaba ningún movimiento, dos factores que sugerían lo peor, pero que no resultaban concluyentes. Por encima de todo, en ese momento el Camaleón también comprendía que no podía dejarse afectar por el espectáculo, ¡las emociones debían quedar fuera! Si había ocurrido lo peor, ya tendría tiempo para llorar a los muertos. Ahora era el momento de la venganza y de atrapar al asesino.

*¡Piensa! ¿Cómo? ¡Rápido!*

Krupkin había dicho que se encontraban «varias docenas de hombres y mujeres» trabajando en la armería. En ese caso, ¿dónde diablos estaban? El Chacal no actuaba en el vacío, ¡era imposible! Sin embargo, se había producido una colisión, y el violento estrépito se había oído a cien metros de distancia. Un hombre había muerto de un disparo en el lugar del accidente y su cuerpo sin vida se desangraba en el polvo. Sin embargo nadie, nadie había aparecido, ni siquiera por casualidad. Con excepción de Carlos y aquellas cinco personas desconocidas, ¿no había nadie más trabajando en la armería? ¡Era incongruente!

De repente percibió una música apagada que sonaba dentro del edificio. Era una música marcial en la que predominaban tambores y trompetas, algo que debía de resultar ensordecedor en el interior. Bourne recordó la imagen de la joven que salía a la puerta, ella se había llevado las manos a los oídos con una mueca y Jason no había comprendido por qué. Ahora sí. Acababa de salir del interior de la armería, donde el volumen de la música resultaba ensordecedor. En Kubinka estaban celebrando algo, lo cual explicaba la profusión de automóviles, pequeñas camionetas y autobuses en el aparcamiento… algo poco frecuente en la Unión Soviética, donde no abundaba aquella clase de vehículos. En total habría unos veinte medios de transporte estacionados en semicírculo. La actividad del interior servía como protección al Chacal; él sabía cómo utilizarla en provecho propio. Su enemigo también. Jaque mate.

¿Por qué no salía Carlos? ¿Por qué no había salido ya? ¿A qué esperaba? Las circunstancias eran óptimas, no podían ser mejores. ¿Las heridas lo habrían retrasado hasta el punto de hacerle perder la ventajosa situación que había creado? Era posible, aunque no probable. El asesino había llegado hasta allí y si veía la posibilidad de escapar, no se detendría. Entonces, ¿por qué? La lógica irrefutable indicaba que después de detener a quienes lo perseguían, el Chacal debía alejarse de allí lo más rápido posible. ¡Era su única oportunidad! Entonces, ¿por qué continuaba en el interior? ¿Por qué no había subido al vehículo para escapar hacia la libertad?

Con la espalda de nuevo pegada a la pared, Jason se movió hacia la izquierda observando cuanto alcanzaba a ver. Al igual que la mayoría de las armerías del mundo, Kubinka no tenía ventanas en la planta baja, no había ninguna a menos de cinco metros del suelo. Divisó el marco de una ventana en lo que parecía ser el primer piso, pero estaba lo bastante cerca del conductor asesinado como para asegurar un disparo certero con un arma de largo alcance. Otra abertura a nivel del suelo tenía una manija saliente. Era la salida trasera que nadie se había molestado en mencionar. *¡Los detalles, las cosas insignificantes! ¡Mierda!*

En el interior, el volumen de la música volvió a crecer, pero ahora el sonido era diferente. Los tambores parecían más fuertes y las trompetas más insistentes, más penetrantes. Era el inconfundible final de una marcha sinfónica, la música marcial en su punto culminante…

¡Eso era! La celebración estaba a punto de finalizar y el Chacal se confundiría entre la muchedumbre para escapar. Se mezclaría con ellos y cuando estallase el pánico ante el hombre muerto y el sedán destrozado, se limitaría a desaparecer y llevaría horas determinar con quién y en qué vehículo.

Bourne tenía que entrar; debía detenerlo, ¡atraparlo! Krupkin se había preocupado por las vidas de «varias docenas de hombres y mujeres», ¡no sospechaba que en realidad eran varios cientos! Carlos utilizaría todas las armas que había robado, incluyendo granadas, para crear la histeria colectiva que le permitiría escapar. Las vidas no significaban nada para él; si para salvarse debía continuar asesinando, lo haría. Abandonando toda cautela, Delta corrió hacia la puerta con el seguro de la AK-47 quitado y el dedo índice en el gatillo. Cogió la manija y trató de girarla, no se movió. Disparó el arma contra la placa metálica que rodeaba la cerradura y cuando se disponía a tomar de nuevo la manija humeante, ¡todo su mundo interior pareció enloquecer!

Un enorme camión arrancó de repente en la hilera de vehículos y avanzó directamente hacia él a toda velocidad. Al mismo tiempo, se oyó la descarga de un arma automática y las balas se clavaron en la madera a su derecha.

Bourne se lanzó hacia la izquierda y rodó por el suelo, con los ojos cegados por el polvo. Su cuerpo era un tubo que giraba sin cesar, alejándose del espanto que lo rodeaba.

¡De repente, sucedió! La enorme explosión destrozó la puerta y derrumbó un gran área de la pared superior. En medio del humo negro y los escombros, Jason vislumbró una figura que corría trabajosamente hacia la hilera de vehículos. El asesino estaba escapando, después de todo. ¡Pero él aún estaba con vida! El motivo era evidente; el Chacal había cometido un error. No en cuanto a la trampa, que era extraordinaria. Carlos sabía que su enemigo estaba con Krupkin y el KGB, de manera que lo había esperado en el exterior. Su error había consistido en la situación del explosivo. Había conectado la bomba en la parte superior del motor del camión, no debajo. Los compuestos explosivos eran liberados a través de las barreras menos resistentes, del capó relativamente delgado de un vehículo, mucho menos sólido que la plancha inferior. La bomba había estallado hacia arriba, no a nivel del suelo, por lo tanto no había provocado que la metralla lateral saliera por toda la superficie.

¡No había tiempo! Bourne se levantó y caminó trastabillando hasta el sedán del Komitet, invadido por un pánico terrible. Miró a través de las ventanillas destrozadas y de pronto sus ojos se fijaron en el asiento delantero, donde descansaba una gruesa mano. Abrió la puerta de un tirón y vio a Krupkin, cuya figura corpulenta estaba comprimida bajo el salpicadero. Tenía el hombro derecho medio dislocado y la chaqueta cubierta de sangre.

—Estamos heridos —dijo el oficial del KGB con voz débil pero tranquila—. Lo de Aleksei es más serio que lo mío, así que atiéndalo primero, por favor.

—La gente está saliendo de la armería...

—Aquí tiene —lo interrumpió Krupkin hurgando en el bolsillo de su chaqueta hasta encontrar su identificación—. Busque al idiota que está al mando y tráigamelo. Debemos conseguir un médico. Por Aleksei, maldito estúpido. ¡De prisa!

Los dos hombres heridos estaban tendidos uno junto al otro en el dispensario de la armería. Bourne permanecía al otro lado de la habitación, apoyado contra la pared, mirando pero sin comprender lo que decían. El Hospital Popular de Serova Prospelet había enviado tres médicos por helicóptero, dos cirujanos y un anestesista, aunque este último no había resultado necesario. No se requerían intervenciones delicadas: con la anestesia local alcanzaba para limpiar y suturar las heridas, y bastaba con administrar generosas inyecciones de antibióticos. Los elementos extraños habían pasado a través de sus cuerpos, explicó el médico principal.

—Presumo que cuando habla con tanta reverencia de «elementos extraños», se refiere a balas —masculló Krupkin, enfadado.

—En efecto —le confirmó Alex en ruso y con voz ronca. El agente retirado de la CIA no podía mover la cabeza debido al vendaje del cuello. Anchas tiras adhesivas se extendían por la clavícula y el hombro derechos.

—Gracias —dijo el cirujano—. Ambos han tenido suerte, en especial usted, nuestro paciente norteamericano, para quien debemos redactar registros médicos confidenciales. A propósito, déle a nuestra gente el nombre y la dirección de su médico en Estados Unidos. Necesitará atención durante varias semanas.

—En este momento está en un hospital de París.

—¿Cómo?

—Bueno, cada vez que me ocurre algo se lo digo y él me envía al médico que considera idóneo.

—Eso no es exactamente medicina socializada.

—Para mí lo es. Le daré su nombre y su dirección a una enfermera. Con suerte, regresará pronto.

—Le repito, ha tenido mucha suerte.

—He sido muy rápido, doctor, al igual que su camarada. Vimos a ese hijo de puta que corría hacia nosotros, así que cerramos las puer-

tas y comenzamos a disparar mientras él trataba de acercarse lo suficiente como para eliminarnos, cosa que estuvo a punto de conseguir... Lamento lo del conductor; era un joven valiente.

—También era un joven furioso, Aleksei —intervino Krupkin
desde la otra camilla—. Esos primeros disparos desde la puerta lo enviaron contra el autobús.

La puerta del dispensario se abrió violentamente para dar paso a
la augusta presencia del comisario del KGB que se encontraba en el
apartamento de Slavyanski. El oficial del Komitet con el uniforme de-
saliñado hacía honor a su apariencia.

—Usted —se dirigió al médico—. He hablado con sus colegas allí
fuera. Dicen que ya ha terminado aquí.

—No del todo, camarada. Hay algunos detalles que atender, tales
como...

—Luego —lo interrumpió el comisario—. Tenemos que hablar a
solas.

—¿Es el Komitet quien le ordena? —preguntó el cirujano, con
cierto desprecio.

—En efecto.

—Algunas veces ordena demasiado.

—¿Qué?

—Ya me ha oído —respondió el médico, mientras se dirigía hacia
la puerta. El hombre del KGB se encogió de hombros y esperó a que
la puerta del dispensario se hubiese cerrado. Entonces se acercó al pie
de ambas camillas y sin dejar de observar a los dos hombres heridos,
pronunció una sola palabra.

—¡Nóvgorod! —dijo.

—¿Qué?

—¿Qué...?

Las reacciones fueron simultáneas, incluso Bourne se apartó de la
pared.

—Usted —añadió en su limitado inglés—. ¿Comprende lo que
digo?

—Si dice lo que supongo, creo que sí, pero sólo el nombre.

—Lo explicaré bien. Interrogamos a los nueve hombres y mujeres
que encerró en la sala de armas. Mató a dos guardias, ¿sí? Se llevó cuatro llaves de automóviles de cuatro hombres, pero no usó ninguno, ¿sí?

—¡Yo vi cómo se dirigía a los coches!

—¿A cuál? Tres personas más en Kubinka muertas, los documentos de los coches no están. ¿Cuál?

—Por amor de Dios, averígüelo mediante la oficina de vehículos,
o como la llamen por aquí.

—Lleva tiempo. Además, en *Moskva*, automóviles usan diferentes nombres, diferentes matrículas, Leningrado, Smolensk, quién sabe; eso sin contar los coches fuera de la ley.

—¿De qué diablos está hablando? —gritó Jason.

—La posesión de vehículos está reglamentada por el Estado —le explicó Krupkin con voz débil desde la camilla—. Cada ciudad importante tiene sus propias matrículas y con frecuencia se niega a cooperar con otros lugares.

—¿Por qué?

—Posesiones individuales bajo diferentes apellidos, incluso algunos inexistentes. Está prohibido. Sólo hay un número limitado de vehículos disponibles para comprar.

—¿Y qué?

—El soborno es una de las realidades de la vida. En Leningrado nadie quiere que un chupatintas de Moscú lo señale con el dedo. Le está diciendo que podría tardar varios días en averiguar qué coche se llevó el Chacal.

—¡Es una locura!

—Usted lo ha dicho, señor Bourne, no yo. Yo soy un honrado ciudadano de la Unión Soviética; por favor, recuérdelo.

—Pero ¿qué tiene que ver todo esto con Nóvgorod?; antes lo ha mencionado, ¿verdad?

—*Nóvgorod. ¿Shto eto znachit?* —preguntó Krupkin al oficial del KGB. En un ruso rápido y entrecortado, el campesino-comisario transmitió los detalles pertinentes a su colega de París. Krupkin volvió la cabeza y lo tradujo—. Trate de comprender, Jason —dijo con la voz más débil y la respiración más trabajosa—. Al parecer hay una galería alrededor de la armería. Él la utilizó y lo vio por una ventana cuando estaba en el camino junto a los arbustos. Entonces regresó a la sala de armas gritando como un loco. Dijo a los rehenes que tenía atados que ya era suyo y que estaba muerto, y que sólo le quedaba una cosa por hacer.

—Nóvgorod —susurró Conklin con la cabeza rígida, mirando al techo.

—Precisamente —corroboró Krupkin con los ojos fijos en el perfil de Alex—. Regresará al lugar donde nació, donde Ilich Ramírez Sánchez se convirtió en Carlos el Chacal porque fue desheredado, condenado a la muerte por demente. Se acercó a cada uno apuntándoles al cuello, exigiendo que le indicasen el mejor camino para llegar a Nóvgorod y amenazó con matar a cualquiera que le diera una pista falsa. Nadie lo hizo, por supuesto, y todos los que lo sabían le dijeron que se encontraba a quinientos o seiscientos kilómetros, todo un día de viaje en coche.

—¿En coche? —intervino Bourne.

—Él sabe que no puede utilizar ningún otro medio de transporte. Los trenes, los aeropuertos, incluso los más pequeños, estarán vigilados y él lo sabe.

—¿Qué hará en Nóvgorod? —preguntó Jason rápidamente.

—Dios del cielo, que por supuesto no existe, ¿quién puede saberlo? Sin duda se propone dejar su impronta, un monumento altamente destructivo de su persona como respuesta a los que, según él, lo traicionaron hace más de treinta años. Es lo mismo que ha ocurrido con las pobres almas que cayeron esta mañana en Vavilova. Se llevó los documentos de nuestro agente entrenado en Nóvgorod; piensa que con ellos logrará entrar. No lo conseguirá: lo detendremos.

—Ni lo intente siquiera —dijo Bourne—. Quizá los utilice y quizá no, dependiendo de lo que vea, de lo que intuya. Al igual que yo, no necesita documentos para entrar allí, pero si presiente que algo anda mal, y lo notará, matará a muchos hombres inocentes y de todos modos logrará entrar.

—¿Qué quiere decir? —preguntó Krupkin con cautela mirando a Bourne, el norteamericano con distintas identidades y conflictivos estilos de vida.

—Háganme entrar antes que él con un mapa detallado de todo el complejo y con un documento que me otorgue libre acceso para ir adonde yo desee.

—¡Ha perdido el juicio! —exclamó Dimitri—. Un norteamericano que no ha desertado, un asesino buscado por todos los países de la OTAN en Europa, ¿dentro de Nóvgorod?

—¡*Nyet, nyet, nyet!* —rugió el comisario del Komitet—. Entiendo bien, ¿sí? Usted está loco, ¿sí?

—¿Quieren al Chacal?

—Naturalmente, pero existen límites en cuanto al precio.

—No tengo el menor interés en Nóvgorod, ya deberían saberlo. Sus pequeñas operaciones de infiltración, al igual que las nuestras, pueden continuar eternamente. No importa porque a la larga todo sigue igual. Todo es como un juego de críos. O bien vivimos juntos en este planeta o no habrá planeta. Mi única preocupación es Carlos. Lo quiero muerto para poder continuar viviendo.

—Por supuesto, personalmente estoy de acuerdo con gran parte de lo que dice, aunque los juegos de críos nos mantienen a algunos de nosotros bastante ocupados. Sin embargo, no veo forma de convencer a mis superiores. Ellos son más rígidos, comenzando por el que está a mi lado.

—Muy bien —dijo Conklin, sin dejar de mirar al techo—. Haremos un trato. Ustedes le dan vía libre en Nóvgorod y se quedan con Ogilvie.

—Ya lo tenemos, Alexei.

—No del todo. Washington sabe que está aquí.

—¿Y qué?

—Si yo digo que lo han perdido, me creerán. Aceptarán mi palabra de que ha volado del nido y que a pesar de que están furiosos, no pueden obligarlo a regresar. Está operando desde un lugar desconocido, inaccesible, pero resulta evidente que está bajo la suprema protección de un país de las Naciones Unidas. Si nos ponemos a conjeturar, supongo que así es como ha llegado hasta aquí.

—Eres enigmático, mi viejo y buen enemigo. ¿Con qué propósito aceptaría tu sugerencia?

—Ninguna situación difícil ante el Tribunal Internacional de Justicia, ningún cargo por admitir a un norteamericano acusado de cometer crímenes internacionales. Se ocupan de la operación Medusa sin complicaciones, por mediación de Dimitri Krupkin, un probado hombre de mundo de la cosmopolita París. ¿Quién mejor para llevar a cabo la empresa? El último héroe del Soviet, un miembro del Consejo Económico del Presidium. Olvida esa humilde casa en Ginebra, Kruppie, ¿qué te parecería una mansión en el mar Negro?

—Es una oferta muy inteligente y atractiva, te lo aseguro —admitió Krupkin—. Conozco a dos o tres hombres en el Comité Central con quienes podría ponerme en contacto en cuestión de minutos; todo con carácter confidencial, por supuesto.

—¡Nyet, nyet! —gritó el comisario del KGB, al tiempo que golpeaba la camilla de Dimitri con el puño—. Entiendo algo, hablan muy rápido, ¡pero todo es locura!

—¡Oh, por amor de Dios, cállese! —rugió Krupkin—. Estamos discutiendo cosas que usted no puede comprender.

—¿Shto? —Como un niño reprendido por un adulto, el comisario abrió los ojos como platos, sorprendido y asustado ante el incomprensible regaño de su subordinado.

—Dale la oportunidad a mi amigo —rogó Alex—. Es el mejor en su trabajo y puede entregarte al Chacal.

—También puede acabar muerto, Aleksei.

—Él sabe cómo actuar. Confío en él.

—Confianza —susurró Krupkin—. Se ha convertido en un artículo de lujo… Muy bien, emitiremos la orden en secreto y resultará imposible determinar sus orígenes. Entrará en el sector norteamericano de Nóvgorod. Es el menos comprendido.

—¿Cuándo puedo llegar allí? —preguntó Bourne—. Hay varias cosas que debo analizar.

—Tenemos un aeropuerto controlado en Vnokova, queda a una hora de distancia. Primero debo dictar las disposiciones. Alcánceme el teléfono… ¡Usted, mi imbécil comisario! ¡Ya no quiero oírlo más! ¡Un teléfono!

El superior, que en realidad sólo había comprendido palabras como Presidium y Comité Central, se movió con presteza y acercó un supletorio a la camilla de Krupkin.

—Un último detalle —dijo Bourne—. Haga que Tass emita un comunicado urgente en los periódicos, la radio y la televisión. Deben difundir que el asesino conocido como Jason Bourne ha muerto por las heridas recibidas aquí en Moscú. Sin ofrecer demasiados detalles, relate lo ocurrido esta mañana.

—No será difícil. Tass es un obediente instrumento del Estado.

—Aún no he terminado —continuó Jason—. Dígales que entre los efectos personales encontrados en el cuerpo de Bourne figuraba un mapa de Bruselas y sus alrededores. La ciudad de Anderlecht estaba rodeada con un círculo rojo; eso debe mencionarse.

—El asesinato del comandante supremo de la OTAN… muy convincente. Sin embargo, señor Bourne, o Webb, o como quiera que se llame, debe saber que esta noticia se extenderá por el mundo como una ola gigantesca.

—Lo comprendo.

—¿Está preparado para ello?

—Lo estoy.

—¿Qué le ocurrirá a su esposa? ¿No debería hablar con ella antes de que el mundo se entere que Jason Bourne ha muerto?

—No. No quiero correr el menor riesgo.

—¡Dios! —exclamó Alex tosiendo—. ¡Estás hablando de Marie! ¡Quedará destrozada!

—Aceptaré el riesgo —insistió Delta con frialdad.

—¡Eres un hijo de puta!

—Amén —respondió el Camaleón.


Con los ojos llenos de lágrimas, John St. Jacques entró en la soleada habitación de la casa situada en la campiña de Maryland; en la mano sostenía una hoja de ordenador. Tras haber dejado a Alison en la cuna en el piso superior, su hermana estaba en el suelo frente al sillón, jugando con Jamie. Parecía cansada y demacrada, con el rostro pálido y profundas ojeras oscuras bajo los ojos; estaba exhausta por la tensión y el viaje estúpidamente largo que había realizado para llegar de París a Washington. A pesar de que había llegado muy tarde la noche anterior, se había levantado temprano para estar con los niños y no había permitido que la maternal señora Cooper la convenciese de lo contrario. Su hermano hubiese entregado años de su vida para no tener que pasar por aquel mal trago, pero no podía arriesgarse a que se enterara por su cuenta.

—Jamie —dijo St. Jacques con suavidad—. Ve a buscar a la señora Cooper, ¿quieres? Creo que está en la cocina.

—¿Por qué, tío John?

—Quiero hablar con tu madre un momento.

—Johnny, por favor —objetó Marie.

—Es necesario, nena.

—¿Qué...? —Jamie obedeció ya que, como suelen hacer los niños, percibió algo que no alcanzaba a comprender; miró unos momentos a su tío antes de dirigirse hacia la puerta. Marie se levantó y miró fijamente a su hermano y las lágrimas que le habían comenzado a rodar por las mejillas. El terrible mensaje se había transmitido—. ¡No...! —susurró mientras la palidez de su rostro se acentuaba aún más—. Dios mío, no —exclamó. Las manos y los hombros le comenzaron a temblar—. ¡No... no!

—Se ha ido, hermana. Quería que lo supieras por mí, no que lo escucharas en la radio o la televisión. Quiero estar contigo.

—¡No es cierto, no es cierto! —gritó Marie, mientras corría hacia él para aferrarse a su camisa—. ¡Está protegido! ¡Me juró que estaba protegido!

—Esto acaba de llegar de Langley —anunció el hermano menor entregándole el registro de ordenador—. Holland me llamó hace unos instantes y dijo que lo estaban enviando. Sabía que tú debías verlo. Anoche lo transmitieron por Radio Moscú y estará en todas las emisiones y periódicos de la mañana.

—¡Dámelo! —gritó ella, desafiante.

Johnny obedeció y la aferró suavemente por los hombros, preparado para abrazarla y brindarle todo el consuelo que le fuese posible. Marie leyó la copia rápidamente y, con el ceño fruncido, se apartó de él para ir a sentarse en el sillón. Estaba absolutamente concentrada; apoyó el papel sobre la mesa de café y lo estudió como si se tratara de un descubrimiento arqueológico, algo así como un pergamino.

—Se ha ido, Marie. No sé qué decirte; tú sabes lo que sentía por él.

—Sí, lo sé, Johnny. —Entonces, para sorpresa de St. Jacques, su hermana lo miró con una leve sonrisa en los labios.— Pero es demasiado pronto para las lágrimas, hermano. Está vivo. Jason Bourne está vivo y continúa sirviéndose de sus ardides, lo cual significa que David también está vivo.

*Dios mío, no puede aceptarlo,* pensó el hermano, y se dirigió hacia el sillón para arrodillarse frente a ella y cogerle las manos.

—Queridísima, creo que no lo entiendes. Haré todo lo posible para ayudarte, pero debes aceptarlo.

—Eres encantador, hermanito, pero no has leído el comunicado con atención, con verdadera atención. El impacto del mensaje te ha impedido leer entre líneas. En economía lo llamamos distracción con una nube de humo y un par de espejos.

—¿Qué? —St. Jacques le soltó las manos y se levantó—. ¿De qué estás hablando?

Marie recogió el comunicado de Langley y lo repasó.

—Después de varios relatos confusos e incluso contradictorios acerca de lo ocurrido, ofrecidos por personas que se encontraban en esa armería o lo que fuese, en el último párrafo se añade lo siguiente: «Entre los efectos personales encontrados en el cuerpo del asesino, figuraba un mapa de Bruselas y sus alrededores con la ciudad de Anderlecht marcada en rojo.» Luego continúa realizando la conexión lógica con el asesinato de Teagarten. Es mentira, Johnny, desde dos puntos de vista: primero, David nunca llevaría encima un mapa como ése; segundo y mucho más significativo, el hecho de que los medios soviéticos den tanta importancia a la historia ya es bastante increíble, pero que incluyan el asesinato del general Teagarten me parece demasiado.

—¿A qué te refieres? ¿Por qué?

—Porque el supuesto asesino estaba en Rusia, y Moscú no querría tener nada que ver con la muerte de un comandante de la OTAN… No, hermano, alguien ha violado las reglas y ha persuadido a Tass para que publicara la historia. Sospecho que rodarán varias cabezas. No sé dónde está Jason Bourne, pero sí sé que no ha muerto. David se ha asegurado de que yo lo supiera.


Peter Holland levantó el receptor y pulsó los botones de su consola para ponerse en contacto con la línea privada de Charles Casset.

—¿Sí?

—Charlie, soy Peter.

—Me alegro de oírte.

—¿Por qué?

—Porque en este teléfono sólo recibo problemas y noticias confusas. Acabo de hablar con nuestro contacto en la plaza Dzerzhinski y me ha dicho que el KGB hará rodar cabezas.

—¿Por el comunicado de Tass respecto a Bourne?

—En efecto. Tass y Radio Moscú supusieron que la información tenía sanción oficial porque la recibieron por fax desde el Ministerio de Información y precedida de los códigos correspondientes. Cuando se divulgó la noticia, nadie la confirmó, y resulta imposible rastrear a quien ha programado los códigos.

—¿Qué suponen?

—No estoy seguro, pero por lo que he averiguado acerca de Dimitri Krupkin, concuerda con su estilo. Ahora está trabajando con Alex y si esto no es una artimaña ideada por Conklin, es que no conozco a san Alex. Y le aseguro que sí lo conozco.

—Eso encaja con lo que ha dicho Marie.

—¿Marie?

—La esposa de Bourne. Acabo de hablar con ella y sus argumentos parecen bastante convincentes. Dice que el informe de Moscú es una mentira urdida con algún propósito. Afirma que su esposo está vivo.

—Estoy de acuerdo. ¿Me ha llamado usted por eso?

—No —respondió el director, respirando hondo—. Tengo una cosa que agregar a sus problemas y su confusión.

—Eso ya no me gusta tanto. ¿De qué se trata?

—El número de teléfono de París, el que nos dio Henry Sykes de Montserrat para ponernos en contacto con el Chacal en un café a orillas del Sena.

—Donde había que preguntar por un mirlo. Lo recuerdo.

—Alguien respondió y lo seguimos. No le gustará lo que encontramos.

—Alex Conklin está a punto de ganar el premio al pelmazo del año. Él nos puso en relación con Sykes, ¿verdad?

—Sí.

—Adelante.

—El mensaje se entregó en la casa del director del Deuxième Bureau.

—¡Dios mío! Será mejor que derivemos esto a la rama SED del espionaje francés.

—No pienso derivar nada a nadie hasta que tengamos noticias de Conklin. Es lo menos que le debemos, me parece.

—¿Qué diablos están haciendo? —gritó un frustrado Casset por el teléfono—. Divulgan noticias falsas sobre una muerte... ¡desde Moscú, nada menos! ¿Qué pretenden?

—Jason Bourne ha salido de caza. Cuando haya terminado, si es que termina y comete el asesinato, tendrá que salir del bosque antes de que alguien se lance sobre él. Quiero que todas las estaciones y los puestos de escucha en las fronteras de la Unión Soviética estén sobre alerta. Nombre clave: Asesino. Tráiganlo de vuelta.

## 40

Nóvgorod. Decir que parecía increíble significaba reconocer indirectamente la posibilidad de que fuese creíble, y eso resultaba casi imposible. Era la máxima fantasía. Sus ilusiones ópticas parecían más auténticas que la realidad, el lugar era como una fantasmagoría tangible, sentida, utilizada y de la cual se podía entrar o salir. Era una obra maestra de la creación recortada de los inmensos bosques a orillas del río Vóljov. Desde el momento en que Bourne emergió del profundo túnel bajo el agua con sus guardias, rejas y cámaras, quedó en un estado de conmoción total a pesar de que todavía podía caminar, observar, absorber... y pensar.

El sector norteamericano, presumiblemente al igual que los de los demás países, estaba dividido en secciones, áreas que variaban entre una y tres hectáreas, cada una bien separada de la otra. Una zona, construida a las orillas del río, podría haber sido el corazón de una aldea costera de Maine; otra, más alejada del río, un pequeño pueblo del sur; la tercera, una transitada calle metropolitana. Cada una era absolutamente «auténtica», con los vehículos, policías, atuendos, tiendas y gasolineras correspondientes. Incluso había falsos edificios, muchos de ellos con dos pisos de alto y tan reales que tenían cerraduras norteamericanas en puertas y ventanas. Evidentemente, tan necesario como el aspecto externo era el idioma, con el dominio de las características lingüísticas y los dialectos propios de las distintas zonas. Mientras vagaba de un lugar a otro, Jason oyó todos los sonidos distintivos. Todo era increíble. No sólo se encontraba más allá de lo creíble, sino que hacía viables las ideas más imposibles.

Jason había sido brevemente aleccionado durante el vuelo desde Vnokova por un hombre de mediana edad, graduado en Nóvgorod, a quien Krupkin había llamado con urgencia a su apartamento en Moscú. El hombrecillo calvo no sólo era locuazmente ilustrativo, sino que resultaba fascinante. Si alguien le hubiese dicho a Jason Bourne que iba a ser aleccionado en profundidad por un agente de espionaje soviético, habría respondido que era un disparate.

—Oh, señor, cómo echo de menos las barbacoas, en especial las costillas. ¿Sabe quién las hacía mejor? Un tipo negro a quien yo consideraba un buen amigo hasta que me delató. ¿Se lo imagina? Yo pensaba que era uno de esos radicales. Resultó ser un muchacho de Dartmouth que trabajaba para el FBI. Un abogado, nada menos... Diablos, el canje se realizó en Aeroflot de Nueva York y todavía nos escribimos.

—Juegos de críos —había murmurado Bourne.

—¿Juegos...? Oh, sí, era un muy buen entrenador.

—¿Entrenador?

—Desde luego. Varios de nosotros formamos un equipo en East Point, en las afueras de Atlanta.

*Increíble.*

—¿Podemos centrarnos en Nóvgorod, por favor?

—Claro. Quizá Dimitri le haya dicho que estoy retirado, pero mi jubilación requiere que pase allí cinco días al mes como *tak govorya*, como entrenador.

—No comprendí a qué se refería.

—Se lo explicaré. —El hombre extraño que hablaba como un norteamericano del sur había sido muy minucioso.

Cada sector de Nóvgorod contaba con tres clases de empleados. Los entrenadores, los candidatos y los operadores. La última categoría incluía a la gente del KGB, a los guardias y al personal de mantenimiento. El proceso de Nóvgorod tenía una ejecución práctica de estructura simple. El personal de un sector creaba el programa de entrenamiento diario para cada sección individual y los entrenadores, tanto los permanentes como los que se hallaban parcialmente retirados, organizaban todas las actividades individuales y de grupo. Los candidatos las realizaban, utilizando sólo el idioma del sector y el dialecto de la sección concreta donde se encontraban. No se permitía hablar en ruso y los entrenadores ponían a prueba la regla con frecuencia emitiendo en su idioma natal órdenes o insultos que los candidatos debían ignorar.

—Cuando se refiere a las tareas —había preguntado Bourne—, ¿qué quiere decir?

—Situaciones, amigo mío. Cualquier cosa que se le ocurra. Pedir un almuerzo o una cena, comprar ropa, llenar el depósito del coche, pedir una gasolina concreta con los octanos que correspondan; son cosas que aquí se desconocen. Por supuesto, también existen situaciones más dramáticas, con frecuencia al margen del programa, para someter a examen las reacciones de los candidatos. Por ejemplo, un accidente automovilístico que requiere un diálogo con la policía norteamericana, las pólizas de seguro que deben rellenarse, etc. Un agente puede delatarse si se muestra demasiado ignorante.

*Los detalles, las cosas insignificantes... eran vitales. Una puerta trasera en la armería Kubinka.*

—¿Qué más?

—Hay muchas pequeñeces que cualquiera podría considerar poco significativas, pero pueden llegar a serlo. Por ejemplo, si lo asaltan de noche en una ciudad, ¿qué debe hacer?, ¿qué no debe hacer? Recuerde que muchos de nuestros candidatos, en especial los más jóvenes, han recibido entrenamiento en defensa personal. Pero dependiendo de las circunstancias, puede que no resulte aconsejable que empleen sus conocimientos. Podrían despertar sospechas respecto a sus antecedentes. La discreción, constantemente la discreción. Como experto *tak govorya*, siempre he preferido las situaciones más imaginativas que se nos ha permitido plantear siguiendo, claro está, las pautas de la penetración ambiental.

—¿Qué significa eso?

—Siempre debemos aprender, pero nunca se nos debe notar. Por ejemplo, uno de mis ejercicios preferidos consiste en acercarme a varios candidatos en algún bar cerca de un destacamento militar. Finjo ser un funcionario descontento, o tal vez un contratista de defensa borracho, alguien que sin duda tiene acceso a la información, y comienzo a suministrar material secreto de reconocida importancia.

—Sólo por curiosidad —lo había interrumpido Bourne—. ¿Cómo debe reaccionar un candidato en esa situación?

—Debe escuchar con cuidado y estar listo para anotar cada hecho relevante. Mientras tanto, debe fingir una indiferencia total y hacer comentarios como: «¿Eso qué más da?» y «¿Es cierto que allí dentro tienen fulanas, como dice la gente?», o «No entiendo nada de lo que dice, ¡sólo sé que estoy hasta los huevos de usted!», y esa clase de cosas.

—¿Entonces, qué?

—Luego llamamos a los hombres de uno en uno para que informen acerca de todo lo que han averiguado.

—¿Qué hay respecto a pasar la información de uno a otro? ¿Existe algún entrenamiento para eso?

El instructor soviético de Jason lo había mirado en silencio unos momentos desde el asiento contiguo en el pequeño avión.

—Lamento que se haya visto obligado a formular esta pregunta —dijo lentamente—. Tendré que informarlo.

—No me he visto obligado a formularla, ha sido simple curiosidad. Olvide que lo he dicho.

—No puedo hacerlo. No lo haré.

—¿Confía en Krupkin?

—Por supuesto que sí. Es un fenómeno por su talento con los idiomas y un hombre inteligente. Un verdadero héroe del Komitet.

*Usted no sabe ni la mitad respecto a él*, pensó Bourne, pero en lugar de ello dijo con cierta reverencia:

—Entonces, comuníqueselo sólo a él. Le confirmará que sólo se trataba de curiosidad. Yo no le debo absolutamente nada a mi gobierno, más bien son ellos los que están en deuda conmigo.

—Muy bien… A propósito, ocupémonos de usted. Autorizado por Dimitri, he tomado las disposiciones necesarias para su visita a Nóvgorod. Por favor, no me diga cuál es su objetivo, no es de mi incumbencia de la misma manera que la pregunta que me ha formulado no es de la suya.

—Comprendido. ¿Las disposiciones?

—Establecerá contacto con un entrenador joven llamado Benjamin. Ahora mismo le describiré la forma en que lo hará; pero antes le diré una cosa respecto a él para que comprenda su actitud. Sus padres eran oficiales del Komitet asignados al consulado de Los Ángeles durante casi veinte años. Él recibió una educación básicamente estadounidense y fue alumno de la Universidad de California; sin embargo, se vio obligado junto con su padre a regresar apresuradamente a Moscú hace cuatro años…

—¿Él y su padre?

—Sí. Su madre fue atrapada en una operación del FBI en la base naval de San Diego. Debe cumplir tres años más en prisión. No existe clemencia ni canje para una «mami» rusa.

—Eh, un momento. No será sólo por nuestra culpa.

—Yo no he dicho que lo sea. Sólo le estoy relatando los hechos.

—Comprendo. Me pondré en contacto con Benjamin.

—Es el único que sabe quién es usted. Ignora su nombre, por supuesto. Allí se llamará Archie. Él le proporcionará las autorizaciones necesarias para desplazarse de un sector a otro.

—¿Documentos?

—Él se lo explicará. También lo vigilará, estará con usted día y noche y, francamente, ha estado en contacto con el camarada Krupkin y sabe mucho más que yo, cosa que este blanco pobre y retirado de Georgia sin lugar a dudas prefiere. Buena cacería, amigo, si lo que se propone es una cacería.


Bourne siguió los letreros —todos en inglés— hasta la ciudad de Rockledge, Florida, a veintidós kilómetros al sudeste del Cabo Cañaveral de la NASA. Debía encontrarse con Benjamin en el bar de la tienda Woolworth. Lo distinguiría porque era un hombre de unos veinticinco años, vestido con una camisa roja a cuadros y junto a él habría un taburete con una gorra de béisbol encima para reservarlo. Ya era la hora: las cuatro menos veinticinco de la tarde.

Entonces lo vio. El ruso de cabello color arena, educado en California, estaba sentado al final de la barra, con la gorra de béisbol en el taburete a su izquierda. Había media docena de hombres y mujeres en la fila que conversaban mientras consumían refrescos y bocadillos. Jason se acercó al taburete vacío, miró la gorra y habló con amabilidad.

—¿Está ocupado? —preguntó.

—Espero a una persona —respondió el joven entrenador del KGB con voz inexpresiva, observando el rostro de Bourne con sus ojos grises.

—Buscaré otro lugar.

—Es posible que ella no llegue hasta dentro de cinco minutos.

—Diablos, sólo quiero tomar un refresco. Me iré mucho antes.

—Siéntese —invitó Benjamin mientras cogía la gorra para ponérsela. Un camarero que mascaba chicle se acercó a ellos y Jason pidió una bebida. Cuando llegó su refresco el entrenador del Komitet continuó en voz baja, mirando la espuma de su batido de leche mientras lo sorbía con una pajita—. Así que usted es Archie, como en el cómic.

—Y tú eres Benjamin. Encantado de conocerte.

—Ya averiguaremos si eso es cierto, ¿verdad?

—¿Tenemos problemas?

—Quiero que las reglas queden claras para no tenerlos —dijo el soviético criado en la costa Oeste—. No apruebo que le hayan permitido entrar aquí. A pesar del lugar donde he sido educado, no siento mucha estima por los norteamericanos.

—Escúchame, Ben —replicó Bourne, mirándolo fijamente—. Yo tampoco apruebo el hecho de que tu madre siga en prisión, pero no he sido yo quien la ha encerrado.

—Nosotros liberamos a los disidentes y a los judíos, pero ustedes insisten en mantener cautiva a una mujer de cincuenta y ocho años que a lo sumo ha actuado como simple mensajero —masculló el ruso.

—No conozco los hechos y no me apresuraría en decir que Moscú es la capital de la misericordia mundial, pero si puedes ayudarme, ayudarme de verdad, tal vez yo pueda echar una mano a tu madre.

—Son sólo promesas vanas. ¿Qué diablos puede hacer usted?

—Para repetir lo que he dicho a un calvito amigo tuyo en el avión, yo no le debo a mi gobierno un maldito favor, pero puedo asegurarte que él está en deuda conmigo. Ayúdame, Benjamin.

—Lo haré porque he recibido órdenes de hacerlo, no por su promesa falsa. Pero si trata de averiguar cosas que no guardan ninguna relación con su misión, jamás logrará salir. ¿Queda claro?

—No sólo queda claro, es improcedente e innecesario. Aparte de la sorpresa y la curiosidad normales, cosa que trataré de reprimir en la medida de mis posibilidades, no siento el menor interés por los objetivos de Nóvgorod. En mi opinión, no conducen a ninguna parte... Aunque te garantizo que este complejo supera de lejos a Disneylandia.

La risa involuntaria de Benjamin hizo que soplara en la pajita de su batido de leche y salpicara un poco sobre la barra.

—¿Ha estado en Anaheim? —preguntó con malicia.

—Nunca me he podido permitir el lujo.

—Tenemos pases diplomáticos.

—Señor, eres humano, después de todo. Vamos, caminemos un poco y hablemos claro.


Cruzaron un puente en miniatura hacia *New London, Connecticut,* centro de la construcción de submarinos norteamericanos. Luego se dirigieron al río Vóljov, que en esa zona había sido convertido en una base naval de máxima seguridad, también en miniatura. En la zona había rejas altas y guardias armados patrullando el lugar donde se ocultaba la flota nuclear submarina de Estados Unidos.

—Tenemos todas las estaciones, todos los programas, cada dispositivo y hasta el último centímetro de los muelles —comentó Benjamin—. Sin embargo, todavía debemos burlar los sistemas de seguridad. ¿No le parece una locura?

—En absoluto. Somos bastante eficientes.

—Sí, pero nosotros somos mejores. Con excepción de algunos grupos divergentes. Ustedes se limitan a aceptar.

—¿Qué?

—A pesar de sus mentiras, los norteamericanos blancos nunca han sufrido la esclavitud. Nosotros sí.

—Eso no sólo es historia antigua, jovencito, sino también bastante parcial, ¿no te parece?

—Habla como un profesor.

—¿Y si lo fuera?

—Discutiría con usted.

—Sólo si estuvieras en un ambiente lo bastante abierto que te permitiera discutir con la autoridad.

—¡Oh, vamos, no me venga con esas tonterías! La libertad académica es historia. Observe nuestras universidades. Tenemos rock, tejanos y tanta marihuana que no encontraría papel suficiente para liar los canutos.

—¿Eso es progreso?

—¿Me creería si le dijera que es el principio?

—Tendré que pensarlo.

—¿De verdad puede ayudar a mi madre?

—¿De verdad puedes ayudarme a mí?

—Lo intentaré... Muy bien, vamos por Carlos el Chacal. He oído hablar de él, pero no sé demasiado. El *direktor* Krupkin dice que es un sujeto bastante indeseable —dijo Benjamin con un marcado acento sureño.

—Escucho a California dando un informe.

—Hay veces en que no puedo evitarlo. Olvídelo. Estoy donde quiero estar y ni se le ocurra pensar lo contrario.

—Jamás me atrevería.

—¿Qué?

—No dejas de protestar...

—Shakespeare hablaba mejor. En la Universidad de California estudié literatura inglesa como asignatura optativa.

—¿Qué carrera hiciste?

—Historia norteamericana. ¿Qué más, abuelo?

—Gracias, chico.

—Este Chacal —continuó Benjamin, al tiempo que se apoyaba contra la reja de New London mientras varios guardias comenzaban a correr hacia él—. *¡Prosteetye!* —gritó—. ¡No, no, discúlpame! *¡Tak govorya!* ¡Soy un entrenador!... ¡Oh mierda!

—¿Informarán de lo ocurrido? —preguntó Jason, mientras se alejaban rápidamente.

—No, son demasiado estúpidos. Son personal de mantenimiento con uniforme. Vigilan los puesto, pero en realidad no saben qué está ocurriendo; sólo a quién deben detener.

—¿Perros de Pavlov?

—¿Qué mejor? Los animales no razonan, sólo van directo al cuello y se introducen por cualquier agujero.

—Lo cual nos lleva de vuelta al Chacal —declaró Bourne.

—No comprendo.

—No te preocupes, es simbólico. ¿Cómo podría entrar aquí?

—No podría. Hasta el último guardia de los túneles tiene el nombre y el número de serie de los documentos que sustrajo al agente que asesinó en Moscú. Si se presenta, lo detendrán y le dispararán de inmediato.

—Le dije a Krupkin que no actuaran así.

—Por amor de Dios, ¿por qué?

—Porque no será él y se perderían más vidas. Enviará a otros, a dos, tres o cuatro por diferentes sectores, tratando de crear confusión hasta que encuentre la manera de introducirse.

—Está loco. ¿Qué le pasa a los hombres a quienes envía?

—Carece de importancia. Si les disparan, entonces él observa y averigua algo.

—Está realmente loco. ¿Dónde puede encontrar a gente así?

—En cualquier parte donde existan personas que piensen que están ganando el salario de un mes por unos minutos de trabajo. Puede decirles que se trata de un simple control de seguridad; recuerda que tiene los documentos para demostrar que es un asunto oficial. Si a esto añadimos el dinero, la gente se impresiona con esa clase de documentos y no se muestra demasiado escéptica.

—Y en la primera reja pierde los documentos —insistió el entrenador.

—En absoluto. Tendrá que recorrer más de seiscientos kilómetros y atravesar docenas de pueblos y ciudades. Puede hacer copias en cualquier parte. Vuestros centros comerciales tienen fotocopiadoras y no resulta nada difícil retocar esos documentos para que parezcan auténticos. —Bourne se detuvo y miró al soviético educado en Estados Unidos—. Lo que mencionas son detalles, Ben, y te aseguro que carecen de importancia. Carlos viene hacia aquí para dejar su marca y nosotros contamos con una sola ventaja que oponer a su experiencia. Si Krupkin ha logrado divulgar la noticia, el Chacal debe de creer que estoy muerto.

—Todo el mundo cree que está muerto… Sí, Krupkin me lo ha dicho; hubiese sido una tontería no hacerlo. Aquí dentro es un recluta llamado «Archie», pero yo sé quién es en realidad, Bourne. Aunque nunca antes hubiese oído hablar de usted, ahora ya lo sabría. Hace horas que Radio Moscú sólo habla de usted.

—Entonces, podemos suponer que Carlos también ha oído las noticias.

—Sin lugar a dudas. En Rusia todos los coches tienen radio. Es obligatorio, por si sobreviene un ataque norteamericano.

—Muy bien pensado.

—¿De verdad ha asesinado a Teagarten en Bruselas?

—Dejemos mi caso…

—Tema prohibido, muy bien. ¿Qué se propone?

—Krupkin debió habérmelo dejado.

—¿Dejarle qué?

—La infiltración del Chacal.

—¿De qué diablos está hablando?

—Utiliza a Krupkin si es necesario, pero envía la orden a todos los túneles, a todas las entradas de Nóvgorod, para que dejen pasar a cualquiera que muestre esos documentos. Supongo que serán cuatro o tal vez cinco personas. Deben mantenerlos bajo vigilancia, pero que les permitan la entrada.

—Acaba de ganarse una habitación con las paredes acolchadas. Está loco, Archie.

—En absoluto. He dicho que todos deben estar bajo estricta vigilancia y que los guardias tienen que mantenerse en permanente contacto con nosotros.

—¿Y qué?

—Una de esos hombres desaparecerá en un abrir y cerrar de ojos. Nadie sabrá dónde está ni en qué dirección se ha ido. Ese hombre será el Chacal.

—¿Y qué?

—Se convencerá de que es invulnerable. Creerá que es libre para hacer lo que le plazca mientras piensa que estoy muerto. Eso lo libera.

—¿Por qué?

—Porque al igual que yo, sabe que somos los únicos que podemos seguirnos el rastro mutuamente ya sea en la jungla, en la ciudad o en una combinación de los dos ámbitos. Es una cuestión de odio, Benjamin. O de desesperación.

—Eso suena bastante emotivo, ¿verdad? También abstracto.

—De ninguna manera. Debo pensar como él, hace años me entrenaron para ello. Examinemos las alternativas. ¿Hasta qué altura del Vóljov se extiende Nóvgorod? ¿Treinta, cuarenta kilómetros?

—Cuarenta y siete, para ser exactos, y cada metro es impenetrable. Hay conductos de magnesio que cruzan el agua en todas direcciones, con un espacio encima y debajo de la superficie para permitir la vida acuática, pero capaces de activar las alarmas. En la orilla oriental hay dispositivos que miden el peso. Cualquier objeto de más de cuarenta kilos, de inmediato activa las sirenas, monitores de televisión y focos sobre el intruso. Incluso si un prodigio de treinta y nueve kilos llegara a la reja, un mecanismo eléctrico lo dejaría inconsciente al primer contacto; eso también se aplica a los conductos de magnesio en el río. Comprenderá que los árboles caídos, los troncos flotantes y los animales más pesados mantienen muy ocupado a nuestro cuerpo de seguridad. Constituye una buena disciplina, supongo.

—Entonces sólo quedan los túneles. ¿Estoy en lo cierto?

—Usted ha entrado por uno de ellos, ¿qué puedo decirle que no haya visto? Además, las rejas de hierro se cierran ante la menor anomalía y, en caso de emergencia, todos los túneles pueden ser inundados.

—Cosa que Carlos sabe perfectamente. Recibió aquí su entrenamiento.

—Hace muchos años, según me ha dicho Krupkin.

—Muchos años —confirmó Jason—. Me pregunto cuántas cosas habrán cambiado.

—Tecnológicamente es probable que pueda llenar varios volúmenes, en especial en lo que se refiere a las comunicaciones y la seguridad; pero no en lo básico. No se han producido cambios en los túneles ni en los dispositivos dentro y fuera del agua: los instalaron para que duraran un par de siglos. En cuanto a los distintos sectores, siempre se produce algún ajuste de poca importancia, pero no creo que destruyan las calles o los edificios. Sería más sencillo mover una docena de ciudades.

—En cualquier caso, los cambios son básicamente internos. —Llegaron a una intersección en miniatura donde el airado conductor de un Chevrolet de principios de los setenta era multado por un policía de tránsito igualmente desagradable—. ¿De qué se trata todo esto? —preguntó Bourne.

—El propósito es infundir un cierto grado de animosidad en la persona que conduce el coche. En Estados Unidos la gente suele discutir con los oficiales de policía. Eso no ocurre aquí.

—¿Se trata de cuestionar a la autoridad como un alumno que contradice al profesor? Supongo que eso tampoco está bien visto.

—Eso es algo completamente diferente.

—Me alegra que lo pienses. —Jason oyó un rumor distante y alzó la vista al cielo. Un hidroavión monomotor volaba hacia el sur siguiendo el río Vóljov—. Dios mío, por aire —murmuró como para sí mismo.

—Olvídelo —replicó Benjamin—. Es nuestro. Otra vez la tecnología. Primero, no hay pista de aterrizaje a excepción del lugar donde bajan los helicópteros, que está vigilado. Segundo, estamos protegidos por un radar que alerta a la base de Belopol sobre cualquier avión no identificado en un radio de cincuenta kilómetros, y éste es derribado. —Al otro lado de la calle se había reunido un grupo de gente que observaba al desagradable policía y el enfadado conductor, quien había golpeado el techo de su Chevrolet con el puño mientras la muchedumbre lo alentaba con sus gritos—. Los norteamericanos pueden ser muy necios —murmuró el joven entrenador, algo incómodo.

—Al menos sí lo es la idea que tienen algunos sobre los norteamericanos —comentó Bourne con una sonrisa.

—Vamos —indicó Benjamin mientras comenzaba a alejarse—. Yo mismo he señalado que esa situación no era muy realista, pero se me explicó que infundir la actitud era importante.

—¿Como invitar a un estudiante a discutir con un profesor? ¿O a un cirujano a criticar públicamente a un miembro del Politburó? Ésas son actitudes extrañas, ¿verdad?

—Váyase al diablo, Archie.

—Tranquilo, joven Lenin —dijo Jason poniéndose al nivel de su entrenador—. ¿Dónde está tu aplomo de Los Ángeles?

—Lo dejé allí.

—Quiero estudiar los mapas. Todos.

—Ya lo hemos dispuesto. También las demás normas de procedimiento.


Se sentaron en una sala de conferencias de la jefatura de personal con la larga mesa rectangular cubierta de mapas de todo el complejo Nóvgorod. Bourne no podía evitarlo: incluso tras cuatro horas de concentración, seguía sacudiendo la cabeza completamente perplejo. Los campos de entrenamiento a lo largo del Vóljov eran más extensos e intrincados de lo que había supuesto. Benjamin no había exagerado en lo más mínimo al afirmar que resultaría más sencillo mover una docena de ciudades antes que alterar de forma drástica el complejo de Nóvgorod. Dentro del perímetro había réplicas a escala de pueblos y ciudades, zonas portuarias y aeropuertos, además de instalaciones militares y científicas que se extendían desde el Mediterráneo al Atlántico y desde el Báltico al golfo de Botnia. Asimismo, la construcción en miniatura hacía posible que todo aquello apenas ocupase cincuenta kilómetros de costa, con una profundidad que variaba entre cinco y siete kilómetros.

—Egipto, Israel, Italia —comenzó Jason mientras rodeaba la mesa estudiando los mapas—. Grecia, Portugal, España, Francia, Reino Unido... —Rodeó la esquina mientras Benjamin lo interrumpía, retrepándose con fatiga en el asiento.

—Alemania, los Países Bajos y los países escandinavos —completó—. Tal como le he explicado, casi todos los sectores incluyen dos países distintos, por lo general donde existen fronteras comunes, similitudes culturales, o simplemente para preservar el espacio. Básicamente hay nueve sectores que representan a las naciones principales, al menos en lo que se refiere a nuestros intereses, y por lo tanto existen nueve túneles separados entre sí por unos siete kilómetros, comenzando con el de aquí y siguiendo hacia el norte a lo largo del río.

—Entonces, el primer túnel después del nuestro es el del Reino Unido, ¿verdad?

—Sí, después el de Francia, luego el de España, que incluye Portu-

gal, y luego al otro lado del Mediterráneo empezando por Egipto e
Israel...

—Está claro —intervino Jason mientras se sentaba en el borde de
la mesa y unía las manos pensativo—. ¿Ya has dado la orden para que
admitan a cualquiera que lleve los documentos de Carlos, sin importar su aspecto?

—No.

—¿Qué? —Bourne miró al joven entrenador.

—Se lo he pasado al camarada Krupkin. Está en un hospital de
Moscú, así que no podrán encerrarlo aquí por agotamiento.

—¿Cómo puedo cruzar a otro sector rápidamente si es necesario?

—¿Está listo para el resto de las normas de procedimiento?

—Estoy listo. Estos mapas ya no pueden decirme nada más.

—Muy bien. —Benjamin hurgó en su bolsillo y extrajo un pequeño objeto negro del tamaño de una tarjeta de crédito, pero algo
más grueso. Se lo arrojó a Jason, quien lo atrapó en el aire y lo estudió—. Es su pasaporte —explicó el soviético—. Sólo lo tiene el personal de rango superior, y si lo pierde, aunque sólo sea durante unos
minutos, debe informar de inmediato.

—No tiene ninguna identificación, ninguna marca.

—Todo está grabado, computado y codificado. Para entrar en
cada sector, debe insertarlo en una ranura. Al hacerlo se levantan las
barreras y los guardias saben que tiene autorización de la jefatura y
quién es.

—Muy astutos, estos atrasados marxistas.

—Tenían los mismos dispositivos en casi todas las habitaciones de
hotel de Los Ángeles, y hablo de hace cuatro años... Continuemos
con el resto.

—¿Las normas de procedimiento?

—Krupkin las llama medidas de protección, para nosotros tanto
como para usted. Francamente, no cree que logre salir de aquí con
vida y, si ocurre lo peor, deberá ser incinerado y enterrado.

—Qué realismo tan agradable.

—Le resulta simpático, Bourne... Archie.

—Continúa.

—En lo que se refiere a los oficiales de alto rango, usted es personal secreto de la oficina del inspector general en Moscú. Es un especialista norteamericano enviado para investigar las fugas de información sobre Nóvgorod en Occidente. Se le facilitará cualquier cosa que
necesite, incluyendo armas; pero nadie debe dirigirle la palabra a menos que usted le hable primero. Considerando mis antecedentes, soy
su enlace; cualquier cosa que necesite la solicitará a través de mí.

—Muchas gracias.

—No se precipite. No irá a ninguna parte sin mí.

—Eso es inaceptable.

—Así están las cosas.

—Ni hablar.

—¿Por qué no?

—Porque no quiero ningún estorbo y si logro salir de aquí quisiera que la madre de Benjamin encontrara a su hijo con vida y en condiciones de viajar a Moscú.

El joven ruso miró a Bourne. En sus ojos se combinaban la fuerza y el dolor.

—¿Realmente cree que puede ayudarnos a mi padre y a mí?

—Sé que puedo, así que ayúdame a mí. Juega según mis reglas, Benjamin.

—Es usted un hombre extraño.

—Soy un hombre hambriento. ¿Podemos conseguir comida por aquí? También necesitaría un vendaje. Sufrí una herida hace algún tiempo y después de lo de hoy tengo el cuello y los hombros resentidos. —Jason se quitó la chaqueta, tenía la camisa manchada de sangre.

—¡Señor! Llamaré a un médico…

—No lo harás. No es necesario. Seguiremos según mis reglas, Ben.

—Muy bien, Archie. Nos alojamos en las habitaciones para los comisarios y visitantes; están en la planta superior. Llamaré al dispensario para que envíen a una enfermera.

—He dicho que tenía hambre y me sentía incómodo, pero ésas no son mis principales preocupaciones.

—No se inquiete —lo tranquilizó el soviético californiano—. En cuanto ocurra algo inusitado en alguna parte, se pondrán en contacto con nosotros. Enrollaré los mapas.


Ocurrió exactamente a las doce y dos minutos de la noche, justo después del cambio de guardia y en medio de la oscuridad nocturna. El teléfono en las habitaciones destinadas a los comisarios comenzó a sonar, y Benjamin saltó del sillón. El joven atravesó rápidamente la habitación para atender el irritante aparato.

—¿Sí…? ¿Gdye? ¿Kogda? ¿Shto eto znachit…? ¡Da! —Colgó el teléfono y se giró hacia Bourne, que estaba sentado a la mesa, donde los mapas habían reemplazado a los platos—. Es increíble. En el túnel español, al otro lado del río, hay dos guardias muertos. Y a este lado han encontrado al oficial de vigilancia a cincuenta metros de su puesto, con una bala en el cuello. Proyectaron las cintas de vídeo y vieron a un hombre no identificado que pasaba, ¡con una bolsa de material! ¡Con el uniforme de un guardia!

—Ha habido algo más, ¿verdad? —preguntó Delta con frialdad.

—Sí, es posible que tenga razón. Al otro lado había un campesino muerto con unos documentos rotos en la mano. Estaba tendido entre los dos guardias asesinados, uno de los cuales sólo llevaba la ropa interior y los zapatos... ¿Cómo lo consiguió?

—Se ha hecho pasar por el bueno de la película, no se me ocurre otra respuesta —dijo Bourne mientras se dirigía rápidamente hacia el mapa para abalanzarse sobre el sector español—. Debe de haber enviado a su impostor con esos malditos documentos falsos y habrá entrado en el último momento, como un oficial del Komitet herido para desenmascarar el fraude, hablando en un idioma extraño que su impostor no podía comprender... Ya te lo he dicho, Ben. Sondear, probar, inquietar, confundir y buscar una forma de entrar. Robar un uniforme es un truco corriente y en medio de la confusión lo ayudó a cruzar el túnel.

—Pero cualquiera que mostrase esos documentos debía ser vigilado y seguido. ¡Ésas fueron sus instrucciones y Krupkin había transmitido la orden!

—Kubinka —murmuró Jason con expresión pensativa mientras estudiaba el mapa.

—¿La armería? ¿La que mencionaban los boletines de Moscú?

—Exactamente. Al igual que en Kubinka, Carlos tiene a alguien aquí dentro. Alguien con la suficiente autoridad como para ordenar a un oficial de la guardia que llevara a su presencia a cualquiera que penetrase en el túnel, antes de dar la alarma y avisar a la jefatura.

—Eso es posible —admitió el joven entrenador rápidamente—. Alertar a la jefatura con una falsa alarma puede resultar muy embarazoso; tal como usted dice, se habrá producido una enorme confusión.

—En París —observó Bourne, levantando la vista del mapa—, me dijeron que las situaciones embarazosas eran el peor enemigo del KGB. ¿Es cierto?

—En una escala del uno al diez, al menos ocho. Pero ¿a quién podría tener aquí dentro? ¡Hace más de treinta años que salió de Nóvgorod!

—Si contáramos con un par de horas y varios ordenadores programados con los antecedentes de cada persona de Nóvgorod, estaríamos en condiciones de encontrar algunos candidatos, pero no disponemos de tiempo. ¡No podemos perder ni un instante! Además, conociendo al Chacal, eso carece de importancia.

—¡Yo creo que es muy importante! —exclamó el soviético norteamericanizado—. Aquí hay un traidor y debemos averiguar quién es.

—Sospecho que lo averiguaréis muy pronto... Son detalles, Ben. ¡Lo importante es que se encuentra aquí! Vamos, cuando estemos fuera nos detendremos en alguna parte para que me consigas lo que necesito.

—Muy bien.

—Todo lo que necesite.

—Estoy autorizado para eso.

—Y luego desaparecerás. Hazme caso.

—¡De ninguna manera!

—Entonces es posible que cuando la madre de Benjamín regrese a Moscú, encuentre un cadáver en lugar de un hijo.

—¡Que así sea!

—¡Que así…! ¿Por qué has dicho eso?

—No lo sé. Parecía lo indicado.

—¡Cállate! Salgamos de aquí.

41

Ilich Ramírez Sánchez chasqueó los dedos dos veces en la penumbra mientras subía la escalera de una pequeña iglesia en el paseo del Prado de «Madrid». Llevaba la bolsa de material en la mano izquierda. De detrás de una falsa columna acanalada emergió una figura, un hombre corpulento de unos sesenta años que se detuvo bajo la tenue luz de una farola. Llevaba el uniforme de un oficial del ejército español, un teniente general con tres hileras de galones adheridas a la chaqueta. Acarreaba una pesada maleta de cuero y la alzó un poco, hablando en el idioma del sector.

—Entra en la sacristía. Allí podrás cambiarte. Esa chaqueta de guardia es una invitación para los tiradores.

—Resulta agradable volver a hablar nuestro idioma —comentó Carlos, quien siguió al hombre al interior de la diminuta iglesia y se volvió para cerrar la pesada puerta—. Estoy en deuda contigo, Enrique —añadió mientras observaba las hileras de bancos vacíos y las luces suaves que danzaban sobre el altar arrancando destellos de los crucifijos.

—Has estado en deuda conmigo durante más de treinta años, Ramírez, y no me ha servido de gran cosa —rió el soldado por lo bajo mientras avanzaban por la nave izquierda hacia la sacristía.

—Veo que no estás en contacto con lo que queda de tu familia en Baracoa. Ni siquiera los hermanos y hermanas de Fidel viven con tanto lujo.

—Tampoco el loco de Fidel, pero a él no le importa. Dicen que ahora se baña con más frecuencia; supongo que ya es algo. Sin embargo, hablas de mi familia en Baracoa; ¿qué hay de mí, mi querido asesino internacional? No tengo yates ni vivo en el lujo, ¡debería darte vergüenza! De no haber sido por mi advertencia, hubieses sido ejecutado en este mismo lugar hace treinta y tres años. Ahora que lo pienso, fue ante esta misma estúpida casa de muñecas donde lograste escapar vestido como sacerdote, una imagen que confunde a los rusos como a casi todo el mundo.

—Desde que logré establecerme, ¿qué te ha faltado? —Entraron en una pequeña habitación donde los supuestos prelados preparaban los sacramentos—. ¿Alguna vez te he negado algo? —añadió Carlos, al tiempo que dejaba la pesada bolsa en el suelo.

—Es una broma, por supuesto —aclaró Enrique con una sonrisa, mirando al Chacal—. ¿Dónde está ese sentido del humor tuyo, mi famoso y viejo amigo?

—Debo pensar en otras cosas.

—No lo dudo. A decir verdad, siempre has sido muy generoso con mi familia en Cuba, te lo agradezco. Mis padres vivieron sus últimos años en paz y comodidad. Estaban extrañados, por supuesto, pero vivían mucho mejor que el resto de sus conocidos. Todo aquello era una locura. Revolucionarios expulsados por sus propios líderes revolucionarios.

—Tú representabas una amenaza para Castro, al igual que el Che. Pasó a la historia.

—Han sucedido muchas cosas —suspiró Enrique sin dejar de estudiar a Carlos—. Has envejecido, Ramírez. ¿Dónde está aquella cabellera oscura y el atractivo rostro de ojos claros?

—Olvidémoslo.

—Muy bien. Yo engordo y tú adelgazas, eso significa algo. ¿Estás muy grave?

—Puedo funcionar lo bastante bien para lo que me propongo hacer, para lo que debo hacer.

—Ramírez, ¿qué más te propones? —preguntó de pronto el soldado—. ¡Él está muerto! Moscú se atribuye su muerte por la radio, pero cuando te pusiste en contacto conmigo supe que habías sido tú. ¡Jason Bourne está muerto! Tu enemigo ha desaparecido de este mundo. Tú no te encuentras bien, regresa a París y recupérate. Yo te sacaré igual que te he hecho entrar. Pasaremos a «Francia» y te despejaré el camino. Serás un mensajero del comandante de «España» y «Portugal» que debe transmitir una información confidencial a plaza Dzerzhinski. Es el pan nuestro de cada día; aquí nadie confía en nadie. Ni siquiera tendrás que arriesgarte a matar a un solo guardia.

—¡No! Deben aprender una lección.

—Entonces, déjame expresarlo de otra forma. Cuando llamaste con tus códigos de emergencia, hice lo que me pedías. Ya has cumplido ampliamente con todas tus obligaciones hacia mí, obligaciones que se remontan a treinta y tres años atrás. Pero ahora hay otro riesgo implícito, varios, para ser exactos, y no estoy seguro de que quiera correrlos.

—¿Cómo te atreves a hablarme así? —exclamó el Chacal mientras se quitaba la chaqueta del guardia muerto. Debajo los vendajes estaban limpios y ceñidos al cuerpo, le sostenían el hombro derecho con firmeza pero sin rastros de sangre.

—No seas tan melodramático —dijo Enrique con suavidad—. Nos conocemos desde hace mucho. Me dirijo a un joven revolucionario con quien salí de Cuba junto a un gran atleta llamado Santos... ¿Cómo está, a propósito? Él sí era una verdadera amenaza para Fidel.

—Está bien —respondió Carlos con tono inexpresivo—. Estamos trasladando Le Coeur du Soldat.

—¿Aún cultiva sus jardines, sus jardines ingleses?

—Sí.

—Tenía que haberse dedicado a la jardinería o a las flores. Y yo debí haber sido ingeniero agrónomo, así fue cómo nos conocimos Santos y yo. La política nos ha cambiado la vida de forma dramática, ¿no?

—Los compromisos políticos os la han cambiado. Los fascistas la han cambiado.

—Y ahora somos nosotros quienes queremos actuar como fascistas, en el momento en que ellos comienzan a decir que los comunistas no somos tan terribles y reparten un poco de dinero, lo cual en realidad no funciona, pero es una idea agradable.

—¿Qué tiene esto que ver conmigo, tu *monseigneur*?

—Es posible que no lo sepas, Ramírez, pero mi esposa rusa murió hace varios años y tengo tres hijos en la Universidad de Moscú. Sin mi puesto no podrían estar allí, y yo quiero que estudien una carrera. Se convertirán en científicos, en médicos... Me pides que arriesgue mucho. He logrado cubrirme hasta ahora, tú te lo merecías, pero tal vez no pueda continuar. Dentro de pocos meses me retiraré y, como reconocimiento a mis años de servicio en el sur de Europa y en el Mediterráneo, compartiré una bonita dacha en el mar Negro, donde mis hijos vendrán a visitarme. No puedo arriesgar mi futuro. Por lo tanto, sé concreto, Ramírez, y yo te diré si puedes contar conmigo o no... Te repito, no pueden descubrir que he sido yo quien te ha hecho entrar y te mereces el riesgo que he corrido, pero es posible que me vea obligado a detenerme aquí.

—Ya veo —dijo Carlos, acercándose a la maleta que Enrique había colocado sobre la mesa de la sacristía.

—Espero que sea así y más aún, espero que comprendas. A lo largo de los años te has mostrado muy generoso con mi familia, pero yo también te he servido bien en la medida de mis posibilidades. Te conduje hasta Rodchenko, te proporcioné nombres en los ministerios donde abundaban los rumores y Rodchenko en persona los investigó para ti. Por lo tanto, mi viejo amigo de la revolución, yo también he procurado tu bienestar. Sin embargo, ahora las cosas han cambiado; ya no somos unos jóvenes agitadores en busca de una causa. Hemos perdido el anhelo por las causas... tú mucho antes que yo, por supuesto.

—Mi causa es la misma de siempre —lo interrumpió el Chacal con dureza—. Yo mismo y todos aquellos que me sirven.

—Yo te he servido.

—Ya has dejado eso claro, al igual que mi generosidad contigo y con los tuyos. Pero ahora que estoy aquí te preguntas si merezco más ayuda, ¿verdad?

—Debo protegerme. ¿Por qué estás aquí?

—Ya te lo he dicho. Para dar una lección, para dejar un mensaje.

—¿Son la misma cosa?

—Sí. —Carlos abrió la maleta. En el interior había una camisa gruesa, una gorra típica de los pescadores portugueses con los correspondientes pantalones atados a la cintura y una bolsa de cañamazo para llevar al hombro—. ¿Por qué estas ropas? —preguntó el Chacal.

—Son holgadas y yo no te había visto desde hacía años, desde Málaga a principios de los setenta, creo. No podía buscar ropa a tu medida y me alegro de no haberlo intentado: no estás como te recordaba, Ramírez.

—Tú en cambio apenas has cambiado —replicó el asesino—. Un poco más de barriga tal vez, pero seguimos teniendo la misma altura, la misma complexión.

—¿Qué? ¿Qué quieres decir?

—Un momento... ¿Han cambiado mucho las cosas desde que estuvimos juntos aquí?

—Constantemente. Llegan fotografías y al día siguiente tenemos un nuevo equipo de construcción. El Prado aquí en «Madrid» tiene nuevas tiendas, nuevos carteles, incluso nuevas cloacas a medida que van cambiando en aquella ciudad. «Lisboa», los muelles alrededor de la bahía y el «río Tajo» también han sido modificados para adecuarse a los cambios que se han producido. Esto no sirve para nada si no es auténtico. Los candidatos que completan el entrenamiento se encuentran como en casa dondequiera que los envíen. Algunas veces llego a pensar que todo es excesivo, pero entonces recuerdo mi primer destino en la base naval de Barcelona y lo cómodo que me sentía. Me puse directamente a trabajar porque ya había seguido la orientación psicológica, no había ninguna sorpresa importante.

—Te refieres al aspecto externo —intervino Carlos.

—Por supuesto, ¿acaso hay algo más?

—Estructuras más permanentes que no resultan tan evidentes.

—¿Como qué?

—Almacenes, depósitos de combustible, estaciones de bomberos. Eso no forma parte del decorado reproducido. ¿Todavía están en el mismo lugar?

—Por lo general, sí; al menos los principales almacenes y los depósitos de combustible con sus tanques subterráneos. En su mayor parte aún están al oeste de «San Roque», el acceso a «Gibraltar».

—¿Y las comunicaciones entre un sector y otro?

—Eso sí que ha cambiado. —Enrique extrajo un pequeño objeto chato del bolsillo de la chaqueta—. En las fronteras hay un sistema de registro por ordenador que permite la entrada cuando se inserta esto.

—¿No se formulan preguntas?

—Sólo en la jefatura de Nóvgorod, si es que existe alguna.

—No comprendo.

—Si alguno de éstos se pierde o lo roban, hay que informar de inmediato y se anulan los códigos internos.

—Comprendo.

—¡Yo no! ¿Por qué tantas preguntas? Insisto, ¿por qué estás aquí? ¿Qué es esta lección, este mensaje?

—«San Roque...» —murmuró Carlos como si recordara algo—. Eso queda a unos tres o cuatro kilómetros al sur del túnel, ¿verdad? Una pequeña aldea costera, ¿no?

—El acceso de «Gibraltar», sí.

—Y el siguiente sector es «Francia», por supuesto. Luego está «Inglaterra» y finalmente el más grande, «Estados Unidos». Sí, ahora lo recuerdo todo con claridad. —El Chacal se apartó y su mano derecha desapareció bajo el pantalón.

—Sin embargo, yo no veo nada claro —objetó Enrique con voz baja y amenazadora—. No me parece conveniente. Respóndeme, Ramírez. ¿Por qué estás aquí?

—¿Cómo te atreves a interrogarme en ese tono? —exclamó Carlos de espalda a su antiguo compañero—. ¿Cómo os atrevéis vosotros a interrogar al *monseigneur* de París?

—Escúchame, viejo sacerdote. ¡Me responderás o saldré de aquí y te convertirás en un *monseigneur* muerto en cuestión de minutos!

—Muy bien, Enrique —respondió Ilich Ramírez Sánchez, mirando la pared de madera de la sacristía—. Mi mensaje será bien claro y sacudirá los mismos cimientos del Kremlin. Carlos el Chacal no sólo ha matado al farsante de Jason Bourne en suelo soviético, sino que dejará un recuerdo para que toda Rusia sepa que el Komitet ha cometido un error colosal al no utilizar mi extraordinario talento.

—No me digas —replicó Enrique mientras reía con suavidad, como si se burlara de un hombre completamente anodino—. ¿Más melodramatismo, Ramírez? ¿Cómo lograrás dejar este recuerdo, este mensaje, esta suprema lección tuya?

—Muy sencillo —respondió el Chacal mientras se volvía con una pistola provista de silenciador en la mano—. Tendremos que intercambiar papeles.

—¿Qué?

—Voy a incendiar Nóvgorod. —Carlos disparó un solo tiro en la parte superior del cuello de Enrique. Quería la menor sangre posible en la chaqueta.


Vestido con uniforme de combate con las insignias de un mayor del ejército en los hombros de la chaqueta, Bourne se mezcló con el personal militar que pasaba de un sector a otro en las patrullas nocturnas. Según Benjamin no eran muchos, tal vez unos treinta hombres que cubrían todo el terreno de quince kilómetros cuadrados. En la áreas «metropolitanas» solían ir a pie y en parejas, en la zonas «rurales» conducían vehículos militares. El joven entrenador había solicitado un jeep. Desde sus habitaciones en la jefatura los habían conducido a un depósito militar al oeste del río, donde los documentos de Benjamin les habían permitido la entrada y el uso del jeep. En el interior, los sorprendidos guardias observaron cómo Bourne se proveía de un uniforme de campaña completo y una carabina con bayoneta, una calibre 45 automática y cinco cargas de municiones, esta última obtenida después de una llamada a los subordinados de Krupkin en la jefatura.

—¿Qué hay de las bengalas y las tres o cuatro granadas que había pedido? —se quejó Jason cuando hubieron salido de nuevo—. Dijiste que me proporcionarías todo lo que necesitara, ¡no la mitad!

—Están en camino —respondió Benjamin mientras salían del aparcamiento del almacén—. Las bengalas están en vehículos motorizados y las granadas no forman parte del material habitual. Se encuentran en cajas de acero dentro de los túneles, de todos los túneles, bajo el código de Armas de Emergencia. —El joven entrenador miró a Bourne con una expresión algo risueña, visible a la luz de los faros delanteros del jeep descubierto—. Por si se produce un ataque de la OTAN, probablemente.

—Eso es una estupidez. Vendríamos por aire.

—No con la base aérea a noventa segundos de vuelo.

—Date prisa, quiero esas granadas. ¿Tendremos algún problema para conseguirlas?

—No, si Krupkin continúa haciendo bien su trabajo.

Así había sido; ya con las bengalas en la mano, el túnel fue su última parada. Benjamin contó y refrendó cuatro granadas del ejército ruso.

—¿Adónde vamos ahora? —preguntó mientras el soldado con uniforme norteamericano regresaba a la garita de guardia.

—No son granadas corrientes —comentó Jason mientras se las guardaba con sumo cuidado, una a una, en los bolsillos de la chaqueta.

—Tampoco sirven para el entrenamiento. Este lugar es básicamente civil. Si alguna vez se utilizan, no será con intención didáctica. ¿Adónde vamos ahora?

—Primero llama a la jefatura. Averigua si ha ocurrido algo en los puntos de control de las fronteras.

—Hubiese recibido una señal en mi aparato.

—Yo no confío en las señales, prefiero las palabras —replicó Jason—. Llama por radio.

Benjamin obedeció y dijo en ruso las claves que sólo conocía el personal de rango superior. La respuesta soviética llegó por el altavoz; el joven entrenador dejó el micrófono y se volvió hacia Bourne.

—No hay ninguna actividad. Sólo alguna entrega de combustible entre sectores.

—¿Qué es eso?

—Algunos sectores poseen depósitos mayores que otros, de manera que el combustible se distribuye hasta que llega el suministro por el río.

—¿Lo hacen de noche?

—Es mucho mejor que tener a los camiones obstruyendo las calles durante el día. Recuerde que aquí todo es a escala. Además, hemos estado conduciendo por caminos apartados, pero en el centro hay equipos de mantenimiento que limpian tiendas, oficinas y restaurantes. Los camiones grandes representarían un estorbo.

—Por Dios, es Disneylandia. Muy bien, vamos hacia la frontera española, Pedro.

—Para llegar allí tendremos que pasar a través de «Inglaterra» y «Francia». Supongo que no tiene mucha importancia, pero yo no sé francés. ¿Y usted?

—Yo sí. ¿Algo más?

—Será mejor que conduzca usted.

El Chaçal frenó el enorme camión de combustible en la frontera con «Alemania Occidental»; no pensaba ir más lejos. Las áreas escandinava y holandesa eran satélites menores y el impacto de su destrucción no sería comparable al de los otros sectores. Además, era una cuestión de tiempo. Ahora lo minutos contaban y «Alemania Occidental» iniciaría los incendios masivos. Carlos se ajustó la camisa que cubría la chaqueta de general español y cuando el guardia salió del cuartel el Chacal le habló en ruso, utilizando las palabras que había pronunciado en todas las demás fronteras.

—No me pida que le hable en esa estúpida jerga que usan aquí. Yo entrego gasolina, ¡no pierdo el tiempo en las clases! Aquí está mi llave.

—Yo mismo apenas sé el idioma, camarada —dijo el guardia riendo, mientras tomaba el pequeño objeto con forma de tarjeta y lo insertaba en la ranura.

Las pesadas barreras de hierro adoptaron la posición vertical; el guardia le devolvió la llave y el Chacal entró en la versión en miniatura de «Berlín Occidental».

Pasó frente a la réplica reducida de la Kurfürstendamm hacia la Budapesterstrasse, donde aminoró la marcha y manipuló el grifo de descompresión. El combustible comenzó a derramarse en la calle. Entonces buscó en la bolsa de material que tenía a su lado y desgarró el plástico de los pequeños explosivos de acción retardada. Había hecho lo mismo en los sectores del sur hasta la frontera con «Francia», arrojándolos por las ventanillas hacia los edificios de madera que le parecían más inflamables. Atravesó «Munich» y el puerto de «Bremerhaven» sobre el río para llegar finalmente a «Bonn» y a las versiones reducidas de las embajadas en «Bad Godesberg», derramando sin cesar combustible por las calles y lanzando los explosivos. Entonces consultó el reloj: era hora de regresar. Apenas sí disponía de un cuarto de hora antes de que se iniciaran las primeras explosiones en los sectores combinados de «Italia-Grecia», «Israel-Egipto» y «España-Portugal», con un intervalo de ocho minutos entre una y otra para crear el máximo de caos.

Las brigadas de cada sector no podrían controlar los incendios de calles y edificios que estallarían por todas partes al norte de «Francia». Tendrían que solicitar ayuda a los sectores contiguos, pero estas brigadas de apoyo deberían regresar cuando el fuego irrumpiese en su propio sector. Era una fórmula sencilla para crear una confusión cósmica en el universo falso de Nóvgorod. Las barreras fronterizas se abrirían y el tránsito enloquecido circularía sin impedimentos. Además, para completar la devastación, el genio que era Ilich Ramírez Sánchez, conocido en el mundo del terror como Carlos el Chacal por los errores de ese mismo Nóvgorod, debía encontrarse en «París». No en su París, sino en el del odiado Nóvgorod, para convertirlo en cenizas de una manera que ni siquiera el demente Tercer Reich había soñado. Entonces vendría «Inglaterra» y finalmente el sector más grande de la despreciada, aislada y falsa Nóvgorod, donde dejaría su mensaje triunfal... «Estados Unidos de Norteamérica», creadores del apóstata asesino Jason Bourne. La declaración sería tan pura y clara como un manantial alpino que lavara la sangre de un universo falso.

*Yo solo he hecho esto. Mis enemigos están muertos y yo vivo.*

Carlos revisó su bolsa de material; le quedaban las armas más letales que había encontrado en el arsenal de Kubinka. Cuatro paquetes de misiles que se activaban por calor, veinte en total, cada uno capaz de volar toda la base del monumento a Washington; una vez en marcha, buscarían fuentes de calor y realizarían su tarea. Satisfecho, el Chacal cerró el grifo del combustible, maniobró el vehículo y regresó a la frontera a toda velocidad.


El adormecido técnico de la jefatura parpadeó y miró las letras verdes en la pantalla que tenía delante. Lo que leía carecía de sentido, pero las autorizaciones eran incuestionables. Por quinta vez, el «comandante» del sector «español» había cruzado en ambos sentidos las fronteras del norte hacia «Alemania», y ahora se dirigía hacia «Francia». En dos ocasiones, al recibir los códigos, el técnico había llamado a los cuarteles de guardia de «Israel» e «Italia», de acuerdo con la alerta máxima que estaba en vigor. En ambos casos le habían respondido que sólo había pasado un camión de combustible. Ésa era la información que había transmitido a un entrenador llamado Benjamin, pero ahora albergaba sus dudas. ¿Por qué un oficial de tan alto rango estaba conduciendo un camión de combustible? Por otro lado, ¿por qué no? Nóvgorod estaba repleto de corrupción, así que tal vez el «comandante» estaba buscando a los corruptos o cobrando sus honorarios por la noche. De todos modos, como no había ningún informe respecto a una tarjeta robada o perdida y los ordenadores no presentaban objeciones, era mejor olvidar aquella extraña cuestión. Uno nunca sabía quién sería su próximo superior.


—*Voici ma carte* —dijo Bourne al guardia de la frontera mientras le entregaba la tarjeta—. *¡Vite, s'il vous plaît!*

—*Da... oui* —respondió el guardia, y se dirigió rápidamente hacia la máquina de habilitación mientras un enorme camión de combustible, que circulaba en dirección opuesta, pasaba hacia «Inglaterra».

—No presione demasiado con el francés —aconsejó con su acento sureño Benjamin, en el asiento delantero junto a Jason—. Estos muchachos hacen todo lo que pueden, pero no son políglotas.

—Ca-li-for-nia… allí voy —canturreó Bourne—. ¿Estás seguro de que tú y tu padre no queréis reuniros con tu madre en Los Ángeles?

—¡Cállese!

El guardia regresó, los saludó y las barreras se levantaron. Jason aceleró y en cuestión de momentos pudo ver una réplica iluminada de la torre Eiffel de tres pisos de altura. A la derecha, más lejos, se extendían unos Campos Elíseos en miniatura, con una reproducción en madera del Arco del Triunfo lo suficientemente alta como para resultar inconfundible. Sin fijarse apenas, Bourne recordó aquellas horas terribles durante las cuales él y Marie habían recorrido todo París tratando de encontrarse…

*Marie, ¡oh Dios, Marie! Quiero regresar. Quiero volver a ser David. Él y yo hemos envejecido mucho. Él ya no me atemoriza y yo ya no lo enfurezco… ¿Quién? ¿Cuál de nosotros? ¡Oh Dios!*

—Cuidado —avisó Benjamin, tocando el brazo de Jason—. Vaya más despacio.

—¿Qué ocurre?

—Deténgase —gritó el joven entrenador—. Aparque y apague el motor.

—¿Qué coño te pasa?

—No estoy seguro. —Benjamin alzó la vista hacia el cielo despejado y estrellado de la noche—. No hay nubes —dijo enigmáticamente—. Ni tormenta.

—Tampoco llueve. ¿Y qué? ¡Quiero llegar al sector español!

—Otra vez…

—¿De qué diablos estás hablando? —De repente Bourne lo oyó: el estampido de un trueno distante; sin embargo, la noche estaba despejada. Ocurrió otra vez, varias más, una resonante explosión tras otra.

—¡Allí! —indicó el joven soviético de Los Ángeles levantándose en el jeep para señalar hacia el norte—. ¿Qué es?

—Es fuego, jovencito —respondió Jason en voz baja y vacilante mientras él también se levantaba para mirar el resplandor amarillo que iluminaba el cielo lejano—. Si no me equivoco, es en el sector español. Al principio lo entrenaron allí, para eso ha regresado: ¡quiere volar el lugar! ¡Es su venganza! ¡Siéntate, debemos llegar allí!

—No, se equivoca —replicó Benjamin, dejándose caer en el asiento mientras Bourne ponía en marcha el motor y arrancaba a toda velocidad—. «España» queda a sólo siete u ocho kilómetros de aquí. Ese fuego está mucho más lejos.

—Indícame el camino más rápido —dijo Bourne, y pisó el acelerador a fondo.

Siguiendo las instrucciones del entrenador y al grito de «¡gire aquí!», «¡siga recto!» y «¡tome por esa carretera!», atravesaron «París»,

«Marsella», «Montbéliard», «El Havre», «Estrasburgo» y muchas otras poblaciones hasta que al fin divisaron la frontera «española». Cuanto más se acercaban, más fuertes se oían las explosiones y más se iluminaba el cielo nocturno. Los guardias hablaban enloquecidos por los teléfonos y las radios portátiles; las sirenas se mezclaban con los gritos mientras vehículos policiales y coches de bomberos parecían surgir de la nada, atravesando las calles de «Madrid» en su camino hacia la siguiente frontera del norte.

—¿Qué está ocurriendo? —gritó Benjamin mientras saltaba del jeep y olvidaba su posición de entrenador para hablar en ruso—. ¡Soy personal de alto rango! —añadió insertando la tarjeta en la ranura para levantar la barrera—. ¡Hablen!

—¡La locura, camarada! —gritó un oficial desde la ventana del cuartel de guardia—. ¡Increíble! ¡Es como si el mundo hubiese enloquecido! Primero ha sido «Alemania». Por todas partes hay explosiones, incendios en las calles y edificios en llamas. La tierra tiembla y nos han dicho que es un tipo de terremoto colosal. Entonces ocurrió en «Italia», «Roma» está en llamas, y lo mismo ocurre en el sector griego con «Atenas» y el puerto del «Pireo». ¡Y las explosiones continúan!

—¿Qué dice la jefatura?

—¡No saben qué decir! Lo del terremoto era una tontería. Todos están dominados por el pánico, imparten órdenes y luego las anulan. —Otro teléfono comenzó a sonar en el interior del cuartel. El oficial lo atendió y escuchó, pero de inmediato comenzó a gritar con todas sus fuerzas—. ¡Es una locura total! ¿Está seguro?

—¿Qué ocurre? —bramó Benjamin mientras corría hacia la ventana.

—«¡Egipto!» —gritó el guardia con el oído pegado al receptor—. «¡Israel!», «El Cairo» y «Tel Aviv», ¡incendios y bombas por todas partes! Nadie puede controlar la devastación; los camiones chocan unos con otros en las callejas. Las tomas de agua han explotado y el agua fluye por las cunetas, pero las calles siguen en llamas. ¡Encima, algún idiota acaba de aparecer en la línea preguntando si los carteles de «No Fumar» estaban en sus sitios, mientras los edificios de madera se convierten en escombros! Idiotas. ¡Son todos idiotas!

—¡Vuelve aquí! —gritó Bourne al tiempo que pasaba la reja con el jeep—. ¡Él está aquí, en alguna parte! Tú conducirás mientras yo… —Jason no pudo terminar la frase ya que una explosión ensordecedora dominó el paseo del Prado de «Madrid». Fue una enorme detonación que hizo saltar madera y piedra por los aires. Entonces, como si el paseo del Prado fuese un inmenso muro de fuego, las llamas avanzaron hacia el camino que conducía a la frontera—. ¡Mira! —gritó

Bourne. Entonces se inclinó fuera del jeep para tocar el suelo y acto seguido se llevó la mano a la nariz—. ¡Señor! ¡Todo el camino está empapado en gasolina! —Una llamarada se alzó a unos treinta metros del jeep, levantando una lluvia de piedra y polvo mientras el fuego avanzaba a gran velocidad—. ¡Plásticos! —dijo Jason para sí mismo, y luego le gritó a Benjamin, quien corría hacia el jeep—: ¡Regresa allí! ¡Debéis salir todos! ¡El hijo de puta ha sembrado explosivos plásticos por todas partes! ¡Dirigíos al río!

—¡Yo voy con usted! —gritó el joven soviético, aferrado al borde de la puerta.

—Lo siento, hijo —exclamó Bourne mientras pisaba el acelerador y volvía a maniobrar el vehículo hacia la reja abierta. Benjamin cayó al suelo—. Esto es para personas mayores.

—¿Qué hace? —gritó Benjamin mientras el vehículo cruzaba la frontera a toda velocidad.

—El camión de combustible, ¡ese maldito camión de combustible!

Ocurrió en «París»; ¡era lógico! El inmenso duplicado de la torre Eiffel voló por los aires con tanta fuerza que hizo temblar la Tierra. ¿Cohetes? ¿Misiles? ¡El Chacal había robado misiles de la armería Kubinka! Instantes después, a sus espaldas comenzaron las explosiones y las calles ardieron. Por todas partes. Toda «Francia» estaba siendo destruida, como sólo Adolf Hitler podía haberlo imaginado en sus sueños más retorcidos. Mujeres y hombres aterrados corrían por pasajes y calles. Todos gritaban, caían y suplicaban a los dioses que sus líderes habían repudiado.

«¡Inglaterra!» Debía llegar a «Inglaterra» y luego pasar a «Estados Unidos», donde la intuición le decía que se desencadenaría el final, de una forma o de otra. Debía encontrar el camión que conducía el Chacal y destruirlo. Él podía hacerlo, ¡él podía hacerlo! Carlos pensaba que estaba muerto y esa era la clave, ya que el Chacal haría lo que tenía pendiente, lo que él, Jason Bourne, hubiera hecho si fuese Carlos. Cuando el holocausto que había iniciado estuviese en su apogeo, el Chacal abandonaría el camión y pondría en marcha sus planes de escapatoria, de huida hacia París, el verdadero París, donde su ejército de ancianos difundiría la voz del triunfo de *monseigneur* sobre los ubicuos e incrédulos soviéticos. Ocurriría en alguna parte cerca del túnel.

El viaje a través de «Londres», «Coventry» y «Portsmouth» sólo podía compararse a las películas de la Segunda Guerra Mundial, donde se describía la masacre sufrida por Gran Bretaña a manos de la Luftwaffe, agravada por el terror de los cohetes V-2 y V-5. Pero los residentes de Nóvgorod no eran británicos y los soviéticos se habían entregado a una histeria colectiva donde cada uno se preocupaba solamente por su propia supervivencia. Mientras las impresionantes reproducciones del Big Ben y del Parlamento se derrumba entre las llamas y las fábricas de «Coventry» quedaban reducidas a cenizas, las multitudes horrorizadas corrían hacia el río Vóljov y los astilleros de «Portsmouth». Allí se arrojaban de los muelles al agua, sólo para quedar atrapados por los conductos de magnesio que producían descargas eléctricas y dejaban los cuerpos inertes flotando hasta la siguiente trampa metálica encima y debajo de la furiosa superficie. La gente miraba y se volvía en medio del pánico, abriéndose paso hacia la ciudad en miniatura de «Portsea». Los guardias habían abandonado sus puesto y el caos imperaba en la noche.

Jason condujo por los pasajes y las calles menos abarrotados en dirección al sur, siempre al sur. Tomó una bengala de debajo del asiento, la encendió y se sirvió de su fuego siseante para impedir que las personas histéricas treparan al vehículo. La llama cegadora bastaba; todos gritaban y retrocedían aterrorizados, seguros de que acababa de detonar otro explosivo en las cercanías.

¡Un camino de grava! Las rejas del sector norteamericano estaban a menos de cien metros de distancia... ¿El camino de grava? ¡Estaba empapado en combustible! Las cargas plásticas no habían detonado, pero lo harían en cuestión de instantes y crearían un muro de fuego que envolvería al jeep y a su conductor. Con el acelerador pisado a fondo, Jason avanzó hasta la reja. Estaba desierta, y ¡la barrera bajada! Frenó y rezó para que los neumáticos no produjesen ninguna chispa sobre la grava. Después de dejar la bengala encendida sobre el suelo metálico del vehículo, tomó dos granadas de las que lamentaba desprenderse, les quitó la argolla y las arrojó contra la reja. Las enormes explosiones destrozaron la barrera y, de inmediato, todo el camino de grava se incendió. ¡No tenía alternativa! Bourne arrojó fuera la bengala y aceleró a través del túnel de fuego hacia el último y mayor sector de Nóvgorod. Mientras tanto, el cuartel de guardia de la frontera «inglesa» estalló y produjo una lluvia de metralla por todas partes.

Había estado tan ansioso por cruzar «España» que apenas sí recordaba las diminutas réplicas de ciudades y pueblos «norteamericanos», mucho menos los caminos más rápidos que conducían al túnel. Se había limitado a seguir las rápidas instrucciones del joven Benjamin, pero lo que sí recordaba era que el entrenador educado en California se había referido varias veces al «camino costero». Por supuesto, se trataba de las calles más cercanas al Vóljov, que sin una secuencia geográfica se convertían en la costa de «Maine», el río Potomac de «Washington» y la parte norte de Long Island que albergaba la base naval de «New London».

La locura había llegado a «Estados Unidos». En las calles circulaban coches de policía con las sirenas encendidas, hombres que gritaban en sus radios y personas vestidas o semidesnudas que salían corriendo de tiendas y edificios, gritando incoherencias acerca del terrible terremoto que había asolado aquel tramo de Vóljov, una catástrofe incluso más terrible que la de Armenia. A pesar de que conocían la verdad, los líderes de Nóvgorod no podían revelarla. Parecía como si todos los geólogos del mundo hubiesen sido olvidados por sus descubrimientos sin fundamento. Las gigantescas fuerzas subterráneas no hacían erupción de ese modo, sino que comenzaban con una serie de temblores que iban de norte a sur. ¿Pero quién cuestionaba a la autoridad en medio del pánico? En «Estados Unidos» todos se preparaban para lo desconocido.

Lo averiguaron apenas diez minutos después de la destrucción de la diminuta «Gran Bretaña». Bourne acababa de llegar a la versión reducida de «Washington» cuando comenzó el incendio. Lo primero en arder fue el duplicado en madera del Congreso. Momentos después, el monumento a Washington se derrumbó con un estruendo distante, como si una máquina gigantesca hubiese desplazado su base falsa. En cuestión de instantes, el decorado que configuraba la Casa Blanca se incendió, aunque las explosiones quedaron apagadas porque el fuego cubría toda la «avenida Pennsylvania».

Ahora Bourne sabía dónde estaba. El túnel se hallaba entre «Washington» y «New London, Connecticut». ¡Estaba a menos de cinco minutos de allí! Condujo el jeep hasta la calle que bordeaba el río, también poblada de multitudes asustadas e histéricas. La policía gritaba por los altavoces, explicando las terribles consecuencias de intentar cruzar a nado, y los focos iluminaban las aguas donde flotaban los cuerpos de los que se habían arrojado al río en los sectores septentrionales.

—¡El túnel, el túnel! ¡Abran el túnel!

La gente enardecida estaba a punto de asaltar el conducto subterráneo. Jason bajó del vehículo, se guardó en el bolsillo las tres bengalas que le quedaban y se abrió paso empujando furiosamente con los hombros y los brazos, sin lograr avanzar más que unos pocos metros. No quedaba más remedio, tomó una bengala y la encendió. La llamarada blanca surtió efecto; el calor y el fuego eran catalizadores. Bourne corrió entre la multitud agitando la bengala frente a los rostros aterrorizados hasta llegar a un cordón de guardias con el uniforme del ejército estadounidense. ¡Era la demencia total! ¡Todo el mundo había enloquecido!

¡No! ¡Allí! ¡En el aparcamiento descubrió el camión de combustible! Jason atravesó el cordón de guardias esgrimiendo su tarjeta de autorización y corrió hasta el soldado con la insignia de más alto grado en el uniforme, un coronel con la AK-47 atada a la cintura. Desde Saigón, nunca había visto un oficial de alto rango tan aterrorizado.

—Mi identificación es «Archie», puede verificarlo de inmediato. Incluso en este momento me niego a hablar en nuestro idioma. ¡Sólo en inglés! ¿Comprendido? ¡La disciplina es la disciplina!

—¿*Togda*? —gritó el oficial al principio, pero de inmediato le respondió en inglés—. Por supuesto que lo conocemos, pero ¿qué puedo hacer? ¡Esto es un caos incontrolable!

—¿Ha pasado alguien por el túnel durante la última media hora?

—¡Nadie, absolutamente nadie! ¡Tenemos órdenes de mantener el túnel cerrado a toda costa!

—Bien. Hable por el altavoz y disperse a la multitud. Diga que la crisis ha pasado, que ya no hay peligro.

—¡Es imposible! ¡Hay fuego y explosiones por todas partes!

—Pronto cesarán.

—¿Cómo lo sabe?

—¡Lo sé! ¡Haga lo que le digo!

—¡Obedezca! —rugió una voz detrás de Bourne. Era Benjamin, con el rostro y la camisa empapados en sudor—. ¡Espero de verdad que sepa de qué está hablando!

—¿De dónde has salido tú?

—De donde ya sabe, el cómo es otra cuestión. Intente que los altos mandos le concedan un helicóptero pedido por un apoplético Krupkin desde la cama del hospital.

—Apoplético… no está mal para un ruso.

—¿De quien provienen estas órdenes? —gritó el oficial de la guardia—. ¡Tú eres sólo un jovencito!

—Compruebe mis datos, compañero, pero hágalo rápido —respondió Benjamin mientras le entregaba su tarjeta—. De otro modo creo que lo haré trasladar a Tashkent. El lugar es bonito, pero no tiene baños privados. ¡Muévase, idiota!

—Ca-li-for-nia, allí…

—¡Cállese!

—¡Está aquí! Mira el camión de combustible. —Jason señaló el enorme vehículo que empequeñecía a los demás coches y camionetas del aparcamiento.

—¿Un camión de combustible? ¿Cómo lo ha descubierto? —preguntó Benjamin, sorprendido.

—Ese tanque debe de tener capacidad para cincuenta mil litros. Combinado con los explosivos plásticos colocados de forma estratégica, es suficiente para las calles y las viejas estructuras de madera.

—*Slushaytye* —anunciaron los innumerables altavoces a lo largo del túnel pidiendo atención mientras, efectivamente, las explosiones comenzaban a menguar. El coronel trepó al tejado del pequeño cuartel de la guardia con un micrófono en la mano y su figura quedó recortada por los poderosos rayos de los focos—. El terremoto ha pasado —gritó en ruso—. Aunque los daños son incalculables y los incendios continuarán durante toda la noche, ¡la crisis ha pasado...! Permaneced junto a las orillas del río y los camaradas del equipo de mantenimiento harán lo posible para cubrir vuestras necesidades... Éstas son las órdenes de nuestros superiores, camaradas. ¡No nos deis motivos para utilizar la fuerza, os lo suplico!

—¿Qué terremoto? —gritó un hombre entre la multitud—. Usted lo dice y es la información que todos hemos recibido, ¡pero debe de estar loco! Yo he vivido un terremoto y no se parece en absoluto a esto. ¡Esto es un ataque armado!

—¡Sí, sí! ¡Un ataque!

—¡Nos atacan!

—¡Nos invaden! ¡Es una invasión!

—¡Abra el túnel y déjenos salir o tendrá que dispararnos!

Los gritos de la desesperada multitud aumentaron mientras los soldados se mantenían firmes, con las bayonetas desenvainadas. El coronel continuó con el rostro desencajado. Su voz sonaba casi tan histérica como la de su frenético público.

—¡Escuchadme y haceos una pregunta! Os transmito lo que me han dicho a mí, que esto es un terremoto, y yo sé que es verdad. ¡Ahora os diré cómo lo sé...! ¿Habéis oído un solo disparo? ¡Sí, ésa es la pregunta! ¡Un único disparo! ¡La respuesta es no! Aquí, al igual que en todos los demás sectores, hay policías, soldados y entrenadores que van armados. Sus órdenes son repeler por la fuerza cualquier acto de violencia injustificado, ¡sin hablar de invasores armados! Sin embargo, no se han oído disparos por ninguna parte...

—¿Qué está gritando? —preguntó Jason a Benjamin.

—Trata de convencerlos de que ha sido un terremoto. Ellos no lo creen; piensan que es una invasión. Les dice que no es posible porque no han habido disparos.

—¿Disparos?

—Ésa es su prueba. Si no hay disparos, no se trata de un ataque armado.

—¿Disparos...? —De pronto Bourne sujetó al joven soviético y lo hizo girar hacia él—. ¡Dile que se calle! ¡Por amor de Dios, detenlo!

—¿Qué?

—Le está dando al Chacal la oportunidad que desea... ¡que necesita!

—¿Qué está diciendo?

—Disparos, tiros, ¡confusión!

—¡*Nyet!* —gritó una mujer mientras se abría paso entre la muchedumbre para colocarse a la luz de los focos—. ¡Las explosiones son bombas! ¡Provienen de aviones bombarderos!

—Es absurdo —gritó el coronel en ruso—. Si fuese un ataque aéreo, ¡nuestros aviones de combate de Belopol estarían combatiendo...! Las explosiones vienen del suelo, al igual que el fuego, ¡son los gases de los subterráneos! —Aquellas palabras falsas fueron las últimas que el oficial soviético pronunciaría en su vida.

De entre las sombras del aparcamiento, junto al túnel, provino la descarga de un arma automática que derribó al ruso, cuyo cuerpo inerte cayó del tejado del cuartel. La multitud enloqueció por complejo y rompió el cordón de soldados uniformados. Si antes había reinado el caos, ahora imperaba la plebe nihilista y enfurecida. La entrada del túnel fue virtualmente arrasada por gente que corría, golpeaba, se atropellaba, abalanzándose en masa hacia la boca del acceso. Jason arrastró a su joven entrenador a un lado de las hordas desbocadas, sin apartar la vista ni por un instante del oscuro aparcamiento.

—¿Puedes manipular el mecanismo del túnel? —gritó.

—¡Sí! ¡Cualquier miembro del personal superior puede hacerlo, forma parte del trabajo!

—¿Las rejas de acero sobre las que me has hablado?

—Por supuesto.

—¿Dónde está la maquinaria?

—En el cuartel de la guardia.

—¡Ve allí! —gritó Bourne, quien tomó una de las tres bengalas que le quedaban para entregársela a Benjamin—. Yo tengo dos más de éstas y otras dos granadas... Cuando veas que una de mis bengalas se eleva por encima de la multitud, cierra las rejas de este lado. ¡Sólo las de este lado! ¿Comprendido?

—¿Para qué?

—¡Mis reglas, Ben! ¡Hazlo! Luego enciende la bengala y arrójala por la ventana para que yo sepa que lo has hecho.

—Y luego, ¿qué?

—Algo que probablemente no querrás hacer, pero que es necesario... Toma el arma que llevaba el coronel y dispara para obligar a la gente a regresar a la calle. Dispara al suelo o al aire, lo que sea necesario, aunque tengas que herir a algunos. Cueste lo que cueste, debe hacerse. Tengo que encontrarlo y aislarlo de toda la gente que intente salir.

—¡Es usted un maldito maníaco! —gritó Benjamin con las venas de la frente hinchadas—. Podría matar a inocentes… ¡y no sólo a algunos! ¡Está loco!

—En este momento soy el hombre más racional que hayas conocido —replicó Jason con dureza mientras los aterrados residentes de Nóvgorod continuaban su alocada carrera—. Todos los generales del ejército soviético estarían de acuerdo conmigo; y hablo del mismo ejército que recapturó Stalingrado. Se denomina «cálculo estimado de bajas» y existe una muy buena razón para esa palabrería. Simplemente significa que costará muchas menos vidas ahora que más tarde.

—¡Pide demasiado! Esas personas son mis camaradas, mis amigos; son rusos. ¿Dispararía a una multitud de norteamericanos? ¡El más mínimo temblor de mis manos con una calibre 47 significaría herir o matar a media docena de personas! ¡El riesgo es demasiado alto!

—No tienes alternativa. Si el Chacal se me acerca, y sabré si lo hace, arrojaré una granada y mataré a veinte.

—¡Es un hijo de puta!

—Créelo, Ben. En lo que se refiere a Carlos soy un hijo de puta. Yo no puedo permitir que continúe, ¡el mundo no puede permitir que continúe! ¡Muévete!

El entrenador llamado Benjamin escupió en el rostro de Bourne, pero luego se volvió y comenzó a abrirse paso hacia el cuartel de la guardia, donde yacía el coronel muerto. Casi sin darse cuenta, Jason se secó el rostro con el dorso de la mano. Toda su atención estaba centrada en el aparcamiento cercado y en sombras. Su mirada iba de un rincón a otro, tratando de localizar el origen de los disparos, aunque sabía que era inútil. En aquel momento el Chacal ya habría cambiado de posición. Contó los otros vehículos aparte del camión de combustible; había nueve aparcados junto a la cerca: dos camionetas, cuatro sedanes y tres camiones, todos de fabricación norteamericana o de imitación. Carlos se hallaba oculto detrás de uno de ellos o del camión de combustible, aunque esto último era menos probable, ya que era el que estaba más lejos del acceso al cuartel de la guardia y por lo tanto al túnel.

Jason se agazapó y avanzó en cuclillas, llegó hasta la cerca de un metro de altura mientras el pandemonio ensordecedor continuaba a sus espaldas. Le dolía todo el cuerpo y comenzaba a sufrir calambres por todas partes.

*No pienses en ellos, no te distraigas. ¡Estás demasiado cerca, David! Sigue adelante. Jason Bourne sabe lo que debe hacer. ¡Confía en él!*

Bourne saltó por encima de la cerca. El mango de la bayoneta envainada se clavó en su riñón.

*¡No hay dolor! Estás demasiado cerca, David, Jason. ¡Escucha a Jason!*

Los focos: alguien había apretado un mecanismo y habían enloquecido, ¡giraban fuera de control! ¿Adónde debía ir? ¿Dónde podía ocultarse? ¡Los rayos se movían de forma caprichosa y lo iluminaban todo! Entonces, por una abertura que no alcanzaba a divisar al otro lado del estacionamiento, llegaron dos vehículos de la policía con las sirenas encendidas. Por todas las puertas salieron hombres uniformados y, contrariamente a lo que él hubiese esperado, corrieron hacia la cerca tras los coches y camionetas, dirigiéndose de un vehículo a otro hacia la reja abierta que conducía al cuartel de la guardia y al túnel.

Hubo una interrupción en el espacio, en el tiempo. ¡En los hombres! De pronto los cuatro fugitivos del segundo vehículo fueron tres y poco después apareció el cuarto... Pero no era igual, ¡el uniforme no era el mismo! Tenía motas anaranjadas y rojas, la gorra mostraba unos galones dorados y la visera misma parecía demasiado prominente para pertenecer al ejército norteamericano. ¿Qué era...? De pronto, Bourne comprendió. Fragmentos de su memoria retrocedieron al pasado hacia Madrid o Casavieja, donde rastreaba los contactos del Chacal con los falangistas. ¡Era un uniforme español y como hablaba el ruso con fluidez, utilizaba su uniforme de alto rango para escapar de Nóvgorod!

Jason se levantó de un salto con la automática en la mano y corrió por el aparcamiento mientras sacaba otra bengala del bolsillo. Instantes después la había encendido y la lanzaba por encima de los vehículos, al otro lado de la cerca. Benjamin no la vería desde el cuartel y por lo tanto no la confundiría con la señal de cerrar las rejas del túnel; esa señal la emitiría al cabo de un instante, pero por el momento era prematura.

—¡*Eto srochno!* —rugió uno de los fugitivos aterrado al ver la luz cegadora de la bengala.

—¡*Skoryeye!* —gritó otro mientras corría hacia el sector abierto de la cerca.

A la luz cegadora de los focos, Bourne contó las siete figuras que pasaban corriendo y se reunían con la excitada muchedumbre en la boca del túnel. El octavo hombre no apareció, el uniforme español de alto rango no estaba a la vista. ¡El Chacal estaba atrapado!

¡Ahora! Jason sacó la última bengala, la encendió y la arrojó con todas sus fuerzas hacia el cuartel por encima del gentío.

¡*Hazlo, Ben!*, gritó con el pensamiento mientras sacaba una de las dos granadas que le quedaban del bolsillo de su chaqueta. ¡*Hazlo ahora!*

Como respuesta a su fervorosa súplica, se oyó un rugido atronador desde el túnel junto con protestas histéricas, gritos y alaridos. Dos rápidas andanadas de disparos precedieron a una orden ininteligible por los altavoces, proferida en ruso... Otra descarga y la misma voz continuó, aún más intensa y autoritaria. Por un instante la multitud pareció calmarse, pero el griterío se reanudó de inmediato a todo volumen. A la luz de los focos giratorios, Bourne alcanzó a ver la figura de Benjamin sobre el techo del cuartel de la guardia. El joven entrenador gritaba por el micrófono, exhortando a la gente a que siguiese sus instrucciones, fueran cuales fuesen... En efecto, lo obedecían. Gradualmente, la multitud comenzó a retroceder, pero luego cobró ímpetu y comenzó a correr en masa hacia la calle. Benjamin encendió su bengala y la agitó señalando al norte. Él le enviaba a Jason su propia señal. No sólo había cerrado el túnel sino que había dispersado a la muchedumbre sin que nadie resultase herido. Había encontrado una manera mejor.

Bourne se lanzó al suelo y miró por debajo de los vehículos a la luz de la bengala... ¡Unas piernas! ¡Con botas! Detrás del tercer automóvil de la izquierda, a menos de veinte metros de la abertura de la cerca. ¡Carlos era suyo! ¡El final estaba al alcance de su mano! ¡No tenía tiempo!

*¡Haz lo que debes, y hazlo rápido!* Jason dejó caer el arma al suelo, tomó la granada con la mano derecha, quitó el seguro, cogió la calibre 45 con la mano izquierda y echó a correr. Apenas a un metro del coche volvió a lanzarse al suelo y arrojó la granada por debajo del vehículo; pero en el último instante, cuando la pequeña bomba abandonó su mano, ¡comprendió que había cometido un terrible error! Las piernas detrás del coche no se movían. Las botas permanecían en su sitio porque eran sólo eso, ¡unas botas! Bourne se lanzó hacia la derecha, rodó furiosamente sobre las piedras y se cubrió el rostro con las manos mientras trataba de encoger su cuerpo al máximo posible.

La explosión fue ensordecedora. El cielo nocturno iluminado por los focos se llenó de fragmentos de cristal y metal que se clavaron en la espalda y las piernas de Jason.

*¡Muévete, muévete!*, gritó su voz interior mientras se ponía de rodillas y luego de pie, entre el humo y el fuego del vehículo incendiado. Al hacerlo, la grava saltó a su alrededor; corriendo en zigzag, Bourne se lanzó hacia la protección del vehículo más cercano, un camión de forma cuadrada. Tenía dos heridas, en el hombro y en el muslo. Dio la vuelta al camión en el preciso momento en que estallaba el parabrisas.

—¡No eres un enemigo de mi talla, Jason Bourne! —gritó Carlos el Chacal mientras disparaba con su arma automática—. ¡Nunca lo has sido! ¡Eres un farsante, un fraude!

—Quizá sí —rugió Bourne—. ¡Entonces, ven a buscarme! —Jason corrió hasta la puerta del conductor, la abrió y volvió a deslizarse hacia la parte trasera del vehículo, donde se agazapó con el rostro contra el borde y la Colt calibre 45 en la mano. Con un último brillo siseante, la bengala al otro lado de la cerca se apagó y el Chacal dejó de disparar. Bourne comprendió. Carlos estaba frente a la puerta abierta indeciso... Sólo fueron unos segundos. Metal contra metal, la puerta se cerró de un golpe. ¡Ahora!

Jason avanzó de un salto, disparando al uniforme español, y el arma salió volando de las manos del Chacal. ¡Uno, dos, tres!; las vainas saltaron por el aire... ¡y entonces se detuvieron! Las explosiones fueron reemplazadas por un enervante chasquido metálico cuyo sonido indicaba que la recámara estaba trabada. Carlos se lanzó al suelo en busca de su arma. Tenía el brazo ensangrentado e inútil, pero la mano derecha aferró la pistola como la garra de un animal enfurecido.

Bourne desenvainó la bayoneta y saltó hacia el Chacal. ¡Era demasiado tarde! ¡Carlos ya tenía el arma! La mano izquierda de Jason asió el cañón recalentado.

*¡Sujétalo, sujétalo! ¡No puedes soltarlo! ¡Retuércelo! ¡Usa la bayoneta... no! ¡Déjala! ¡Emplea ambas manos!* Las órdenes contradictorias se entremezclaban en su mente: locura. No tenía aliento ni fuerzas, sus ojos no lograban enfocar... el hombro. Al igual que él, ¡el Chacal estaba herido en el hombro derecho!

*¡Resiste! ¡Dale en el hombro pero resiste!* Con un impulso final, Bourne se levantó y empujó al Chacal contra el costado del camión, para golpearle la zona herida con el puño. Carlos lanzó un grito y dejó caer el arma.

Al principio Jason no supo de dónde había procedido el golpe, sólo sintió como si de pronto la parte izquierda de la cabeza se le partiera en dos. ¡Entonces comprendió que se lo había hecho solo! Patinó sobre la grava cubierta de sangre y cayó contra la pared metálica del camión. Ya no importaba, ¡nada importaba!

¡Carlos el Chacal estaba escapando! Con la confusión reinante, tenía cien maneras de escapar de Nóvgorod. ¡Todo había sido inútil!

Sin embargo, le quedaba la última granada. ¿Por qué no? Bourne la cogió, le quitó la anilla y la lanzó por encima del camión hacia el centro del aparcamiento. Después de la explosión, Jason se levantó; quizá la granada significara algo para Benjamin, tal vez comprendiese que debía extremar la vigilancia sobre la zona.

Trastabillando y apenas capaz de dar un paso, Jason se dirigió a la abertura de la cerca que conducía al cuartel y al túnel.

*Oh, Dios, Marie, ¡he fallado! Lo siento muchísimo. ¡Nada! ¡Todo ha sido en vano!* De repente, como si Nóvgorod entero se estuviese burlando de él, vio que alguien había abierto las rejas metálicas del túnel, brindando al Chacal la oportunidad de escapar.

—¿Archie? —La voz atónita de Benjamin flotó por encima de los sonidos del río, seguida por la figura del joven soviético, que corría hacia él—. Dios todopoderoso, ¡pensé que estaba muerto!

—Por eso abriste las rejas, para que mi verdugo pudiera escapar —acusó Jason ya sin fuerzas—. ¿Por qué no le has enviado una limusina?

—Le sugiero que mire de nuevo, profesor —respondió Benjamin jadeante, mientras se detenía frente a él y observaba su rostro magullado y la ropa ensangrentada—. Los años le han deteriorado la vista.

—¿Qué?

—¿Quiere rejas? Pues tendrá rejas. —El entrenador se volvió hacia el cuartel de la guardia y gritó una orden. Segundos después las enormes rejas de hierro descendían y cubrían la boca del túnel. Pero había algo extraño. Jason no las había visto bajadas con anterioridad, sin embargo no se parecían en absoluto a lo que había imaginado. Parecían estar hinchadas, distorsionadas tal vez—. Cristal —explicó Benjamin.

—¿Cristal? —preguntó Bourne, atónito.

—A cada extremo del túnel, hay paredes de cristal de cinco centímetros de grosor, cerradas y selladas.

—¿De qué estás hablando?

No hubo necesidad de que el joven ruso se lo explicase. De pronto, como una serie de gigantescas olas chocando contra las paredes de un enorme acuario, el túnel se llenó con las aguas del río Vóljov. En medio de la violenta y creciente masa líquida había un objeto, una cosa, una forma: ¡un cuerpo! Atónito y petrificado, Bourne miró con ojos desorbitados y la boca abierta, incapaz de emitir el grito que pugnaba por escapar de su pecho. Reunió las pocas fuerzas que le quedaban y comenzó a correr. En dos ocasiones cayó de rodillas, pero cada vez corría más rápido, hasta que finalmente estuvo ante la inmensa pared de cristal que sellaba la entrada del túnel. Con la respiración agitada, colocó las manos sobre la superficie fría y se apoyó contra ella, observando la macabra escena que se le ofrecía. El cadáver de Carlos el Chacal, grotescamente uniformado, chocaba una y otra vez contra las barras de hierro de la reja. Sus facciones morenas aparecían deformadas por el odio y sus ojos parecían proferir injurias contra la muerte que lo sorprendía.

Los fríos ojos de Jason Bourne observaron con satisfacción. Tenía la boca tensa, rígida, era el rostro de un asesino, de un asesino entre asesinos, que había vencido. Sin embargo, por un momento apareció la mirada más suave de David Webb. Sus labios se separaron y formaron el rostro de un hombre liberado del peso de un mundo que detestaba.

—Ha desaparecido, Archie —dijo Benjamin junto a Jason—. Ese canalla ya no podrá regresar.

—Has inundado el túnel —comentó Bourne simplemente—. ¿Cómo supiste que era él?

—Tú no tenías un arma automática, pero él sí. Francamente, pensé que la profecía de Krupkin se había cumplido. Tú estabas muerto y el hombre que te había matado iba a salir por el camino más rápido para escapar. Iba a tomar por el túnel, el uniforme lo confirmaba. De pronto todo adquirió sentido, ya que los acontecimientos se iniciaron en el sector español.

—¿Cómo lograste alejar a la gente?

—Les dije que estaban enviando unas barcazas para llevarlos al otro lado del río, a unos tres kilómetros al norte. Hablando de Krupkin, debo sacarlo a usted de aquí. Ahora. El helicóptero está a menos de un kilómetro. Iremos en el jeep. ¡Dése prisa, por amor de Dios!

—¿Instrucciones de Krupkin?

—Las transmitió con voz ahogada desde la cama del hospital. Estaba tan furioso como conmovido.

—¿A qué te refieres?

—Más vale que lo sepa. Alguien en las altas esferas, Krupkin no sabe quién, dio la orden de que no se le permitiera salir bajo ningún concepto. Dicho así era inconcebible, pero en ese momento nadie sospechaba que todo Nóvgorod iba a estallar en llamas, así que eso será nuestra pantalla.

—¿Nuestra?

—Yo no soy su verdugo, es otra persona. En medio de este caos no llegué a recibir la información, nadie lo sabrá.

—¡Un momento! ¿Adónde me llevará el helicóptero?

—Cruce los dedos, profesor, y rece para que Krupkin y su amigo norteamericano sepan lo que están haciendo. El helicóptero lo llevará a Yelsk y allí tomará un avión hacia Zomosc, al otro lado de la frontera polaca, donde un ingrato país bajo nuestra influencia ha permitido que exista un puesto de escucha de la CIA.

—¡Dios, aún estaré en territorio del bloque soviético!

—Por lo que he alcanzado a comprender su gente lo está esperando. Buena suerte.

—Ben —dijo Jason, estudiando al joven—. ¿Por qué haces esto? Estás desobedeciendo una orden directa...

—¡Yo no he recibido ninguna orden! —replicó el ruso—. Y aunque así fuera, no soy ningún robot sin cerebro. Usted y yo teníamos un acuerdo y usted ha logrado su propósito... Además, si existe alguna oportunidad para mi madre...

—Tiene algo más que una oportunidad —le prometió Bourne.

—¡Vamos! Estamos perdiendo el tiempo. Yelsk y Zomosc son sólo el principio. Le aguarda una larga y peligrosa travesía, Archie.

# 42

Caía el sol y en las islas de Montserrat estaba atardeciendo. El verde, rodeado por un mar azul intenso, era más profundo, y la interminable lluvia de espuma blanca chocaba contra los arrecifes de coral; todo estaba bañado por el diáfano tono anaranjado del horizonte caribeño. En la isla del Sosiego se fueron encendiendo las luces de las últimas cuatro villas sobre la playa, donde se veían figuras que recorrían las habitaciones lentamente, o salían a las terrazas que recibían los últimos rayos del sol poniente. La suave brisa traía el perfume de hibiscos y poncianas entre el follaje tropical, mientras un bote de pesca solitario avanzaba entre los arrecifes con su carga fresca para la cocina de la posada.

Brendan Patrick Pierre Prefontaine se llevó su copa de Perrier al balcón de la villa diecisiete, donde Johnny St. Jacques se tomaba un ron con tónica de pie junto a la baranda.

—¿Cuánto tiempo pasará antes de que vuelva a abrir? —preguntó el ex juez de la corte de Boston mientras se sentaba a la mesa blanca de hierro forjado.

—Podemos reparar los daños en cuestión de semanas —respondió el dueño de la posada del Sosiego—, pero los resabios de lo ocurrido aquí tardarán mucho más en desaparecer.

—Insisto, ¿cuánto tiempo?

—Dejaré pasar cuatro o cinco meses antes de enviar los primeros folletos; será tarde para las reservas de la temporada pero Marie está de acuerdo. Hacer algo antes no sólo sería de mal gusto, sino que la urgencia volvería a alimentar los rumores: terroristas, traficantes de drogas, corrupción en el gobierno de las islas. No necesitamos ni merecemos nada de eso.

—Bueno, tal como le he dicho, puedo pagar mis gastos —dijo el hombre que en el pasado fue un honorable magistrado de la corte del distrito federal en Massachusetts—. Tal vez no llegue a sus precios de temporada alta, querido amigo, pero será suficiente para cubrir los costos de la villa.

—Le dije que lo olvidara. Le debo más de lo que jamás podré pagarle. El Sosiego es suyo siempre que quiera quedarse. —St. Jacques se apartó de la baranda sin dejar de contemplar el bote de pesca, y se sentó frente a Prefontaine—. Me preocupa la gente de allí abajo, en los botes y en la playa. Solía tener tres o cuatro botes que me traían pescado fresco. Ahora sólo hay uno que viene para nosotros y lo que queda del personal, que está trabajando a medio salario.

—Entonces, necesita mi dinero.

—Vamos, juez, ¿qué dinero? No quiero parecer indiscreto, pero Washington me ha enviado un informe detallado acerca de usted. Ha estado viviendo en las calles durante años.

—Ah, sí, Washington —dijo Prefontaine, alzando su copa ante el anaranjado y el azul celeste del cielo—. Como de costumbre, se encuentra doce peldaños detrás del crimen, veinte, cuando se trata de su propia criminalidad.

—¿De qué está hablando?

—De Randolph Gates, de eso hablo.

—¿El canalla de Boston? ¿El que puso al Chacal sobre el rastro de David?

—Resulta conmovedora la forma en que Randolph Gates se ha reformado, Johnny. En todo salvo lo monetario. Sin embargo, aún posee la mente y la conciencia de que hacía gala en Harvard años atrás. No era el más brillante ni el mejor, pero su capacidad literaria y oratoria simulaba un talento del que carecía.

—¿De qué diablos está hablando?

—El otro día lo visité en su centro de rehabilitación en Minnesota, o Michigan, en realidad no lo recuerdo ya que volé en primera clase y pedí todas las bebidas que quise. De todos modos, nos encontramos y llegamos a un acuerdo. Él cambiará de bando, Johnny. Ahora peleará por la gente, no por las sociedades que compran y venden sobre papel. Me dijo que perseguiría a los que se dedican a bajar los precios en la Bolsa y los intermediarios que ganan millones en los mercados a costa de miles y miles de empleos.

—¿Cómo podrá hacerlo?

—Porque ya lo ha hecho. Conoce todos los trucos y está dispuesto a dedicar su considerable experiencia a la causa.

—¿Por qué iba a hacerlo?

—Porque ha recuperado a Edith.

—¿Quién es Edith, en nombre de Dios?

—Su esposa... En realidad, sigo enamorado de ella. Lo he estado desde la primera vez que la vi, pero por aquel entonces yo era un distinguido juez con una esposa y un hijo, por más repulsivos que fueran. Randy el Grande nunca la ha merecido, tal vez ahora pueda recuperar los años perdidos.

—Muy interesante, pero ¿qué tiene que ver todo eso con su acuerdo?

—¿Le he mencionado que lord Randolph Gates amasó una gran fortuna durante aquellos perdidos pero productivos años?

—Varias veces. ¿Y qué?

—Bueno, en reconocimiento por mis servicios, que sin duda lo ayudaron a librarse de una situación muy peligrosa en la que estaba metido, la amenaza procedente de París. Comprendió la necesidad de recompensarme... Ya sabe, después de varias batallas sangrientas en las cortes, creo que está detrás de un juzgado. Mucho más importante que el mío, me parece.

—¿Y qué?

—Pues que si cumplo con mi palabra de abandonar Boston y mantener la boca cerrada, su banco me transferirá cincuenta mil dólares al año durante el resto de mi vida.

—¡Dios!

—Eso mismo me dije yo cuando logramos el acuerdo. Incluso fui a misa por primera vez en treinta años y pico.

—Sin embargo, nunca podrá volver a casa.

—¿Casa? —Prefontaine se sonrió—. ¿Acaso lo ha sido alguna vez? No tiene importancia, es posible que encuentre otra. Un caballero llamado Peter Holland de la Agencia Central de Inteligencia me presentó a su amigo, sir Henry Sykes, quien a su vez me ha presentado a un abogado retirado de Londres llamado Jonathan Lemuel, un nativo de las islas. Es posible que abramos un despacho de abogados juntos. Nos especializaríamos en leyes norteamericanas y británicas referidas a los permisos para importación y exportación. Por supuesto, tendremos que estudiar un poco, pero me las arreglaré. Pienso permanecer aquí durante muchos años.

St. Jacques se levantó rápidamente de la mesa para volver a llenar su copa y observó con cautela al ex juez excluido del foro.


Morris Panov salió de su habitación y entró en la sala de la villa dieciocho donde Alex Conklin estaba sentado en una silla de ruedas. Bajo la camisa blanca del psiquiatra se apreciaban los vendajes del pecho, que se extendían por el brazo izquierdo hasta más abajo del codo.

—¡He tardado casi veinte minutos en colocar este apéndice inútil a través de la manga! —se quejó con ira pero sin autocompasión.

—Debiste haberme llamado —comentó Alex mientras giraba con la silla de ruedas, alejándose del teléfono—. Todavía puedo hacer rodar bastante rápido esta cosa. Claro que tuve un par de años de experiencia antes de mi bota de Quasimodo.

—Gracias, pero prefiero vestirme solo; supongo que tú también preferías caminar solo cuando te colocaron la prótesis.

—Ésa es la primera lección, doctor. Espero que haya algo al respecto en tus libros de cabecera.

—Lo hay. Se llama torpeza, o si lo prefieres, obstinada estupidez.

—No, no lo es —replicó el oficial retirado del servicio secreto con los ojos fijos en Panov, que se estaba sentando lentamente.

—No... no lo es —admitió Mo—. La primera lección es la independencia. Haz todo lo que puedas y trata de hacer más.

—También hay un lado bueno —comentó Alex con una sonrisa, mientras se acomodaba el vendaje alrededor del cuello—. Cada vez resulta más sencillo, no más difícil. Aprendes nuevos trucos cada día, es casi sorprendente lo que nuestras pequeñas células grises pueden inventar.

—¿En serio? Debo explorar este campo algún día... Te he oído hablar por teléfono, ¿quién era?

—Holland. Las líneas han estado al rojo vivo entre Moscú y Washington. Todos los teléfonos clandestinos de ambos bandos están paralizados para evitar filtraciones. Nadie quiere esa responsabilidad.

—¿Medusa?

—Nunca has oído ese nombre, yo nunca lo he oído y nadie a quien conozcamos lo ha oído jamás. Ya ha habido bastantes sangrías en los mercados internacionales, además de unos cuantos litros de verdadera sangre derramada. Ahora no se puede cuestionar la sensatez de las instituciones controladas por ambos gobiernos, que evidentemente han sido ciegas o estúpidas.

—¿Y si se sirvieran de la simple culpabilidad? —preguntó Panov.

—No hay suficientes hombres en la cima como para garantizar la destrucción del conjunto; éste es el veredicto de Langley y de plaza Dzerzhinski. Los jefes del Ministerio de Estado y el Consejo de Ministros del Kremlin están de acuerdo. Sería inútil investigar o poner al descubierto los alcances de la malversación. ¿Qué te parece eso? Malversación. Asesinatos, secuestros, chantajes y corrupción a gran escala, además de utilización del crimen organizado a ambos lados del Atlántico. ¡Ahora lo llaman «malversación»! Dicen que es mejor salvar lo que podamos en la forma más silenciosa y rápida posible.

—Es una obscenidad.

—Es la realidad, doctor. Estás a punto de presenciar uno de los mayores encubrimientos de la historia moderna entre poderosas naciones soberanas... Y lo más obsceno de todo es que probablemente tengan razón. Si se divulga la menor información sobre Medusa, toda la organización quedará al descubierto. En ese caso la gente honrada se indignaría y arrojaría fuera a los canallas, muchos de los cuales no lo son tanto, sólo son corruptos por complicidad. Esas situaciones producen vacíos en los altos cargos y no corren tiempos apropiados para ninguna clase de vacíos. Mejor los Satanes conocidos que los que vendrán luego y no conoces.

—Entonces, ¿qué ocurrirá?

—Se negociará —apuntó Conklin con expresión pensativa—. El campo de acción de Medusa es tan extenso geográfica y estructuralmente que resulta casi imposible desenmarañarlo. Moscú está enviado a Ogilvie de vuelta con un equipo de analistas financieros y junto con nuestra propia gente iniciarán el proceso de desmantelamiento. Holland supone que habrá un discreta y pequeña reunión cumbre, con varios ministros financieros de la OTAN y los países del bloque oriental. Donde los bienes de Medusa puedan mantenerse con sus propios recursos o puedan ser absorbidos por sus economías individuales, se optará por esta alternativa con convenios restrictivos por parte de todos. Lo principal es impedir un pánico financiero con cierre de fábricas y derrumbe de importantes compañías.

—De este modo enterrarán Medusa —observó Panov—. De nuevo será historia jamás escrita ni reconocida. Así ha sido desde el principio.

—Por encima de todo, eso —confirmó Alex—. Por obra y omisión, hay suficiente suciedad como para manchar a todos.

—¿Qué sucederá con hombres como Burton o como Atkinson, en Londres?

—No son más que mensajeros y pantallas; quedan al margen por razones de salud y, créeme, ellos lo comprenden.

Panov hizo una mueca mientras acomodaba su cuerpo herido y dolorido en la silla.

—Esto no compensa sus crímenes, pero el Chacal ha servido para algo, ¿verdad? Si no lo hubieran estado buscando, no habrían encontrado Medusa.

—La coincidencia del mal, Mo —dijo Conklin—. No pienso recomendarlo para una medalla póstuma.

—Yo diría que es más que una coincidencia —replicó Panov, sacudiendo la cabeza—. En el análisis final, David tenía razón. Después de todo existía un vínculo. En Medusa alguien tenía uno o varios asesinos que utilizaban el nombre de «Jason Bourne»; esa persona sabía lo que hacía.

—Te refieres a Teagarten, por supuesto.

—Sí. Como Bourne estaba en la lista negra de Medusa, nuestro patético renegado, De Sole, debió hablarles acerca de la operación Treadstone, tal vez no la mencionó por su nombre pero explicó lo fundamental. Cuando averiguaron que Jason, David, estaba en París, utilizaron el argumento original: Bourne contra el Chacal. Al matar a Teagarten de ese modo, supusieron con razón que reclutarían el mejor socio para buscar y matar a David.

—Eso ya lo sabemos. ¿Qué quieres decir?

—¿No lo comprendes, Alex? Cuando piensas en ello, Bruselas fue el comienzo del fin. Al final, David utilizó esa acusación falsa para que Marie supiese que todavía estaba con vida, para que Peter Holland lo comprendiera. El mapa con el círculo rojo alrededor de Anderlecht.

—Les dio una esperanza, eso es todo. No suelo confiar demasiado en ella, Mo.

—Hizo algo más que dar una esperanza. El mensaje logró que Holland preparara cada puesto de Europa para que esperaran a Jason Bourne, el asesino, y utilizaran hasta el último recurso para traerlo de vuelta aquí.

—Y funcionó. Algunas veces estas estrategias no funcionan.

—Funcionó porque semanas atrás un hombre llamado Jason Bourne supo que para atrapar a Carlos debía existir un vínculo entre él mismo y el Chacal, una conexión largamente olvidada que debía volver a la superficie. Y lo hizo, ¡tú lo hiciste!

—De un modo muy indirecto —admitió Conklin—. Estábamos buscando, eso es todo. Posibilidades, probabilidades, abstracciones era lo único de que disponíamos.

—¿Abstracciones? —preguntó Panov meditabundo—. Es un término pasivo muy erróneo. ¿Tienes idea del estruendo que provocan las abstracciones en el cerebro?

—Ni siquiera sé de qué estás hablando.

—Esas células grises, Alex. Enloquecen como infinitesimales pelotitas de ping pong que trataran de encontrar pequeños túneles para estallar en ellos, atraídas por sus propias compulsiones intrínsecas.

—No comprendo nada.

—Tú mismo lo has dicho, la coincidencia del mal. Pero además yo sugeriría otro conductor: la atracción por el mal. Eso fue lo que creasteis David y tú, y dentro de ese amplio campo de atracción estaba Medusa.

Conklin giró con la silla y avanzó hacia el balcón, donde el resplandor anaranjado del sol poniente bañaba las verdísimas islas de Montserrat.

—Quisiera que todo fuese tan simple como tú lo expones, Mo —dijo rápidamente—. Pero me temo que no es así.

—Tendrás que ser más claro.

—Krupkin es hombre muerto.

—¿Qué?

—Lo lloro como amigo y como excelente enemigo. Hizo todo lo que pudo por nosotros y cuando todo hubo terminado, decidió lo correcto, no lo que le habían ordenado. Permitió que David viviera y ahora pagará por ello.

—¿Qué le ha ocurrido?

—Según Holland, desapareció del hospital en Moscú hace cinco días. Simplemente cogió su ropa y salió andando. Nadie sabe cómo lo hizo ni adónde fue, pero una hora después de su partida, el KGB llegó para arrestarlo y trasladarlo a Lubyanka.

—Entonces no lo han atrapado...

—Lo harán. Cuando el Kremlin emite una alerta negra, todas las carreteras, estaciones de tren, aeropuertos y puestos fronterizos se examinaban con lupa. Las represalias son irresistibles: quien lo deje salir pasará diez años en prisión. Sólo es una cuestión de tiempo. Maldita sea.

Se oyeron unos golpes en la puerta y Panov exclamó:

—¡Está abierto porque es más sencillo! Entre.

Vestido de forma inmaculada, el adjunto a gerencia Pritchard entró precedido por un carrito de servicio que podía empujar sin agacharse. Con una amplia sonrisa, anunció su presencia al igual que su misión.

—Buckingham Pritchard a sus órdenes, caballeros. He traído algunas exquisiteces del mar para su reunión colegial antes de la cena, que he supervisado personalmente junto al cocinero, hombre propenso a cometer errores sin la dirección experta que con todo placer le proporciono.

—¿Colegial? —dijo Alex—. Dejé el colegio hace treinta y cinco años, maldita sea.

—Dígame, señor Pritchard —dijo Morris Panov—. ¿No tiene muchísimo calor con esa ropa tan gruesa? Yo estaría sudando como un cerdo.

—Yo no transpiro, señor —replicó el adjunto a gerencia.

—Apuesto mi pensión a que «transpiró» cuando el señor St. Jacques regresó de Washington —intervino Alex—. Dios todopoderoso, ¡Johnny un «terrorista»!

—El incidente ya se ha olvidado, señor —dijo Pritchard impasible—. El señor Saint Jay y sir Henry han comprendido que a mi brillante tío y a mí sólo nos movía la preocupación por los niños.

—Comprensible, muy comprensible —observó Conklin.

—Les dejaré los canapés, caballeros, y también el hielo. Los demás estarán aquí en cuestión de minutos.

—Muy amable por su parte —le agradeció Panov.


David Webb se apoyó contra la arcada del balcón y observó cómo su esposa leía las últimas páginas de un cuento a su hijo. La distinguida señora Cooper dormitaba en un sillón, cabeceando sobre su pecho generoso como si en cualquier momento esperase oír a la pequeña Alison en la habitación contigua, a pocos metros de donde estaba sentada. Las inflexiones de la voz suave de Marie se combinaban con las palabras de la historia y Jamie la escuchaba con los ojos abiertos como platos. Con su mente analítica que encontraba música en los números, su esposa bien podía haber sido una actriz, reflexionó David. Tenía los atributos superficiales de aquella incierta profesión: facciones llamativas, una apariencia imponente, la característica imprescindible que forzaba a hombres y a mujeres a guardar silencio y admirarla pensativamente cada vez que caminaba por una calle o entraba en una habitación.

—¡Tú me leerás mañana, papi!

La historia había terminado, como atestiguaron su hijo al saltar del sillón y la señora Cooper al abrir los ojos.

—Quería leerte esta noche —dijo Webb a la defensiva mientras se apartaba de la arcada.

—Bueno, todavía hueles un poco —respondió el niño.

—Tu padre no huele, Jamie —le explicó Marie con una sonrisa—. Ya te lo he explicado, es la medicina que le ha dado el médico para las heridas del accidente.

—Pues huele igualmente.

—No puedes discutir con una mente analítica cuando tiene razón, ¿verdad? —preguntó David.

—¡Es demasiado temprano para ir a la cama, mami! Podría despertar a Alison y comenzaría a llorar otra vez.

—Lo sé, cariño, pero papi y yo debemos ir a ver a los tíos…

—¡Y a mi nuevo abuelo! —gritó el niño con entusiasmo—. El abuelo Brendan dijo que me enseñaría cómo ser juez algún día.

—Que Dios ayude al muchacho —intervino la señora Cooper—. Ese hombre se viste como un pavo real en celo.

—Puedes ir a nuestro cuarto y mirar la televisión —concedió Marie precipitadamente—. Pero sólo media hora…

—¡Uf!

—Bien, quizá una hora, pero la señora Cooper escogerá los canales.

—¡Gracias, mami! —exclamó el niño, que echó a correr hacia la habitación de sus padres mientras la señora Cooper se levantaba del sillón y lo seguía.

—Oh, yo lo prepararé para dormir —dijo Marie, y se levantó.

—No, señora Marie —protestó la señora Cooper—. Usted quédese con su marido. El hombre sufre, pero no dirá nada. —La mujer desapareció en el dormitorio.

—¿Es verdad, amor mío? —preguntó Marie, acercándose a David—. ¿Qué te duele?

—No quisiera destruir el mito de su indiscutible intuición, pero se equivoca.

—¿Por qué hablas de forma tan pomposa cuando una palabra bastaría?

—Porque se supone que soy un intelectual. Nosotros los académicos nunca tomamos el camino directo porque eso no nos deja nada a qué aferrarnos si nos equivocamos. Y tú, qué eres,¿ una antiintelectual?

—No —respondió Marie—. ¿Lo ves? Basta con una simple palabra aseverativa.

—¿Qué es aseverativa? —preguntó Webb mientras la abrazaba para besarla. Sus labios se entrelazaron en un beso lleno de significados y estímulos.

—Es un atajo a la verdad —respondió Marie mientras echaba la cabeza hacia atrás para mirarlo—. Nada de circunloquios, sólo hechos. Como en cinco más cinco igual a diez, ni nueve ni once, diez.

—Tú eres un diez.

—Eso es banal, pero lo aceptaré. Y tú estás más relajado, me doy cuenta. Jason Bourne se está yendo, ¿verdad?

—Más o menos. Mientras estabas con Alison, me llamó Ed Mc Allister de la Agencia Nacional de Seguridad. La madre de Benjamin va camino de Moscú.

—¡Eso es maravilloso, David!

—Tanto Mac como yo nos reímos, y mientras lo hicimos se me ocurrió que nunca había oído reír a McAllister. Fue agradable.

—Guardaba su culpa en la manga... no, en todas partes. Nos envió a los dos a Hong Kong y nunca se lo ha perdonado. Ahora estás de vuelta, vivo y libre. No estoy segura de que yo llegue a perdonarlo, pero al menos no le colgaré el teléfono cuando llame.

—Se alegrará de ello. A decir verdad, le pedí que llamase. Le dije que algún día incluso lo invitarías a cenar.

—Yo no he dicho tanto.

—¿Y la madre de Benjamin? Ese muchacho me salvó la vida.

—Tal vez un almuerzo rápido.

—Quítame las manos de encima, mujer. Dentro de quince segundos echaré a Jamie y a la señora Cooper fuera de nuestra habitación y exigiré mis derechos conyugales.

—Me tienta la proposición, Atila, pero creo que mi hermano cuenta con nosotros. Dos inválidos fastidiosos y un juez lleno de fantasías es más de lo que puede soportar un muchacho criado en un rancho de Ontario.

—Los quiero a todos.

—Yo también. Vámonos.


El sol del Caribe había desaparecido; sólo un difuso reflejo anaranjado iluminaba apenas el horizonte. Las llamas de las velas en tulipas de vidrio ardían firmes y puntiagudas, emitían una luz cálida con sombras agradables en la terraza de la villa dieciocho. La conversación también había sido cálida y agradable: sobrevivientes saboreando el final de una pesadilla.

—Le he explicado a Randy con todo detalle que la doctrina de *stare decisis* debe cuestionarse si los tiempos han modificado las percepciones que se obtuvieron al tomar las decisiones originales —enunció Prefontaine—. Cambios, cambios, el resultado inevitable del calendario.

—Eso es tan obvio que no puedo imaginar que nadie lo discuta —comentó Alex.

—Oh, Gates lo ha usado sin cesar y ha confundido a jurados y colegas con su erudición.

—Espejos y humo —agregó Marie riendo—. Nosotros hacemos lo mismo en economía. ¿Recuerdas que te lo dije, hermano?

—No entendí una palabra. Todavía no lo comprendo.

—No hay espejos ni humo en lo que se refiere a la medicina —intervino Panov—. Al menos no si los laboratorios están bajo control y se prohíben las especulaciones farmacéuticas. Los avances legales se comprueban día a día.

—En muchos sentidos es el núcleo expresamente indefinido de nuestra Constitución —continuó el ex juez—. Es como si los fundadores hubiesen leído a Nostradamus pero no hubiesen querido admitir su frivolidad. O tal vez estudiaran los bocetos de Da Vinci, quien había previsto los aviones. Ellos comprendían que no podían legislar para el futuro, ya que no sospechaban lo que éste entrañaría o qué sociedad exigiría sus futuras libertades. Ellos dejaron brillantes omisiones.

—Que el brillante Randolph Gates no acepta como tales, si mal no recuerdo —dijo Conklin.

—Oh, ahora cambiará rápidamente —replicó Prefontaine, riendo—. Siempre ha seguido la dirección del viento y ahora está dispuesto a corregir las velas.

—No dejo de preguntarme qué habrá ocurrido con la esposa del camionero al que llamaban «Bronk» —comentó el psiquiatra.

—Trata de imaginar una casita con una cerca de madera blanca, etcétera —propuso Alex—. Es más sencillo de ese modo.

—¿Qué esposa de qué camionero? —preguntó St. Jacques.

—Olvídalo, hermano, prefiero no saberlo.

—¡O de ese médico hijo de puta que me llenó de Amytal! —insistió Panov.

—Dirige una clínica en Leavenworth —respondió Conklin—. Se me había olvidado... Son tantos y tan locos. Y Krupkin. El viejo loco de Krupkin, con toda su elegancia. Estamos en deuda con él, pero no podemos ayudarlo.

Hubo un momento de silencio mientras cada uno a su manera pensaba en el hombre que, desinteresadamente, se había opuesto a un sistema monolítico que exigía la muerte de David Webb. Éste se hallaba junto a la baranda, algo retirado en cuerpo y alma de los demás, mirando el mar oscuro. Necesitaría tiempo, él lo sabía. Jason Bourne debía desaparecer, debía abandonarlo. ¿Cuándo?

¡Aún no! ¡En medio de la noche, la locura volvía a comenzar! Desde el cielo, el sonido de múltiples motores quebró el silencio como una tormenta eléctrica en ciernes. Tres helicópteros militares descendieron sobre el muelle del Sosiego y una andanada de disparos cayó sobre la costa mientras una poderosa lancha avanzaba entre los arrecifes hacia la playa. St. Jacques se abalanzó sobre el intercomunicador.

—¡Alarma en la costa! —gritó—. ¡Tomad las armas!

—¡Dios, el Chacal está muerto! —gritó Conklin.

—¡Pero sus malditos discípulos siguen con vida! —intervino Bourne sin rastros de David Webb mientras lanzaba a su esposa al suelo y extraía un arma del cinturón de la que Marie no sabía nada—. Les han dicho que estaba aquí.

—¡Es una locura!

—Ése es Carlos —respondió Jason mientras corría hacia la baranda del balcón—. ¡Los posee! ¡Son suyos de por vida!

—¡Mierda! —rugió Alex mientras hacía rodar su silla furiosamente y empujaba a Panov lejos de la mesa y de las velas encendidas.

De pronto, por el altavoz del helicóptero principal se oyó la voz del piloto entre la descarga de estática.

—¡Ya ha visto lo que hemos hecho en la playa, *mon*! ¡Lo partiremos en dos si no apaga el motor...! Muy bien, *mon*. Deje que la corriente lo lleve a la costa... No encienda el motor y bajen los dos al muelle con las manos sobre la borda, inclinados hacia delante. ¡Obedezcan!

Los reflectores de los dos helicópteros se centraron en el bote mientras el aparato al mando descendía a la playa. Cuatro hombres bajaron con las armas apuntadas hacia la lancha mientras los ocupantes de la villa dieciocho permanecían junto a la baranda, observando perplejos la escena increíble que se desarrollaba abajo.

—¡Pritchard! —llamó St. Jacques—. ¡Tráigame unos prismáticos!

—Los tengo en la mano, señor Saint Jay. Oh, allí están. —El adjunto a gerencia corrió con los poderosos prismáticos y se los entregó a su jefe—. ¡He limpiado las lentes, señor!

—¿Qué sucede? —preguntó Bourne con brusquedad.

—No lo sé. Dos hombres.

—¡Vaya ejército! —masculló Conklin.

—Dámelos —le ordenó Jason a su cuñado, arrebatándole los prismáticos.

—¿Qué ocurre, David? —gritó Marie al ver la conmoción en el rostro de su esposo.

—Es Krupkin.

Dimitri Krupkin estaba sentado ante la mesa blanca de hierro forjado. Tenía el rostro pálido, todo el rostro, ya que se había afeitado la barba, y se negaba a hablar con nadie hasta que se terminara la copa de brandy. Al igual que Panov, Conklin y David Webb, resultaba evidente que era un hombre herido y que experimentaba un dolor considerable. Pero al igual que los demás, no daba demasiada importancia a la cuestión ya que el futuro que lo esperaba era infinitamente mejor que lo que había dejado atrás. Sus ropas decididamente humildes parecían fastidiarlo cada vez que las miraba, pero continuamente se encogía de hombros en silencio, seguro de que muy pronto recuperaría su elegancia habitual. Sus primeras palabras fueron para el anciano Brendan Prefontaine, después de apreciar su llamativa camisa color melocotón sobre el pantalón azul.

—Me gusta esa ropa —comentó con admiración—. Muy tropical y apropiada para el clima.

—Gracias.

Se hicieron las presentaciones y después una andanada de preguntas cayó sobre el soviético. Él alzó ambas manos como si fuera el papa desde su balcón en la plaza San Pedro.

Entonces habló.

—No os aburriré con los detalles triviales de mi viaje desde la Madre Rusia, salvo decir que estoy horrorizado por los altos precios de la corrupción. Nunca olvidaré ni perdonaré las incomodidades que he tenido que sufrir a cambio de las sumas exhorbitantes de dinero que he pagado. Dicho esto, doy gracias a Dios por el Crédit Suisse y los adorables cupones verdes que emiten.

—Cuéntenos qué ocurrió —pidió Marie.

—Usted, mi querida señora, es aún más encantadora de lo que había imaginado. Si nos hubiésemos conocido en París, se la hubiera arrebatado a este pelagatos salido de un libro de Dickens que tiene por esposo. Vaya, miren su cabello: ¡una belleza!

—Probablemente no ha podido decirle de qué color era —comentó Marie con una sonrisa—. Usted será la amenaza que sostendré sobre su palurda cabeza.

—Sin embargo, considerando su edad, es bastante competente.

—Eso es porque le suministro muchas pastillas, toda clase de pastillas, Dimitri. Ahora díganos, ¿qué ocurrió?

—¿Qué ocurrió? ¡Me descubrieron, eso ocurrió! ¡Han confiscado mi hermosa casa de Ginebra! ¡Ahora es una dependencia de la embajada soviética. ¡Tengo el corazón destrozado!

—Creo que mi esposa está hablando de mí —apuntó Webb—. Usted estaba en el hospital de Moscú y averiguó lo que alguien tenía planeado para mí. La ejecución. Entonces le dijo a Benjamin que me sacara de Nóvgorod.

—Tengo mis fuentes, Jason. En las altas esferas también se cometen errores y no quiero incriminar a nadie mencionando nombres. Simplemente se trataba de un error. Si Nuremberg nos ha enseñado algo, ha sido a no obedecer órdenes estúpidas. Esa lección pasa barreras y penetra en las mentes. En Rusia hemos sufrido mucho, mucho más que cualquiera en Norteamérica durante la Segunda Guerra Mundial. Algunos de nosotros lo recordamos y no imitaremos al enemigo.

—Bien dicho —observó Prefontaine alzando su copa de Perrier hacia el soviético—. Cuando todo está dicho y hecho, comprendemos que formamos parte de la misma raza humana, pensante y sensible, ¿verdad?

—Bueno —dijo Krupkin mientras sorbía su cuarta copa de coñac—, aparte de esa observación tan atractiva aunque excesivamente manida, existen diferencias de cometido, juez. Nada serio por supuesto, pero diferencias de todos modos. Por ejemplo, aunque mi casa en el lago de Ginebra ya no me pertenezca, mis cuentas en las islas Caimán siguen siendo estrictamente personales. De paso, ¿a qué distancia están las islas de aquí?

—A unos mil ochocientos kilómetros hacia el este —respondió St.

Jacques—. Un avión desde Antigua lo llevará sin demora allí en unas tres horas.

—Eso imaginaba —dijo Krupkin—. Cuando estábamos en el hospital de Moscú, Alex solía hablar de la isla del Sosiego y de Montserrat, así que fui a mirar el mapa a la biblioteca del hospital. Todo parece estar de paso. A propósito, no tratarán al hombre del bote con excesiva dureza, ¿verdad? Mis carísimos documentos falsos están en regla.

—Su único crimen fue la forma en que apareció, no el hecho de que lo haya traído hasta aquí —respondió St. Jacques.

—Yo tenía prisa; quería salvar mi vida.

—Ya he explicado a las autoridades que es un viejo amigo de mi cuñado.

—Bien. Muy bien.

—¿Qué hará ahora, Dimitri? —preguntó Marie.

—Me temo que no tengo demasiadas alternativas. Nuestro oso ruso no sólo tiene más garras que patas un ciempiés, también cuenta con una red internacional informatizada. Tendré que permanecer oculto algún tiempo mientras me organizo una nueva existencia. Desde el nacimiento, por supuesto. —Krupkin se volvió hacia el dueño de la posada del Sosiego—. ¿Sería posible alquilar una de estas encantadoras cabañas, señor St. Jacques?

—Después de lo que ha hecho por David y mi hermana, no lo dude. Está en su casa, señor Krupkin.

—Qué amable. Naturalmente, primero quiero viajar a las Caimán, donde, según me han dicho, hay unos sastres excelentes; después tal vez me dirija a Tierra del Fuego o las Malvinas, algún lugar remoto donde pueda conseguir una identidad y un pasado creíble aunque oscuro, con poco dinero. Cuando lo tenga todo en marcha, hay un doctor en Buenos Aires que hace maravillas con las huellas dactilares, sin demasiado dolor según me han dicho. Después me someteré a cirugía plástica de poca envergadura. —Río tiene lo mejor en eso, incluso más que Nueva York—, lo suficiente para cambiarme el perfil y quizá quitarme unos años. Durante los últimos cinco días no he tenido otra cosa que hacer salvo pensar y planificar, soportando situaciones que no quisiera describir ante la adorable señora Webb.

—Sin duda ha estado pensando —comentó la esposa de David, impresionada—. Y por favor, llámeme Marie. ¿Cómo podría amenazarlo con huir con usted si me llama señora Webb?

—¡Ah, la encantadora Marie!

—¿Qué me dices de esos encantadores planes tuyos? —preguntó Conklin con sarcasmo—. ¿Cuánto tiempo necesitarás para llevarlos a término?

—¿Y eres precisamente tú quien me formula semejante pregunta? —Krupkin abrió los ojos de par en par con escepticismo.

—Es inevitable —replicó Alex.

—¿Tú, uno de los principales creadores del mayor impostor que jamás ha conocido el mundo del terrorismo internacional? ¿El incomparable Jason Bourne?

—Si eso me incluye —dijo Webb—, estoy al margen. Ahora me dedico a la decoración de interiores.

—¿Cuánto tiempo, Kruppie?

—Por amor de Dios, hombre, tú entrenabas a un recluta para una misión, ¡yo estoy cambiando una vida!

—¿Cuánto?

—Dímelo tú, Alex. Estamos hablando de mi vida, por más inútil que sea en la trama geopolítica de las cosas, sigue siendo mi vida.

—Todo el tiempo que necesite —intervino David Webb, mientras la imagen invisible de Jason Bourne miraba por encima de su hombro herido.

—Dos años para hacerlo bien, tres para hacerlo mejor —declaró Dimitri Krupkin.

—Son suyos —dijo Marie.

—Pritchard —llamó St. Jacques volviendo la cabeza—. Prepáreme un trago, por favor.

# EPÍLOGO

Paseaban por la playa iluminada por la Luna, rozándose de vez en cuando. La turbación de la intimidad no dejaba de entrometerse, como si el mundo que los había separado no les permitiese escapar de su círculo terrible, atrapándolos constantemente en un núcleo ardiente.

—Llevabas un arma —comentó Marie con suavidad—. Ni siquiera lo sospechaba. Odio las armas.

—Yo también. No estoy seguro de haber sabido que la tenía. Simplemente, estaba allí.

—¿Reflejo? ¿Compulsión?

—Ambas cosas, supongo. Da lo mismo, no la llegué a utilizar.

—Pero querías hacerlo, ¿verdad?

—Tampoco estoy seguro. Si tú y los niños estuvieseis amenazados, por supuesto que lo haría. Pero no creo que disparase de forma indiscriminada.

—¿Estás seguro, David? ¿La aparición del peligro no te haría desenfundar el arma y disparar a las sombras?

—No, yo no disparo a las sombras.

Pasos. ¡En la arena! El sonido de las olas sobre la inconfundible intrusión de un ser humano, interrupciones en el ritmo natural... ¡sonido que Jason Bourne conocía de cientos de playas! Giró y empujó violentamente a Marie para apartarla de la línea de fuego mientras se agazapaba con el arma en la mano.

—Por favor, no me mates, David —suplicó Morris Panov, quien iluminó la zona con su linterna—. Simplemente, no tendría sentido.

—¡Por Dios, Mo! —exclamó Webb—. ¿Qué estás haciendo?

—Trataba de encontrarte, eso es todo... Por favor, ¿quieres ayudar a Marie?

Bourne levantó a Marie de la arena y ambos quedaron cegados por la linterna.

—¡Dios mío, eres el enemigo! —gritó Jason mientras alzaba el arma.

—¿Qué dices? —rugió el psiquiatra mientras dejaba caer la linterna—. Si de verdad crees eso, dispara, ¡hijo de puta!

—No lo sé, Mo. ¡Ya no sé nada...!

—¡Entonces, llora, maldito! ¡Llora como nunca antes has llorado! Jason Bourne ha muerto, fue incinerado en Moscú, ¡ésa es la verdad! ¡O la aceptas o no quiero volver a verte! ¿Lo has comprendido, arrogante y maravillosa creación? Ya lo has hecho, ¡y ha terminado!

David Webb cayó de rodillas con los ojos llenos de lágrimas. Temblaba y trataba de no emitir ningún sonido.

—Estaremos bien, Mo —dijo Marie, arrodillándose junto a su esposo para abrazarlo.

—Lo sé —admitió Panov, y asintió con la cabeza a la luz de la linterna caída—. Dos vidas en una mente; ninguno de nosotros puede saber qué se siente. Pero ahora ya se ha acabado. Por fin se ha acabado.

Este libro ha sido impreso en los talleres
de Novoprint S.A.
C/ Energía, 53  Sant Andreu de la Barca
(Barcelona)